U0709891

圖書在版編目(CIP)數據

國家圖書館藏敦煌遺書・第一册/中國國家圖書館編;任繼愈主編. —北京:北京圖書館出版社,2005.10

ISBN 7-5013-2943-5

Ⅰ.圖… Ⅱ.①中…②任… Ⅲ.敦煌學-文獻 Ⅳ.K870.6

中國版本圖書館 CIP 數據核字(2005)第 111252 號

書　　名　國家圖書館藏敦煌遺書・第一册
著　　者　中國國家圖書館　編　任繼愈　主編
責任編輯　徐　蜀　孫　彦
封面設計　李　璀

出　　版　北京圖書館出版社　(100034　北京西城區文津街 7 號)
發　　行　010-66139745　66151313　66175620　66126153
66174391(傳真)　66126156(門市部)
E-mail　cbs@nlc.gov.cn(投稿)　btsfxb@nlc.gov.cn(郵購)
Website　www.nlcpress.com
經　　銷　新華書店
印　　刷　北京文津閣印務有限責任公司

開　　本　八開
印　　張　63.75
版　　次　2005 年 10 月第 1 版第 1 次印刷
印　　數　1-150 册(套)

書　　號　ISBN 7-5013-2943-5/K・1226
定　　價　990.00 圓

編輯委員會

主　　編　任繼愈
常務副主編　方廣錩
副 主 編　李際寧　張志清
編委（按姓氏筆畫排列）　王克芬　王姿怡　李文潔　吳玉梅　胡新英　陳　穎　黃　霞（常務）　劉玉芬

出版委員會

主　任　詹福瑞
副主任　陳　力
委　員（按姓氏筆畫排列）　李　健　郭又陵　徐　蜀　孫　彦

攝製人員（按姓氏筆畫排列）

于向洋　王富生　王遂新　谷韶軍　張　軍　張紅兵　張　陽　曹　宏　郭春紅　楊　勇　嚴　平

序

任繼愈

一九〇〇年敦煌藏經洞被發現，公諸於世。國家爲了制止珍貴文物繼續流失，把餘下的敦煌遺書交給京師圖書館保管收藏。一九二二年，陳垣先生主持整理《敦煌劫餘録》；同年，胡鳴盛等先生對這些敦煌遺書繼續整理、編目，做了大量工作。中國國家圖書館的這批敦煌遺書，部分曾以縮微膠卷的形式公佈，但縮微膠卷有不少不足之處；部分從未公佈，不爲人們所知。今天全部公之於衆，給世界文獻寶庫增添新的内容，意義非同尋常。

新中國成立後，一九八二年，國家制定古籍整理規劃，大規模、有計劃地對中國古籍進行全面評估，制定規劃。佛教、道教古籍也在規劃之内。先着手編訂《中華大藏經》（漢文部分·上編）。中國國家圖書館所藏的一萬多號敦煌遺書中，絶大多數爲佛教典籍（漢文以外，尚有藏文等其他文種），有很多爲歷代藏經所未收。《中華大藏經》（漢文部分·下編）已決定收録這一部分珍貴資料。

我們自己幾千年的歷史經驗證明，建立新國家，首先應該發展生産，接着就是文化建設、思想建設。中國古代最强盛的時期首推漢、唐。漢朝建國七十多年以後，經過四代人的努力，創建了燦爛的漢代文化。唐朝盛世號稱「貞觀之治」，當時主要在於恢復生産，真正富强是在唐玄宗開元時期，也經歷了四代人的努力。清朝的文化繁榮在乾隆時期，經歷了順治、康熙、雍正三代，近百年之久。

新中國建立剛五十多年，目前我們正處在承先啓後、繼往開來的偉大轉折時期。我們已經進入了二十一世紀，這將是經濟有長足發展、建設有中國特色社會主義、多民族統一大國取得成效的時期。我們「繼往」繼承的是五千年文明燦爛之往；我們「開來」，開創的是五千年從未有的社會主義新文化的未來。

時代賦予我們的使命是建設二十一世紀，爲創建新文化準備充足的思想資料。只有我們所處的新時代，才有可能擺脱前人的局限，吸收古今中外前人的一切有價值的遺産，敦煌遺書的佛教文化當然受到應有的重視。

從事敦煌學研究的研究者遍佈於全世界。外國學者同中國學者比較，他們對中國歷史、社會、風俗民情畢竟隔了一層，難免受到一定的局限。中國學者對敦煌學研究，前幾年人數較少，國内的外部條件尚不完備，顯得不及外國熱鬧。隨著中國經濟發展，政治安定，教育制度完善，我國有計劃地培養青年專家學者，涌現出大批有才幹學識的中青年學者。他們有中國傳統文化的基礎，又有現代科學的訓練，有對祖國文化的愛國熱情。從近十年來已發表的學術論著來看，中國學者從事敦煌研究已形成群星燦爛的學者群體。各種學科門類齊全，著作的質和量都已達到相當水平，有些領域已超過外國專家學者的造詣。

建設中華民族文化，主力軍只能依靠中國人自己，客卿有他們的優勢，可以聯合並肩前進，主力還得靠我們自己。外國學者根據他們的興趣，依託有關財團資助，可以完成某些專項課題，但他們没有建設中國新文化的任務，歷史主義的研究方法也難以被他們接受，在研究方法上有他們的局限。

新學科的建設，離不開新材料、新手段的發現。敦煌千佛洞石室藏書的發現，引發出敦煌學。但是還應指出，一種新學科興旺發達，主要在於時代的需要、社會的需求。近代自然科學的興起，動力在於大工業的興起。西哲有云，一種學説在某國流行的程度，取決於這個國家需要的程度。歷史證明，這種看法有道理。敦煌學已有近百年的歷史，而敦煌學的大量成果出現，大批學者成長，主要在於符合祖國文化建設的需要。「需要」是主觀的要求，個人的需要，如秦皇漢武求神仙不死之藥，即使有强有力者的推動，也没有生命力。如果出於民族的需要、歷史的需要，這種群體的需求卻反映着客觀實際狀況，它具有客觀獨立的實力。如歷史上王朝的興亡，無非民心的向背。新中國建國以來敦煌學的興旺，完全是適應祖國文化建設的需求必然出現的景象。

近百年來，中外學者在敦煌研究方向——民族學，宗教學，文學，藝術，語言學，音韻學，古代社會經濟，歷史考訂，諸多方面都有可觀的成績。

敦煌學研究還有待加强，綜合研究的體制尚未確立。近百年來，對佛教以外的文書用力較多，而對占總量百分之九十以上的佛教文書，投入的人力相對較少。敦煌文書分散在世界各地（主要集中在倫敦、巴黎、彼得堡及北京四處，散在世界各地及中國各地區也還不少）。我們今天已有條件，採用現代科學手段，用電子技術，把分散在各地的敦煌文書作爲信息資源集中起來；把過去無法整合的卷子，盡可能使它得到綴合，恢復原貌；把敦煌資料與有關史書、考古實物綜合考察；把民俗記載與現實民族調查綜合對比；把佛教與同時流行的道教、袄教、摩尼教對比研究，漢傳佛教與藏傳佛教對比研究等等。這一切工作都是爲了一個共同目的——爲建設中國的新文化提供豐富可靠的資料。

敦煌遺書發現於祖國河西走廊，涉及民族主要是漢、藏等幾個民族，時限只有東晋到北宋幾百年。所保存的文獻資料，有完整的，有不完整的，在整個中華民族文化寶庫中，不過是一個局部和剖面。這已經引起舉世矚目，世界學者研究了近百年，解決了疑難問題的一部分。整個中華民族遺産比敦煌遺書不知要豐富多少倍，只是由於人爲戰争和自然災害，没有很好地保存下來，因而敦煌遺書更加珍貴。可以毫不誇張地説，中華民族歷經千劫百難，屢踣屢起，屹立於世界民族之林，不能不承認它有根基深厚、源遠流長的文化傳統。

我們出版中國國家圖書館館藏敦煌遺書，是爲了把有用的珍稀文獻公諸天下，爲新中國，爲全世界做出應有的貢獻。世界上的文明古國，有的衰落，有的不復存在，只有中國這個文明古國，古而不老，舊而常新。

此次影印《國家圖書館藏敦煌遺書》，不是簡單地影印翻拍，我們對每件遺書，冠以條目式的簡明目録，除了描述式的介紹外，還有涉及卷子的内容。因此，每一篇遺書都注入研究者的心力，力求向後人，向世界提供可以信賴的第一手資料。力圖不讓後人費第二遍補正之勞。實在不能解決的，寧可缺文，以待後賢。不敢强不知以爲知。

敦煌遺書皮藏在英、法、俄三處者，近二十年來，均已先後影印出版向世界公開。人類文化遺産資源共享，是學術界的共同願望。由於諸多原因我國所藏的敦煌遺書只公佈了很少部分，迄今研究敦煌學者未能窺見全貌。敦煌遺書雖源於中國，一旦成爲世界文化遺産，它就是人類共同的精神財富。珍貴古籍，作爲文化的載體，具有雙重身份，既有文物價值，又有知識教育價值。本書的出版，力求爲研究者提供一些閱讀方便。幾十年前陳垣、胡鳴盛等前輩敦煌學者所致力的，也是我們這一代人所關注的。

我們堅信一條真理，社會進步靠發展生産，文化繁榮是生産發展以後必然的結果。中華民族蒙受着屈辱進入二十世紀，敦煌遺書的發現正值八國聯軍入侵中國之時。經過幾代人的努力，中國人民站起來了。我們正滿懷信心地爲建設有中國特色的新文化而在各自的崗位上盡力。路雖長，靠我們自己走，問題複雜，靠我們自己群體解决，我們的路子會越走越廣，前途光明無限。

二〇〇五年二月十六日

Preface

Ren Jiyu

A sealed cave containing manuscripts, paintings and other treasures was discovered in Dunhuang in 1900. This discovery became well-known in the world. The government, in order to avoid any further theft and/or loss of these theasures, shipped them to Beijing and housed in the Capital Library (today, the National Library). In 1922, the *Dunhuang Jieyulu* (*The Catalogue of the Remaining Dunhuang Manuscripts*) was compiled by Professor Chen Yuan; in the same year, Mr. Hu Mingsheng, Mr. Xu Guolin and others continued to work diligently compiling and cataloguing the manuscripts. Some of the Dunhuang manuscript in the collection in the National Library of China were microfilmed and made available for the public. Due to various difficulties, other manuscripts have never been made available to the public. The present project will ensure that all the manuscripts will be published as treasures to the world and is thus of great significance.

In 1982, the Chinese government established a project aimed at systematizing Chinese ancient books and texts. The aim of this project is to systematically compile and evaluate all of these materials, including large numbers of Buddhist and Daoist texts. We began by compiling the *Zhonghua Dazanging* (*The Chinese Buddhist Tripitaka*). The majority of the 10,000 pieces of Dunhuang materials in the National Library of China are not found in any Buddhist texts, either in Chinese, Tibetan or any other languages. Many of them do not exist in any extant Buddhist Canon. These valuable manuscripts will be collected in Chinese Section Ⅱ of the *Zhonghua Dazangjing*.

To build a country, the first priority is to develop economic prosperity, then culture and superstructure. This has been proved by our own experiences over the past thousands years. The most powerful periods in Chinese history are Han and Tang dynasties. Seventy years after the establishment of the Han Dynasty, through the efforts of four generations, they created the splendid Han culture. The most powerful period of the Tang Dynasty is called "Zhenguan period." (627 – 649CE) At this time, to promote production was the main goal.

Then came the richest and the most prosperous period, the "Kaiyuan period" (713 – 741CE), presided over with Emperor Tang Xuan Zong. Again, it took four generations' hard work. The most culturally prosperous period of Qing Dynasty was the Qian Long period (1736 – 1796CE), which occuned after the three former periods of Shun Zhi, Kang Xi, Yong Zheng, or the time span of about 100 years.

The People's Republic of China, established only over 50 years ago, is now at a turning point where we maintain the old traditions and continue to contribute to the new age. We have entered the 21st century in which economics will develop rapidly. The country, with all ethnic groups, will further develop in political system with distinctive Chinese characteristics. We "continue old tradition", which means we maintain continuity with the brilliant culture that we have developed over the past 5,000 years. We are now "creating the future", which means we are developing a new culture that has not been possible in the past 5,000 years.

The task for our present time is to continue the cultural construction in the new era with hard work. The great new age provides us with the opportunity of abandoning all limitations of the previous generations, absorb all valuable cultural heritage from ancient and modern times, from China and abroad. Here it is the right place to mention that the Buddhist manuscripts in Dunhuang certainly should be highly considered.

There are scholars of Dunhuang Studies all over the world. However, there will never be enough scholars to study all the Chinese materials. Furthermore, compared with Chinese scholars, the foreign scholars are somewhat limited because they may not have a direct understanding of Chinese history, society and customs. There were small number of scholars in China studying Dunhuang a few years ago; and it was not as "hot" as it was abroad. It seems that the time was not ready for us. However, at present, with the economic development, the peace and relaxation in society and the promotion of education system, step by step, we have trained younger scholars. We now have a large group of scholars who are young, talented and knowledgeable. They have a solid background in Chinese traditional culture, they have been trained in modern scientific scholarship and have great enthusiasm for the culture of our country. Academic research published in the last decade shows that a group of scholars of Dunhuang Studies in China has been formed and is growing. It is as brilliant stars in the sky. The areas of their studies cover almost every subject, and both quality and quantity of their research works have reached a high level. In some particular areas they have surpassed foreign expertise.

The Chinese people are the main force in establishing Chinese culture. Foreign scholars have their strong points, we need to work together with them; but we still have to depend on ourselves. Their achievelnents in research projects depend upon their individual and personal interests as well as possible financial support from foundations. Foreign researchers have their own limitations and they do not have the task to constructing a new culture of China.

Indeed, it is impossible to establish a new research area without using new materials and new methodologies. The discovery of the Dunhuang manuscripts resulted in the creation of a new area: Dunhuang Studies. The prosperity of a new subject depends on the right timing and the needs of the society. The development of natural science in the West was the result of the development of industry. As a Western philosopher says that the degree of popularity of a certain ideology is decided by the necessity of the country. It is reasonable. Dunhuang Studies has existed for about 100 years. However, the abundant research works and the growth of young scholars depend on the need for cultural development of our country. If this "necessity" is only a desire of an individual, and even if with a strong support (for example, the desire to search immortal medicine of the emperors of the Qin and Han dynasties), then it will not last long. On the other hand, if this "necessity" comes from the nation and history, which seems a subjective desire but reflects an objective fact, it becomes objective, independent and powerful. For example, the rise and fall of dynasties in history reflected nothing else but the desire of people. The current prosperity of Dunhuang Studies indicates the need of cultural construction of our country.

From the time of the discovery of the Dunhuang manuscripts, scholars in China and abroad have worked to decipher their importance. Their work spans several areas including ethnic groups, religion, literature, fine arts, philology, phonology, ancient social economy, history, and so on. However, Dunhuang Studies needs to be strengthened and a system of interdisciplinary study has not yet been established. More attention was paid during the past hundred years to the non-Buddhist texts and our knowledge is relatively weak in the study of Buddhist materials which occupy almost 90% of the total Dunhuang manuscripts. These materials are spread all over in the world, particularly in London, Paris, St. Petersburg and China. Today we possess enough knowledge and equipment to use modern technology to collect all information on Dunhuang manuscripts. In this way, damaged and separated manuscripts can be mended together perfectly and restored to their original state. We can examine manuscripts together with related historic records and archaeological archives. We can compare the records of customs reflected in Dunhuang materials to modern research on ethnic groups; we also can compare Buddhism to its contemporary religious groups such as Daoism, Zoroastrianism, and Manichaeism. Furthermore, comparative studies between the Buddhism of the Han people and Tibetan Buddhism become possible. After all, in summary, our efforts are directed to one goal - to provide abundant reliable materials for our culture of the new era.

The Dunhuang manuscripts were found in the "Hexi Comidor" of China, and dated from Eastern Jin to Northern Song (between the 4th century and the 11th century), relate to Han, Tibetan and other ethnic groups. Some manuscripts were complete when discovered, but others were not. Though the collection of manuscripts found in Dunhuang is only a small part of the entire "treasure house" of Chinese culture, it has caught the attention of the world. Dunhuang Studies has been going on for about a hundred years, and these studies have solved some difficulties. Compared with the Dunhuang manuscripts, it is impossible to estimate how much more than these that we have possessed in terms of our national heritage. Unfortunately, due to endless wars and natural disasters, a tremendous number of them were lost or destroyed, and this makes the extant Dunhuang manuscripts even more valuable. We can say that, without exaggeration, having been through thousands and hundreds disasters, our nation still stands side by side with others in the world, it owes this to the long and deep tradition of our culture.

Our current project is to publish the manuscripts from Dunhuang in the National Library of China and thereby to share these significant treasures in China and present them to the world. Many ancient civilisations of the world have declined and some have disappeared, but not China. She is a country with a long history but not old-aged. She is a country with a long history and a new appearance.

The present compilation of the Dunhuang manuscripts is not a simple project of photo taking. The aim is to complete a concise catalogue with brief introductions to the appearance and content of each item. Each piece will provide a concise catalogue with brief descriptive introduction to the appearance and contents of each item. Every piece concentrates the efforts of the researchers' work. We are trying our best, for the world and our later generations, to provide the reliable first-hand materials. We are also trying our best to avoid their future corrections. However, at the same time, for those pieces of the manuscripts with problems that we cannot solve at this moment, we would rather leave them as they are than making a blind and irresponsible solution.

The manuscripts that have been located in Great Britain, France and Russia have been published in the last two decades. Our common academic desire is to share our cultural hetitage. For various reasons, only a small part of the collection of the Dunhuang Manuscripts located in China has been published, and the whole picture has not been presented to scholars of Dunhuang Studies. The Dunhuang manuscripts, though they originated in China, have become the cultural heritage of the world. They are part of the spiritual wealth of the whole humanity. This priceless treasury of texts as the body of culture possess double functions: they are valuable as cultural relics and valuable sources of knowledge and education. The compilation and publication of this collection aims to provide some convenience to researchers. We are primarily concerned with continuing the efforts of our older generation scholars, such as Chen Yuan, Hu Mingshen and others.

After all, we believe the truth: social progress depends on development of economy, and cultural prosperity will be the result of production. The Chinese entered the 20th century with humiliation; the Dunhuang manuscripts were discovered at that same time as the Eight-Power Allied Forces invaded China. After hard struggles of several generations, the Chinese people have stood up. Now with confidence, we will work even more diligent in our own positions to build a new Chinese culture. Though the road is long, we will walk towards our goal. Complex questions require our collective knowledge and abilities to answer them. Our road is getting smoother and the future is bright.

February 16, 2005

前言

方廣錩

清光緒二十六年五月二十六日（一九〇〇年六月二十二日），道士王圓籙發現在敦煌莫高窟一洞窟甬道的牆壁後面有一個廢棄的耳窟，其中裝滿了古代的遺書與文物。這個耳窟，就是後來舉世聞名的藏經洞。王道士的這一發現，與甲骨文、漢簡、故宮大内檔案一起，被列爲近代中國的四大學術發現。

國運衰則文運衰。敦煌遺書的發現沒能得到中國有關人士的重視，一些外國探險家卻聞風而來，以種種不光彩手段騙得大批敦煌遺書與其他文物，捆載以去。迨消息傳到北京，在學者們的呼籲下，一九一〇年，清政府學部咨甘肅學台，令將洞中殘卷悉數解京，移藏部立京師圖書館，亦即今天的中國國家圖書館。

敦煌解京的這批遺書成為國家圖書館敦煌特藏的主體。一九四九年中華人民共和國成立後，文化部陸續將散藏於各地及散逸於民間的不少敦煌遺書調撥或收購後移交國家圖書館；諸多賢達亦紛紛將自己珍藏的敦煌遺書捐贈給國家圖書館；自上個世紀四十年代以來，國家圖書館亦頗致力於敦煌遺書的搜購。凡此種種，進一步豐富了國家圖書館的敦煌特藏，收藏總數已達一六〇〇〇餘號。

由於歷史的原因，國家圖書館藏敦煌遺書大體分爲四個單元：

（一）劫餘錄部分，即陳垣先生《敦煌劫餘錄》所著錄的部分

這一部分爲一九一〇年由敦煌解京的敦煌遺書。敦煌遺書解京後，京師圖書館從中挑選較為完整的，編為八六七九號。編號的方法是按《千字文》順序逐一排號用字，從「地」到「位」，每字繫一〇〇號。其中空缺「天」、「玄」、

「火」等三字未用。並編纂了國家圖書館歷史上第一個敦煌遺書目錄——《敦煌石室經卷總目》。由於贈送奧地利博物院、贈送張謇、提存歷史博物館、原缺、被盜、遺失等情況，至二十年代，這批遺書實存八六五三號。

一九二二年，陳垣先生任館長期間，以《敦煌石室經卷總目》為基礎，編纂了敦煌學界第一部分類目錄——《敦煌劫餘錄》。該目錄所著錄雖為上述之八六五三號，但因《敦煌石室經卷總目》時有一號多件的情況，而《敦煌劫餘錄》大體按照一件一款的原則著錄，故《敦煌劫餘錄》共著錄八七〇〇多款。解放後國家圖書館為這一部分敦煌遺書拍攝縮微膠卷時，依《敦煌劫餘錄》順序重新給號，共編成八七三八號。故此，這一部分敦煌遺書現有兩種編號：一是千字文號，一是縮微膠卷號。

上個世紀二十年代，館內成立寫經組，為館藏敦煌遺書編目。據現有資料，先後參加寫經組的先生有徐鴻寶、胡鳴盛、李炳寅、徐聲聰、張書勳、陳熙賢、于道泉、許國霖、李興輝、孫楷第、朱福榮、王廷燮、王少雲、馬淮等。一九三五年初，已為上述劫餘錄部分編纂了一個體例更爲完善的分類目錄，定名為《敦煌石室寫經詳目》。可惜的是，由於日本帝國主義進一步侵華，華北局勢動蕩，為避戰亂損失，於一九三五—一九三六年將館藏敦煌遺書裝箱南運，寫經組工作陷於停頓，已編好的《敦煌石室寫經詳目》及其索引未及最後定稿，被束之高閣。

（二）詳目續編部分

解京的敦煌遺書經第一次挑選出八〇〇〇餘號之後，尚有一批殘餘。約一九二七年前後，由寫經組從中繼續清點、整理出一一九二號相對比較完整的遺書，亦依《千字文》排字，每字繫一〇〇號。因上接《敦煌劫餘錄》部分，故這次編號從「讓」字開始，共用了「讓、國、有、虞、陶、唐、周、發、殷、湯、坐、朝」等十二個字。中間空缺「吊、民、伐、罪」四字。寫經組仿上述《敦煌石室寫經詳目》的體例，也為這批遺書編纂了目錄，定名為《敦煌石室寫經詳目續編》。該目錄初稿亦完成於一九三五年前，同樣被埋沒五十餘年。

（三）殘卷部分

解京的敦煌遺書經過上述兩次整理，尚餘殘片兩木箱，存放在善本書庫中。年深日久，漸被遺忘。一九九〇年春，善本部搬庫，得以「再發現」。

（四）新字號部分

除甘肅解京的敦煌遺書外，國家圖書館於其後幾十年間，通過各種途徑，陸續收藏不少敦煌遺書及其他寫經。其主體部分約一六〇〇餘號，冠以「新」字號，故一般稱之為「新字號部分」。另有若干編為「簡編號」，與新字號部分一同存放。善本組編有《敦煌劫餘錄續編》，著錄了其中的一〇六五號遺書。

此外，還有少量敦煌遺書散存於其他善本特藏中。

綜上所述，中國國家圖書館收藏的敦煌遺書的總數在一六〇〇〇號以上，其中較大的寫卷約有一〇〇〇〇號，其餘為殘卷或殘片。就來源而言，其中一四〇〇〇號左右屬於敦煌解京部分，下餘二〇〇〇號左右則曾經流散於民間，最終歸國家收藏。

國家圖書館對所藏敦煌遺書十分珍視，將它與《趙城金藏》、《永樂大典》、《四庫全書》並列，作為善本部的「四大鎮庫之寶」。上個世紀九十年代以來，在充分考察了國外修復敦煌遺書的經驗與教訓的情況下，制定了自己獨特的修整方案，對敦煌遺書進行了有效的修復保護。這一工作已得到國內外專家的廣泛好評。目前修復工作仍在進行。近年又在國家財政部的支持下修建專庫，製作專櫃、專盒，使館藏敦煌遺書的保管條件達到世界先進水平。

幾十年來，社會上乃至學術界一直流傳一種誤解，認為敦煌遺書的精華部分已經被外國探險家等各色人等挑揀，國家圖書館所留存的是一批研究價值不大的糟粕。這不是事實。早在上個世紀三十年代，著名學者陳寅恪先生在《敦煌劫餘錄》序中就曾經列舉大量事實，批駁了所謂國家圖書館所藏是「糟粕空存」的說法。陳寅恪先生當時所依據的僅是《敦煌劫餘錄》所著錄的八〇〇〇餘卷遺書。而在詳目續編部分、殘片部分以及新字號部分中，都發現大量珍貴的文獻。如《尚書》、《毛詩》、《春秋》、《老子》、《莊子》、《列子》、《文選》、《劉子新論》乃至天文曆法、陰陽占卜、詩歌變文、酒令舞譜、文字音韻、道教文獻等等。至於佛教典籍，更是美不勝收，僅稀世的血經，就保存有多件。可以說，在流散的精華文獻重新回到國家圖書館的今天，中國國家圖書館的敦煌遺書不但在文物絕對量或文字絕對量上佔據世界第一位，而且在質量上也足以與世界上任何一個敦煌遺書收藏機構媲美。

敦煌遺書具有極高的文物價值、文獻價值與文字研究價值。敦煌藏經洞發現百年來，世界各國學者對以敦煌遺書為主要代表的敦煌文物進行系統研究，開創了一門國際性的顯學——敦煌學。陳寅恪先生曾經著文指出：每一個時代都有自己的時代學術之新潮流，而敦煌學就是「今日世界學術之新潮流」。敦煌學產生以來，在中國中古史研究的各個領域，尤其是歷史、文學、語言、文字、社會、法律、宗教、音韻、醫藥、音樂、美術、舞蹈，以及民族史、邊疆史乃至書法、繪畫等諸多方面取得眾多成就。它對中國中古史研究推動之大，是怎樣估計都不過分的。敦煌學雖然已經取得巨大的成就，但也存在著兩個不容忽視的問題。首先，由於敦煌遺書散藏在世界各地，一般人很難見到。這就使敦煌學的發展受到很大的局限。很多研究者在展開自己的課題研究時，往往很難知道敦煌遺書中是否存在著自己所需要的資料，也不知道應該到哪裏去尋找這些資料。由此不得不留下缺憾。其次，由於一般人很難見到敦煌遺書，因此，相當長的一段時間之內，很多學者的敦煌學研究大抵根據其他學者的錄文進行。由於敦煌遺書絕大部分為寫本，寫本因其固有的性質，在文本內容與文字書寫方面往往各有特點。例如在文本內容上往往流變而不定型，且極易出現傳抄的訛誤，以至形成種種異本。而所寫文字多古體字、俗字、異體字、假借字，乃至方音字等等，增加了辨識的難度。由於敦煌遺書橫亙年代長、涉及地域廣，抄寫者身份複雜、水平不一，使得上述情況更爲嚴重。因此，僅僅依靠他人的錄文，已經不能滿足敦煌學界研究的需要。

近十餘年來，上述情況有所改變，各單位收藏的敦煌遺書的圖版開始陸續出版。圖版的公佈，可以使研究者比較方便、有效地利用敦煌遺書的文獻研究價值與文字研究價值，從而將促使敦煌學更加迅速而健康地發展。當前，國內外有些圖書、文博部門，以及部分個人收藏家，經常把自己收藏的敦煌遺書秘不示人。其實，文物要公開、要研究，纔能確認並實現其價值。文物只有公開後，纔能爲人矚目，纔能流傳有緒，也纔能使它增值。秘藏起來，成爲「死寶」，也就無所謂什麼價值。

中國國家圖書館一向秉承「學術乃天下之公器」的傳統，努力公開資料，提倡資源共享。國家圖書館敦煌遺書的

「劫餘錄部分」，曾於上個世紀五十年代及七十年代末兩度攝製成縮微膠卷。五十年代的縮微膠卷贈送印度；七十年代的縮微膠卷則與法國國家圖書館進行館際交換。其後，臺灣新文豐出版公司未經國家圖書館同意，便在其所出版的《敦煌寶藏》中利用縮微膠卷公佈了「劫餘錄部分」的圖版。由於當年國家圖書館拍攝這批縮微膠卷時，所藏敦煌遺書還未及修復，若干遺書首尾殘破，皺摺叠壓；若干遺書墨痕深淺不一，有時難以辨認；也有若干遺書背面尚有內容，拍攝時遺漏。凡此種種，影響了縮微膠卷及《敦煌寶藏》的質量。此外，《敦煌寶藏》印刷亦有錯亂圖版等情。此次出版，善本部圖書修整組爲了保證圖版的拍攝質量，對一些殘破嚴重的遺書採取特事專辦的方針，付出大量的勞動。隨着館藏敦煌遺書修整工作的進一步展開，殘破遺書的修復將得到徹底的解決。

為了讓更多的人進一步瞭解敦煌遺書這份民族的瑰寶，推動敦煌學的進一步發展，國家圖書館決定將館藏敦煌遺書統一編號，編纂總目，重新拍攝，全部公開。這一工程從上個世紀九十年代初開始，其間歷經曲折。這次在國家財政部的資助下，在全國古籍整理出版規劃領導小組的支持下，在國家圖書館各級領導的指導下，我們有信心優質高效地完成這一工程，為民族文化的建設作出自己的貢獻。

向一切曾經對這一工程給予過支持、付出了精力的人們，致以衷心的感謝與祝福。

二〇〇四年十二月二十五日

Introduction

Fang Guangchang

During the summer of the 26th year of the Guangxu Period (1900 CE), Wang Yuanlu, a Daoist priest, accidentally found a side cave, which was abandoned since ancient times, behind the wall of a cave in Mogaoku, Dunhuang. It contained a large number of ancient materials and cultural relics. This side cave later became the most known as the famous Dunhuang cave, called the "Cang Jing Dong" ("the cave that hides manuscripts"). The discovery of these materials, together with the discoveries of the oracles bones, Han bamboo slips and the imperial archives are listed as the four greatest academic discoveries in pre-modem China.

The powerless country and government caused the weakness in academia. Unfortunately the discovery of the Dunhuang manuscripts did not attract the attention of the people in China. Instead, it attracted the attention from foreign adventures. Foreigners from all over the world rushed to Dunhuang, plundered, by cheating, bribing and other ways, abundant Dunhuang materials and other relics, despite the protests of Chinese scholars. It was not until 1910 that the Qing government ordered the local government of Gansu Province to ship all the remaining materials to Beijing and stored them in the Capital Library of China, known as the National Library of China today.

The manuscripts retrieved in 1910 represent the bulk of texts referred to as the "special collection" of the Dunhuang materials. After the People's Republic of China was established in 1949, the Ministry of Culture together with the Library began to systematically retrieve other Dunhuang manuscripts and materials that had found their way into various local libraries. They also purchased Dunhuang texts that had fallen into the hands of a number of individuals. As well, several individual collectors donated the treasures from Dunhuang to the Library. All of these materials are now housed in the Library. In addition, the Library itself also did the best in searching and buying the manuscripts since 1940's. The results of these efforts have greatly enriched this special collection of the Dunhuang manuscripts and today the number of the pieces is over 16,000.

For historical reasons, the Dunhuang manuscripts in the National Library are classified in four different units as follows.

1. The *Jieyulu* Section

This collection includes the manuscripts shipped to Beijing in 1910 from Dunhuang. When these manuscripts arrived, they were stored in the Capital Library and the Library selected the pieces which were relatively complete and numbered them till 8,679. The system of numbering followed the Chinese "Qianziwen" (i. e., "thousand characters"), from "di" to "wei", under each character, there are 100 numbers. Among the characters, the "tian" (heaven) "xuan" ("darkness," "mystery") and "huo" ("fire") were avoided. These pieces are catalogued in the *Dunhuang Sishi Jingjuan Zongmulu* (*The Complete Catalogue of the Manuscripts of Dunhuang Cave*). This catalogue is the first catalogue of the Dunhuang manuscripts in the history of the National Library. The number of manuscripts that is recorded in this catalogue is greater than the actual number of manuscripts in the collection because some of these manuscripts were gifted to Austrian Museum and to Zhang Qian, others were transferred to the History Museum in Beijing, and some being stolen or lost, the actual number of the manuscripts was down to 8,653 in 1920's.

In March 1931, when Professor Chen Yuan was the chief librarian of the National Library, he compiled and published a classified catalogue, the *Dunhuang Jieyulu* (*The Catalogue of the Remaining Dunhuang Manuscripts*). Based on the *Dunhuang Sishi Jingjuan Zongmulu* (*The Complete Catalogue of the Manuscripts of Dunhuang Cave*), this catalogue was published by the Institute of History and Languages. Although he followed the set number of 8,653 manuscripts for his catalogue, there were occasional discrepancies. Sometimes, for example, a single number had been assigned in the previous catalogue for multiple pieces. Professor Chen followed the principle of "one number for one piece of text" for his own catalogue. As the result, his *Dunhuang Jieyulu* records a total of 8,700 manuscripts. When the manuscripts were microfilmed, we followed the *Dunhuang Jieyulu* catalogue: one number for one item. The total number of microfilmed manuscripts is 8,738. Currently, then, the Dunhuang manuscripts in the National Library are numbered according to two systems. One is the "Qianziwen" system and another is the microfilm system that follows the series in the *Dunhuang Jieyulu*.

In 1920's, a Manuscripts Editorial Groups was established in the National Library. According to Our knowledge today, the following scholars were among those who joined the group : Xu Hongbao, Hu Mingsheng, Li Bingyin, Xu Shengcong, Zhang Shuxun, Chen Xixian, Yu Daoquan, Xu Guoling, Li Xinghui, Sun Kaidi, Zhu Furong, Wang Tingxie, Wang Shaoyun, Ma Huai and others. At the beginning of 1935, a new detailed and more complete catalogue based on the *Dunhuang Jieyulu* was compiled. It was entitled *Dunhuang Sishi Xiejing Xiangmu* (*The Detailed Catalogue of the Manuscripts Found in the Cave of Dunhuang*). However, at that time, the Japanese invaded China and northern China was in crisis. In order to avoid any possible loss, the Library packed all these manuscripts, and shipped them to the south. The group work on the manuscripts ceased and the final draft and the index of this catalogue were put aside until now.

2. An Additional Section of the Detailed Catalogue

In addition to the manuscripts catalogued above, there were several fragments remaining. In 1927 or thereabouts, 1, 192 of these pieces which were relatively complete were selected for cataloguing. These additional pieces were catalogued according to the serial characters of the "Qianziwen," each character consisting of 100 numbers. Since this section of the catalogue is the continuation of the *Dunhuang Jieyulu*, the serial character starts from "rang". Thus, twelve characters were used : "rang," "guo," "you," "yu," "tao," "tang," "zhou," "fa," "ying," "tang," "zuo," "chao," "diao", "min," "fa," and "zui" were omitted. The Manuscripts Editorial Group, following the style of the *Dunhuang Sishi Xiejing Xiangmu*, compiled the catalogue for this group of manuscripts entitled *Dunhuang Sishi Xiejing Xiangmu Xubian* (*An Additional Section of the Detailed Catalogue of the Manuscripts in the Cave Of Dunhuang*). The draft of this section of the catalogue was completed before 1935, but for the same reason as the section described above, it has been untouched for more than 50 years.

3. The Section of Fragments

After the two catalogues mentioned above were completed, the left-over fragments remained and were housed in the storage for rare books. In the spring of 1990, when the Rare Book Section of the Library was relocated, these fragments were rediscovered.

4. The "New" Section

In addition to the manuscripts which had been shipped to Beijing from Gansu Province, the National Library continued to search for and acquire Dunhuang manuscripts from various places through various means. The "new" section of the catalogue consists of these materials. The main body of this section comprises close to 1, 600 pieces and begins with character "xin" (new). Thus this group of manuscripts is also called the "xin zi hao" ("character 'xin' section"). There is a "Jian bian" ("simplified arrangement") section, kept together with "xin" groups. The Rare Book Section of the National Library compiled a catalogue for these manuscripts entitled the *Dunhuang Jieyulu xubian* (*An Additional Section of the Catalogue of the Remaining Dunhuang Manuscripts*) and 1, 056 pieces are included.

There are also a small number of manuscripts kept among other rare books collections.

In summary, the above indicates that the total number of the Dunhuang manuscripts in the National Library of China is over 16, 000. Among these manuscripts, approximately 10, 000 are larger items, more complete and in a good condition; the rest are damaged scrolls or fragments. Our original sources indicate that approximately 14, 000 items were shipped to Beijing from Dunhuang. The remaining 2, 000 items had been scattered among private collectors in different locations and were eventually collected by the National Library.

The National Library considers the Dunhuang manuscripts to be national treasures of the same status as the *Zhaocheng Jinzang* (*The Buddhist Tripitaka of the Jin Dynasty Found in Zhaocheng*), the *Yongle Dadian* (*A Great Encyclopaedia of the Yongle Period*) and the Siku Quanshu (*A Comprehensive Collection of Valuable Books*). Together these four are the "Four Greatest Treasures" in the Library. Since 1990, after having carefully examined and investigated the experiences for conserving the Dunhuang manuscripts abroad, we lunched our special project to provide an efficient protection and conservation of the Dunhuang manuscripts. Our work to date has received excellent evaluations. At present, the conservation is on-going. With considerable support from the Ministry of Finance, special storage facilities have been built, including special cabinets and boxes, to preserve the collection. With all of these efforts, the level of conservation in the National Library has reached the highest in the world today.

A mistaken view has been circulated in the past decades that the best parts of the Dunhuang manuscripts had been chosen and taken by the foreign explorers and others, and that what remained here in China was the "trash" which had little value. This is not true. As early as the 1930's, the famous scholar Professor Chen Yinke, in his preface of *Dunhuang Jieyulu* with strong evidence, criticized the view that "materials from Dunhuang stored in the National Library are trash only."

At that time, Professor Chen's arguments were only based on the 8,000 manuscripts recorded in the *Dunhuang Jieyulu*. Later a great number of additional precious items were discovered from the additional sections. These include items in the section of fragments and the "new" section; as, for example, *the Shangshi*, *Maoshi*, *Chunqiu*, *Laozi*, *Zhuangzi*, *Liezi*, *Wenxuan Liuzi Xinlun*, and others, including astrology, calendar, Yin-Yang divination, poems, dancing books, words of drinking games, phonology, Daoist documents and so forth, let alone Buddhist materials, which are too precious and too rich to describe. Buddhist sutras written in blood are extremely rare in the world and we have two of them in the collection of Dunhuang manuscripts in the National Library.

It can be put this way, today, an abundant amount of priceless materials which was lost and scattered everywhere has now returned to the Library ; from either the quantity of the cultural relics and the literature or the quality of them, the collection of the Dunhuang manuscripts in the National Library of China can compete with any other place in the world where the Dunhuang manuscripts are kept.

The Dunhuang manuscripts possess the high value for the cultural relics, documents and philology. Since the cave was discovered 100 years ago, through the systematic research, the scholars of the world have created a new area, Dunhuang Studies, based on the Dunhuang cultural relics, mainly the Dunhuang manuscripts. Professor Chen Yinke has pointed out that every era produces a new tide of acadimia study and Dunhuang Studies certainly is the new tide for today. Great successes have been achieved since Dunhuang Studies started, especially in the different areas of Chinese medieval period, such as literature, history linguistics, philology, sociology, religion, phonology, medicine, music, fine arts, performing arts, history of ethnic groups, history of border areas, and calligraphy. It will never be too much to evaluate the contribution in the study of Chinese ancient and medieval history that these materials provide. However, besides these achievements, there are two major problems which cannot be ignored. First, Dunhuang Studies have been limited since the manuscripts are spread all over the world and it is not easy to collect the information for researchers. When they start a research project, the difficulty is, if the information that they want exists in the Dunhuang manuscripts ; and if it does, where they can get the materials. It has been jeopardy for many scholars. Another difficulty is, to get the material and to read it diretly. For a long time, most scholars' study has to depend on the limited sources cited from one book to another. But the Dunhuang manuscripts are hand-written, so the ways of writing of manuscripts are various. For example, for similar contents, there are various versions due to the transformation and to the errors in the process of copying. And the characters can be written in an ancient style, in a local style, a transferred style, and so on, which have caused identity difficulty. Furthermore, the Dunhuang manuscripts are from a long period of time, covering a large geographical area, and the background of each copier was not the same, which made the texts turn out differently. In short, to cite others' work is not enough to satisfy the needs of Dunhuang Studies.

Things started changing from over 10 years ago. The manuscripts located in different places eventually get published, which provide a more convenient and efficient use for the documentaty value and the philological value of the manuscripts and promote Dunhuang Studies to develop faster and healthier. Still nowadays there are some libraries, museums and some private collectors in China and abroad who keep the manuscripts for themselves. In fact, only by sharing, circulating, and using them for the purpose of research, can the materials produce their value. The cultural relics should be open to the public and should be accessible by public as well. It is the only way to increase their value; otherwise, these "inactive" documents themselves would not be valuable for anyone.

The National Library of China follows its tradition "Academic knowledge is universal" and is trying the best to share information with others. The manuscripts of the *Jieyulu* in the National Library have been microfilmed twice, once in the 1950's and again in the 1970's. The first microfilm was given to India and the second was exchanged with the National Librery of France. Then Hsin Wen Feng Press in Taiwan, without contacting us and getting our permission, using this microfilm, published the complete manuscripts of the *Jieyulu* section in their series of *Dunhuang Baozang* (*The Treasure of Dunhuang*). However, there are serious quality problems with this publication because the Dunhuang manuscripts were not conserved when the microfilm was produced. Some manuscripts were damaged at the beginning and in the end, or wrinkled, or the colour of the ink did not show clearly and is hardly legible. Some of the contents on the back page missed entirely when making the film. All these difficulties affected the quality of the film and the collection of *Dunhuang Baozang*, let alone its own printing errors, such as misarrangement of pages.

This time, for the publication of the manuscripts, for the better quality of the photos, the Conservation Group of the Rare Book Section followed the principle of "individual case, individaully treated" with a tremendous hard work. Along with the further development of the conservation of the Dunhuang manuscripts in the Library, the damaged pieces will be completely restored.

In order to make these national treasures more accessible to more people and to develop Dunhuang Studies, the National Library of China has decided to photograph all the Dunhuang manuscripts housed in the Library again, to compile the general catalogue for them, to unify their series numbers, and to make all of them available to the public. This project started since 1990's, has gone through ups and downs. With the financial support from the Ministy of Finance, from the Committee of Compilation of Chinese Classics, and under the guidance of the leadership of the National Library of China, we are confident that we can complete this project with high efficiency and excellent quality. This will be our contribution to the construction of our nation and our culture.

Here we whole-heartedly thank all of you who ever supported this project and have worked hard for the accomplishment of this work!

Thank you, and all the best to you!

December 25, 2004

目錄

羅尼門清淨即瞋清淨何以故是瞋清
淨與一切陁羅尼門清淨無二無二分無別
無斷故瞋清淨即一切三摩地門清淨一
切三摩地門清淨即瞋清淨何以故是瞋
清淨與一切三摩地門清淨無二無二分
無別無斷故
善現瞋清淨即預流果清淨預流果清淨即
瞋清淨何以故是瞋清淨與預流果清淨無
二無二分無別無斷故瞋清淨即一來不還
阿羅漢果清淨一來不還阿羅漢果清淨即
瞋清淨何以故是瞋清淨與一來不還阿羅
漢果清淨無二無二分無別無斷故善現瞋
清淨即獨覺菩提清淨獨覺菩提清淨即
瞋清淨何以故是瞋清淨與獨覺菩提清淨
無二無二分無別無斷故善現瞋清淨即一
切菩薩摩訶薩行清淨一切菩薩摩訶薩
行清淨即瞋清淨何以故是瞋清淨與一切菩
薩摩訶薩行清淨無二無二分無別無斷故
善現瞋清淨即諸佛無上正等菩提清淨諸
佛無上正等菩提清淨即瞋清淨何以故是
瞋清淨與諸佛無上正等菩提清淨無二無
二分無別無斷故
復次善現癡清淨即色清淨色清淨即癡清
淨何以故是癡清淨與色清淨無二無二分
無別無斷故癡清淨即受想行識清淨受
想行識清淨即癡清淨何以故是癡　清

BD00001 號　大般若波羅蜜多經卷二〇二　（5–1）

復次善現癡清淨即色清淨色清淨即癡清
淨何以故是癡清淨與色清淨無二無二分
無別無斷故癡清淨即受想行識清淨受
想行識清淨即癡清淨何以故是癡　清
淨與受想行識清淨無二無二分無別無斷
故善現癡清淨即眼處清淨眼處清淨即
癡清淨何以故是癡清淨與眼處清淨無二
無二分無別無斷故癡清淨即耳鼻舌身
意處清淨耳鼻舌身意處清淨即癡清淨
何以故是癡清淨與耳鼻舌身意處清淨
無二無二分無別無斷故善現癡清淨即色
處清淨色處清淨即癡清淨何以故是癡清
淨與色處清淨無二無二分無別無斷故癡
清淨即聲香味觸法處清淨聲香味觸法
處清淨即癡清淨何以故是癡清淨與聲
香味觸法處清淨無二無二分無別無斷
故善現癡清淨即眼界清淨眼界清淨即
癡清淨何以故是癡清淨與眼界清淨無
二無二分無別無斷故癡清淨即色界眼
識界及眼觸眼觸為緣所生諸受清淨色
界乃至眼觸為緣所生諸受清淨即癡清淨
何以故是癡清淨與色界乃至眼觸為緣
所生諸受清淨無二無二分無別無斷故
善現癡清淨即耳界清淨耳界清淨即癡
清淨何以故是癡清淨與耳界清淨無二無
二分無別無斷故癡清淨即聲界耳識界及
耳觸耳觸為緣所生諸受清淨聲界乃至耳

BD00001 號　大般若波羅蜜多經卷二〇二　（5–2）

清淨何以故是癡清淨與耳界清淨無二無
二分無別無斷故癡清淨即聲界耳識界及
耳觸耳觸為緣所生諸受清淨聲界乃至耳
觸為緣所生諸受清淨即癡清淨何以故是
癡清淨與聲界乃至耳觸為緣所生諸受清
淨無二無二分無別無斷故善現癡清淨即
鼻界清淨鼻界清淨即癡清淨何以故是癡
清淨與鼻界清淨無二無二分無別無斷故
癡清淨即香界鼻識界及鼻觸鼻觸為緣
所生諸受清淨香界乃至鼻觸為緣所生諸
受清淨即癡清淨何以故是癡清淨與香界乃
至鼻觸為緣所生諸受清淨無二無二分無
別無斷故善現癡清淨即舌界清淨舌界
清淨即癡清淨何以故是癡清淨與舌界清淨
無二無二分無別無斷故癡清淨即味界舌
識界及舌觸舌觸為緣所生諸受清淨味界
乃至舌觸為緣所生諸受清淨即癡清淨何
以故是癡清淨與味界乃至舌觸為緣所生
諸受清淨無二無二分無別無斷故
善現癡清淨即身界清淨身界清淨即癡
清淨何以故是癡清淨與身界清淨無二無
二分無別無斷故癡清淨即觸界身識界
及身觸身觸為緣所生諸受清淨觸界乃至身
觸為緣所生諸受清淨即癡清淨何以故是
癡清淨與觸界乃至身觸為緣所生諸受清
淨無二無二分無別無斷故善現癡清淨即
意界清淨意界清淨即癡清淨何以故是癡

BD00001號 大般若波羅蜜多經卷二〇二 （5–3）

淨無二無二分無別無斷故善現癡清淨即
意界清淨意界清淨即癡清淨何以故是癡
清淨與意界清淨無二無二分無別無斷故
癡清淨即法界意識界及意觸意觸為緣所
生諸受清淨法界乃至意觸為緣所生諸受
清淨即癡清淨何以故是癡清淨與法界乃
至意觸為緣所生諸受清淨無二無二分無
別無斷故善現癡清淨即地界清淨地界清
淨即癡清淨何以故是癡清淨與地界清淨
無二無二分無別無斷故癡清淨即水火風
空識界清淨水火風空識界清淨即癡清淨
何以故是癡清淨與水火風空識界清淨無
二無二分無別無斷故善現癡清淨即無明
清淨無明清淨即癡清淨何以故是癡清淨
與無明清淨無二無二分無別無斷故癡清
淨即行識名色六處觸受愛取有生老死愁
歎苦憂惱清淨行乃至老死愁歎苦憂惱清
淨即癡清淨何以故是癡清淨與行乃至老
死愁歎苦憂惱清淨無二無二分無別無斷
故
善現癡清淨即布施波羅蜜多清淨布施波
羅蜜多清淨即癡清淨何以故是癡清淨與
布施波羅蜜多清淨無二無二分無別無斷
故癡清淨即淨戒安忍精進靜慮般若波
羅蜜多清淨淨戒乃至般若波羅蜜多清
淨即癡清淨何以故是癡清淨與淨戒乃至
般若波羅蜜多清淨無二無二分無別無斷

BD00001號 大般若波羅蜜多經卷二〇二 （5–4）

淨即癡清淨何以故是癡清淨與行乃至老
死愁歎苦憂惱清淨無二無二分無別無斷
故
善現癡清淨即布施波羅蜜多清淨布施波
羅蜜多清淨即癡清淨何以故是癡清淨與
布施波羅蜜多清淨無二無二分無別無斷
故癡清淨即淨戒安忍精進靜慮般若波
羅蜜多清淨淨戒乃至般若波羅蜜多清
淨即癡清淨何以故是癡清淨與淨戒乃至
般若波羅蜜多清淨無二無二分無別無斷
故善現癡清淨即內空清淨內空清淨即
癡清淨何以故是癡清淨與內空清淨無二
無二分無別無斷故癡清淨即外空內外空
空空大空勝義空有為空無為空畢竟空
無際空散空無變異空本性空自相空共相空
一切法空不可得空無性空自性空無性自
性空清淨外空乃至無性自性空清淨即癡
清淨何以故是癡清淨與外空乃至無性自
性空清淨無二無二分無別無斷故善現
癡清淨即真如清淨真如清淨即癡清淨何以
故是癡清淨與真如清淨無二無二分無別
無斷故癡清淨即法界法性不虛妄性不變
異性平等性離生性法定法住實際虛空界
不思議界清淨法界乃至不思議界清淨

BD00001 號　大般若波羅蜜多經卷二〇二　（5–5）

BD00001 號背　藏文穢跡金剛類經典或儀軌（擬）　（3–1）

BD00001 號背　藏文穢跡金剛類經典或儀軌(擬)　　(3-2)

BD00001 號背　藏文穢跡金剛類經典或儀軌(擬)　　(3-3)

佛說佛名經卷第十三
舍利弗應敬禮十方諸佛
南无不動佛 南无盡聖佛
南无日光佛 南无龍奮迅佛
南无自在光明稱佛 南无十光佛
南无善賢佛 南无稱自在佛
南无勝威稱佛 南无步意佛
南无寶幢佛 南无智山佛
南无因光佛 南无生勝佛
南无弥留藏佛 南无智海佛
南无大精進佛 南无弥留功德佛
南无勝藏佛 南无智德佛
南无能與无畏佛 南无大精進趣王佛
南无智成就佛 南无无滯佛
南无地力住持精進佛 南无力命佛
南无善眼佛 南无不吝法王佛
南无滅摩佛 南无不可思議精進佛
南无觀功德佛 南无智頻婆佛
南无阿僧伽力精進佛 南无心自在佛
南无崇阿難陀佛 南无式光佛
南无賢上王佛 南无无邊光王佛
南无无盡智藏佛 南无寶雨頭佛
南无智波婆羅佛 南无毗尼稱佛
南无无邊功德王佛 南无法華婆師佛

BD00002 號　佛名經（十六卷本）卷一三　（30–1）

南无崇阿難陀佛 南无式光佛
南无賢上王佛 南无无邊光王佛
南无无盡智藏佛 南无寶雨頭佛
南无智波婆羅佛 南无毗尼稱佛
南无无邊功德王佛 南无法華婆師佛
南无光佛 南无妙山王佛
從此以上九千六百佛十二部經一切賢聖
南无轉法輪勝王佛 南无无垢目佛
南无住持大般若佛 南无不住力精進王佛
南无自在識佛 南无觀念佛
南无福德力精進佛 南无智聚象王佛
南无智自在佛 南无安隱衆生无障佛
南无智集佛 南无摩訶弥留力藏佛
南无虛空光明佛 南无離癡功德聲王佛
南无阿伽樓功德精進佛
南无法施莊嚴佛 南无聲自在王佛
南无謙門佛 南无自在力精進王佛
南无寶光明勝王佛 南无勝一切須弥山王佛
南无羅多耶弥留佛 南无不可得動法佛
南无隨羅尼自在王佛
南无善功德王佛 南无法莎羅王弥留佛
南无智進功德聚佛 南无智奕華樹王佛
南无一切世間自在佛 南无善華王佛
南无金手遮那王佛 南无法幢奮迅王佛
南无旃檀波婆羅圍遶佛
南无住法分稱佛 南无堅心意精進佛

BD00002 號　佛名經（十六卷本）卷一三　（30–2）

南无一切世間自在佛　南无善華王佛
南无金手遮那王佛　南无法幢奮迅王佛
南无旃檀波婆羅園遶佛
南无住法分稱佛　南无堅心意精進佛
南无照一切世間燈佛　南无隨衆生心奮迅佛
南无无邊稱莎羅幢佛
南无過去稱法雨佛　南无切德奕華佛
南无智行佛　南无樂威德燈佛
南无離障无畏佛　南无智照聲佛
南无二藏成就佛　南无集妙行佛
南无樂莊嚴王佛　南无阿僧祇莊嚴王佛
南无師子坐善住佛　南无放旃檀華王佛
舍利弗我於此坐以清淨无障㝵過人天眼
見東方多百佛多千佛多百千佛多百千
万佛多百千億佛多百千万億那由他佛
无量阿僧祇佛不可思議佛不可量佛種種
名種種姓種種世界種佛國土種種比丘比丘尼
優婆塞優婆夷圍繞種種天龍夜叉乾闥
婆阿脩羅迦樓羅緊那羅摩睺羅伽人非人
等圍繞供養我悉現見如觀掌中菴摩勒
菓舍利弗若有善男子善女人比丘比丘尼
優婆塞優婆夷信我語受持讀誦是諸佛
名當洗浴著新淨衣於晝日初分時中分時後
分時夜前分時中分時後分時從坐起偏袒右
肩右膝著地一心稱是佛名供養礼拜作如是
言如來所知十方諸佛我今敬礼

BD00002號　佛名經(十六卷本)卷一三　(30–3)

優婆塞優婆夷信我語受持讀誦是諸佛
名當洗浴著新淨衣於晝日初分時中分時後
分時夜前分時中分時後分時從坐起偏袒右
肩右膝著地一心稱是佛名供養礼拜作如是
言如來所知十方諸佛我今敬礼
舍利弗是善男子善女人比丘比丘尼優婆
塞優婆夷如是供養礼拜得无量福
舍利弗若欲得聲聞地欲得辟支佛地欲得
阿耨多羅三藐三菩提者當礼十方佛一切
皆得
復作是言是諸福德聚諸佛如來所知我悉
迴向阿耨多羅三藐三菩提
舍利弗應當歸命東方一切諸佛
南无師子奮迅王佛　南无力士自在王佛
南无法自在奮迅佛　南无脩行堅固自在佛
南无法山勝佛　南无寶山佛
南无自在陁羅集佛　南无樹提藏佛
南无无量宿稱佛　南无切德力堅固王佛
南无人聲自在增長佛　南无勝一切世間佛
南无三世法界佛　南无妙聲吼佛
南无寶地龍王佛　南无法疾吼聲佛
南无香波頭摩擇自在寶城佛
南无光輪佛　南无寶蓮佛
南无切德華佛　南无多供養佛
南无无邊切德王佛　南无增長喜佛
南无師子龍奮迅佛　南无莎羅藏師子步王佛

BD00002號　佛名經(十六卷本)卷一三　(30–4)

南无切德華佛　南无多供養佛
南无无邊切德王佛　南无增長喜佛
南无師子龍奮迅佛　南无莎羅藏師子步王佛
南无觀諸法佛　南无法華智佛
南无時法清淨佛　南无堅固精進言語佛
南无聲精進佛　南无奕摩尼佛
南无山光明佛　南无清淨无垢藏佛
南无无垢月佛　南无清淨根佛
南无多智佛　南无能作智佛
南无廣智佛　南无力意佛
南无勝意佛　南无法堅固歡喜佛
南无堅固行自在佛　南无等須弥面佛
南无觀成就佛　南无清淨藏佛
南无鳥自在佛　南无現摩葉淨葉佛
南无智自在佛　南无智精進奮迅佛
南无无尋精進佛　南无世間自在佛
南无法行廣意佛　南无福德成就佛
南无不怯弱成就佛　南无勝成就佛
南无龍觀佛　南无須旃檀佛
南无作戒王佛　南无右无聚集寶佛
南无龍王聲佛　南无大智精進佛
南无无孤獨精進佛
從此以上九千七百佛十二部經一切賢聖
南无不滅莊嚴佛　南无不動居他佛
南无百切德莊嚴佛　南无自在諸相好稱佛
南无自在因陁羅月佛　南无法華山佛

從此以上九千七百佛十二部經一切賢聖
南无不滅莊嚴佛　南无不動居他佛
南无百切德莊嚴佛　南无自在諸相好稱佛
南无自在因陁羅月佛　南无法華山佛
南无法界莊嚴佛　南无滿足願佛
南无大師莊嚴佛　南无師子平等精進佛
南无脩行自在堅固佛　南无樂法脩行佛
南无勝慧佛　南无海步佛
南无大如脩行佛　南无高光明佛
南无无諍智佛　南无師子聲佛
南无善報佛　南无善住佛
南无日光佛　南无甘露增上佛
南无道上首佛　南无勝自在親佛
南无善見佛　南无无獨義佛
南无勝意佛　南无人月佛
南无威德光佛　南无普明佛
南无大莊嚴佛　南无師子奮迅去佛
南无摩樓多愛佛　南无寂心佛
南无大步佛　南无可聞聲佛
南无積切德佛　南无摩居向佛
南无愛照佛　南无名稱佛
南无信切德佛　南无清淨智佛
南无寶切德佛　南无妙信香佛
南无熱園佛　南无勝仙佛
南无寶智佛　南无甘露威德佛
南无藏信佛　南无月上勝佛

南无熱園佛　南无勝仙佛
南无寶智佛　南无甘露威德佛
南无藏信佛　南无月上勝佛
南无龍步佛　南无信點慧佛
南无愛寶語佛　南无憂波羅香佛
南无旃檀自在佛　南无歡勝佛
南无善行佛　南无功德勝佛
南无大威德佛　南无種種色日佛
南无過諸過佛　南无无量眼佛
南无慚愧智佛　南无功德供養佛
南无種種聲佛　南无功德可樂佛
南无住清淨佛　南无妙香佛
南无月光佛　南无戒分佛
南无華智佛　南无憂多摩意佛
南无不闇意佛　南无山自在積佛
南无舜王佛　南无解脫王佛
南无阿𨀉弥留王佛　南无如意力釋去佛
南无姓阿提慼佛　南无不讀數世間勝佛
南无法滌佛　南无寶星宿解脫王佛
南无白寶勝佛　南无法行自在佛
南无陁羅尼自在佛　南无阿難陁聲佛
從此以上九千八百佛十二部經一切賢聖
南无智步王佛　南无弥留平等奮迅王佛
南无智奮迅佛　南无法華通樹提佛
南无多波尼體佛　南无阿尼伽陁路摩勝佛
南无憂多羅勝法佛　南无大智念縛佛

南无智步王佛
南无智奮迅佛　南无弥留平等奮迅王佛
南无多波尼體佛　南无法華通樹提佛
南无憂多羅勝法佛　南无阿尼伽陁路摩勝佛
南无閻伽提自在一切世間捨佛　南无大智念縛佛
南无見无畏佛　南无自畏作佛
南无自在量佛
舍利弗我見南方如是等无量佛種種名種
種姓種種佛國土汝等應當至心歸命
舍利弗應當歸命西方无量佛
南无阿婆羅奕婆羅華佛
南无摩竟沙口聲去佛
南无智勝增長稱佛　南无莎𣶒多波尸佛
南无歌羅毗羅奕華光佛　南无法行燈佛
南无无等勝佛　南无智奮迅名稱王佛
南无梵聲奮迅妙鼓聲佛
南无波頭摩尸利藏眼佛
南无阿僧伽意奕佛　南无千月光明藏佛
南无樂法行佛　南无摩尼婆他光佛
南无師子廣眼佛　南无十力生勝佛
南无智作佛　南无无邊精進降佛
南无一切諸怨佛　南无大勝起法佛
南无阿无崎見佛　南无无邊命佛
南无不利他意佛　南无觀法智佛
南无无导精進日善思惟奮迅王佛

南无阿无苛見佛　南无无邊命佛
南无不利他意佛　南无觀法智佛
南无无㝵精進日善思惟奮迅王佛
南无无邊見佛　南无智見法佛
南无一切善根種子佛
南无憂多智勝發行功德佛
南无智香勝佛　南无智上尸棄王佛
南无福德勝智王佛　南无不思議法華光王佛
南无法清淨勝佛　南无不可思議弥留勝佛
南无能開法門佛　南无毗盧遮那法海香王佛
南无力王善住法王佛　南无勝力散一切惡王佛
南无見无邊樂佛　南无善化功德夾華王佛
南无彼見岸佛　南无善化莊嚴佛
南无見樂處佛　南无屋枸律王勝佛
南无妙勝佛　南无大力智慧奮迅王佛
南无法樹提佛　南无堅固蓋成就佛
南无一切種智資生勝佛　南无入勝智自在王佛
南无一切世間得自在有橋梁勝佛
南无盡合勝佛　南无清淨戒功德王佛
南无波頭摩散湯揚智多莊嚴佛
南无一王佛　南无大多人安隱佛
南无二勝聲功德佛　南无圓堅佛
南无力士佛　南无寶來摩屋大佛
南无大海弥留佛　南无勝王佛
南无不住佛　南无不空功德佛

BD00002號　佛名經（十六卷本）卷一三　（30–9）

南无力士佛　南无寶來摩屋大佛
南无大海弥留佛　南无勝王佛
南无不住佛　南无不空功德佛
南无初遠離不濁乘佛　南无虛空行佛
南无无㝵稱佛　南无聲山佛
南无不可思議起三昧稱佛
南无諸天梵王難兜佛
南无示无義王佛　南无謙垢王佛
南无照功德佛　南无自在眼佛
南无智稱成就住佛　南无无障智成就佛
南无說決定義佛　南无莊嚴法燈妙稱佛
南无二寶法燈佛　南无大夾藏佛
南无自師子上身莊嚴佛　南无智寶因緣莊嚴佛
南无眼諸根清淨眼佛　南无善香隨波頭摩佛
南无法佛　南无廣佛
從此以上九千九百佛十二部經一切賢聖
南无戒功德佛　南无常鏡佛
南无隨順稱佛　南无法自在佛
南无如意莊嚴佛　南无藏佛
南无憒佛　南无思妙義堅固願佛
南无一切德輪光佛　南无法孔智明佛
南无甘露光佛　南无无邊莊嚴佛
南无勝福田佛　南无善決定諸佛法莊嚴佛
舍利弗西方如是等无量无邊佛汝當至心歸命
南无无㝵智成就佛
次礼十二部尊經大藏法輪

BD00002號　佛名經（十六卷本）卷一三　（30–10）

南无勝福田佛　南无善決定諸佛法莊嚴佛
舍利弗西方如是等无量无邊佛汝當至心歸命
南无无㝵智成就佛
次礼十二部尊經大藏法輪
南无治身經　南无普首章經
南无衆祐經　南无淨方等經
南无獨居思惟自念經　南无長者須達經
南无獨思惟意中念經　南无无本經
南无擅若經　南无月明童子經
南无无憂施經　南无无思議孩童經
南无隨藍經　南无法律三昧經
南无給孤獨四生家門受施經
南无禪行法相經
南无法受塵經　南无頻多和多經
南无羅云母經　南无嚴調經
南无七處三觀經　南无貧女經
南无七女經
次礼十方諸大菩薩
南无金剛色世界法首菩薩
南无頗梨色世界智首菩薩
南无如寶色世界賢首菩薩
南无因陀羅世界法慧菩薩
南无蓮華世界一切慧菩薩
南无衆寶世界勝慧菩薩
南无憂鉢羅世界功德慧菩薩
[illegible]

BD00002 號　佛名經（十六卷本）卷一三　　（30–11）

南无如寶色世界賢首菩薩
南无因陀羅世界法慧菩薩
南无蓮華世界一切慧菩薩
南无衆寶世界勝慧菩薩
南无憂鉢羅世界功德慧菩薩
南无妙行世界精進慧菩薩
南无善行世界善慧菩薩
南无歡喜世界智慧菩薩
南无星宿世界真寶菩薩
南无无猒慈世界无上慧菩薩
南无虛空世界堅固慧菩薩
南无衆寶金剛藏世界觀勝法妙清淨王菩薩
南无无量慧世界功德菩薩
南无幢慧世界惠林菩薩
南无地慧世界勝林菩薩
南无勝惠世界无畏菩薩
南无燈慧世界慚愧林菩薩
南无金剛慧世界精進菩薩
南无安樂慧世界力成就林菩薩
南无日慧世界堅固林菩薩
南无清淨慧世界如來林菩薩
南无梵慧世界智林菩薩
次礼聲聞緣覺一切賢聖
南无善吉辟支佛　南无不可心辟支佛
南无善住辟支佛　南无无比辟支佛
南无憍慢辟支佛　南无劬多辟支佛

BD00002 號　佛名經（十六卷本）卷一三　　（30–12）

南无善吉辟支佛　南无不可心辟支佛
南无善住辟支佛　南无无比辟支佛
南无憍慢辟支佛　南无劬多辟支佛
南无斷愛辟支佛　南无耳辟支佛
南无心得解脫辟支佛　南无優波耳辟支佛
南无吉辟支佛　南无差摩辟支佛
歸命如是等无量无邊辟支佛
礼三寶已次復懺悔
已懺悔地獄報竟今當復次懺悔三惡道報
經中佛說多欲之人多求利故苦惱亦多知足之
人雖卧地上猶以為樂不知足者雖處天堂
猶不稱意但世間人忽有急難便能捨財
不計多少而不知此身臨於三塗深坑之上一息
不還便應墮落忽有知識勸營功德令脩未
來善法資粮執此慳心无肯作理夫如此者
擬為愚惑何以故尒經中佛說生時不賫一文
而來死亦不持一文而去苦身積聚為之憂
惱於已无益徒為他有无善可恃无德可怙
致使命終墮諸惡道是故弟子等今日稽顙
狠到歸依佛
南无東方大光明曜佛　南无南方盡空住佛
南无西方金剛步佛　南无北方无邊力佛
南无東南方无邊王佛　南无西南方壞諸怨賊佛
南无西北方離垢光佛　南无東北方金色光音佛
南无下方師子遊戲佛　南无上方月幢王佛
如是十方盡虛空界一切三寶至心歸命常住三寶

BD00002 號　佛名經（十六卷本）卷一三　（30–13）

南无西北方離垢光佛　南无東北方金色光音佛
南无下方師子遊戲佛　南无上方月幢王佛
如是十方盡虛空界一切三寶至心歸命常住三寶
弟子等今日次復懺悔畜生道中无所識知罪報
懺悔畜生道中負重牽犁償他宿債罪報
懺悔畜生道中不得自在為他斫刺屠割罪
報懺悔畜生道中无足二足四足多足罪報懺
悔畜生道中身諸毛羽鱗甲之內為諸小虫
之所唼食罪報如是畜生道中有无量罪
報今日至誠皆悉懺悔至心歸命常住三寶
次復懺悔餓鬼道中長飢罪報懺悔餓鬼百
千万歲初不曾聞漿水之名罪報懺悔餓鬼
食噉膿血糞穢罪報懺悔餓鬼動身之時一切
枝節火然罪報懺悔餓鬼腹大咽小罪報如
是餓鬼道中有无量苦報今日稽顙皆悉懺
悔至心頂礼常住三寶
次復懺悔一切鬼神脩羅道中諭諂詐稱罪報
懺悔鬼神道中擔沙負石填河塞海罪報懺
悔鬼神羅剎鳩槃荼等諸惡鬼神生噉肉血
受此醜陋罪報如是鬼神道中无量无邊一
切罪報今日稽顙向十方佛大地菩薩求哀
懺悔悉令消滅至心頂礼常住三寶
願弟子等承是懺悔畜生等報所生功德生
生世世滅愚癡垢自識業緣智慧明照斷惡
道身願以懺悔餓鬼等報所生功德生生世世

BD00002 號　佛名經（十六卷本）卷一三　（30–14）

[illegible]
生世世滅愚癡垢自識業緣智慧明照斷惡
道身願以懺悔餓鬼等報所生功德生生世世
永離慳貪餓渴之苦常食甘露解脫之味
願以懺悔鬼神脩羅等報所生功德生生世世
質直无諂離邪命因除醜陋果福利人天
願弟子等從今以去乃至道場決定不受四
惡道報唯除大悲為衆生故以誓願力處之
无猒至心頂礼常住三寶
舍利弗汝當至心歸命北方佛
南无勝藏佛　南无自在藏佛
南无无邊華龍一俱蘇摩生佛
南无降伏諸魔勇猛佛
南无空諸魔佛　南无法像佛
南无功德勝佛　南无山降光佛
南无法王佛　南无善恭敬燈佛
從此以上一万佛十二部經一切賢聖
南无地勝佛　南无成就如來家佛
南无一切寶成就脩佛　南无陁羅尼文句決定義佛
南无忍自在王佛　南无成就一切稱佛
南无三世智輪自在佛　南无勝歸依功德善住佛
南无種種摩尼光佛　南无勝功德佛
南无佛功德勝佛　南无无餘燈佛
南无得佛眼佛　南无隨過去佛
南无大慈成就悲勝佛　南无住持師子智佛
南无无量衆生住實際王佛　南无自家法不得成就佛

BD00002號　佛名經（十六卷本）卷一三　（30–15）

[illegible]
南无得佛眼佛　南无隨過去佛
南无大慈成就悲勝佛　南无住持師子智佛
南无无量衆生住實際王佛　南无自家法不得成就佛
南无大智莊嚴身佛　南无智稱佛
南无佛法首佛　南无一切衆生德佛
南无過一切法門佛　南无自在因陁羅佛
南无足滿意佛　南无大瑠璃佛
南无菩提光明佛　南无不可思議法智光明佛
南无真檀不空王佛　南无不深波頭摩幢佛
南无法財聲王佛　南无釋法善知稱佛
南无智積劫佛　南无佛眼清淨分陁利佛
南无智自在稱佛　南无斷无邊疑佛
南无衆生方便自在王佛
南无无邊覺奮迅无畏思惟佛
南无法行地善住佛　南无善衆生界廣佛
南无降伏諸魔力堅意佛　南无天王自在寶合王佛
南无如寶脩行藏佛　南无能生一切歡喜月見佛
南无大覺奮迅佛　南无種種摩尼聲乳王佛
南无无觀王佛　南无不退了勇猛佛
南无佛國土莊嚴身佛　南无智根本華幢佛
南无化身无畏稱佛　南无一切龍摩尼藏佛
南无法聲自在佛　南无法甘露薩梨羅佛
南无无邊寶福德藏佛　南无清淨華行佛
南无大法王華勝佛　南无一切盡无盡藏佛
南无花山藏佛　南无智虛空山佛

BD00002號　佛名經（十六卷本）卷一三　（30–16）

南无无邊寶福德藏佛　南无清淨華行佛
南无大法王華勝佛　南无一切盡无盡藏佛
南无花山藏佛　南无智虚空山佛
南无智力不可破壞佛　南无无㝵堅固隨順智佛
南无邊大海藏佛　南无智王无盡稱佛
南无奮迅心意王佛　南无自性清淨智佛
南无智自在法王佛　南无勝行王佛
南无金剛見佛　南无法滿足隨香見佛
南无龍月佛　南无因陁羅園佛
南无无㝵王佛　南无寶因陁羅輪王佛
南无能生一切衆生敬稱佛
南无能斷一切衆生疑佛
南无火威德光明輪王佛
南无智寶法見佛
南无无障㝵波羅佛　南无无垢語佛
南无放光明佛　南无堅固无畏上首佛
南无心自在王佛　南无山力月藏佛
南无堅固勇猛寶佛　南无堅固心善住王佛
南无能破闇曀王佛　南无勝丈夫分陁利佛
南无百聖藏佛　南无妙蓮華藏佛
南无見平等法法身佛　南无衆生月佛
南无師子去佛　南无大威德佛
南无妙聲佛　南无无邊光佛
南无見愛佛　南无大首佛
南无勝首佛　南无樂聲佛

BD00002號　佛名經（十六卷本）卷一三　（30–17）

南无妙聲佛　南无无邊光佛
南无見愛佛　南无大首佛
南无勝首佛　南无樂聲佛
南无見寶佛　南无清稱佛
從此以上一万一百佛十二部經一切賢聖
南无師子慧佛　南无德聲佛
南无脩樓毗香佛　南无電燈佛
南无波頭摩光佛　南无大光佛
南无梵聲佛　南无无疑佛
南无无邊勢力佛　南无月面佛
南无邊光佛　南无愛威德佛
南无散疑佛　南无一切德燈佛
南无不藏威德佛　南无无邊藏佛
南无光明奮迅王佛　南无廣稱佛
南无遠離幢佛　南无增長聖佛
南无善見佛　南无不可勝佛
南无堅固步佛　南无威德聚佛
南无摩尼跡稱佛　南无无邊色佛
南无大光明佛　南无妙聲佛
南无不動步佛　南无无邊莊嚴佛
南无大清淨佛　南无成威德聚光明佛
南无住智佛　南无堅佛
南无愛解脫佛　南无愛无畏佛
南无甘露藏佛　南无善觀察佛

BD00002號　佛名經（十六卷本）卷一三　（30–18）

南无任智佛　南无堅佛
南无愛解脱佛　南无愛无畏佛
南无甘露藏佛　南无善觀察佛
南无大脩行佛　南无細威德佛
南无十方恭敬佛　南无光明勝佛
南无重說佛　南无光明莊嚴佛
南无師子奮迅佛　南无善見佛
南无甘露步佛　南无月光明佛
南无功德稱佛　南无去根佛
南无清淨聲佛　南无无导輪佛
南无甘露聲佛　南无眾生可敬佛
南无如意威德佛　南无无邊色佛
南无大力佛　南无決莊嚴佛
南无善照觀佛　南无奮迅德佛
南无妙色佛　南无稱意佛
南无寶莊嚴佛　南无高光明佛
南无解脱步佛　南无功德莊嚴佛
南无畢竟智佛　南无生雞兜佛
南无不動智佛　南无行意佛
南无妙色佛　南无寶色佛
南无火聲佛　南无善思惟佛
南无功德華佛　南无思惟世間佛
南无大高光明佛　南无无譬喻奮迅佛
南无清淨覺佛　南无无月重佛

BD00002號　佛名經（十六卷本）卷一三　（30–19）

南无功德華佛　南无思惟世間佛
南无大高光明佛　南无无譬喻奮迅佛
南无清淨覺佛　南无无月重佛
南无月燈佛　南无无邊光佛
南无種種日佛　南无天城佛
南无心清淨佛　南无波頭摩藏佛
南无常擇智佛　南无師子聲佛
南无无邊光佛　南无勝聲佛
南无可樂意智光佛　南无功德光佛
南无自在光佛　南无淨嚴身佛
南无无獨義佛　南无應威德佛
南无成就義智佛　南无得大聲佛
南无婆藪陁聲佛　南无瞖哆光佛
從此以上一万二百佛十二部經一切賢聖
南无決定思惟佛　南无薩遮婆毙佛
南无鳴闍光明佛　南无毗弗波威德佛
南无憂多羅魔吒佛　南无夜舍雞兜佛
南无功德清淨佛　南无法燈佛
南无勝功德佛　南无仙荷波提愛面佛
南无心荷步去佛　南无思惟眾生佛
南无薩伽羅香佛　南无波頭摩藏佛
南无盖仙佛　南无薩羅王佛
南无脩利邪光佛　南无菩提味佛
南无齊諸根佛　南无婆毙光佛
南无芬陁利光佛　南无弥留光佛

BD00002號　佛名經（十六卷本）卷一三　（30–20）

南无脩利耶光佛 南无菩提味佛
南无寂諸根佛 南无婆嵬光佛
南无芬陁利光佛 南无弥留光佛
南无旃陁面佛 南无莎利荼去佛
南无諸方眼佛 南无法光明佛
南无尸羅波散那佛 南无阿難陁智佛
南无阿難陁色佛 南无地荼毗梨邪佛
南无提婆弥多佛 南无莎湯多智佛
南无寂静光佛 南无摩嵬舍威德佛
南无善分若提他佛 南无稱聖佛
南无稱幢佛 南无輪面佛
南无普清淨佛 南无摩訶提闍佛
南无阿羅訶應佛 南无優多那勝佛
南无恚達他思惟佛 南无爱供養佛
南无三湯多讓佛 南无尼弥佛
南无信菩提佛 南无破意佛
南无出智佛 南无勝聲佛
南无質多羅婆嵬佛 南无弥荷聲佛
南无大炎鬘陁佛 南无勝拘吒佛
南无阿鋝加爱佛 南无天國土佛
南无師子難提拘沙佛 南无阿難陁頗佛
南无見爱佛 南无波提波王佛
南无勝雞兜佛 南无方聞聲佛
南无爱眼佛 南无旃陁雞兜佛
南无阿婆夜達多佛 南无那刹多王佛

BD00002號　佛名經（十六卷本）卷一三　（30–21）

南无勝雞兜佛 南无方聞聲佛
南无爱眼佛 南无旃陁雞兜佛
南无阿婆夜達多佛 南无那刹多王佛
南无蘇摩提婆佛 南无日光明佛
南无大稱佛 南无真聲佛
南无説爱佛 南无稱憂多羅佛
南无摩頭羅光明佛 南无脩佉聲佛
南无質多意佛 南无婆藪陁清淨佛
南无寂瞋佛 南无破意佛
南无宿王佛 南无毗伽陁畏佛
南无勝憂多摩佛 南无婆薩那智佛
南无慈勝種種光佛 南无善見佛
南无見月佛 南无降伏諸魔威德佛
南无摩訶羅他佛 南无心荷步去佛
南无樂光佛 南无普讓佛
南无清淨意佛 南无成就義佛
南无香山佛 南无摩尼清淨佛
南无功德光佛 南无日光佛
南无成就光佛 南无見爱佛
南无善思惟佛 南无婆湯多見佛
從此以上一万三百佛十二部經一切賢聖
南无師子幢佛 南无普行見佛
南无大步佛 南无阿羅頻頭波頭摩眼佛
南无日光佛 南无阿弥多清淨佛

BD00002號　佛名經（十六卷本）卷一三　（30–22）

南无師子幢佛　南无普行見佛
南无大步佛　南无阿羅頻頭波頭摩眼佛
南无日光佛　南无阿弥多清淨佛
南无阿難多摟波佛　南无益天佛
南无羅多那光佛　南无娑羅梯羅多佛
南无善見佛　南无襯味佛
南无娑耆羅菸佛　南无脩利邪那耶佛
南无无障导眼佛　南无菸荷去佛
南无大然燈佛　南无盧荷伽佛
南无香山佛　南无清淨意佛
南无清淨功德佛　南无功德藏佛
南无法佛　南无摩摟多愛佛
南无阿婆邪愛佛　南无慧幢佛
南无威德光佛　南无月德佛
南无求那婆藪佛　南无无邊光佛
南无安樂佛　南无稱雞兜佛
南无光明吼佛　南无善功德佛
南无勝雞兜佛　南无那羅延佛
南无寶清淨佛　南无善心佛
南无善心意佛　南无善意思佛
南无不量威德佛　南无師子辟佛
南无光明意佛　南无那羅延天佛
南无薩遮雞兜佛　南无善住意佛
南无阿弥多天佛　南无大慧德佛
南无大幢佛　南无光明日佛

BD00002 號　佛名經（十六卷本）卷一三　（30–23）

南无光明意佛　南无那羅延天佛
南无薩遮雞兜佛　南无善住意佛
南无阿弥多天佛　南无大慧德佛
南无大幢佛　南无光明日佛
南无法首佛　南无善法佛
南无旃陁婆尭佛　南无菴摩羅勝佛
南无解脱襯佛　南无羅多那光佛
南无无羅聲佛　南无普心擇佛
南无成就光佛　南无甘露眼佛
南无稱愛佛　南无善讙佛
南无天信佛　南无善量步佛
南无提婆多羅佛　南无深智佛
南无斯那步佛　南无旃陁跋陁佛
南无提閻積佛　南无大勝佛
南无大步佛　南无闍邪天佛
南无憙達他意佛　南无質多憂佛
南无師子聲佛　南无信提舍那佛
南无智光佛　南无枸蘓摩提閻佛
南无提閻羅尸佛　南无如意光佛
南无无邊威德佛　南无无邊光佛
南无勝藏佛　南无盧遮那稱佛
南无寶雞兜佛　南无郁伽提閻佛
南无日雞兜佛　南无摩訶弥留佛
南无摩訶藪荷佛　南无世間得名佛
南无郁伽德佛　南无夏多摩簾佛

BD00002 號　佛名經（十六卷本）卷一三　（30–24）

南[illegible]佛　南[illegible]佛

南无寶雞兜佛　南无郁伽提闍佛

南无日雞兜佛　南无摩訶弥留佛

南无摩訶蘱荷佛　南无世間得名佛

南无郁伽德佛　南无憂多摩稱佛

南无成就義步佛　南无提婆摩醘多佛

次礼十二部尊經大藏法輪

南无決揔持經　南无七智經

南无所祇經　南无七車經

南无耆闍崛山解經　南无留多經

南无未生王經　南无三乘經

從此以上一万四百佛十二部經一切賢聖

南无便賢者蒴經　南无颰陁悔過經

南无三轉月明經　南无聽施經

南无是持自梵自守經　南无三品脩行經

南无句義經　南无鷹王經

南无須摩經　南无弘道三昧經

南无義決律經　南无須耶越國貧人經

南无齋經　南无等入法嚴經

次礼十方諸大菩薩

南无堅固寶世界金剛幢菩薩

南无堅固寶王世界楹幢菩薩

南无堅固樂世界堅固幢菩薩

南无堅固金世界夜光幢菩薩

南无堅固摩世界智幢菩薩

南无堅固金剛世界[illegible]

BD00002 號　佛名經（十六卷本）卷一三　（30–25）

南无堅固樂世界堅固幢菩薩

南无堅固金世界夜光幢菩薩

南无堅固摩世界智幢菩薩

南无堅固金剛世界寶幢菩薩

南无堅固蓮華世界精進幢菩薩

南无堅固青蓮華世界離垢幢菩薩

南无堅固蒴擅世界宜寶幢菩薩

南无堅固香世界法幢菩薩

南无南方善思議菩薩

南无西方菩薩

南无善吉世界成一切利菩薩

南无善吉世界金光齊菩薩

南无寶樹世界精進首菩薩

南无寶揚世界明首菩薩

南无善觀照世界思於大義菩薩

南无无憂世界善耀菩薩

南无香勝離垢光明世界善光明惠燈菩薩

南无金剛慧世界淨光菩薩

南无善行世界无勝意菩薩

南无善吉世界明星菩薩

南无寶樹世界无言菩薩

南无歡喜世界蓮華菩薩

南无歡喜世界山王菩薩

次礼聲聞緣覺一切菩薩

南无[illegible]辟支佛　南无大身辟支佛

BD00002 號　佛名經（十六卷本）卷一三　（30–26）

南无歡喜世界蓮華菩薩
南无歡喜世界山王菩薩
次礼聲聞緣覺一切菩薩
南无十同名婆羅辟支佛　南无火身辟支佛
南无同菩提辟支佛　南无摩訶男辟支佛
南无心上辟支佛　南无睒淨辟支佛
南无善快辟支佛　南无園陁辟支佛
南无吉沙辟支佛　南无優波吉沙辟支佛
南无斷有辟支佛　南无優波羅辟支佛
南无斷愛辟支佛　南无施婆羅辟支佛
礼三寶已次復懺悔
已懺三塗等報今當復次稽𩒨懺悔人天餘
報相與稟此閻浮壽命雖日百歲滿者无幾
於其中間感年夭枉其數无量但有衆苦煎
迫形心愁憂恐怯未曾暫離如此皆是善根微
弱惡業滋多致使現在心有所為皆不稱意
當知悉是過去已來惡業餘報是故弟子今
日至誠歸依佛
南无東方蓮華上佛　南无南方調伏佛
南无西方无量明佛　南无北方勝諸根佛
南无東南方蓮華尊佛　南无西南方无量華佛
南无西北方自在智佛　南无東北方赤蓮華德佛
南无下方分別佛　南无上方伏怨智佛
如是十方盡虛空界一切三寶至心歸命常
住三寶弟子等无始以來至於今日所有現

BD00002號　佛名經（十六卷本）卷一三　（30–27）

南无下方分別佛　南无上方伏怨智佛
如是十方盡虛空界一切三寶至心歸命常
住三寶弟子等无始以來至於今日所有現
在及以未來人天之中无量餘報流殃宿對癃
殘百疾六根不具罪報懺悔人間邊地邪見
三惡八難罪報懺悔人間多病消瘦促命夭
枉罪報懺悔人間六親眷屬不能得常相保守
罪報懺悔人間親舊朋離苦愛別離苦罪報懺悔人
間怨家聚會愁憂怖畏罪報懺悔人間水火盜
賊刀兵危險驚恐怯弱罪報懺悔人間孤獨困苦
流離波迸亡失國土罪報懺悔人間牢獄繫閉幽執
側立鞭撻考楚抂理不申罪報懺悔人間公私口
舌更相羅染更相誣謗罪報懺悔人間惡病連年
累月不差枕臥牀席不能起居罪報懺悔人間冬
溫夏疫毒厲傷寒罪報懺悔人間賊風腫滿閉
塞罪報懺悔人間為諸惡神祠求其便欲作禍
祟罪報懺悔人間有鳥鳴百怪飛屍邪鬼為
作妖異罪報懺悔人間為虎狗豺狼水陸一切
諸惡禽獸所傷罪報懺悔人間自經自刺自
煞罪報懺悔人間投坑赴水自沉自墜罪報
懺悔人間无有威德名聞罪報懺悔人間衣服
資生不稱心罪報懺悔人間行來出入有所云為
值惡知識為作留難罪報如是現在未來人
天之中无量禍橫災疫厄難衰惱罪報弟子
今日向十方佛尊法聖僧求哀懺悔至心頂礼

BD00002號　佛名經（十六卷本）卷一三　（30–28）

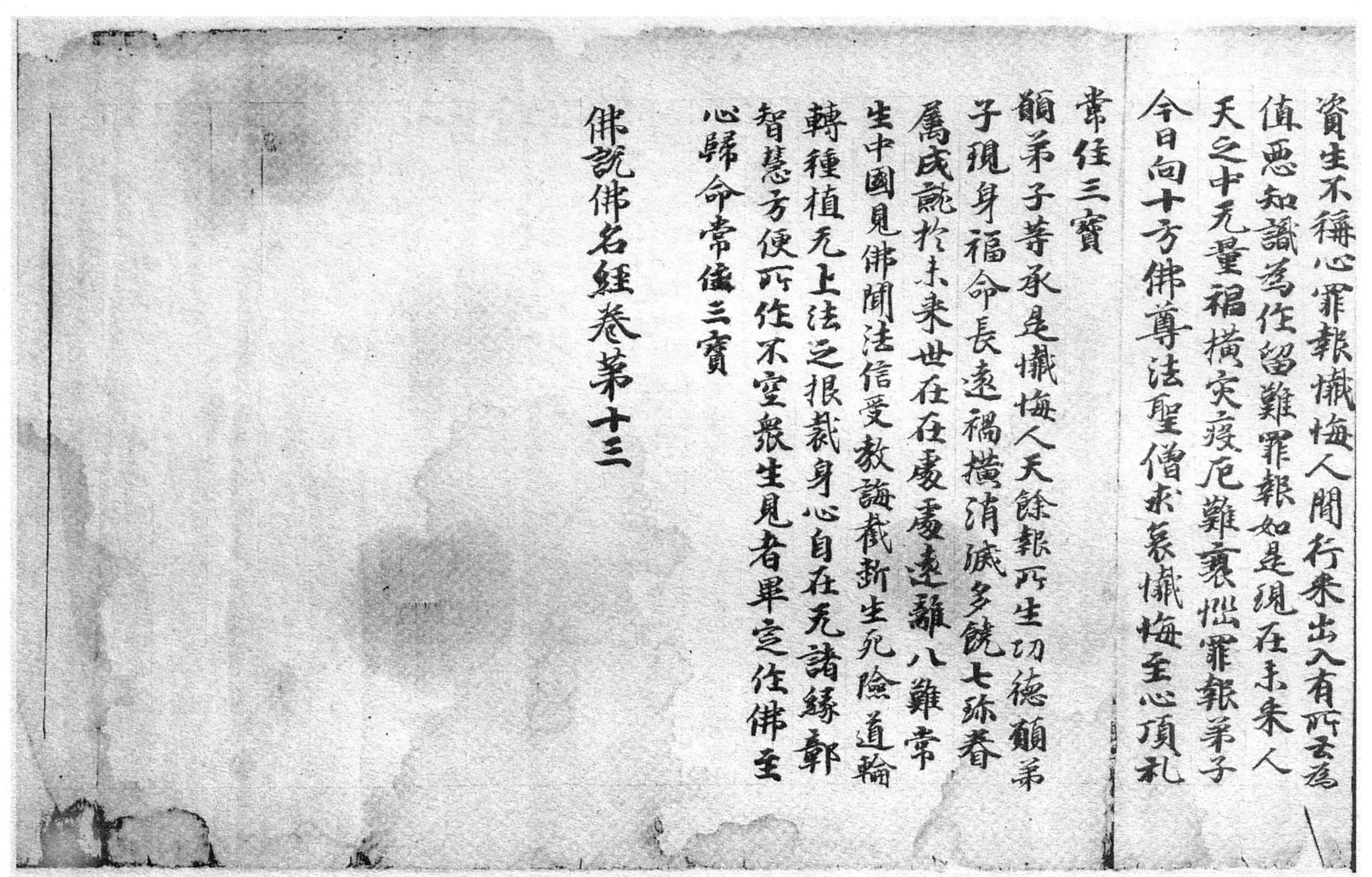

資生不稱心罪報懺悔人間行來出入有所云爲
值惡知識爲作留難罪報如是現在未來人
天之中无量禍橫災疫厄難衰惱罪報弟子
今日向十方佛尊法聖僧求哀懺悔至心頂礼
常住三寶
願弟子等承是懺悔人天餘報所生功德願弟
子現身福命長遠禍橫消滅多饒七珍眷
屬成就於未來世在在處處遠離八難常
生中國見佛聞法信受教誨截斷生死險道輪
轉種植无上法之根栽身心自在无諸緣鄣
智慧方便所作不空衆生見者畢定作佛至
心歸命常住三寶
佛說佛名經卷第十三

BD00002號　佛名經（十六卷本）卷一三　（30–29）

轉種植无上法之根栽身心自在无諸緣鄣
智慧方便所作不空衆生見者畢定作佛至
心歸命常住三寶
佛說佛名經卷第十三

BD00002號　佛名經（十六卷本）卷一三　（30–30）

南无地藏菩薩
現在慈母阿娘阿耶

BD00002 號背　雜寫　　（1–1）

BD00002 號背　賬歷（擬）　　（1–1）

馬車乘七
是布施滿八十年
娛樂之具隨意所欲然此
過八十歲髮白面皺將死不久我當
訓導之即集此衆生宣布法化示教利喜一
時皆得須陁洹道斯陁含道阿那含道阿羅
漢道盡諸有漏於深禪定皆得自在具八解
脫於汝意云何是大施主所得功德寧為多不
彌勒白佛言世尊是人功德甚多无量无邊
若是施主但施衆生一切樂具功德无量何
況令得阿羅漢果佛告彌勒我今分明語
汝是人以一切樂具施於四百万億阿僧祇世
界六趣衆生又令得阿羅漢果所得功德不
如是第五十人聞法華經一偈隨喜功德
百分千分百千万億分不及其一乃至筭數
譬喻所不能知阿逸多如是第五十人展轉
聞法華經隨喜功德尚无量无邊阿僧祇何
況最初於會中聞而隨喜者其福復勝无量
无邊阿僧祇不可得比又阿逸多若人為是
經故往詣僧坊若坐若立須臾聽受緣是功
德轉身所生得好上妙象馬車乘珎寶輦輿
及乘天宮若復有人於講法處坐更有人來
勸令坐聽若分座令坐是人功德轉身得帝
釋坐處若梵王坐處若轉輪聖王所坐之處
阿逸多若復有人語餘人言有經名法華可
共往聽即受其教乃至須臾間聞是人功德

BD00003 號　妙法蓮華經卷六　（3–1）

阿逸多若復有人語餘人言有經名法華可
共往聽即受其教乃至須臾間聞是人功德
轉身得與陁羅尼菩薩共生一處利根智慧
百千万世終不瘖瘂口氣不臭舌常无病口
亦无病齒不垢黑不黃不踈亦不缺落不差
不曲脣不下垂亦不褰縮不麁澁不瘡緊亦
不缺壞亦不喎斜不厚不大亦不黧黑无諸
可惡鼻不匾𠔇亦不曲戾面色不黑亦不狹
長亦不窊曲无有一切不可喜相脣舌牙齒
悉皆嚴好鼻脩高直面皃圓滿眉高而長額
廣平正人相具足世世所生見佛聞法信受
教誨阿逸多汝且觀是勸於一人令往聽法
功德如此何況一心聽說讀誦而於大衆為
人分別如說脩行尒時世尊欲重宣此義而
說偈言

若人於法會　得聞是經典　乃至於一偈　隨喜為他說
如是展轉教　至于第五十　最後人獲福　今當分別之
如有大施主　供給无量衆　具滿八十歲　隨意之所欲
見彼衰老相　髮白而面皺　齒踈形枯竭　念其死不久
我今應當教　令得於道果　即為方便說　涅槃真實法
世皆不牢固　如水沫泡焰　汝等咸應當　疾生猒離心
諸人聞是法　皆得阿羅漢　具足六神通　三明八解脫
最後第五十　聞一偈隨喜　是人福勝彼　不可為譬喻
如是展轉聞　其福尚无量　何況於法會　初聞隨喜者
若有勸一人　將引聽法華　言此經深妙　千万劫難遇
即受教往聽　乃至須臾聞　斯人之福報　今當分別說

BD00003 號　妙法蓮華經卷六　（3–2）

如有大施主　供給无量眾　具滿八十歲　隨意之所欲
見彼衰老相　髮白而面皺　齒踈形枯竭　念其死不久
我今應當教　令得於道果　即為方便說　涅槃真實法
世皆不牢固　如水沫泡焰　汝等咸應當　疾生厭離心
諸人聞是法　皆得阿羅漢　具足六神通　三明八解脫
最後第五十　聞一偈隨喜　是人福勝彼　不可為譬喻
如是展轉聞　其福尚无量　何況於法會　初聞隨喜者
若有勸一人　將引聽法華　言此經深妙　千万劫難遇
即受教往聽　乃至須臾聞　斯人之福報　今當分別說
世世无口患　齒不踈黃黑　脣不厚褰缺　无有可惡相
舌不乾黑短　鼻高脩且直　額廣而平正　面目悉端嚴
為人所喜見　口氣无臭穢　優鉢華之香　常從其口出
若故詣僧坊　欲聽法華經　須臾聞歡喜　今當說其福
後生天人中　得妙象馬車　珍寶之輦輿　及乘天宮殿
若於講法處　勸人坐聽經　是福因緣得　釋梵轉輪座
何況一心聽　解說其義趣　如說而脩行　其福不可限
妙法蓮華經法師功德品第十九
尒時佛告常精進菩薩摩訶薩若善男子善
女人受持是法華經若讀若誦若解說若書
寫是人當得八百眼功德千二百耳功德八
百鼻功德千二百舌功德八百身功德千二
百意功德以是功德莊嚴六根皆令清淨是

BD00003號　妙法蓮華經卷六　（3-3）

生諸受
故若一切三摩地門清淨
界乃至鼻觸為緣所生諸受清淨若一
切智智清淨无二无二分无別无斷故善現
一切三摩地門清淨故若一切三摩地門清淨
故一切智智清淨何以故若一切三摩地門清
淨若舌界清淨若一切智智清淨无二无
二分无別无斷故一切三摩地門清淨故味
界舌識界及舌觸舌觸為緣所生諸受清淨
味界乃至舌觸為緣所生諸受清淨故一切
智智清淨何以故若一切三摩地門清淨若
味界乃至舌觸為緣所生諸受清淨若一切
智智清淨无二无二分无別无斷故善現一
切三摩地門清淨故身界清淨身界清淨故
一切智智清淨何以故若一切三摩地門清
淨若身界清淨若一切智智清淨无二无二
分无別无斷故一切三摩地門清淨故觸界
身識界及身觸身觸為緣所生諸受清淨觸
界乃至身觸為緣所生諸受清淨故一切智
智清淨何以故若一切三摩地門清淨若觸
界乃至身觸為緣所生諸受清淨若一切智
智清淨无二无二分无別无斷故善現一切
三摩地門清淨故意界清淨意界清淨故一
切智智清淨何以故若一切三摩地門清淨
若意界清淨若一切智智清淨无二无二分

BD00004號　大般若波羅蜜多經卷二四一　（19-1）

三摩地門清淨故意界清淨意界清淨故一
切智智清淨何以故若一切三摩地門清淨
若意界清淨若一切智智清淨无二无二分
无別无斷故一切三摩地門清淨故法界意
識界及意觸意觸為緣所生諸受清淨法
界乃至意觸為緣所生諸受清淨故一切智
智清淨何以故若一切三摩地門清淨若法界
乃至意觸為緣所生諸受清淨若一切智智
清淨无二无二分无別无斷故善現一切三
摩地門清淨故地界清淨地界清淨故一切
智智清淨何以故若一切三摩地門清淨若
地界清淨若一切智智清淨无二无二分无
別无斷故一切三摩地門清淨故水火風空
識界清淨水火風空識界清淨故一切智智
清淨何以故若一切三摩地門清淨若水火
風空識界清淨若一切智智清淨无二无二
分无別无斷故善現一切三摩地門清淨故
无明清淨无明清淨故一切智智清淨何以
故若一切三摩地門清淨若无明清淨若一
切智智清淨无二无二分无別无斷故一切
三摩地門清淨故行識名色六處觸受愛取
有生老死愁歎苦憂惱清淨行乃至老死愁
歎苦憂惱清淨故一切智智清淨何以故若
一切三摩地門清淨若行乃至老死愁歎苦
憂惱清淨若一切智智清淨无二无二分无

BD00004 號　大般若波羅蜜多經卷二四一　（19–2）

有生老死愁歎苦憂惱清淨行乃至老死愁
歎苦憂惱清淨故一切智智清淨何以故若
一切三摩地門清淨若行乃至老死愁歎苦
憂惱清淨若一切智智清淨无二无二分无
別无斷故
善現一切三摩地門清淨故布施波羅蜜多
清淨布施波羅蜜多清淨故一切智智清淨
何以故若一切三摩地門清淨若布施波羅
蜜多清淨若一切智智清淨无二无二分无
別无斷故一切三摩地門清淨故淨戒安忍
精進靜慮般若波羅蜜多清淨淨戒乃至般
若波羅蜜多清淨故一切智智清淨何以故
若一切三摩地門清淨若淨戒乃至般若波
羅蜜多清淨若一切智智清淨无二无二分
无別无斷故善現一切三摩地門清淨故內
空清淨內空清淨故一切智智清淨何以故
若一切三摩地門清淨若內空清淨若一切
智智清淨无二无二分无別无斷故一切三
摩地門清淨故外空內外空空空大空勝義
空有為空无為空畢竟空无際空散空无變
異空本性空自相空共相空一切法空不可
得空无性空自性空无性自性空清淨外空
乃至无性自性空清淨故一切智智清淨何
以故若一切三摩地門清淨若外空乃至無
性自性空清淨若一切智智清淨无二无二

BD00004 號　大般若波羅蜜多經卷二四一　（19–3）

以故若一切三摩地門清淨若外空乃至無
性自性空清淨若一切智智清淨无二无二
分无別无斷故善現一切三摩地門清淨故
真如清淨真如清淨故一切智智清淨何以
故若一切三摩地門清淨若真如清淨若一
切智智清淨无二无二分无別无斷故一切
三摩地門清淨故法界法性不虛妄性不變
異性平等性離生性法定法住實際虛空界
不思議界清淨法界乃至不思議界清淨故
一切智智清淨何以故若一切三摩地門清
淨若法界乃至不思議界清淨若一切智智
清淨无二无二分无別无斷故善現一切三
摩地門清淨故苦聖諦清淨苦聖諦清淨故
一切智智清淨何以故若一切三摩地門清
淨若苦聖諦清淨若一切智智清淨无二无
二分无別无斷故一切三摩地門清淨故集滅
道聖諦清淨集滅道聖諦清淨故一切智
智清淨何以故若一切三摩地門清淨若集
滅道聖諦清淨若一切智智清淨无二无二
分无別无斷故善現一切三摩地門清淨故
四靜慮清淨四靜慮清淨故一切智智清淨
何以故若一切三摩地門清淨若四靜慮清
淨若一切智智清淨无二无二分无別无斷
故一切三摩地門清淨故四无量四无色定
清淨四无量四无色定清淨故一切智智清

BD00004號　大般若波羅蜜多經卷二四一　（19–4）

淨若一切智智清淨无二无二分无別无斷
故一切三摩地門清淨故四无量四无色定
清淨四无量四无色定清淨故一切智智清
淨何以故若一切三摩地門清淨若四无量
四无色定清淨若一切智智清淨无二无二
分无別无斷故善現一切三摩地門清淨故
八解脫清淨八解脫清淨故一切智智清淨
何以故若一切三摩地門清淨若八解脫清
淨若一切智智清淨无二无二分无別无斷
故一切三摩地門清淨故八勝處九次第定
十遍處清淨八勝處九次第定十遍處清淨
故一切智智清淨何以故若一切三摩地門
清淨若八勝處九次第定十遍處清淨若一
切智智清淨无二无二分无別无斷故善現
一切三摩地門清淨故四念住清淨四念住
清淨故一切智智清淨何以故若一切三摩
地門清淨若四念住清淨若一切智智清淨
無二無二分無別無斷故一切三摩地門清
淨故四正斷四神足五根五力七等覺支八
聖道支清淨四正斷乃至八聖道支清淨故
一切智智清淨何以故若一切三摩地門清
淨若四正斷乃至八聖道支清淨若一切智
智清淨无二无二分无別无斷故善現一切
三摩地門清淨故空解脫門清淨空解脫門
清淨故一切智智清淨何以故若一切三摩

BD00004號　大般若波羅蜜多經卷二四一　（19–5）

三摩地門清淨故空解脫門清淨空解脫門
清淨故一切智智清淨何以故若一切三摩
地門清淨若空解脫門清淨若一切智智清
淨無二無二分無別無斷故一切三摩地門
清淨故无相无願解脫門清淨无相无願解
脫門清淨故一切智智清淨何以故若一切
三摩地門清淨若无相无願解脫門清淨若
一切智智清淨无二无二分无別无斷故善
現一切三摩地門清淨故菩薩十地清淨菩
薩十地清淨故一切智智清淨何以故若一
切三摩地門清淨若菩薩十地清淨若一切
智智清淨无二无二分无別无斷故
善現一切三摩地門清淨故五眼清淨五眼
清淨故一切智智清淨何以故若一切三摩
地門清淨若五眼清淨若一切智智清淨无
二无二分无別无斷故一切三摩地門清淨
故六神通清淨六神通清淨故一切智智清
淨何以故若一切三摩地門清淨若六神通
清淨若一切智智清淨无二无二分无別无
斷故善現一切三摩地門清淨故佛十力清
淨佛十力清淨故一切智智清淨何以故若
一切三摩地門清淨若佛十力清淨若一切
智智清淨无二无二分无別无斷故一切三
摩地門清淨故四无所畏四无导解大慈大
悲大喜大捨十八佛不共法清淨四无所畏

BD00004號　大般若波羅蜜多經卷二四一　（19–6）

摩地門清淨故四无所畏四无导解大慈大
悲大喜大捨十八佛不共法清淨四无所畏
乃至十八佛不共法清淨故一切智智清淨
何以故若一切三摩地門清淨若四无所畏
乃至十八佛不共法清淨若一切智智清淨
无二无二分无別无斷故善現一切三摩地
門清淨故无忘失法清淨无忘失法清淨故
一切智智清淨何以故若一切三摩地門清
淨若无忘失法清淨若一切智智清淨无二
無二分無別無斷故一切三摩地門清淨故
恒住捨性清淨恒住捨性清淨故一切智智
清淨何以故若一切三摩地門清淨若恒住
捨性清淨若一切智智清淨无二无二分无
別无斷故善現一切三摩地門清淨故一切
智清淨一切智清淨故一切智智清淨何以
故若一切三摩地門清淨若一切智清淨若
一切智智清淨无二无二分无別无斷故一
切三摩地門清淨故道相智一切相智清淨
道相智一切相智清淨故一切智智清淨何
以故若一切三摩地門清淨若道相智一切
相智清淨若一切智智清淨无二无二分无
別无斷故善現一切三摩地門清淨故一切
陀羅尼門清淨一切陀羅尼門清淨故一切
智智清淨何以故若一切三摩地門清淨若
一切陀羅尼門清淨若一切智智清淨无二

BD00004號　大般若波羅蜜多經卷二四一　（19–7）

智智清淨何以故若一切三摩地門清淨若
一切陀羅尼門清淨若一切智智清淨无二
无二分无別无斷故
善現一切三摩地門清淨故預流果清淨預
流果清淨故一切智智清淨何以故若一切
三摩地門清淨若預流果清淨若一切智智
清淨无二无二分无別无斷故一切三摩地
門清淨故一來不還阿羅漢果清淨一來不
還阿羅漢果清淨故一切智智清淨何以故
若一切三摩地門清淨若一來不還阿羅漢
果清淨若一切智智清淨无二无二分无別
无斷故善現一切三摩地門清淨故獨覺菩
提清淨獨覺菩提清淨故一切智智清淨何
以故若一切三摩地門清淨若獨覺菩提清
淨若一切智智清淨无二无二分无別无斷故
善現一切三摩地門清淨故一切菩薩摩訶
薩行清淨一切菩薩摩訶薩行清淨故一
切智智清淨何以故若一切三摩地門清淨
若一切菩薩摩訶薩行清淨若一切智智清
淨无二无二分无別无斷故善現一切三摩
地門清淨故諸佛无上正等菩提清淨諸佛
无上正等菩提清淨故一切智智清淨何以
故若一切三摩地門清淨若諸佛无上正等
菩提清淨若一切智智清淨无二无二分无
別无斷故

BD00004 號　大般若波羅蜜多經卷二四一　（19–8）

菩提清淨若一切智智清淨无二无二分无
別无斷故
復次善現預流果清淨故色清淨色清淨故
一切智智清淨何以故若預流果清淨若色
清淨若一切智智清淨无二无二分无別无
斷故預流果清淨故受想行識清淨受想行
識清淨故一切智智清淨何以故若預流果
清淨若受想行識清淨若一切智智清淨无
二无二分无別无斷故善現預流果清淨故
眼處清淨眼處清淨故一切智智清淨何以
故若預流果清淨若眼處清淨若一切智智
清淨无二无二分无別无斷故預流果清淨
故耳鼻舌身意處清淨耳鼻舌身意處清淨
故一切智智清淨何以故若預流果清淨若
耳鼻舌身意處清淨若一切智智清淨无二
无二分无別无斷故善現預流果清淨故色
處清淨色處清淨故一切智智清淨何以故
若預流果清淨若色處清淨若一切智智清
淨无二无二分无別无斷故預流果清淨故
聲香味觸法處清淨聲香味觸法處清淨故
一切智智清淨何以故若預流果清淨若聲
香味觸法處清淨若一切智智清淨无二无二
分无別无斷故善現預流果清淨故眼界
清淨眼界清淨故一切智智清淨何以故若
預流果清淨若眼界清淨若一切智智清淨

BD00004 號　大般若波羅蜜多經卷二四一　（19–9）

清淨眼界清淨故一切智智清淨何以故若
預流果清淨若眼界清淨若一切智智清淨
无二无二分无別无斷故預流果清淨故色
界眼識界及眼觸眼觸為緣所生諸受清淨
色界乃至眼觸為緣所生諸受清淨故一切
智智清淨何以故若預流果清淨若色界乃
至眼觸為緣所生諸受清淨若一切智智清
淨无二无二分无別无斷故善現預流果清
淨故耳界清淨耳界清淨故一切智智清淨
何以故若預流果清淨若耳界清淨若一切
智智清淨无二无二分无別无斷故預流果
清淨故聲界耳識界及耳觸耳觸為緣所生
諸受清淨聲界乃至耳觸為緣所生諸受清
淨故一切智智清淨何以故若預流果清淨
若聲界乃至耳觸為緣所生諸受清淨若一
切智智清淨无二无二分无別无斷故善現
預流果清淨故鼻界清淨鼻界清淨故一切
智智清淨何以故若預流果清淨若鼻界清
淨若一切智智清淨无二无二分无別无斷
故預流果清淨故香界鼻識界及鼻觸鼻觸
為緣所生諸受清淨香界乃至鼻觸為緣所
生諸受清淨故一切智智清淨何以故若預
流果清淨若香界乃至鼻觸為緣所生諸受
清淨若一切智智清淨无二无二分无別无
斷故善現預流果清淨故舌界清

BD00004號　大般若波羅蜜多經卷二四一　（19–10）

清淨若一切智智清淨无二无二分无別无
斷故善現預流果清淨故舌界清淨舌界清
淨故一切智智清淨何以故若預流果清淨
若舌界清淨若一切智智清淨无二无二分
无別无斷故預流果清淨故味界舌識界及
舌觸舌觸為緣所生諸受清淨味界乃至舌
觸為緣所生諸受清淨故一切智智清淨何
以故若預流果清淨若味界乃至舌觸為緣
所生諸受清淨若一切智智清淨无二无二
分无別无斷故善現預流果清淨故身界清
淨身界清淨故一切智智清淨何以故若預
流果清淨若身界清淨若一切智智清淨无
二无二分无別无斷故預流果清淨故觸界
身識界及身觸身觸為緣所生諸受清淨觸
界乃至身觸為緣所生諸受清淨故一切智
智清淨何以故若預流果清淨若觸界乃至
身觸為緣所生諸受清淨若一切智智清淨
无二无二分无別无斷故善現預流果清淨
故意界清淨意界清淨故一切智智清淨何
以故若預流果清淨若意界清淨若一切智
智清淨无二无二分无別无斷故預流果清
淨故法界意識界及意觸意觸為緣所生諸
受清淨法界乃至意觸為緣所生諸受清淨
故一切智智清淨何以故若預流果清淨若
法界乃至意觸為緣所生諸受清淨若一切

BD00004號　大般若波羅蜜多經卷二四一　（19–11）

故一切智智清淨何以故若預流果清淨若
法界乃至意觸為緣所生諸受清淨若一切
智智清淨无二无二分无別无斷故善現預
流果清淨故地界清淨地界清淨故一切智
智清淨何以故若預流果清淨若地界清淨
若一切智智清淨无二无二分无別无斷故
預流果清淨故水火風空識界清淨水火風
空識界清淨故一切智智清淨何以故若預
流果清淨若水火風空識界清淨若一切智
智清淨无二无二分无別无斷故善現預流
果清淨故无明清淨无明清淨故一切智智
清淨何以故若預流果清淨若无明清淨若
一切智智清淨无二无二分无別无斷故預
流果清淨故行識名色六處觸受愛取有生
老死愁歎苦憂惱清淨行乃至老死愁歎苦
憂惱清淨故一切智智清淨何以故若預流
果清淨若行乃至老死愁歎苦憂惱清淨若
一切智智清淨无二无二分无別无斷故
善現預流果清淨故布施波羅蜜多清淨布
施波羅蜜多清淨故一切智智清淨何以故
若預流果清淨若布施波羅蜜多清淨若一
切智智清淨无二无二分无別无斷故預流
果清淨故淨戒安忍精進靜慮般若波羅蜜
多清淨淨戒乃至般若波羅蜜多清淨故一
切智智清淨何以故若預流果清淨若淨戒

多清淨淨戒乃至般若波羅蜜多清淨故一
切智智清淨何以故若預流果清淨若淨戒
乃至般若波羅蜜多清淨若一切智智清淨
无二无二分无別无斷故善現預流果清淨
故內空清淨內空清淨故一切智智清淨何
以故若預流果清淨若內空清淨若一切智
智清淨无二无二分无別无斷故預流果清
淨故外空內外空空空大空勝義空有為空
无為空畢竟空无際空散空无變異空本性
空自相空共相空一切法空不可得空无性
空自性空无性自性空清淨外空乃至无性
自性空清淨故一切智智清淨何以故若預
流果清淨若外空乃至无性自性空清淨若
一切智智清淨无二无二分无別无斷故善
現預流果清淨故真如清淨真如清淨故一
切智智清淨何以故若預流果清淨若真如
清淨若一切智智清淨无二无二分无別无
斷故預流果清淨故法界法性不虛妄性不
變異性平等性離生性法定法住實際虛空
界不思議界清淨法界乃至不思議界清淨
故一切智智清淨何以故若預流果清淨若法界
乃至不思議界清淨若一切智智清淨无二无
二分无別无斷故善現預流果清淨故苦聖
諦清淨苦聖諦清淨故一切智智清淨何
以故若預流果清淨若苦聖諦清淨若一切

諦清淨苦聖諦清淨故一切智智清淨何
以故若預流果清淨若苦聖諦清淨若一切
智智清淨無二無二分無別無斷故預流果
清淨故集滅道聖諦清淨集滅道聖諦清淨
故一切智智清淨何以故若預流果清淨若
集滅道聖諦清淨若一切智智清淨無二無
二分無別無斷故善現預流果清淨故四靜
慮清淨四靜慮清淨故一切智智清淨何以
故若預流果清淨若四靜慮清淨若一切智
智清淨無二無二分無別無斷故預流果清
淨故四無量四無色定清淨四無量四無色
定清淨故一切智智清淨何以故若預流果
清淨若四無量四無色定清淨若一切智智
清淨無二無二分無別無斷故善現預流果
清淨故八解脫清淨八解脫清淨故一切智
智清淨何以故若預流果清淨若八解脫清
淨若一切智智清淨無二無二分無別無斷
故預流果清淨故八勝處九次第定十遍處
清淨八勝處九次第定十遍處清淨故一切
智智清淨何以故若預流果清淨若八勝處
九次第定十遍處清淨若一切智智清淨無
二無二分無別無斷故善現預流果清淨故
四念住清淨四念住清淨故一切智智清淨
何以故若預流果清淨若四念住清淨若一
切智智清淨無二無二分無別無斷故預流
果清淨故四正斷四神足五根五力七等覺

BD00004 號　大般若波羅蜜多經卷二四一　（19–14）

何以故若預流果清淨若四念住清淨若一
切智智清淨無二無二分無別無斷故預流
果清淨故四正斷四神足五根五力七等覺
支八聖道支清淨四正斷乃至八聖道支清
淨故一切智智清淨何以故若預流果清淨
若四正斷乃至八聖道支清淨若一切智智
清淨無二無二分無別無斷故善現預流果
清淨故空解脫門清淨空解脫門清淨故一
切智智清淨何以故若預流果清淨若空解
脫門清淨若一切智智清淨無二無二分無
別無斷故預流果清淨故無相無願解脫門
清淨無相無願解脫門清淨故一切智智清
淨何以故若預流果清淨若無相無願解脫
門清淨若一切智智清淨無二無二分無別
無斷故善現預流果清淨故菩薩十地清淨
菩薩十地清淨故一切智智清淨何以故若
預流果清淨若菩薩十地清淨若一切智智
清淨無二無二分無別無斷故
善現預流果清淨故五眼清淨五眼清淨故
一切智智清淨何以故若預流果清淨若五
眼清淨若一切智智清淨無二無二分無別
無斷故預流果清淨故六神通清淨六神通
清淨故一切智智清淨何以故若預流果清
淨若六神通清淨若一切智智清淨無二無二
分無別無斷故善現預流果清淨故佛十力
清淨佛十力清淨故一切智智清淨何以故

BD00004 號　大般若波羅蜜多經卷二四一　（19–15）

淨若六神通清淨若一切智智清淨无二无二
分无別无斷故善現預流果清淨故佛十力
清淨佛十力清淨故一切智智清淨何以故
若預流果清淨若佛十力清淨若一切智智
清淨无二无二分无別无斷故預流果清淨
故四无所畏四无导解大慈大悲大喜大捨
十八佛不共法清淨四无所畏乃至十八佛
不共法清淨故一切智智清淨何以故若預
流果清淨若四无所畏乃至十八佛不共法
清淨若一切智智清淨无二无二分无別无
斷故善現預流果清淨故无忘失法清淨无
忘失法清淨故一切智智清淨何以故若預
流果清淨若无忘失法清淨若一切智智清
淨无二无二分无別无斷故預流果清淨故
恒住捨性清淨恒住捨性清淨故一切智智
清淨何以故若預流果清淨若恒住捨性清
淨若一切智智清淨无二无二分无別无斷
故善現預流果清淨故一切智清淨一切智
清淨故一切智智清淨何以故若預流果清
淨若一切智清淨若一切智智清淨无二无
二分无別无斷故預流果清淨故道相智一
切相智清淨道相智一切相智清淨故一切
智智清淨何以故若預流果清淨若道相智
一切相智清淨若一切智智清淨无二无二
分无別无斷故善現預流果清淨故一切陁

BD00004 號　大般若波羅蜜多經卷二四一　（19–16）

一切相智清淨若一切智智清淨无二无二
分无別无斷故善現預流果清淨故一切陁
羅尼門清淨一切陁羅尼門清淨故一切智
智清淨何以故若預流果清淨若一切陁羅
尼門清淨若一切智智清淨无二无二分无
別无斷故預流果清淨故一切三摩地門清
淨一切三摩地門清淨故一切智智清淨何
以故若預流果清淨若一切三摩地門清淨
若一切智智清淨无二无二分无別无斷故
善現預流果清淨故一來果清淨一來果清
淨故一切智智清淨何以故若預流果清淨
若一來果清淨若一切智智清淨无二无二
分无別无斷故預流果清淨故不還阿羅漢
果清淨不還阿羅漢果清淨故一切智智清
淨何以故若預流果清淨若不還阿羅漢果
清淨若一切智智清淨无二无二分无別无
斷故善現預流果清淨故獨覺菩提清淨獨
覺菩提清淨故一切智智清淨何以故若預
流果清淨若獨覺菩提清淨若一切智智清
淨无二无二分无別无斷故善現預流果清
淨故一切菩薩摩訶薩行清淨一切菩薩摩
訶薩行清淨故一切智智清淨何以故若預
流果清淨若一切菩薩摩訶薩行清淨若一
切智智清淨无二无二分无別无斷故善現
預流果清淨故諸佛无上正等菩提清淨諸
佛无上正等菩提清淨故一切智智清淨

BD00004 號　大般若波羅蜜多經卷二四一　（19–17）

一切智智清淨无二无二分无別无斷故善現
預流果清淨故諸佛无上正等菩提清淨諸
佛无上正等菩提清淨故一切智智清淨何
以故若預流果清淨若諸佛无上正等菩提
清淨若一切智智清淨无二无二分无別无
斷故
復次善現一來果清淨故色清淨色清淨故
一切智智清淨何以故若一來果清淨若色
清淨若一切智智清淨无二无二分无別无
斷故一來果清淨故受想行識清淨受想行
識清淨故一切智智清淨何以故若一來果
清淨若受想行識清淨若一切智智清淨无
二无二分无別无斷故善現一來果清淨故
眼處清淨眼處清淨故一切智智清淨何以
故若一來果清淨若眼處清淨若一切智智
清淨无二无二分无別无斷故一來果清淨
故耳鼻舌身意處清淨耳鼻舌身意處清
淨故一切智智清淨何以故若一來果清淨若
耳鼻舌身意處清淨若一切智智清淨无二
无二分无別无斷故善現一來果清淨故色
處清淨色處清淨故一切智智清淨何以故
若一來果清淨若色處清淨若一切智智清
淨无二无二分无別无斷故一來果清淨故
聲香味觸法處清淨聲香味觸法處清淨故
一切智智清淨何以故若一來果清淨若聲

BD00004號　大般若波羅蜜多經卷二四一　（19–18）

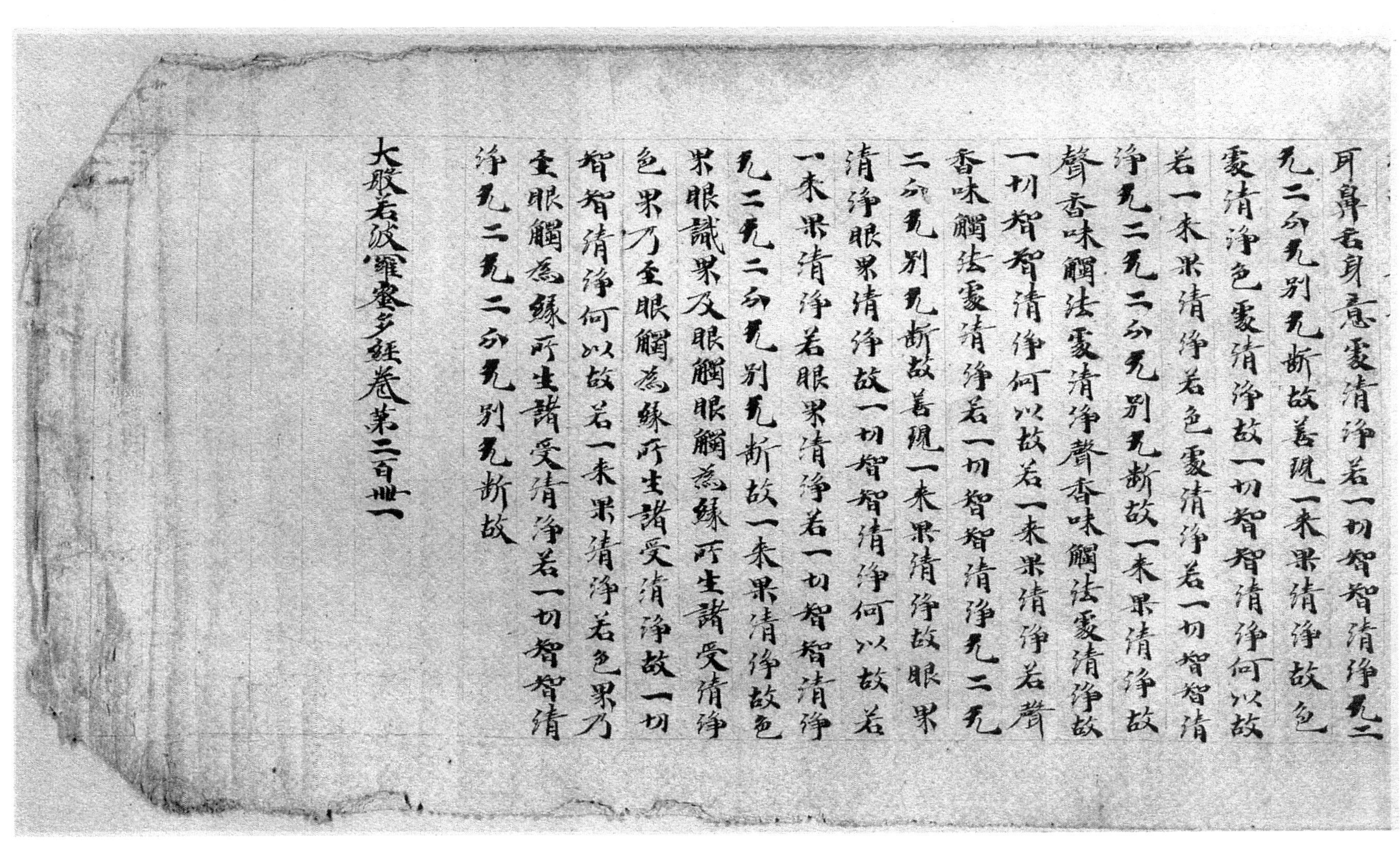

耳鼻舌身意處清淨若一切智智清淨无二
无二分无別无斷故善現一來果清淨故色
處清淨色處清淨故一切智智清淨何以故
若一來果清淨若色處清淨若一切智智清
淨无二无二分无別无斷故一來果清淨故
聲香味觸法處清淨聲香味觸法處清淨故
一切智智清淨何以故若一來果清淨若聲
香味觸法處清淨若一切智智清淨无二无
二分无別无斷故善現一來果清淨故眼界
清淨眼界清淨故一切智智清淨何以故若
一來果清淨若眼界清淨若一切智智清淨
无二无二分无別无斷故一來果清淨故色
界眼識界及眼觸眼觸為緣所生諸受清淨
色界乃至眼觸為緣所生諸受清淨故一切
智智清淨何以故若一來果清淨若色界乃
至眼觸為緣所生諸受清淨若一切智智清
淨无二无二分无別无斷故

大般若波羅蜜多經卷第二百卌一

BD00004號　大般若波羅蜜多經卷二四一　（19–19）

BD00004 號背　老子道德經河上公章句　（1–1）

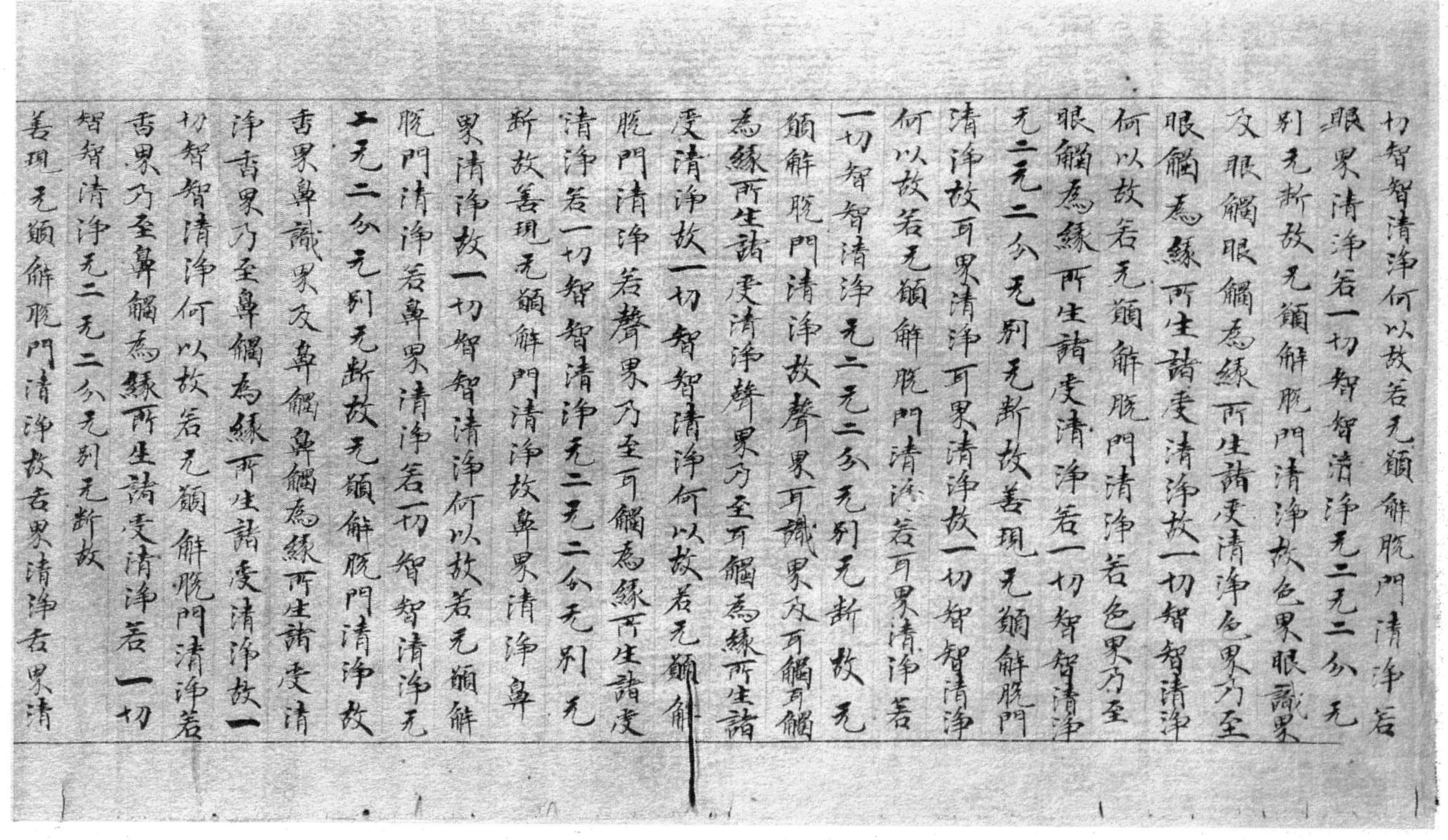

BD00005 號　大般若波羅蜜多經卷二三二　（3–1）

香界鼻識界及鼻觸鼻觸為緣所生諸受清
淨香界乃至鼻觸為緣所生諸受清淨故一
切智智清淨何以故若无願解脫門清淨若
香界乃至鼻觸為緣所生諸受清淨若一切
智智清淨无二无二分无別无斷故
善現无願解脫門清淨故舌界清淨舌界清
淨故一切智智清淨何以故若无願解脫門
清淨若舌界清淨若一切智智清淨无二无
二分无別无斷故无願解脫門清淨故味界
舌識界及舌觸舌觸為緣所生諸受清淨味
界乃至舌觸為緣所生諸受清淨故一切智
智清淨何以故若无願解脫門清淨若味界
乃至舌觸為緣所生諸受清淨若一切智智
清淨无二无二分无別无斷故善現无願解
脫門清淨故身界清淨身界清淨故一切智
智清淨何以故若无願解脫門清淨若身界
清淨若一切智智清淨无二无二分无別无
斷故无願解脫門清淨故觸界身識界及
身觸身觸為緣所生諸受清淨觸界乃至身觸
為緣所生諸受清淨故一切智智清淨何以故
若无願解脫門清淨若觸界乃至身觸為緣
所生諸受清淨若一切智智清淨无二无二
分无別无斷故善現无願解脫門清淨故意
界清淨意界清淨故一切智智清淨何以故
若无願解脫門清淨若意界清淨若一切智
智清淨无二无二分无別无斷故无願解脫
門清淨故法界意識界及意觸意觸為緣所

BD00005號　大般若波羅蜜多經卷二三二　（3–2）

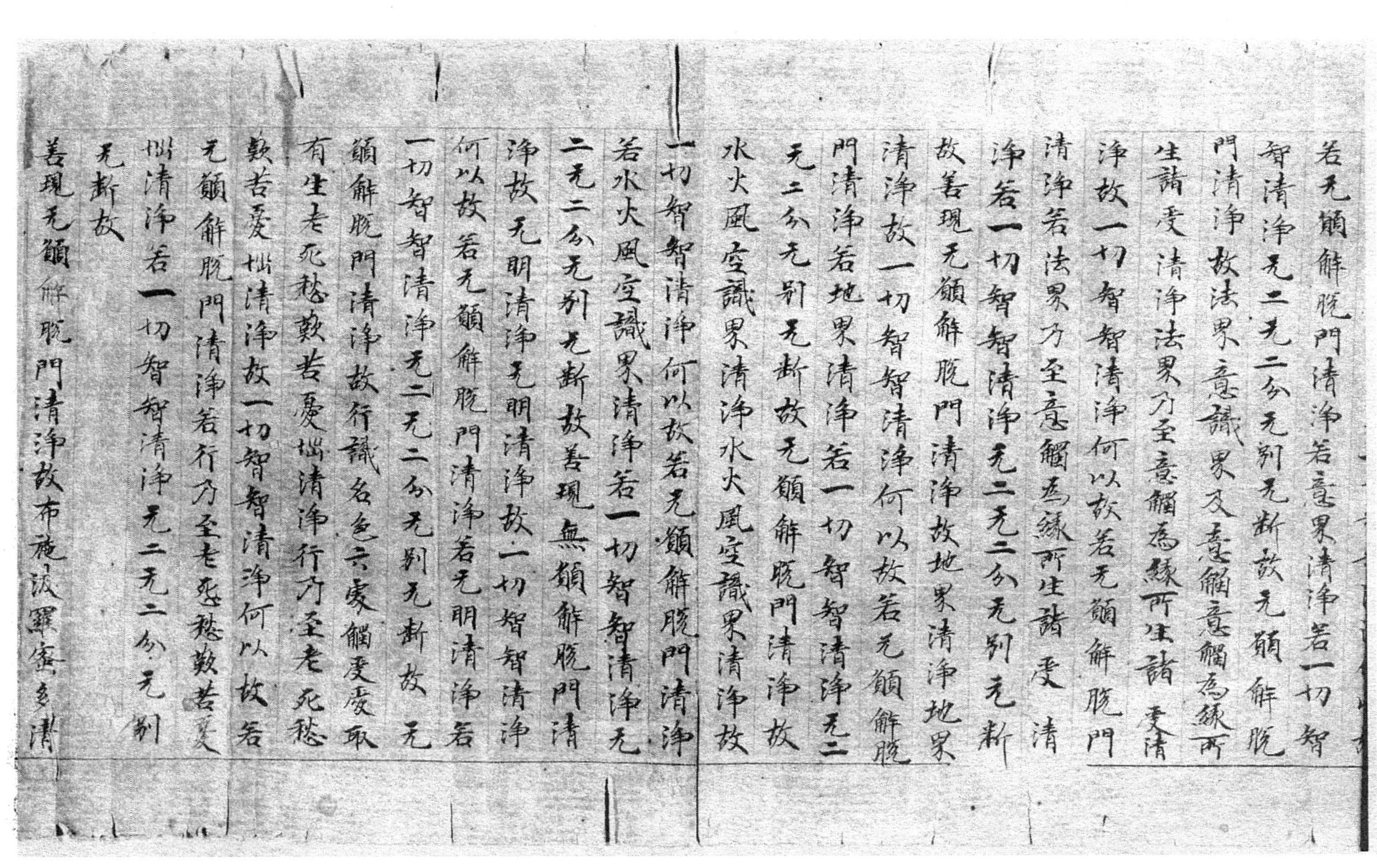
若无願解脫門清淨若意界清淨若一切智
智清淨无二无二分无別无斷故无願解脫
門清淨故法界意識界及意觸意觸為緣所
生諸受清淨法界乃至意觸為緣所生諸受清
淨故一切智智清淨何以故若无願解脫門
清淨若法界乃至意觸為緣所生諸受清
淨若一切智智清淨无二无二分无別无斷
故善現无願解脫門清淨故地界清淨地界
清淨故一切智智清淨何以故若无願解脫
門清淨若地界清淨若一切智智清淨无二
无二分无別无斷故无願解脫門清淨故
水火風空識界清淨水火風空識界清淨故
一切智智清淨何以故若无願解脫門清淨
若水火風空識界清淨若一切智智清淨无
二无二分无別无斷故善現無願解脫門清
淨故无明清淨无明清淨故一切智智清淨
何以故若无願解脫門清淨若无明清淨若
一切智智清淨无二无二分无別无斷故无
願解脫門清淨故行識名色六處觸受愛取
有生老死愁歎苦憂惱清淨行乃至老死愁
歎苦憂惱清淨故一切智智清淨何以故若
无願解脫門清淨若行乃至老死愁歎若憂
惱清淨若一切智智清淨无二无二分无別
无斷故
善現无願解脫門清淨故布施波羅蜜多清

BD00005號　大般若波羅蜜多經卷二三二　（3–3）

寂靜不以寂靜不寂靜分別離垢地法
地法乃至善慧地法法雲地法亦不以
地法發光地法乃至善慧地法法雲地
別寂靜不寂靜不以遠離不遠離分別極
地法亦不以極喜地法分別遠離不遠離不
以遠離不遠離分別離垢地法發光地法
至善慧地法法雲地法亦不以離垢地法
光地法乃至善慧地法法雲地法分別遠
不遠離
如是人等終不以空不空分別異生地亦不
以異生地分別空不空不以空不空分別
姓地第八地具見地薄地離欲地已辦地獨
覺地菩薩地如來地亦不以種姓地第八地
乃至菩薩地如來地分別空不空不以有相
无相分別異生地亦不以異生地分別有相
无相不以有相无相分別種姓地第八地乃
至菩薩地如來地亦不以種姓地第八地乃
至菩薩地如來地分別有相无相不以有願
无願分別異生地亦不以異生地分別有願
无願不以有願无願分別種姓地第八地乃
至菩薩地如來地亦不以種姓地第八地乃
至菩薩地如來地分別有願无願不以生不
生分別異生地亦不以異生地分別生不生
不以生不生分別種姓地第八地乃至菩薩
地如來地亦不以種姓地第八地乃至菩薩
地如來地分別生不生不以滅不滅分別異

BD00006號　大般若波羅蜜多經卷八四　（6–1）

生分別異生地亦不以異生地分別生不生
不以生不生分別種姓地第八地乃至菩薩
地如來地亦不以種姓地第八地乃至菩薩
地如來地分別生不生不以滅不滅分別異
生地亦不以異生地分別滅不滅不以滅不
滅分別種姓地第八地乃至菩薩地如來地
亦不以種姓地第八地乃至菩薩地如來地
分別滅不滅不以寂靜不寂靜分別異生地
亦不以異生地分別寂靜不寂靜不以寂靜
不寂靜分別種姓地第八地乃至菩薩地如
來地亦不以種姓地第八地乃至菩薩地如
來地分別寂靜不寂靜不以遠離不遠離分
別異生地亦不以異生地分別遠離不遠離
不以遠離不遠離分別種姓地第八地乃至
菩薩地如來地亦不以種姓地第八地乃至
菩薩地如來地分別遠離不遠離
如是人等終不以空不空分別異生地法亦
不以異生地法分別空不空不以空不空分
別種姓地法第八地法乃至菩薩地法如來
地法亦不以種姓地法第八地法乃至菩薩
地法如來地法分別空不空不以有相无相
分別異生地法亦不以異生地法分別有相
无相不以有相无相分別種姓地法第八地
法乃至菩薩地法如來地法亦不以種姓地
法第八地法乃至菩薩地法如來地法分別
有相无相不以有願无願分別異生地法亦
不以異生地法分別有願无願不以有願

BD00006號　大般若波羅蜜多經卷八四　（6–2）

法乃至菩薩地法如來地法亦不以種姓地
法第八地法乃至菩薩地法如來地法尒別
有相无相不以有願无願尒別異生地法亦
不以異生地法尒別有願无願不以有願无
願尒別種姓地法第八地法乃至菩薩地法
如來地法亦不以種姓地法第八地法乃至
菩薩地法如來地法尒別有願无願不以生
不生尒別異生地法亦不以異生地法尒別
生不生不以生不生尒別種姓地法第八地
法乃至菩薩地法如來地法亦不以種姓地
法第八地法乃至菩薩地法如來地法尒別
生不生不以滅不滅尒別異生地法亦不以
異生地法尒別滅不滅不以滅不滅尒別種
姓地法第八地法乃至菩薩地法如來地法
亦不以種姓地法第八地法乃至菩薩地法
如來地法尒別滅不滅不以寂靜不寂靜尒
別異生地法亦不以異生地法尒別寂靜不
寂靜不以寂靜不寂靜尒別種姓地法第八
地法乃至菩薩地法如來地法亦不以種姓
地法第八地法乃至菩薩地法如來地法尒
別寂靜不寂靜不以遠離不遠離尒別異生
地法亦不以異生地法尒別遠離不遠離不
以遠離不遠離尒別種姓地法第八地法乃
至菩薩地法如來地法亦不以種姓地法第
八地法乃至菩薩地法如來地法尒別遠離
不遠離

BD00006號　大般若波羅蜜多經卷八四　（6-3）

八地法乃至菩薩地法如來地法尒別遠離
不遠離
如是人等終不以變不變尒別有為界亦不
以有為界尒別變不變不以變不變尒別无
為界亦不以无為界尒別變不變不以有相
无相尒別有為界亦不以有為界尒別有相
无相不以有相无相尒別无為界亦不以无
為界尒別有相无相不以有願无願尒別有
為界亦不以有為界尒別有願无願不以有
願无願尒別无為界亦不以无為界尒別有
願无願不以生不生尒別有為界亦不以有
為界尒別生不生不以生不生尒別无為界
亦不以无為界尒別生不生不以滅不滅尒
別有為界亦不以有為界尒別滅不滅不以
滅不滅尒別无為界亦不以无為界尒別滅
不滅不以寂靜不寂靜尒別有為界亦不以
有為界尒別寂靜不寂靜不以寂靜不寂靜
尒別无為界亦不以无為界尒別寂靜不寂
靜不以遠離不遠離尒別有為界亦不以有
為界尒別遠離不遠離不以遠離不遠離尒
別无為界亦不以无為界尒別遠離不遠離
時具壽善現告諸天子言如是甚深難見難
覺非所尋思超尋思境微妙寂靜最勝第一
唯極聖者自內所證世聰慧人所不能測所
說般若波羅蜜多其中實无能信受者所以
者何此中无法可顯可示由无有法可顯示

BD00006號　大般若波羅蜜多經卷八四　（6-4）

說般若波羅蜜多其中實无能信受者所以
者何此中无法可顯可示由无有法可顯示
故實信受者亦不可得
時舍利子問善現言豈不於此般若波羅蜜
多甚深教中廣說三乘法所謂聲聞獨覺无
上乘法廣說攝受菩薩摩訶薩從初發心乃
至十地諸菩薩道所謂布施波羅蜜多淨戒
安忍精進靜慮般若波羅蜜多若內空外空
內外空空空大空勝義空有為空无為空畢
竟空无際空散空无變異空本性空自相空
共相空一切法空不可得空无性空自性空
无性自性空若真如法界法性不虛妄性不
變異性平等性離生性法定法住實際虛空
界不思議界若苦聖諦集滅道聖諦若四靜
慮四无量四无色定若八解脫八勝處九次
第定十遍處若四念住四正斷四神足五根
五力七等覺支八聖道支若空解脫門无相
无願解脫門若五眼六神通若佛十力四无
所畏四无礙解大慈大悲大喜大捨十八佛
不共法若无忘失法恒住捨性若一切智道
相智一切相智若一切陀羅尼門一切三摩
地門廣說攝受菩薩摩訶薩功德勝事所謂
菩薩摩訶薩於此般若波羅蜜多勤脩行故
隨所生處常受化生於不退神通能自在遊
戲從一佛土趣一佛土供養恭敬尊重讚歎
諸佛世尊隨所願樂種種善根皆能脩習速

BD00006 號　大般若波羅蜜多經卷八四　（6–5）

戲從一佛土趣一佛土供養恭敬尊重讚歎
諸佛世尊隨所願樂種種善根皆能脩習速
得圓滿於諸佛所聞持正法乃至无上正等
菩提能不忘失亦无懈廢恒居勝定離散亂
心由此為緣得无礙辯无斷盡辯无踈謬辯
迅辯應辯凡所演說豊義味辯一切世間最
妙勝辯善現荅言如是如是誠如所說於此
般若波羅蜜多甚深教中廣說三乘法所謂
聲聞獨覺无上乘法廣說攝受菩薩摩訶薩
從初發心乃至十地諸菩薩道所謂布施波
羅蜜多乃至一切三摩地門廣說攝受菩薩
摩訶薩功德勝事所謂菩薩摩訶薩於此般
若波羅蜜多勤脩行故隨所生處常受化生
乃至得一切世間最妙勝辯如是深教諸有
所說以无所得而為方便舍利子言此於何
法以无所得而為方便耶善現言舍利子此
我以无所得而為方便此於有情命者生者
養者士夫補特伽羅意生儒童作者受者知
者見者以无所得而為方便舍利子此於色
以无所得而為方便此於受想行識以无所
得而為方便舍利子此於眼處以无所得而
為方便此於耳鼻舌身意處以无所得而為
方便舍利子此於色處以无所得而為方便

BD00006 號　大般若波羅蜜多經卷八四　（6–6）

界一時等澍其澤普洽
草小根小莖小枝小葉中根中莖
根大莖大枝大葉諸樹大小隨上中下各有所
受一雲所雨稱其種性而得生長華菓敷
實雖一地所生一雨所潤而諸草木各有差
別迦葉當知如來亦復如是出現於世如大
雲起以大音聲普遍世界天人阿脩羅如彼
大雲遍覆三千大千國土於大衆中而唱是
言我是如來應供正遍知明行足善逝世間
解无上士調御丈夫天人師佛世尊未度者
令度未解者令解未安者令安未涅槃者
令得涅槃今世後世如實知之我是一切知者
一切見者知道者開道者說道者汝等天人
阿脩羅衆皆應到此為聽法故尒時无數
千万億種衆生來至佛所而聽法如來于時觀
是衆生諸根利鈍精進懈怠隨其所堪而
為說法種種无量皆令歡喜快得善利是諸
衆生聞是法已現世安隱後生善處以道受樂
亦得聞法既聞法已離諸鄣礙於諸法中任
力所能漸得入道如彼大雲雨於一切卉木
蘩林及諸藥草如其種性具足蒙潤各得生
長如來說法一相一味所謂解脫相離相滅
相究竟至於一切種智其有衆生聞如來法
若持讀誦如說脩行所得功德不自覺知所

BD00007號　妙法蓮華經卷三　（26–1）

蘩林及諸藥草如其種性具足蒙潤各得生
長如來說法一相一味所謂解脫相離相滅
相究竟至於一切種智其有衆生聞如來法
若持讀誦如說脩行所得功德不自覺知所
以者何唯有如來知此衆生種相體性念何
事思何事脩何事云何念云何思云何脩以何
法念以何法思以何法脩以何法得何法衆
生住於種種之地唯有如來如實見之明
了无礙如彼卉木蘩林諸藥草等而不自知
上中下性如來知是一相一味之法所謂解
脫相離相滅相究竟涅槃常寂滅相終歸
於空佛知是已觀衆生心欲而將護之是故不
即為說一切種智汝等迦葉甚為希有能知
如來隨宜說法能信能受所以者何諸佛世
尊隨宜說法難解難知尒時世尊欲重宣此
義而說偈言
破有法王　出現世間　隨衆生欲　種種說法
如來尊重　智慧深遠　久嘿斯要　不務速說
有智若聞　則能信解　无智疑悔　則為永失
是故迦葉　隨力為說　以種種緣　令得正見
迦葉當知　譬如大雲　起於世間　遍覆一切
惠雲含潤　電光晃曜　雷聲遠震　令衆悅豫
日光掩蔽　地上清涼　靉靆垂布　如可承攬
其雨普等　四方俱下　流澍无量　率土充洽

BD00007號　妙法蓮華經卷三　（26–2）

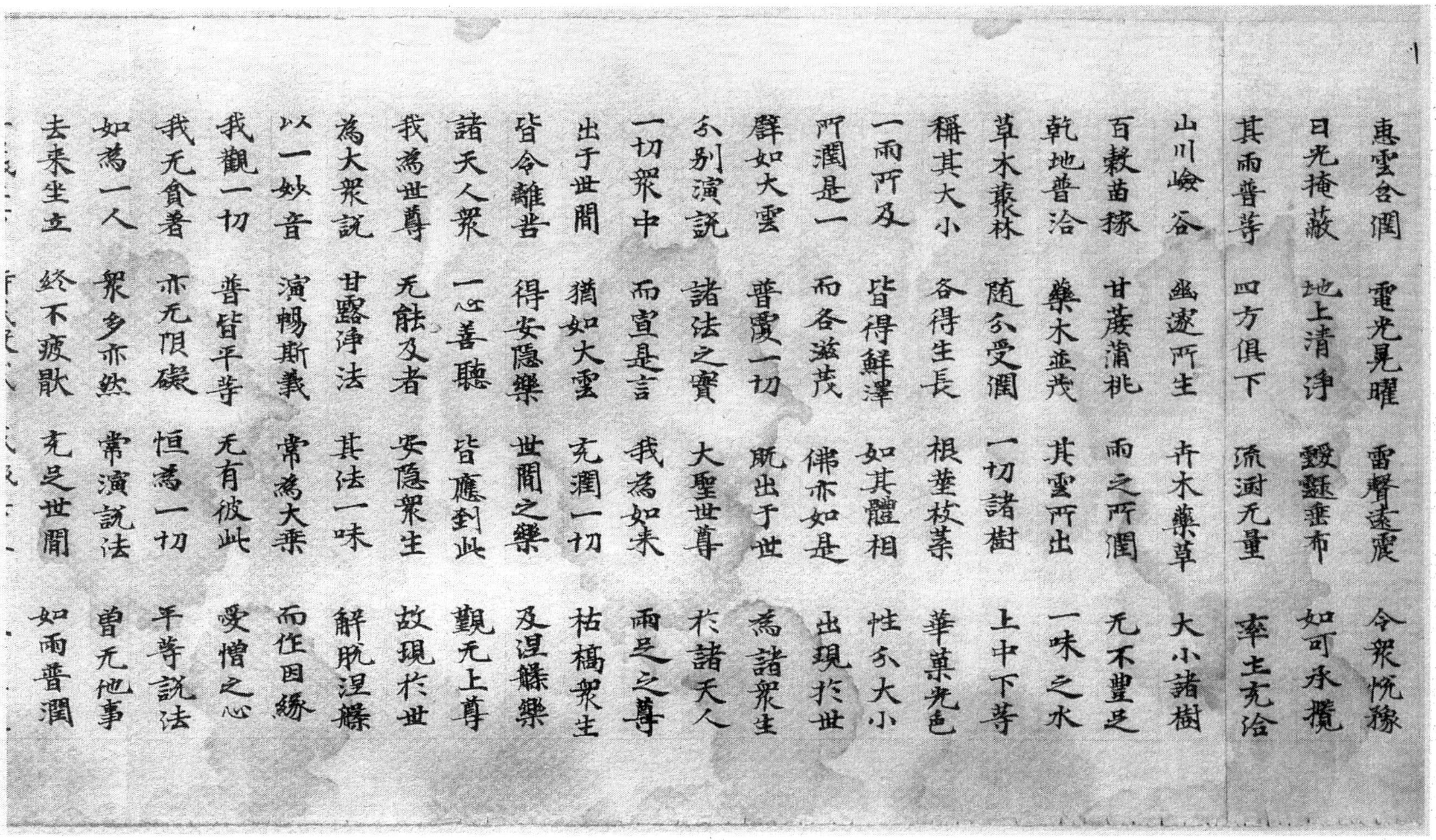

惠雲含潤　電光晃曜　雷聲遠震　令衆悅豫
日光掩蔽　地上清淨　靉靆垂布　如可承攬
其雨普等　四方俱下　流澍无量　率土充洽
山川險谷　幽邃所生　卉木藥草　大小諸樹
百穀苗稼　甘蔗蒲桃　雨之所潤　无不豐足
乾地普洽　藥木並茂　其雲所出　一味之水
草木叢林　隨分受潤　一切諸樹　上中下等
稱其大小　各得生長　根莖枝葉　華菓光色
一雨所及　皆得鮮澤　如其體相　性分大小
所潤是一　而各滋茂　佛亦如是　出現於世
譬如大雲　普覆一切　既出于世　為諸衆生
分別演說　諸法之實　大聖世尊　於諸天人
一切衆中　而宣是言　我為如來　兩足之尊
出于世間　猶如大雲　充潤一切　枯槁衆生
皆令離苦　得安隱樂　世間之樂　及涅槃樂
諸天人衆　一心善聽　皆應到此　覲无上尊
我為世尊　无能及者　安隱衆生　故現於世
為大衆說　甘露淨法　其法一味　解脫涅槃
以一妙音　演暢斯義　常為大乘　而作因緣
我觀一切　普皆平等　无有彼此　愛憎之心
我无貪著　亦无限礙　恒為一切　平等說法
如為一人　衆多亦然　常演說法　曾无他事
去來坐立　終不疲猒　充足世間　如雨普潤

BD00007 號　妙法蓮華經卷三　（26–3）

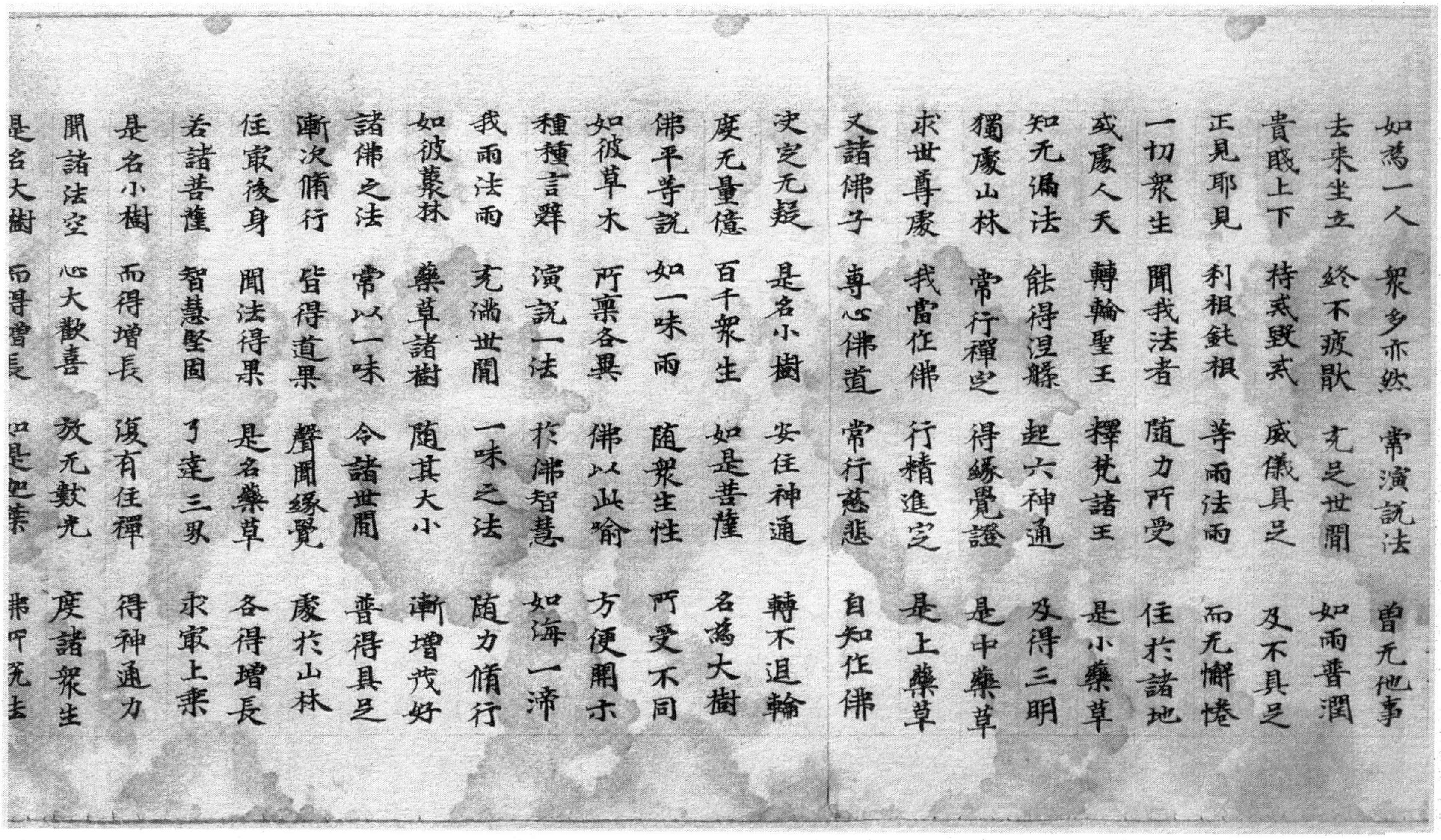

如為一人　衆多亦然　常演說法　曾无他事
去來坐立　終不疲猒　充足世間　如雨普潤
貴賤上下　持戒毀戒　威儀具足　及不具足
正見耶見　利根鈍根　等雨法雨　而无懈惓
一切衆生　聞我法者　隨力所受　住於諸地
或處人天　轉輪聖王　釋梵諸王　是小藥草
知无漏法　能得涅槃　起六神通　及得三明
獨處山林　常行禪定　得緣覺證　是中藥草
求世尊處　我當作佛　行精進定　是上藥草
又諸佛子　專心佛道　常行慈悲　自知作佛
決定无疑　是名小樹　安住神通　轉不退輪
度无量億　百千衆生　如是菩薩　名為大樹
佛平等說　如一味雨　隨衆生性　所受不同
如彼草木　所稟各異　佛以此喻　方便開示
種種言辭　演說一法　於佛智慧　如海一渧
我雨法雨　充滿世間　一味之法　隨力脩行
如彼叢林　藥草諸樹　隨其大小　漸增茂好
諸佛之法　常以一味　令諸世間　普得具足
漸次脩行　皆得道果　聲聞緣覺　處於山林
住最後身　聞法得果　是名藥草　各得增長
若諸菩薩　智慧堅固　了達三界　求最上乘
是名小樹　而得增長　復有住禪　得神通力
聞諸法空　心大歡喜　放无數光　度諸衆生
是名大樹　而得增長　如是迦葉　佛所說法

BD00007 號　妙法蓮華經卷三　（26–4）

聞諸法空 心大歡喜 放无數光 度諸衆生
是名大樹 而得增長 如是迦葉 佛所說法
譬如大雲 以一味雨 潤於人華 各得成實
迦葉當知 以諸因緣 種種譬喻 開示佛道
是我方便 諸佛亦然 今爲汝等 說寂實事
諸聲聞衆 皆非滅度 汝等所行 是菩薩道
漸漸脩學 悉當成佛

妙法蓮華經授記品第六

尒時世尊說是偈已告諸大衆唱如是言我
此弟子摩訶迦葉於未来世當得奉覲三百
万億諸佛世尊供養恭敬尊重讚歎廣宣諸
佛无量大法於取後身得成爲佛名曰光明
如来應供正遍知明行足善逝世間解无上
士調御丈夫天人師佛世尊國名光德劫名
大莊嚴佛壽十二小劫正法住世二十小劫
像法亦住二十小劫國界嚴餝无諸穢惡瓦
礫荊棘便利不淨其土平正无有高下坑坎
堆阜琉璃爲地寶樹行列黄金爲繩以界道
側散諸寶華周遍清淨其國菩薩无量千億
諸聲聞衆亦復无量无有魔事雖有魔及魔
民皆護佛法尒時世尊欲重宣此義而說偈言
告諸比丘 我以佛眼 見是迦葉 於未来世
過无數劫 當得作佛 而於来世 供養奉覲

告諸比丘 我以佛眼 見是迦葉 於未来世
過无數劫 當得作佛 而於来世 供養奉覲
三百万億 諸佛世尊 爲佛智慧 淨脩梵行
供養取上 二足尊已 脩習一切 无上之慧
於取後身 得成爲佛 其土清淨 琉璃爲地
多諸寶樹 行列道側 金繩界道 見者歡喜
常出好香 散衆名華 種種奇妙 以爲莊嚴
其地平正 无有丘坑 諸菩薩衆 不可稱計
其心調柔 逮大神通 奉持諸佛 大乗經典
諸聲聞衆 无漏後身 法王之子 亦不可計
乃以天眼 不能數知 其佛當壽 十二小劫
正法住世 二十小劫 像法亦住 二十小劫
光明世尊 其事如是
尒時大目揵連須菩提摩訶迦旃延等皆
悉悚慄一心合掌瞻仰世尊目不蹔捨即共
同聲而說偈言
大雄猛世尊 諸釋之法王 哀愍我等故 而賜佛音聲
若知我深心 見爲授記者 如以甘露灑 除熱得清淨
如從飢國来 忽遇大王饍 心猶懷疑懼 未敢即便食
若復得王教 然後乃敢食 我等亦如是 每惟小乗過
不知當云何 得佛无上慧 雖聞佛音聲 言我等作佛
心尚懷憂懼 如未敢便食 若蒙佛授記 尒乃快安樂
大雄猛世尊 常欲安世間 願賜我等記 如飢須教食

心尚懷憂懼　如未敢便食　若蒙佛授記　尒乃快安樂
大雄猛世尊　常欲安世間　願賜我等記　如飢須教食
尒時世尊知諸大弟子心之所念告諸比丘
是須菩提於當来世奉覲三百万億那由他
佛供養恭敬尊重讚歎常脩梵行具菩薩
道於冣後身得成為佛号日名相如来應供正
遍知明行足善逝世間解无上士調御丈夫
天人師佛世尊劫名有寶國名寶生其土平
正頗梨為地寶樹莊嚴无諸丘坑沙礫荊棘
便利之穢寶華覆地周遍清淨其土人民皆
處寶臺珍妙樓閣聲聞弟子无量无邊筭
數譬喻所不能知諸菩薩衆无數千万億那由
他佛壽十二小劫正法住世二十小劫像法亦
住二十小劫其佛常處虛空為衆說法度
脫无量菩薩及聲聞衆尒時世尊欲重宣此
義而說偈言
諸比丘衆　今告汝等　皆當一心　聽我所說
我大弟子　須菩提者　當得作佛　号日名相
當供无數　万億諸佛　隨佛所行　漸具大道
冣後身得　三十二相　端政姝妙　猶如寶山
其佛國土　嚴淨第一　衆生見者　无不愛樂
佛於其中　度无量衆　其佛法中　多諸菩薩
皆悉利根　轉不退輪　彼國常以　菩薩莊嚴
諸聲聞衆　不可稱數　皆得三明　具六神通

BD00007號　妙法蓮華經卷三　（26–7）

皆悉利根　轉不退輪　彼國常以　菩薩莊嚴
諸聲聞衆　不可稱數　皆得三明　具六神通
住八解脫　有大威德　其佛說法　現於无量
神通變化　不可思議　諸天人民　數如恒沙
皆共合掌　聽受佛語　其佛當壽　十二小劫
正法住世　二十小劫　像法亦住　二十小劫
尒時世尊復告諸比丘衆我今語汝是大迦
旃延於當来世以諸供具供養奉事八千億
佛恭敬尊重諸佛滅後各起塔廟高千由旬
縱廣正等五百由旬以金銀琉璃車𤦲馬瑙
真珠玫瑰七寶合成衆華瓔珞塗香末香燒
香繒蓋幢幡供養塔廟過是已後當復供養
二万億佛亦復如是供養是諸佛已具菩薩
道當得作佛号日閻浮那提金光如来應供
正遍知明行足善逝世間解无上士調御丈
夫天人師佛世尊其土平正頗梨為地寶樹
莊嚴黃金為繩以界道側妙華覆地周遍清
淨見者歡喜无四惡道地獄餓鬼畜生阿脩
羅道多有天人諸聲聞衆及諸菩薩无量万
億莊嚴其國佛壽十二小劫正法住世二十
小劫像法亦住二十小劫尒時世尊欲重宣此
義而說偈言
諸比丘衆　皆一心聽　如我所說　真實无異

BD00007號　妙法蓮華經卷三　（26–8）

義而說偈言
諸比丘衆　皆一心聽　如我所說　真實无異
是迦旃延　當以種種　妙好供具　供養諸佛
諸佛滅後　起七寶塔　亦以華香　供養舍利
其冣後身　得佛智慧　成等正覺　國土清淨
度脫无量　万億衆生　皆為十方　之所供養
佛之光明　无能勝者　其佛号曰　閻浮金光
菩薩聲聞　斷一切有　无量无數　莊嚴其國
尒時世尊復告大衆我今語汝是大目揵連
當以種種供具供養八千諸佛恭敬尊重諸
佛滅後各起塔廟高千由旬縱廣正等五百
由旬以金銀琉璃車𤦲馬瑙真珠玫瑰七寶
合成衆華瓔珞塗香末香燒香繒蓋幢幡以
用供養過是已後當復供養二百万億諸佛
亦復如是當得成佛号曰多摩羅跋栴檀香
如来應供正遍知明行足善逝世間解无上
士調御丈夫天人師佛世尊劫名喜滿國名
意樂其土平正頗梨為地寶樹莊嚴散真珠
華周遍清淨見者歡喜多諸天人菩薩聲聞
其數无量佛壽二十四小劫正法住世四十小劫
像法亦住四十小劫尒時世尊欲重宣此義而
說偈言
我此弟子　大目揵連　捨是身已　得見八千
二百万億　諸佛世尊　為佛道故　供養恭敬

BD00007號　妙法蓮華經卷三　（26–9）

說偈言
我此弟子　大目揵連　捨是身已　得見八千
二百万億　諸佛世尊　為佛道故　供養恭敬
於諸佛所　常脩梵行　於无量劫　奉持佛法
諸佛滅後　起七寶塔　長表金刹　華香伎樂
而以供養　諸佛塔廟　漸漸具足　菩薩道已
於意樂國　而得作佛　号多摩羅　栴檀之香
其佛壽命　二十四劫　常為天人　演說佛道
聲聞无量　如恒河沙　三明六通　有大威德
菩薩无數　志固精進　於佛智慧　皆不退轉
佛滅度後　正法當住　四十小劫　像法亦尒
我諸弟子　威德具足　其數五百　皆當授記
於未来世　咸得成佛　我及汝等　宿世因緣
吾今當說　汝等善聽
妙法蓮華經化城喻品第七
佛告諸比丘乃往過去无量无邊不可思議
阿僧祇劫尒時有佛名大通智勝如来應供
正遍知明行足善逝世間解无上士調御丈
夫天人師佛世尊其國名好成劫名大相諸
比丘彼佛滅度已来甚大久遠譬如三千大
千世界所有地種假使有人磨以為墨過於
東方千國土乃下一點大如微塵又過千國
土復下一點如是展轉盡地種墨於汝等意
云何是諸國土若筭師若筭師弟子能得邊

BD00007號　妙法蓮華經卷三　（26–10）

土復下一點如是展轉盡地種墨於汝等意
云何是諸國土若筭師若筭師弟子能得邊
際知其數不不也世尊諸比丘是人所經國土
若點不點盡末為塵一塵一劫彼佛滅度
已来復過是數无量无邊百千万億阿僧祇
劫我以如来知見力故觀彼久遠猶若今日
尒時世尊欲重宣此義而說偈言
我念過去世　无量无邊劫　有佛兩足尊　名大通智勝
如人以力磨　三千大千土　盡此諸地種　皆悉以為墨
過於千國土　乃下一塵點　如是展轉點　盡此諸塵墨
如是諸國土　點與不點等　復盡抹為塵　一塵為一劫
此諸微塵數　其劫復過是　彼佛滅度来　如是无量劫
如来无礙智　知彼佛滅度　及聲聞菩薩　如見今滅度
諸比丘當知　佛智淨微妙　无漏无所礙　通達无量劫
佛告諸比丘大通智勝佛壽五百四十万億那
由他劫其佛本坐道場破魔軍已垂得阿耨
多羅三藐三菩提而諸佛法不現在前如是
一小劫乃至十小劫結跏趺坐身心不動而
諸佛法猶不在前尒時忉利諸天先為彼佛
於菩提樹下敷師子座高一由旬佛於此座
當得阿耨多羅三藐三菩提適坐此座時諸
梵天王雨眾天華面百由旬香風時来吹去
萎華更雨新者如是不絶滿十小劫供養於
佛乃至滅度常雨此華四王諸天為供養佛

BD00007 號　妙法蓮華經卷三　（26–11）

梵天王雨眾天華面百由旬香風時来吹去
萎華更雨新者如是不絶滿十小劫供養於
佛乃至滅度常雨此華四王諸天為供養佛
常擊天鼓其餘諸天作天伎樂滿十小劫至
于滅度亦復如是諸比丘大通智勝佛過十
小劫諸佛之法乃現在前成阿耨多羅三藐
三菩提其佛未出家時有十六子其第一者
名曰智積諸子各有種種珍異玩好之具聞
父得成阿耨多羅三藐三菩提皆捨所珍往
詣佛所諸母涕泣而隨送之其祖轉輪聖
王與一百大臣及餘百千万億人民皆共圍
繞隨至道場咸欲親近大通智勝如来供養
恭敬尊重讚嘆到已頭面礼足繞佛畢已一
心合掌瞻仰世尊以偈頌曰
大威德世尊　為度眾生故　於无量億歲　尒乃得成佛
諸願已具足　善哉吉无上　世尊甚希有　一坐十小劫
身體及手足　靜然安不動　其心常憺怕　未曾有散亂
究竟永寂滅　安住无漏法　今者見世尊　安隱成佛道
我等得善利　稱慶大歡喜　眾生常苦惱　盲瞑无導師
不識苦盡道　不知求解脫　長夜增惡趣　減損諸天眾
從冥入於冥　永不聞佛名　今佛得最上　安隱无漏道
我等及天人　為得最大利　是故咸稽首　歸命无上尊
尒時十六王子偈讚佛已勸請世尊轉於法輪
咸作是言世尊說法多所安隱憐愍饒益諸

BD00007 號　妙法蓮華經卷三　（26–12）

我等及天人　為得最大利　是故咸稽首　歸命无上尊
尒時十六王子偈讚佛已勸請世尊轉於法輪
咸作是言世尊說法多所安隱憐愍饒益諸
天人民重說偈言
世雄无等倫　百福自莊嚴　得无上智慧　願為世間說
度脫於我等　及諸衆生類　為分別顯示　令得是智慧
若我等得佛　衆生亦復然　世尊知衆生　深心之所念
亦知所行道　又知智慧力　欲樂及脩福　宿命所行業
世尊悉知已　當轉无上輪
佛告諸比丘大通智勝佛得阿耨多羅三藐三
菩提時十方各五百万億諸佛世界六種震
動其國中間幽冥之處日月威光所不能照
而皆大明其中衆生各得相見咸作是言此
中云何忽生衆生又其國界諸天宮殿乃至
梵宮六種震動大光普照遍滿世界勝諸
天光尒時東方五百万億諸國土中梵天宮
殿光明照曜倍於常明諸梵天王各作是念
今者宮殿光明昔所未有以何因緣而現此
相是時諸梵天王即各相詣共議此事而
彼衆中有一大梵天王名救一切為諸梵衆
而說偈言
我等諸宮殿　光明昔未有　此是何因緣　宜各共求之
為大德天生　為佛出世間　而此大光明　遍照於十方
尒時五百万億國土諸梵天王與宮殿俱各

BD00007號　妙法蓮華經卷三　（26–13）

我等諸宮殿　光明昔未有　此是何因緣　宜各共求之
為大德天生　為佛出世間　而此大光明　遍照於十方
尒時五百万億國土諸梵天王與宮殿俱各
以衣裓盛諸天華共詣西方推尋是相見大
通智勝如來處于道場菩提樹下坐師子
座諸天龍王乾闥婆緊那羅摩睺羅伽人
非人等恭敬圍繞及見十六王子請佛轉法
輪即時諸梵天王頭面礼佛繞百千帀即以天
華而散佛上其所散華如須弥山并以供養
佛菩提樹其菩提樹高十由旬華供養已各以
宮殿奉上彼佛而作是言唯見哀愍饒益我
等所獻宮殿願垂納處時諸梵天王即於佛
前一心同聲以偈頌曰
世尊甚希有　難可得值遇　具无量功德　能救護一切
天人之大師　哀愍於世間　十方諸衆生　普皆蒙饒益
我等所從來　五百万億國　捨深禪定樂　為供養佛故
我等先世福　宮殿甚嚴飾　今以奉世尊　唯願哀納受
尒時諸梵天王偈讚佛已各作是言唯願世
尊轉於法輪度脫衆生開涅槃道諸梵天
王一心同聲而說偈言
世雄兩足尊　唯願演說法　以大慈悲力　度苦惱衆生
尒時大通智勝如來嘿然許之又諸比丘東
南方五百万億國土諸大梵王各自見宮殿
光明照曜昔所未有歡喜踊躍生希有心即

BD00007號　妙法蓮華經卷三　（26–14）

南方五百万億國土諸大梵王各自見宮殿
光明照曜昔所未有歡喜踊躍生希有心即
各相詣共議此事而彼衆中有一大梵天王
名曰大悲爲諸梵衆而説偈言
是事何因緣　而現如此相　我等諸宮殿　光明昔未有
爲大德天生　爲佛出世間　未曾見此相　當共一心求
過千万億土　尋光共推之　多是佛出世　度脱苦衆生
尒時五百万億諸梵天王與宮殿俱各以衣
祴盛諸天華共詣西北方推尋是相見大通
智勝如来處于道場菩提樹下坐師子座諸
天龍王乹闥婆緊那羅摩睺羅伽人非人等
恭敬圍繞及見十六王子請佛轉法輪時諸
梵天王頭面礼佛繞百千帀即以天華而散
佛上所散之華如須弥山幷以供養佛菩提
樹華供養已各以宮殿奉上彼佛而作是言
唯見哀愍饒益我等所獻宮殿願垂納受尒
時諸梵天王即於佛前一心同聲以偈頌曰
聖主天中王　迦陵頻伽聲　哀愍衆生者　我等今敬礼
世尊甚希有　久遠乃一見　一百八十劫　空過无有佛
三惡道充滿　諸天衆減少　今佛出於世　爲衆生作眼
世間所歸趣　救護於一切　爲衆生之父　哀愍饒益者
我等宿福慶　今得值世尊
尒時諸梵天王偈讃佛已各作是言唯願世
尊哀愍一切轉於法輪度脱衆生時諸梵天

BD00007 號　妙法蓮華經卷三　（26–15）

尒時諸梵天王偈讃佛已各作是言唯願世
尊哀愍一切轉於法輪度脱衆生時諸梵天
王一心同聲而説偈言
大聖轉法輪　顯示諸法相　度苦惱衆生　令得大歡喜
衆生聞此法　得道若生天　諸惡道減少　忍善者增益
尒時大通智勝如来默然許之又諸比丘南
方五百万億國土諸大梵王各自見宮殿光
明照曜昔所未有歡喜踊躍生希有心即各
相詣共議此事以何因緣我等宮殿有此光曜
而彼衆中有一大梵天王名曰妙法爲諸梵
衆而説偈言
我等諸宮殿　光明甚威曜　此非无因緣　是相宜求之
過於百千劫　未曾見是相　爲大德天生　爲佛出世間
尒時五百万億諸梵天王與宮殿俱各以衣
祴盛諸天華共詣北方推尋是相見大通智
勝如来處于道場菩提樹下坐師子座諸天
龍王乹闥婆緊那羅摩睺羅伽人非人等恭
敬圍繞及見十六王子請佛轉法輪時諸梵
天王頭面礼佛繞百千帀即以天華而散佛
上所散之華如須弥山幷以供養佛菩提樹
華供養已各以宮殿奉上彼佛而作是言唯
見哀愍饒益我等所獻宮殿願垂納受尒時
諸梵天王即於佛前一心同聲以偈頌曰
世尊甚難見　破諸煩惱者　過百三十劫　今乃得一見

BD00007 號　妙法蓮華經卷三　（26–16）

見哀愍饒益我等所獻宮殿願垂納受尒時
諸梵天王即於佛前一心同聲以偈頌曰
世尊甚難見　破諸煩惱者　過百三十劫　今乃得一見
諸飢渴衆生　以法雨充滿　昔所未曾覩　无量智慧者
如優曇鉢羅　今日乃值遇　我等諸宮殿　蒙光故嚴飾
世尊大慈愍　唯願哀納受
尒時諸梵天王偈讚佛已各作是言唯願世
尊轉於法輪令一切世間諸天魔梵沙門
婆羅門皆獲安隱而得度脫時諸梵天王一
心同聲以偈頌曰
唯願天人尊　轉无上法輪　擊于大法鼓　而吹大法螺
普雨大法雨　度无量衆生　我等咸歸請　當演深遠音
尒時大通智勝如來默然許之西南方乃至
下方亦復如是尒時上方五百万億國土諸
大梵王皆悉自覩所止宮殿光明威曜昔所
未有歡喜踊躍生希有心即各相詣共議此
事以何因緣我等宮殿有斯光明時彼衆中
有一大梵天王名曰尸棄爲諸梵衆而說偈
言
今以何因緣　我等諸宮殿　威德光明曜　嚴飾未曾有
如是之妙相　昔所未聞見　爲大德天生　爲佛出世間
尒時五百萬億諸梵天王與宮殿俱各以衣
裓盛諸天華共詣下方推尋是相見大通智
勝如來處于道場菩提樹下坐師子座諸天

BD00007號　妙法蓮華經卷三　（26–17）

尒時五百萬億諸梵天王與宮殿俱各以衣
裓盛諸天華共詣下方推尋是相見大通智
勝如來處于道場菩提樹下坐師子座諸天
龍王乾闥婆緊那羅摩睺羅伽人非人等恭
敬圍遶及見十六王子請佛轉法輪時諸梵
天王頭面礼佛遶百千帀即以天華而散佛
上所散之華如須弥山并以供養佛菩提樹
華供養已各以宮殿奉上彼佛而作是言唯
見哀愍饒益我等所獻宮殿願垂納受時諸
梵天王即於佛前一心同聲以偈頌曰
善哉見諸佛　救世之聖尊　能於三界獄　勉出諸衆生
普智天人尊　哀愍群萌類　能開甘露門　廣度於一切
於昔无量劫　空過无有佛　世尊未出時　十方常闇冥
三惡道增長　阿脩羅亦盛　諸天衆轉減　死多墮惡道
不從佛聞法　常行不善事　色力及智慧　斯等皆減少
罪業因緣故　失樂及樂想　住於邪見法　不識善儀則
不蒙佛所化　常墮於惡道　佛爲世間眼　久遠時乃出
哀愍諸衆生　故現於世間　超出成正覺　我等甚欣慶
及餘一切衆　喜歎未曾有　我等諸宮殿　蒙光故嚴飾
今以奉世尊　唯垂哀納受　願以此功德　普及於一切
我等與衆生　皆共成佛道
尒時五百万億諸梵天王偈讚佛已各白佛
言唯願世尊轉於法輪多所安隱多所度脫
時諸梵天王而說偈言

BD00007號　妙法蓮華經卷三　（26–18）

言唯願世尊轉於法輪多所安隱多所度脫
時諸梵天王而說偈言
世尊轉法輪　擊甘露法鼓　度苦惱衆生　開示涅槃道
唯願受我請　以大微妙音　哀愍而敷演　无量劫習法
尒時大通智勝如来受十方諸梵天王及十
六王子請即時三轉十二行法輪若沙門婆
羅門若天魔梵及餘世間所不能轉謂是苦
是苦集是苦滅是苦滅道及廣說十二因緣
法无明緣行行緣識識緣名色名色緣六入六
入緣觸觸緣受受緣愛愛緣取取緣有有
緣生生緣老死憂悲苦惱无明滅則行滅行
滅則識滅識滅則名色滅名色滅則六入滅六
入滅則觸滅觸滅則受滅受滅則愛滅愛滅
則取滅取滅則有滅有滅則生滅生滅則老
死憂悲苦惱滅佛於天人大衆之中說是
法時六百万億那由他人以不受一切法故
而於諸漏心得解脫皆得深妙禪定三明六
通具八解脫第二第三第四說法時千万億
恒河沙那由他等衆生亦以不受一切法故
而於諸漏心得解脫從是已後諸聲聞衆无
量无邊不可稱數尒時十六王子皆以童子
出家而為沙弥諸根通利智慧明了已曾供
養百千万億諸佛淨脩梵行求阿耨多羅
三藐三菩提俱白佛言世尊是諸无量千万億

BD00007號　妙法蓮華經卷三　（26–19）

養百千万億諸佛淨脩梵行求阿耨多羅
三藐三菩提俱白佛言世尊是諸无量千万億
大德聲聞皆已成就世尊亦當為我等說阿
耨多羅三藐三菩提法我等聞已皆共脩學
世尊我等志願如来知見深心所念佛自證
知尒時轉輪聖王所將衆中八万億人見十
六王子出家亦求出家王即聽許尒時彼佛
受沙弥請過二万劫已乃於四衆之中說是
大乘經名妙法蓮華教菩薩法佛所護念說
是經已十六沙弥為阿耨多羅三藐三菩提
故皆共受持諷誦通利說是經時十六菩
薩沙弥皆悉信受聲聞衆中亦有信解其餘
衆生千万億種皆生疑惑佛說是經於八千劫
未曾休廢說此經已即入靜室住於禪定八
万四千劫是時十六菩薩沙弥知佛入室寂然
禪定各昇法座亦於八万四千劫為四部衆
廣說分別妙法華經一一皆度六百万億那
由他恒河沙等衆生示教利喜令發阿耨
多羅三藐三菩提心大通智勝佛過八万四
千劫已從三昧起往詣法座安詳而坐普告
大衆是十六菩薩沙弥甚為希有諸根通利
智慧明了已曾供養无量千万億數諸佛於諸
佛所常脩梵行受持佛智開示衆生令入其

BD00007號　妙法蓮華經卷三　（26–20）

智慧明了已曾供養无量千万億數諸佛於諸
佛所常脩梵行受持佛智開示衆生令入其
中汝等皆當數數親近而供養之所以者何
若聲聞辟支佛及諸菩薩能信是十六菩
薩所說經法受持不毀者是人皆當得阿耨
多羅三藐三菩提如來之慧佛告諸比丘是
十六菩薩常樂說是妙法蓮華經一一菩薩
所化六百万億那由他恒河沙等衆生世世
所生與菩薩俱從其聞法悉皆信解以此因
緣得值四万億諸佛世尊于今不盡諸比丘
我今語汝彼佛弟子十六沙弥今皆得阿耨
多羅三藐三菩提於十方國土現在說法有
无量百千万億菩薩聲聞以為眷屬其二沙
弥東方作佛一名阿閦在歡喜國二名須弥
頂東南方二佛一名師子音二名師子相南
方二佛一名虛空住二名常滅西南方二佛
一名帝相二名梵相西方二佛一名阿弥陀
二名度一切世間苦惱西北方二佛一名多
摩羅跋栴檀香神通二名須弥相北方二佛
一名雲自在二名雲自在王東北方佛名壞
一切世間怖畏第十六我釋迦牟尼佛於娑
婆國土成阿耨多羅三藐三菩提諸比丘我
等為沙弥時各各教化无量百千万億恒河
沙等衆生從我聞法為阿耨多羅三藐三菩

BD00007 號　妙法蓮華經卷三　（26–21）

一切世間怖畏第十六我釋迦牟尼佛於娑
婆國土成阿耨多羅三藐三菩提諸比丘我
等為沙弥時各各教化无量百千万億恒河
沙等衆生從我聞法為阿耨多羅三藐三菩
提此諸衆生于今有住聲聞地者我常教化
阿耨多羅三藐三菩提是諸人等應以是法
漸入佛道所以者何如來智慧難信難解尒
時所化无量恒河沙等衆生者汝等諸比丘
及我滅度後未來世中聲聞弟子是也我滅
度後復有弟子不聞是經不知不覺菩薩所
行自於所得功德生滅度想當入涅槃我於
餘國作佛更有異名是人雖生滅度之想入
於涅槃而於彼土求佛智慧得聞是經唯以
佛乘而得滅度更无餘乘除諸如來方便說
法諸比丘若如來自知涅槃時到衆又清淨
信解堅固了達空法深入禪定便集諸菩薩
及聲聞衆為說是經世間无有二乘而得滅
度唯一佛乘得滅度耳比丘當知如來方便
深入衆生之性知其志樂小法深著五欲為
是等故說於涅槃是人若聞則便信受譬如
五百由旬險難惡道曠絕无人怖畏之處若
有多衆欲過此道至珍寶處有一導師聰慧
明達善知險道通塞之相將導衆人欲過此
難所將人衆中路懈退白導師言我等疲極

BD00007 號　妙法蓮華經卷三　（26–22）

明達善知險道通塞之相將導衆人欲過此
難所將人衆中路懈退白導師言我等疲極
而復怖畏不能復進前路猶遠今欲退還導
師多諸方便而作是念此等可愍云何捨大
珎寶而欲退還作是念已以方便力於險道
中過三百由旬化作一城告衆人言汝等勿
怖畏得退還今此大城可於中止隨意所作
若入是城快得安隱若能前至寶所亦可
得去是時疲極之衆心大歡喜歎未曾有我
等今者免斯惡道快得安隱於是衆人前入化
城生已度想生安隱想尒時導師知此人衆
既得止息无復疲惓即滅化城語衆人言汝
等去来寶處在近向者大城我所化作為上
息耳諸比丘如来亦復如是今為汝等作大
導師知諸生死煩惱惡道險難長遠應去應
度若衆生但聞一佛乘者則不欲見佛不欲
親近便作是念佛道長遠久受懃苦乃可得
成佛知是心怯弱下劣以方便力而於中道
為止息故說二涅槃若衆生住於二城如来
尒時即便為說汝等所作未辦汝所住地近
於佛慧當觀察籌量所得涅槃非真實也
但是如来方便之力於一佛乘分別說三如彼
導師為止息故化作大城既知息已而告之
言寶處在近此城非實我化作耳尒時世尊

但是如来方便之力於一佛乘分別說三如彼
導師為止息故化作大城既知息已而告之
言寶處在近此城非實我化作耳尒時世尊
欲重宣此義而說偈言
大通智勝佛　十劫坐道場　佛法不現前　不得成佛道
諸天神龍王　阿脩羅衆等　常雨於天華　以供養彼佛
諸天擊天鼓　并作衆伎樂　香風吹萎華　更雨新好者
過十小劫已　乃得成佛道　諸天及世人　心皆懷踊躍
彼佛十六子　皆與其眷屬　千万億圍繞　俱行至佛所
頭面礼佛足　而請轉法輪　聖師子法雨　充我及一切
世尊甚難值　久遠時一現　為覺悟群生　震動於一切
東方諸世界　五百万億國　梵宮殿光曜　昔所未曾有
諸梵見此相　尋来至佛所　散華以供養　并奉上宮殿
請佛轉法輪　以偈而讚歎　佛知時未至　受請嘿然坐
三方及四維　上下亦復尒　散華奉宮殿　請佛轉法輪
世尊甚難值　願以本慈悲　廣開甘露門　轉无上法輪
无量慧世尊　受彼衆人請　為宣種種法　四諦十二緣
无明至老死　皆從生緣有　如是衆過患　汝等應當知
宣暢是法時　六百万億姟　得盡諸苦際　皆成阿羅漢
第二說法時　千万恒沙衆　於諸法不受　亦得阿羅漢
從是後得道　其數无有量　万億劫筭數　不能得其邊
時十六王子　出家作沙弥　皆共請彼佛　演說大乘法
我等及營從　皆得成佛道　願得如世尊　慧眼第一淨
佛知童子心　宿世之所行　以无量因緣　種種諸譬喻

我等及營從　皆得成佛道　願得如世尊　慧眼第一淨
佛知童子心　宿世之所行　以无量因緣　種種諸譬喻
說六波羅蜜　及諸神通事　分別真實法　菩薩所行道
說是法華經　如恒河沙偈　彼佛說經已　靜室入禪定
一心一處坐　八万四千劫　是諸沙弥等　知佛禪未出
為无量億衆　說佛无上慧　各各坐法座　說是大乘經
於佛宴寂後　宣揚助法化　一一沙弥等　所度諸衆生
有六百万億　恒河沙等衆　彼佛滅度後　是諸聞法者
在在諸佛土　常與師俱生　是十六沙弥　具足行佛道
今現在十方　各得成正覺　尒時聞法者　各在諸佛所
其有住聲聞　漸教以佛道　我在十六數　曾亦為汝說
是故以方便　引汝趣佛慧　以是本因緣　今說法華經
令汝入佛道　慎勿懷驚懼　譬如險惡道　迥絕多毒獸
又復无水草　人所畏怖處　无數千万衆　欲過此險道
其路甚曠遠　逕五百由旬　時有一導師　強識有智慧
明了心決定　在險濟衆難　衆人皆疲惓　而白導師言
我等今頓乏　於此欲退還　導師作是念　此輩甚可愍
如何欲退還　而失大珎寶　尋時思方便　當設神通力
化作大城郭　莊嚴諸舍宅　周帀有園林　渠流及浴池
重門高樓閣　男女皆充滿　即作是化已　慰衆言勿懼
汝等入此城　各可隨所樂　諸人既入城　心皆大歡喜
皆生安隱想　自謂已得度　導師知息已　集衆而告言
汝等當前進　此是化城耳　我見汝疲極　中路欲退還

BD00007 號　妙法蓮華經卷三　（26–25）

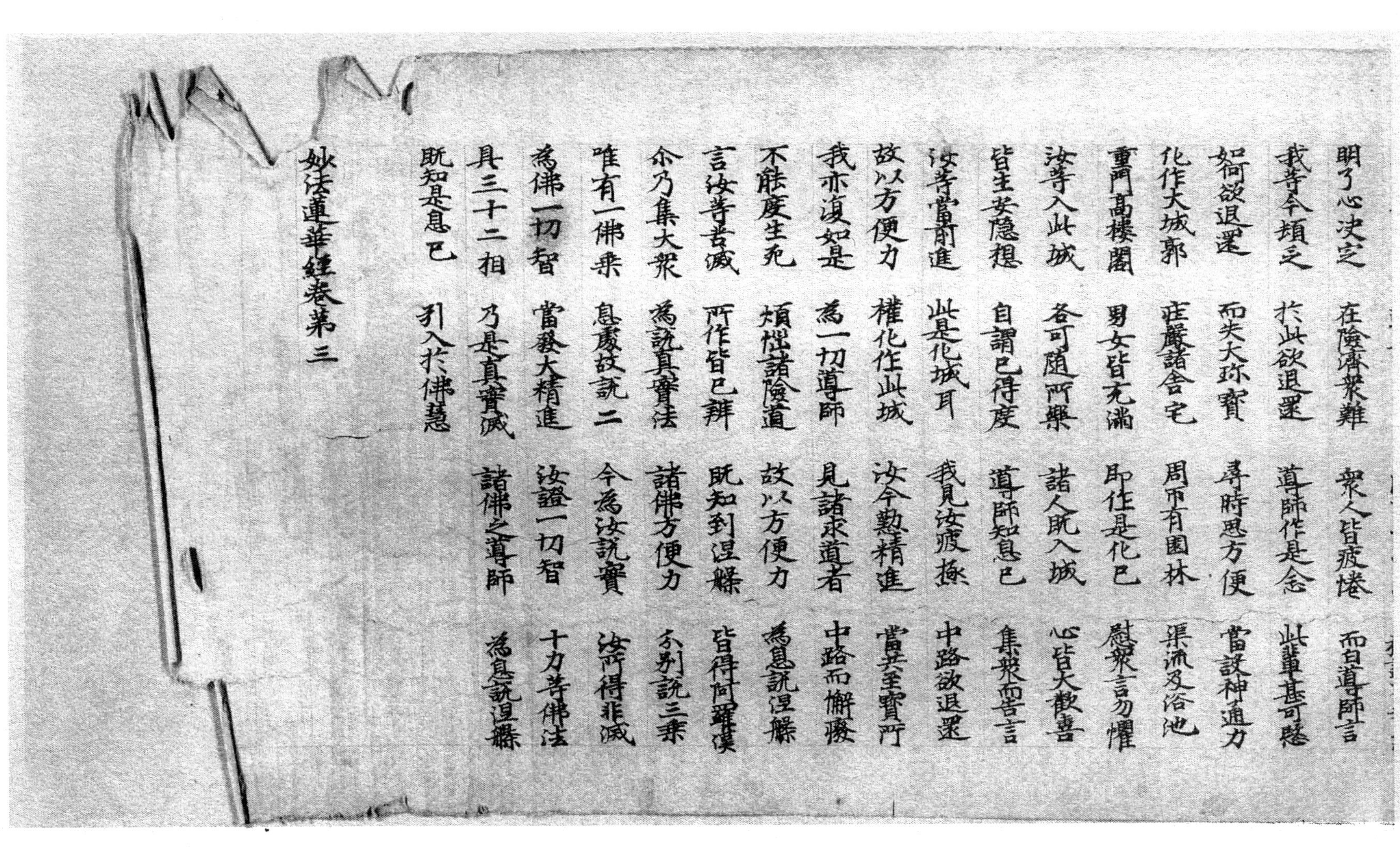
明了心決定　在險濟衆難　衆人皆疲惓　而白導師言
我等今頓乏　於此欲退還　導師作是念　此輩甚可愍
如何欲退還　而失大珎寶　尋時思方便　當設神通力
化作大城郭　莊嚴諸舍宅　周帀有園林　渠流及浴池
重門高樓閣　男女皆充滿　即作是化已　慰衆言勿懼
汝等入此城　各可隨所樂　諸人既入城　心皆大歡喜
皆生安隱想　自謂已得度　導師知息已　集衆而告言
汝等當前進　此是化城耳　我見汝疲極　中路欲退還
故以方便力　權化作此城　汝今懃精進　當共至寶所
我亦復如是　為一切導師　見諸求道者　中路而懈廢
不能度生死　煩惱諸險道　故以方便力　為息說涅槃
言汝等苦滅　所作皆已辦　既知到涅槃　皆得阿羅漢
尒乃集大衆　為說真實法　諸佛方便力　分別說三乘
唯有一佛乘　息處故說二　今為汝說實　汝所得非滅
為佛一切智　當發大精進　汝證一切智　十力等佛法
具三十二相　乃是真實滅　諸佛之導師　為息說涅槃
既知是息已　引入於佛慧

妙法蓮華經卷第三

BD00007 號　妙法蓮華經卷三　（26–26）

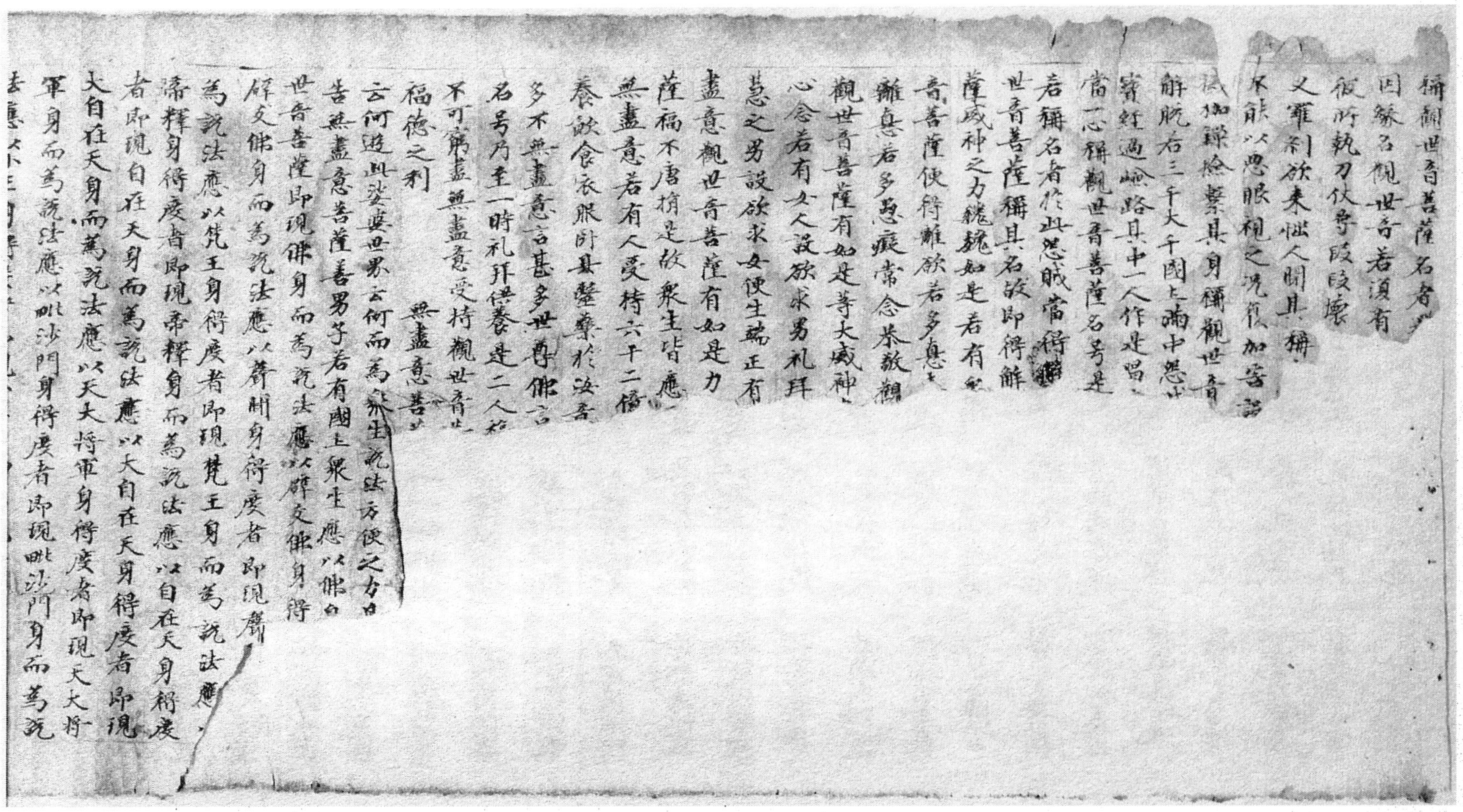

稱觀世音菩薩名者
因緣名觀世音若復有
彼所執刀杖尋段段壞
叉羅刹欲來惱人聞其稱
不能以惡眼視之況復加害設
枷鎖檢繫其身稱觀世音
解脫若三千大千國土滿中怨賊
寶經過嶮路其中一人作是唱
當一心稱觀世音菩薩名號是
若稱名者於此怨賊當得解
世音菩薩稱其名故即得解
薩威神之力巍巍如是若有眾
音菩薩便得離欲若多瞋恚
離癡若多愚癡常念恭敬觀
觀世音菩薩有如是等大威神
心念若有女人設欲求男禮拜
慧之男設欲求女便生端正有
盡意觀世音菩薩有如是力
薩福不唐捐是故眾生皆應
無盡意若有人受持六十二億
養飲食衣服臥具醫藥於汝意
多不無盡意言甚多世尊佛言
名號乃至一時禮拜供養是二人福
不可窮盡無盡意受持觀世音菩
福德之利　無盡意菩
云何遊此娑婆世界云何而為眾生說法方便之力其
告無盡意菩薩善男子若有國土眾生應以佛身
世音菩薩即現佛身而為說法應以辟支佛身得
辟支佛身而為說法應以聲聞身得度者即現聲
為說法應以梵王身得度者即現梵王身而為說法應
蹄釋身得度者即現帝釋身而為說法應以自在天身得度
者即現自在天身而為說法應以大自在天身得度者即現
大自在天身而為說法應以天大將軍身得度者即現天大將
軍身而為說法應以毗沙門身得度者即現毗沙門身而為說
法應以小王

蹄釋身得度者即現帝釋身而為說法應以自在天身得度
者即現自在天身而為說法應以大自在天身得度者即現
大自在天身而為說法應以天大將軍身得度者即現天大將
軍身而為說法應以毗沙門身得度者即現毗沙門身而為說
法應以小王身得度者即現小王身而為說法應以長者身
得度者即現長者身而為說法應以居士身得度者即現居
士身而為說法應以宰官身得度者即現宰官身而為說
法應以婆羅門身得度者即現婆羅門身而為說法應以比
丘比丘尼優婆塞優婆夷身得度者即現比丘比丘尼優婆
塞優婆夷身而為說法應以長者居士宰官婆羅門婦女身
得度者即現婦女身而為說法應以童男童女身得度者
即現童男童女身而為說法應以天龍夜叉乾闥婆阿脩羅
迦樓羅緊那羅摩睺羅伽人非人等身得度者即皆現之而
為說法應以執金剛神得度者即現金剛神而為說法無盡
意是觀世音菩薩成就如是功德以種種形遊諸國土度脫眾
生是故汝等應當一心供養觀世音菩薩是觀世音菩薩摩
訶薩於怖畏急難之中能施無畏是故此娑婆世界皆號
之為施無畏者無盡意菩薩白佛言世尊我今當供養觀
世音菩薩即解眾寶珠瓔珞價直百千兩金而以與之作是
言仁者受此法施珍寶瓔珞時觀世音菩薩不肯受之無
盡意復白觀世音菩薩仁者愍我等故受此瓔珞尒時佛告
觀世音菩薩當愍此無盡意菩薩及四眾天龍夜叉乾闥
婆阿脩羅迦樓羅緊那羅摩睺羅伽人非人等故受是瓔
珞即時觀世音菩薩愍諸四眾及於天龍人非人等受其瓔
珞分作二分一分奉釋迦牟尼佛一分奉多寶佛塔無盡意觀世
音菩薩有如是自在神力遊於娑婆世界尒時無盡意菩薩
以偈問曰
世尊妙相具　我今重問彼　佛子何因緣　名為觀世音　具足妙相尊
偈荅無盡意　汝聽觀音行　善應諸方所　弘誓深如海　歷劫不思議
侍多千億佛　發大清淨願　我為汝略說　聞名及見身　心念不空過
能滅諸有苦　假使興害意　推落大火坑　念彼觀音力　火坑變成池
或漂流巨海　龍魚諸鬼難　念彼觀音力　波浪不能沒　或在須彌峯
為人所推墮　念彼觀音力　如日盧空住　或被惡人逐　墮落金剛山
念彼觀音力　不能損一毛　或值怨賊繞　各執刀加害　念彼觀音力

珞即時觀世音菩薩愍諸四衆及於天龍人非人等受其瓔
珞分作二分一分奉釋迦牟尼佛一分奉多寶佛塔無盡意觀世
音菩薩有如是自在神力遊於娑婆世界尒時無盡意菩薩
以偈問曰
世尊妙相具　我今重問彼　佛子何因緣　名為觀世音　具足妙相尊
偈荅無盡意　汝聽觀音行　善應諸方所　弘誓深如海　歷劫不思議
侍多千億佛　發大清淨願　我為汝略說　聞名及見身　心念不空過
能滅諸有苦　假使興害意　推落大火坑　念彼觀音力　火坑變成池
或漂流巨海　龍魚諸鬼難　念彼觀音力　波浪不能沒　或在須弥峯
為人所推墮　念彼觀音力　如日虛空住　或被惡人逐　墮落金剛山
念彼觀音力　不能損一毛　或值怨賊繞　各執刀加害　念彼觀音力
咸即起慈心　或遭王難苦　臨刑欲壽終　念彼觀音力　刀尋段段壞
或囚禁枷鎖　手足被杻械　念彼觀音力　釋然得解脫　呪詛諸毒藥
所欲害身者　念彼觀音力　還著於本人　或遇惡羅刹　毒龍諸鬼等
念彼觀音力　時悉不敢害　若惡獸圍遶　利牙爪可怖　念彼觀音力
疾走无邊方　蚖虵及蝮蝎　氣毒煙火然　念彼觀音力　尋聲自迴去
雲雷鼓掣電　降雹澍大雨　念彼觀音力　應時得消散　衆生被困厄
無量苦逼身　觀音妙智力　能救世間苦　具足神通力　廣脩智方便
十方諸國土　無刹不現身　種種諸惡趣　地獄鬼畜生　生老病死苦
以漸悉令滅　真觀清淨觀　廣大智慧觀　悲觀及慈觀　常願常瞻仰
無垢清淨光　慧日破諸闇　能伏灾風火　普明照世間　悲體戒雷震
慈意妙大雲　澍甘露法雨　滅除煩惱炎　諍訟經官處　怖畏軍陣中
念彼觀音力　衆怨悉退散　妙音觀世音　梵音海潮音　勝彼世間音
是故須常念　念念勿生疑　觀世音淨聖　於苦惱死厄　能為作依怙
具一切功德　慈眼視衆生　福聚海無量　是故應頂禮
尒時持地菩薩即從座起前白佛言世尊若有衆生聞是觀
世音菩薩品自在之業普門示現神通力者當知是人功德
不少佛說是普門品時衆中八萬四千衆生皆發無等等
阿耨多羅三藐三菩提心

觀世音經

BD00008號　觀世音經　（3–3）

維摩詰所說經文殊師利問疾品第五　卷中
尒時佛告文殊師利汝行詣維摩詰問疾文
殊師利白佛言世尊彼上人者難為酬對深
達實相善說法要辯才无滯智慧
切菩薩法式悉知諸佛祕藏无不得入
魔遊戲神通其慧方便皆已得度雖然當承
佛聖旨詣彼問疾於是衆中諸菩薩大
釋梵四天王等咸作是念今二大士文殊師利
維摩詰共談必說妙法即時八千菩薩五百聲
聞百千天人皆欲隨從於是文殊師利與諸
菩薩大弟子衆及諸天人恭敬圍繞入毗
耶離大城尒時長者維摩詰心念今文殊師
利與大衆俱來即以神力空其室內除去所
有及諸侍者唯置一牀以疾而臥文殊師利
既入其舍見其室空无諸所有獨寢一牀時
維摩詰言善來文殊師利不來相而來不見
相而見文殊師利言如是居士若來已更不來
若去已更不去所以者何來者无所從來
去者无所至所可見者更不可見且置是事
居士是疾寧可忍不療治有損不至增乎世
尊慇懃致問无量居士是疾何所因起其生

BD00009號　維摩詰所說經卷中　（9–1）

相而見文殊師利言如是居士若來已更不來
若去已更不去所以者何來者无所從來
去者无所至所可見者更不可見且置是事
居士是疾寧可忍不療治有損不至增乎世
尊慇懃致問无量居士是疾何所因起其生
久如當云何滅維摩詰言從癡有愛則我病生
以一切衆生病是故我病若一切衆生得病
滅則我病滅所以者何菩薩為衆生故入
生死有生死則有病若衆生得離病者則
菩薩无復病譬如長者唯有一子其子得病
父母亦病若子病愈父母亦愈菩薩如是於
諸衆生愛之若子衆生病則菩薩病衆生
病愈菩薩亦愈又言是疾何所因起菩薩疾
者以大悲起文殊師利言居士此室何以空无
侍者維摩詰言諸佛國土亦復皆空又問以
何為空答曰以空空又問空何用空答曰以
无分別空故空又問空可分別耶答曰分別
亦空又問空當於何求答曰當於六十二見
中求又問六十二見當於何求答曰當於諸佛
解脫中求又問諸佛解脫當於何求答曰
當於一切衆生心行中求又仁所問何无侍
者一切衆魔及諸外道皆吾侍也所以者何
衆魔者樂生死菩薩於生死而不捨外道
者樂諸見菩薩於諸見而不動文殊師利言
居士所疾為何等相維摩詰言我病无形不

BD00009號　維摩詰所說經卷中　（9–2）

者樂諸見菩薩於諸見而不動文殊師利言
居士所疾為何等相維摩詰言我病无形不
可見又問此病身合耶心合耶答曰非身合身
相離故亦非心合心如幻故又問地大水大火
大風大於此四大何大之病答曰是病非地大
亦不離地大水火風大亦復如是而衆生病
從四大起以其有病是故我病尒時文殊
師利問維摩詰言菩薩應云何慰喻有疾菩
薩維摩詰言說身无常不說厭離於身說
身有苦不說樂於涅槃說身无我而說教導
衆生說身空寂不說畢竟寂滅說悔先罪而
不說入於過去以己之疾愍於彼疾當識宿
世无數劫苦當念饒益一切衆生憶所脩福
念於淨命勿生憂惱常起精進當作醫王
療治衆病菩薩應如是慰喻有疾菩薩令
其歡喜文殊師利言居士有疾菩薩云何調伏其
心維摩詰言有疾菩薩應作是念今我此病皆
從前世妄想顛倒諸煩惱生无有實法誰
受病者所以者何四大合故假名為身四大
无主身亦无我又此病起皆由著我是故於
我不應生著既知病本即除我想及衆生想
當起法想應作是念但以衆法合成此身起
唯法起滅唯法滅又此法者各不相知起時不
言我起滅時不言我滅彼有疾菩薩為滅法
想當作是念此法想者亦是顛倒顛倒者是

BD00009號　維摩詰所說經卷中　（9–3）

唯法起滅唯法滅又此法者各不相知起時不
言我起滅時不言我滅彼有疾菩薩為滅法
想當作是念此法想者亦是顛倒顛倒者是
即大患我應離之云何為離離我我所云何離
我我所謂離二法云何離二法謂不念內外
諸法行於平等云何平等謂我等涅槃等
所以者何我及涅槃此二皆空以何為空但以
名字故空如此二法无決定性得是平等无
有餘病唯有空病空病亦空是有疾菩薩
以无所受而受諸受未具佛法亦不滅受而
取證也設身有苦當念惡趣衆生起大悲心
我既調伏亦當調伏一切衆生但除其病而不
除法為斷病本而教導之何為病本謂有攀
緣從有攀緣則有病本何所攀緣謂之三
界云何斷攀緣以无所得若无所得則无攀
緣何謂无所得謂離二見何謂二見謂內見
外見是无所得文殊師利是為有疾菩薩調
伏其心為斷老病死苦是菩薩菩提若不如
是已所脩治為无慧利譬如勝怨乃可為勇
如是兼除老病死者菩薩之謂也彼有疾菩
薩應復作是念如我此病非真非有衆生病亦
非真非有作是觀時於諸衆生若起愛見大
悲即應捨離所以者何菩薩斷除客塵煩惱
而起大悲愛見悲者則於生死有疲厭心
若能離此无有疲厭在在所生不為愛見之所

BD00009 號　維摩詰所說經卷中　（9–4）

悲即應捨離所以者何菩薩斷除客塵煩惱
而起大悲愛見悲者則於生死有疲厭心
若能離此无有疲厭在在所生不為愛見之所
覆也所生无縛能為衆生說法解縛如佛所
說若自有縛能解彼縛无有是處若自无縛
能解彼縛斯有是處是故菩薩不應起縛何
謂縛何謂解貪著禪味是菩薩縛以方便生
是菩薩解又无方便慧縛有方便慧解无
慧方便縛有慧方便解何謂无方便慧縛謂
菩薩以愛見心莊嚴佛土成就衆生於空无相
无作法中而自調伏是名无方便慧縛何謂有
方便慧解謂不以愛見心莊嚴佛土成就衆
生於空无相无作法中以自調伏而不疲厭是
名有方便慧解何謂无慧方便縛謂菩薩住
貪欲瞋恚邪見等諸煩惱而殖衆德本是
名无慧方便縛何謂有慧方便解謂離諸
貪欲瞋恚邪見等諸煩惱而殖衆德本迴
向阿耨多羅三藐三菩提是名有慧方便解
文殊師利彼有疾菩薩應如是觀諸法又復觀
身无常苦空非我是名為慧雖身有疾常
在生死饒益一切而不厭惓是名方便又復觀
身身不離病病不離身是病是身非新非
故是名為慧設身有疾而不永滅是名方便
文殊師利有疾菩薩應如是調伏其心不住其
中亦復不住不調伏心所以者何若住調伏心

BD00009 號　維摩詰所說經卷中　（9–5）

故是名爲慧設身有疾而不永滅是名方便
文殊師利有疾菩薩應如是調伏其心不住其
中亦復不住不調伏心所以者何若住調伏心
是愚人法若住調伏心是聲聞法是故菩薩
不當住於調伏不調伏心離此二法是菩薩
行在於生死不爲汙行住於涅槃不永滅度
是菩薩行非凡夫行非賢聖行是菩薩行
非垢行非淨行是菩薩行雖過魔行而現降
伏衆魔是菩薩行求一切智无非時求是
菩薩行雖觀諸法不生不滅而不入正位是菩
薩行雖觀十二緣起而入諸邪見是菩薩行雖
攝一切衆生而不愛著是菩薩行雖樂遠離
而不依身心盡是菩薩行雖行三界而不壞法
性是菩薩行雖行於空而殖衆德本是菩
薩行雖行无相而度衆生是菩薩行雖行无
作而現受身是菩薩行雖行无起而起一切善
行是菩薩行雖行六波羅蜜而遍知衆生心心
數法是菩薩行雖行六通而不盡漏是菩
薩行雖行四无量心而不貪著生於梵世
是菩薩行雖行禪定解脫三昧而不隨禪生
是菩薩行雖行四念處而不永離身受心法
是菩薩行雖行四正勤而不捨身心精進
是菩薩行雖行四如意足而得自在神通是菩
薩行雖行五根而　分別衆生諸根利鈍是
菩薩行雖行五力而樂求佛十力是菩薩行
雖行七覺分而分別佛之智慧是菩薩行雖

BD00009 號　維摩詰所說經卷中　（9–6）

薩行雖行五根而　分別衆生諸根利鈍是
菩薩行雖行五力而樂求佛十力是菩薩行
雖行七覺分而分別佛之智慧是菩薩行雖
行八正道而樂行无量佛道是菩薩行雖行止
觀助道之法而不畢竟墮於寂滅是菩薩行
雖行諸法不生不滅而以相好莊嚴其身是
菩薩行雖現聲聞辟支佛威儀而不捨佛法
是菩薩行雖隨諸法究竟淨相而隨所應爲
現其身是菩薩行雖觀諸佛國土永寂如空
而現種種清淨佛土是菩薩行雖得佛道
轉于法輪入於涅槃而不捨於菩薩之道是菩
薩行說是語時文殊師利所將大衆其中
八千天子皆發阿耨多羅三藐三菩提心

不思議品第六

尒時舍利弗見此室中无有牀座作是念斯
諸菩薩大弟子衆當於何坐長者維摩詰知
其意語舍利弗言云何仁者爲法來耶求牀座
耶舍利弗言我爲法來非爲牀座維摩詰
言唯舍利弗夫求法者不貪軀命何況牀座
夫求法者非有色受想行識之求非有界入
之求非有欲色无色之求唯舍利弗夫求法者
不著佛求不著法求不著衆求夫求法者
无見苦求无斷集求无造盡證修道之求所
以者何法无戲論若言我當見苦斷集證滅
修道是則戲論非求法也唯舍利弗法名寂

BD00009 號　維摩詰所說經卷中　（9–7）

以者何法无戲論若言我當見苦斷集證滅
脩道是則戲論非求法也唯舍利弗法名寂
滅若行生滅是則求生滅非求法也法名无染
若染於法乃至涅槃是則染著非求法也法无
行處若行於法是則行處非求法也法无
取捨若取捨法是則取捨非求法也法无處
所若著處所是則著處非求法也法名无相
若隨相識是則求相非求法也法不可住若
住於法是則住法非求法也法不可見聞覺知
若行見聞覺知是則見聞覺知非求法也
法名无為若行有為是求有為非求法也
是故舍利弗若求法者 於一切法應无所求說
是語時五百天子於諸法中得法眼淨尒時
長者維摩詰問文殊師利仁者遊於无量千
萬億阿僧祇國何等佛土有好上妙功德成
就師子之座文殊師利言居士東方度卅六
恒河沙國有世界名須弥相其佛号須弥燈
王今現在彼佛身長八萬四千由旬其師子
座高八萬四千由旬嚴飾第一於是長者維
摩詰現神通力即時彼佛遣三萬二千師子
之座高廣嚴淨來入維摩詰室諸菩薩大弟
子釋梵四天王等昔所未見其室廣博悉皆
苞容三萬二千師子座无所妨礙於毗耶離城
及閻浮提四天下亦不迫迮悉見如故尒時
維摩詰語文殊師利就師子座與諸菩薩上人

BD00009 號　維摩詰所說經卷中

（9–8）

座高八萬四千由旬嚴飾第一於是長者維
摩詰現神通力即時彼佛遣三萬二千師子
之座高廣嚴淨來入維摩詰室諸菩薩大弟
子釋梵四天王等昔所未見其室廣博悉皆
苞容三萬二千師子座无所妨礙於毗耶離城
及閻浮提四天下亦不迫迮悉見如故尒時
維摩詰語文殊師利就師子座與諸菩薩上人
俱坐當自立身如彼座像其得神通菩薩
即自變形為四萬二千由旬諸新發意菩
薩及大弟子皆不能昇尒時維摩詰語舍
利弗就師子座舍利弗言居士此座高廣吾
不能昇維摩詰言唯舍利弗為須弥燈王如
來作禮乃可得坐於是新發意菩薩及大
弟子即為須弥燈王如來作禮便得坐師子
座舍利弗言居士未曾有也如是小室乃容受
此高廣之座於毗耶離城无所妨礙又於閻浮
提聚落城邑及四天下諸天龍王鬼神宮
殿亦不迫迮維摩詰言唯舍利弗諸佛菩
薩有解脫名不可思議若菩薩住是解脫者
以須弥之高廣內芥子中无所增減須弥山王
本相如故而四天王忉利諸天不覺不知己
之所入唯應度者乃見須弥入芥子中是名
不可思議解脫法門又以四大海水入一毛
孔不嬈魚鼈黿鼉水性之屬而彼大海本相
如故諸龍鬼神阿脩羅等不覺不知己之所

BD00009 號　維摩詰所說經卷中

（9–9）

菩提心如是長者維摩詰為諸問疾者如應
說法令无數千人皆發阿耨多羅三藐三菩
提心

弟子品第三

尒時長者維摩詰自念寢疾于牀世尊大慈
寧不垂愍佛知其意即告舍利弗汝行詣維
摩詰問疾舍利弗白佛言世尊我不堪任詣
彼問疾所以者何憶念我昔曾於林中宴
坐樹下時維摩詰來謂我言唯舍利弗不必
是坐為宴坐也夫宴坐者不於三界現身意是
為宴坐不起滅定而現諸威儀是為宴坐不
捨道法而現凡夫事是為宴坐心不住內亦不
在外是為宴坐於諸見不動而脩行卅七品
是為宴坐不斷煩惱而入涅槃是為宴坐若
能如是坐者佛所印可時我世尊聞是語默
然而止不能加報故我不任詣彼問疾
佛告大目揵連汝行詣維摩詰問疾目連白
佛言世尊我不堪任詣彼問疾所以者何憶
念我昔入毗耶離大城於里巷中為諸居士
說法時維摩詰來謂我言唯大目連為白衣
居士說法不當如仁者所說夫說法者當如
法說法无衆生離衆生垢故法无有我離我
垢故法无壽命離生死故法无有人前後際
斷故法常寂然滅諸相故法離於相无所緣
故法无名字言語斷故法无有說離覺觀故

BD00010號　維摩詰所說經卷上　（14–1）

居士說法不當如仁者所說夫說法者當如
法說法无衆生離衆生垢故法无有我離我
垢故法无壽命離生死故法无有人前後際
斷故法常寂然滅諸相故法離於相无所緣
故法无名字言語斷故法无有說離覺觀故
法无形相如虛空故法无戲論畢竟空故法
无我所離我所故法无分別離諸識故法无
有比无相待故法不屬因不在緣故法同法
性入諸法故法隨於如无所隨故法住實際
諸邊不動故法无動搖不依六塵故法无去
來常不住故法順空隨无相應无作法離好
醜法无增損法无生滅法无所歸法過眼耳
鼻舌身心法无高下法常住不動法離一切
觀行唯大目連法相如是豈可說乎夫說法者
无說无示其聽法者无聞无得譬如幻士
為幻人說法當建是意而為說法當了衆生
根有利鈍善於知見无所罣礙以大悲心讚
于大乘念報佛恩不斷三寶然後說法維摩
詰說是法時八百居士發阿耨多羅三藐三菩
提心我无此辯是故不任詣彼問疾
佛告大迦葉汝行詣維摩詰問疾迦葉白佛
言世尊我不堪任詣彼問疾所以者何憶念
我昔於貧里而行乞時維摩詰來謂我言
唯大迦葉有慈悲心而不能普捨豪富從
貧乞迦葉住平等法應次行乞食為不食故應
行乞食為壞和合相故應取揣食為不受故

BD00010號　維摩詰所說經卷上　（14–2）

我昔於貧里而行乞時維摩詰來謂我言
唯大迦葉有慈悲心而不能普捨豪富從
貧乞迦葉住平等法應次行乞食為不食故應
行乞食為壞和合相故應取揣食為不受故
應受彼食以空聚想入於聚落所見色與盲
等所聞聲與響等所齅香與風等所食味不
分別受諸觸如智證知諸法如幻相无自性
无他性本自不然今則无滅迦葉若能不捨
八邪入八解脫以邪相入正法以一食施一
切供養諸佛及眾賢聖然後可食如是食者
非有煩惱非離煩惱非入定意非起定意非
住世間非住涅槃其有施者无大福无小福
不為益不為損是為正入佛道不依聲聞迦
葉若如是食為不空食人之施也時我世尊
聞說是語得未曾有即於一切菩薩深起敬
心復作是念斯有家名辯才智慧乃能如是
其誰不發阿耨多羅三藐三菩提心我從是
來不復勸人以聲聞辟支佛行是故不任詣
彼問疾
佛告須菩提汝行詣維摩詰問疾須菩提白
佛言世尊我不堪任詣彼問疾所以者何憶
念我昔入其舍從乞食時維摩詰取我鉢盛
滿飯謂我言唯須菩提若能於食等者諸
法亦等諸法等者於食亦等如是行乞乃可取
食若須菩提不斷婬怒癡亦不與俱不壞於
身而隨一相不滅癡愛起於明脫以五逆相

BD00010 號　維摩詰所說經卷上　（14–3）

食若須菩提不斷婬怒癡亦不與俱不壞於
身而隨一相不滅癡愛起於明脫以五逆相
而得解脫亦不解不縛不見四諦非不見諦
非得果非凡夫非離凡夫法非聖人非不聖
人雖成就一切法而離諸法相乃可取食若
須菩提不見佛不聞法彼外道六師富蘭那
迦葉末伽梨拘賒梨子刪闍耶毗羅胝子阿耆
多翅舍欽婆羅迦羅鳩䭾迦旃延尼揵陀若
提子等是汝之師因其出家彼師所墮汝
亦隨墮乃可取食若須菩提入諸邪見不到
彼岸住於八難不得无難同於煩惱離清淨
法汝得无諍三昧一切眾生亦得是定其施
汝者不名福田供養汝者墮三惡道為與眾
魔共一手作諸勞侶汝與眾魔及諸塵勞等
无有異於一切眾生而有怨心謗諸佛毀於
法不入眾數終不得滅度汝若如是乃可取
食時我世尊聞說此語茫然不識是何言不
知以何答便置鉢欲出其舍維摩詰言唯須
菩提取鉢勿懼於意云何如來所作化人若以
是事詰寧有懼不我言不也維摩詰言一切
諸法如幻化相汝今不應有所懼也所以者
何一切言說不離是相至於智者不著文
字故无所懼何以故文字性離无有文字是則
解脫解脫相者則諸法也維摩詰說是法時
二百天子得法眼淨故我不任詣彼問疾
佛告富樓那彌多羅尼子汝行詣維摩詰問

BD00010 號　維摩詰所說經卷上　（14–4）

解脫解脫相者則諸法也維摩詰說是法時
二百天子得法眼淨故我不任詣彼問疾
佛告富樓那彌多羅尼子汝行詣維摩詰問
疾富樓那白佛言世尊我不堪任詣彼問疾
所以者何憶念我昔於大林中在一樹下為
諸新學比丘說法時維摩詰來謂我言唯富
樓那先當入定觀此人心然後說法无以穢
食置於寶器當知是比丘心之所念无以琉
璃同彼水精汝不能知衆生根源无得發起
以小乘法彼自无瘡勿傷之也欲行大道莫
示小徑无以大海内於牛跡无以日光等彼
螢火富樓那此比丘久發大乘心中忘此意
如何以小乘法而教導之我觀小乘智慧微
淺猶如盲人不能分別一切衆生根之利鈍
時維摩詰即入三昧令此比丘自識宿命曾
於五百佛所殖衆德本迴向阿耨多羅三藐
三菩提即時豁然還得本心於是諸比丘稽
首礼維摩詰足時維摩詰因為說法於阿耨
多羅三藐三菩提不復退轉我念聲聞不觀
人根不應說法是故不任詣彼問疾
佛告摩訶迦旃延汝行詣維摩詰問疾迦旃
延白佛言世尊我不堪任詣彼問疾所以者
何憶念昔者佛為諸比丘略說法要我即於
後敷演其義謂无常義苦義空義无我義
寂滅義時維摩詰來謂我言唯迦旃延无以生
滅心行說實相法迦旃延諸法畢竟不生不

BD00010號　維摩詰所說經卷上　（14–5）

寂滅義時維摩詰來謂我言唯迦旃延无以生
滅心行說實相法迦旃延諸法畢竟不生不
滅是无常義五受陰洞達空无所起是苦義
諸法究竟无所有是空義於我无我而不二
是无我義法本不然今則无滅是寂滅義說
是法時彼諸比丘心得解脫故我不任詣彼
問疾
佛告阿那律汝行詣維摩詰問疾阿那律
白佛言世尊我不堪任詣彼問疾所以者何
憶念我昔於一處經行時有梵王名曰嚴淨
與万梵俱放淨光明來詣我所稽首作礼問
我言幾何阿那律天眼所見我即荅言仁者
吾見此釋迦牟尼佛土三千大千世界如觀
掌中阿摩勒菓時維摩詰來謂我言唯阿那
律天眼所見為作相耶无作相耶假使作相則
與外道五通等若无作相即是无為不應有
見世尊我時默然彼諸梵聞其言得未曾有
即為作礼而問曰世孰有真天眼者維摩詰
言有佛世尊得真天眼常在三昧悉見諸佛
國不以二相於是嚴淨梵王及其眷屬五百
梵天皆發阿耨多羅三藐三菩提心礼維摩
詰足已忽然不現故我不任詣彼問疾
佛告優波離汝行詣維摩詰問疾優波離白
佛言世尊我不堪任詣彼問疾所以者何憶
念昔者有二比丘犯律行以為耻不敢問佛
來問我言唯優波離我等犯律誠以為耻不
敢問佛願解疑悔得免斯咎我即為其如法

BD00010號　維摩詰所說經卷上　（14–6）

佛言世尊我不堪任詣彼問疾所以者何憶念昔者有二比丘犯律行以為耻不敢問佛来問我言唯優波離我等犯律誠以為耻不敢問佛願解疑悔得免斯咎我即為其如法解說時維摩詰来謂我言唯優波離无重增此二比丘罪當直除滅勿擾其心所以者何彼罪性不在內不在外不在中間如佛所說心垢故衆生垢心淨故衆生淨心亦不在內不在外不在中間如其心然罪垢亦然諸法亦然不出於如如優波離以心相得解脫時寧有垢不我言不也維摩詰言一切衆生心相无垢亦復如是唯優波離妄想是垢无妄想是淨顛倒是垢无顛倒是淨取我是垢不取我是淨優波離一切法生滅不住如幻如電諸法不相待乃至一念不住諸法皆妄見如夢如焰如水中月如鏡中像以妄想生其知此者是名奉律其知此者是名善解於是二比丘言上智哉是優波離所不及持律之上而不能說我答言自捨如來未有聲聞及菩薩能制其樂說之辯其智慧明達為若此也時二比丘疑悔即除發阿耨多羅三藐三菩提心作是願言令一切衆生皆得是辯故我不任詣彼問疾

佛告羅睺羅汝行詣維摩詰問疾羅睺羅白佛言世尊我不堪任詣彼問疾所以者何憶念昔時毗耶離諸長者子来詣我所稽首作

BD00010 號　維摩詰所說經卷上　（14–7）

佛告羅睺羅汝行詣維摩詰問疾羅睺羅白佛言世尊我不堪任詣彼問疾所以者何憶念昔時毗耶離諸長者子来詣我所稽首作礼問我言唯羅睺羅汝佛之子捨轉輪王位出家為道其出家者有何等利我即如法為說出家功德之利時維摩詰来謂我言唯羅睺羅不應說出家功德之利所以者何无利无功德是為出家有為法者可說有利有功德夫出家者為无為法无為法中无利无功德羅睺羅夫出家者无彼无此亦无中間離六十二見處於涅槃智者所受聖所行處降伏衆魔度五道淨五眼得五力立五根不惱於彼離衆雜惡摧諸外道超越假名出淤泥无繫著无我所无所受无擾亂內懷喜護彼意隨禪定離衆過若能如是真出家於是維摩詰語諸長者子言汝等於正法中宜共出家所以者何佛世難值諸長者子言居士我聞佛言父母不聽不得出家維摩詰言然汝等便發阿耨多羅三藐三菩提心是即出家是即具足尒時卅二長者子皆發阿耨多羅三藐三菩提心故我不任詣彼問疾

佛告阿難汝行詣維摩詰問疾阿白佛言世尊我不堪任詣彼問疾所以者何憶念昔時世尊身小有疾當用牛乳我即持鉢詣大婆羅門家門下立時維摩詰来謂我言唯阿難何為晨朝持鉢住此我言居士世尊身小

BD00010 號　維摩詰所說經卷上　（14–8）

時世尊身小有疾當用牛乳我即持鉢詣大
婆羅門家門下立時維摩詰來謂我言唯阿
難何為晨朝持鉢住此我言居士世尊身小
有疾當用牛乳故來至此維摩詰言止止阿
難莫作是語如來身者金剛之體諸惡已斷
衆善普會當有何疾當有何惱默往阿難勿
謗如來莫使異人聞此麁言无令大威德諸天
及他方淨土諸來菩薩得聞斯語阿難轉
輪聖王以少福故尚得无病豈況如來无量
福會普勝者哉行矣阿難勿使我等受斯恥
也外道梵志若聞此語當作是念何名為師
自疾不能救而能救諸疾人可密速去勿使
人聞當知阿難諸如來身即是法身非思欲
身佛為世尊過於三界佛身无漏諸漏已盡
佛身无為不墮諸數如此之身當有何疾時
我世尊實懷慚愧得无近佛而謬聽耶即
聞空中聲曰阿難如居士言但為佛出五濁惡
世現行斯法度脫衆生行矣阿難取乳勿慚
世尊維摩詰智慧辯才為若此也是故不任
詣彼問疾如是五百大弟子各各向佛說其
本緣稱述維摩詰所言皆曰不任詣彼問疾

菩薩品第四

於是佛告弥勒菩薩汝行詣維摩詰問疾弥
勒白佛言世尊我不堪任詣彼問疾所以者
何憶念我昔為兜率天王及其眷屬說不退
轉地之行時維摩詰來謂我言弥勒世尊授
仁者記一生當得阿耨多羅三藐三菩提為

BD00010 號　維摩詰所說經卷上　（14–9）

勒白佛言世尊我不堪任詣彼問疾所以者
何憶念我昔為兜率天王及其眷屬說不退
轉地之行時維摩詰來謂我言弥勒世尊授
仁者記一生當得阿耨多羅三藐三菩提為
用何生得受記乎過去邪未來邪現在邪若
過去生過去生已滅若未來生未來生未至
若現在生現在生无住如佛所說比丘汝今
即時亦生亦老亦滅若以无生得受記者无
生即是正位於正位中亦无受記亦无得阿耨
多羅三藐三菩提云何弥勒受一生記乎
為從如生得受記邪為從如滅得受記邪若
以如生得受記者如无有生若以如滅得受記
者如无有滅一切衆生皆如也一切法亦如也
衆賢聖亦如也至於弥勒亦如也若弥勒得
受記者一切衆生亦應受記所以者何夫
如者不二不異若弥勒得阿耨多羅三藐
三菩提者一切衆生皆亦應得所以者何一
切衆生即菩提相若弥勒得滅度者一切衆
生亦當滅度所以者何諸佛知一切衆生畢
竟寂滅即涅槃相不復更滅是故弥勒无以
此法誘諸天子實无發阿耨多羅三藐三菩
提心者亦无退者弥勒當令此諸天子捨於
分別菩提之見所以者何菩提者不可以身
得不可以心得寂滅是菩提滅諸相故不觀
是菩提離諸緣故不行是菩提无憶念故斷
是菩提捨諸見故離是菩提離諸妄想故鄣
是菩提鄣諸願故不入是菩提无貪著故順

BD00010 號　維摩詰所說經卷上　（14–10）

是菩提[illegible]
是菩提捨諸見故離是菩提離諸妄想故鄣
是菩提鄣諸願故不入是菩提无貪著故順
是菩提順於如故住是菩提住法性故至是
菩提至實際故不二是菩提離意法故等是
菩提等虛空故无為是菩提无生住滅故智
是菩提了衆生心行故不會是菩提諸入不
會故不合是菩提離煩惱習故无處是菩提
无形色故假名是菩提名字空故如化是菩
提无取捨故无亂是菩提常自靜故善寂
是菩提性清淨故无取是菩提離攀緣故无
異是菩提諸法等故无比是菩提无可喻故微
妙是菩提諸法難知故世尊維摩詰說是法
時二百天子得无生法忍故我不堪任詣彼
問疾佛告光嚴童子汝行詣維摩詰問疾光嚴
白佛言世尊我不堪任詣彼問疾所以者何
憶念我昔出毗耶離大城時維摩詰方入城
我即為作礼而問言居士從何所來答我言吾
從道場來我問道場者何所是答曰直心是
道場无虛假故發行是道場能辦事故深心
是道場增益功德故菩薩心是道場无錯謬
故布施是道場不望報故持戒是道場得願
具故忍辱是道場於諸衆生心无㝵故精進是
道場不懈退故禪定是道場心調柔故智
慧是道場現見諸法故慈是道場等衆生故
悲是道場忍疲苦故喜是道場悅樂法故捨
[illegible]

BD00010 號　維摩詰所說經卷上　（14–11）

慧是道場現見諸法故慈是道場等衆生故
悲是道場忍疲苦故喜是道場悅樂法故捨
是道場憎愛斷故神通是道場成就六通故
解脫是道場能背捨故方便是道場教化衆
生故四攝是道場攝衆生故多聞是道場如
聞行故伏心是道場正觀諸法故卅七品是
道場捨有為法故諦是道場不誑世間故
緣起是道場无明乃至老死皆无盡故諸煩
惱是道場知如實故衆生是道場知无我故一
切法是道場知諸法空故降魔是道場不傾
動故三界是道場无所趣故師子吼是道場
无所畏故力无畏不共法是道場无諸過故
三明是道場无餘㝵故一念知一切法是道
場成就一切智故如是善男子菩薩若應諸
波羅蜜教化衆生諸有所作舉足下足當知
皆從道場來住於佛法矣說是法時五百天
人皆發阿耨多羅三藐三菩提心故我不任
詣彼問疾
佛告持世菩薩汝行詣維摩詰問疾持世白
佛言世尊我不堪任詣彼問疾所以者何憶
念我昔住於靜室時魔波旬從万二千天女
狀如帝釋鼓樂絃歌來詣我所與其眷屬
稽首我足合掌恭敬於一面立我意謂是帝
釋而語之言善來憍尸迦雖福應有不當自
恣當觀五欲无常以求善本於身命財而脩
堅法即語我言正士受是万二千天女可備掃
[illegible]

BD00010 號　維摩詰所說經卷上　（14–12）

稽首我足合掌恭敬於一面立我意謂是帝
釋而語之言善來憍尸迦雖福應有不當自
恣當觀五欲无常以求善本於身命財而脩
堅法即語我言正士受是万二千天女可備掃
灑我言憍尸迦无以此非法之物要我沙門
釋子此非我宜所言未訖維摩詰來謂我言
非帝釋也是爲魔來嬈固汝耳即語魔言是
諸女等可以與我如我應受魔即驚懼念維
摩詰將无惱我欲隱形去而不能隱盡其神
力亦不得去即聞空中聲曰波旬以女與之
乃可得去魔以畏故俛仰而與尒時維摩詰
語諸女言魔以汝等與我今汝皆當發阿耨
多羅三藐三菩提心即隨所應而爲說法令
發道意復言汝等已發道意有法樂可以自
娱不應復樂五欲樂也天女即問何謂法樂
答言樂常信佛樂欲聽法樂供養衆樂離五
欲樂觀五陰如怨賊樂觀四大如毒蛇樂觀
内入如空聚樂隨護道意樂饒益衆生樂敬
養師樂廣行施樂堅持戒樂忍辱柔和樂勤
集善根樂禪定不亂樂離垢明慧樂廣菩
提心樂降伏衆魔樂斷煩惱樂淨佛國土樂
成就相好故脩諸功德樂嚴道場樂聞深法
不畏樂三脫門不樂非時樂近同學樂於非
同學中心无恚礙樂將護惡知識樂近善知
識樂心喜清淨樂脩无量道品之法是爲菩
薩法樂於是波旬告諸女言我欲與汝俱還

BD00010 號　維摩詰所說經卷上　（14–13）

提心樂降伏衆魔樂斷煩惱樂淨佛國土樂
成就相好故脩諸功德樂嚴道場樂聞深法
不畏樂三脫門不樂非時樂近同學樂於非
同學中心无恚礙樂將護惡知識樂近善知
識樂心喜清淨樂脩无量道品之法是爲菩
薩法樂於是波旬告諸女言我欲與汝俱還
天宫諸女言以我等與此居士有法樂我等
甚樂不復樂五欲樂也魔言居士可捨此女
一切所有施於彼者是爲菩薩維摩詰言我
以捨矣汝便將去令一切衆生得法願具足於
是諸女問維摩詰我等云何止於魔宫維摩
詰言諸姊有法門名无盡燈汝等當學无
盡燈者譬如一燈然百千燈冥者皆明明終
不盡如是諸姊夫一菩薩開導百千衆生令
發阿耨多羅三藐三菩提心於其道意亦不
滅盡隨所說法而自增益一切善法是名无
盡燈也汝等雖住魔宫以是无盡燈令无數
天子天女發阿耨多羅三藐三菩提心者爲
報佛恩亦大饒益一切衆生尒時天女頭面
礼維摩詰足隨魔還宫忽然不現世尊維摩
詰有如是自在神力智慧辯才故我不任詣
彼問疾
佛告長者子善德汝行詣維摩詰問疾善德
白佛言世尊我不堪任詣彼問疾所以者何

BD00010 號　維摩詰所說經卷上　（14–14）

……亦
……靜慮等可得
作汝……汝若能脩如是布施是
脩布施波……作是言汝善男子應脩
布施波羅蜜多……應觀四靜慮若淨若不淨
不應觀四無量四無色定若淨若不淨何以
故四靜慮四靜慮自性空四無量四無色……
無量四無色定自性空是四靜慮自性即
非自性是四無量四無色定自性亦非自性
若非自性即是布施波羅蜜多於此布施波
羅蜜多四靜慮不可得彼淨不淨亦不可得
四無量四無色定皆不可得彼淨不淨亦不
可得所以者何此中尚無四靜慮等可得何
況有彼淨與不淨汝若能脩如是布施是脩
布施波羅蜜多憍尸迦是善男子善女人等作
此等說是為宣說真正布施波羅蜜多
復次憍尸迦若善男子善女人等為發無上
菩提心者宣說布施波羅蜜多作如是言汝
善男子應脩布施波羅蜜多不應觀八解脫
若常若無常不應觀八勝處九次第定十
遍處若常若無常何以故八解脫八解脫自
性空八勝處九次第定十遍處八勝處九次第
定十遍處自性空是八解脫自性即非自性
是八勝處九次第定十遍處自性亦非自性
若非自性即是布施波羅蜜多於此布施波

BD00011號　大般若波羅蜜多經卷一六四　（18–1）

性空八勝處九次第定十遍處八勝處九次第
定十遍處自性空是八解脫自性即非自性
是八勝處九次第定十遍處自性亦非自性
若非自性即是布施波羅蜜多於此布施波
羅蜜多八解脫不可得彼常無常亦不可得
八勝處九次第定十遍處皆不可得彼常無
常亦不可得所以者何此中尚無八解脫等
可得何況有彼常與無常汝若能脩如是布
施是脩布施波羅蜜多復作是言汝善男子
應脩布施波羅蜜多不應觀八解脫若樂若
苦不應觀八勝處九次第定十遍處若樂若
苦何以故八解脫八解脫自性空八勝處九
次第定十遍處八勝處九次第定十遍處
自性空是八解脫自性即非自性是八勝處九
次第定十遍處自性亦非自性若非自性即
是布施波羅蜜多於此布施波羅蜜多八解
脫不可得彼樂與苦亦不可得八勝處九次
第定十遍處皆不可得彼樂與苦亦不可得
所以者何此中尚無八解脫等可得何況有
彼樂之與苦汝若能脩如是布施是脩布施
波羅蜜多復作是言汝善男子應脩布施波
羅蜜多不應觀八解脫若我若無我不應觀
八勝處九次第定十遍處若我若無我何以
故八解脫八解脫自性空八勝處九次第定
十遍處八勝處九次第定十遍處自性空是
八解脫自性即非自性是八勝處九次第定

BD00011號　大般若波羅蜜多經卷一六四　（18–2）

十遍處八勝處九次第定十遍處自性空是
八解脫自性即非自性是八勝處九次第定
十遍處自性亦非自性若非自性即是布施
波羅蜜多於此布施波羅蜜多八解脫不可
得彼我無我亦不可得八勝處九次第定十
遍處皆不可得彼我無我亦不可得所以者
何此中尚無八解脫等可得何況有彼我與
無我汝若能脩如是布施是脩布施波羅蜜
多復作是言汝善男子應脩布施波羅蜜多
不應觀八解脫若淨若不淨不應觀八勝處
九次第定十遍處若淨不淨何以故八解脫
八解脫自性空八勝處九次第定十遍處
八勝處九次第定十遍處自性空是八解脫
自性即非自性是八勝處九次第定十遍處
自性亦非自性若非自性即是布施波羅蜜
多於此布施波羅蜜多八解脫不可得彼淨
不淨亦不可得八勝處九次第定十遍處皆
不可得彼淨不淨亦不可得所以者何此中尚
無八解脫等可得何況有彼淨與不淨汝
若能脩如是布施是脩布施波羅蜜多憍
尸迦是善男子善女人等作此等說是施宣
說真正布施波羅蜜多
復次憍尸迦若善男子善女人等為發無上
菩提心者宣說布施波羅蜜多作如是言汝
善男子應脩布施波羅蜜多不應觀四念住
若常若無常不應觀四正斷四神足五根五

BD00011 號　大般若波羅蜜多經卷一六四　（18-3）

菩提心者宣說布施波羅蜜多作如是言汝
善男子應脩布施波羅蜜多不應觀四念住
若常若無常不應觀四正斷四神足五根五
力七等覺支八聖道支若常若無常何以故
四念住四念住自性空四正斷四神足五根五
力七等覺支八聖道支四正斷乃至八聖道
道支自性空是四念住自性即非自性是四
正斷乃至八聖道支自性亦非自性若非自
性即是布施波羅蜜多於此布施波羅蜜多
四念住不可得彼常無常亦不可得四正斷
乃至八聖道支皆不可得彼常無常亦不可
得所以者何此中尚無四念住等可得何況
有彼常與無常汝若能脩如是布施是脩
布施波羅蜜多復作是言汝善男子應脩布
施波羅蜜多不應觀四念住若樂若苦不應
觀四正斷四神足五根五力七等覺支八聖道
支若樂若苦何以故四念住四念住自性空
四正斷四神足五根五力七等覺支八聖道
支四正斷乃至八聖道支自性空是四念住
自性即非自性是四正斷乃至八聖道支自
性亦非自性若非自性是布施波羅蜜多
於此布施波羅蜜多四念住不可得彼樂與
苦亦不可得四正斷乃至八聖道支皆不可得
彼樂與苦亦不可得所以者何此中尚無四
念住等可得何況有彼樂之與苦汝若能
脩如是布施是脩布施波羅蜜多復作是言

BD00011 號　大般若波羅蜜多經卷一六四　（18-4）

念住等可得何況有彼樂之與苦汝若能
脩如是脩布施是脩布施波羅蜜多復作是言
汝善男子應脩布施波羅蜜多不應觀四
念住若我若無我不應觀四正斷四神足五根
五力七等覺支八聖道支若我若無我何以
故四念住四念住自性空四正斷四神足五根
五力七等覺支八聖道支四正斷乃至八
聖道支自性空是四念住自性即非自性是
四正斷乃至八聖道支自性亦非自性若非
自性即是布施波羅蜜多於此布施波羅蜜
多四念住不可得彼我無我亦不可得四正
斷乃至八聖道支皆不可得彼我無我亦不
可得所以者何此中尚無四念住等可得何
況有彼我與無我汝若能脩如是布施是脩
布施波羅蜜多復作是言汝善男子應脩
布施波羅蜜多不應觀四念住若淨若不淨
不應觀四正斷四神足五根五力七等覺支八
聖道支若淨若不淨何以故四念住四念住
自性空四正斷四神足五根五力七等覺支
八聖道支四正斷乃至八聖道支自性空是
四念住自性即非自性是四正斷乃至八聖
道支自性亦非自性若非自性即是布施波
羅蜜多於此布施波羅蜜多四念住不可
得彼淨不淨亦不可得四正斷乃至八聖道支
皆不可得彼淨不淨亦不可得所以者何此
中尚無四念住等可得何況有彼淨與不淨

BD00011 號　大般若波羅蜜多經卷一六四　（18–5）

皆不可得彼淨不淨亦不可得所以者何此
中尚無四念住等可得何況有彼淨與不淨
汝若能脩如是脩布施是脩布施波羅蜜多
憍尸迦是善男子善女人等依此等說是為宣
說真正布施波羅蜜多
復次憍尸迦若善男子善女人等為發無上
菩提心者宣說布施波羅蜜多作如是言汝
善男子應脩布施波羅蜜多不應觀空解
脫門若常若無常不應觀無相無願解脫門
若常若無常何以故空解脫門空解脫門自性
空無相無願解脫門無相無願解脫門自性
空是空解脫門自性即非自性是無相無願
解脫門自性亦非自性若非自性即是布施
波羅蜜多於此布施波羅蜜多空解脫門不
可得彼常無常亦不可得無相無願解脫
門皆不可得彼常無常亦不可得所以者何
此中尚無空解脫門等可得何況有彼常與
無常汝若能脩如是布施是脩布施波羅蜜
多復作是言汝善男子應脩布施波羅蜜多不
應觀空解脫門若樂若苦不應觀無相無願
解脫門若樂若苦何以故空解脫門空解脫
門自性空無相無願解脫門無相無願解脫
門自性空是空解脫門自性即非自性是無
相無願解脫門自性亦非自性若非自性即是
布施波羅蜜多於此布施波羅蜜多空解脫
門不可得彼樂與苦亦不可得無相無願解

BD00011 號　大般若波羅蜜多經卷一六四　（18–6）

布施波羅蜜多於此布施波羅蜜多空解脫
門不可得彼樂與苦亦不可得無相無願解
脫門皆不可得彼樂與苦亦不可得所以者
何此中尚無空解脫門等可得何況有彼樂
之與苦汝若能修如是布施是修布施波羅
蜜多復作是言汝善男子應修布施波羅蜜
多不應觀空解脫門若我若無我不應觀
無相無願解脫門若我若無我何以故空解
脫門空解脫門自性空無相無願解脫門無
相無願解脫門自性空是空解脫門自性即
非自性是無相無願解脫門自性亦非自性
若非自性即是布施波羅蜜多於此布施波
羅蜜多空解脫門不可得彼我無我亦不可
得無相無願解脫門皆不可得彼我無我亦
不可得所以者何此中尚無空解脫門等可
得何況有彼我與無我汝若能修如是布施
是修布施波羅蜜多復作是言汝善男子應
修布施波羅蜜多不應觀空解脫門若淨
若不淨不應觀無相無願解脫門若淨若不
淨何以故空解脫門空解脫門自性空無相無
願解脫門無相無願解脫門自性空是空解
脫門自性即非自性是無相無願解脫門自性
亦非自性若非自性即是布施波羅蜜多
於此布施波羅蜜多空解脫門不可得彼淨
不淨亦不可得無相無願解脫門皆不可得
彼淨不淨亦不可得所以者何此中尚無空

BD00011號　大般若波羅蜜多經卷一六四　（18–7）

不淨亦不可得無相無願解脫門皆不可得
彼淨不淨亦不可得所以者何此中尚無空
解脫門等可得何況有彼淨與不淨汝若
能修如是布施是修布施波羅蜜多憍尸迦是
善男子善女人等作此等說是為宣說真
正布施波羅蜜多
復次憍尸迦若善男子善女人等為發無上
菩提心者宣說布施波羅蜜多作如是言汝
善男子應修布施波羅蜜多不應觀五眼
若常若無常不應觀六神通若常若無常
何以故五眼五眼自性空六神通六神通自性空
是五眼自性即非自性是六神通自性亦非
自性若非自性即是布施波羅蜜多於此布
施波羅蜜多五眼不可得彼常無常亦不可
得六神通不可得彼常無常亦不可得所以
者何此中尚無五眼等可得何況有彼常與
無常汝若能修如是布施是修布施波羅蜜
多復作是言汝善男子應修布施波羅蜜多
不應觀五眼若樂若苦不應觀六神通若樂
若苦何以故五眼五眼自性空六神通六神通
自性空是五眼自性即非自性是六神通
自性亦非自性若非自性即是布施波羅蜜
多於此布施波羅蜜多五眼不可得彼樂與
苦亦不可得六神通不可得彼樂與苦亦不
可得所以者何此中尚無五眼等可得何況
有彼樂之與苦汝若能修如是布施是修布

BD00011號　大般若波羅蜜多經卷一六四　（18–8）

有彼樂之與苦汝若能脩如是布施是脩布
施波羅蜜多復作是言汝善男子應脩布施
波羅蜜多不應觀五眼若我若無我不應觀
六神通若我若無我何以故五眼五眼自性
空六神通六神通自性空是五眼自性即非
自性是六神通自性亦非自性若非自性即
是布施波羅蜜多於此布施波羅蜜多五眼
不可得彼我無我亦不可得六神通不可得
彼我無我亦不可得所以者何此中尚無五
眼等可得何況有彼我與無我汝若能脩如
是布施是脩布施波羅蜜多復作是言汝善
男子應脩布施波羅蜜多不應觀五眼若淨
若不淨不應觀六神通若淨若不淨何以故
五眼五眼自性空六神通六神通自性空是
五眼自性即非自性是六神通自性亦非自
性若非自性即是布施波羅蜜多於此布施
波羅蜜多五眼不可得彼淨不淨亦不可得
六神通不可得彼淨不淨亦不可得所以者
何此中尚無五眼等可得何況有彼淨與不
淨汝若能脩如是布施是脩布施波羅蜜多
憍尸迦是善男子善女人等作此等說是為
宣說真正布施波羅蜜多
復次憍尸迦若善男子善女人等為發無上
菩提心者宣說布施波羅蜜多作如是言汝
善男子應脩布施波羅蜜多不應觀佛十

BD00011號　大般若波羅蜜多經卷一六四　（18–9）

善男子應脩布施波羅蜜多不應觀佛十
力若常若無常不應觀四無所畏四無礙解
大慈大悲大喜大捨十八佛不共法若常若
無常何以故佛十力佛十力自性空四無所畏
四無礙解大慈大悲大喜大捨十八佛不共法
四無所畏乃至十八佛不共法自性空是佛
十力自性即非自性是四無所畏乃至十八
佛不共法自性亦非自性若非自性即是
布施波羅蜜多於此布施波羅蜜多佛十力
不可得彼常無常亦不可得四無所畏乃至
十八佛不共法皆不可得彼常無常亦不可
得所以者何此中尚無佛十力等可得何況
有彼常與無常汝若能脩如是布施是脩布
施波羅蜜多復作是言汝善男子應脩布施
波羅蜜多不應觀佛十力若樂若苦不應觀
四無所畏四無礙解大慈大悲大喜大捨十八
佛不共法若樂若苦何以故佛十力佛十
力自性空四無所畏四無礙解大慈大悲大
喜大捨十八佛不共法四無所畏乃至十八
佛不共法自性空是佛十力自性即非自性
是四無所畏乃至十八佛不共法自性亦非
自性若非自性即是布施波羅蜜多於此布
施波羅蜜多佛十力不可得彼樂與苦亦不
可得四無所畏乃至十八佛不共法皆不可得
彼樂與苦亦不可得所以者何此中尚無佛

BD00011號　大般若波羅蜜多經卷一六四　（18–10）

可得四無所畏乃至十八佛不共法皆不可得
彼樂與苦亦不可得所以者何此中尚無佛
十力等可得何況有彼樂之與苦汝若能
脩如是布施是脩布施波羅蜜多復作是言
汝善男子應脩布施波羅蜜多不應觀佛
十力若我若無我不應觀四無所畏四無礙解
大慈大悲大喜大捨十八佛不共法若我若
無我何以故佛十力佛十力自性空四無所
畏四無礙解大慈大悲大喜大捨十八佛不
共法四無所畏乃至十八佛不共法自性空是
佛十力自性即非自性是四無所畏乃至
十八佛不共法自性亦非自性若非自性即
是布施波羅蜜多於此布施波羅蜜多佛
十力不可得彼我無我亦不可得四無所畏乃
至十八佛不共法皆不可得彼我無我亦不
可得所以者何此中尚無佛十力等可得何
況有彼我與無我汝若能脩如是布施是
脩布施波羅蜜多復作是言汝善男子應
脩布施波羅蜜多不應觀佛十力若淨若不
淨不應觀四無所畏四無礙解大慈大悲大喜
捨十八佛不共法若淨若不淨何以故佛十
力佛十力自性空四無所畏四無礙解大慈
大悲大喜大捨十八佛不共法四無所畏乃
至十八佛不共法自性空是佛十力自性即
非自性是四無所畏乃至十八佛不共法自

BD00011號　大般若波羅蜜多經卷一六四　（18–11）

至十八佛不共法自性空是佛十力自性即
非自性是四無所畏乃至十八佛不共法自
性亦非自性若非自性即是布施波羅蜜多
於此布施波羅蜜多佛十力不可得彼淨不
淨亦不可得四無所畏乃至十八佛不共法
皆不可得彼淨不淨亦不可得所以者何此
中尚無佛十力等可得何況有彼淨與不淨
汝若能脩如是布施是脩布施波羅蜜多
憍尸迦是善男子善女人等作此等說是為
宣說真正布施波羅蜜多
復次憍尸迦若善男子善女人等為發無上
菩提心者宣說布施波羅蜜多作如是言汝
善男子應脩布施波羅蜜多不應觀無忘失
法若常若無常不應觀恒住捨性若常若無
常何以故無忘失法無忘失法自性空恒住
捨性恒住捨性自性空是無忘失法自性即
非自性是恒住捨性自性亦非自性若非自
性即是布施波羅蜜多於此布施波羅蜜多
無忘失法不可得彼常無常亦不可得恒住
捨性不可得彼常無常亦不可得所以者何
此中尚無無忘失法等可得何況有彼常無
常汝若能脩如是布施是脩布施波羅蜜
多復作是言汝善男子應脩布施波羅蜜多
不應觀無忘失法若樂若苦不應觀恒住捨
性若樂若苦何以故無忘失法無忘失法自性

BD00011號　大般若波羅蜜多經卷一六四　（18–12）

不應觀無忘失法若樂若苦不應觀恒住捨
性若樂若苦何以故無忘失法無忘失法自性
空恒住捨性恒住捨性自性空是無忘失法
自性即非自性是恒住捨性自性亦非自
性若非自性即是布施波羅蜜多於此布施
波羅蜜多無忘失法不可得彼樂與苦亦不
可得恒住捨性不可得彼樂與苦亦不可得
所以者何此中尚無無忘失法等可得何況有
彼樂之與苦汝若能修如是布施是修布施
施波羅蜜多復作是言汝善男子應修布施
波羅蜜多不應觀無忘失法若我若無我不
應觀恒住捨性若我若無我何以故無忘失
法無忘失法自性空恒住捨性恒住捨性自
性空是無忘失法自性即非自性是恒住捨
性自性亦非自性若非自性即是布施波羅
蜜多於此布施波羅蜜多無忘失法不可得
彼我無我亦不可得恒住捨性不可得彼我
無我亦不可得所以者何此中尚無無忘失
法等可得何況有彼我與無我汝若能修如
是布施是修布施波羅蜜多復作是言汝善
男子應修布施波羅蜜多不應觀無忘失法
若淨若不淨不應觀恒住捨性若淨若不淨
何以故無忘失法無忘失法自性空恒住捨
性恒住捨性自性空是無忘失法自性即非
自性是恒住捨性自性亦非自性若非自性

BD00011號　大般若波羅蜜多經卷一六四　（18–13）

性恒住捨性自性空是無忘失法自性即非
自性是恒住捨性自性亦非自性若非自性
即是布施波羅蜜多於此布施波羅蜜多無
忘失法不可得彼淨不淨亦不可得恒住捨
性不可得彼淨不淨亦不可得所以者何此中
尚無無忘失法等可得何況有彼淨與不
淨汝若能修如是布施是修布施波羅蜜多
憍尸迦是善男子善女人等作此等說是為
宣說真正布施波羅蜜多
復次憍尸迦若善男子善女人等為發無上
菩提心者宣說布施波羅蜜多作如是言汝
善男子應修布施波羅蜜多不應觀一切智
若常若無常不應觀道相智一切相智若常
若無常何以故一切智一切智自性空道相智一切
相智道相智一切相智自性空是一
切智自性即非自性是道相智一切相智自
性亦非自性若非自性即是布施波羅蜜多
於此布施波羅蜜多一切智不可得彼常無
常亦不可得道相智一切相智皆不可得彼
常無常亦不可得所以者何此中尚無一切
智等可得何況有彼常與無常汝若能修
如是布施是修布施波羅蜜多復作是言汝善
男子應修布施波羅蜜多不應觀一切智若
樂若苦不應觀道相智一切相智若樂若苦
何以故一切智一切智自性空道相智一切相
智道相智一切相智自性空是一切智自性

BD00011號　大般若波羅蜜多經卷一六四　（18–14）

何以故一切智一切智自性空道相智一切相
智道相智一切相智自性空是一切智自性
即非自性是道相智一切相智自性亦非
自性若非自性即是布施波羅蜜多於此
布施波羅蜜多一切智不可得彼樂與苦亦
不可得道相智一切相智皆不可得彼樂與
苦亦不可得所以者何此中尚無一切智等可
得何況有彼樂之與苦汝若能修如是布施
是修布施波羅蜜多復作是言汝善男子
應修布施波羅蜜多不應觀一切智若我若
無我不應觀道相智一切相智若我若無我何
以故一切智一切智自性空道相智一切相
智道相智一切相智自性空是一切智自性
即非自性是道相智一切相智自性亦非自性
若非自性即是布施波羅蜜多於此布施
波羅蜜多一切智不可得彼我無我亦不可
得道相智一切相智皆不可得彼我無我亦
不可得所以者何此中尚無一切智等可得
何況有彼我與無我汝若能修如是布施是
修布施波羅蜜多復作是言汝善男子應
修布施波羅蜜多不應觀一切智若淨若不淨
不應觀道相智一切相智若淨若不淨何以
故一切智一切智自性空道相智一切相智道
相智一切相智自性空是一切智自性即非
自性是道相智一切相智自性亦非自性
若非自性即是布施波羅蜜多於此布施

相智一切相智自性空是一切智[illegible]
自性是道相智一切相智自性亦非自性
若非自性即是布施波羅蜜多於此布施
波羅蜜多一切智不可得彼淨不淨亦不可得
道相智一切相智皆不可得彼淨不淨亦不
可得所以者何此中尚無一切智等可得何
況有彼淨與不淨汝若能修如是布施是
修布施波羅蜜多復作是言汝善男子善女人
等作此等說是為宣說真正布施波羅蜜多
復次憍尸迦若善男子善女人等發無上
菩提心者宣說布施波羅蜜多作如是言
汝善男子應修布施波羅蜜多不應觀一切
陀羅尼門若常若無常不應觀一切三摩地
門若常若無常何以故一切陀羅尼門一切陀
羅尼門自性空一切三摩地門一切三摩地
門自性空是一切陀羅尼門自性即非自性
是一切三摩地門自性亦非自性若非自性
即是布施波羅蜜多於此布施波羅蜜多
一切陀羅尼門不可得彼常無常亦不可
得一切三摩地門不可得彼常無常亦不可得
所以者何此中尚無一切陀羅尼門等可得何
況有彼常與無常汝若能修如是布施是
修布施波羅蜜多復作是言汝善男子應修
布施波羅蜜多不應觀一切陀羅尼門若樂若
苦不應觀一切三摩地門若樂若苦何以故
一切陀羅尼門一切陀羅尼門自性空一切三
摩地門一切三摩地門自性空是一切陀

若不應觀一切三摩地門若樂若苦何以故
一切陁羅尼門一切陁羅尼門自性空一切三
摩地門一切三摩地門自性空是一切陁
羅尼門自性即非自性是一切三摩地門自
性亦非自性若非自性即是布施波羅蜜多
於此布施波羅蜜多一切陁羅尼門不可得
彼樂與苦亦不可得一切三摩地門不可得
彼樂與苦亦不可得所以者何此中尚無一切
陁羅尼門等可得何況有彼樂之與苦汝
若能脩如是布施是脩布施波羅蜜多復作
是言汝善男子應脩布施波羅蜜多不應
觀一切陁羅尼門若我若無我不應觀一切
三摩地門若我若無我何以故一切陁羅尼
門一切陁羅尼門自性一切三摩地門一切
三摩地門自性空是一切陁羅尼門自性即
非自性是一切三摩地門自性亦非自性若
非自性即是布施波羅蜜多於此布施波
羅蜜多一切陁羅尼門不可得彼我無我亦
不可得一切三摩地門不可得彼我無我亦不
可得所以者何此中尚無一切陁羅尼門等
可得何況有彼我與無我汝若能脩如是布
施是脩布施波羅蜜多復作是言汝善男子
應脩布施波羅蜜多不應觀一切陁羅尼
門若淨若不淨不應觀一切三摩地門若淨若
不淨何以故一切陁羅尼門一切陁羅尼門
自性空一切三摩地門一切三摩地門自性

BD00011號　大般若波羅蜜多經卷一六四　（18–17）

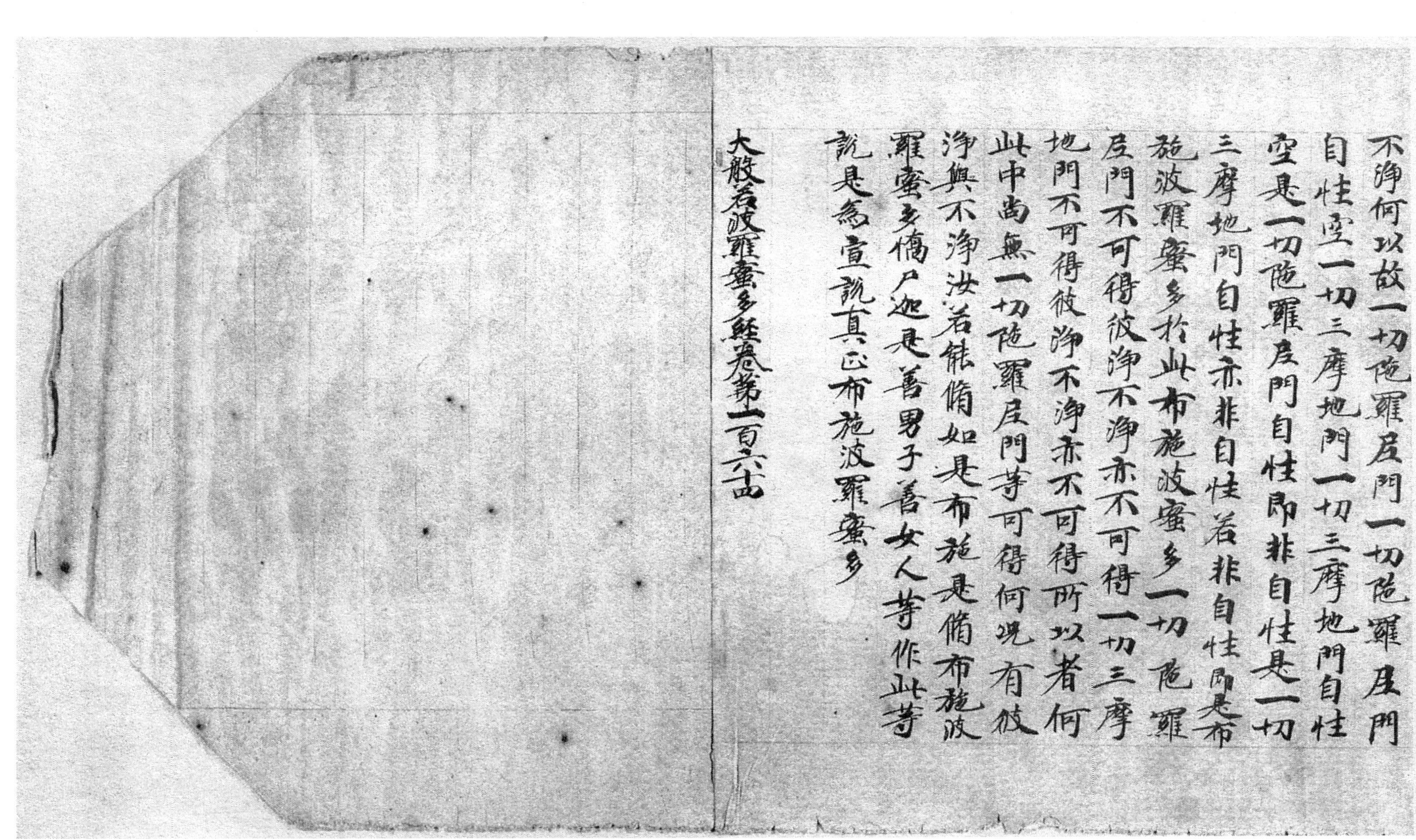

不淨何以故一切陁羅尼門一切陁羅尼門
自性空一切三摩地門一切三摩地門自性
空是一切陁羅尼門自性即非自性是一切
三摩地門自性亦非自性若非自性即是布
施波羅蜜多於此布施波羅蜜多一切陁羅
尼門不可得彼淨不淨亦不可得一切三摩
地門不可得彼淨不淨亦不可得所以者何
此中尚無一切陁羅尼門等可得何況有彼
淨與不淨汝若能脩如是布施是脩布施波
羅蜜多憍尸迦是善男子善女人等作此等
說是為宣說真正布施波羅蜜多

大般若波羅蜜多經卷第一百六十四

BD00011號　大般若波羅蜜多經卷一六四　（18–18）

佛說佛名經卷第十六
南无衆自在佛　南无月面佛
南无日面佛　南无聲勝佛

BD00012 號　佛名經（十六卷本）卷一六　　（38–1）

佛說佛名經卷第十六
南无衆自在佛　南无月面佛
南无日面佛　南无聲勝佛
南无梵面佛　南无梵天佛
南无因陁羅雞兜幢佛
南无善思惟月勝成就王佛
南无智光明佛　南无无垢稱王佛
南无樂說莊嚴雲德佛
南无妙聲佛
南无清淨面无垢月勝王佛
南无平等意佛
南无樂說聲佛　南无无垢月佛
南无无垢清淨金色決定光明威德王佛
南无寶光明輪王佛　南无智通佛
南无不斷發精進決定佛
南无山積佛
南无因陁羅雞兜幢王佛
南无善住娑羅王佛
南无波頭摩勝佛　南无善住堅固王佛
南无日月光佛　南无波頭摩光佛
南无波頭摩勝步佛　南无大通佛
南无大通智勝佛　南无无邊智佛

BD00012 號　佛名經（十六卷本）卷一六　　（38–2）

南无波頭摩勝佛　南无善住摩尼王佛
南无日月光佛　南无波頭摩光佛
南无波頭摩勝步佛　南无大通佛
南无大通智勝佛　南无无邊智佛
南无多寶佛　南无吼聲降伏一切佛
南无日月无垢光明佛
南无蓮華无垢星宿王華佛
南无雲妙鼓聲王佛
南无住持水聲善星宿王華嚴通佛
南无无垢身佛　南无那伽鈎羅勝佛
南无智照佛　一
南无現一切德光明奮迅王佛
南无照光明莊嚴奮迅王佛
南无月明佛　南无光明普照佛
南无寶莊嚴佛　南无散華佛
南无普然燈佛　南无普華佛
從此以上一万二千三百佛十二部經一切賢聖
南无普光明勝山王佛
南无善住切德摩尼山王佛
南无无明王佛　南无不可降伏幢佛
南无勝切德佛　南无世間自在佛
南无普華佛　南无舌根佛

BD00012 號　佛名經（十六卷本）卷一六　（38–3）

南无善住切德摩尼山王佛
南无无明王佛　南无不可降伏幢佛
南无勝切德佛　南无世間自在佛
南无普華佛　南无舌根佛
南无虛空輪清淨王佛
南无勝明波頭摩敷身佛
南无切寶摩尼王佛
南无寶光明日月輪聲佛
南无威德頻頭聲王佛
南无大導師佛　南无住佛
南无樂說山佛　南无切德王光明佛
南无師子鳥奮迅佛　南无切德作佛
南无切德幢佛　南无寶幢佛
南无聖天佛　南无一切勝佛
南无金剛合佛　南无妙行佛
南无安隱色佛　南无弗波雞兜佛
南无波羅婆羅婆伽羅佛
南无妙色佛　南无脩盧遮那佛
南无祭師搖多佛　南无破煩惱佛
南无妙佛　南无敷等佛
南无弗迦羅佛　南无善光佛
南无吉佛　南无師子威德佛

BD00012 號　佛名經（十六卷本）卷一六　（38–4）

南无妙[illegible]佛　南无敷[illegible]佛
南无弗迦羅佛　南无善光佛
南无吉佛　南无師子威德佛
南无住智德佛　南无婆那多香佛
南无寶法廣稱佛　南无諦沙佛
南无世間喜佛　南无廣光明佛
南无寶稱佛　南无寶威德佛
南无善華佛　南无真聲佛
南无善行色佛　南无微咲眼佛
南无功德山佛　南无雲聲佛
南无妙色佛　南无命威德佛
南无勝步行佛　南无世間求佛
南无降伏怨佛　南无供養佛
南无喜莊嚴佛　南无舍尸難覺佛
南无弗若功德光佛　南无大威德佛
南无等寶蓋佛　南无那羅延佛
南无成就行佛　南无離優佛
南无无垢喜佛　南无垢光明佛
南无厚堅固佛　南无无垢雲王佛
南无勝護佛　南无梵功德天王佛
南无虛空步佛　南无妙智佛
[illegible]

BD00012號　佛名經（十六卷本）卷一六　（38-5）

南无厚堅固佛　南无无垢雲王佛
南无勝護佛　南无梵功德天王佛
南无虛空步佛　南无妙智佛
南无法寶佛　南无不空見佛
南无難降伏光佛　南无月光佛
南无月佛　南无普光明佛
南无寶勝佛　南无普觀佛
南无不可數見佛　南无通佛
南无清淨光明寶佛　南无无垢辟佛
南无善洗淨无垢成就无邊功德勝王佛
南无義成就佛　南无第一然燈佛
南无功德寶勝佛　南无无垢光明佛
南无衆說莊嚴佛　南无无垢月難覺稱佛
南无鉤蘇摩莊嚴佛　南无大步佛
南无寶上佛　南无无畏觀佛
南无師子奮迅佛　南无離畏佛
從此以上一万二千四百佛十二部經一切賢聖
南无不怯弱離驚怖佛　南无金王威德佛
南无梵勝天王佛　南无善月佛
南无光明王佛　南无難境稱佛
南无閻浮光明佛　南无多摩羅跋栴檀香佛
南无不動佛　南无弥留山佛

BD00012號　佛名經（十六卷本）卷一六　（38-6）

南无光明王佛　南无雜境界稱佛
南无閻浮光明佛　南无多摩羅跋栴檀香佛
南无不動佛　南无弥留山佛
南无師子聲佛　南无師子幢佛
南无住虛空佛　南无常入涅槃佛
南无因陁羅幢佛　南无甘露佛
南无降伏一切世間怨佛
南无得度佛　南无弥留劫佛
南无多摩羅跋栴檀香佛
南无自在佛　南无能破一切驚怖畏佛
南无普光明佛　南无法光明佛
南无海住持奮迅通佛　南无法虛空勝王佛
南无七寶波頭摩步佛　南无寶雞兜佛
南无一切衆生愛見佛　南无滿足百千光明幢佛
南无娑羅自在王佛　南无法莊嚴王佛
南无普一寶蓋佛　南无星宿佛
南无普光明奮迅佛　南无法莊嚴王佛
南无燈佛　南无堅精進佛
南无法照光佛　南无住清淨眼佛
南无善住淨境界佛　南无月山佛
南无畢竟莊嚴无邊功德王佛　南无離諸煩惱佛

BD00012號　佛名經（十六卷本）卷一六　（38–7）

南无法照光佛　南无住清淨眼佛
南无善住淨境界佛　南无月山佛
南无畢竟莊嚴无邊功德王佛　南无離諸煩惱佛
南无不空見佛　南无智上光明佛
南无成就无垢无邊清淨功德勝王佛
南无寶勝智威德莊嚴自在王佛
南无清淨光佛　南无數華波羅自在王佛
南无大華數王佛　南无月輪清淨佛
南无弥靜月聲王佛　南无无邊堅精進住勝佛
南无波頭摩勝佛　南无法雞兜佛
南无然燈佛　南无功德雞兜佛
南无功德成佛　南无聖天佛
南无寶山佛　南无金剛山佛
南无一切勝佛　南无普香佛
南无善華佛　南无善勝佛
南无功德山佛　南无勝成就佛
南无拘隣佛　南无善眼佛
南无頭陁羅吒佛　南无善生佛
南无梵勝佛　南无弥靜佛
南无梵德佛　南无因陁羅幢佛
南无月色佛　南无无垢色佛

BD00012號　佛名經（十六卷本）卷一六　（38–8）

南无頭陁[illegible]叫佛　南无善生佛
南无梵勝佛　南无弥静佛
南无梵德佛　南无因陁羅幢佛
南无月色佛　南无无垢色佛
南无无涂佛　南无勝龍佛
南无龍天佛　南无金光明佛
南无勝聲囙陁羅王佛　南无善須弥山佛
南无善色藏佛　南无大光佛
南无威德囙陁羅佛　南无地虵佛
南无琉璃華佛　南无勝瑠璃金光明佛
南无月勝佛　南无日吼佛
南无散華莊嚴光明佛
南无婆伽羅勝智奮迅通佛
南无水光明佛　南无大香行光明佛
南无離一切瞋恨意佛　南无寶勝佛
從此以上二万二千五百佛十二部経一切賢聖
南无勝積佛　南无勝山佛
南无住持多功德通法佛　南无日月瑠璃光佛
南无心菩提華勝佛　南无日月佛
南无日光佛　南无華鬘色王佛
南无鈎脩弥多通佛　南无水月光明佛
[illegible]

BD00012號　佛名經（十六卷本）卷一六　（38–9）

南无日光佛　南无華鬘色王佛
南无鈎脩弥多通佛　南无水月光明佛
南无破无明闇佛　南无普蓋寶佛
南无增長法樂佛　南无種師子聲增長吼佛
南无梵自在龍吼佛　南无世間自在佛
南无世間自在王佛　南无難勝佛
南无寶作佛　南无甘露聲佛
南无勝光佛　南无龍天佛
南无增上力佛　南无无垢光佛
南无師子佛　南无世間增上佛
南无德山佛　南无人王佛
南无華勝佛　南无德无畏佛
南无能平等作佛　南无金剛步佛
南无初發心離諸畏一切煩惱勝德佛
南无寶光明步多爲佛　南无離諸魔疑佛
南无初發心成就不退輪勝佛
南无寶蓋勝光明佛　南无能教化諸菩薩佛
南无初發心金斷一切煩惱涂佛
南无降伏煩惱佛　南无三昧才勝佛
南无勝光明王佛　南无波頭摩上勝佛
南无日輪光明佛　南无日輪光明勝佛

BD00012號　佛名經（十六卷本）卷一六　（38–10）

南无降伏煩惱佛　南无三昧才勝佛
南无勝光明王佛　南无波頭摩上勝佛
南无日輪光明佛　南无日輪光明勝佛
南无均寶蓋佛
南无增上三昧奮迅佛　南无寶華普照勝佛
南无最妙波頭摩步佛　南无寶輪光明勝德佛
南无寶藏佛　南无寶勝佛
南无寶燈王佛　南无堅精進思惟成就義佛
南无普光明稱佛　南无慈莊嚴功德稱佛
南无稱一切衆生念勝功德佛　南无吉稱功德佛
南无畢竟慚愧稱勝佛　南无廣光明佛
南无樂說莊嚴思惟佛　南无无垢月離光稱佛
南无鉤脩摩莊嚴光明佛　南无寶稱佛
南无无畏觀佛　南无師子力奮迅佛
南无伽耶歌王光明佛　南无賢作佛
南无无垢光明佛　南无功德寶光明佛
南无精進力成就佛　南无善清淨光佛
南无得奮一切欲佛　南无无垢波頭摩藏勝佛
南无得无障导力解脫佛　南无十方稱名无畏佛
南无金剛勢佛　南无大寶聚佛
南无无邊功德莊嚴威德王劫佛

BD00012號　佛名經（十六卷本）卷一六　（38–11）

南无金剛勢佛　南无大寶聚佛
南无无邊功德莊嚴威德王劫佛
南无功德寶山佛　南无說一切莊嚴勝佛
南无无邊樂說莊嚴成就智佛
南无千雲吼聲王佛
南无妙金色光明威德勝照佛
南无種種威德王劫佛
南无阿僧祇億劫成就智佛
南无清淨金虛空吼光明佛
南无普光明佛　南无功德多寶海王佛
南无不空功德佛
南无照一切處佛　南无妙鼓聲佛
南无法自在佛　南无普見佛
南无大炎聚佛　南无光明幢佛
南无智離光佛　南无婆羅胎佛
從此以上二万二千六百佛十二部經一切賢聖
南无寶尸棄佛　南无寶波頭摩藏佛
南无一切勝佛　南无婆伽羅佛
南无波頭摩藏佛　南无娑羅自在王佛
南无華佛　南无勝稱佛
次礼十二部尊經大藏法輪

BD00012號　佛名經（十六卷本）卷一六　（38–12）

南无滅頭摩藏佛　南无婆羅自在王佛
南无華佛　南无勝攞佛
次礼十二部尊経大藏法輪
南无五恐怖経　南无父母因縁経
南无内外无爲経　南无五失蓋経
南无浄木経　南无内外六波羅蜜経
南无佛五座嚴浄経　南无鬼子母経
南无難陁龍王経　南无佛說菩提意経
南无観行移四事経　南无難提和羅経
南无佛有百比丘経　南无旃陁越経
南无光世音大勢至受决経　南无梅有八事経
南无佛從上所行卅偈経　南无目連上浄居士経
南无佛在竹園経　南无堅心経
南无自佉経　南无佛告舍利日経
次礼十方諸大菩薩
南无日慧世界堅固林菩薩
南无清浄慧世界如来林菩薩
南无梵慧世界智林菩薩
南无因陁羅世界法慧菩薩
南无蓮華世界一切慧菩薩
南无衆寶世界勝慧菩薩
南无優鉢羅世界功德慧菩薩

BD00012 號　佛名經（十六卷本）卷一六　（38-13）

南无蓮華世界一十慧菩薩
南无衆寶世界勝慧菩薩
南无優鉢羅世界功德慧菩薩
南无妙行世界精進慧菩薩
南无善行世界善慧菩薩
南无歡喜世界智慧菩薩
南无星宿世界真寶慧菩薩
南无无殺慈世界无上慧菩薩
南无虚空世界堅固慧菩薩
南无堅固寶世界金剛幢菩薩
南无堅固寶王世界幢菩薩
南无堅固金世界夜光幢菩薩
南无堅固摩尼世界智幢菩薩
南无堅固金剛世界寶幢菩薩
南无堅固蓮華世界精進幢菩薩
南无堅固青蓮華世界離垢菩薩
南无堅固旃檀世界真寶幢菩薩
南无堅固香世界法幢菩薩
南无浄世界念意菩薩
次礼聲聞縁覺一切賢聖
南无香諱爻佛　南无月吉諱爻佛

BD00012 號　佛名經（十六卷本）卷一六　（38-14）

南无淨世界念意菩薩
次礼聲聞緣覺一切賢聖
南无香辟支佛　南无有香辟支佛
南无見人飛騰辟支佛　南无可波羅辟支佛
南无秦摩利辟支佛　南无月淨辟支佛
南无善智辟支佛　南无脩陁羅辟支佛
南无善法辟支佛　南无應求辟支佛
南无踰求辟支佛　南无大勢辟支佛
南无脩行不著辟支佛　南无難捨辟支佛
南无寶辟支佛　南无不可比辟支佛
南无歡喜辟支佛　南无善辟支佛
南无隨善辟支佛　南无士波羅陁辟支佛
南无士商名婆羅辟支佛　南无火身辟支佛
礼三寶已次復懺悔
弟子今以総相懺悔一切諸業今當次第更復一
一別相懺悔若総若別若麁若細若輕若重若説
不説品類相從頓皆消滅別相懺者先懺身三
次懺口四其餘諸障次第稽顙身三業者第一殺
害如經所明恕己可為喻勿殺勿行杖雖復禽獸之
殊保命畏死其事是一若尋此衆生无始以来或是

BD00012 號　佛名經（十六卷本）卷一六　（38–15）

次懺口四其餘諸障次第稽顙身三業者第一殺
害如經所明恕己可為喻勿殺勿行杖雖復禽獸之
殊保命畏死其事是一若尋此衆生无始以来或是
我父母兄弟六親眷屬以業因緣輪迴六道出生
入死改形易報不復相識而今興害食噉其肉傷慈
之甚是故佛説設得餘食當如飢世食子肉想何况食
噉此魚肉世又言為利煞衆生以錢納衆生肉二
俱是惡業死墮叫呼地獄故知煞害及以食噉罪
深河海過重丘岳然弟子等无始以来不遇善友
皆為此業是故經言煞害之罪能令衆生墮於地
獄餓鬼受苦若在畜生則受虎豹豺狼鷹鷂等身
或受毒蛇蝮蝎等身常懷惡心或受麞鹿熊羆
等身常懷恐怖若生人中得二種果報一者多病
二者短命煞害食噉既有如是无量種種諸惡
果報是故弟子至到稽顙歸依佛
南无東方滅諸根畏佛　南无南方日月燈明佛
南无西方覺華光佛　南无北方發切德佛
南无東南方除衆惡宣佛　南无西南方无生自在佛
南无西北方大神通王佛　南无東北方空離垢心佛
南无下方周緣空无佛　南无上方瑠璃藏勝佛

BD00012 號　佛名經（十六卷本）卷一六　（38–16）

南无東南方隨衆應寶佛　南无西南方无生自在佛
南无西北方大神通王佛　南无東北方空離諸恐佛
南无下方周緣空无佛　南无上方瑠璃藏勝佛
如是十方盡虛空界一切三寶。至心歸命常住三寶。
弟子自從无始以來至於今日，有此心識，常懷慘毒，
無慈愍心。或因貪起煞，因瞋因癡及以慢煞。或興
惡方便，誓煞願煞，及以呪煞。或破決湖池，焚燒山野，田
獵魚捕。或因風放火，飛鷹放犬，惱害一切。如是等罪，
今悉懺悔。至心歸命常住三寶。
或以檻穽坑撥杈戟弓弩彈射飛鳥走獸之類。或
以罛網罾釣杵浚水性魚鼈黿鼉鰕蜆螺蚌濕居
之屬，使水陸之與空行藏竄无地。或畜養雞豬牛
羊犬豕鵝鴨之屬，自供庖廚，或貨他宰煞，使哀聲
未盡，毛羽脫落，鱗甲傷毀，身首分離，骨肉銷碎，剝
裂屠割，炮燒煮炙，楚毒酸切，横加无辜，但取一時
之快，口得味甚寡，不過三寸舌根而已。然其罪報
各累劫，如是等罪，今日至誠皆懺悔。至心歸命常住三寶。
又復无始以來至於今日，或復興師相伐，壃場交諍，
兩陣相向，更相煞害。或自煞教煞，聞煞歡喜。或習屠
膾，債為形戮，烹宰他命，行於不忍。或恣忿怒，揮戈

BD00012 號　佛名經（十六卷本）卷一六　（38–17）

又復无始以來至於今日，或復興師相伐，壃場交諍，
兩陣相向，更相煞害。或自煞教煞，聞煞歡喜。或習屠
膾，債為形戮，烹宰他命，行於不忍。或恣忿怒，揮戈
擲刀，或斬或刺，或推著坑塹，或以水沉溺，或塞穴壞
巢，土石磓砷，或以車馬雷轢踐蹋一切衆生。如是等罪，
无量无邊，今日發露，皆悉懺悔。至心歸命常住三寶。
又復无始以來，或墮胎破卵，毒藥蠱道，傷煞衆生，墾
土掘地，種植田園，養蠶煮繭，傷煞滋甚。或打撲蚊蚋，
掐嚙蚤虱，或燒除糞掃，開決溝渠，枉害一切。或噉菓
實，或用穀米，或水或菜，横煞衆生。或然樵薪，或路
燃燈燭，焚諸虫類。或食醬酢，不看搖動。或寫湯水，
澆煞虫蟻。如是乃至行住坐卧四威儀中，恒常傷煞
飛空著地細微衆生。弟子以凡夫識暗，不覺不知，今
日發露，皆悉懺悔。至心歸命常住三寶。
又復弟子无始以來至於今日，或以鞭杖枷鎖杻
械壓柽拷掠打擲，手足蹴蹋，拘縛籠繫，斷絕水穀。如
是種種諸惡方便，苦惱衆生。今日至誠向十方佛尊
法聖衆，皆悉懺悔。至心歸命常住三寶。
願弟子等承是懺悔煞害等罪所生功德，生生世

BD00012 號　佛名經（十六卷本）卷一六　（38–18）

是種種諸惡方便苦惱衆生今日至誠向十方佛尊
法聖衆皆悉懺悔歸命常住三寶
願弟子等承是懺悔煞害等罪所生功德生生世
世得金剛身壽命无窮永離怨憎无煞害想於諸
衆生得一子地若見危難急厄之者不惜身命方便救
解令得解脫然後爲說微妙正法使諸衆生覩形見
影皆蒙安樂聞名聽聲恐怖悉除至心歸命常住三寶
佛說罪業報應教化地獄經
復有衆生五根不具何罪所致佛言以前世時飛鷹
走狗彈射鳥獸或破其頭或斷其足生𢷬羽翼故獲斯罪
復有衆生癃殘背僂腰寬不隨蹯跛手折不能行
步何罪所致佛言以前世時爲人逆尅行道安
錯或施射弋陷墜衆生前後非一故獲斯罪
復有衆生爲諸獄卒執繫其身枷械苦厄不能得
免何罪所致佛言以前世時納捕衆生籠繫六畜或
爲宰主令長貪取民物枉繫良善怨訴无所故獲斯罪
復有衆生或顛或癡或狂或騃不別好醜何罪所致佛
言以前世時飲酒醉亂犯卅六失後得癡身如似
醉人不別尊卑故獲斯罪
南无見寶佛　南无智弥留佛

BD00012 號　佛名經（十六卷本）卷一六　（38–19）

復有衆生或顛或癡或狂或騃不別好醜何罪所致佛
言以前世時飲酒醉亂犯卅六失後得癡身如似
醉人不別尊卑故獲斯罪
南无見寶佛　南无智弥留佛
南无龍德佛　南无勝行佛
南无星宿佛　南无大莊嚴佛
南无光明王佛　南无能人佛
南无自在山佛　南无日面佛
南无善意佛　南无龍勝佛
南无毗沙佛　南无藥王佛
從此以上一万二千七百佛十二部經一切賢聖
南无師子山佛　南无住持勝功德佛
南无飲甘露佛　南无放炎佛
南无山佛　南无讓世間供養佛
南无多伽羅葉佛　南无難勝佛
南无大燈佛　南无波頭摩上佛
南无法幢佛　南无能然燈佛
南无難勝佛　南无難可意佛
南无真聲佛　南无妙聲佛
南无婆羅步佛　南无寶炎佛

BD00012 號　佛名經（十六卷本）卷一六　（38–20）

南无[illegible]佛　南无[illegible]佛
南无難勝佛　南无難可意佛
南无真聲佛　南无妙聲佛
南无婆羅步佛　南无寶炎佛
南无愛見佛　南无須弥劫佛
南无旃檀光佛　南无日光佛
南无藥樹勝佛　南无覺佛
南无記佛　南无愛作佛
南无作无畏佛　南无波頭摩寶書佛
南无勝德佛　南无无垢佛
南无貽佛　南无无煩惱佛
南无善来佛　南无善光佛
南无金色佛　南无能作光明佛
南无清淨佛　南无得脫佛
南无迦陵頻伽聲佛　南无能与法佛
南无善護諸門佛　南无得意佛
南无離愛佛　南无未生實佛
南无善護諸根佛　南无梵聲佛
南无勝聲佛　南无妙聲佛
南无大慧佛　南无无諸濁佛
南无不可動佛　南无樂作光佛

BD00012號　佛名經（十六卷本）卷一六　（38–21）

南无勝聲佛　南无妙聲佛
南无大慧佛　南无无諸濁佛
南无不可動佛　南无樂解脫佛
南无勝二足佛　南无具足一切德莊嚴佛
南无相莊嚴佛　南无拘牟陀語佛
南无不可降伏語佛　南无常想應語佛
南无梵聲安隱衆生佛　南无婆羅華佛
南无金枝華佛　南无拘牟陀相佛
南无妙頂佛　南无大牟尼佛
南无一切法到彼岸佛　南无无染佛
南无不散心佛　南无荷吒伽色佛
南无善[illegible]成就佛　南无睺頭羅步佛
南无清淨手佛　南无常来佛
南无畢竟成就大悲佛　南无成就堅佛
南无常行成佛　南无離諍濁佛
南无清淨功德積佛　南无不千尼羅佛
南无勝藏佛　南无般若齊佛
南无般若寶畢竟佛　南无滿足意佛
南无世間自在王佛　南无无量命佛
南无大炎積佛　南无无邊寶佛

BD00012號　佛名經（十六卷本）卷一六　（38–22）

南无般若寶畢竟佛　南无滿足意佛
南无世間自在王佛　南无无量命佛
南无大衆積佛　南无无邊寶佛
南无淨勝天佛　南无內外淨佛
南无彌諸根佛　南无最燈佛
南无成就不思惟願聲佛　南无師子意佛
南无降伏力佛　南无住持速行佛
南无放光明王佛　南无毗頭奚吼佛
南无无念覺法王佛　南无國土莊嚴身佛
南无智根本華憶佛　南无化稱佛
從此以上一万二千八百佛十二部經一切賢聖
南无一切色摩尼藏佛　南无法藏自在佛
南无法獻波婆羅佛　南无无邊寶功德藏佛
南无淨華聲佛　南无大法王鉤脩摩勝佛
南无一切无盡藏佛　南无功德山藏佛
南无星宿藏佛　南无虛空智山佛
南无智力天王佛　南无无障导海隨順智佛
南无无邊覺海藏佛　南无智王无盡稱佛
南无心意奮迅王佛　南无自性清淨智佛

BD00012號　佛名經（十六卷本）卷一六　（38–23）

南无无邊覺海藏佛　南无智王无盡稱佛
南无心意奮迅王佛　南无自性清淨智佛
南无智自在達王佛　南无差別去佛
南无自在見佛　南无隨順香見法滿佛
南无龍月佛　南无因陀羅波婆羅无障导王佛
南无智雞兜佛　南无智燈佛
南无大光明照佛　南无不可勝佛
南无照佛　南无銀雞兜幢蓋佛
南无威德自在王佛　南无覺王佛
南无寶藏佛　南无大婆伽羅佛
南无十方差佛　南无降伏魔佛
南无降伏貪佛　南无降伏瞋佛
南无降伏癡佛　南无橋場佛
南无降伏瞋恨垢佛　南无清淨佛
南无業勝得名佛　南无如意清淨得名佛
南无得施起名佛　南无得清淨戒名佛
南无起忍辱成就佛　南无得起精進名佛
南无得起禪名佛　南无得起般若名佛
南无成就施不可思議名佛

BD00012號　佛名經（十六卷本）卷一六　（38–24）

南无得起禪名佛　南无得起般若名佛
南无成就施不可思議名佛
南无成就戒不可思議名佛
南无成就禪不可思議名佛
南无成就般若不可思議名佛
南无行成就得名佛
南无成就陁羅尼清淨得名佛
南无陁羅尼色清淨得名佛
南无陁羅尼施清淨得名佛
南无空无我自在得名佛　南无眼陁羅尼自在佛
南无耳陁羅尼自在佛　南无鼻陁羅尼自在佛
南无舌陁羅尼自在佛　南无身陁羅尼自在佛
南无意陁羅尼自在佛　南无色陁羅尼自在佛
南无聲陁羅尼自在佛　南无香陁羅尼自在佛
南无味陁羅尼自在佛　南无觸陁羅尼自在佛
南无法陁羅尼自在佛　南无地陁羅尼自在佛
南无水陁羅尼自在佛　南无火陁羅尼自在佛
南无風陁羅尼自在佛　南无苦自在佛
南无集自在佛　南无滅自在佛
南无道自在…　南无陰…

BD00012 號　佛名經（十六卷本）卷一六　（38–25）

南无風陁羅尼自在佛　南无苦自在佛
南无集自在佛　南无滅自在佛
南无道自在佛　南无陰自在佛
南无界自在佛　南无入自在佛
南无三世自在佛　南无陁羅尼華自在佛
南无吉光明佛　南无香燈衣自在光明佛
南无法幢佛　南无師子聲佛
南无胎藏佛　南无法明數身佛
南无一切通光佛　南无月智佛
南无妙勝佛　南无賢勝佛
南无普滿佛　南无普賢佛
南无那羅延王佛　南无成就一切義佛
南无住持威德佛　南无无畏觀佛
從此以上一万二千九百佛十二部經一切賢聖
南无如是等現在過去未來无量无邊佛
南无十千同名滿足佛　南无三万同名餘聖佛
南无二千同名拘隣佛　南无六八億同名寶體法藏佛
南无六八億同名日月燈佛　南无千五百同名大威德佛
南无一万五千同名歡喜佛　南无八万四千同名龍王佛
南无一万五千同名日佛　南无八千同名娑羅王佛

BD00012 號　佛名經（十六卷本）卷一六　（38–26）

南无七八億同名日月燈佛　南无千五百同名大威德佛
南无一万五千同名歡喜佛　南无八万四千同名龍王佛
南无一万五千同名日佛　南无八千同名娑羅王佛
南无一万八千同名因陀羅幢王佛　南无八千同名善光佛
南无八百同名弥咸佛　南无卅六億士佛
九千五百同名佛此諸佛名百千万劫不聞如憂鉢
羅華若人受持讀誦此諸佛名畢竟遠離諸煩惱
舍利弗應當敬礼波頭摩勝如来佛
南无弥王佛　南无
南无天光佛　南无德山佛
南无勝上佛　南无婆羅王佛
南无淨王佛　南无大慧梁佛
南无須弥佛　南无大智慧須慧佛
南无寶作佛　南无寶藏佛
南无破金剛佛　南无賢智不動佛
南无香普佛　南无甘露命佛
南无難勝佛　南无月光佛
南无日照佛　南无智雞兜佛
南无大師子佛　南无弥留山佛

BD00012 號　佛名經（十六卷本）卷一六　（38–27）

南无日照佛　南无智雞兜佛
南无大師子佛　南无弥留山佛
南无香光佛　南无德山佛
南无大光佛　南无阿摩羅藏佛
南无寶園佛　南无金剛藏佛
南无優波羅藏佛　南无大日佛
南无橋梁載佛　南无月勝佛
南无樂堅固佛　南无不可思議法身佛
南无勝藏佛　南无不空王佛
南无金剛无㝵智佛　南无寶炎佛
南无賒施燈佛　南无降伏一切惡佛
南无自在佛　南无大智真聲佛
南无般若香烏佛
舍利弗若善男子善女人聞此諸佛名受持
讀誦不生疑者是人八千億劫不入地獄不入畜生
入鬼道不生邊地不生貧窮不生下賤家常生天
人豪貴之處常得歡喜適樂无㝵常得一切
世間尊重供養乃至得大涅槃
舍利弗汝等應當敬礼不可嫌身佛
南无師子聲佛　南无羅藏惠佛

BD00012 號　佛名經（十六卷本）卷一六　（38–28）

世間尊重供養乃至得大涅槃
舍利弗汝等應當敬礼不可嫌身佛
南无稱聲佛　南无稱威德佛
南无稱名佛　南无葉陁佛
南无聲炎佛　南无聲命勇猛佛
南无智勝佛　南无智善智佛
南无梵勝佛　南无淨婆藪佛
南无淨佛　南无淨天佛
南无淨聲佛　南无梵自在佛
南无威德佛　南无毗摩勝佛
南无毗摩意佛　南无毗摩面佛
南无毗摩聲佛　南无无邊聲佛
南无寶見佛　南无善明月佛
南无滌聲佛　南无放聲佛
南无驚怖魔力聲佛　南无淨眼佛
南无无邊眼佛　南无普眼佛
南无勝眼佛　南无不可行佛
南无師勝佛　南无善師心佛
南无善師根佛　南无善師意佛

BD00012號　佛名經（十六卷本）卷一六　（38–29）

南无師勝佛　南无善師心佛
南无善師根佛　南无善師意佛
南无善師德佛　南无善住佛
南无衆自在王佛　南无大自在佛
南无衆解脫佛　南无法幢佛
從此以上二万三千佛十二部經一切賢聖
南无法山佛　南无法勝佛
南无法體佛　南无法力佛
南无法勇猛佛　南无法體决定佛
南无第二劫八十億同名法體决定佛
舍利弗善男子善女人受持是佛名畢竟
不入地獄速得三昧
舍利弗過是佛名无量无邊阿僧祇劫有
佛名人自在聲汝當歸命彼人自在聲佛壽
命七十千万劫住世初會三億聲聞衆集八十那由他
千万菩薩衆集皆得諸神通具四无㝵通達
一切空到彼岸我若无量劫住世說彼佛大
會國土莊嚴如大海水中一渧之分
次礼十二部尊經大藏法輪

BD00012號　佛名經（十六卷本）卷一六　（38–30）

一切空到彼岸我若无量劫住世説彼佛大
會國土莊嚴如大海水中一渧之分
次礼十二部尊経大藏法輪
南无文殊師利爲體論遇経 南无閑居経
南无大愛道受戒経 南无文陁竭経
南无分和檀王経 南无度世経
南无解无常経 南无大善權経
南无愛真経 南无八念経
南无大本藏経 南无照明三昧経
南无八正道経 南无大六向拜経
南无胡般泥洹経 南无諸神呪経
南无大愛道泥洹経 南无本相猗致経
南无六淨経 南无十思惟経
南无流攝経 南无六十二見経
次礼十方諸大菩薩
南无淨世界陁羅尼自在王菩薩
南无善見世界堅固莊嚴菩薩
南无淨光世界功德山王菩薩
南无淨世界法慧菩薩
南无淨光世界山王菩薩

BD00012 號　佛名經（十六卷本）卷一六　（38–31）

南无淨光世界功德山王菩薩
南无淨世界法慧菩薩
南无淨光世界山王菩薩
南无淨光世界師子吼菩薩
南无淨光世界弥勒菩薩
南无淨光世界功德聚菩薩
南无好戒世界智積菩薩
南无寂静世界進淨菩薩
南无善信淨菩薩
現在西北方菩薩名
南无旃檀香世界普明菩薩
南无旃檀香世界大光菩薩
南无金剛世界法首菩薩
南无思惟樹世界善首菩薩
南无離闇冥世界光曜内菩薩
南无日慧世界福德王菩薩
南无星宿世界然燈菩薩
南无旃檀香世界海慧菩薩
南无意入世界无量華照垂髮菩薩
南无金色世界文殊師利菩薩

BD00012 號　佛名經（十六卷本）卷一六　（38–32）

南无金色世界文殊師利菩薩
南无樂色世界覺首菩薩
南无華色世界財首菩薩
南无瞻蔔華色世界寶首菩薩
次礼聲聞緣覺一切賢聖
南无循行不著辟支佛　南无難捨辟支佛
南无寶辟支佛　南无不可比辟支佛
南无歡喜辟支佛　南无喜辟支佛
南无隨喜辟支佛　南无士婆羅隨辟支佛
南无十同名婆羅辟支佛　南无大身辟支佛
南无同菩提辟支佛　南无摩訶男辟支佛
南无心上辟支佛　南无鬚淨辟支佛
南无善伏辟支佛　南无園隨辟支佛
南无吉沙辟支佛　南无優波吉辟支佛
南无斷有辟支佛　南无優婆婆羅辟支佛
礼三寶已次復懺悔
次懺劫盜之業經中說言若物屬他他所守護於
此物中一草一葉不與不取何況盜竊但自衆生唯見
現在利故以種種非道而取致使未來受此殃累

現在利故以種種非道而取致使未來受此殃累
是故經言劫盜之罪能令衆生墮於地獄餓鬼
受苦若在畜生則受牛馬驢騾駱駝等形以其所有身
力血肉償他宿債若生人中為他奴婢衣不蔽形食
不充命貧寒困苦人理殆盡劫盜既有如是苦
報是故弟子今日至到稽首歸依於佛
南无東方壞諸煩惱佛
南无南方妙音自在佛
南无西方大雲光佛
南无北方雲自在佛
南无東南方无緣莊嚴佛
南无西南方過諸魔界佛
南无西北方見无恐懼佛
南无東北方一切德嚴佛
南无下方妙善住王佛
南无上方蓮華藏光佛
如是十方盡虛空界一切三寶至心歸命常住三寶
弟子自從无始以來至於今日或盜他財寶興刃強
奪或自恃憑迫而取或恃公威或假勢力高
行大械枉押良善吞納[illegible]

弟子自從无始以來至於今日或盜他財寶興刀强
奪或自怙恃逼迫而取或恃公威或假勢力高
斛大秤枉押良善吞納姧貨考直為曲為此因緣
身羅憲網或枉邪治或領他財物侵公益私侵私
益公損彼利此損此利彼割他自饒口與心悋或
竊没租估偷度關稅匿公課輸藏隱使役如是
等罪今悉懺悔至心歸命常住三寶
或是佛物法物僧物不與而取或經像物或治
營塔寺物或供養常住僧物或擬招提僧物或
盜取悞用恃勢不還或自借或貸人或復換
貸漏忘或三寶物混亂雜用或以衆物穀米薪
蒭塩豉醬酢菜茹菓實錢帛竹木繒綵幡蓋香
花油燭隨情逐意或自用或與人或穢佛華菓
用僧鬘物因三寶財私自利己如是等罪无量
无邊今日慚愧皆悉懺悔至心歸命常住三寶
又復无始以來至于今日或作周旋朋友師僧同
學父母兄弟六親眷屬共住同止百一所須更相欺
罔或於鄉鄰比近移籬拓墻侵他地宅改標易相
虜略田園因公託私奪人邸店及以屯野如是等
罪今悉懺悔至心歸命常住三寶

BD00012 號　佛名經（十六卷本）卷一六　（38–35）

罔或於鄉鄰比近移籬拓墻侵他地宅改標易相
虜略田園因公託私奪人邸店及以屯野如是等
罪今悉懺悔至心歸命常住三寶
又復无始以來或攻城破邑燒村壞柵偷賣良民誘他
奴婢或復枉押无罪之人使其形骸血刃身被徒鏁家
業破散骨肉生離分張異域生死隔絶如是今悉至心
皆盡懺悔至心歸命常住三寶　又復无始以來至
於今日或商侶博貨邸店市易輕秤小斗減割尺寸盜
竊分銖欺罔圭合以麁易好以短換長巧欺百端希
望毫利如是等罪今悉懺悔至心歸命常住三寶
又復无始以來至於今日穿踰墻壁斷道抄掠抵捍
債息負情違要面欺心口或非道陵奪鬼神禽
獸四生之物或假託卜相取人財寶如是乃至以利求利
惡求多求无厭无足如是等罪无量无邊不可說
盡今日向十方佛尊法聖衆皆悉懺悔至心歸命常住三寶
願弟子等承是懺悔劫盜等罪所生功德生生世世
得如意寶常雨七珍上妙衣服百味甘露種種湯藥
隨意所須應念即至一切衆生无偷奪想一切皆能少
欲知足不耽不染常樂惠施行急濟道頭目髓腦捨如棄

BD00012 號　佛名經（十六卷本）卷一六　（38–36）

得如意寶常雨七珎上妙衣服百味甘露種種湯藥
隨意所須應念即至一切衆生无備棄想一切皆能少
欲知足不耽不染常樂惠施行急濟道頭目髓腦捨如棄
涕唾迴向滿足檀波羅蜜至心歸命常住三寶
佛說罪業報應教化地獄經
復有衆生其形短小食陰藏甚大挽之身皮皆
復引進行步坐困以之為妨何罪所致佛言以前世時
於市販賣自譽己物毀辱他財𨁝𨁝𨁝踊稱前後欺
獲斯罪
復有衆生其形甚醜身黑如漆兩目復青高頬
俱堆𩑔面平鼻兩眼黃赤牙齒踈缺口氣腥臭矬
短𩨷腫大腹𨁝寬腳復了戾𦝢脊傴勤費衣健食
惡瘡膿血水腫于消疥癩癰疽種種諸惡集在
其身雖親附人人不在意若他作罪橫羅其殃
永不見佛永不聞法永不識僧何罪所致佛言
以前世時坐為子不孝父母為臣不忠其君為上不
接其下為下不敬其上朋友不實其信鄉黨不以
其齒朝廷不與其爵心意顛倒无有期度不信三
尊煞君害師代國掠民攻城破塢偷竊過盜惡業
非一美己惡人假其孤老誣謗賢善輕慢尊長
欺誑下賤一切罪業集俱犯之衆生業報故獲斯罪

BD00012號　佛名經（十六卷本）卷一六　　（38–37）

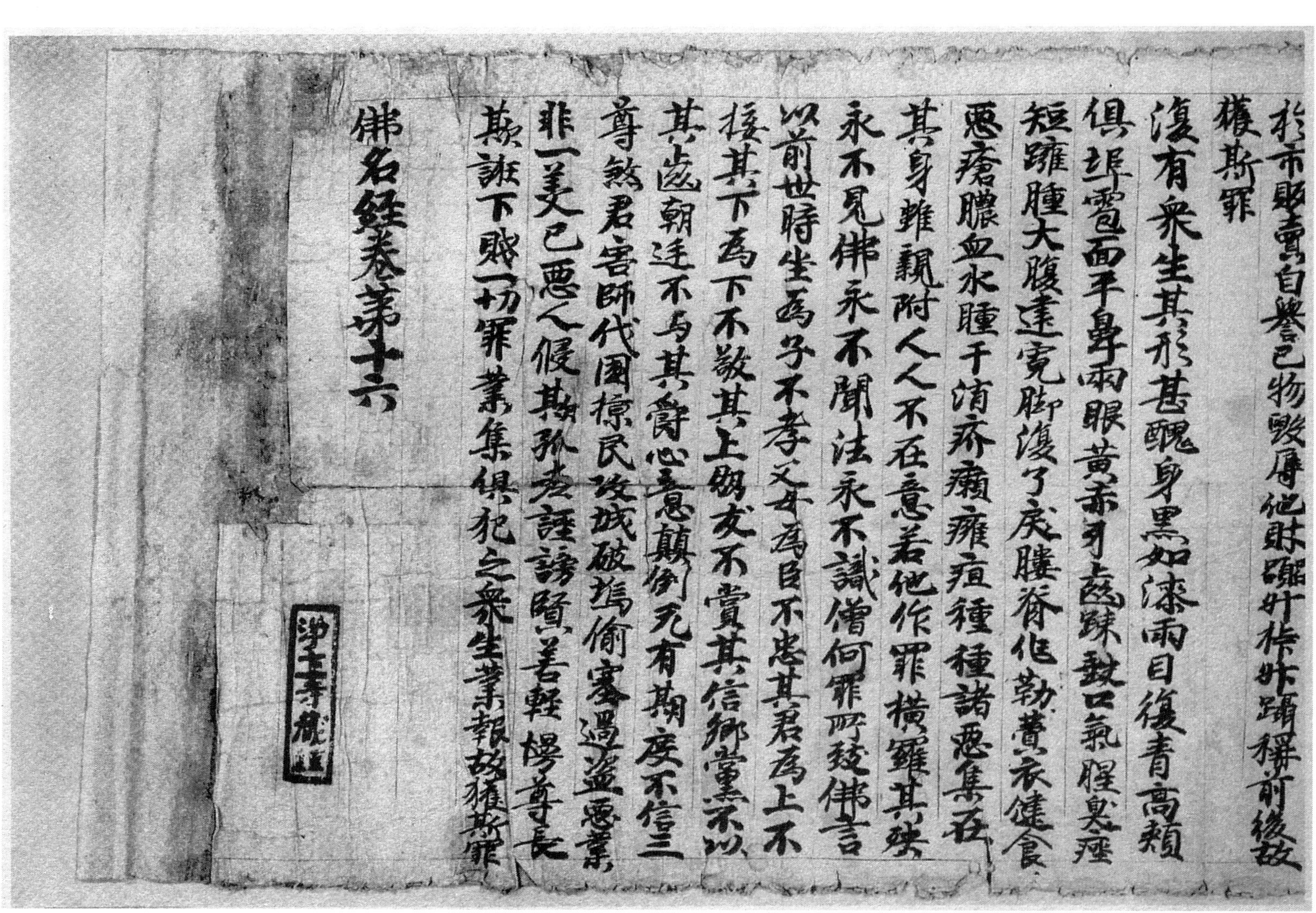

於市販賣自譽己物毀辱他財𨁝𨁝𨁝踊稱前後欺
獲斯罪
復有衆生其形甚醜身黑如漆兩目復青高頬
俱堆𩑔面平鼻兩眼黃赤牙齒踈缺口氣腥臭矬
短𩨷腫大腹𨁝寬腳復了戾𦝢脊傴勤費衣健食
惡瘡膿血水腫于消疥癩癰疽種種諸惡集在
其身雖親附人人不在意若他作罪橫羅其殃
永不見佛永不聞法永不識僧何罪所致佛言
以前世時坐為子不孝父母為臣不忠其君為上不
接其下為下不敬其上朋友不實其信鄉黨不以
其齒朝廷不與其爵心意顛倒无有期度不信三
尊煞君害師代國掠民攻城破塢偷竊過盜惡業
非一美己惡人假其孤老誣謗賢善輕慢尊長
欺誑下賤一切罪業集俱犯之衆生業報故獲斯罪
佛名經卷第十六

BD00012號　佛名經（十六卷本）卷一六　　（38–38）

眉間白毫相光遍照東方百八万億□□他
恒河沙等諸佛世界過是數已有世界名淨
光莊嚴其國有佛號淨華宿王智如來應
供正遍知明行足善逝世間解無上士調御丈
夫天人師佛世尊為無量無邊菩薩大衆恭
敬圍繞而為說法釋迦牟尼佛白毫光明遍
照其國尒時一切淨光莊嚴國中有一菩薩
名曰妙音久已殖衆德本供養親近無量百
千万億諸佛而悉成就甚深智慧得妙幢相
三昧法華三昧淨德三昧宿王戲三昧無緣
三昧智印三昧解一切衆生語言三昧集一
切功德三昧清淨三昧神通遊戲三昧慧炬
三昧莊嚴王三昧淨光明三昧淨藏三昧不
共三昧日旋三昧得如是百千万億恒河沙
等諸大三昧釋迦牟尼佛光照其身即白淨
華宿王智佛言世尊我當往詣娑婆世界礼
拜親近供養釋迦牟尼佛及見文殊師利法
王子菩薩藥王菩薩勇施菩薩宿王華菩薩
上行意菩薩莊嚴王菩薩藥上菩薩尒時淨
華宿王智佛告妙音菩薩汝莫輕彼國生下
劣想善男子彼娑婆世界高下不平土石諸
山穢惡充滿佛身卑小諸菩薩衆其形亦小
而汝身四万二千由旬我身六百八十万由
旬汝身第一端正百千万福光明殊妙是故

BD00013號　妙法蓮華經卷七　（6–1）

劣想善男子彼娑婆世界高下不平土石諸
山穢惡充滿佛身卑小諸菩薩衆其形亦小
而汝身四万二千由旬我身六百八十万由
旬汝身第一端正百千万福光明殊妙是故
汝往莫輕彼國若佛菩薩及國土生下劣想
妙音菩薩白其佛言世尊我今詣娑婆世界
皆是如來之力如來神通遊戲如來功德智
慧莊嚴於是妙音菩薩不起于座身不動搖
而入三昧以三昧力於耆闍崛山去法座不
遠化作八万四千衆寶蓮華閻浮檀金為莖
白銀為葉金剛為鬚甄叔迦寶以為其臺尒
時文殊師利法王子見是蓮華而白佛言世
尊是何因緣先現此瑞有若干千万蓮華閻
浮檀金為莖白銀為葉金剛為鬚甄叔迦
寶以為其臺尒時釋迦牟尼佛告文殊師利是
妙音菩薩摩訶薩欲從淨華宿王智佛國與
八万四千菩薩圍繞而來至此娑婆世界供
養親近礼拜於我亦欲供養聽法華經文殊
師利白佛言世尊是菩薩種何善本脩何功
德而能有是大神通力行何三昧願為我等
說是三昧名字我等亦欲勤脩行之行此三
昧乃能見是菩薩色相大小威儀進止唯願
世尊以神通力彼菩薩來令我得見尒時釋
迦牟尼佛告文殊師利此久滅度多寶如來
當為汝等而現其相時多寶佛告彼菩薩善

BD00013號　妙法蓮華經卷七　（6–2）

世尊以神通力彼菩薩來令我得見尒時釋
迦牟尼佛告文殊師利此久滅度多寶如来
當爲汝等而現其相時多寶佛告彼菩薩善
男子来文殊師利法王子欲見汝身于時妙
音菩薩於彼國没與八万四千菩薩俱共發
来所經諸國六種震動皆悉雨於七寶蓮華
百千天樂不鼓自鳴是菩薩目如廣大青蓮
華葉正使和合百千万月其面貌端正復過
於此身真金色無量百千功德莊嚴威德熾
盛光明照曜諸相具足如那羅延堅固之身
入七寶臺上昇虛空去地七多羅樹諸菩薩
衆恭敬圍繞而来詣此娑婆世界耆闍崛山
到已下七寶臺以價直百千瓔珞持至釋迦
牟尼佛所頭面礼足奉上瓔珞而白佛言世
尊淨華宿王智佛問訊世尊少病少惱起居
輕利安樂行不四大調和不世事可忍不衆
生易度不無多貪欲瞋恚愚癡嫉妬慳慢不
無不孝父母不敬沙門邪見不善心不攝五
情不世尊衆生能降伏諸魔怨不久滅度多
寶如来在七寶塔中来聽法不又問訊多寶
如来安隱少惱堪忍久住不世尊我今欲見
多寶佛身唯願世尊示我令見尒時釋迦牟
尼佛語多寶佛是妙音菩薩欲得相見時多
寶佛告妙音言善哉善哉汝能爲供養釋迦
牟尼佛及聽法華經并見文殊師利等故来
至此尒時華德菩薩白佛言世尊是妙音菩

BD00013號　妙法蓮華經卷七　（6–3）

寶佛告妙音言善哉善哉汝能爲供養釋迦
牟尼佛及聽法華經并見文殊師利等故来
至此尒時華德菩薩白佛言世尊是妙音菩
薩種何善根脩何功德有是神力佛告華德
菩薩過去有佛名雲雷音王多陁阿伽度阿
羅呵三藐三佛陁國名現一切世間劫名憙
見妙音菩薩於万二千歲以十万種伎樂供
養雲雷音王佛并奉上八万四千七寶鉢以
是因緣果報今生淨華宿王智佛國有是神
力華德於汝意云何尒時雲雷音王佛所妙
音菩薩伎樂供養奉上寶器者豈異人乎今
此妙音菩薩摩訶薩是華德是妙音菩薩已
曾供養親近無量諸佛久殖德本又值恒河
沙等百千万億那由他佛華德汝但見妙音
菩薩其身在此而是菩薩現種種身處處爲
諸衆生說是經典或現梵王身或現帝釋身
或現自在天身大自在天身或現天大將軍
身或現毗沙門天身王或現轉輪聖王身或
現諸小王身或現長者身或現居士身或現
宰官身或現婆羅門身或現比丘比丘尼優
婆塞優婆夷身或現長者居士婦女身或現
宰官婦女身或現婆羅門婦女身或現童男
童女身或現天龍夜叉乾闥婆阿脩羅迦樓
羅緊那羅摩睺羅伽人非人等身而說是經
諸有地獄餓鬼畜生及衆難處皆能救濟乃
至於王後宮變爲女身而說是經華德是妙

BD00013號　妙法蓮華經卷七　（6–4）

羅緊那羅摩睺羅伽人非人等身而說是經
諸有地獄餓鬼畜生及衆難處皆能救濟乃
至於王後宮變爲女身而說是經華德是妙
音菩薩能救護娑婆世界諸衆生者是妙音
菩薩如是種種變化現身在此娑婆國土爲
諸衆生說是經典於神通變化智慧無所損
減是菩薩以若干智慧明照娑婆世界令一
切衆生各得所知於十方恒河沙世界中亦復
如是若應以聲聞形得度者現聲聞形而
爲說法應以辟支佛形得度者現辟支佛形
而爲說法應以菩薩形得度者現菩薩形而
爲說法應以佛形得度者即現佛形而爲說
法如是種種隨所應度而爲現形乃至應以
滅度而得度者示現滅度華德妙音菩薩摩
訶薩成就大神通智慧之力其事如是尒時
華德菩薩白佛言世尊是妙音菩薩深種善
根世尊是菩薩住何三昧而能如是在所變現
度脫衆生佛告華德菩薩善男子其三昧
名現一切色身妙音菩薩住是三昧中能如
是饒益無量衆生說是妙音菩薩品時與妙
音菩薩俱來者八万四千人皆得現一切色
身三昧此娑婆世界無量菩薩亦得是三昧
及陁羅尼尒時妙音菩薩摩訶薩供養釋迦
牟尼佛及多寶佛塔已還歸本土所經諸國
六種震動雨寶蓮華作百千万億種種伎樂既

如是若應以聲聞形得度者現聲聞形而
爲說法應以辟支佛形得度者現辟支佛形
而爲說法應以菩薩形得度者現菩薩形而
爲說法應以佛形得度者即現佛形而爲說
法如是種種隨所應度而爲現形乃至應以
滅度而得度者示現滅度華德妙音菩薩摩
訶薩成就大神通智慧之力其事如是尒時
華德菩薩白佛言世尊是妙音菩薩深種善
根世尊是菩薩住何三昧而能如是在所變現
度脫衆生佛告華德菩薩善男子其三昧
名現一切色身妙音菩薩住是三昧中能如
是饒益無量衆生說是妙音菩薩品時與妙
音菩薩俱來者八万四千人皆得現一切色
身三昧此娑婆世界無量菩薩亦得是三昧
及陁羅尼尒時妙音菩薩摩訶薩供養釋迦
牟尼佛及多寶佛塔已還歸本土所經諸國
六種震動雨寶蓮華作百千万億種種伎樂既
到本國與八万四千菩薩圍繞至淨華宿
王智佛所白佛言世尊我到娑婆世界饒益
衆生見釋迦牟尼佛及見多寶佛塔禮拜供
養又見文殊師利法王子菩薩及見藥王菩
薩得勤精進力菩薩勇施菩薩等亦令八万
四千菩薩得現一切色身三昧說是妙音菩
薩來往品時四万二千天子得無生法忍華
德菩薩得法華三昧

若比丘尼瞋恚不喜以无根波羅夷法謗

後於異時若問若不問知是事无根說我瞋恚故作如

是語是比丘尼犯初法應捨僧伽婆尸沙

若比丘尼瞋恚不喜於異分事中取片非波羅夷比丘尼以

无根波羅夷法謗欲破彼人梵行後於異時若問若不問

知是異分事中取片彼比丘尼住瞋恚法故作如是說是

比丘尼犯初法應捨僧伽婆尸沙

若比丘尼詣官人言若居士居士兒若奴若客作人若晝若夜

若一念頃若彈指頃若須臾頃是比丘尼犯初法應捨僧伽

婆尸沙

若比丘尼先知是賊女罪應死人所知不問王大臣不種姓

便度出家受具足戒是比丘尼初法應捨僧伽婆尸沙

若比丘尼知比丘尼為僧所舉如法如律如佛所教不順從未

懺悔僧未與作共住羯磨為愛故不問僧僧不約勅出

界外作羯磨與解罪是比丘尼犯初法應捨僧伽婆尸沙

若比丘尼獨渡水獨入村獨宿獨在後行是比丘尼犯初

法應捨僧伽婆尸沙

若比丘尼知染汙心男子從彼受可食者及食并餘物

是比丘尼犯初法應捨僧伽婆尸沙

若比丘尼教比丘尼作如是語大姊彼有染汙心无染心能那

汝何汝自无染汙心於彼若得食以時清淨受取此比丘尼

犯初法應捨僧伽婆尸沙

若比丘尼欲壞和合僧方便受破僧法堅持不捨是比丘尼

應諫彼比丘尼言大姊汝莫壞和合僧莫方便壞和合僧

莫受破僧法堅持不捨大姊應與僧和合歡喜不諍同一

師學如水乳合於佛法有增益安樂住是比丘尼諫彼

比丘尼時堅持不捨是比丘尼應三諫捨此故乃至三諫捨

者善不捨者僧伽婆尸沙

BD00014號　四分比丘尼戒本　　（16–1）

比丘尼時堅持不捨是比丘尼應三諫捨此故乃至三諫捨

者善不捨者僧伽婆尸沙

若比丘尼有餘比丘尼伴黨若一若二若三乃至无數彼比

丘尼語是比丘尼言大姊汝莫諫此比丘尼法

語比丘尼律語比丘尼此比丘尼所說我等心喜樂此比丘

尼所說我等心喜樂是比丘尼語彼比丘尼言大姊莫作

是說言此比丘尼是法語比丘尼律語比丘尼此比丘尼所

說我等喜樂此比丘尼所說我等忍可何以故此比丘尼所

說非法語非律語大姊莫欲破壞和合僧當樂欲和

合僧大姊與僧和合歡喜不諍同一師學如水乳合於

佛法中有增益安樂住是比丘尼諫彼比丘尼時堅持

不捨是比丘尼應三諫捨此事故乃至三諫捨者善不

捨者是比丘尼說三法應捨僧伽婆尸沙

若比丘尼依城邑若村落住汙他家行惡行行惡行

亦見亦聞汙他家亦見亦聞是比丘尼諫彼比丘尼

言大姊汝汙他家行惡行亦見亦聞汙他家

亦見亦聞大姊汝汙他家行惡行今可離此村落去不

須住此彼比丘尼語此比丘尼作是言大姊諸比丘尼有

愛有恚有怖有癡有如是同罪比丘尼有驅者

有不驅者是諸比丘尼語彼比丘尼言大莫作是

語有愛有恚有怖有癡亦莫言有如是同罪

比丘尼有驅者有不驅者何以故而諸比丘尼不愛不恚

不怖不癡有如是同罪比丘尼有驅者有不驅者大

姊汙他家行惡行行惡行亦見亦聞汙他家亦見

聞是比丘尼諫彼比丘尼時堅持不捨是比丘尼應三

諫捨此事故乃至三諫捨者善不捨者是比丘尼

犯法三應捨僧伽婆尸沙

若比丘尼惡性不受人語於戒法中諸比丘尼如法諫

已自身不受諫語言大姊莫向我說若好若惡我

BD00014號　四分比丘尼戒本　　（16–2）

若比丘尼惡性不受人語於戒法中諸比丘尼如法諫
已自身不受諫語言大姊莫向我說若好若惡我
亦不向汝說若好若惡諸大姊且莫諫我是比丘尼
當諫彼比丘尼言大姊汝莫自身不受諫語大姊
自身當受諫大姊如法諫諸比丘尼諸比丘尼亦
當如法諫大姊如是佛弟子衆得增益展轉相
諫展轉相教展轉懺悔是比丘尼如是諫時堅持不捨
是比丘尼應三諫捨此事故乃至三諫捨者善不捨
者是比丘尼犯三法應捨僧伽婆尸沙
若比丘尼相親近住共作惡行惡聲流布展轉共相
覆罪是比丘尼當諫比丘尼言大姊汝等莫相親近
共作惡行惡聲流布共相覆罪汝等若不相親近
於佛法中得增益安樂住是比丘尼諫彼比丘尼時
堅持不捨是比丘尼應三諫捨此事故乃至三諫捨
者善不捨者是比丘尼犯三法應捨僧伽婆尸沙
若比丘尼比丘尼僧為作呵諫時餘比丘尼教作如是
言汝等莫別住當共住我亦見餘比丘尼不別住
共作惡行惡聲流布共相覆罪僧以恚故教汝
別住是比丘尼應諫彼比丘尼言大姊汝莫教餘比
丘尼言汝等莫別住我等亦見餘比丘尼共作惡
行惡聲流布共相覆罪僧以恚故教汝別住今正
有此二比丘尼共住共作惡行惡聲流布共相覆罪
更无有餘若此比丘尼別住於佛法中有增益安樂
住是比丘尼諫彼比丘尼時堅持不捨是比丘尼應三
諫令捨此事故乃至三諫捨者善不捨者是比丘
尼犯三法應捨僧伽婆尸沙
若比丘尼取以一小事瞋恚不喜便作是言我捨佛
捨法捨僧不獨有此沙門釋子亦更有餘沙門婆
羅門修梵行者我等亦可於彼梵行是比丘尼當

BD00014號　四分比丘尼戒本　（16–3）

捨法捨僧不獨有此沙門釋子亦更有餘沙門婆
羅門修梵行者我等亦可於彼梵行是比丘尼當
諫彼比丘尼言大姊汝莫以一小事瞋恚不喜便
作是語我捨佛捨法捨僧不獨有此沙門釋子更
有餘沙門婆羅門修梵行者我等亦可於彼行
梵行若是比丘尼諫彼比丘尼時堅持不捨彼比丘尼
應三諫捨此事故乃至三諫捨者善不捨者是比
丘尼三法應捨僧伽婆尸沙
若比丘尼喜鬪諍不善憶持諍事後瞋恚作是語
僧有愛有恚有怖有癡是比丘尼應諫彼比丘尼
言妹汝莫喜鬪諍不善憶持諍事後瞋恚作是
語僧有愛有恚有怖有癡而僧不愛不恚不怖不
癡汝自有愛有恚有癡是比丘尼諫彼比丘尼時堅
持不捨彼比丘尼應三諫捨此事故乃至三諫捨者
善不捨者是比丘尼犯三法應捨僧伽婆尸沙
諸大姊我已說十七僧伽婆尸沙法九初犯罪八乃至三
諫若比丘尼犯一一法應半月半月二部僧中行摩那
埵行摩那埵已餘有出罪應二部各二十人僧中
出是比丘尼罪若少一人不滿四十衆出是比丘尼罪
是比丘尼罪不得除諸比丘尼亦可呵是時今問
諸大姊是中清淨不如是三諸大姊是中清淨默然
故是事如是持
諸大姊是三十尼薩耆波逸提法半月半月說戒
經中來
若比丘尼衣已竟迦絺那衣已捨畜長衣經十日
不淨施得畜若過十日尼薩耆波逸提
若比丘尼衣竟迦絺那衣已捨五衣中若離一一衣
異處宿經一夜除僧羯磨波逸提

BD00014號　四分比丘尼戒本　（16–4）

若比丘尼衣竟迦絺那衣已捨五衣中若離一衣
異處宿經一夜除僧羯磨尼薩耆波逸提
若比丘尼衣已竟迦絺那衣已捨若得非時衣
欲須便受受已疾成衣若足者善若不足者
得畜一月為滿足故若過者尼薩耆波逸提
若比丘尼從非親里居士居士婦乞衣除餘時尼薩耆
波逸提餘時者若奪衣失衣燒衣漂衣是名
餘時　若比丘尼奪衣失衣燒衣漂衣若非親里
居士居士婦自恣請多與衣是比丘尼當知足受衣若
過受尼薩耆波逸提
若比丘尼居士居士婦為比丘尼辦衣價具如是衣
價與某甲比丘尼先不受自恣請到居士家作如是
說善哉居士為我辦如是如是衣價與我為好
故若得衣者尼薩耆波逸提
若比丘尼二居士居士婦與比丘尼辦衣價我曹如
是衣價與某甲比丘尼是比丘尼先不受自恣請到
二居士家作如是言善哉居士辦如是衣價與我作
共作一衣為好故若得衣者尼薩耆波逸提
若比丘尼若王若大臣若婆羅門若居士居士婦遣使
為比丘尼送衣價持如是衣價與某甲比丘尼彼使
至比丘尼所語言阿姨為汝送衣價受取是比丘尼
語彼使如是言我不應受此衣價我若須衣合
時清淨當受彼使語比丘尼言阿姨有執事人不
須衣比丘尼應語言有若僧伽藍民若優婆塞此是比丘尼
執事人常為比丘尼執事彼使至執事人所與衣價已
還到比丘尼所如是言阿姨所示某甲執事人我已與
衣價大姊知時往彼當得衣比丘尼若須衣者當往執
事人所二反三反語言我須衣若二反三反為作憶念

BD00014號　四分比丘尼戒本

（16–5）

還到比丘尼所如是言阿姨所示某甲執事人我已與
衣價大姊知時往彼當得衣比丘尼若須衣者當往執
事人所二反三反語言我須衣若二反三反為作憶念
得衣者善若不得衣四反五反六反在前默然立令彼
憶若四反五反六反在前默然住得衣者善若不得衣
過是求得衣者尼薩耆波逸提若不得衣隨彼使所來
處若自往若遣使往語言汝先遣使持衣價與某甲
比丘尼是比丘尼竟不得衣汝還取莫使失此是時
若比丘尼自取金銀若錢若教人取若口可受者尼薩耆
波逸提　若比丘尼種買賣寶物者尼薩耆波逸提
若比丘尼種種販賣者尼薩耆波逸提
若比丘尼鉢減五綴不漏更求新鉢為好故尼薩耆波逸
提是比丘尼當持此鉢於尼眾中捨從次第貿至下坐
鉢與此比丘尼言妹持此鉢乃持至破此是時
若比丘尼自求縷使非親里織師織作衣者尼薩耆
波逸提　若比丘尼若居士居士婦使織師為比丘尼織
作衣彼比丘尼先不受自恣請便往到彼所語織師言
此衣為我織極好織令廣大堅緻齊整好我當少
多與汝價若比丘尼與價乃至食直得衣者尼薩
耆波逸提　若比丘尼與比丘尼衣已後瞋恚若自奪
若教人奪取還我衣來不與汝是比丘尼應還衣彼
取衣者尼薩耆波逸提
若比丘尼有諸病畜藥酥油生酥蜜石蜜得食殘宿
乃至七日得服若過七日服尼薩耆波逸提
若比丘尼十日未滿夏三月若有急施衣比丘尼如是
急施衣應受受已乃至衣時應畜若過者尼薩耆波
逸提　若比丘尼知物向僧自求入己者尼薩耆波逸提
若比丘尼知檀越所為僧施異迴作餘用者尼薩耆
波逸提

BD00014號　四分比丘尼戒本

（16–6）

逸提若比丘尼知物向僧自求入己者尼薩耆波逸提
若比丘尼知檀越所為僧施異迴作餘用者尼薩耆
波逸提
若比丘尼所為施物異自求為僧迴作餘用者尼薩
耆波逸提
若比丘尼檀越所施物異迴作餘者尼薩耆波逸提
若比丘尼檀越所為施物異自求為僧迴作餘用者
尼薩耆波逸提
若比丘尼畜長鉢者尼薩耆波逸提
若比丘尼多畜好色器者尼薩耆波逸提
若比丘尼許他比丘尼病衣後不與者尼薩耆波逸提
若比丘尼與非時衣受作時衣者尼薩耆波逸提
若比丘尼與比丘尼貿易衣後瞋恚還自奪取若使
人奪妹還我衣來我不與汝衣屬汝我衣還我者
尼薩耆波逸提
若比丘尼乞重衣齊價直四張氎過者尼薩耆波逸提
若比丘尼欲乞輕衣齊重價直兩張氎過者尼薩耆
波逸提
諸大姊我已說三十尼薩耆波逸提法今問諸大姊是
中清淨不三說諸大姊是中清淨默然故是事如是持
諸大姊是一百七十八波逸提法半月半月說戒經中來
若比丘尼故妄語者波逸提
若比丘尼毀呰語者波逸提
若比丘尼兩舌語者波逸提
若比丘尼與男子同室宿者波逸提
若比丘尼共未受大戒女人同室宿者若過三宿波逸提
若比丘尼與未受具戒人共誦法者波逸提
若比丘尼知他有麤惡罪向未受大戒人說除僧羯磨波
若比丘尼向未受大戒人說過人法言我知是我見是

BD00014 號　四分比丘尼戒本　（16-7）

若比丘尼與未受具戒人共誦法者波逸提
若比丘尼知他有麤惡罪向未受大戒人說除僧羯磨波
若比丘尼向未受大戒人說過人法言我知是我見是
實者波逸提
若比丘尼與男子說法過五六語除有知事人波逸提
若比丘尼自手掘地若教人掘者波逸提
若比丘尼壞鬼神村者波逸提
若比丘尼妄作異語惱他者波逸提
若比丘尼嫌罵他者波逸提
若比丘尼取僧繩床若木床若臥具坐褥露地自敷
若教人敷捨去不自舉不教人舉波逸提
若比丘尼於僧房中取僧臥具自敷若教人敷在
中若坐若臥從彼處捨去不自舉不教人舉者波逸提
若比丘尼知比丘尼先住處後來於中間敷臥具止宿
念言彼若嫌迮者自當避我去作如是因緣非餘非
威儀波逸提
若比丘尼瞋他比丘尼不喜僧房中自牽出若教人牽出
者波逸提
若比丘尼若在重閣上尖脚繩床若木床若臥若坐波逸提
若比丘尼知水有虫若澆泥若草若教人澆者波逸提
若比丘尼作大房戶扉窓牖及餘莊飾具指授覆苫
齊二三節若過者波逸提
若比丘尼施一食處无病比丘尼應一食若過受者波逸提
若比丘尼別眾食除餘時波逸提餘時者病時作衣時施
衣時行道時船上時大會時沙門施食時此是時
若比丘尼至檀越家慇懃請與餅麨飯比丘尼欲須者當
二三鉢應受持至寺內分與餘比丘尼食若比丘尼无病
病過三鉢受持至寺中不分與餘比丘尼食者波逸提

BD00014 號　四分比丘尼戒本　（16-8）

二三鉢應受持至寺内分與餘比丘尼食若比丘尼无病
病過三鉢受持至寺中不分與餘比丘尼食者波逸提
若比丘尼非時食食者波逸提
若比丘尼殘宿食者波逸提
若比丘尼不受食及藥著口中除水及楊枝波逸提
若比丘尼先受請已若前食後食行詣餘家不屬餘
比丘尼除餘時波逸提餘時者病時作衣時施衣時此是時
若比丘尼食家中有寶強安坐者波逸提
若比丘尼食家中有寶在屏處坐者波逸提
若比丘尼獨與男子露地一處共坐者波逸提
若比丘尼語比丘尼如是語大姊共汝至聚落當與汝
食彼比丘尼竟不教與是比丘尼食如是言大姊去我與
汝一處共坐共語不樂我獨坐獨語樂以是因緣非餘
方便遣去者波逸提
若比丘尼請比丘尼四月與藥无病比丘尼應受若
過受除常請更請分請盡形請波逸提
若比丘尼往觀軍陣除時因緣波逸提
若比丘尼有因緣至軍中若二宿三宿過者波逸提
若比丘尼軍中住若二宿三宿或時觀軍陣鬪戰若觀遊
軍象馬勢力者波逸提
若比丘尼飲酒者波逸提
若比丘尼水中戲者波逸提
若比丘尼與指相擊者波逸提
若比丘尼不受諫者波逸提
若比丘尼恐怖他比丘尼者波逸提 卌
若比丘尼半月洗浴无病比丘尼應受若過受除餘時
波逸提餘時者熱時病時作時風時雨時遠行時此是
時 若比丘尼无病為炙身故露地然火若教人然除餘
時波逸提

BD00014 號　四分比丘尼戒本　（16–9）

波逸提餘時者熱時病時作時風時雨時遠行時此是
時 若比丘尼无病為炙身故露地然火若教人然除餘
時波逸提
若比丘尼藏他比丘尼若鉢若衣若坐具針筒自藏教
人藏下至戲笑者波逸提
若比丘尼淨施比丘尼式叉摩那沙弥尼衣後不問主
取著者波逸提
若比丘尼得新衣當作三種染壞色青黑木蘭若比丘
尼得衣不作三種染壞色青黑木蘭新衣持者波逸提
若比丘尼故斷畜生命者波逸提
若比丘尼知水有虫飲者波逸提
若比丘尼故惱他比丘尼乃至少時不樂者波逸提
若比丘尼知比丘尼有麁惡罪覆藏者波逸提
若比丘尼知僧諍事如法懺悔已後更發舉者波逸提
若比丘尼知是賊伴共期一道行乃至一聚落波逸提
若比丘尼作如是語我知佛所說法行婬欲非障道
法彼比丘尼諫此比丘尼言大姊莫作是語莫謗世尊
謗世尊者不善世尊不作是語世尊无數方便說
婬欲是障道法犯婬欲者是障道法彼比丘尼諫此比
丘尼時堅持不捨彼比丘尼乃至三諫令捨是事乃至
三諫捨者善不捨者波逸提
若比丘尼知如是語人未作法如是邪見而不捨若畜一羯
同一止宿波逸提
若比丘尼知沙弥尼作如是語我知佛所說法行婬欲非
障道法彼比丘尼諫此沙弥尼言汝莫作是語莫謗
謗世尊者不善世尊不作是語沙弥尼世
尊數方便說婬欲是障道法犯婬欲者是障道法彼
比丘尼諫此沙弥尼時堅不捨彼比丘尼應乃至三諫捨
此事故乃至三諫時捨者善不捨者彼比丘尼應語

BD00014 號　四分比丘尼戒本　（16–10）

尊數方便說婬欲是障道法犯婬欲者是障道法彼
比丘尼諫此沙彌尼時堅持不捨彼比丘尼應乃至三諫捨
此事故乃至三諫時若捨者善不捨者彼比丘尼應語
是沙彌尼言汝自今已去非佛弟子得隨餘比丘尼行如
諸沙彌尼得與比丘尼二三宿汝今無是事汝去滅去不
須此中住若比丘尼知彼擯沙彌尼若畜若共同止宿
者波逸提
若比丘尼如法諫時作如是語我今不學是戒乃至
問有智持律者當難問波逸提若為知為學故
應當難問
若比丘尼說戒時作如是語大姊用是雜碎戒為說是戒
時令人惱愧懷疑輕訶戒故波逸提
若比丘尼說戒時作如是語大姊我今始知是法戒半月半
月說戒經中來餘比丘尼知是比丘尼若二若三說戒
中坐何況多彼比丘尼無知無解若犯罪應如法治
更重增無知法大姊汝無利不善汝說戒時不用心念
不一心兩耳聽法彼無知故波逸提
若比丘尼共同羯磨已後作如是說諸比丘尼隨親厚
以眾僧物與者波逸提
若比丘尼僧斷事時不與欲而起去者波逸提
若比丘尼與欲竟後更呵者波逸提 六十
若比丘尼比丘尼共鬪諍後聽此語已欲向彼說者波逸提
若比丘尼瞋恚故不喜打彼比丘尼者波逸提
若比丘尼瞋恚故不喜以手搏比丘尼者波逸提
若比丘尼瞋恚故不喜以無根僧伽婆尸沙法謗者
波逸提
若比丘尼剎利水澆頭王種王未出未藏寶若入宮
過門閾者波逸提
若比丘尼若寶及寶莊飾具自捉若教人捉除僧

過門閾者波逸提
若比丘尼若寶及寶莊飾具自捉若教人捉除僧
伽藍中及寄宿處波逸提若僧伽藍中若寄宿
處若寶若以寶莊飾具自捉若教人捉若識者
當取如是因緣非餘
若比丘尼非時入聚落不囑餘比丘尼者波逸提
若比丘尼作繩床木床足應如來八指除入梐孔上
截竟過者波逸提
若比丘尼持兜羅綿貯作繩床木床大小褥成者
若臥具坐具波逸提
若比丘尼噉蒜者波逸提 七十
若比丘尼剃三處毛者波逸提
若比丘尼以水作淨應齊兩指各一節若過者波逸提
若比丘尼以胡膠作男根者波逸提
若比丘尼共相拍者波逸提
若比丘尼比丘尼無病時供給水以扇扇者波逸提
若比丘尼乞生穀者波逸提
若比丘尼在生草上大小便者波逸提
若比丘尼夜便大小便器中晝不看牆外棄者波逸提
若比丘尼往觀看伎樂者波逸提
若比丘尼村內與男子在屏處共立語者波逸提
若比丘尼與男子共入屏障處者波逸提
若比丘尼入村內巷陌中遣伴遠去在屏處與男
子共立耳語者波逸提
若比丘尼入白衣家內坐不語主人遠去者波逸提
若比丘尼入白衣家內不語主人輒坐床者波逸提
若比丘尼入白衣家內不語主人輒自敷坐宿者
波逸提 若比丘尼與男子共入闇室中者波逸提
若比丘尼不審諦受師語便向人說者波逸提

若比丘尼[illegible]
波逸提 若比丘尼與男子共入闇室中者波逸提
若比丘尼不審諦受師語便向人說者波逸提
若比丘尼有小因緣事便呪咀墮三惡道不生佛
法中若汝有如是事亦墮三惡道不生佛法中若
我有如是事亦墮三惡道不生佛法中者波逸提
若比丘尼不善憶持諍事推胸啼哭者波逸提
若比丘尼無病二人共床臥者波逸提
若比丘尼共同一褥一被臥除時者波逸提
若比丘尼知先住處後至知後至先住為好故在前
誦經問義教者波逸提
若比丘尼同活比丘尼病不瞻視者波逸提
若比丘尼安居初聽餘比丘尼在房中安居床後瞋
駈出者波逸提
若比丘尼春夏冬一切時人間遊行除餘因緣者波逸提
若比丘尼夏安居訖不去者波逸提
若比丘尼邊界有疑恐怖處人間遊行者波逸提
若比丘尼於界內有疑恐怖處在人間遊行波逸提
若比丘尼親近居士居士兒共住作不隨順行大姊可
餘比丘尼諫此比丘尼言妹汝莫親近居士居士兒共
住作不隨順行大姊可別住若別住於佛法中有增
益安樂住彼比丘尼堅持不捨彼比丘尼應三諫捨
此事故乃至三諫捨此事者善若不捨者波逸提
若比丘尼往觀王宮文飾堂畫園林浴池者波逸提
若比丘尼露身形在河水泉流水池水中浴者波逸提
若比丘尼作浴衣應量作應量作者長佛六磔手廣
二磔手半若過者波逸提
若比丘尼縫僧伽梨過五日者波逸提
若比丘尼過五日者不看僧伽梨者波逸提
[illegible]

BD00014號　四分比丘尼戒本

（16–13）

若比丘尼縫僧伽梨過五日者[illegible]逸提
若比丘尼過五日者不看僧伽梨者波逸提
若比丘尼與衆僧衣作留難者波逸提
若比丘尼不問主便着他衣者波逸提
若比丘尼持沙門衣與外道白衣者波逸提
若比丘尼作如是意衆僧如法分衣遮令不分
恐弟子不得者波逸提
若比丘尼作如是意令衆僧令不得出迦絺那衣
欲令五事久得放捨者波逸提
若比丘尼餘比丘尼語言為我滅此諍事而不與
作方便令滅者波逸提
若比丘尼自手持食與白衣入外道食者
波逸提 若比丘尼為白衣作使者波逸提
若比丘尼自手紡縷者波逸提
若比丘尼入白衣舍內在小床大床上若坐若臥
者波逸提
若比丘尼至白衣舍語主人敷坐止宿明日不辭主
人而去者波逸提
若比丘尼自誦習世俗呪術者波逸提
若比丘尼教人誦習世俗呪術者波逸提
若比丘尼知女人妊身度與受具足戒者波逸提
若比丘尼知婦女乳兒與受具足戒者波逸提
若比丘尼知年不滿二十與受具足戒者波逸提
若比丘尼年十八童女不與二歲學戒年滿二十便
與受具足戒者波逸提
若比丘尼年十八童女與二歲學戒不與六法滿二十
便與受具足戒者波逸提
若比丘尼年十八童女與二歲學戒與六法滿二十衆
僧不聽便與受具足戒者波逸提

BD00014號　四分比丘尼戒本

（16–14）

使與受具足戒者波逸提
若比丘尼年十八童女與二歲學戒與六法滿二十衆
僧不聽便與受具足戒者波逸提
若比丘尼度曾嫁女年十歲與二歲學戒年滿十
二聽與受具足戒若減十二與受具足戒波逸提
若比丘尼度他小年曾嫁婦女與二歲學戒
年滿十二白衆僧便與受具足戒波逸提
若比丘尼知如是人與受具戒者波逸提
若比丘尼多度弟子不教二歲學戒不以二法
攝取者波逸提
若比丘尼不二歲隨和尚尼者波逸提
若比丘尼僧不聽而受人具足戒者波逸提
若比丘尼年未滿十二歲授人具足戒者波逸提
若比丘尼年滿十二歲衆僧不聽便授人具足戒波逸提
若比丘尼僧不聽授人具足戒便言衆僧有愛有
恚有怖有癡欲聽者便聽不欲聽者便不聽如
是語者波逸提
若比丘尼父母夫主不聽與受具足戒波逸提
若比丘尼知女人與童男男子相敬愛愁憂瞋
恚女人度令出家授具足戒者波逸提
若比丘尼語式叉摩那言汝妹捨是學當與汝
受具足戒若不方便與受具足戒者波逸提
若比丘尼語式叉摩那言持衣來與我我當與
汝受具足戒而不方便與受具足戒者波逸提
若比丘尼不滿一歲授人具足者波逸提
若比丘尼與人受具足戒已經宿方往比丘尼僧中與
受足戒者波逸提
若比丘尼不病不往受教授者波逸提
若比丘尼半月應往比丘尼僧中求教授若不求者

BD00014號　四分比丘尼戒本

(16–15)

若比丘尼多度弟子不教二歲學戒不以二法
攝取者波逸提
若比丘尼不二歲隨和尚尼者波逸提
若比丘尼僧不聽而受人具足戒者波逸提
若比丘尼年未滿十二歲授人具足戒者波逸提
若比丘尼年滿十二歲衆僧不聽便授人具足戒波逸提
若比丘尼僧不聽授人具足戒便言衆僧有愛有
恚有怖有癡欲聽者便聽不欲聽者便不聽如
是語者波逸提
若比丘尼父母夫主不聽與受具足戒波逸提
若比丘尼知女人與童男男子相敬愛愁憂瞋
恚女人度令出家授具足戒者波逸提
若比丘尼語式叉摩那言汝妹捨是學當與汝
受具足戒若不方便與受具足戒者波逸提
若比丘尼語式叉摩那言持衣來與我我當與
汝受具足戒而不方便與受具足戒者波逸提
若比丘尼不滿一歲授人具足者波逸提
若比丘尼與人受具足戒已經宿方往比丘尼僧中與
受足戒者波逸提
若比丘尼不病不往受教授者波逸提
若比丘尼半月應往比丘尼僧中求教授若不求者
波逸提　若比丘尼僧夏安居竟應往比丘尼僧中
說三事自恣見聞疑若不往者波逸提
若比丘尼在无比丘尼處夏安居者波逸提
若比丘尼知有比丘僧伽藍不白而入者波逸提
若比丘尼罵比丘者波逸提
若比丘尼喜鬪諍不善憶持諍事後嗔恚不喜罵

BD00014號　四分比丘尼戒本

(16–16)

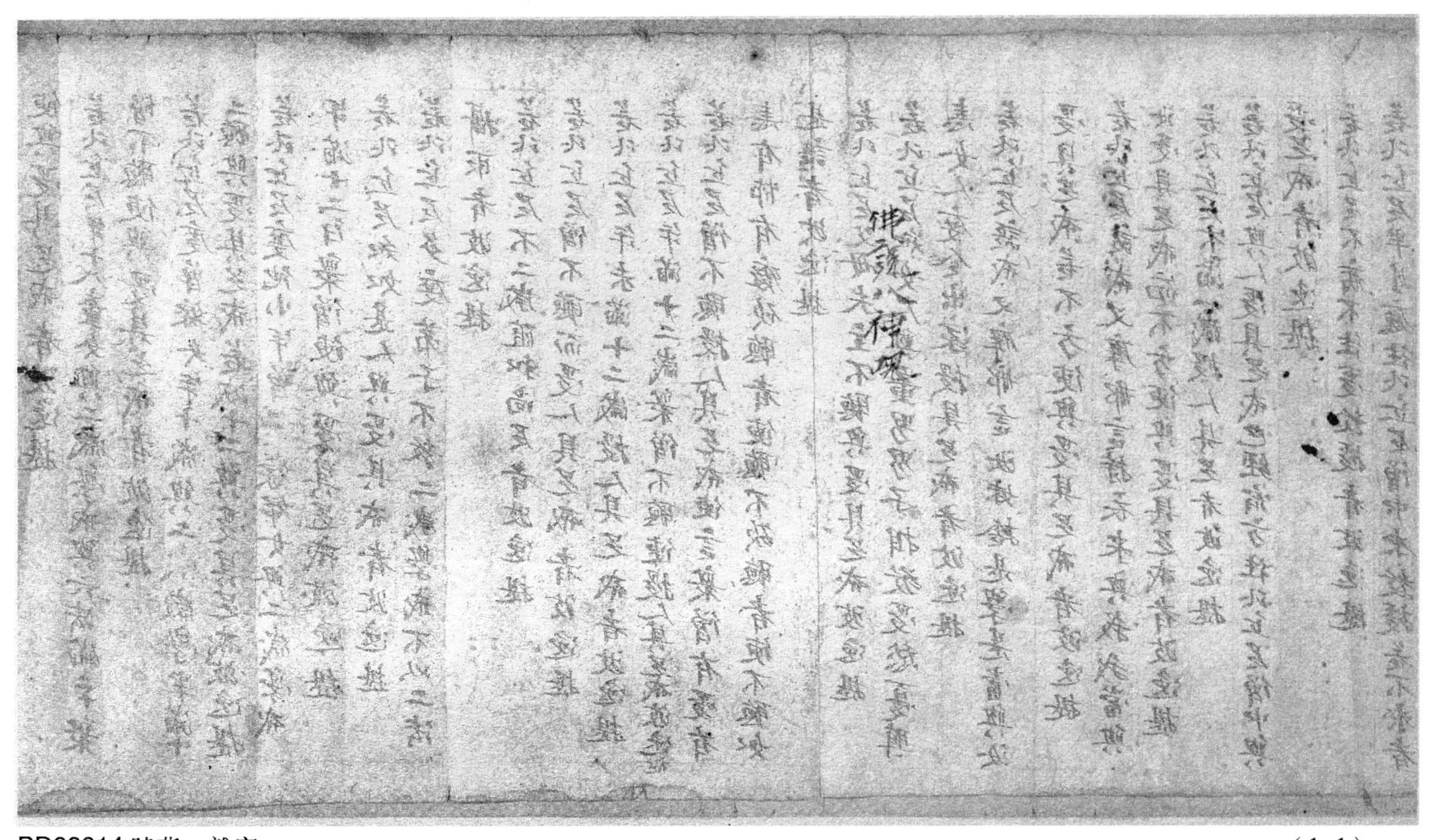

BD00014號背　雜寫　（1-1）

妄性不變異性平等性離生性法定法住實
際虛空界不思議界不墮聲聞及獨覺地疾
證無上正等菩提復能攝受苦聖諦集聖諦
滅聖諦道聖諦不墮聲聞及獨覺地疾證無
上正等菩提復能攝受四靜慮四無量四無
色定不墮聲聞及獨覺地疾證無上正等菩
提復能攝受八解脫八勝處九次第定十遍
處不墮聲聞及獨覺地疾證無上正等菩提
復能攝受四念住四正斷四神足五根五力
七等覺支八聖道支不墮聲聞及獨覺地疾
證無上正等菩提復能攝受空解脫門無相
解脫門無願解脫門不墮聲聞及獨覺地疾
證無上正等菩提復能攝受菩薩十地不墮
聲聞及獨覺地疾證無上正等菩提復能攝
受五眼六神通不墮聲聞及獨覺地疾證無
上正等菩提復能攝受佛十力四無所畏四
無礙解大慈大悲大喜大捨十八佛不共法
不墮聲聞及獨覺地疾證無上正等菩提復
能攝受無忘失法恒住捨性不墮聲聞及獨
覺地疾證無上正等菩提復能攝受一切智
道相智一切相智不墮聲聞及獨覺地疾證
無上正等菩提復能攝受一切陀羅尼門一
切三摩地門不墮聲聞及獨覺地疾證無上
正等菩提復能攝受一切菩薩摩訶薩行不
墮聲聞及獨覺地疾證無上正等菩提復能
攝受諸佛無上正等菩提不墮聲聞及獨覺

BD00015號　大般若波羅蜜多經卷三一三　（13-1）

切三摩地門不墮聲聞及獨覺地疾證無上
正等菩提復能攝受一切菩薩摩訶薩行不
墮聲聞及獨覺地疾證無上正等菩提復能
攝受諸佛無上正等菩提不墮聲聞及獨覺
地疾證無上正等菩提
如是善現住菩薩乘諸善男子善女人等以
能攝受甚深般若波羅蜜多亦能攝受方便
善巧故不墮聲聞及獨覺地疾證無上正等
菩提

初分真善友品第卌五

尒時具壽善現白佛言世尊初業菩薩摩訶
薩應云何學般若波羅蜜多應云何學靜慮
波羅蜜多應云何學精進波羅蜜多應云何
學安忍波羅蜜多應云何學淨戒波羅蜜多
應云何學布施波羅蜜多佛言善現初業菩
薩摩訶薩若欲脩學般若靜慮精進安忍淨
戒布施波羅蜜多應先親近供養恭敬能善
宣說般若靜慮精進安忍淨戒布施波羅蜜
多真善知識謂說般若波羅蜜多甚深經時
作如是言來善男子汝布施時應作是念所
脩布施普施一切有情同共迴向無上正等
菩提汝持戒時應作是念所脩淨戒普施一
切有情同共迴向無上正等菩提汝脩忍時
應作是念所脩安忍普施一切有情同共迴
向無上正等菩提汝精進時應作是念所脩
精進普施一切有情同共迴向無上正等菩

BD00015號　大般若波羅蜜多經卷三一三　（13–2）

應作是念所脩安忍普施一切有情同共迴
向無上正等菩提汝精進時應作是念所脩
精進普施一切有情同共迴向無上正等菩
提汝脩定時應作是念所脩靜慮普施一切
有情同共迴向無上正等菩提汝脩慧時應
作是念所脩般若普施一切有情同共迴向
無上正等菩提
善男子汝不應以色而取無上正等菩提亦
不應以受想行識而取無上正等菩提所以
者何若不取色便得無上正等菩提不取受
想行識便得無上正等菩提故善男子汝不
應以眼處而取無上正等菩提亦不應以耳
鼻舌身意處而取無上正等菩提所以者何
若不取眼處便得無上正等菩提不取耳鼻
舌身意處便得無上正等菩提故善男子汝
不應以色處而取無上正等菩提亦不應以
聲香味觸法處而取無上正等菩提所以者
何若不取色處便得無上正等菩提不取聲
香味觸法處便得無上正等菩提故善男子
汝不應以眼界而取無上正等菩提亦不應
以色界眼識界及眼觸眼觸為緣所生諸受
而取無上正等菩提所以者何若不取眼界
便得無上正等菩提不取色界乃至眼觸為
緣所生諸受便得無上正等菩提故善男子
汝不應以耳界而取無上正等菩提亦不應
以聲界耳識界及耳觸耳觸為緣所生諸受

BD00015號　大般若波羅蜜多經卷三一三　（13–3）

緣所生諸受便得無上正等菩提故善男子
汝不應以耳界而取無上正等菩提亦不應
以聲界耳識界及耳觸耳觸為緣所生諸受
而取無上正等菩提所以者何若不取耳界
便得無上正等菩提不取聲界乃至耳觸為
緣所生諸受便得無上正等菩提故善男子
汝不應以鼻界而取無上正等菩提亦不應
以香界鼻識界及鼻觸鼻觸為緣所生諸受
而取無上正等菩提所以者何若不取鼻界
便得無上正等菩提不取香界乃至鼻觸為
緣所生諸受便得無上正等菩提故善男子
汝不應以舌界而取無上正等菩提亦不應
以味界舌識界及舌觸舌觸為緣所生諸受
而取無上正等菩提所以者何若不取舌界
便得無上正等菩提不取味界乃至舌觸為
緣所生諸受便得無上正等菩提故善男子
汝不應以身界而取無上正等菩提亦不應
以觸界身識界及身觸身觸為緣所生諸受
而取無上正等菩提所以者何若不取身界
便得無上正等菩提不取觸界乃至身觸為
緣所生諸受便得無上正等菩提故善男子
汝不應以意界而取無上正等菩提亦不應
以法界意識界及意觸意觸為緣所生諸受
而取無上正等菩提所以者何若不取意界
便得無上正等菩提不取法界乃至意觸為

BD00015 號　大般若波羅蜜多經卷三一三　（13–4）

而取無上正等菩提所以者何若不取意界
便得無上正等菩提不取法界乃至意觸為
緣所生諸受便得無上正等菩提故善男子
汝不應以地界而取無上正等菩提亦不應
以水火風空識界而取無上正等菩提所以
者何若不取地界便得無上正等菩提不取
水火風空識界便得無上正等菩提故善男
子汝不應以無明而取無上正等菩提亦不
應以行識名色六處觸受愛取有生老死愁
歎苦憂惱而取無上正等菩提所以者何若
不取無明便得無上正等菩提不取行乃至
老死愁歎苦憂惱便得無上正等菩提故
善男子汝不應以布施波羅蜜多而取無上
正等菩提亦不應以淨戒安忍精進靜慮般
若波羅蜜多而取無上正等菩提所以者何
若不取布施波羅蜜多便得無上正等菩提
不取淨戒乃至般若波羅蜜多便得無上正
等菩提故善男子汝不應以內空而取無上
正等菩提亦不應以外空內外空空空大空
勝義空有為空無為空畢竟空無際空散空
無變異空本性空自相空共相空一切法空
不可得空無性空自性空無性自性空而取
無上正等菩提所以者何若不取內空便得
無上正等菩提不取外空乃至無性自性空
便得無上正等菩提故善男子汝不應以真
如而取無上正等菩提亦不應以法界法性

BD00015 號　大般若波羅蜜多經卷三一三　（13–5）

無上正等菩提不取外空乃至無性自性空
便得無上正等菩提故善男子汝不應以真
如而取無上正等菩提亦不應以法界法性
不虛妄性不變異性平等性離生性法定法
住實際虛空界不思議界而取無上正等菩
提所以者何若不取真如便得無上正等菩
提不取法界乃至不思議界便得無上正等
菩提故善男子汝不應以苦聖諦而取無上
正等菩提亦不應以集滅道聖諦而取無上
正等菩提所以者何若不取苦聖諦便得無
上正等菩提不取集滅道聖諦便得無上正
等菩提故善男子汝不應以四靜慮而取無
上正等菩提亦不應以四無量四無色定而
取無上正等菩提所以者何若不取四靜慮
便得無上正等菩提不取四無量四無色定
便得無上正等菩提故善男子汝不應以八
解脫而取無上正等菩提亦不應以八勝處
九次第定十遍處而取無上正等菩提所以
者何若不取八解脫便得無上正等菩提不
取八勝處九次第定十遍處便得無上正等
菩提故善男子汝不應以四念住而取無上
正等菩提亦不應以四正斷四神足五根五
力七等覺支八聖道支而取無上正等菩提
所以者何若不取四念住便得無上正等菩
提不取四正斷乃至八聖道支便得無上正

BD00015 號　大般若波羅蜜多經卷三一三　（13–6）

所以者何若不取四念住便得無上正等菩
提不取四正斷乃至八聖道支便得無上正
等菩提故
善男子汝不應以空解脫門而取無上正等
菩提亦不應以無相無願解脫門而取無上
正等菩提所以者何若不取空解脫門便得
無上正等菩提不取無相無願解脫門便得
無上正等菩提故善男子汝不應以菩薩十
地而取無上正等菩提所以者何若不取菩
薩十地便得無上正等菩提故善男子汝不
應以五眼而取無上正等菩提亦不應以六
神通而取無上正等菩提所以者何若不取
五眼便得無上正等菩提不取六神通便得
無上正等菩提故善男子汝不應以佛十力
而取無上正等菩提亦不應以四無所畏四
無礙解大慈大悲大喜大捨十八佛不共法
而取無上正等菩提所以者何若不取佛十
力便得無上正等菩提不取四無所畏乃至
十八佛不共法便得無上正等菩提故善男
子汝不應以無忘失法而取無上正等菩提
亦不應以恒住捨性而取無上正等菩提所
以者何若不取無忘失法便得無上正等菩
提不取恒住捨性便得無上正等菩提故善
男子汝不應以一切智而取無上正等菩提
亦不應以道相智一切相智而取無上正等
菩提所以者何若不取一切智便得無上正

BD00015 號　大般若波羅蜜多經卷三一三　（13–7）

亦不應以道相智一切相智而取無上正等
菩提所以者何若不取一切智便得無上正
等菩提不取道相智一切相智便得無上正
等菩提故善男子汝不應以一切陁羅尼門
而取無上正等菩提亦不應以一切三摩地
門而取無上正等菩提所以者何若不取一
切陁羅尼門便得無上正等菩提不取一切
三摩地門便得無上正等菩提故
善男子汝不應以預流果而取無上正等菩
提亦不應以一來不還阿羅漢果而取無上
正等菩提所以者何若不取預流果便得無
上正等菩提不取一來不還阿羅漢果便得
無上正等菩提故善男子汝不應以獨覺菩
提而取無上正等菩提所以者何若不取獨
覺菩提便得無上正等菩提故善男子汝不
應以一切菩薩摩訶薩行而取無上正等菩
提所以者何若不取一切菩薩摩訶薩行便
得無上正等菩提故善男子汝不應以諸佛
無上正等菩提而取無上正等菩提所以者
何若不取諸佛無上正等菩提便得無上正
等菩提故
善男子汝勿於色而生貪愛亦勿於受想行
識而生貪愛所以者何以色受想行識非可
貪愛何以故以一切法自性空故善男子汝
勿於眼處而生貪愛亦勿於耳鼻舌身意處
而生貪愛所以者何以眼耳鼻舌身意處非

BD00015號　大般若波羅蜜多經卷三一三　（13–8）

勿於眼處而生貪愛亦勿於耳鼻舌身意處
而生貪愛所以者何以眼耳鼻舌身意處非
可貪愛何以故以一切法自性空故善男子
汝勿於色處而生貪愛亦勿於聲香味觸法
處而生貪愛所以者何以色聲香味觸法處
非可貪愛何以故以一切法自性空故善男
子汝勿於眼界而生貪愛亦勿於色界眼識
界及眼觸眼觸為緣所生諸受而生貪愛所
以者何以眼界乃至眼觸為緣所生諸受非
可貪愛何以故以一切法自性空故善男子
汝勿於耳界而生貪愛亦勿於聲界耳識界
及耳觸耳觸為緣所生諸受而生貪愛所以
者何以耳界乃至耳觸為緣所生諸受非可
貪愛何以故以一切法自性空故善男子汝
勿於鼻界而生貪愛亦勿於香界鼻識界及
鼻觸鼻觸為緣所生諸受而生貪愛所以者
何以鼻界乃至鼻觸為緣所生諸受非可貪
愛何以故以一切法自性空故善男子汝勿
於舌界而生貪愛亦勿於味界舌識界及舌
觸舌觸為緣所生諸受而生貪愛所以者何
以舌界乃至舌觸為緣所生諸受非可貪愛
何以故以一切法自性空故善男子汝勿於
身界而生貪愛亦勿於觸界身識界及身觸
身觸為緣所生諸受而生貪愛所以者何以
身界乃至身觸為緣所生諸受非可貪愛何
以故以一切法自性空故善男子汝勿於意

BD00015號　大般若波羅蜜多經卷三一三　（13–9）

身界乃至身觸爲緣所生諸受非可貪愛何
以故以一切法自性空故善男子汝勿於意
界而生貪愛亦勿於法界意識界及意觸意
觸爲緣所生諸受而生貪愛所以者何以意
界乃至意觸爲緣所生諸受非可貪愛何以
故以一切法自性空故善男子汝勿於地界而
生貪愛亦勿於水火風空識界而生貪愛
所以者何以地水火風空識界非可貪愛何
以故以一切法自性空故善男子汝勿於無
明而生貪愛亦勿於行識名色六處觸受愛
取有生老死愁歎苦憂惱而生貪愛所以者
何以無明乃至老死愁歎苦憂惱非可貪愛
何以故以一切法自性空故
善男子汝勿於布施波羅蜜多而生貪愛亦
勿於淨戒安忍精進靜慮般若波羅蜜多而
生貪愛所以者何以布施乃至般若波羅蜜
多非可貪愛何以故以一切法自性空故善
男子汝勿於內空而生貪愛亦勿於外空內
外空空空大空勝義空有爲空無爲空畢竟
空無際空散空無變異空本性空自相空共
相空一切法空不可得空無性空自性空無
性自性空而生貪愛所以者何以內空乃至
無性自性空非可貪愛何以故以一切法自
性空故善男子汝勿於真如而生貪愛亦勿
於法界法性不虛妄性不變異性平等性離
生性法定法住實際虛空界不思議界而生

BD00015號　大般若波羅蜜多經卷三一三　（13–10）

無性自性空非可貪愛何以故以一切法自
性空故善男子汝勿於真如而生貪愛亦勿
於法界法性不虛妄性不變異性平等性離
生性法定法住實際虛空界不思議界而生
貪愛所以者何以真如乃至不思議界非可
貪愛何以故以一切法自性空故善男子汝
勿於苦聖諦而生貪愛亦勿於集滅道聖諦
而生貪愛所以者何以苦集滅道聖諦非可
貪愛何以故以一切法自性空故善男子汝
勿於四靜慮而生貪愛亦勿於四無量四無
色定而生貪愛所以者何以四靜慮四無量
四無色定非可貪愛何以故以一切法自性
空故善男子汝勿於八解脫而生貪愛亦勿
於八勝處九次第定十遍處而生貪愛所以
者何以八解脫八勝處九次第定十遍處非
可貪愛何以故以一切法自性空故善男子
汝勿於四念住而生貪愛亦勿於四正斷四
神足五根五力七等覺支八聖道支而生貪
愛所以者何以四念住乃至八聖道支非可
貪愛何以故以一切法自性空故善男子汝
勿於空解脫門而生貪愛亦勿於無相無願
解脫門而生貪愛所以者何以空無相無願
解脫門非可貪愛何以故以一切法自性空
故善男子汝勿於菩薩十地而生貪愛所以
者何以菩薩十地非可貪愛何以故以一切
法自性空故

BD00015號　大般若波羅蜜多經卷三一三　（13–11）

者何以菩薩十地非可貪愛何以故以一切
法自性空故
善男子汝勿於五眼而生貪愛亦勿於六神
通而生貪愛所以者何以五眼六神通非可
貪愛何以故以一切法自性空故善男子汝
勿於佛十力而生貪愛亦勿於四無所畏四
無礙解大慈大悲大喜大捨十八佛不共法
而生貪愛所以者何以佛十力乃至十八佛
不共法非可貪愛何以故以一切法自性空
故善男子汝勿於無忘失法而生貪愛亦勿
於恒住捨性而生貪愛所以者何以無忘失
法恒住捨性非可貪愛何以故以一切法自
性空故善男子汝勿於一切智而生貪愛亦
勿於道相智一切相智而生貪愛所以者何
以一切智道相智一切相智非可貪愛何以
故以一切法自性空故善男子汝勿於一切
陁羅尼門而生貪愛亦勿於一切三摩地門
而生貪愛所以者何以一切陁羅尼門一切
三摩地門非可貪愛何以故以一切法自性
空故善男子汝勿於預流果而生貪愛亦勿
於一來不還阿羅漢果而生貪愛所以者何
以預流一來不還阿羅漢果非可貪愛何以
故以一切法自性空故善男子汝勿於獨覺
菩提而生貪愛所以者何以獨覺菩提非可
貪愛何以故以一切法自性空故善男子汝
勿於一切菩薩摩訶薩行而生貪愛所以者

BD00015號 大般若波羅蜜多經卷三一三 (13–12)

勿於道相智一切相智而生貪愛所以者何
以一切智道相智一切相智非可貪愛何以
故以一切法自性空故善男子汝勿於一切
陁羅尼門而生貪愛亦勿於一切三摩地門
而生貪愛所以者何以一切陁羅尼門一切
三摩地門非可貪愛何以故以一切法自性
空故善男子汝勿於預流果而生貪愛亦勿
於一來不還阿羅漢果而生貪愛所以者何
以預流一來不還阿羅漢果非可貪愛何以
故以一切法自性空故善男子汝勿於獨覺
菩提而生貪愛所以者何以獨覺菩提非可
貪愛何以故以一切法自性空故善男子汝
勿於一切菩薩摩訶薩行而生貪愛所以者
何以一切菩薩摩訶薩行非可貪愛何以故
以一切法自性空故善男子汝勿於諸佛無
上正等菩提而生貪愛所以者何以諸佛無
上正等菩提非可貪愛何以故以一切法自
性空故

大般若波羅蜜多經卷第三百一十三

BD00015號 大般若波羅蜜多經卷三一三 (13–13)

藥師瑠璃光如來本願功德經
如是我聞一時薄伽梵遊化諸國至廣嚴城
住樂音樹下與大苾芻衆八千人俱菩薩摩
訶薩三萬六千及國王大臣婆羅門居士天
龍藥叉人非人等无量大衆恭敬圍遶而為
說法
尒時曼殊室利法王子承佛威神從座而起
偏袒一肩右膝著地向薄伽梵曲躬合掌白
言世尊唯願演說如是相類諸佛名号及本
大願殊勝功德令諸聞者業鄣銷除為欲
利樂像法轉時諸有情故
尒時世尊讚曼殊室利童子言善哉善哉曼
殊室利汝以大悲勸請我說諸佛名号本願

BD00016 號　藥師瑠璃光如來本願功德經 （6–1）

言世尊唯願演說如是相類諸佛名号及本
大願殊勝功德令諸聞者業鄣銷除為欲
利樂像法轉時諸有情故
尒時世尊讚曼殊室利童子言善哉善哉曼
殊室利汝以大悲勸請我說諸佛名号本願
功德為拔業鄣所纏有情利益安樂像法
轉時諸有情故汝今諦聽極善思惟當為
汝說曼殊室利言唯然願說我等樂聞
佛告曼殊室利東方去此過十殑伽沙等佛
土有世界名淨瑠璃佛号藥師瑠璃光如來
應正等覺明行圓滿善逝世間解无上丈夫
調御士天人師佛薄伽梵曼殊室利彼世尊
藥師瑠璃光如來行菩薩道時發十二大願
令諸有情所求皆得
第一大願願我來世得阿耨多羅三藐三
菩提時自身光明熾然照曜无量无數无
邊世界以三十二大丈夫相八十隨形好莊嚴
其身令一切有情如我无異
第二大願願我來世得菩提時身如瑠璃內
外明徹淨无瑕穢光明廣大功德巍巍身
善安住焰網莊嚴過於日月幽冥衆生悉
蒙開曉隨意所趣作諸事業
第三大願願我來世得菩提時以无量无
邊智慧方便令諸有情皆得无盡所受用
物莫令衆生有所乏少

BD00016 號　藥師瑠璃光如來本願功德經 （6–2）

邊智慧方便令諸有情皆得无盡所受用
物莫令衆生有所乏少
第四大願願我來世得菩提時若諸有情
行邪道者悉令安住菩提道中若行聲聞
獨覺乘者皆以大乘而安立之
第五大願願我來世得菩提時若有无量无
邊有情於我法中脩行梵行一切皆令得不
缺戒具三聚戒設有毀犯聞我名已還得清
淨不墮惡趣
第六大願願我來世得菩提時若諸有情
其身下劣諸根不具醜陋頑愚盲聾瘂攣
躄背僂白癩顛狂種種病苦聞我名已一切
皆得端政黠慧諸根具足无諸病苦
第七大願願我來世得菩提時若諸有情
衆病逼切无救无歸无醫无藥无親无家貧
窮多苦我之名号一經其耳衆病悉除身心
安樂家屬資具悉皆豐足乃至證得无上
菩提
第八大願願我來世得菩提時若有女人爲
女百惡之所逼惱極生猒離願捨女身聞
我名已一切皆得轉女成男具丈夫相乃至
證得无上菩提
第九大願願我來世得菩提時令諸有情
出魔羂網解脫一切外道纏縛若墮種種惡
見稠林皆當引攝置於正見漸令脩習諸菩
薩行速證无上正等菩提

BD00016 號　藥師瑠璃光如來本願功德經　（6–3）

出魔羂網解脫一切外道纏縛若墮種種惡
見稠林皆當引攝置於正見漸令脩習諸菩
薩行速證无上正等菩提
第十大願願我來世得菩提時若諸有情
王法所縛縛錄鞭撻繫閉牢獄或當刑戮及
餘无量災難陵辱悲愁煎迫身心受苦若
聞我名以我福德威神力故皆得解脫一切憂
苦
第十一大願願我來世得菩提時若諸有情
飢渴所惱爲求食故造諸惡業得聞我名專
念受持我當先以上妙飲食飽足其身後以
法味畢竟安樂而建立之
第十二大願願我來世得菩提時若諸有情
貧无衣服蚊䖟寒熱晝夜逼惱若聞我名專
念受持如其所好即得種種上妙衣服亦得
一切寶莊嚴具華鬘塗香鼓樂衆伎隨心
所翫皆令滿足
曼殊室利是爲彼世尊藥師瑠璃光如來應
正等覺行菩薩道時所發十二微妙上願
復次曼殊室利彼世尊藥師瑠璃光如來
行菩薩道時所發大願及彼佛土功德莊嚴
我若一劫若一劫餘說不能盡然彼佛土一
向清淨无有女人亦无惡趣及苦音聲瑠璃爲
地金繩界道城闕宮閣軒窓羅網皆七寶
成亦如西方極樂世界功德莊嚴等无差別於
其國中有二菩薩摩訶薩一名日光遍照二
名月光遍照是彼无量无數菩薩衆之上首

BD00016 號　藥師瑠璃光如來本願功德經　（6–4）

成亦如西方極樂世界功德莊嚴等无差別於
其國中有二菩薩摩訶薩一名日光遍照二
名月光遍照是彼无量无數菩薩衆之上首
悉能持彼世尊藥師瑠璃光如來正法寶藏
是故曼殊室利諸有信心善男子善女人等
應當願生彼佛世界
尒時世尊復告曼殊室利童子言曼殊室利
有諸衆生不識善惡唯懷貪悋不知布施及
施果報愚癡无智闕於信根多聚財寶勤
加守護見乞者來其心不喜設不獲已而行
施時如割身肉深生痛惜復有无量慳貪有
情積集資財於其自身尚不受用何况能與
父母妻子奴婢作使及來乞者彼諸有情從此
命終生餓鬼界或傍生趣由昔人間曾得蹔
聞藥師瑠璃光如來名故今在惡趣蹔得憶
念彼如來名即於念時從彼處沒還生人中
得宿命念畏惡趣苦不樂欲樂好行惠施讚
歎施者一切所有悉无貪惜漸次尚能以頭
目手足血肉身分施來求者况餘財物
復次曼殊室利若諸有情雖於如來受諸
學處而破尸羅有雖不破尸羅而破軌則有
於尸羅軌則雖得不壞然毀正見有雖不毀
正見而棄多聞於佛所說契經深義不能解
了有雖多聞而增上慢由增上慢覆蔽心故
自是非他嫌謗正法為魔伴黨如是愚人自
行邪見復令无量俱胝有情墮大險坑此諸
有情應於地獄傍生鬼趣流轉无窮若得聞

BD00016 號　藥師瑠璃光如來本願功德經　（6–5）

加守護見乞者來其心不喜設不獲已而行
施時如割身肉深生痛惜復有无量慳貪有
情積集資財於其自身尚不受用何况能與
父母妻子奴婢作使及來乞者彼諸有情從此
命終生餓鬼界或傍生趣由昔人間曾得蹔
聞藥師瑠璃光如來名故今在惡趣蹔得憶
念彼如來名即於念時從彼處沒還生人中
得宿命念畏惡趣苦不樂欲樂好行惠施讚
歎施者一切所有悉无貪惜漸次尚能以頭
目手足血肉身分施來求者况餘財物
復次曼殊室利若諸有情雖於如來受諸
學處而破尸羅有雖不破尸羅而破軌則有
於尸羅軌則雖得不壞然毀正見有雖不毀
正見而棄多聞於佛所說契經深義不能解
了有雖多聞而增上慢由增上慢覆蔽心故
自是非他嫌謗正法為魔伴黨如是愚人自
行邪見復令无量俱胝有情墮大險坑此諸
有情應於地獄傍生鬼趣流轉无窮若得聞
此藥師瑠璃光如來名号便捨惡行脩諸善
法不墮惡趣設有不能捨諸惡行脩行善法墮
惡趣者以彼如來本願威力令其現前蹔聞
名号從彼命終還生人趣得正見精進善調

BD00016 號　藥師瑠璃光如來本願功德經　（6–6）

之
十五日中元捄試
試之日與一年三
岳靈山三界神官及
无極无滌无遠无大
詞三天玄都三元宮
未得道見在福中及
旧根薄錄切過輕重列言上
八尊十方大聖衆卅二天帝
神王高上玉虛至真大神无極大道太
上老君諸君丈人五老帝君南極北極東西
二華九靈真母南上君太和玉女同時俱
到三元宮中衆聖毆諸天飛仙神仙真人
玉女長生司命司錄一殺南斗北斗諸天日
月星宿璇璣玉衡一切衆神莫不條然俱至
三元左右中宮三官九府百廿曹陰陽左右
水大風力考官各节計天上天下生死薄錄
更相捄諸有善功者上名青薄罪重者上名
黑薄各以一通列言三官功過善惡毫分无
失是其日則地祇右別營衛門户行之八年
皆得三官保舉度名青薄之中剋得上仙道
不失其分也
上真禪号高下尊卑切過儀典
上真衆聖朝礼旋行切過儀典
上真大聖遊晏從駕切過儀典

上真禪号高下尊卑功過儀典
上真衆聖朝礼旋行功過儀典
上真大聖遊晏從駕功過儀典
上真捴校生死囿録功過
上真捴領生死命籍竿録功過
上真捴領生死功德輕重功過
上真捴領鬼神功德執叙輪轉功過
上真捴領鬼神幽責開度功過
上真捴領外度死魂更生輕重功過
上真捴領死魂受練安靈功過
上真捴領神仙得道年月品秩功過
上真捴領万魔謡歌之音功過
學上道不信經戒懷疑兩心罪
學上道輕慢聖文訐論經典罪
學上道輕慢師主違背盟誓罪
學上道毀謗師父不崇大義罪
學上道竊取經書无有師宗罪
學上道學无師而授弟子罪
學上道誘取經書而傳弟子罪
學上道得經書无師盟度罪
學上道受經不依經科年月傳授罪
學上道受經傳授非其人罪
學上道受法師門无開度之功罪
學上道无功而傳授弟子罪
學上道傳法宿奏不合而傳罪
學上道傳經不宿奏互傳罪

學上道受法師門无開度之功罪
學上道无功而傳授弟子罪
學上道傳法宿奏不合而傳罪
學上道傳經不宿奏五帝罪
學上道受經无信賤道罪
學上道遏斷賢路自取功名罪
學上道朝半八節不礼師罪
學上道不脩齋直之罪
學上道齋直不精之罪
學上道誦經越略罪
學上道旋行越次諍競罪
學上道恚怒師父罪
學士及百姓子攻擊善人罪
學士及百姓子悪口赤舌罪
學士及百姓子評論師主百姓罪
學士及百姓子飲酒失性罪
學士及百姓子殺生陰賊罪
學士及百姓子貪慾憍逸罪
學士及百姓子穢濁道法罪
學士及百姓子呪咀神鬼罪
學士及百姓子殺害衆生罪
學士及百姓子謗語兩舌不信罪
學士及百姓子姧淫穢濁罪
學士及百姓子盜竊人物罪
學士及百姓子嫉賢妬能罪
學士及百姓子背師恩愛罪

學士及百姓子盜竊人物罪
學士及百姓子嫉賢妬能罪
學士及百姓子背師恩愛罪
學士及百姓子欺師背口罪
學士及百姓子泄露天文罪
學士及百姓子毀謗經法罪
學士及百姓子脩經中悔罪
學士及百姓子不忠於上罪
學士及百姓子罔略於下罪
學士及百姓子欺罔同學罪
學士及百姓子欺罔百姓罪
學士及百姓子口善心惡罪
學士及百姓子說人過惡罪
學士及百姓子輕慢三元罪
學士及百姓子穢慢神鬼罪

中元弍品

學士及百姓子嫉妬同學罪
學士及百姓子浮華妄語罪
學士及百姓子貪利入己无猒罪
學士及百姓子積祿重寶不施散罪
學士及百姓子樂人寶物入己罪
學士及百姓子顧人傷敗流散罪
學士及百姓子私畜刀杖兵器罪
學士及百姓子屠割六畜殺生罪
學士及百姓子射剌野獸飛鳥罪

學士及百姓子浮華妄語罪
學士及百姓子貪利入己无猒罪
學士及百姓子積祿重寶不施散罪
學士及百姓子樂人寶物入己罪
學士及百姓子頭人傷敗流散罪
學士及百姓子私畜刀杖兵器罪
學士及百姓子屠割六畜殺生罪
學士及百姓子射刺野獸飛鳥罪
學士及百姓子燒山捕獵罪
學士及百姓子捕魚張筌罪
學士及百姓子金銀器食罪
學士及百姓子貪樂聲祿虛亡罪
學士及百姓子燒敗財物成功罪
學士及百姓子飲食投水中罪
學士及百姓子貪濁滋味肥熏罪
學士及百姓子貪食五辛罪
學士及百姓子草著僞意罪
學士及百姓子合惡群衆罪
學士及百姓子啚謀人婦女罪
學士及百姓子心謀國事罪
學士及百姓子啚謀人家物事罪
學士及百姓子麤物易好物罪
學士及百姓子交關天子侯王罪
學士及百姓子干知天時星宿罪

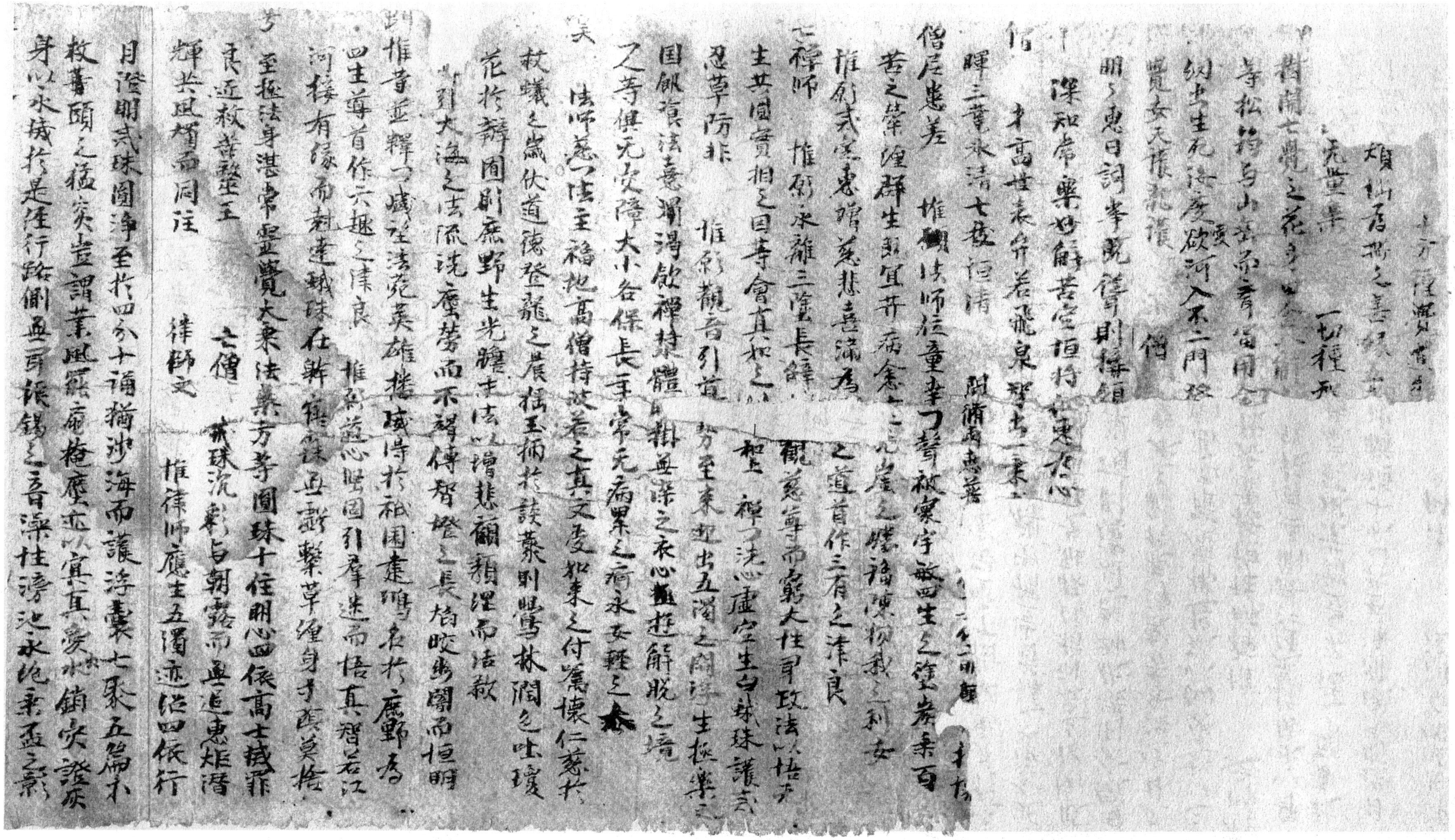

BD00017號背　某僧佛事手帖（擬）

（5–1）

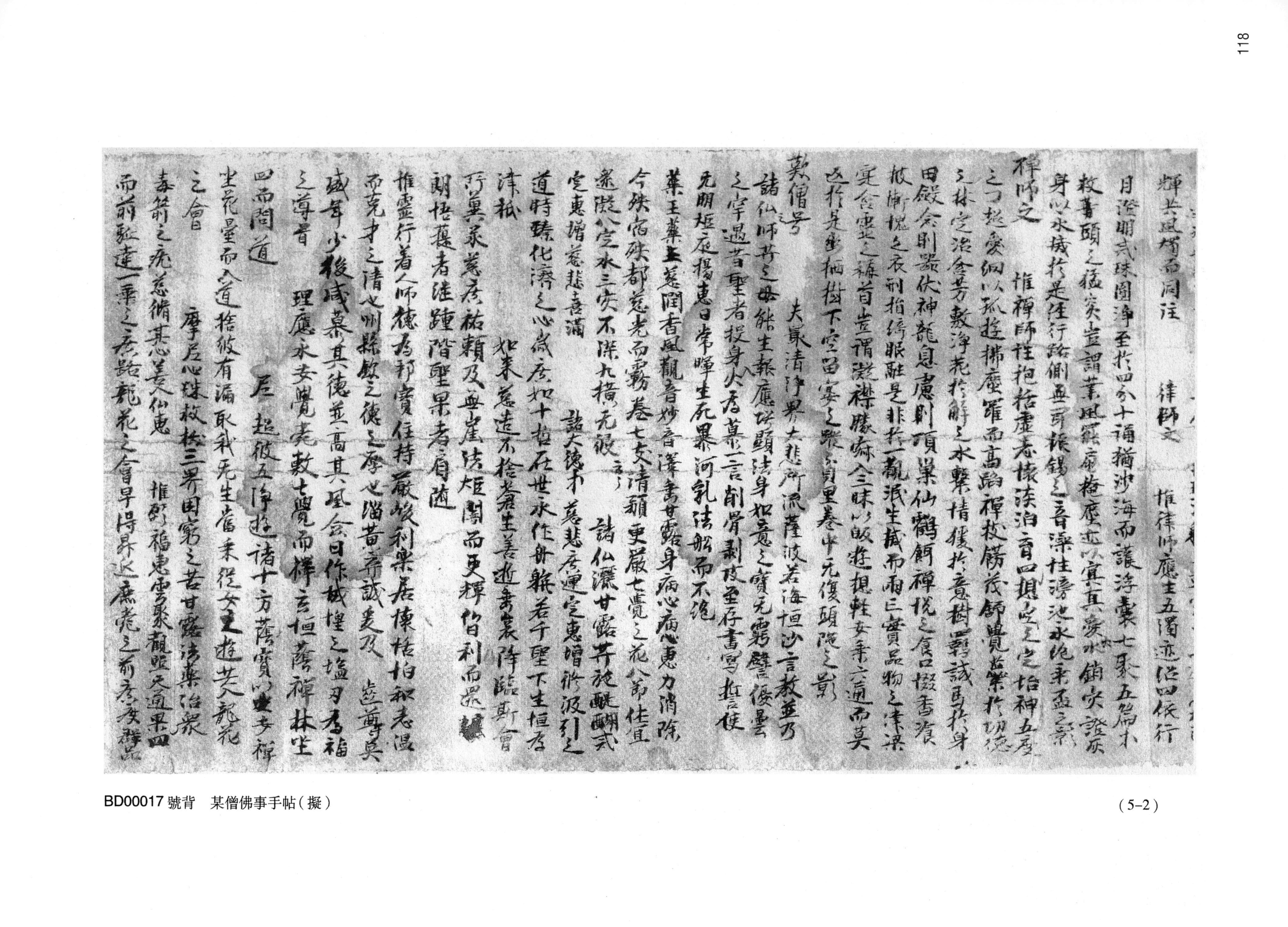

BD00017 號背　某僧佛事手帖（擬）　（5–2）

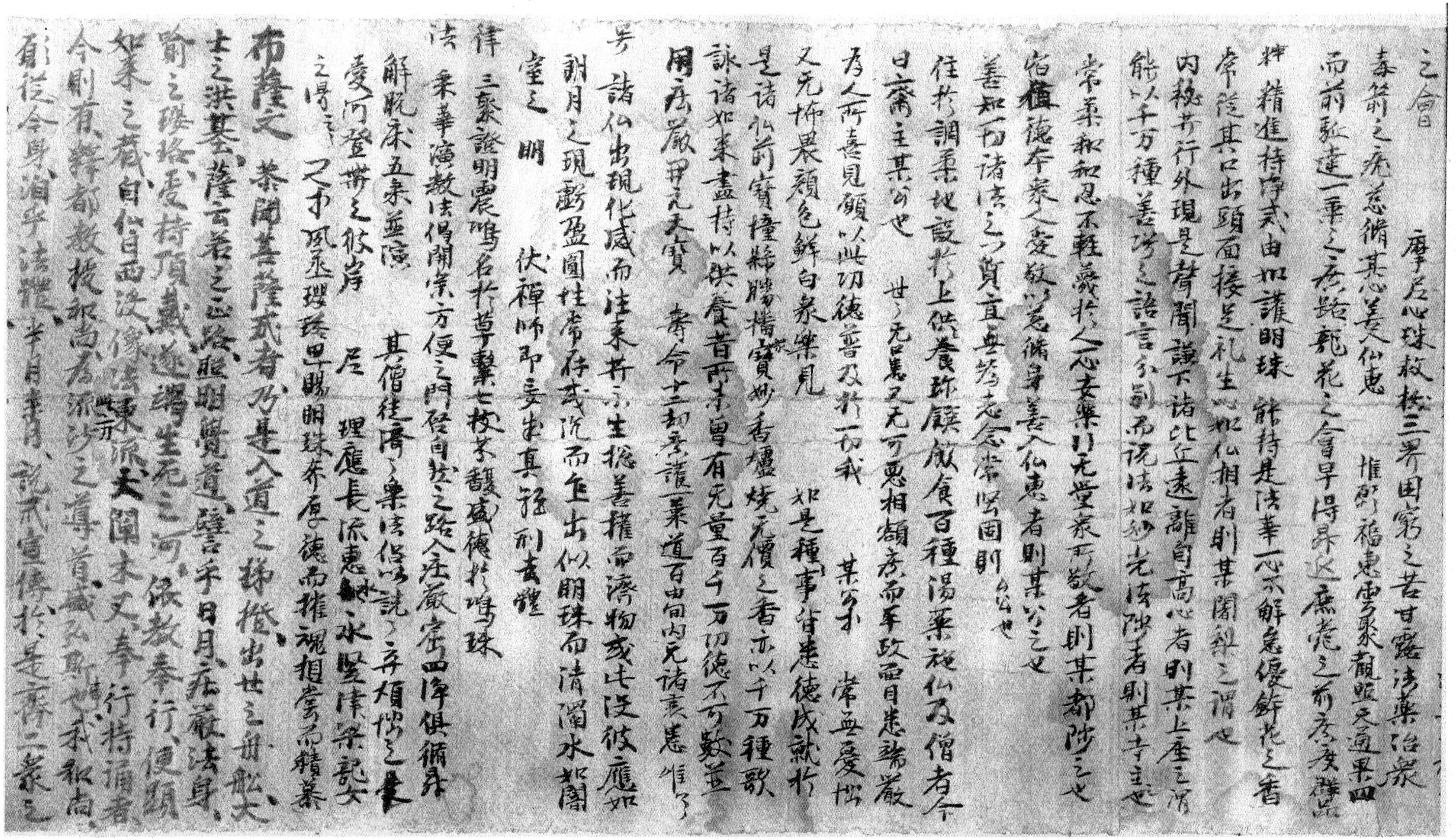

BD00017 號背　某僧佛事手帖（擬）

（5–3）

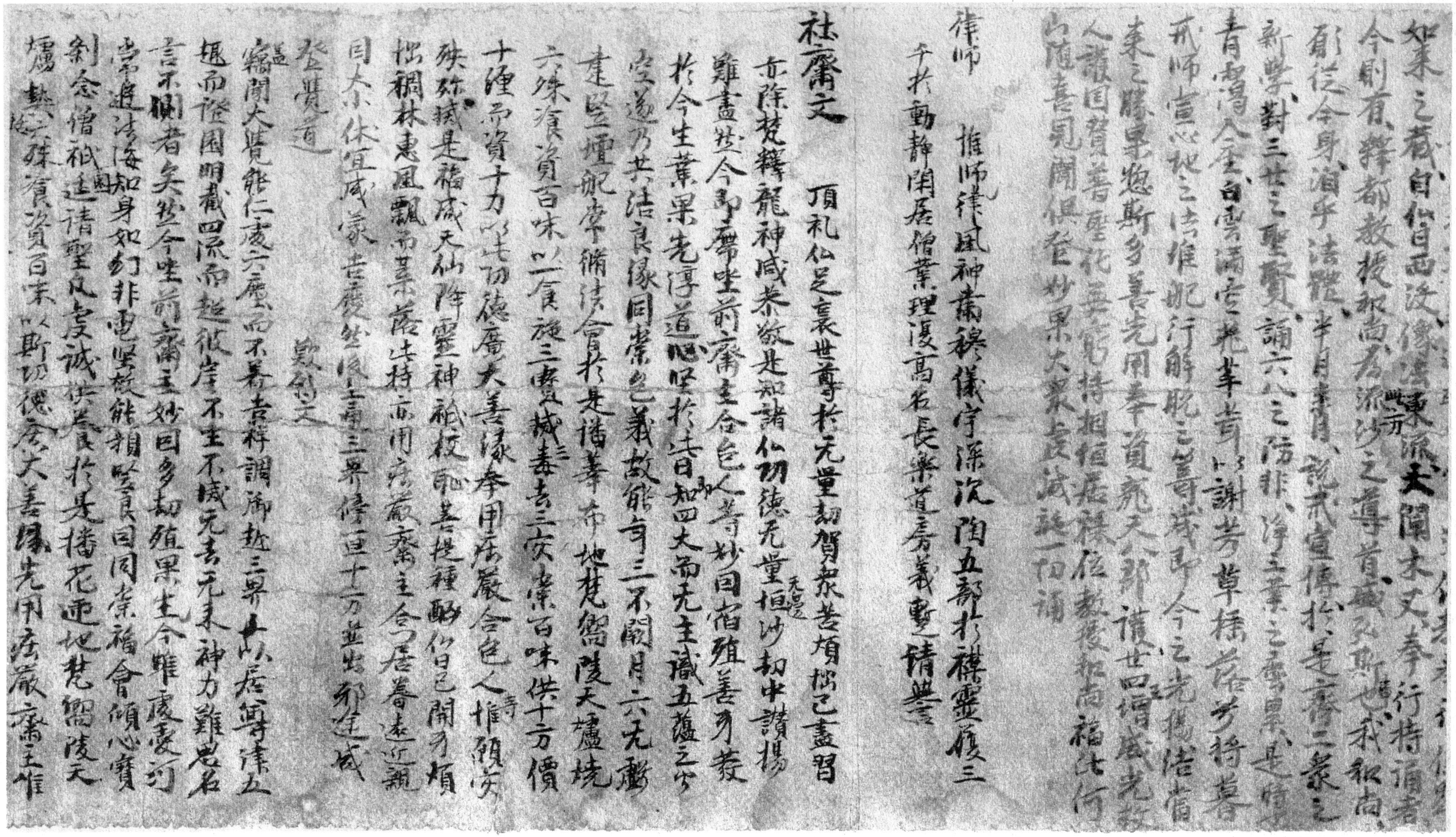

BD00017號背　某僧佛事手帖（擬）　（5–4）

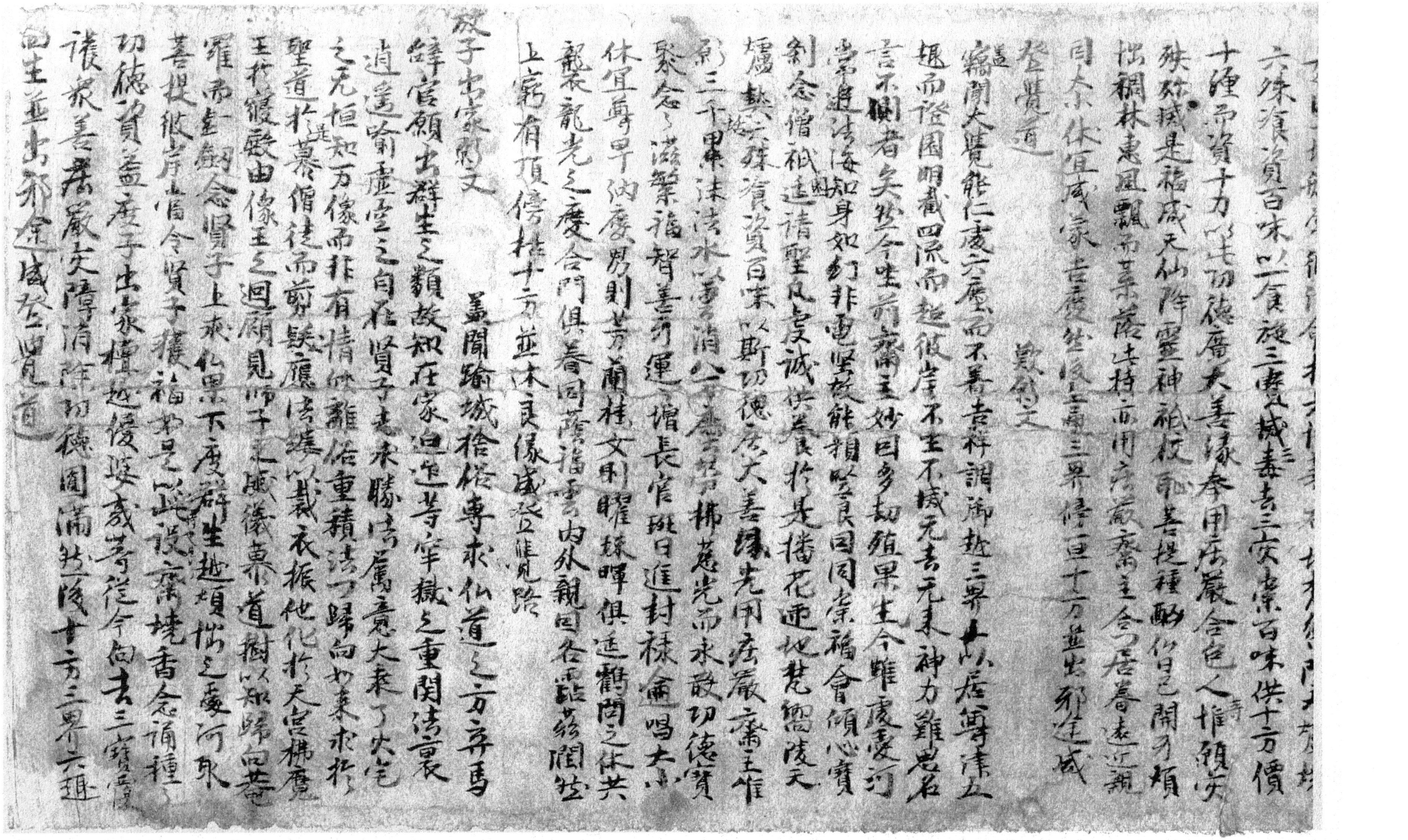

BD00017 號背　某僧佛事手帖（擬）　（5–5）

女身色相今何所在舍利弗言女身色相无
在无不在天曰一切諸法亦復如是无在无不
在夫无在无不在者佛所說也舍利弗問
天汝於此沒當生何所天曰佛化所生吾如
彼生曰佛化所生非沒生也天曰衆生猶然
无沒生也舍利弗問天汝久如當得阿耨多羅
三藐三菩提天曰如舍利弗還為凡夫我乃
當成阿耨多羅三藐三菩提舍利弗言我
作凡夫无有是處天曰我得阿耨多羅三
藐三菩提亦无是處所以者何菩提无住處
是故无有得者舍利弗言今諸佛得阿耨多
羅三藐三菩提已得當得如恒河沙皆
謂何乎天曰皆以世俗文字數故說有三世
非謂菩提有去來今天曰舍利弗汝得阿羅
漢道耶曰无所得故而得天曰諸佛菩薩亦
復如是无所得故而得尒時維摩詰語舍利
弗是天女曾已供養九十二億佛已能遊戲
菩薩神通所願具足得无生忍住不退轉以
本願故隨意能現教化衆生

維摩詰經佛道品第八

尒時文殊師利問維摩詰言菩薩云何通達
佛道維摩詰言若菩薩行於非道是為通
達佛道又問云何菩薩行於非道答曰若菩
薩行五无間而无惱恚至于地獄无諸罪垢至
于畜生无有无明憍慢等過至于餓鬼而具

BD00018號　維摩詰所說經卷中　（11-1）

佛道維摩詰言若菩薩行於非道是為通
達佛道又問云何菩薩行於非道答曰若菩
薩行五无間而无惱恚至于地獄无諸罪垢至
于畜生无有无明憍慢等過至于餓鬼而具
足功德行色无色界道不以為勝示行貪欲
離諸染著示行瞋恚於諸衆生无有恚㝵示
行愚癡而以智慧調伏其心示行慳貪而捨
內外所有不惜身命示行毀禁而安住淨戒
乃至小罪猶懷大懼示行瞋恚而常慈忍
示行懈怠而懃脩功德示行亂意而常念定
示行愚癡而通達世間出世間慧示行諂偽而
善方便隨諸經義示行憍慢而於衆生猶如橋
梁示行諸煩惱而心常清淨示入於魔而順佛
智慧不隨他教示入聲聞而為衆生說未聞
法示入辟支佛而成就大悲教化衆生示入貧
窮而有寶手功德无盡示入形殘而具諸相
好以自莊嚴示入下賤而生佛種姓中具諸
功德示入羸劣醜陋而得那羅延身一切衆
生之所樂見示入老病而永斷病根超越
死畏示有資生而恒觀无常實无所貪示有
妻妾婇女而常遠離五欲淤泥現於訥鈍而
成就辯才摠持无失示入邪濟而以正濟度諸
衆生現遍入諸道而斷其因緣現於涅槃而
不斷生死文殊師利菩薩能如是行於非道是
為通達佛道
於是維摩詰問文殊師利何等為如來種文

BD00018號　維摩詰所說經卷中　（11-2）

不斷生死文殊師利菩薩能如是行於非道是
爲通達佛道
於是維摩詰問文殊師利何等爲如來種文
殊師利言有身爲種无明有愛爲種貪恚癡
爲種四顛倒爲種五盖爲種六入爲種七識處
爲種八耶法爲種九惱處爲種十不善道爲
種以要言之六十二見及一切煩惱皆是佛
種曰何謂也荅曰若見无爲入正位者不能
復發阿耨多羅三藐三菩提心譬如高原陸
地不生蓮華卑濕汙泥乃生此華如是見无
爲法入正位者終不復能生於佛法煩惱泥中
乃有衆生起佛法耳又如殖種於空終不
得生糞壤之地乃能滋茂如是入无爲正位
者不生佛法起我見如須弥山猶能發于
阿耨多羅三藐三菩提心生佛法矣是故當
知一切煩惱爲如來種譬如不入巨海不能
得无價寶珠如是不入煩惱大海則不能得
一切智寶之心尒時大迦葉歎言善哉善哉
文殊師利快說此語誠如所言塵勞之疇爲
如來種我等今者不復堪任發阿耨多羅三
藐三菩提心乃至五无間罪猶能發意生於
佛法而今我等永不能發譬如根敗之士其於
五欲不能復利如是聲聞諸結斷者於佛法
中无所復益永不志願是故文殊師利凡夫於
佛法有反復而聲聞无也所以者何凡夫聞

BD00018號　維摩詰所說經卷中　（11–3）

中无所復益永不志願是故文殊師利凡夫於
佛法有反復而聲聞无也所以者何凡夫聞
佛法能起无上道心不斷三寶正使聲聞終
身聞佛法力无畏等永不能發无上道意
尒時會中有菩薩名普現色身問維摩詰
言居士父母妻子親戚眷属吏民知識悉爲是
誰奴婢僮僕象馬車乘皆何所在於是維摩
詰以偈荅曰
智度菩薩母　方便以爲父　一切衆導師　无不由是生
法喜以爲妻　慈悲心爲女　善心誠實男　畢竟空寂舍
弟子衆塵勞　隨意之所轉　道品善知識　由是成正覺
諸度法等侶　四攝爲伎女　歌詠誦法言　以此爲音樂
総持之園苑　无漏法林樹　覺意淨妙華　解脫智慧菓
八解之浴池　定水湛然滿　布以七淨華　浴此无垢人
象馬五通馳　大乘以爲車　調御以一心　遊於八正路
相具以嚴容　衆好飾其姿　慚愧之上服　深心爲華鬘
富有七財寶　教授以滋息　如所說脩行　迴向爲大利
四禪爲牀座　從於淨命生　多聞增智慧　以爲自覺音
甘露法之食　解脫味爲漿　淨心以澡浴　戒品爲塗香
摧滅煩惱賊　勇健无能踰　降伏四種魔　勝幡建道場
雖知无起滅　示彼故有生　悉現諸國土　如日无不見
供養於十方　无量億如來　諸佛及己身　无有分別想
雖知諸佛國　及與衆生空　而常脩淨土　教化於群生
諸有衆生類　形聲及威儀　无畏力菩薩　一時能盡現
覺知衆魔事　而示隨其行　以善方便智　隨意皆能現
或示老病死　成就諸群生　了知如幻化　通達无有㝵

BD00018號　維摩詰所說經卷中　（11–4）

諸有衆生類　形聲及威儀　无畏力菩薩　一時能盡現
覺知衆魔事　而示隨其行　以善方便智　隨意皆能現
或示老病死　成就諸群生　了知如幻化　通達无有㝵
或現劫盡燒　天地皆洞然　衆人有常想　照令知无常
无數億衆生　俱來請菩薩　一時到其舍　化令向佛道
經書禁呪術　工巧諸伎藝　盡現行此事　饒益諸群生
世間衆道法　悉於中出家　因以解人惑　而不墮邪見
或作日月天　梵王世界主　或時作地水　或復作風火
劫中有疾疫　現作諸藥草　若有服之者　除病消衆毒
劫中有飢饉　現身作飲食　先救彼飢渴　却以法語人
劫中有刀兵　為之起慈悲　化彼諸衆生　令住无諍地
若有大戰陣　立之以等力　菩薩現威勢　降伏使和安
一切國土中　諸有地獄處　輙往到于彼　勉濟其苦惱
一切國土中　畜生相食噉　皆現生於彼　為之作利益
示受於五欲　亦復現行禪　令魔心憒亂　不能得其便
火中生蓮華　是可謂希有　在欲而行禪　希有亦如是
或現作婬女　引諸好色者　先以欲鈎牽　後令入佛智
或為邑中主　或作商人導　國師及大臣　以祐利衆生
諸有貧窮者　現作无盡藏　因以勸導之　令發菩提心
我心憍慢者　為現大力士　消伏諸貢高　令住无上道
其有恐懼衆　居前而安慰　先施以无畏　後令發道心
或現離婬欲　為五通仙人　開導諸群生　令住戒忍慈
見須供事者　現為作僮僕　既悅可其意　乃發以道心
隨彼之所須　得入於佛道　以善方便力　皆能給足之
如是道无量　所行无有崖　智慧无邊際　度脫无數衆
假令一切佛　於无數億劫　讚歎其功德　猶尚不能盡

隨彼之所須　得入於佛道　以善方便力　皆能給足之
如是道无量　所行无有崖　智慧无邊際　度脫无數衆
假令一切佛　於无數億劫　讚歎其功德　猶尚不能盡
誰聞如是法　不發菩提心　除彼不肖人　癡冥无智者

維摩詰經入不二法門品第九

尒時維摩詰謂衆菩薩言諸仁者云何菩薩入不二法門各隨所樂說之會中有菩薩名法自在說言諸仁者生滅為二法本不生今則无滅得此无生法忍者是為入不二法門

德守菩薩曰我我所為二因有我故便有我所若无有我則无我所是為入不二法門

不眴菩薩曰受不受為二若法不受則不可得以不可得故无取无捨无作无行是為入不二法門

德頂菩薩曰垢淨為二見垢實性則无淨相順於滅相是為入不二法門

善宿菩薩曰是動是念為二无動則无念无念即无分別通達此者是為入不二法門

善眼菩薩曰一相无相為二若知一相即是无相亦不取无相入於平等是為入不二法門

妙臂菩薩曰菩薩心聲聞心為二觀心相空如幻化者无菩薩心无聲聞心是為入不二法門

弗沙菩薩曰善不善為二若不起善不善入无相際而通達者是為入不二法門

師子菩薩曰罪福為二若達罪性則與福无

无相際而通達者是為入不二法門
師子菩薩曰罪福為二若達罪性則與福无
異以金剛慧決了此相无縛无解者是為入
不二法門
師子意菩薩曰有漏无漏為二若得諸法等
則不起漏不漏想不著於想亦不住无相是
為入不二法門
淨解菩薩曰有為无為為二若離一切數則
心如虛空以清淨慧无所㝵者是為入不二法
門
那羅延菩薩曰世間出世間為二世間性空
即是出世間於其中不入不出不溢不散是
為入不二法門
善意菩薩曰生死涅槃為二若見生死性則
无生死无縛无解不然不滅如是解者是為
入不二法門
現見菩薩曰盡不盡為二法若究竟盡若不
盡皆是无盡相无盡相即是空空則无有盡
不盡相如是入者是為入不二法門
普守菩薩曰我无我為二我尚不可得非我
何可得見我實性者不復起二是為入不二
法門
電天菩薩曰明无明為二无明實性即是明
明亦不可取離一切數於其中平等无二者
是為入不二法門
喜見菩薩曰色色空為二色即是空非色滅

BD00018號　維摩詰所說經卷中　（11–7）

是為入不二法門
喜見菩薩曰色色空為二色即是空非色滅
空色性自空如是受想行識識空為二識即
是空非識滅空識性自空於其中而通達者
是為入不二法門
明相菩薩曰四種異空種異為二四種性即
是空種如前際後際空故中際亦空若能如
是知諸種性者是為入不二法門
妙意菩薩曰眼色為二若知眼性於色不貪
不恚不癡是名寂滅如是耳聲鼻香舌味身
觸意法為二若知意性於法不貪不恚不癡
是名寂滅安住其中是為入不二法門
无盡意菩薩曰布施迴向一切智為二布施
性即是迴向一切智性如是持戒忍辱精進禪
定智慧迴向一切智為二智慧性即是迴
向一切智性於其中入一相者是為入不二法門
深慧菩薩曰是空是无相是无作為二空即是
无相无相即无作若空无相无作則无心意識
於一解脫門即是三解脫門者是為入不二法
門
寂根菩薩曰佛法衆為二佛即是法法即是
衆是三寶皆无為相與虛空等一切法亦爾
能隨此行者是為入不二法門
心无㝵菩薩曰身身滅為二身即是身滅所以
者何見身實相者不起見身及以滅身身與
滅身无二无分別於其中不驚不懼者是

BD00018號　維摩詰所說經卷中　（11–8）

心无㝵菩薩曰身身滅為二身即是身滅所以
者何見身實相者不起見身及以滅身身與
滅身无二无分別於其中不驚不懼者是
為入不二法門
上善菩薩曰身口意善為二是三業皆无
作相身无作相即口无作相口无作相即意
无作相是三業无作相即是一切法无作相
能如是隨无作慧者是為入不二法門
福田菩薩曰福行罪行不動行為二三行實
性即是空空則无福行无罪行无不動行於
此三行而不起者是為入不二法門
華嚴菩薩曰從我起二為二見我實相者不
起二法若不住二法則无有識无所識者是
為入不二法門
德藏菩薩曰有所得相為二若无所得則无
取捨无取捨者是為入不二法門
月上菩薩曰闇與明為二无闇无明則无有二
所以者何如入滅受想定无闇无明一切法
相亦復如是於其中平等入者是為入不二
法門
寶印手菩薩曰樂涅槃不樂世間為二若不
樂涅槃不猒世間則无有二所以者何若有
縛則有解若本无縛其誰求解无縛无解
則无樂猒是為入不二法門
珠頂王菩薩曰正道邪道為二住正道者則
不分別是邪是正離此二者是為入不二法

BD00018號　維摩詰所說經卷中　（11–9）

縛則有解若本无縛其誰求解无縛无解
則无樂猒是為入不二法門
珠頂王菩薩曰正道邪道為二住正道者則
不分別是邪是正離此二者是為入不二法
門
樂實菩薩曰實不實為二實見者尚不見
實何況非實所以者何非肉眼所見慧眼乃
能見而此慧眼无見无不見是為入不二法
門
如是諸菩薩各各說已問文殊師利何等是
菩薩入不二法門
文殊師利曰如我意者於一切法无言无說
无示无識離諸問荅是為入不二法門
於是文殊師利問維摩詰我等各自說已仁
者當說何等是菩薩入不二法門
時維摩詰嘿然无言文殊師利歎曰善哉
善哉乃至无有文字語言是真入不二法門
說是不二法門品
時於此衆中五千菩薩皆入不二法門得无
生法忍

維摩詰經卷中

BD00018號　維摩詰所說經卷中　（11–10）

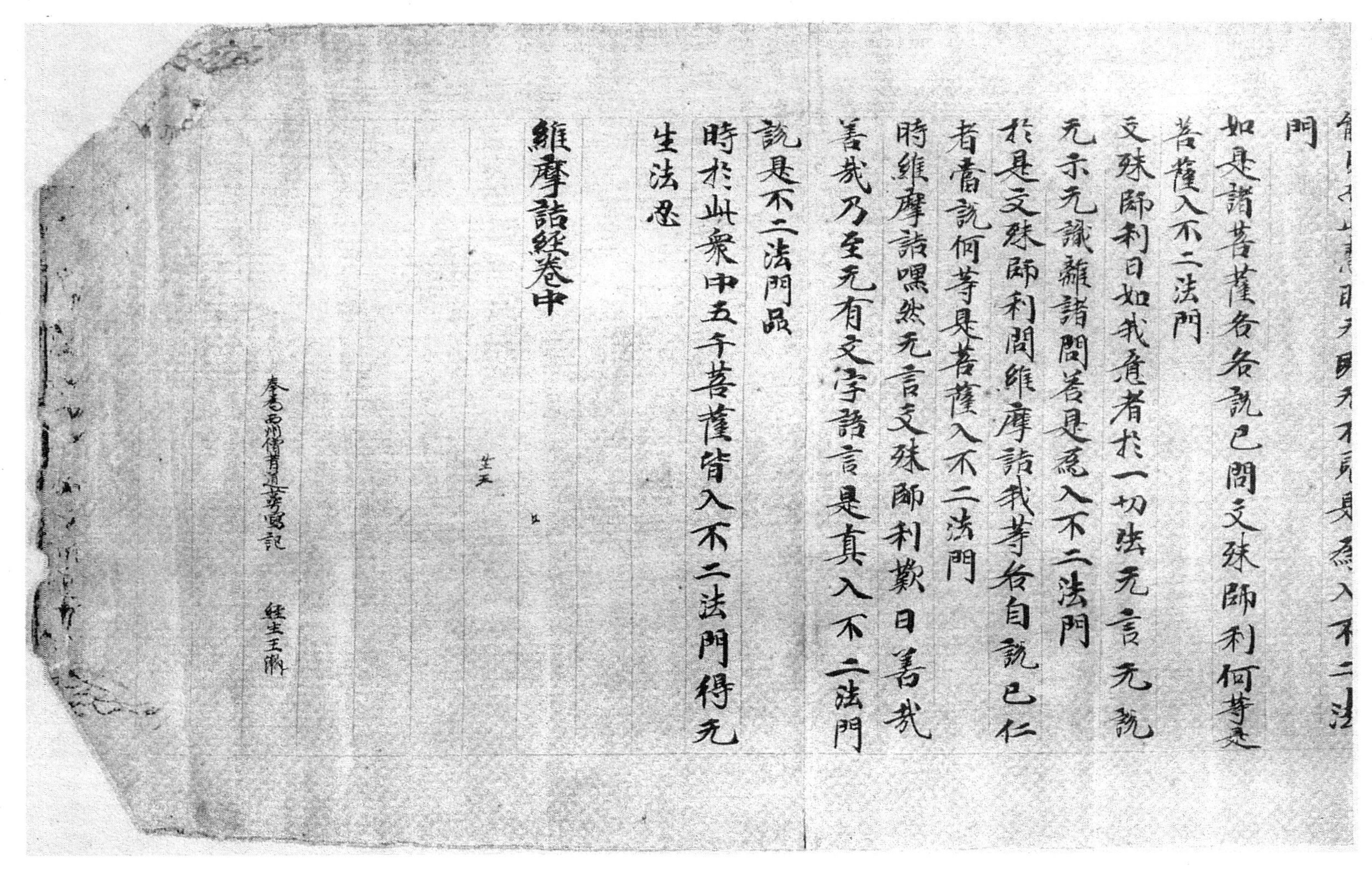

[illegible]能[illegible]於此慧明而不見是為入不二法
門
如是諸菩薩各各說已問文殊師利何等是
菩薩入不二法門
文殊師利曰如我意者於一切法无言无說
无示无識離諸問荅是為入不二法門
於是文殊師利問維摩詰我等各自說已仁
者當說何等是菩薩入不二法門
時維摩詰嘿然无言文殊師利歎曰善哉
善哉乃至无有文字語言是真入不二法門
說是不二法門品
時於此衆中五千菩薩皆入不二法門得无
生法忍
維摩詰經卷中

奉為西州僧[illegible]道[illegible]寫記　經生王[illegible]

BD00018號　維摩詰所說經卷中　（11–11）

變於虛空中行住坐卧身上出水身下出火
身下出水身上出火或現大身滿虛空中而
復現小小復現大於空中滅忽然在地入地
如水履水如地現如是等種種神變令其父
王心淨信解時父見子神力如是心大歡喜
得未曾有合掌向子言汝等師為是誰誰之
弟子二子白言大王彼雲雷音宿王華智佛
今在七寶菩提樹下法座上坐於一切世間
天人衆中廣說法華經是我等師我是弟子
父語子言我今亦欲見汝等師可共俱往於
是二子從空中下到其母所合掌白母父王
今已信解堪任發阿耨多羅三藐三菩提心
我等為父已作佛事願母見聽於彼佛所出
家修道尒時二子欲重宣其意
願母放我等　出家作沙門　諸佛甚難值　我等隨佛學
如優曇鉢華　值佛復難是　脫諸難亦難　願聽我出家
母即告言聽汝出家所以者何佛難值故於
是二子白父母言善哉父母願時往詣雲雷
音宿王華智佛所親近供養所以者何佛難
得值如優曇鉢羅華又如一眼之龜值浮木
孔而我等宿福深厚生值佛法是故父母當

BD00019號　妙法蓮華經（兑廢稿）卷七　（2–1）

母即告言聽汝出家所以者何佛難值故於
是二子白父母言善哉父母願時往詣雲雷
音宿王華智佛所親近供養所以者何佛難
得值如優曇鉢羅華又如一眼之龜值浮木
孔而我等宿福深厚生值佛法是故父母當
聽我等令得出家所以者何諸佛難值時亦
難遇彼時妙莊嚴王後宮八萬四千人皆悉
堪任受持是法華經淨眼菩薩於法華三昧
久已通達淨藏菩薩已於無量百千萬億劫
通達離諸惡趣三昧欲令一切衆生離諸惡
趣故其王夫人得諸佛集三昧能知諸佛秘
密之藏二子如是以方便力善化其父令心
信解好樂佛法於是妙莊嚴王與羣臣眷屬
俱淨德夫人與後宮婇女眷屬俱其王二子
與四萬二千人俱一時共詣佛所到已頭面
礼足遶佛三帀却住一面尒時彼佛為王說
法示教利喜王大歡悅尒時妙莊嚴王及其
夫人解頸真珠瓔珞價直百千以散佛上於
虛空中化成四柱寶臺臺中有大寶牀敷百
千萬天衣其上有佛結跏趺坐放大光明尒
時妙莊嚴王作是念佛身希有端嚴殊特成
就第一微妙之色時雲雷音宿王華智佛告
四衆言汝等見是妙莊嚴王[illegible]合掌立

BD00019 號　妙法蓮華經（兌廢稿）卷七　（2–2）

BD00019 號背　藏文信函稿（擬）　（1–1）

心慧不□
淨之物不淨……業正命自活心不□……受恩
報善知世中所有事藝善解衆生方俗之言請一
十二部經不生懈怠懶墮之心若諸衆生不樂聽聞方
便引接令彼樂聞言常柔濡口不宣惡不和合衆能令
和合
師子吼言世尊如經中說若毗婆舍那能破煩惱何故復
脩奢摩他耶佛言善男子汝言毗婆舍那破煩惱者
是義不然何以故有智慧時則无煩惱有煩惱時則无
智慧云何而言毗婆舍那能破煩惱善男子譬如明
時无闇闇時无明若有說言明能破闇无有是處善
男子誰有智慧誰有煩惱而言智慧能破煩惱如
其无者則无所破
云何而言智慧能斷以是義故毗婆舍那使之不能
破諸煩惱佛言善男子无因緣故故名无生以无為故故
名无出无造業故故名无作不入五見故名屋宅離四暴
水故名為洲調衆生故故名歸依壞諸結賊故故名安
隱諸結火滅故名滅度離覺觀故故名涅槃遠憒
鬧故名為寂靜永斷必死故名无病一切无故名无所有
善男子若菩薩摩訶薩作是觀時即得明了見於

BD00020號　大般涅槃經（北本）鈔（擬）　（6–1）

隱諸結火滅故名滅度離覺觀故故名涅槃遠憒
鬧故名為寂靜永斷必死故名无病一切无故名无所有
善男子若菩薩摩訶薩作是觀時即得明了見於
佛性
不脩戒者不能具足尸波羅蜜不脩心者不能具足羼
波羅蜜不脩慧者不能具足般若波羅蜜復次不
脩身者貪著我身及我所身我身常恒无有變易
不脩戒者為自身故作十惡業不脩心者於惡業中不
能攝心不脩慧者以不攝心不能分別善惡等法復次
不脩身者不斷我見不脩戒者不斷我取不脩心者
作貪瞋業趣向地獄不脩慧者不斷癡心
善男子若有脩集身戒心慧如先所說能觀諸法同如
虛空不見智慧不見智者不見愚癡不見愚者不
見脩集及脩集者是名智者如是之人則能脩集身
戒心慧是人能令地獄果報現世輕受
供養三寶敬信方等大涅槃經如來常恒无有變
易一切衆生悉有佛性是人能令地獄重報現世輕受
善男子以是義故非一切業悉有定果亦非一切衆生定受
若我者則是如來何以故身无邊故无疑網故不作不
受故□□……常不生不滅故名為樂无煩惱垢故名為淨

BD00020號　大般涅槃經（北本）鈔（擬）　（6–2）

受故名為常不生不滅故名為樂无煩惱垢故名為淨
无有十相故名為空是故如来常樂我淨空无諸相諸
外道言若言如来常樂我淨无相故空當知瞿曇所說
之法則非空也善男子若有比丘能說衆生悉有佛性
金剛身无有邊際常樂我淨身心无㝵得八自在如
是比丘則能莊嚴娑羅雙樹師子吼言世尊若如是
者唯有如来是其人也何以故如来之身金剛无邊
常樂我淨身心无㝵具八自在故世尊唯有如来乃能
莊嚴娑羅雙樹如其无者則不端嚴唯願大慈
為莊嚴故常住於此娑羅林佛言善男子一切諸法
性无住住汝云何言願如来住
善男子十住菩薩智慧力多三昧力少是故不得明
見佛性聲聞緣覺三昧力多智慧力少以是因緣不見
佛性諸佛世尊定慧等故明見佛性了了无㝵如觀
掌中菴摩勒菓見佛性者名為奢摩他者名
為能滅能滅一切煩惱結故又奢摩他者名曰能
調諸根惡不善故又奢摩他者名曰寂靜能令三
業成寂靜故又奢摩他者名曰遠離能令衆生離五
欲故又奢摩他者名曰能清能清貪欲瞋恚愚癡三
濁法故以是義故故名定相毗婆舍那名為正見亦名
了見名為能見名曰遍見名次第見名別相見是名為慧

BD00020號　大般涅槃經（北本）鈔（擬）　（6–3）

業成寂靜故又奢摩他者名曰遠離能令衆生離五
欲故又奢摩他者名曰能清能清貪欲瞋恚愚癡三
濁法故以是義故故名定相毗婆舍那名為正見亦名
了見名為能見名曰遍見名次第見名別相見是名為慧
常受微妙第一安樂能解如来深秘密義受樂不欣
逢苦不憂諸天世人恭敬讚嘆明見生死及非生死善
能了知法界法性身有常樂我淨之法是則名為大般
涅槃善男子定相者名空三昧慧相者名无願三昧捨
相者名无相三昧善男子若有菩薩摩訶薩善知定時慧
時捨時及知非時是名菩薩摩訶薩行菩提道
親近善友獲得信心得信心已是名為出以信心故受持
讀誦書寫解說十二部經為衆生故以布施樂
於恵施備智慧利根故堅住信慧心无退轉无退
轉已即便前進進已得到彼岸登涉高山離諸恐
怖多受安樂子彼岸山者喻於如来受安樂者
喻佛常住大高山者喻大涅槃善男子是恒河邊
如是諸人悉具手足而不能渡一切衆生亦復如是實有
佛寶法寶僧寶如来常說諸法要義有八聖道
大般涅槃而諸衆生悉不能得此非我咎亦非聖道
衆生等過當知悉是煩惱過惡以是義故一切衆生不
得涅槃
如来色常如来色者常不斷故是故說色名為佛性
譬如真金質雖遷變色常不異或時作釧作鉤作

BD00020號　大般涅槃經（北本）鈔（擬）　（6–4）

[illegible]
得涅槃
如來色常如來色者常不斷故是故說色名為佛性
譬如真金質雖遷變色常不異或時作釧作鉗作
盤然其黃色初无改易衆生佛性亦復如是質雖无
常而色是常以是故說色為佛性或有說言受是佛性
何以故受因緣故獲得如來真實之樂如來受者謂
第一義受衆生受性雖復无常然其次第
相續不斷是故獲得如來常受譬如有人姓憍尸
迦人雖无常而姓是常逕千万年无有改易衆生佛
性亦復如是以是故說受為佛性又有說言想是佛性
何以故想因緣故獲得如來真實之想如來想者名
无想想无想想者非衆生想非男女想亦非色受想
行識想非想斷想衆生之想雖復无常以想次第
相續不斷故得如來常恒之想善男子譬如衆生
十二因緣衆生雖滅而因緣常衆生佛性亦復如是
以是故說想為佛性又有說言行為佛性何以故行
名壽命壽因緣故獲得如來常住壽命衆
生壽命雖復无常而得次第相續不斷故得如
來真實常壽善男子譬如十二部經聽者說者
雖復无常而是經典常存不變衆生佛性亦復如
是以是故說行為佛性又有說言識為佛性識因緣
故獲得如來平等之心衆生意識雖復无常而識次

BD00020 號　大般涅槃經（北本）鈔（擬）　（6–5）

[illegible]
常而色是常以是故說色為佛性或有說言受是佛性
何以故受因緣故獲得如來真實之樂如來受者謂
第一義受衆生受性雖復无常然其次第
相續不斷是故獲得如來常受譬如有人姓憍尸
迦人雖无常而姓是常逕千万年无有改易衆生佛
性亦復如是以是故說受為佛性又有說言想是佛性
何以故想因緣故獲得如來真實之想如來想者名
无想想无想想者非衆生想非男女想亦非色受想
行識想非想斷想衆生之想雖復无常以想次第
相續不斷故得如來常恒之想善男子譬如衆生
十二因緣衆生雖滅而因緣常衆生佛性亦復如是
以是故說想為佛性又有說言行為佛性何以故行
名壽命壽因緣故獲得如來常住壽命衆
生壽命雖復无常而得次第相續不斷故得如
來真實常壽善男子譬如十二部經聽者說者
雖復无常而是經典常存不變衆生佛性亦復如
是以是故說行為佛性又有說言識為佛性識因緣
故獲得如來平等之心衆生意識雖復无常而識次
第相續不斷故得如來真實常心如火熱性火雖无
常熱非无常衆生佛性亦復如是以是故說識為佛
性又有說言離陰有我我是佛性何以故我因緣故
自在

BD00020 號　大般涅槃經（北本）鈔（擬）　（6–6）

脩羅所應供養當知此處則為是塔皆應恭
敬作礼圍繞以諸華香而散其處
復次須菩提善男子善女人受持讀誦此經
若為人輕賤是人先世罪業應墮惡道以今
世人輕賤故先世罪業則為消滅當得阿耨
多羅三藐三菩提須菩提我念過去无量阿
僧祇劫於然燈佛前得值八百四千萬億那
由他諸佛悉皆供養承事无空過者若復有
人於後末世能受持讀誦此經所得功德於
我所供養諸佛功德百分不及一千萬億分
乃至筭數譬喻所不能及須菩提若善男子
善女人於後末世有受持讀誦此經所得功
德我若具說者或有人聞心則狂亂狐疑不
信須菩提當知是經義不可思議果報亦
不可思議
尒時須菩提白佛言世尊善男子善女人發
阿耨多羅三藐三菩提心云何應住云何降
伏其心佛告須菩提善男子善女人發阿耨多
羅三藐三菩提者當生如是心我應滅度一
切衆生滅度一切衆生已而无有一衆生實
滅度者何以故若菩薩有我相人相衆生相
壽者相則非菩薩所以者何須菩提實无有
法發阿耨多羅三藐三菩提者須菩提於意
云何如來於然燈佛所有法得阿耨多羅三
藐三菩提不不也世尊如我解佛所說義佛
於然燈佛所无有法得阿耨多羅三藐三菩
提佛言如是如是須菩提實无有法如來得

BD00021 號　金剛般若波羅蜜經　（6–1）

於然燈佛所无有法得阿耨多羅三藐三菩
提佛言如是如是須菩提實无有法如來得
阿耨多羅三藐三菩提須菩提若有法如來
得阿耨多羅三藐三菩提者然燈佛則不與
我受記汝於來世當得作佛号釋迦牟尼以
實无有法得阿耨多羅三藐三菩提是故
然燈佛與我受記作是言汝於來世當得作
佛号釋迦牟尼何以故如來者即諸法如義
若有人言如來得阿耨多羅三藐三菩提須
菩提實无有法佛得阿耨多羅三藐三菩提
須菩提如來所得阿耨多羅三藐三菩提於
是中无實无虛是故如來說一切法皆是佛
法須菩提所言一切法者即非一切法是故
名一切法須菩提譬如人身長大須菩提
言世尊如來說人身長大則為非大身是名
大身須菩提菩薩亦如是若作是言我當滅
度无量衆生則不名菩薩何以故須菩提實
无有法名為菩薩是故佛說一切法无我无人
无衆生无壽者須菩提若菩薩作是言我當
莊嚴佛土是不名菩薩何以故如來說莊嚴
佛土者即非莊嚴是名莊嚴須菩提若菩薩
通達无我法者如來說名真是菩薩
須菩提於意云何如來有肉眼不如是世尊
如來有肉眼須菩提於意云何如來有天眼
不如是世尊如來有天眼須菩提於意云何
如來有慧眼不如是世尊如來有慧眼須菩
提於意云何如來有法眼不如是世尊如來

BD00021 號　金剛般若波羅蜜經　（6–2）

如来有慧眼不如是世尊如来有慧眼須菩
提於意云何如来有法眼不如是世尊如来
有法眼須菩提於意云何如来有佛眼不如
是世尊如来有佛眼須菩提於意云何恒河
中所有沙佛說是沙不如是世尊如来說是
沙須菩提於意云何如一恒河中所有沙有
如是等恒河是諸恒河所有沙數佛世界如
是寧為多不甚多世尊佛告須菩提尒所國
土中所有衆生若干種心如来悉知何以故
如来說諸心皆為非心是名為心所以者何
須菩提過去心不可得現在心不可得未来
心不可得須菩提於意云何若有人滿三千
大千世界七寶以用布施是人以是因緣得
福多不如是世尊此人以是因緣得福甚多
須菩提若福德有實如来不說得福德多以
福德无故如来說得福德多
須菩提於意云何佛可以具足色身見不不
也世尊如来不應以具足色身見何以故如来
說具足色身即非具足色身是名具足色身
須菩提於意云何如来可以具足諸相見不不
也世尊如来不應以具足諸相見何以故如
来說諸相具足即非具足是名諸相具足須
菩提汝勿謂如来作是念我當有所說法莫
作是念何以故若人言如来有所說法即為
謗佛不能解我所說故須菩提說法者无法
可說是名說法須菩提白佛言世尊佛得阿
耨多羅三藐三菩提為无所得耶如是如是

BD00021 號　金剛般若波羅蜜經　（6–3）

可說是名說法須菩提白佛言世尊佛得阿
耨多羅三藐三菩提為无所得耶如是如是
須菩提我於阿耨多羅三藐三菩提乃至无
有少法可得是名阿耨多羅三藐三菩提復
次須菩提是法平等无有高下是名阿耨多
羅三藐三菩提以无我无人无衆生无壽者
脩一切善法則得阿耨多羅三藐三菩提須
菩提所言善法者如来說非善法是名善法
須菩提若三千大千世界中所有諸須弥山
王如是等七寶聚有人持用布施若人以此
般若波羅蜜經乃至四句偈等受持讀誦為
他人說於前福德百分不及一百千萬億分
乃至筭數譬喻所不能及
須菩提於意云何汝等勿謂如来作是念我
當度衆生須菩提莫作是念何以故實无有
衆生如来度者若有衆生如来度者如来則
有我人衆生壽者須菩提如来說有我者則
非有我而凡夫之人以為有我須菩提凡夫
者如来說則非凡夫須菩提於意云何可以
三十二相觀如来不須菩提言如是如是以
三十二相觀如来佛言須菩提若以三十二
相觀如来者轉輪聖王則是如来須菩提白
佛言世尊如我解佛所說義不應以三十二
相觀如来尒時世尊而說偈言
若以色見我　以音聲求我　是人行邪道　不能見如来
須菩提汝若作是念如来不以具足相故得
阿耨多羅三藐三菩提須菩提莫作是念如

BD00021 號　金剛般若波羅蜜經　（6–4）

若以色見我以音聲求我是人行邪道不能見如來
須菩提汝若作是念如來不以具足相故得
阿耨多羅三藐三菩提須菩提莫作是念如
來不以具足相故得阿耨多羅三藐三菩提
須菩提汝若作是念發阿耨多羅三藐三菩
提者說諸法斷滅相莫作是念何以故發阿
耨多羅三藐三菩提者於法不說斷滅相須
菩提若菩薩以滿恒河沙等世界七寶布施
若復有人知一切法无我得成於忍此菩薩
勝前菩薩所得功德須菩提以諸菩薩不受
福德故須菩提白佛言世尊云何菩薩不受
福德須菩提菩薩所作福德不應貪著是故
說不受福德須菩提若有人言如來若來若
去若坐若卧是人不解我所說義何以故如
來者无所從來亦无所去故名如來
須菩提若善男子善女人以三千大千世界
碎為微塵於意云何是微塵衆寧為多不
甚多世尊何以故若是微塵衆實有者佛則
不說是微塵衆所以者何佛說微塵衆則非
微塵衆是名微塵衆世尊如來所說三千大千
世界則非世界是名世界何以故若世界實
有者則是一合相如來說一合相則非一合
相是名一合相須菩提一合相者則是不可
說但凡夫之人貪著其事須菩提若人言佛
說我見人見衆生見壽者見須菩提於意云
何是人解我所說義不世尊是人不解如來
所說義何以故世尊說我見人見衆生見壽

BD00021 號　金剛般若波羅蜜經　（6–5）

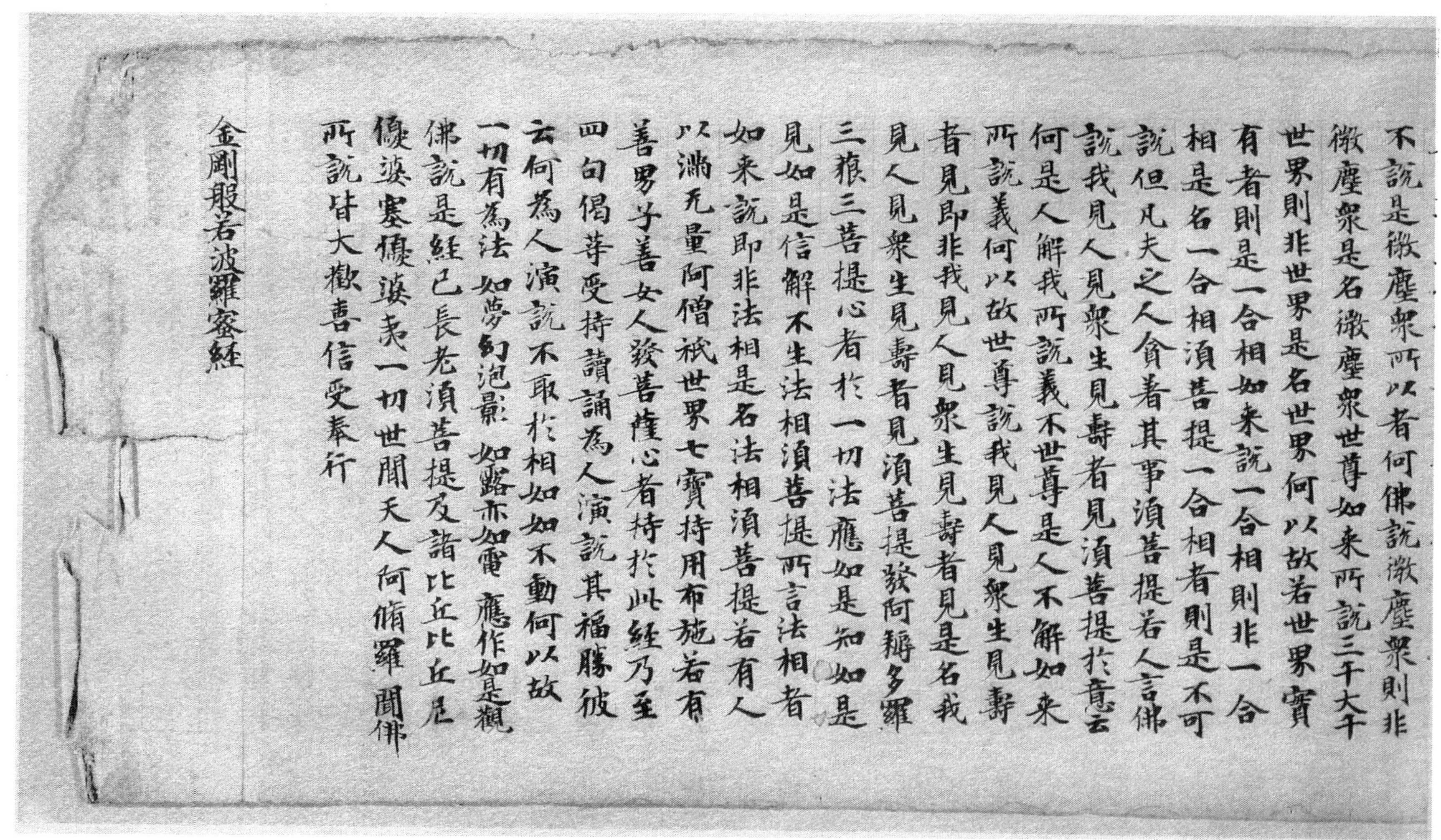
不說是微塵衆所以者何佛說微塵衆則非
微塵衆是名微塵衆世尊如來所說三千大千
世界則非世界是名世界何以故若世界實
有者則是一合相如來說一合相則非一合
相是名一合相須菩提一合相者則是不可
說但凡夫之人貪著其事須菩提若人言佛
說我見人見衆生見壽者見須菩提於意云
何是人解我所說義不世尊是人不解如來
所說義何以故世尊說我見人見衆生見壽
者見即非我見人見衆生見壽者見是名我
見人見衆生見壽者見須菩提發阿耨多羅
三藐三菩提心者於一切法應如是知如是
見如是信解不生法相須菩提所言法相者
如來說即非法相是名法相須菩提若有人
以滿无量阿僧祇世界七寶持用布施若有
善男子善女人發菩薩心者持於此經乃至
四句偈等受持讀誦為人演說其福勝彼
云何為人演說不取於相如如不動何以故
一切有為法如夢幻泡影如露亦如電應作如是觀
佛說是經已長老須菩提及諸比丘比丘尼
優婆塞優婆夷一切世間天人阿脩羅聞佛
所說皆大歡喜信受奉行

金剛般若波羅蜜經

BD00021 號　金剛般若波羅蜜經　（6–6）

香瓔珞幡蓋伎樂供養寶塔恭敬尊重讚
嘆尒時寶塔中出大音聲嘆言善哉善哉釋迦
牟尼世尊能以平等大慧教菩薩法佛所護念
妙法華經為大衆說如是如是釋迦牟尼世尊
如所說者皆是真實尒時四衆見大寶塔住在
空中又聞塔中所出音聲皆得法喜恠未曾有
從座而起恭敬合掌却住一面尒時有菩薩摩
訶薩名大樂說知一切世間天人阿脩羅等心
之所疑而白佛言世尊以何因緣有此寶塔從地
踊出又於其中發是音聲尒時佛告大樂說菩
薩此寶塔中有如來全身乃往過去東方无
量千万億阿僧祇世界國名寶淨彼中有佛
号曰多寶其佛本行菩薩道時作大誓願若
我成佛滅度之後於十方國土有說法華經處我
之塔廟為聽是經故踊現其前為作證明讚言
善哉彼佛成道已臨滅度時於天人大衆中告
諸比丘我滅度後欲供養我全身者應起一大
塔其佛以神通願力十方世界在在處處若有
說法華經者彼之寶塔皆踊出其前全身
在於塔中讚言善哉善哉大樂說今多寶如
來塔聞說法華經故從地踊出讚言善哉善
哉是時大樂說菩薩以如來神力故白佛言
世尊我等願欲見此佛身佛告大樂說菩薩
摩訶薩是多寶佛有深重願若我寶塔為
聽法華經故出於諸佛前時其有欲以我身示

BD00022 號　妙法蓮華經卷四　（4–1）

哉是時大樂說菩薩以如來神力故白佛言
世尊我等願欲見此佛身佛告大樂說菩薩
摩訶薩是多寶佛有深重願若我寶塔為
聽法華經故出於諸佛前時其有欲以我身示
四衆者彼佛分身諸佛在於十方世界說法
盡還集一處然後我身乃出現耳大樂說我分
身諸佛在於十方世界說法者今應當集大
樂說白佛言世尊我等亦願欲見世尊分身
諸佛礼拜供養尒時佛放白毫一光即見東
方五百万億那由他恒河沙等國土諸佛彼諸
國土皆以頗梨為地寶樹寶衣以為莊嚴无
數千万億菩薩充滿其中遍張寶幔寶網
羅上彼國諸佛以大妙音而說諸法及見无量
千万億菩薩遍滿諸國為衆說法南西北方
四維上下白毫相光所照之處亦復如是
尒時十方諸佛各告衆菩薩言善男子我今
應往娑婆世界釋迦牟尼佛所并供養多
寶如來寶塔時娑婆世界即變清淨瑠璃
為地寶樹莊嚴黃金為繩以界八道无諸聚
落村營城邑大海江河山川林藪燒大寶香
曼陀羅華遍布其地以寶網幔羅覆其上
懸諸寶鈴唯留此會衆移諸天人置於他土
是時諸佛各將一大菩薩以為侍者至娑婆世
界各到寶樹下一一寶樹高五百由旬枝葉華
菓次第莊嚴諸寶樹下皆有師子之座高

BD00022 號　妙法蓮華經卷四　（4–2）

界各到寶樹下一一寶樹高五百由旬枝葉華
菓次第莊嚴諸寶樹下皆有師子之座高
五由旬亦以大寶而校飾之尒時諸佛各於此
座結跏趺坐如是展轉遍滿三千大千世界
而於釋迦牟尼佛一方所分之身猶故未盡
時釋迦牟尼佛欲容受所分身諸佛故八方各
更變二百万億那由他國皆令清淨无有地
獄餓鬼畜生及阿脩羅又移諸天人置於他
土所化之國亦以瑠璃為地寶樹莊嚴樹高
五百由旬枝葉華菓次第嚴飾樹下皆有
寶師子座高五由旬種種諸寶以為莊嚴亦
无大海江河及目真隣陁山摩訶目真隣陁
山鐵圍山大鐵圍山湏弥山等諸山王通為
一佛國土寶地平正寶交露幔遍覆其上懸
諸幡蓋燒大寶香諸天寶華遍布其地釋迦
牟尼佛為諸佛當來坐故復於八方各變二百
万億那由他國皆令清淨无有地獄餓鬼畜
生及阿脩羅又移諸天人置於他方所化之
國亦以瑠璃為地寶樹莊嚴樹高五百由旬
枝葉華菓次第莊嚴樹下皆有寶師子座
高五由旬亦以大寶而校飾之亦无大海江河
及目真隣陁山摩訶目真隣陁山鐵圍山大
鐵圍山湏弥山等諸山王通為一佛國土寶
地平正寶交露幔遍覆其上懸諸幡蓋燒
大寶香諸天寶華遍布其地尒時東方釋

BD00022號　妙法蓮華經卷四　（4–3）

生及阿脩羅又移諸天人置於他方所化之
國亦以瑠璃為地寶樹莊嚴樹高五百由旬
枝葉華菓次第莊嚴樹下皆有寶師子座
高五由旬亦以大寶而校飾之亦无大海江河
及目真隣陁山摩訶目真隣陁山鐵圍山大
鐵圍山湏弥山等諸山王通為一佛國土寶
地平正寶交露幔遍覆其上懸諸幡蓋燒
大寶香諸天寶華遍布其地尒時東方釋
迦牟尼所分之身百千万億那由他恒河沙等
國土中諸佛各各說法來集於此如是次第
十方諸佛皆悉來集坐於八方尒時一一方
四百万億那由他國土諸佛如來遍滿其中是
時諸佛各在寶樹下坐師子座皆遣侍者
問訊釋迦牟尼佛各賫寶華滿掬而告之言
善男子汝往詣耆闍崛山釋迦牟尼佛所如
我辭曰少病少惱氣力安樂及菩薩聲聞
衆悉安隱不以此寶華散佛供養而作是言
彼某甲佛與欲開此寶塔諸佛遣使亦復如是
尒時釋迦牟尼佛見所分身佛悉已來集各各
坐於師子之座皆聞諸佛與欲同開寶塔即
從座起住虛空中一切四衆起立合掌一心觀
佛於是釋迦牟尼佛以右指開七寶塔戶出
大音聲如却關鑰開大城門即時一切衆
會皆見多寶如來於寶塔中坐師子座全
身不散如入禪定又聞其言

BD00022號　妙法蓮華經卷四　（4–4）

无斷故一切智智清淨故一來不還阿羅
漢果清淨一來不還阿羅漢果清淨故法性
清淨何以故若一切智智清淨若一來不還
阿羅漢果清淨若法性清淨无二无二分无
別无斷故善現一切智智清淨故獨覺菩提
清淨獨覺菩提清淨故法性清淨何以故若
一切智智清淨若獨覺菩提清淨若法性清
淨无二无二分无別无斷故善現一切智智清
淨故一切菩薩摩訶薩行清淨一切菩薩摩
訶薩行清淨故法性清淨何以故若一切智
智清淨若一切菩薩摩訶薩行清淨若法性
清淨无二无二分无別无斷故善現一切智
智清淨故諸佛无上正等菩提清淨諸佛无
上正等菩提清淨故法性清淨何以故若
一切智智清淨若諸佛无上正等菩提清淨
若法性清淨无二无二分无別无斷故
復次善現一切智智清淨故色清淨色清淨
故不虛妄性清淨何以故若一切智智清淨
若色清淨若不虛妄性清淨无二无二分无
別无斷故一切智智清淨故受想行識清淨
受想行識清淨故不虛妄性清淨何以故若
一切智智清淨若受想行識言淨若不虛妄
性清淨无二无二分无別无斷故善現一切智
智清淨故眼處清淨眼處清淨故不虛妄
性清淨何以故若一切智智清淨若眼處清
淨若不虛妄性清淨无二无二分无別无斷
故一切智智清淨故耳鼻舌身意處清淨耳

BD00023 號 A　大般若波羅蜜多經卷二五八　（2–1）

訶薩行清淨故法性清淨何以故若一切智
智清淨若一切菩薩摩訶薩行清淨若法性
清淨无二无二分无別无斷故善現一切智
智清淨故諸佛无上正等菩提清淨諸佛无
上正等菩提清淨故法性清淨何以故若
一切智智清淨若諸佛无上正等菩提清淨
若法性清淨无二无二分无別无斷故
復次善現一切智智清淨故色清淨色清淨
故不虛妄性清淨何以故若一切智智清淨
若色清淨若不虛妄性清淨无二无二分无
別无斷故一切智智清淨故受想行識清淨
受想行識清淨故不虛妄性清淨何以故若
一切智智清淨若受想行識言淨若不虛妄
性清淨无二无二分无別无斷故善現一切智
智清淨故眼處清淨眼處清淨故不虛妄
性清淨何以故若一切智智清淨若眼處清
淨若不虛妄性清淨无二无二分无別无斷
故一切智智清淨故耳鼻舌身意處清淨耳
鼻舌身意處清淨故不虛妄性清淨何以故

BD00023 號 A　大般若波羅蜜多經卷二五八　（2–2）

无我无人
无衆生无壽者須菩提若菩薩作是言我
當莊嚴佛土是不名菩薩何以故如來說莊
嚴佛土者即非莊嚴是名莊嚴須菩提若菩
薩通達无我法者如來說名真是菩薩
須菩提於意云何如來有肉眼不如是世尊
如來有肉眼須菩提於意云何如來有天眼
不如是世尊如來有天眼須菩提於意云何
如來有慧眼不如是世尊如來有慧眼須菩
提於意云何如來有法眼不如是世尊如來
有法眼須菩提於意云何如來有佛眼不如
是世尊如來有佛眼須菩提於意云何恒河
中所有沙佛說是沙不如是世尊如來說是
沙須菩提於意云何如一恒河中所有沙有
如是等恒河是諸恒河所有沙數佛世界如
是寧為多不甚多世尊佛告須菩提尒所
國土中所有衆生若干種心如來悉知何以故
如來說諸心皆為非心是名為心所以者何須
菩提過去心不可得現在心不可得未來心
不可得須菩提於意云何若有人滿三千
大千世界七寶以用布施是人以是因緣得
福多不如是世尊此人以是因緣得福甚多
須菩提若福德有實如來不說得福德多以
福德无故如來說得福德多
須菩提於意云何佛可以具足色身見不不
也世尊如來不應以具足色身見何以故如來

BD00023 號 B　金剛般若波羅蜜經　（3–1）

須菩提若福德有實如來不說得福德多以
福德无故如來說得福德多
須菩提於意云何佛可以具足色身見不不
也世尊如來不應以具足色身見何以故如來
說具足色身即非具足色身是名具足色身
須菩提於意云何如來可以具足諸相見不不
也世尊如來不應以具足諸相見何以故如來
說諸相具足即非具足是名諸相具足須菩
提汝勿謂如來作是念我當有所說法莫
作是念何以故若人言如來有所說法即為
謗佛不能解我所說故須菩提說法者无法
可說是名說法須菩提白佛言世尊佛得阿
耨多羅三藐三菩提為无所得耶如是如是
須菩提我於阿耨多羅三藐三菩提乃至无
有少法可得是名阿耨多羅三藐三菩提復
次須菩提是法平等无有高下是名阿耨多
羅三藐三菩提以无我无人无衆生无壽者
脩一切善法則得阿耨多羅三藐三菩提須
菩提所言善法者如來說非善法是名善法
須菩提若三千大千世界中所有諸須弥山
王如是等七寶聚有人持用布施若人以此
般若波羅蜜經乃至四句偈等受持讀誦
為他人說於前福德百分不及一百千万億
分乃至筭數譬喻所不能及
須菩提於意云何汝等勿謂如來作是念我
當度衆生須菩提莫作是念何以故實无有
衆生如來度者若有衆生如來度者如來則

BD00023 號 B　金剛般若波羅蜜經　（3–2）

須菩提我於阿耨多羅三藐三菩提乃至无
有少法可得是名阿耨多羅三藐三菩提復
次須菩提是法平等无有高下是名阿耨多
羅三藐三菩提以无我无人无衆生无壽者
脩一切善法則得阿耨多羅三藐三菩提須
菩提所言善法者如來說非善法是名善法
須菩提若三千大千世界中所有諸須弥山
王如是等七寶聚有人持用布施若人以此
般若波羅蜜經乃至四句偈等受持讀誦
為他人說於前福德百分不及一百千万億
分乃至筭數譬喻所不能及
須菩提於意云何汝等勿謂如來作是念我
當度衆生須菩提莫作是念何以故實无有
衆生如來度者若有衆生如來度者如來則
有我人衆生壽者須菩提如來說有我者則
非有我而凡夫之人以為有我須菩提凡夫
者如來說則非凡夫須菩提於意云何可以
三十二相觀如來不須菩提言如是如是以
三十二相觀如來佛言須菩提若以三十二
相觀如來者轉輪聖王則是如來須菩提白
佛言世尊如我解佛所說義不應以三十二
相觀如來尒時世尊而說偈言
若以色見我　以音聲求我　是人行耶道　不能見如來
須菩提汝若作是念如來不以具足相故得
阿耨多羅三藐三菩提須菩提莫作
來不以具足相故得阿耨

BD00023號B　金剛般若波羅蜜經　（3–3）

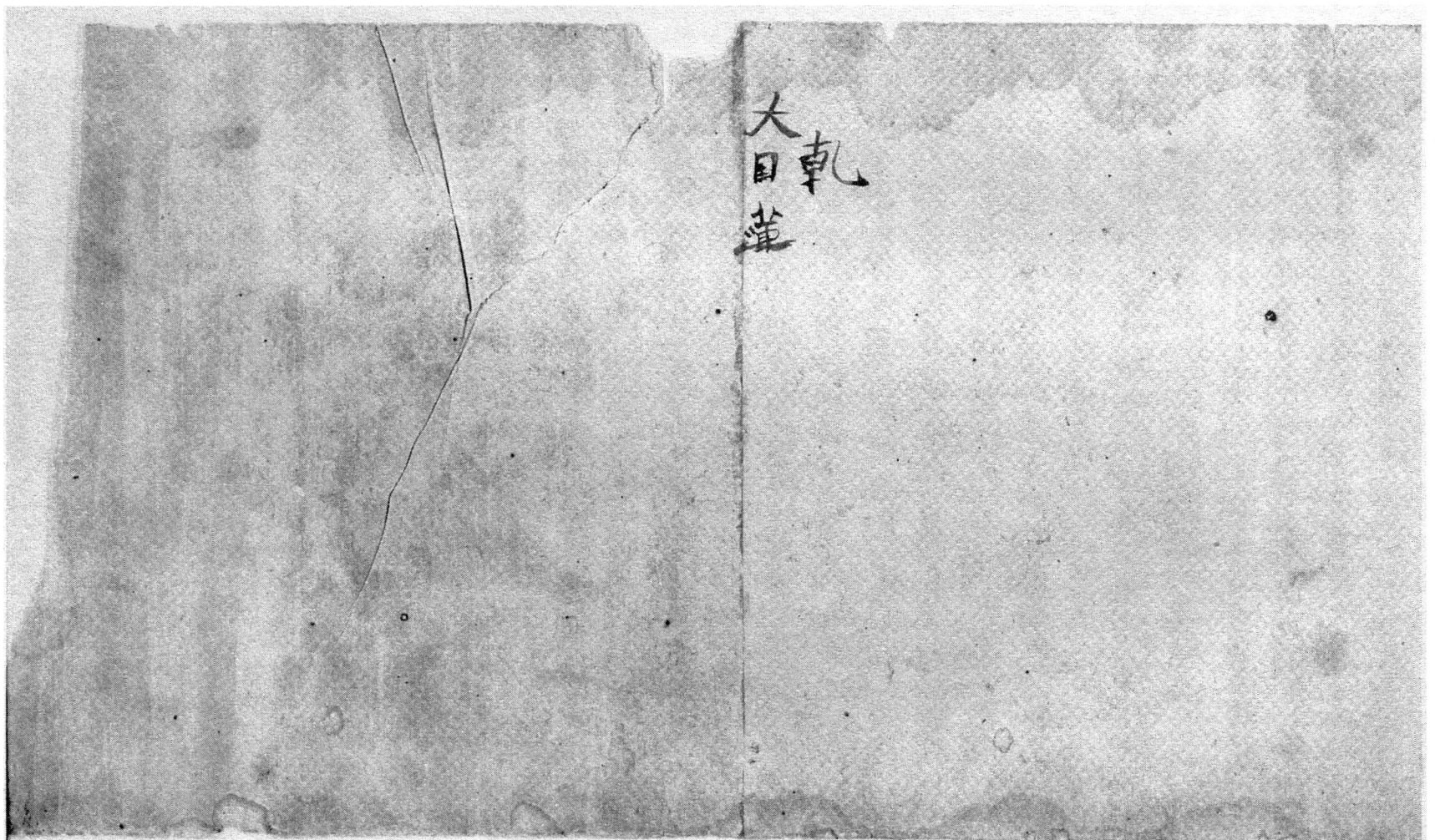

BD00023號B背　雜寫　（1–1）

迦牟尼何以故如来者即諸法如義若有人
言如来得阿耨多羅三藐三菩提須菩提
實无有法佛得阿耨多羅三藐三菩提須菩
提如来所得阿耨多羅三藐三菩提於是中
无實无虛是故如来說一切法皆是佛法須
菩提所言一切法者即非一切法是故名一切法
須菩提譬如人身長大須菩提言世尊如
来說人身長大則非大身是名大身
須菩提菩薩亦如是若作是言我當滅度无
量衆生則不名菩薩何以故須菩提无有法
名為菩薩是故佛說一切法无我无人无衆生
无壽者須菩提若菩薩作是言我當莊嚴
佛土是不名菩薩何以故如来說莊嚴佛土
者即非莊嚴是名莊嚴須菩提若菩薩通
達无我法者如来說名真是菩薩
須菩提於意云何如来有肉眼不如是世尊如
来有肉眼須菩提於意云何如来有天眼不
如是世尊如来有天眼須菩提於意云何如
来有慧眼不如是世尊如来有慧眼須菩提
於意云何如来有法眼不如是世尊如来有
法眼須菩提於意云何如来有佛眼不如是
世尊如来有佛眼須菩提於意云何恒河中
所有沙佛說是沙不如是世尊如来說是沙
須菩提於意云何如一恒河中所有沙有如是
等恒河是諸恒河所有沙數佛世界如是
寧為多不甚多世尊佛告須菩提尒時國

BD00024號　金剛般若波羅蜜經　（5–1）

所有沙佛說是沙不如是世尊如来說是沙
須菩提於意云何如一恒河中所有沙有如是
等恒河是諸恒河所有沙數佛世界如是
寧為多不甚多世尊佛告須菩提尒時國
土中所有衆生若干種心如来悉知何以故如
来諸說心皆為非心是名為心所以者何須
菩提過去心不可得現在心不可得未来心不可
得須菩提於意云何若有人滿三千大千
世界七寶以用布施是因縁得福多不如
是世尊此人以是因縁得福甚多須菩提
若福德有實如来不說得福德多以福德
无故如来說得福德多
須菩提於意云何佛可以具足色身見不不
也世尊如来不應以色身見何以故如来說具
足色身即非具足色身是名具足色身須菩提
提於意云何如来可以具足諸相見不不也
世尊如来不應以具足諸相見何以故如来說
諸相具足即非具足是名諸相具足須菩提
汝勿謂如来作是念我當有所說法莫作
是念何以故若人言如来有所說法則為謗佛不
能解我所說故須菩提說法者无法可說是
名說法須菩提白佛言世尊佛得阿耨多
羅三藐三菩提為无所得耶如是如是須菩
提我於阿耨多羅三藐三菩提乃至无有少
法可得是名阿耨多羅三藐三菩提
復次須菩提是法平等无有高下是名阿耨
多羅三藐三菩提以无人我无衆生无壽者脩

BD00024號　金剛般若波羅蜜經　（5–2）

復次須菩提是法平等无有高下是名阿耨
多羅三藐三菩提以无人我无衆生无壽者修
一切善法則得阿耨多羅三藐三菩提須菩
提所言善法者如來說非善法是名善法須
菩提若三千大千世界中所有諸須弥山王如是
等七寶聚有人持用布施若人以此般若波羅
蜜經乃至四句偈等受持爲他人說於前福德
百分不及一百千万億分乃至筭數譬喻所不能
及
須菩提於意云何汝等勿謂如來作是念我當
度衆生須菩提莫作是念何以故實无有衆
生如來度者若有衆生如來度者如來則
有我人衆生壽者須菩提如來說有我者則
非有我而凡夫之人以爲有我須菩提凡夫者
如來說則非凡夫須菩提於意云何可以三十
二相觀如來不須菩提言如是如是以三十二
相觀如來佛言須菩提若以三十二相觀如來
者轉輪聖王則是如來須菩提白佛言世尊
如我佛所說義不應以三十二相觀如來尒
時世尊而說偈言
若以色見我　以音聲求我　是人行邪道　不能見如來
須菩提汝若作是念如來不以具足相故得阿
耨多羅三藐三菩提須菩提莫作是念如來
不以具足相故得阿耨多羅三藐三菩提須菩
提汝若作是念發阿耨多羅三藐三菩提者
說諸法斷滅相莫作是念何以故發阿耨
多羅三藐三菩提者於法不說斷滅相復次

BD00024 號　金剛般若波羅蜜經　（5–3）

提汝若作是念發阿耨多羅三藐三菩提者
說諸法斷滅相莫作是念何以故發阿耨
多羅三藐三菩提者於法不說斷滅相復次
須菩提若菩薩以滿恒河沙等世界七寶布
施若復有人知一切法无我得成於忍此菩薩
勝前菩薩所得功德須菩提以諸菩薩不
受福德故須菩提白佛言世尊云何菩薩不
受福德須菩提菩薩所作福德不應貪著
是故說不受福德須菩提若有人言如來若
來若去若坐若卧是人不解我所說義何以
故如來者无所從來亦无所去故名如來須菩
提若善男子善女人以三千大千世界碎爲微塵
於意云何是微塵衆寧爲多不甚多世尊
何以故若是微塵衆實有者佛則不說是微
塵衆所以者何佛說微塵衆則非微塵衆
是名微塵衆世尊如來所說三千大千世界
則非世界是名世界何以故若世界實有則
是一合相如來說一合相則非一合相是名一合
相須菩提一合相者則是不可說但凡夫之
人貪著其事須菩提若人言佛說我見人
見衆生見壽者見須菩提於意云何是人
解我所說義不世尊是人不解如來所說義
何以故世尊說我見人見衆生見壽者見即
非我見人見衆生見壽者見是名我見人見
衆生見壽者見須菩提發阿耨多羅三藐
三菩提心者於一切法應如是知如是見如是
信解不生法相須菩提所言法相者如來說

BD00024 號　金剛般若波羅蜜經　（5–4）

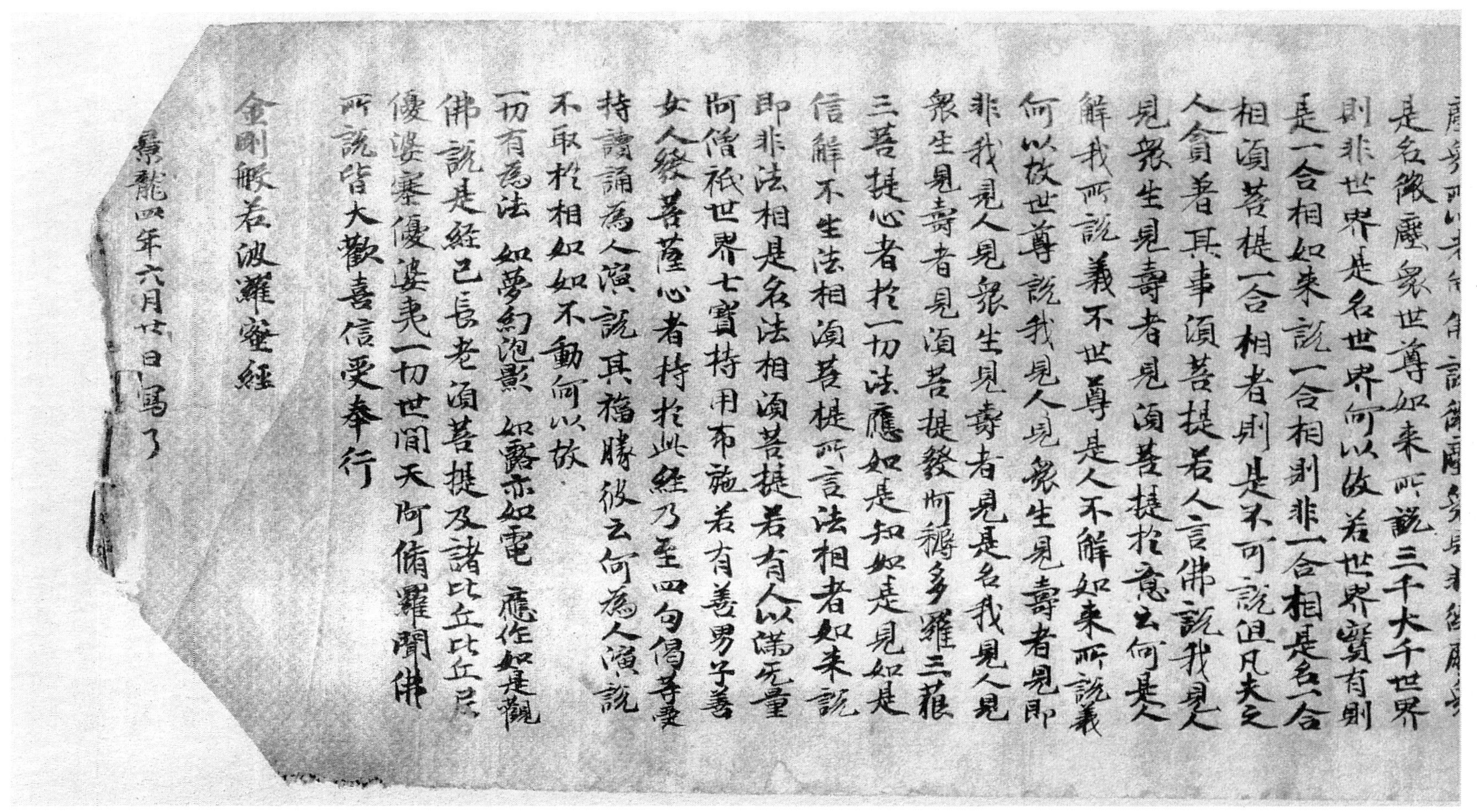

塵衆所以者何佛說微塵衆即非微塵衆
是名微塵衆世尊如來所說三千大千世界
則非世界是名世界何以故若世界實有則
是一合相如來說一合相則非一合相是名一合
相須菩提一合相者則是不可說但凡夫之
人貪著其事須菩提若人言佛說我見人
見衆生見壽者見須菩提於意云何是人
解我所說義不世尊是人不解如來所說義
何以故世尊說我見人見衆生見壽者見即
非我見人見衆生見壽者見是名我見人見
衆生見壽者見須菩提發阿耨多羅三藐
三菩提心者於一切法應如是知如是見如是
信解不生法相須菩提所言法相者如來說
即非法相是名法相須菩提若有人以滿無量
阿僧祇世界七寶持用布施若有善男子善
女人發菩薩心者持於此經乃至四句偈等受
持讀誦為人演說其福勝彼云何為人演說
不取於相如如不動何以故
一切有為法　如夢幻泡影　如露亦如電　應作如是觀
佛說是經已長老須菩提及諸比丘比丘尼
優婆塞優婆夷一切世間天阿脩羅聞佛
所說皆大歡喜信受奉行

金剛般若波羅蜜經

景龍四年六月廿日寫了

BD00024 號　金剛般若波羅蜜經　　（5–5）

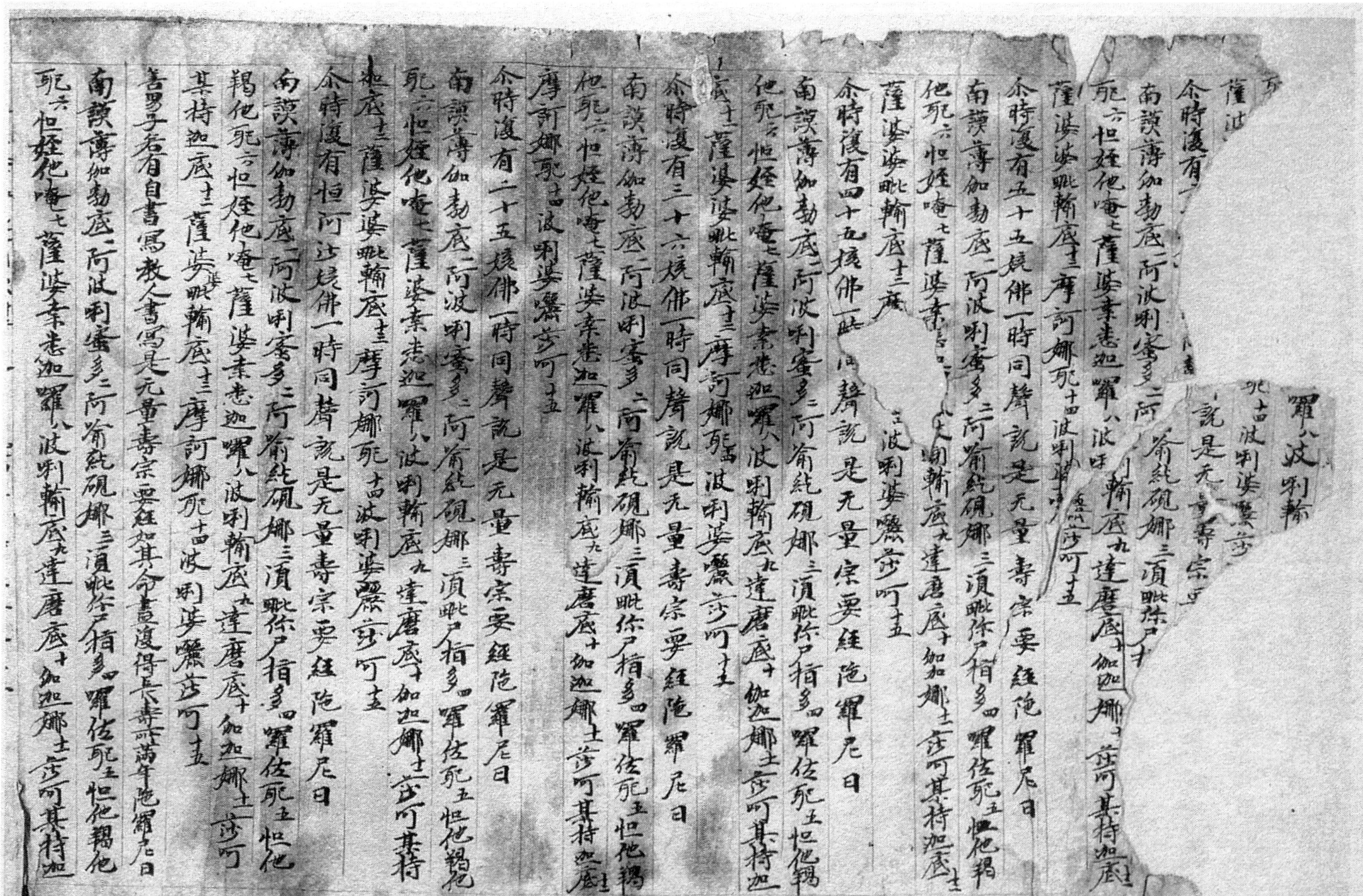

BD00025 號　無量壽宗要經　　（5–1）

其持迦底十二　薩婆毗輸底十三　摩訶娜耶十四　波唎婆嚩莎訶十五
善男子若有自書寫教人書寫是无量壽宗要經如其命盡復得長壽一百滿年陀羅尼曰
南謨薄伽勃底一　阿波唎蜜多二　阿喻紇硯娜三　須毗你尸栺多四　囉佐耶五　怛他羯他
耶六　怛姪他唵七　薩婆桑悉迦囉八　波唎輸底九　達磨底十　伽伽娜十一　莎訶其持迦
底十二　薩婆婆毗輸底十三　摩訶娜耶十四　波唎婆嚩莎訶十五
若有自書寫教人書寫是无量壽宗要經讀誦受持畢竟不墮地獄在在所生得宿命
智陀羅尼曰　南謨薄伽勃底一　阿波唎蜜多二　阿喻紇硯娜三　囉佐耶四
囉佐耶五　怛他羯他耶六　怛姪他唵七　薩婆桑悉迦囉八　波唎輸底九　達磨底十　伽伽娜十一
莎訶其持迦底十二　薩婆婆毗輸底十三　摩訶娜耶十四　波唎婆嚩莎訶十五
若有自書寫教人書寫是无量壽宗要經受持讀誦如同書寫八万四千一切經典陀羅尼曰
南謨薄伽勃底一　阿波唎蜜多二　阿喻紇硯娜三　須毗你尸栺多四　囉佐耶五　怛他羯他
耶六　怛姪他唵七　薩婆桑悉迦囉八　波唎輸底九　達磨底十　伽伽娜十一　莎訶其持迦底十二
薩婆婆毗輸底十三　摩訶娜耶十四　波唎婆嚩莎訶十五
若有自書寫教人書寫是无量壽宗要經受持讀誦即是書寫八万四千部建立塔廟陀羅尼曰
南謨薄伽勃底一　阿波唎蜜多二　阿喻紇硯娜三　須毗你尸栺多四　囉佐耶五　怛他羯他耶六
怛姪他唵七　薩婆桑悉迦囉八　波唎輸底九　達磨底十　伽伽娜十一　莎訶其持迦底十二
薩婆婆毗輸底十三　摩訶娜耶十四　波唎婆嚩莎訶十五
若有自書寫教人書寫是无量壽宗要經能消五无間等一切重罪陀羅尼曰
南謨薄伽勃底一　阿波唎蜜多二　阿喻紇硯娜三　須毗你尸栺多四　囉佐耶五　怛他羯他
耶六　怛娜他唵七　薩婆桑悉迦囉八　波唎輸底九　達磨底十　伽伽娜十一　莎訶其持迦底十二
薩婆婆毗輸底十三　摩訶娜耶十四　波唎婆嚩莎訶十五
若有自書寫教人書寫是无量壽宗要經受持讀誦設有重罪猶如須彌盡能除
滅陀羅尼曰　南謨薄伽勃底一　阿波唎蜜多二　阿喻紇硯娜三　須毗你尸栺多四　囉佐耶五　怛
他羯他耶六　怛姪他唵七　薩婆桑悉迦囉八　波唎輸底九　達磨底十　伽伽娜十一　莎訶其持迦底十二　薩
婆婆毗輸底十三　摩訶娜耶十四　波唎婆嚩莎訶十五
若有自書寫教人書寫是无量壽宗要經受持讀誦若魔魔之眷屬夜叉羅剎不得其
便終无枉死陀羅尼曰　南謨薄伽勃底一　阿波唎蜜多二　阿喻紇硯娜三　須毗你尸栺多四　囉佐耶五　怛
他羯他耶六　怛姪他唵七　薩婆桑悉迦囉八　波唎輸底九　達磨底十　伽伽娜十一　莎訶其持迦底十二
薩婆婆毗輸底十三　摩訶娜耶十四　波唎婆嚩莎訶十五
若有自書寫教人書寫是无量壽宗要經受持讀誦當命終時有九十九俱胝佛現其人前

BD00025號　無量壽宗要經

（5–2）

薩婆婆毗輸底十三　摩訶娜耶十四　波唎婆嚩莎訶十五
若有自書寫教人書寫是无量壽宗要經受持讀誦當命終時有九十九俱胝佛現其人前
蒙千佛授手能遊一切佛剎莫於此經生疑惑陀羅尼曰
南謨薄伽勃底一　阿波唎蜜多二　阿喻紇硯娜三　須毗你尸栺多四　囉佐耶五　怛他羯他耶六
怛姪他唵七　薩婆桑悉迦囉八　波唎輸底九　達磨底十　伽伽娜十一　莎訶其持迦底十二　薩
婆婆毗輸底十三　摩訶娜耶十四　波唎婆嚩莎訶十五
若有自書寫教人書寫是无量壽宗要經受持讀誦當得四天大王隨其衛護陀羅尼曰
南謨薄伽勃底一　阿波唎蜜多二　阿喻紇硯娜三　須毗你尸栺多四　囉佐耶五　怛他羯他
耶六　怛姪他唵七　薩婆桑悉迦囉八　波唎輸底九　達磨底十　伽伽娜十一　莎訶其持迦底十二
薩婆婆毗輸底十三　摩訶娜耶十四　波唎婆嚩莎訶十五
若有自書寫教人書寫是无量壽宗要經受持讀誦當得往生西方極樂世界阿彌陀淨
土陀羅尼曰　南謨薄伽勃底一　阿波唎蜜多二　阿喻紇硯娜三　須毗你尸栺多四　囉佐
耶五　怛他羯他耶六　怛姪他唵七　薩婆桑悉迦囉八　波唎婆嚩莎訶達磨底十　伽伽娜
莎訶其持迦底十二　薩婆婆毗輸底十三　摩訶娜耶十四　波唎婆嚩莎訶十五
若有方所自書寫使人書寫是无量壽經典之處則為是塔皆應恭敬作礼若是畜生
或為鳥獸得聞是經如是等類皆當不久得成一切種智陀羅尼曰
南謨薄伽勃底一　阿波唎蜜多二　阿喻紇硯娜三　須毗你尸栺多四　囉佐耶五　怛他羯他耶六
怛姪他唵七　薩婆桑悉迦囉八　波唎輸底九　達磨底十　伽伽娜十一　莎訶其持迦底十二　薩婆
婆毗輸底十三　摩訶娜耶十四　波唎婆嚩莎訶十五
若有於是无量壽經自書寫使人書畢竟不受女人之身陀羅尼曰
南謨薄伽勃底一　阿波唎蜜多二　阿喻紇硯娜三　須毗你尸栺多四　囉佐耶五　怛他羯他
耶六　怛姪他唵七　薩婆桑悉迦囉八　波唎輸底九　達磨底十　伽伽娜十一　莎訶其持迦底十二
薩婆婆毗輸底十三　摩訶娜耶十四　波唎婆嚩莎訶十五
若有能於是經少分能惠施者等於三千大千世界滿中七寶布施陀羅尼曰
南謨薄伽勃底一　阿波唎蜜多二　阿喻紇硯娜三　須毗你尸栺多四　囉佐耶五　怛他羯他
耶六　怛姪他唵七　薩婆桑悉迦囉八　波唎輸底九　達磨底十　伽伽娜十一　莎訶其持迦底十二
薩婆婆毗輸底十三　摩訶娜耶十四　波唎婆嚩莎訶十五
若有能供養是經者則是供養一切諸經等无有異陀羅尼曰
南謨薄伽勃底一　阿波唎蜜多二　阿喻紇硯娜三　須毗你尸栺多四　囉佐耶五　怛他羯他
耶六　怛姪他唵七　薩婆桑悉迦囉八　波唎輸底九　達磨底十　伽伽娜十一　莎訶其持迦底十二

BD00025號　無量壽宗要經

（5–3）

薩婆婆毗輸底十三摩訶娜耶十四波唎婆嚩莎訶十五
若有能供養是經者則是供養一切諸經等无有異陁羅尼曰
南謨薄伽勃底一阿波唎蜜多二阿喻紇硯娜三須毗你尸指多四囉佐耶五怛他羯他
耶六怛姪他唵七薩婆桑悉迦囉八波唎輸底九達磨底十伽伽娜十一莎訶其特迦底十二
薩婆婆毗輸底十三摩訶娜耶十四波唎婆嚩莎訶十五
如是毗婆尸佛　尸弃佛　毗舍浮佛　俱留孫佛　俱那含牟尼佛　迦葉佛　釋迦牟尼佛
若有人以七寶供養如是七佛其福有限書寫受持是无量壽經典所有功德不可數量陁羅尼曰
南謨薄伽勃底一阿波唎蜜多二阿喻紇硯娜三須毗你尸指多四囉佐耶五怛他羯他耶六
怛姪他唵七薩婆桑悉迦囉八波唎輸底九達磨底十伽伽娜十一莎訶其特迦底十二薩
婆婆毗輸底十三摩訶娜耶十四波唎婆嚩莎訶十五
若有七寶等於須弥山用布施其福上能知其限量是无量壽經典其福不可知數陁羅尼曰
南謨薄伽勃底一阿波唎蜜多二阿喻紇硯娜三須毗你尸指多四囉佐耶五怛他羯他耶六
怛姪他唵七薩婆桑悉迦囉八波唎輸底九達磨底十伽伽娜十一莎訶其特迦底十二
薩婆婆毗輸底十三摩訶娜耶十四波唎婆嚩莎訶十五
如是四大海水可知滴數是无量壽經典所生果報不可數量陁羅尼曰
南謨薄伽勃底一阿波唎蜜多二阿喻紇硯娜三須毗你尸指多四囉佐耶五怛他羯他耶六怛
姪他唵七薩婆桑悉迦囉八波唎輸底九達磨底十伽伽娜十一莎訶其特迦底十二薩婆婆
毗輸底十三摩訶娜耶十四波唎婆嚩莎訶十五
若自書使人書寫是无量壽經典又能恭持供養即如來敬供養一切十方佛土如來无有別異陁羅
尼曰　南謨薄伽勃底一阿波唎蜜多二阿喻紇硯娜三須毗你尸指多四囉佐耶五怛他羯
他耶六怛姪他唵七薩婆桑悉迦囉八波唎輸底九達磨底十伽伽娜十一莎訶其特迦底十二薩
婆婆毗輸底十三摩訶娜耶十四波唎婆嚩莎訶十五
布施力能成正覺　悟布施力人師子　布施力能聲普聞　慈悲皆漸最能入
持戒力能成正覺　悟持戒力人師子　持戒力能聲普聞　慈悲皆漸最能入
忍辱力能成正覺　悟忍辱力人師子　忍辱力能聲普聞　慈悲皆漸最能入
精進力能成正覺　悟精進力人師子　精進力能聲普聞　慈悲皆漸最能入
禪定力能成正覺　悟禪定力人師子　禪定力能聲普聞　慈悲皆漸最能入
智慧力能成正覺　悟禪慧力人師子　智慧力能聲普聞　慈悲皆漸最能入
尒時如來說是經已一切世間天人阿循羅揵闥婆等聞佛所說皆大歡喜受信奉行

BD00025號　無量壽宗要經　（5–4）

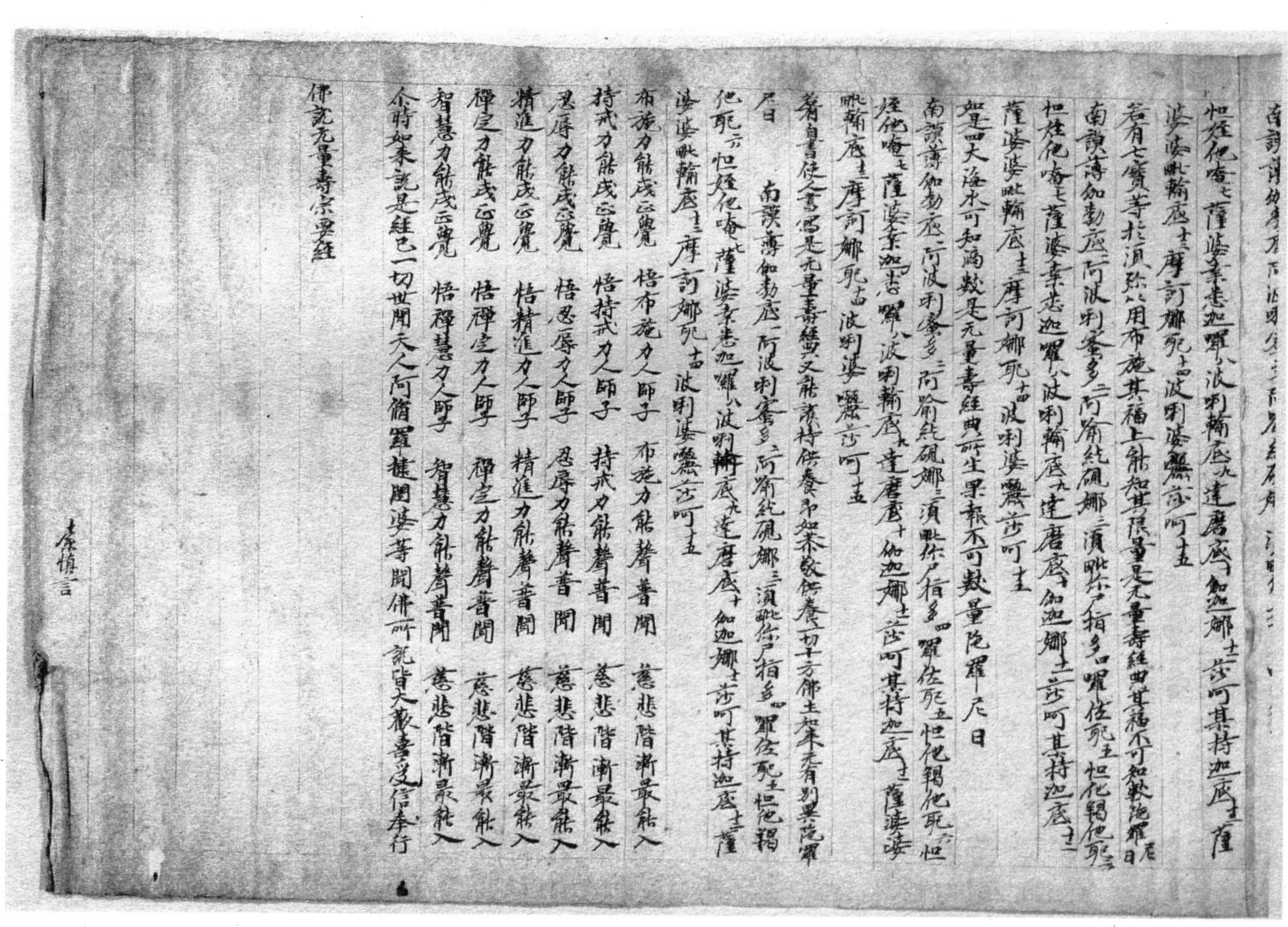
怛姪他唵七薩婆桑悉迦囉八波唎輸底九達磨底十伽伽娜十一莎訶其特迦底十二薩
婆婆毗輸底十三摩訶娜耶十四波唎婆嚩莎訶十五
若有七寶等於須弥山用布施其福上能知其限量是无量壽經典其福不可知數陁羅尼曰
南謨薄伽勃底一阿波唎蜜多二阿喻紇硯娜三須毗你尸指多四囉佐耶五怛他羯他耶六
怛姪他唵七薩婆桑悉迦囉八波唎輸底九達磨底十伽伽娜十一莎訶其特迦底十二
薩婆婆毗輸底十三摩訶娜耶十四波唎婆嚩莎訶十五
如是四大海水可知滴數是无量壽經典所生果報不可數量陁羅尼曰
南謨薄伽勃底一阿波唎蜜多二阿喻紇硯娜三須毗你尸指多四囉佐耶五怛他羯他耶六怛
姪他唵七薩婆桑悉迦囉八波唎輸底九達磨底十伽伽娜十一莎訶其特迦底十二薩婆婆
毗輸底十三摩訶娜耶十四波唎婆嚩莎訶十五
若自書使人書寫是无量壽經典又能恭持供養即如來敬供養一切十方佛土如來无有別異陁羅
尼曰　南謨薄伽勃底一阿波唎蜜多二阿喻紇硯娜三須毗你尸指多四囉佐耶五怛他羯
他耶六怛姪他唵七薩婆桑悉迦囉八波唎輸底九達磨底十伽伽娜十一莎訶其特迦底十二薩
婆婆毗輸底十三摩訶娜耶十四波唎婆嚩莎訶十五
布施力能成正覺　悟布施力人師子　布施力能聲普聞　慈悲皆漸最能入
持戒力能成正覺　悟持戒力人師子　持戒力能聲普聞　慈悲皆漸最能入
忍辱力能成正覺　悟忍辱力人師子　忍辱力能聲普聞　慈悲皆漸最能入
精進力能成正覺　悟精進力人師子　精進力能聲普聞　慈悲皆漸最能入
禪定力能成正覺　悟禪定力人師子　禪定力能聲普聞　慈悲皆漸最能入
智慧力能成正覺　悟禪慧力人師子　智慧力能聲普聞　慈悲皆漸最能入
尒時如來說是經已一切世間天人阿循羅揵闥婆等聞佛所說皆大歡喜受信奉行
佛說无量壽宗要經
索慎言

BD00025號　無量壽宗要經　（5–5）

處為諸衆生說是經典現梵王身或現帝釋
身或現自在天身或現大自在天身或現天大
將軍身或現毗沙門天王身或現轉輪聖王身
或現諸小王身或現長者身或現居士身或現
宰官身或現婆羅門身或現比丘比丘尼優
婆塞優婆夷身或現長者居士婦女身或現
宰官婦女身或現婆羅門婦女身或現童
男童女身或現天龍夜叉乾闥婆阿脩羅迦樓
羅緊那羅摩睺羅伽人非人等身而說是經
諸有地獄餓鬼畜生及衆難處皆能救濟乃
至於王後宮變為女身而說是經華德是妙
音菩薩能救護娑婆世界諸衆生者是妙音
菩薩如是種種變化現身在此娑婆國土為
諸衆生說是經典於神通變化智慧无所損
減是菩薩以若干智慧明照娑婆世界令一
切衆生各得所知於十方恒河沙世界中亦
復如是若應以聲聞形得度者現聲聞形而
為說法應以辟支佛形得度者現辟支佛形
而為說法應以菩薩形得度者現菩薩形而
為說法應以佛形得度者即現佛形而為說
法如是種種隨所應度而為現形乃至應
以滅度而得度者示現滅度華德妙音菩
薩摩訶薩成就大神通智慧之力其事如是
尒時華德菩薩白佛言世尊是妙音菩薩深
種善根世尊是菩薩住何三昧而能如是在

BD00026號　妙法蓮華經卷七　（2–1）

復如是若應以聲聞形得度者現聲聞形而
為說法應以辟支佛形得度者現辟支佛形
而為說法應以菩薩形得度者現菩薩形而
為說法應以佛形得度者即現佛形而為說
法如是種種隨所應度而為現形乃至應
以滅度而得度者示現滅度華德妙音菩
薩摩訶薩成就大神通智慧之力其事如是
尒時華德菩薩白佛言世尊是妙音菩薩深
種善根世尊是菩薩住何三昧而能如是在
所變現度脫衆生佛告華德菩薩善男子其
三昧名現一切色身妙音菩薩住是三昧中能如
是饒益无量衆生說是妙音菩薩品時與
妙音菩薩俱來者八万四千人皆得現一
切色身三昧此娑婆世界无量菩薩亦得是
三昧及陁羅尼尒時妙音菩薩摩訶薩供養
釋迦牟尼佛及多寶佛塔已還歸本土所經
諸國六種震動雨寶蓮華作百千万億種種
伎樂既到本國與八万四千菩薩圍遶至淨
華宿王智佛所白佛言世尊我到娑婆世界
饒益衆生見釋迦牟尼佛及見多寶佛塔礼
拜供養又見文殊師利法王子菩薩及見藥
王菩薩得勤精進力菩薩勇施菩薩等亦令
是八万四千菩薩得現一切色身三昧說是妙
音菩薩來往品時四万二千天子得无生法
忍華德菩薩得法華三昧

BD00026號　妙法蓮華經卷七　（2–2）

汝等若稱名者於此怨
聞俱發聲言南无觀世
得解脫无盡意觀世音
力巍巍如是
若有衆生多於婬欲常
便得離欲若多瞋恚常
便得離瞋若多愚癡常
便得離癡无盡意觀世
威神力多所饒益是故衆
若有女人設欲求男礼拜
便生福德智慧之男設欲
相之女宿殖德本衆人愛
菩薩有如是力若有衆生
菩薩福不唐捐是故衆生
菩薩名号无盡意若有人受持六十二億
河沙菩薩名字復盡形供養飲食衣服卧具
醫藥於汝意云何是善男子善女人功德多
不无盡意言甚多世尊佛言若復有人受持
觀世音菩薩名号乃至一時礼拜供養是二
人福正等无異於百千万億劫不可窮盡无
盡意受持觀世音菩薩名号得如是无量无
邊福德之利
无盡意菩薩白佛言世尊觀世音菩薩云何
遊此娑婆世界云何而為衆生說法方便之
力其事云何佛告无盡意菩薩善男子若有

BD00027號　觀世音經　（5–1）

邊福德之利
无盡意菩薩白佛言世尊觀世音菩薩云何
遊此娑婆世界云何而為衆生說法方便之
力其事云何佛告无盡意菩薩善男子若有
國土衆生應以佛身得度者觀世音菩薩即
現佛身而為說法應以辟支佛身得度者即
現辟支佛身而為說法應以聲聞身得度者
即現聲聞身而為說法應以梵王身得度者
即現梵王身而為說法應以帝釋身得度者
即現帝釋身而為說法應以自在天身得度
者即現自在天身而為說法應以大自在天
身得度者即現大自在天身而為說法應以
天大將軍身得度者即現天大將軍身而為
說法應以毗沙門身得度者即現毗沙門身
而為說法應以小王身得度者即現小王身
而為說法應以長者身得度者即現長者身
而為說法應以居士身得度者即現居士身
而為說法應以宰官身得度者即現宰官身
而為說法應以婆羅門身得度者即現婆羅
門身而為說法應以比丘比丘尼優婆塞優婆
夷身得度者即現比丘比丘尼優婆塞優
婆夷身而為說法應以長者居士宰官婆羅
門婦女身得度者即現婦女身而為說法應
以童男童女身得度者即現童男童女身而
為說法應以天龍夜叉乾闥婆阿脩羅迦樓羅

BD00027號　觀世音經　（5–2）

門婦女身得度者即現婦女身而為說法應
以童男童女身得度者即現童男童女身而
為說法應以天龍夜叉乾闥婆阿脩羅迦樓羅
緊那羅摩睺羅伽人非人等身得度者即皆
現之而為說法應以執金剛神得度者即現
執金剛神而為說法无盡意是觀世音菩薩
成就如是功德以種種形遊諸國土度脫衆生
是故汝等應當一心供養觀世音菩薩是觀
世音菩薩摩訶薩於怖畏急難之中能施
无畏是故此娑婆世界皆号之為施无畏者
无盡意菩薩白佛言世尊我今當供養觀世
音菩薩即解頸衆寶珠瓔珞價直百千兩
金而與之作是言仁者受此法施珎寶瓔珞
時觀世音菩薩不肯受之无盡意復白觀世
音菩薩言仁者愍我等故受此瓔珞尒時佛
告觀世音菩薩當愍此无盡意菩薩及四衆
天龍夜叉乾闥婆阿脩羅迦樓羅緊那羅摩
睺羅伽人非人等故受是瓔珞即時觀世音
菩薩愍諸四衆及於天龍人非人等受其瓔
珞分作二分一分奉釋迦牟尼佛一分奉多
寶佛塔无盡意觀世音菩薩有如是自在
神力遊於娑婆世界
尒時无盡意菩薩以偈問曰
世尊妙相具　我今重問彼　佛子何因緣　名為觀世音
具足妙相尊　偈荅无盡意　汝聽觀音行　善應諸方所
弘誓深如海　歷劫不思議　侍多千億佛　發大清淨願

世尊妙相具　我今重問彼　佛子何因緣　名為觀世音
具足妙相尊　偈荅无盡意　汝聽觀音行　善應諸方所
弘誓深如海　歷劫不思議　侍多千劫佛　發大清淨願
我為汝略說　聞名及見身　心念不空過　能滅諸有苦
假使興害意　推落大火坑　念彼觀音力　火坑變成池
或漂流巨海　龍魚諸鬼難　念彼觀音力　波浪不能沒
或在須弥峯　為人所推墮　念彼觀音力　如日虛空住
或被惡人逐　墮落金剛山　念彼觀音力　不能損一毛
或值怨賊遶　各執刀加害　念彼觀音力　咸即起慈心
或遭王難苦　臨刑欲壽終　念彼觀音力　刀尋段段壞
或囚禁枷鏁　手足被杻械　念彼觀音力　釋然得解脫
呪詛諸毒藥　所欲害身者　念彼觀音力　還著於本人
或遇惡羅剎　毒龍諸鬼等　念彼觀音力　時悉不敢害
若惡獸圍遶　利牙爪可怖　念彼觀音力　疾走无邊方
蚖蛇及蝮蝎　氣毒烟火然　念彼觀音力　尋聲自迴去
雲雷鼓掣電　降雹澍大雨　念彼觀音力　應時得消散
衆生被困厄　无量苦逼身　觀音妙智力　能救世間苦
具足神通力　廣脩智方便　十方諸國土　无刹不現身
種種諸惡趣　地獄鬼畜生　生老病死苦　以漸悉令滅
真觀清淨觀　廣大智慧觀　悲觀及慈觀　常願常瞻仰
无垢清淨光　慧日破諸闇　能伏災風火　普明照世間
悲體戒雷震　慈意妙大雲　澍甘露法雨　滅除煩惱焰
諍訟經官處　怖畏軍陣中　念彼觀音力　衆怨悉退散
妙音觀世音　梵音海潮音　勝彼世間音　是故須常念
念念勿生疑　觀世音淨聖　於苦惱死厄　能為作依怙

或囚禁枷鏁 手足被杻械 念彼觀音力 釋然得解脫
呪詛諸毒藥 所欲害身者 念彼觀音力 還著於本人
或遇惡羅刹 毒龍諸鬼等 念彼觀音力 時悉不敢害
若惡獸圍遶 利牙爪可怖 念彼觀音力 疾走无邊方
蚖蛇及蝮蠍 氣毒煙火然 念彼觀音力 尋聲自迴去
雲雷鼓掣電 降雹澍大雨 念彼觀音力 應時得消散
衆生被困厄 无量苦逼身 觀音妙智力 能救世間苦
具足神通力 廣脩智方便 十方諸國土 无刹不現身
種種諸惡趣 地獄鬼畜生 生老病死苦 以漸悉令滅
真觀清淨觀 廣大智慧觀 悲觀及慈觀 常願常瞻仰
无垢清淨光 慧日破諸闇 能伏災風火 普明照世間
悲體戒雷震 慈意妙大雲 澍甘露法雨 滅除煩惱焰
諍訟經官處 怖畏軍陣中 念彼觀音力 衆怨悉退散
妙音觀世音 梵音海潮音 勝彼世間音 是故須常念
念念勿生疑 觀世音淨聖 於苦惱死厄 能為作依怙
具一切功德 慈眼視衆生 福聚海无量 是故應頂禮
尒時持地菩薩即從座起前白佛言世尊若
有衆生聞是觀世音菩薩品自在之業普門
示現神通力者當知是人功德不少佛說是
普門品時衆中八万四千衆生皆發无等等
阿耨多羅三藐三菩提心

觀音經

BD00027號　觀世音經　（5–5）

讚歎住在一面欣樂瞻仰於二世尊是諸菩
薩摩訶薩從初踊出以諸菩薩種種讚法而
讚於佛如是時間經五十小劫是時釋迦牟
尼佛嘿然而坐及諸四衆亦皆嘿然五十小
劫佛神力故令諸大衆謂如半日尒時四衆
亦以佛神力故見諸菩薩遍滿无量百千万
億國土虛空是菩薩衆中有四導師一名上
行二名无邊行三名淨行四名安立行是四
菩薩於其衆中㝡為上首唱導之師在大衆
前各共合掌觀釋迦牟尼佛而問訊言世尊
少病少惱安樂行不所應度者受教易不不
令世尊生疲勞耶尒時四大菩薩而說偈
言
世尊安樂 少病少惱 教化衆生 得无疲惓
又諸衆生 受化易不 不令世尊 生疲勞耶
尒時世尊於菩薩大衆中而作是言如是如
是諸善男子如來安樂少病少惱諸衆生等
易可化度无有疲勞所以者何是諸衆生世
化亦於過去諸佛供養尊重
衆生始見我身聞我所說即
除先脩習學小乘者如是
聞是經入於佛慧尒時諸大
善哉善哉 大雄世尊 諸衆生等 易可化度
能問諸佛 甚深智慧 聞已信行 我等隨喜

BD00028號　妙法蓮華經卷五　（2–1）

亦以佛神力故見諸菩薩遍滿无量百千万
億國土虛空是菩薩衆中有四導師一名上
行二名无邊行三名淨行四名安立行是四
菩薩於其衆中最為上首唱導之師在大衆
前各共合掌觀釋迦牟尼佛而問訊言世尊
少病少惱安樂行不所應度者受教易不不
令世尊生疲勞耶尒時四大菩薩而說偈
言
世尊安樂　少病少惱　教化衆生　得无疲惓
又諸衆生　受化易不　不令世尊　生疲勞耶
尒時世尊於菩薩大衆中而作是言如是如
是諸善男子如來安樂少病少惱諸衆生等
易可化度无有疲勞所以者何是諸衆生世
化亦於過去諸佛供養尊重
衆生始見我身聞我所說即
除先修習學小乘者如是
聞是經入於佛慧尒時諸大
善哉善哉　大雄世尊　諸衆生等　易可化度
能問諸佛　甚深智慧　聞已信行　我等隨喜
於時世尊讚歎上首諸大菩薩善哉善哉
男子汝等能於如來發隨喜心尒時弥勒
住及八千恒河沙諸菩薩衆皆作是念我

BD00028號　妙法蓮華經卷五　（2–2）

脩梵行皆為法師已於千万佛所植諸善本
是時日月燈明佛說大乘經名无量義教菩
薩法佛所護念說是經已即於大衆中結跏
趺坐入於无量義處三昧身心不動是時天
雨曼陁羅華摩訶曼陁羅華曼殊沙華摩
訶曼殊沙華而散佛上及諸大衆普佛世界六
種震動尒時會中比丘比丘尼優婆塞優婆
夷天龍夜叉乹闥婆阿脩羅迦樓羅緊那
羅摩睺羅伽人非人及諸小王轉輪聖王等是
諸大衆得未曾有歡喜合掌一心觀佛尒時
如來放眉間白毫相光照東方万八千佛土
靡不周遍如今所見是諸佛土弥勒當知尒
時會中有二十億菩薩樂欲聽法是諸菩薩
見此光明普照佛土得未曾有欲知此光所
為因緣時有菩薩名曰妙光有八百弟子是
時日月燈明佛從三昧起因妙光菩薩說大
乘經名妙法蓮華教菩薩法佛所護念六十
小劫不起于座時會聽者亦坐一處六十小
劫身心不動聽佛所說謂如食頃是時衆中
无有一人若身若心而生懈惓日月燈明佛於
六十小劫說是經已即於梵魔沙門婆羅
門及天人阿脩羅衆中而宣此言如來於今
日中夜當入无餘涅槃時有菩薩名曰德藏
日月燈明佛即授其記告諸比丘是德藏菩
薩次當作佛号曰淨身多陁阿伽度阿羅訶
三藐三佛陁佛授記已便於中夜入无餘涅
槃佛滅度後妙光菩薩持妙法蓮華經滿八
十小劫為人演說日月燈明佛八子皆師妙

BD00029號　妙法蓮華經卷一　（14–1）

三藐三佛陁佛授記已便於中夜入无餘涅槃佛滅度後妙光菩薩持妙法蓮華經滿八十小劫爲人演說日月燈明佛八子皆師妙光妙光教化令其堅固阿耨多羅三藐三菩提是諸王子供養无量百千万億佛已皆成佛道其㝡後成佛者名曰燃燈八百弟子中有一人号曰求名貪著利養雖復讀誦衆經而不通利多所忘失故号求名是人亦以種諸善根因緣故得值无量百千万億諸佛供養恭敬尊重讚歎弥勒當知尒時妙光菩薩豈異人乎我身是也求名菩薩汝身是也今見此瑞與本无異是故惟忖今日如來當說大乘經名妙法蓮華教菩薩法佛所護念尒時文殊師利於大衆中欲重宣此義而說偈言

我念過去世　无量无數劫　有佛人中尊　号日月燈明
世尊演說法　度无量衆生　无數億菩薩　令入佛智慧
佛未出家時　所生八王子　見大聖出家　亦隨脩梵行
時佛說大乘　經名无量義　於諸大衆中　而爲廣分別
佛說此經已　即於法座上　跏趺坐三昧　名无量義處
天雨曼陁華　天鼓自然鳴　諸天龍鬼神　供養人中尊
一切諸佛土　即時大震動　佛放眉間光　現諸希有事
此光照東方　万八千佛土　示一切衆生　生死業報處
有見諸佛土　以衆寶莊嚴　琉璃頗梨色　斯由佛光照
及見諸天人　龍神夜叉衆　乹闥緊那羅　各供養其佛
又見諸如來　自然成佛道　身色如金山　端嚴甚微妙
如淨琉璃中　內現真金像　世尊在大衆　敷演深法義
一一諸佛土　聲聞衆无數　因佛光所照　悉見彼大衆

BD00029號　妙法蓮華經卷一　（14–2）

又見諸如來　自然成佛道　身色如金山　端嚴甚微妙
如淨琉璃中　內現真金像　世尊在大衆　敷演深法義
一一諸佛土　聲聞衆无數　因佛光所照　悉見彼大衆
或有諸比丘　在於山林中　精進持淨戒　猶如護明珠
又見諸菩薩　行施忍辱等　其數如恒沙　斯由佛光照
又見諸菩薩　深入諸禪定　身心寂不動　以求无上道
又見諸菩薩　知法寂滅相　各於其國土　說法求佛道
尒時四部衆　見日月燈佛　現大神通力　其心皆歡喜
各各自相問　是事何因緣　天人所奉尊　適從三昧起
讚妙光菩薩　汝爲世間眼　一切所歸信　能奉持法藏
如我所說法　唯汝能證知　世尊既讚歎　令妙光歡喜
說是法華經　滿六十小劫　不起於此座　所說上妙法
是妙光法師　悉皆能受持　佛說是法華　令衆歡喜已
尋即於是日　告於天人衆　諸法實相義　已爲汝等說
我今於中夜　當入於涅槃　汝一心精進　當離於放逸
諸佛甚難值　億劫時一遇　世尊諸子等　聞佛入涅槃
各各懷悲惱　佛滅一何速　聖主法之王　安慰无量衆
我若滅度時　汝等勿憂怖　是德藏菩薩　於無漏實相
心已得通達　其次當作佛　号曰爲淨身　亦度无量衆
佛此夜滅度　如薪盡火滅　分布諸舍利　而起无量塔
比丘比丘尼　其數如恒沙　倍復加精進　以求无上道
是妙光法師　奉持佛法藏　八十小劫中　廣宣法華經
是諸八王子　妙光所開化　堅固无上道　當見无數佛
供養諸佛已　隨順行大道　相繼得成佛　轉次而授記
㝡後天中天　号曰燃燈佛　諸仙之導師　度脫无量衆
是妙光法師　時有一弟子　心常懷懈怠　貪著於名利
求名利无猒　多遊族姓家　棄捨所習誦　廢忘不通利
以是因緣故　号之爲求名　亦行衆善業　得見无數佛
供養於諸佛　隨順行大道　具六波羅蜜　今見釋師子

BD00029號　妙法蓮華經卷一　（14–3）

以是因緣故　号之為求名　亦行衆善業　得見无數佛
供養於諸佛　随順行大道　具六波羅蜜　今見釋師子
其後當作佛　号名曰弥勒　廣度諸衆生　其數无有量
彼佛滅度後　懈怠者汝是　妙光法師者　今則我身是
我見燈明佛　本光瑞如此　以是知今佛　欲說法華經
今相如本瑞　是諸佛方便　今佛放光明　助發實相義
諸人今當知　合掌一心待　佛當雨法雨　充足求道者
諸求三乘人　若有疑悔者　佛當為除斷　令盡无有餘

妙法蓮華經方便品第二

尒時世尊從三昧安詳而起告舍利弗諸佛智慧甚深无量其智慧門難解難入一切聲聞辟支佛所不能知所以者何佛曾親近百千万億无數諸佛盡行諸佛无量道法勇猛精進名稱普聞成就甚深未曾有法隨宜所說意趣難解舍利弗吾從成佛已來種種因緣種種譬喻廣演言教无數方便引導衆生令離諸着所以者何如來方便知見波羅蜜皆已具足舍利弗如來知見廣大深遠无量无礙力无所畏禪定解脫三昧深入无際成就一切未曾有法舍利弗如來能種種分別巧說諸法言辭柔軟悅可衆心舍利弗取要言之无量无邊未曾有法佛悉成就止舍利弗不須復說所以者何佛所成就第一希有難解之法唯佛與佛乃能究盡諸法實相所謂諸法如是相如是性如是體如是力如是作如是因如是緣如是果如是報如是本末究竟等尒時世尊欲重宣此義而說偈言

世雄不可量　諸天及世人　一切衆生類　无能知佛者

究竟等尒時世尊欲重宣此義而說偈言
世雄不可量　諸天及世人　一切衆生類　无能知佛者
佛力无所畏　解脫諸三昧　及佛諸餘法　无能測量者
本從无數佛　具足行諸道　甚深微妙法　難見難可了
於无量億劫　行此諸道已　道塲得成果　我已悉知見
如是大果報　種種性相義　我及十方佛　乃能知是事
是法不可示　言辭相寂滅　諸餘衆生類　无有能得解
除諸菩薩衆　信力堅固者　諸佛弟子衆　曾供養諸佛
一切漏已盡　住是最後身　如是諸人等　其力所不堪
假使滿世間　皆如舍利弗　盡思共度量　不能測佛智
正使滿十方　皆如舍利弗　及餘諸弟子　亦滿十方剎
盡思共度量　亦復不能知　辟支佛利智　无漏最後身
亦滿十方界　其數如竹林　斯等共一心　於億无量劫
欲思佛實智　莫能知少分　新發意菩薩　供養无數佛
了達諸義趣　又能善說法　如稻麻竹葦　充滿十方剎
一心以妙智　於恒河沙劫　咸皆共思量　不能知佛智
不退諸菩薩　其數如恒沙　一心共思求　亦復不能知
又告舍利弗　无漏不思議　甚深微妙法　我今已具得
唯我知是相　十方佛亦然　舍利弗當知　諸佛語无異
於佛所說法　當生大信力　世尊法久後　要當說真實
告諸聲聞衆　及求緣覺乘　我令脫苦縛　逮得涅槃者
佛以方便力　示以三乘教　衆生處處着　引之令得出

尒時大衆中有諸聲聞漏盡阿羅漢阿若憍陳如等千二百人及發聲門辟支佛心比丘比丘尼優婆塞優婆夷各作是念今者世尊何故慇勤稱歎方便而作是言佛所得法甚深難解有所言說意趣難知一切聲聞辟支佛所不能及佛說一解脫義我等亦得此法

何故慇懃稱歎方便而作是言佛所得法甚
深難解有所言說意趣難知一切聲聞辟支
佛所不能及佛說一解脫義我等亦得此法
到於涅槃而今不知是義所趣尒時舍利弗
知四衆心疑自亦未了而白佛言世尊何因
何緣慇懃稱歎諸佛苐一方便甚深微妙難
解之法我自昔來未曾從佛聞如是說今者
四衆咸皆有疑唯願世尊敷演斯事世尊何
故慇懃稱歎甚深微妙難解之法尒時舍利
弗欲重宣此義而說偈言

慧日大聖尊 久乃說是法 自說得如是 力无畏三昧
禪定解脫等 不可思議法 道場所得法 无能發問者
我意難可測 亦无能問者 无問而自說 稱歎所行道
智慧甚深妙 諸佛之所得 无漏諸羅漢 及求涅槃者
今皆墮疑網 佛何故說是 其求緣覺者 比丘比丘尼
諸天龍鬼神 及乾闥婆等 相視懷猶豫 瞻仰兩足尊
是事為云何 願佛為解說 於諸聲聞衆 佛說我苐一
我今自於智 疑惑不能了 為是究竟法 為是所行道
佛口所生子 合掌瞻仰待 願出微妙音 時為如實說
諸天龍神等 其數如恒沙 求佛諸菩薩 大數有八万
又諸万億國 轉輪聖王至 合掌以敬心 欲聞具足道

尒時佛告舍利弗止止不須復說若說是事
一切世間諸天及人皆當驚疑舍利弗重白
佛言世尊唯願說之唯願說之所以者何是
會无數百千万億阿僧祇衆生曾見諸佛諸
根猛利智慧明了聞佛所說則能敬信尒時
舍利弗欲重宣此義而說偈言

法王无上尊 唯說願勿慮 是會无量衆 有能敬信者

BD00029號　妙法蓮華經卷一　（14-6）

舍利弗欲重宣此義而說偈言

法王无上尊 唯說願勿慮 是會无量衆 有能敬信者

佛復止舍利弗若說是事一切世間天人阿
脩羅皆當驚疑增上慢比丘將墜於大坑尒
時世尊重說偈言

止止不須說 我法妙難思 諸增上慢者 聞必不敬信

尒時舍利弗重白佛言世尊唯願說之唯願
說之今此會中如我等比百千万億世世已
曾從佛受化如此人等必能敬信長夜安隱
多所饒益尒時舍利弗欲重宣此義而說偈
言

无上兩足尊 願說苐一法 我為佛長子 唯垂分別說
是會无量衆 能敬信此法 佛已曾世世 教化如是等
皆一心合掌 欲聽受佛語 我等千二百 及餘求佛者
願為此衆故 唯垂分別說 是等聞此法 則生大歡喜

尒時世尊告舍利弗汝已慇懃三請豈得不
說汝今諦聽善思念之吾當為汝分別解說
說此語時會中有比丘比丘尼優婆塞優婆
夷五千人等即從座起禮佛而退所以者何
此輩罪根深重及增上慢未得謂得未證謂
證有如此失是以不住世尊嘿然而不制止
尒時佛告舍利弗我今此衆无復枝葉純有
貞實舍利弗如是增上慢人退亦佳矣汝今
善聽當為汝說舍利弗言唯然世尊願樂欲
聞佛告舍利弗如是妙法諸佛如來時乃說
之如優曇鉢華時一現耳舍利弗汝等當信
佛之所說言不虛妄舍利弗諸佛隨宜說法
意趣難解所以者何我以无數方便種種因

BD00029號　妙法蓮華經卷一　（14-7）

佛之所說言不虛妄舍利弗諸佛隨宜說法
意趣難解所以者何我以无數方便種種因
緣譬喻言辭演說諸法是法非思量分別之
所能解唯有諸佛乃能知之所以者何諸佛
世尊唯以一大事因緣故出現於世舍利弗
云何名諸佛世尊唯以一大事因緣故出現
於世諸佛世尊欲令衆生開佛知見使得清
淨故出現於世欲示衆生佛知見故出現於
世欲令衆生悟佛知見故出現於世欲令衆
生入佛知見道故出現於世舍利弗是爲諸
佛以一大事因緣故出現於世佛告舍利弗
諸佛如來但教化菩薩諸有所作常爲一事
唯以佛之知見示悟衆生舍利弗如來但以一
佛乘故爲衆生說法无有餘乘若二若三
舍利弗一切十方諸佛法亦如是舍利弗過
去諸佛以无量无數方便種種因緣譬喻言
辭而爲衆生演說諸法是法皆爲一佛乘故
是諸衆生從諸佛聞法究竟皆得一切種智
舍利弗未來諸佛當出於世亦以无量无數
方便種種因緣譬喻言辭而爲衆生演說諸
法是法皆爲一佛乘故是諸衆生從佛聞法
究竟皆得一切種智舍利弗現在十方无量
百千万億佛土中諸佛世尊多所饒益安樂
衆生是諸佛亦以无量无數方便種種因緣
譬喻言辭而爲衆生演說諸法是法皆爲一
佛乘故是諸衆生從佛聞法究竟皆得一切
種智舍利弗是諸佛但教化菩薩欲以佛之
知見示衆生故欲以佛之知見悟衆生故欲
令衆生入佛之知見故舍利弗我今亦復如

知見示衆生故欲以佛之知見悟衆生故欲
令衆生入佛之知見故舍利弗我今亦復如
是知諸衆生有種種欲深心所著隨其本性
以種種因緣譬喻言辭方便力故而爲說法
舍利弗如此皆爲得一佛乘一切種智故舍
利弗十方世界中尚无二乘何況有三舍利
弗諸佛出於五濁惡世所謂劫濁煩惱濁衆
生濁見濁命濁如是舍利弗劫濁亂時衆生
垢重慳貪嫉妬成就諸不善根故諸佛以方
便力於一佛乘分別說三舍利弗若我弟子
自謂阿羅漢辟支佛者不聞不知諸佛如來
但教化菩薩事此非佛弟子非阿羅漢非辟
支佛又舍利弗是諸比丘比丘尼自謂已得
阿羅漢是最後身究竟涅槃便不復志求阿
耨多羅三藐三菩提當知此輩皆是增上慢
人所以者何若有比丘實得阿羅漢若不信
此法无有是處除佛滅度後現前无佛所以
者何佛滅度後如是等經受持讀誦解義者
是人難得若遇餘佛於此法中便得決了舍
利弗汝等當一心信解受持佛語諸佛如來
言无虛妄无有餘乘唯一佛乘尒時世尊欲重
宣此義而說偈言
比丘比丘尼　有懷增上慢　優婆塞我慢　優婆夷不信
如是四衆等　其數有五千　不自見其過　於戒有缺漏
護惜其瑕疵　是小智已出　衆中之糟糠　佛威德故去
斯人尠福德　不堪受是法　此衆无枝葉　唯有諸貞實
舍利弗善聽　諸佛所得法　无量方便力　而爲衆生說
衆生心所念　種種所行道　若干諸欲性　先世善惡業

衆生心所念　種種所行道　若干諸欲性　先世善惡業
佛悉知是已　以諸緣譬喻　言辭方便力　令一切歡喜
或說脩多羅　伽陁及本事　本生未曾有　亦說於因緣
譬喻并祇夜　優波提舍經　鈍根樂小法　貪著於生死
於諸无量佛　不行深妙道　衆苦所惱亂　為是說涅槃
我設是方便　令得入佛慧　未曾說汝等　當得成佛道
所以未曾說　說時未至故　今正是其時　決定說大乘
我此九部法　随順衆生說　入大乘為本　以故說是經
有佛子心淨　柔軟亦利根　无量諸佛所　而行深妙道
為此諸佛子　說是大乘經　我記如是人　來世成佛道
以深心念佛　脩持淨戒故　此等聞得佛　大喜充遍身
佛知彼心行　故為說大乘　聲聞若菩薩　聞我所說法
乃至於一偈　皆成佛无疑　十方佛土中　唯有一乘法
无二亦无三　除佛方便說　但以假名字　引導於衆生
說佛智慧故　諸佛出於世　唯此一事實　餘二則非真
終不以小乘　濟度於衆生　佛自住大乘　如其所得法
定慧力莊嚴　以此度衆生　自證无上道　大乘平等法
若以小乘化　乃至於一人　我則墮慳貪　此事為不可
若人信歸佛　如來不欺誑　亦无貪嫉意　斷諸法中惡
故佛於十方　而獨无所畏　我以相嚴身　光明照世間
无量衆所尊　為說實相印　舍利弗當知　我本立誓願
欲令一切衆　如我等無異　如我昔所願　今者已滿足
化一切衆生　皆令入佛道　若我遇衆生　盡教以佛道
无智者錯亂　迷惑不受教　我知此衆生　未曾脩善本
堅著於五欲　癡愛故生惱　以諸欲因緣　墜墮三惡道
輪迴六趣中　備受諸苦毒　受胎之微形　世世常增長
薄德少福人　衆苦所逼迫　入邪見稠林　若有若无等
依止此諸見　具足六十二　深著虛妄法　堅受不可捨
我慢自矜高　諂曲心不實　於千万億劫　不聞佛名字

BD00029號　妙法蓮華經卷一　（14–10）

薄德少福人　衆苦所逼迫　入邪見稠林　若有若无等
依止此諸見　具足六十二　深著虛妄法　堅受不可捨
我慢自矜高　諂曲心不實　於千万億劫　不聞佛名字
亦不聞正法　如是人難度　是故舍利弗　我為設方便
說諸盡苦道　示之以涅槃　我雖說涅槃　是亦非真滅
諸法從本來　常自寂滅相　佛子行道已　來世得作佛
我有方便力　開示三乘法　一切諸世尊　皆說一乘道
今此諸大衆　皆應除疑惑　諸佛語无異　唯一无二乘
過去无數劫　无量滅度佛　百千万億種　其數不可量
如是諸世尊　種種緣譬喻　无數方便力　演說諸法相
是諸世尊等　皆說一乘法　化无量衆生　令入於佛道
又諸大聖主　知一切世間　天人羣生類　深心之所欲
更以異方便　助顯第一義　若有衆生類　值諸過去佛
若聞法布施　或持戒忍辱　精進禪智等　種種脩福德
如是諸人等　皆已成佛道　諸佛滅度已　若人善耎心
如是諸衆生　皆已成佛道　諸佛滅度已　供養舍利者
起万億種塔　金銀及頗梨　車𤦲與馬瑙　玫瑰琉璃珠
清淨廣嚴飾　莊校於諸塔　或有起石廟　栴檀及沈水
木蜜并餘材　塼瓦泥土等　若於曠野中　積土成佛廟
乃至童子戲　聚沙為佛塔　如是諸人等　皆已成佛道
若人為佛故　建立諸形像　刻彫成衆相　皆已成佛道
或以七寶成　鍮石赤白銅　白鑞及鉛錫　鐵木及與泥
或以膠漆布　嚴飾作佛像　如是諸人等　皆已成佛道
采畫作佛像　百福莊嚴相　自作若使人　皆已成佛道
乃至童子戲　若草木及筆　或以指爪甲　而畫作佛像
如是諸人等　漸漸積功德　具足大悲心　皆已成佛道
但化諸菩薩　度脫无量衆　若人於塔廟　寶像及畫像
以華香幡蓋　敬心而供養　若使人作樂　擊鼓吹角貝
簫笛琴箜篌　琵琶鐃銅鈸　如是衆妙音　盡持以供養

BD00029號　妙法蓮華經卷一　（14–11）

如是諸人等 漸漸積功德 具足大悲心 皆已成佛道
但化諸菩薩 度脫无量衆 若人於塔廟 寶像及畫像
以華香幡蓋 敬心而供養 若使人作樂 擊鼓吹角貝
簫笛琴箜篌 琵琶鐃銅䥫 如是衆妙音 盡持以供養
或以歡喜心 歌唄頌佛德 乃至一小音 皆已成佛道
若人散亂心 乃至以一華 供養於畫像 漸見无數佛
或有人礼拜 或復但合掌 乃至舉一手 或復小低頭
以此供養像 漸見無量佛 自成无上道 廣度无數衆
入无餘涅槃 如薪盡火滅 若人散亂心 入於塔廟中
一稱南无佛 皆已成佛道 於諸過去佛 在世或滅後
若有聞是法 皆已成佛道 未來諸世尊 其數无有量
是諸如來等 亦方便說法 一切諸如來 以无量方便
度脫諸衆生 入佛无漏智 若有聞法者 无一不成佛
諸佛本誓願 我所行佛道 普欲令衆生 亦同得此道
未來世諸佛 雖說百千億 无數諸法門 其實爲一乘
諸佛兩足尊 知法常无性 佛種從緣起 是故說一乘
是法住法位 世間相常住 於道場知已 導師方便說
天人所供養 現在十方佛 其數如恒沙 出現於世間
安隱衆生故 亦說如是法 知第一寂滅 以方便力故
雖示種種道 其實爲佛乘 知衆生諸行 深心之所念
過去所習業 欲性精進力 及諸根利鈍 以種種因緣
譬喻亦言辭 隨應方便說 今我亦如是 安隱衆生故
以種種法門 宣示於佛道 我以智慧力 知衆生性欲
方便說諸法 皆令得歡喜 舍利弗當知 我以佛眼觀
見六道衆生 貧窮无福慧 入生死險道 相續苦不斷
深著於五欲 如犛牛愛尾 以貪愛自蔽 盲瞑无所見
不求大勢佛 及與斷苦法 深入諸邪見 以苦欲捨苦
爲是衆生故 而起大悲心 我始坐道場 觀樹亦經行
於三七日中 思惟如是事 我所得智慧 微妙最第一

BD00029號 妙法蓮華經卷一 （14–12）

不求大勢佛 及與斷苦法 深入諸邪見 以苦欲捨苦
爲是衆生故 而起大悲心 我始坐道場 觀樹亦經行
於三七日中 思惟如是事 我所得智慧 微妙最第一
衆生諸根鈍 著樂癡所盲 如斯之等類 云何而可度
爾時諸梵王 及諸天帝釋 護世四天王 及大自在天
并餘諸天衆 眷屬百千万 恭敬合掌礼 請我轉法輪
我即自思惟 若但讚佛乘 衆生沒在苦 不能信是法
破法不信故 墜於三惡道 我寧不說法 疾入於涅槃
尋念過去佛 所行方便力 我今所得道 亦應說三乘
作是思惟時 十方佛皆現 梵音慰喻我 善哉釋迦文
第一之導師 得是无上法 隨諸一切佛 而用方便力
我等亦皆得 最妙第一法 爲諸衆生類 分別說三乘
少智樂小法 不自信作佛 是故以方便 分別說諸果
雖復說三乘 但爲教菩薩 舍利弗當知 我聞聖師子
深淨微妙音 喜稱南无佛 復作如是念 我出濁惡世
如諸佛所說 我亦隨順行 思惟是事已 即趣波羅柰
諸法寂滅相 不可以言宣 以方便力故 爲五比丘說
是名轉法輪 便有涅槃音 及以阿羅漢 法僧差別名
從久遠劫來 讚示涅槃法 生死苦永盡 我常如是說
舍利弗當知 我見佛子等 志求佛道者 无量千万億
咸以恭敬心 皆來至佛所 曾從諸佛聞 方便所說法
我即作是念 所以出於世 爲說佛慧故 今正是其時
舍利弗當知 鈍根小智人 著相憍慢者 不能信是法
今我喜无畏 於諸菩薩中 正直捨方便 但說无上道
菩薩聞是法 疑網皆已除 千二百羅漢 悉亦當作佛
如三世諸佛 說法之儀式 我今亦如是 說無分別法
諸佛興出世 懸遠值遇難 正使出于世 說是法復難
无量无數劫 聞是法亦難 能聽是法者 斯人亦復難
譬如優曇華 一切皆愛樂 天人所希有 時時乃一出

BD00029號 妙法蓮華經卷一 （14–13）

如諸佛所說　我亦隨順行　思惟是事已　即趣波羅㮈
諸法寂滅相　不可以言宣　以方便力故　為五比丘說
是名轉法輪　便有涅槃音　及以阿羅漢　法僧差別名
從久遠劫來　讚示涅槃法　生死苦永盡　我常如是說
舍利弗當知　我見佛子等　志求佛道者　无量千万億
咸以恭敬心　皆來至佛所　曾從諸佛聞　方便所說法
我即作是念　所以出於世　為說佛慧故　今正是其時
舍利弗當知　鈍根小智人　著相憍慢者　不能信是法
今我喜无畏　於諸菩薩中　正直捨方便　但說无上道
菩薩聞是法　疑網皆已除　千二百羅漢　悉亦當作佛
如三世諸佛　說法之儀式　我今亦如是　說無分別法
諸佛興出世　懸遠值遇難　正使出于世　說是法復難
无量无數劫　聞是法亦難　能聽是法者　斯人亦復難
譬如優曇華　一切皆愛樂　天人所希有　時時乃一出
聞法歡喜讚　乃至發一言　則為已供養　一切三世佛
是人甚希有　過於優曇華　汝等勿有疑　我為諸法王
普告諸大眾　但以一乘道　教化諸菩薩　无聲聞弟子
汝等舍利弗　聲聞及菩薩　當知是妙法　諸佛之秘要
以五濁惡世　但樂著諸欲　如是等眾生　終不求佛道
☐世惡人　聞佛說一乘　迷惑不信受　破法墮惡道
愧清淨　志求佛道者　當為如是等　廣讚一乘道
知　諸佛法如是　以万億方便　隨宜而說法
不能曉了此　汝等既已知　諸佛世之師
心生大歡喜　自知當作佛

BD00029 號　妙法蓮華經卷一　（14–14）

☐是人成就第一希有
則是非相是故如來說名實相
聞如是經典信解受持不足為難
後五百歲其有眾生得聞是經
人則為第一希有何以故此人无
眾生相壽者相所以者何我相
相眾生相壽者相即是非相何
諸相則名諸佛
佛告須菩提如是如是若復有
不驚不怖不畏當知是人甚為希
須菩提如來說第一波羅蜜非
是名第一波羅蜜須菩提忍辱
說非忍辱波羅蜜何以故須菩提
歌利王割截身體我於尒時无我相无人相
无眾生相无壽者相何以故我於往昔節節
支解時若有我相人相眾生相壽者相應生
瞋恨須菩提又念過去於五百世作忍辱仙
人於尒所世无我相无人相无眾生相无壽
者相是故須菩提菩薩應離一切相發阿耨
多羅三藐三菩提心不應住色生心不應住
聲香味觸法生心應生无所住心若心有住
則為非住是故佛說菩薩心不應住色布施
須菩提菩薩為利益一切眾生應如是布施
如來說一切諸相即是非相又說一切眾生

BD00030 號　金剛般若波羅蜜經　（8–1）

則為非住是故佛說菩薩心不應住色布施
須菩提菩薩為利益一切衆生應如是布施
如來說一切諸相即是非相又說一切衆生
則非衆生須菩提如來是真語者實語者如
語者不誑語者不異語者須菩提如來所得
法此法无實无虛須菩提若菩薩心住於法
而行布施如人入闇則无所見若菩薩心不
住法而行布施如人有目日光明照見種種
色須菩提當来之世若有善男子善女人能
於此經受持讀誦則為如来以佛智慧悉知
是人悉見是人皆得成就无量无邊功德
須菩提若有善男子善女人初日分以恒河
沙等身布施中日分復以恒河沙等身布施
後日分亦以恒河沙等身布施如是无量百
千万億劫以身布施若復有人聞此經典信
心不逆其福勝彼何況書寫受持讀誦為人
解說須菩提以要言之是經有不可思議不
可稱量无邊功德如来為發大乘者說為發
最上乘者說若有人能受持讀誦廣為人說
如来悉知是人悉見是人皆成就不可量不
可稱无有邊不可思議功德如是人等則為
荷擔如来阿耨多羅三藐三菩提何以故須
菩提若樂小法者著我見人見衆生見壽者
見則於此經不能聽受讀誦為人解說須菩
提在在處處若有此經一切世間天人阿脩

BD00030號　金剛般若波羅蜜經　（8–2）

見則於此經不能聽受讀誦為人解說須菩
提在在處處若有此經一切世間天人阿脩
羅所應供養當知此處則為是塔皆應恭敬
作礼圍繞以諸華香而散其處
復次須菩提善男子善女人受持讀誦此經
若為人輕賤是人先世罪業應墮悪道以今
世人輕賤故先世罪業則為消滅當得阿耨
多羅三藐三菩提須菩提我念過去无量阿
僧祇劫於然燈佛前得值八百四千万億那
由他諸佛悉皆供養承事无空過者若復有
人於後末世能受持讀誦此經所得功德於
我所供養諸佛功德百分不及一千万億分
乃至筭數譬喻所不能及須菩提若善男子
善女人於後末世有受持讀誦此經所得功
德我若具說者或有人聞心則狂亂狐疑不
信須菩提當知是經義不可思議果報亦不
可思議
尒時須菩提白佛言世尊善男子善女人發
阿耨多羅三藐三菩提心云何應住云何降
伏其心佛告須菩提善男子善女人發阿耨
多羅三藐三菩提者當生如是心我應滅度
一切衆生滅度一切衆生已而无有一衆生
實滅度者何以故若菩薩有我相人相衆生
相壽者相則非菩薩所以者何須菩提實无
有法發阿耨多羅三藐三菩提者須菩提於

BD00030號　金剛般若波羅蜜經　（8–3）

實滅度者何以故若菩薩有我相人相衆生相壽者相則非菩薩所以者何須菩提實无有法發阿耨多羅三藐三菩提者須菩提於意云何如来於然燈佛所有法得阿耨多羅三藐三菩提不不也世尊如我解佛所說義佛於然燈佛所无有法得阿耨多羅三藐三菩提佛言如是如是須菩提實无有法如来得阿耨多羅三藐三菩提須菩提若有法如来得阿耨多羅三藐三菩提然燈佛則不與我受記汝於来世當得作佛号釋迦牟尼以實无有法得阿耨多羅三藐三菩提是故然燈佛與我受記作是言汝於来世當得作佛号釋迦牟尼何以故如来者即諸法如義若有人言如来得阿耨多羅三藐三菩提須菩提實无有法佛得阿耨多羅三藐三菩提須菩提如来所得阿耨多羅三藐三菩提於是中无實无虚是故如来說一切法皆是佛法須菩提所言一切法者即非一切法是故名一切法須菩提譬如人身長大須菩提言世尊如来說人身長大則為非大身是名大身須菩提菩薩亦如是若作是言我當滅度无量衆生則不名菩薩何以故須菩提无有法名為菩薩是故佛說一切法无我无人无衆生无壽者須菩提若菩薩作是言我當莊嚴佛土是不名菩薩何以故如来說莊嚴佛土者即非莊嚴是名莊嚴須菩提若菩薩通達

BD00030 號　金剛般若波羅蜜經　（8–4）

生无壽者須菩提若菩薩作是言我當莊嚴佛土是不名菩薩何以故如来說莊嚴佛土者即非莊嚴是名莊嚴須菩提若菩薩通達无我法者如来說名真是菩薩

須菩提於意云何如来有宍眼不如是世尊如来有宍眼須菩提於意云何如来有天眼不如是世尊如来有天眼須菩提於意云何如来有慧眼不如是世尊如来有慧眼須菩提於意云何如来有法眼不如是世尊如来有法眼須菩提於意云何如来有佛眼不如是世尊如来有佛眼須菩提於意云何如恒河中所有沙佛說是沙不如是世尊如来說是沙須菩提於意云何如一恒河中所有沙有如是等恒河是諸恒河所有沙數佛世界如是寧為多不甚多世尊佛告須菩提尒所國土中所有衆生若干種心如来悉知何以故如来說諸心皆為非心是名為心所以者何須菩提過去心不可得現在心不可得未来心不可得須菩提於意云何若有人滿三千大千世界七寶以用布施是人以是因緣得福多不如是世尊此人以是因緣得福甚多須菩提若福德有實如来不說得福德多以福德无故如来說得福德多

須菩提於意云何佛可以具足色身見不不也世尊如来不應以色身見何以故如来說具足色身即非具足色身是名具足色身須

BD00030 號　金剛般若波羅蜜經　（8–5）

世世尊如来不應以色身見何以故如来說
具足色身即非具足色身是名具足色身須
菩提於意云何如来可以具足諸相見不不
也世尊如来不應以具足諸相見何以故如
来說諸相具足即非具足是名諸相具足須
菩提汝等勿謂如来作是念我當有所說法
莫作是念何以故若人言如来有所說法即
為謗佛不能解我所說故須菩提說法者无
法可說是名說法須菩提白佛言世尊佛得
阿耨多羅三藐三菩提為无所得耶如是如
是須菩提我於阿耨多羅三藐三菩提乃至
无有少法可得是名阿耨多羅三藐三菩提
復次須菩提是法平等无有高下是名阿耨
多羅三藐三菩提以无我无人无衆生无壽
者脩一切善法則得阿耨多羅三藐三菩提
須菩提所言善法者如来說非善法是名善
法須菩提若三千大千世界中所有諸須弥
山王如是等七寶聚有人持用布施若人以
此般若波羅蜜經乃至四句偈等受持為他
人說於前福德百分不及一百千万億分乃
至筭數譬喻所不能及
須菩提於意云何汝等勿謂如来作是念我
當度衆生須菩提莫作是念何以故實无有
衆生如来度者若有衆生如来度者如来則
有我人衆生壽者須菩提如来說有我者則

BD00030號　金剛般若波羅蜜經

（8–6）

當度衆生須菩提莫作是念何以故實无有
衆生如来度者若有衆生如来度者如来則
有我人衆生壽者須菩提如来說有我者則
非有我而凡夫之人以為有我須菩提凡夫
者如来說則非凡夫須菩提於意云何可以
三十二相觀如来不須菩提言如是如是以
三十二相觀如来佛告須菩提若以三十二
相觀如来者轉輪聖王則是如来須菩提白
佛言世尊如我解佛所說義不應以三十二
相觀如来尒時世尊而說偈言
若以色見我　以音聲求我　是人行邪道　不能見如来
須菩提汝若作是念如来不以具足相故得
阿耨多羅三藐三菩提須菩提莫作是念如
来不以具足相故得阿耨多羅三藐三菩提
須菩提汝若作是念發阿耨多羅三藐三菩
提者說諸法斷滅莫作是念何以故發阿耨
多羅三藐三菩提者於法不說斷滅相須菩
提若菩薩以滿恒河沙等世界七寶布施若
復有人知一切法无我得成於忍此菩薩勝
前菩薩所得功德須菩提以諸菩薩不受福
德故須菩提白佛言世尊云何菩薩不受福
德須菩提菩薩所作福德不應貪著是故說
不受福德須菩提若有人言如来若来若去
若坐若卧是人不解我所說義何以故如来
者无所從来亦无所去故名如来

BD00030號　金剛般若波羅蜜經

（8–7）

三十二相觀如來佛告須菩提若以三十二
相觀如來者轉輪聖王則是如來須菩提白
佛言世尊如我解佛所說義不應以三十二
相觀如來尒時世尊而說偈言
若以色見我 以音聲求我 是人行邪道 不能見如來
須菩提汝若作是念如來不以具足相故得
阿耨多羅三藐三菩提須菩提莫作是念如
來不以具足相故得阿耨多羅三藐三菩提
須菩提汝若作是念發阿耨多羅三藐三菩
提者說諸法斷滅莫作是念何以故發阿耨
多羅三藐三菩提者於法不說斷滅相須菩
提若菩薩以滿恒河沙等世界七寶布施若
復有人知一切法无我得成於忍此菩薩勝
前菩薩所得功德須菩提以諸菩薩不受福
德故須菩提白佛言世尊云何菩薩不受福
德須菩提菩薩所作福德不應貪著是故說
不受福德須菩提若有人言如來若來若去
若坐若卧是人不解我所說義何以故如來
者无所從來亦无所去故名如來
須菩提若善男子善女人以三千大千世界
碎為微塵於意云何是微塵衆寧為多不甚
多世尊何以故若是微塵衆實有者佛則不
說是微塵衆所以者何佛說微塵衆則非微
塵衆是名微塵衆世尊如來所說三千大千
世界則非世界是名世界何以故若世界實

BD00030號　金剛般若波羅蜜經　（8–8）

道遇[illegible]
三藐三菩提
行足善逝[illegible]士調御丈夫天人師
佛世尊其佛以恒河沙等三千大千世界為
一佛土七寶為地地平如掌无有山陵谿澗
溝壑七寶臺觀充滿其中諸天宮殿近處虛
空人天交接兩得相見无諸惡道亦无女人
一切衆生皆以化生无有婬欲得大神通身
出光明飛行自在志念堅固精進智慧普皆
金色三十二相而自莊嚴其國衆生常以二
食一者法喜食二者禪悅食有无量阿僧祇
千万億那由他諸菩薩衆得大神通四无礙
智善能教化衆生之類其聲聞衆算數校計
所不能知皆得具足六通三明及八解脫其
佛國土有如是等无量功德莊嚴成就劫名
寶明國名善淨其佛壽命无量阿僧祇劫法
住甚久佛滅度後起七寶塔遍滿其國尒時
世尊欲重宣此義而說偈言
諸比丘諦聽 佛子所行道 善學方便故 不可得思議
知衆樂小法 而畏於大智 是故諸菩薩 作聲聞緣覺
以无數方便 化諸衆生類 自說是聲聞 去佛道甚遠
度脫无量衆 皆悉得成就 雖小欲懈怠 漸當令作佛
內祕菩薩行 外現是聲聞 少欲猒生死 實自淨佛土
示衆有三毒 又現邪見相 我弟子如是 方便度衆生
若我具足說 種種現化事 衆生聞是者 心則懷疑惑
今此富樓那 於昔千億佛 勤修所行道 宣護諸佛法

BD00031號　妙法蓮華經卷四　（6–1）

內秘菩薩行 外現是聲聞 少欲猒生死 實自淨佛土
示衆有三毒 又現耶見相 我弟子如是 方便度衆生
若我具足說 種種現化事 衆生聞是者 心則懷疑惑
今此富樓那 於昔千億佛 勤脩所行道 宣護諸佛法
為求无上慧 而於諸佛所 現居弟子上 多聞有智慧
所說无所畏 能令衆歡喜 未曾有疲惓 而以助佛事
已度大神通 具四无礙智 知衆根利鈍 常說清淨法
演暢如是義 教諸千億衆 令住大乘法 而自淨佛土
未來亦供養 无量无數佛 護助宣正法 亦自淨佛土
常以諸方便 說法无所畏 度不可計衆 成就一切智
供養諸如來 護持法寶藏 其後當作佛 号名曰法明
其國名善淨 七寶所合成 劫名為寶明 菩薩衆甚多
其數无量億 皆度大神通 威德力具足 充滿其國土
聲聞亦无數 三明八解脫 得四无礙智 以是等為僧
其國諸衆生 婬欲皆已斷 純一變化生 具相莊嚴身
法喜禪悅食 更无餘食想 无有諸女人 亦无諸惡道
富樓那比丘 功德悉成滿 當得斯淨土 賢聖衆甚多
如是无量事 我今但略說
尒時千二百阿羅漢心自在者作是念我等
歡喜得未曾有若世尊各見授記如餘大弟
子者不亦快乎佛知此等心之所念告摩訶
迦葉是千二百阿羅漢我今當現前次第與
受阿耨多羅三藐三菩提記於此衆中我大
弟子憍陳如比丘當供養六万二千億佛然
後得成為佛号曰普明如来應供正遍知明

BD00031號　妙法蓮華經卷四　（6–2）

弟子憍陳如比丘當供養六万二千億佛然
後得成為佛号曰普明如来應供正遍知明
行足善逝世間解无上士調御丈夫天人師
佛世尊其五百阿羅漢優樓頻螺迦葉伽耶
迦葉那提迦葉迦留陁夷優陁夷阿㝹樓馱
離婆多劫賓那薄拘羅周陁莎伽陁等皆當
得阿耨多羅三藐三菩提盡同一号名曰普
明尒時世尊欲重宣此義而說偈言
憍陳如比丘 當見无量佛 過阿僧祇劫 乃成等正覺
常放大光明 具足諸神通 名聞遍十方 一切之所敬
常說无上道 故号為普明 其國土清淨 菩薩皆勇猛
咸昇妙樓閣 遊諸十方國 以无上供具 奉獻於諸佛
作是供養已 心懷大歡喜 須臾還本國 有如是神力
佛壽六万劫 正法住倍壽 像法復倍是 法滅天人憂
其五百比丘 次第當作佛 同号普明 轉次而授記
我滅度之後 某甲當作佛 其所化世間 亦如我今日
國土之嚴淨 及諸神通力 菩薩聲聞衆 正法及像法
壽命劫多少 皆如上所說 迦葉汝已知 五百自在者
餘諸聲聞衆 亦當復如是 其不在此會 汝當為宣說
尒時五百阿羅漢於佛前得受記已歡喜踊
躍即從座起到於佛前頭面礼足悔過自責
世尊我等常作是念自謂已得究竟滅度今
乃知之如无智者所以者何我等應得如来
智慧而便自以小智為足世尊譬如有人至

BD00031號　妙法蓮華經卷四　（6–3）

乃知之如无智者所以者何我等應得如来
智慧而便自以小智為足世尊譬如有人至
親友家醉酒而卧是時親友官事當行以无
價寶珠繫其衣裏與之而去其人醉卧都不
覺知起已遊行到於他國為衣食故勤力求
索甚大艱難若少有所得便以為足於後親
友會遇見之而作是言咄哉丈夫何為衣食
乃至如是我昔欲令汝得安樂五欲自恣於
某年日月以无價寶珠繫汝衣裏今故現在
而汝不知勤苦憂惱以求自活甚為癡也汝
今可以此寶貿易所須常可如意无所乏短
佛亦如是為菩薩時教化我等令發一切智
心而尋癈忘不知不覺既得阿羅漢道自謂
滅度資生艱難得少為足一切智願猶在不
失今者世尊覺悟我等作如是言諸比丘汝
等所得非究竟滅我久令汝等種種善根以
方便故示涅槃相而汝謂為實得滅度世尊
我今乃知實是菩薩得受阿耨多羅三藐三
菩提記以是因緣甚大歡喜得未曾有尒時
阿若憍陳如等欲重宣此義而說偈言
我等聞无上　安隱授記聲　歡喜未曾有　礼无量智佛
今於世尊前　自悔諸過咎　於无量佛寶　得少涅槃分
如无智愚人　便自以為足　譬如貧窮人　往至親友家
其家甚大富　具設諸餚饍　以无價寶珠　繫著內衣裏
嘿與而捨去　時卧不覺知　是人既已起　遊行詣他國

BD00031 號　妙法蓮華經卷四

（6–4）

如无智愚人　便自以為足　譬如貧窮人　往至親友家
其家甚大富　具設諸餚饍　以无價寶珠　繫著內衣裏
嘿與而捨去　時卧不覺知　是人既已起　遊行詣他國
求衣食自濟　資生甚艱難　得少便為足　更不願好者
不覺內衣裏　有无價寶珠　與珠之親友　後見此貧人
苦切責之已　示以所繫珠　貧人見此珠　其心大歡喜
富有諸財物　五欲而自恣　我等亦如是　世尊於長夜
常愍見教化　令種无上願　我等无智故　不覺亦不知
得少涅槃分　自足不求餘　今佛覺悟我　言非實滅度
得佛无上慧　尒乃為真滅　我今從佛聞　授記莊嚴事
及轉次受決　身心遍歡喜

妙法蓮華經授學无學人記品第九

尒時阿難羅睺羅而作是念我等每自思惟
設得受記不亦快乎即從座起到於佛前頭
面礼足俱白佛言世尊我等於此亦應有分
唯有如來我等所歸又我等為一切世間天
人阿脩羅所見知識阿難常為侍者護持法
藏羅睺羅是佛之子若佛見授阿耨多羅三
藐三菩提記者我願既滿衆望亦足尒時學
無學聲聞弟子二千人皆從座起偏袒右肩
到於佛前一心合掌瞻仰世尊如阿難羅睺
羅所願住立一面尒時佛告阿難汝於來世
當得作佛号山海慧自在通王如來應供正
遍知明行足善逝世間解無上士調御丈夫
天人師佛世尊當供養六十二億諸佛護持

BD00031 號　妙法蓮華經卷四

（6–5）

遍知明行足善逝世間解無上士調御丈夫
天人師佛世尊當供養六十二億諸佛護持
法藏然後得阿耨多羅三藐三菩提教化二
十千万億恒河沙諸菩薩等令成阿耨多羅
三藐三菩提國名常立勝幡其土清淨瑠璃
為地劫名妙音遍滿其佛壽命無量千万億
阿僧祇劫若人於千万億無阿僧祇劫中
筭數校計不能得知正法住世倍於壽命像
法住世復倍正法阿難是山海慧自在通王
佛為十方無量千万億恒河沙等諸佛如来
所共讚歎稱其功德尒時世尊欲重宣此義
而說偈言
我今僧中說　阿難持法者　當供養諸佛　然後成正覺
号曰山海慧　自在通王佛　其國土清淨　名常立勝幡
教化諸菩薩　其數如恒沙　佛有大威德　名聞滿十方
壽命無有量　以愍衆生故　正法倍壽命　像法復倍是
如恒河沙等　無數諸衆生　於此佛法中　種佛道因緣
尒時會中新發意菩薩八千人咸作是念我
等尚不聞諸大菩薩得如是記有何因緣而
諸聲聞得如是決尒時世尊知諸菩薩心之
所念而告之曰諸善男子我與阿難等於空
王佛所同時發阿耨多羅三藐三菩提心阿
難常樂多聞我常勤精進是故我已得成阿
耨多羅三藐三菩提而阿難護持我法亦護
将来諸佛法藏教化成就諸菩薩衆其本願

BD00031 號　妙法蓮華經卷四　（6–6）

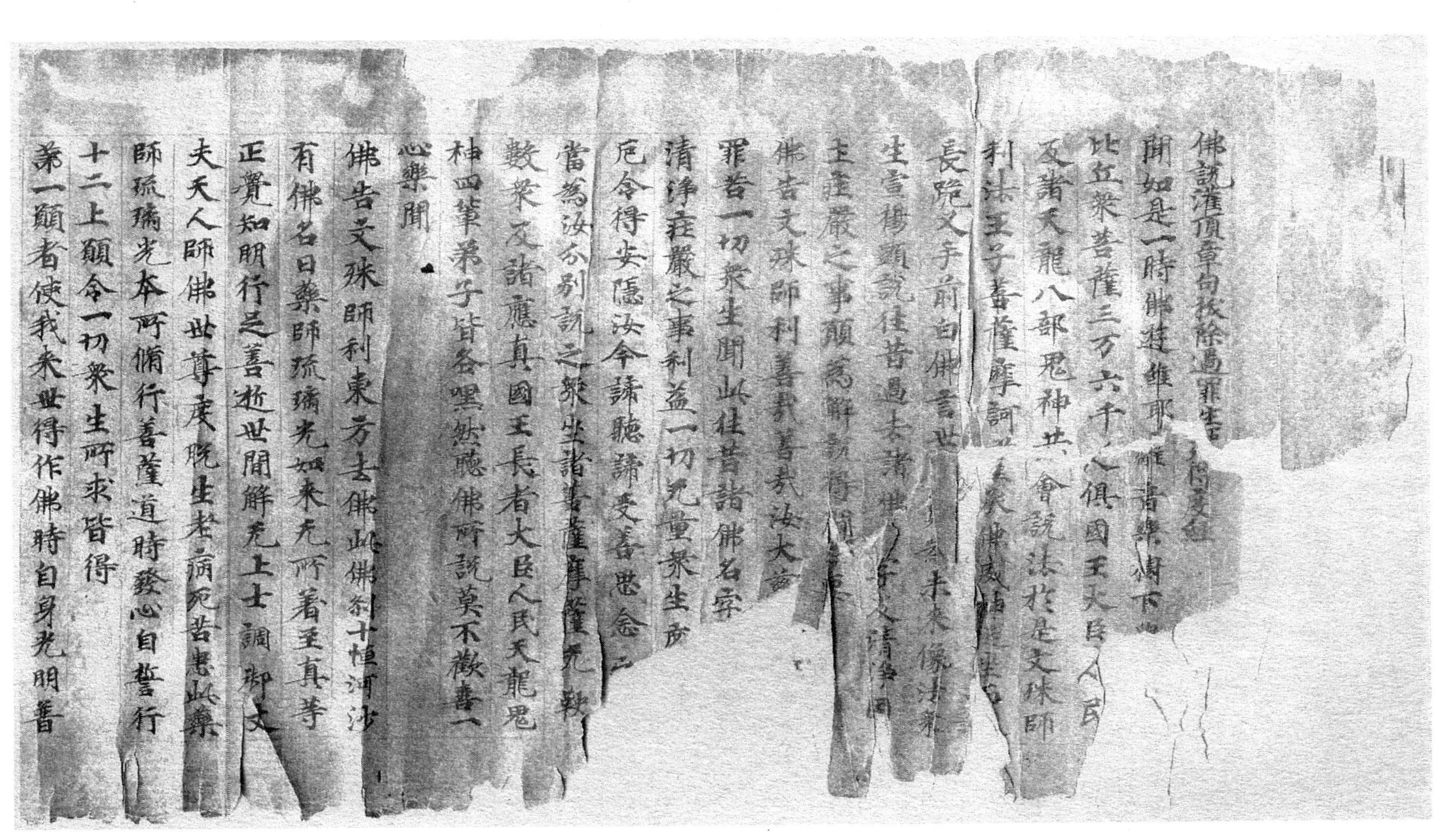
佛說灌頂章句拔除過罪生死得度經
聞如是一時佛遊維耶離音樂樹下與
比丘衆菩薩三万六千人俱國王大臣人民
及諸天龍八部鬼神共會說法於是文殊師
利法王子菩薩摩訶[illegible]
長跪叉手前白佛言世[illegible]未來像法衆
生當得願說往昔過去諸佛[illegible]清淨國
土莊嚴之事願為解說[illegible]
佛告文殊師利善哉善哉汝大慈
悲普一切衆生聞此往昔諸佛名字
清淨莊嚴之事利益一切无量衆生度
厄令得安隱汝今諦聽諦受善思念之
當為汝分別說之衆坐諸菩薩摩訶薩无數
數衆及諸應真國王長者大臣人民天龍鬼
神四輩弟子皆各嘿然聽佛所說莫不歡喜一
心樂聞
佛告文殊師利東方去此佛刹十恒河沙
有佛名曰藥師琉璃光如來无所著至真等
正覺知明行足善逝世間解无上士調御丈
夫天人師佛世尊度脫生老病死苦患此藥
師琉璃光本所脩行菩薩道時發心自誓行
十二上願令一切衆生所求皆得
第一願者使我來世得作佛時自身光明普

BD00032 號　灌頂章句拔除過罪生死得度經　（16–1）

[illegible]
師琉璃光本所脩行菩薩道時發心自誓行
十二上願令一切衆生所求皆得
第一願者使我來世得作佛時自身光明普
照十方三十二相八十種好而自莊嚴令一
切衆生如我无異
第二願者使我來世自身由如琉璃内外明
徹淨无瑕穢妙色廣大功德巍巍安住十
方如日照世幽冥衆生悉蒙開曉
第三願者使我來世智慧廣大如海无窮
潤澤枯涸无量衆生普使蒙益悉令飽滿
无飢渴想甘食美膳悉持施與
第四願者使我來世佛道成就巍巍堂堂如
星中之月消除生死之雲令无有翳明照世
界行者見道熱得清涼解除垢穢
第五願者使我來世發大精進淨持戒地令
无濁穢慎護所受令无缺犯亦令一切戒行
具足堅持不犯至无爲道
第六願者使我來世若有衆生諸根毀敗盲
者使視聾者能聽瘂者得語僂者能申跛
者能行如是不完具者悉令具足
第七願者使我來世十方世界若有苦惱无
救護者我爲此等設大法藥令諸疾病皆
得除愈无復苦患至得佛道
第八願者使我來世以善業因緣爲諸愚
冥无量衆生講宣妙法令得度脫入智慧
以善使明了无諸疑惑

BD00032 號　灌頂章句拔除過罪生死得度經　（16–2）

冥无量衆生講宣妙法令得度脫入智慧
以善使明了无諸疑惑
第九願者使我來世摧伏惡魔及諸外道
顯揚清淨无上道法使入正真无諸邪僻迴
向菩提八正覺路
第十願者使我來世若有衆生王法所加臨
當刑戮无量怖畏愁憂苦惱若復鞭撻枷
鎖其體種種恐懼逼切其身如是无邊諸苦
惱等悉令解脫无有衆難
第十一願者使我來世若有衆生飢火所惱
令得種種甘美飲食天諸餚饍種種无數
悉以施與令身充足
第十二願者使我來世若有貧凍倮露衆生
即得衣服窮乏之者施與珍寶倉庫盈溢
无所乏少一切皆受无量快樂乃至无有一人
受苦使諸衆生和顔悦色形貌端嚴人所喜
見琴瑟鼓吹如是无量究上音聲施與一切
无量衆生是爲十二微妙上願
佛告文殊師利此藥師琉璃光佛本願功
德如是我今爲汝略說其國莊嚴之事此藥
師琉璃光如來國土清淨无五濁无愛欲无
意垢以白銀琉璃爲地宮殿樓閣悉用七寶亦
如西方无量壽國无有異也有二菩薩一名
日曜二名月淨是二菩薩次補佛處諸善
男子及善女人亦當願生彼國土也
文殊師利白佛言願爲演說藥師琉璃光如
來无量功德饒益衆生令得佛道[illegible]

BD00032 號　灌頂章句拔除過罪生死得度經　（16–3）

男子及善女人亦當願生彼國土世
文殊師利白佛言願為演說藥師琉璃光如
來无量功德饒益衆生令得佛道佛言若有
善男子善女人新破衆魔來入正道得聞
我說是藥師琉璃光如來名字者魔家眷
屬退散馳走如是无量救衆生苦我今說之
佛告文殊師利世間有人不解罪福慳貪不
知布施今世後世當得其福世人愚癡但知
貪惜寧自割身肉而噉食之不肯持錢財布
施求後世之福又有人身不能衣食此大慳
貪命終以後當墮地獄餓鬼及在畜生中
聞我說是藥師琉璃光如來名字之時无不
解脫憂苦者也皆作信心貪福畏罪人從索
頭與頭索眼與眼乞妻與妻乞子與子求
金銀珎寶皆大布施一時歡喜即發无上正真
道意佛言若復有人受佛淨戒遵奉明法
不解罪福雖知明經不及中義不能分別曉
了事以自貢高恒常憎憒乃與世間衆魔從
事更作縛著不解行之意著婦女恩愛之情
口為說空行有在中不能發覺復不自知但
能論說他人是非如此人輩皆當墮三惡道
中聞我說是藥師琉璃光佛本願功德无不
歡喜念欲捨家行作沙門者也
佛言世間有人好自稱譽皆自貢高當墮三
惡道中後還為人牛馬奴婢生下賤中人當
乗其力負而行困苦疲極志失人身聞我
說是藥師琉璃光如來本願功德皆當

BD00032 號　灌頂章句拔除過罪生死得度經　（16–4）

乗其力負而行困苦疲極志失人身聞我
說是藥師琉璃光如來本願功德者皆當
一心歡喜踊躍更作謙敬即得解脫衆苦之
患長得歡喜聰明智慧遠離惡道得生善處
與善知識共相值遇无復憂患離諸魔縛
佛言世間愚癡人輩兩舌鬪諍惡口罵詈更
相嫌恨或就山神樹下鬼神日月之神南斗
北辰諸鬼神所作諸呪誓或作人名字或作
人形像或作符書以相厭禱呪咀言說聞我
說是藥師琉璃光佛本願功德无不兩作和
解俱心慈心惡意悉滅各各歡喜无復惡念
佛言若有四輩弟子比丘比丘尼清信士清
信女常脩月六齋年三長齋或晝夜精勤
一心苦行願欲往生西方阿弥陀佛國者憶念
晝夜若一日二日三日四日五日六日七日或
復中悔聞我說是藥師琉璃光佛本願
功德盡其命壽欲終之日有八菩薩
文殊師利菩薩　觀世音菩薩　得大勢菩薩　无盡意菩薩
寶檀花菩薩　藥王菩薩　藥上菩薩　弥勒菩薩
皆當飛往迎其精神不逕八難生蓮花中自
然音樂而相娛樂佛言假使壽命自欲盡
時臨終之日得聞我說是藥師琉璃光佛本
願功德者命終皆得上生天上不復逕歷三
惡道中天上福盡若下生人間當為帝王家作
子或生豪姓長者居士冨貴家生皆當端正
聰明智慧高才勇猛若是女人化成男子无

BD00032 號　灌頂章句拔除過罪生死得度經　（16–5）

子或生豪姓長者居士冨貴家生皆當端正
聰明智慧高才勇猛若是女人化成男子无
復憂苦患難者也
佛語文殊師利我釋譽顯說藥師琉璃光佛
至真等正覺本所脩集无量行願功德如是
文殊師利從坐而起長跪叉手白佛言世尊
佛去世後當以此法開化十方一切衆生使
其受持是經典者若有善男子善女人愛樂
是經受持讀誦宣通之者復能專念若一日
二日三日四日五日乃至七日憶念不忘能
以好素帛書取是經五色雜綵作囊盛之
者是時當有諸天善神四天大王龍神八部
常來營衛愛敬此經日日作礼時是經者
終不墮橫死所在安隱惡氣消滅諸魔鬼神
亦不中害佛言如是如是如汝所說文殊師
利天尊所說言无不善
佛告文殊師利若有善男子善女人發心造
立藥師琉璃光如來形像供養礼拜懸雜色
幡蓋燒香散花歌詠讚歎圍繞百匝還坐
本處端坐思惟念藥師琉璃光佛无量功德
若有善男子善女人七日七夜菜食長齋供
養礼拜藥師琉璃光佛求心中所願者无不
獲得求長壽得長壽求冨饒得冨饒求安
隱得安隱求男女得男女求官位得官位若
命過已後欲生妙樂天上者亦當礼敬藥師
琉璃光佛至真等正覺若欲上生三十三天

BD00032號　灌頂章句拔除過罪生死得度經　（16–6）

隱得安隱求男女得男女求官位得官位若
命過已後欲生妙樂天上者亦當礼敬藥師
琉璃光佛至真等正覺若欲上生三十三天
者亦當礼拜藥師琉璃光佛必得往生若欲
與明師世世相值者亦當礼敬藥師琉璃光佛
佛告文殊師利若欲生十方妙樂國土者亦當
礼敬藥師光佛若欲得生兜率天上見弥勒
者亦應礼敬藥師琉璃光佛若欲遠諸邪道
亦當礼敬藥師琉璃光佛若夜惡夢鳥鳴百
怪蜚尸邪忤魍魎鬼神之所逩者亦當礼
敬藥師琉璃光佛若爲水火之所焚漂者
亦當礼敬藥師琉璃光佛若入山谷爲虎狼
熊羆蒺棃諸獸鳥龍蚖虵蝮蠍種種雜類若
有惡心來相向者心當存念藥師琉璃光佛山
中諸難不能爲害若他方惡賊偷竊惡人惡
家債主欲來侵陵心當存念藥師琉璃光佛
則不爲害以善男子善女人礼敬藥師琉璃
光如來功德所致花報如是况果報也是故
吾今勸請四輩礼事藥師琉璃光佛至真等
正覺
佛告文殊師利我但爲汝略說藥師琉璃光佛
礼敬功德若使我廣說是藥師琉璃光佛无
量功德與一切人求心中所願者從一劫至一
劫故不周遍其世間人若有著床痿黄困篤
惡病連年累月不差者聞我說是藥師琉
璃光佛名字之時橫病之厄无不除愈唯
宿央不清耳

BD00032號　灌頂章句拔除過罪生死得度經　（16–7）

璃光佛名字之時橫病之厄无不除愈唯
宿殃不請耳
佛告文殊師利若善男子善女人受三自歸
若五戒若十戒若善信菩薩二十四戒若沙
門二百五十戒若比丘尼五百戒若菩薩戒
若破是諸戒若能至心一懺悔者復聞我說
是藥師琉璃光佛終不墮三惡道中必得解
脫若人愚癡不受父母師長教誨不信佛不
信經戒不信聖僧應墮三惡道中忘失人種
受畜生身聞我說是藥師琉璃光佛善願
功德者即得解脫
佛告文殊師利世有惡人雖受佛禁戒觸事
違犯或煞无道偷竊他人財寶欺詐妄語媱
他婦女飲酒鬪亂兩舌惡口罵詈殺人犯
戒為惡更復祠祀鬼神有如是罪過當墮地
獄若當屠割若抱銅柱若卧鐵床若鐵鉤出
舌若洋銅灌口者聞我說是藥師琉璃光佛
无不即得解脫者也
佛告文殊師利其世間人豪貴下賤不信佛
不信經道不信有沙門不信有須陁洹不信
有斯陁含不信有阿那含不信有阿羅漢不
信有辟支佛不信有十住菩薩不信有三世
之事不信有十方諸佛不信有本師釋迦文
佛不信人死神明更生善者受福惡者受殃
有如是之罪應墮三惡道中聞我說是藥師
琉璃光佛名字之者一切過罪自然消滅

BD00032號　灌頂章句拔除過罪生死得度經　（16–8）

佛不信人死神明更生善者受福惡者受殃
有如是之罪應墮三惡道中聞我說是藥師
琉璃光佛名字之者一切過罪自然消滅
佛告文殊師利若有善男子善女人聞我說
是藥師琉璃光佛至真等正覺其誰不發
无上正真道意後皆當得作佛人居世間仕
官不遷治生不得飢寒困苦忘失財產无復
方計聞我說是藥師琉璃光佛各各得心中
所願仕官皆得高遷財物自然長益飲食充
饒皆得富貴若為縣官之所拘錄惡人侵枉
若為惡家所得便者心當存念藥師琉璃光
佛若他婦女產生難者皆當念是藥師琉
璃光佛兒則易生身體平正无諸疾痛六
情完具聰明智慧壽命得長不遭枉橫
善神擁護不為惡鬼舐其頭也
佛說是語時阿難在右邊佛顧語阿難言汝
信我為文殊師利說往昔東方過十恒河沙
有佛名藥師琉璃光如來本願功德者乎阿
難白佛言惟天中天佛之所言何敢不信
耶佛復語阿難言世間人輩雖有眼耳鼻舌
身意人常用此六事以自迷惑信世間魔邪之
言不信至真至誠度世苦切之語如是人輩難
可開化也阿難白佛言世尊世人多有惡逆下
賤之者若聞佛說此經開人耳目破治人病
除人陰冥使覩光明解人疑結去人重罪千
劫万劫无復憂患皆因佛說是藥師琉璃光
佛[illegible]

BD00032號　灌頂章句拔除過罪生死得度經　（16–9）

除人陰冥使覩光明解人疑結去人重罪千
劫万劫无復憂患皆回佛説是藥師琉璃光
佛本願功德悉令安隱得其福也
佛語阿難汝口為言善而汝内心狐疑不信
我言阿難汝莫作是念以自毀敗佛語阿難
我見汝心我知汝意汝知之不阿難即以頭面
著地長跪白佛言審知天中天所説我造次
聞佛説是藥師琉璃光佛極大尊貴智慧
巍巍難可度量我心有小疑耳敢不首伏佛
言汝智慧狭劣少見少聞汝聞我説深妙之
法无上空義應生敬信貴重之心必當得
至无上正真道也
文殊師利問佛言世尊佛説是藥師琉璃光
如來无量功德如是不審誰肯信此言者佛
荅文殊師利唯有百億諸菩薩摩訶薩當
信此言耳唯有十方三世諸佛當信是言
佛言我説是藥師琉璃光如來本願功德難
可得見何況得聞亦難得説難得書寫亦難
得讀文殊師利若有善男子善女人能信是
經受持讀誦書著竹帛復為他人解脫中
義此皆先世已發道意今復得聞此殘妙法
開化十方无量衆生當知此人必當得至无
上正真道也
佛告阿難我作佛以來從生死復至生死勤
苦累劫无所不經无所不歷无所不作无所
不為如是不可思議復況藥師琉璃光佛

苦累劫无所不經无所不歷无所不作无所
不為如是不可思議復況藥師琉璃光佛
本願功德者乎汝所以有疑者亦復如是阿難
汝聞佛所説汝諦信之莫作疑惑佛語至誠
无有虚為亦无二言佛言為信者施不為疑者
説阿難汝莫作小疑以毀大乘之業汝却後亦
當發摩訶衍心莫以小道毀汝功德也阿難言
唯天中天我從今日以去无復尒心唯佛自
當知我心耳
佛語阿難此經能照諸天宫殿若三灾起時
中有天人發心念此琉璃光佛本願功德經
者皆得離於彼處之難是經能除水涸不調是
經能除他方逆賊悉令斷滅四方夷狄各還正
治不相嬈惱國土交通人民歡樂是經能除
穀貴飢凍是經能滅惡星變怪是經能除
疫毒之病是經能救三惡道苦地獄餓鬼畜
生等苦若人得聞此經典者无不解脫厄難
者也
尒時衆中有一菩薩名曰救脫從坐而起整
衣服叉手合掌而白佛言我等今日聞佛世
尊演説過去十恒河沙世界有佛号藥
師琉璃光一切衆會靡不歡喜救脫菩薩又
白佛言若族姓男女其有在羸著床痛惱无
救護者我今勸請諸衆僧七日七夜齋戒一
心受持八禁六時行道四十九遍讀是經典
勸然七層之燈亦勸懸五色續命神幡阿難
問救脫菩薩言續命幡燈法則云何救脫菩

救護者我今勸請諸衆僧七日七夜齋戒一
心受持八禁六時行道四十九遍讀是經典
勸然七層之燈亦勸懸五色續命神幡阿難
問救脫菩薩言續命幡燈法則云何救脫菩
薩語阿難言神幡五色四十九尺燈亦復尒
七層之燈一層七燈燈如車輪若遭厄難閉
在牢獄枷鎖著身亦當造立五色神幡然四
十九燈應放雜類衆生至四十九可得過度
危厄之難不爲諸橫惡鬼所持
救脫菩薩語阿難言若天王大臣及諸輔相王
子妃主中宮綵女若爲病苦所惱亦應造
立五色續幡然燈續明放諸生命散雜色花
燒衆名香王當放赦屈厄之人徒鎖解脫王
得其福天下太平雨澤以時人民歡樂惡龍
觸毒无病苦者四方羌狄不生逆害國土通
洞慈心相向无諸惡害四海歌詠稱王之德
乘此福祿在意所生見佛聞法信受教悔從
是福報至无上道
阿難又問救脫菩薩言命可續也救脫菩薩
荅阿難言我聞世尊說有諸橫勸造幡蓋令
其脩福又言阿難昔沙弥救蟻以脩福故盡
其壽命不更苦患身體安寧福德力強使之
然也阿難曰復問救脫菩薩言橫有幾種救
脫菩薩荅阿難言世尊說言橫乃无數略而
言之大橫有九一者橫病二者橫有口舌三者
橫遭縣官四者身羸无福又持戒不完橫

言之大橫有九一者橫病二者橫有口舌三者
橫遭縣官四者身羸无福又持戒不完橫
爲鬼神之所得便五者橫爲劫賊之所剝脫
六者橫爲水火之所焚漂七者橫爲雜類禽
獸所噉八者橫爲惡鬪符書厭禱邪神牽
引亦得其福但受其殃先亡牽引亦名橫死
九者有病不治又不脩福湯藥不順針灸失
度不值良醫爲病所困於是滅亡又信世間
妖孽之師爲作恐動寒熱言語妄發禍福所
犯者多不心自正不能自定卜問覓禍煞猪狗
牛羊種種衆生解奏神明呼諸邪妖魍魎鬼
神請乞福祚欲望長生終不能得愚癡迷惑
信邪倒見死入地獄展轉其中无解脫時是
名九橫
救脫菩薩語阿難言其世間人瘦黃之病困篤
著床求生不得求死不死考楚万端此病人
者或其前世造作惡業罪過所招殃咎所引
故使然也
救脫菩薩語阿難言閻羅王者主領世間名
籍之記若人爲惡作諸非法无孝順心造作
五逆破滅三寶无君臣法又有衆生不持五
戒不信正法設有受者多所毀犯於是地下
鬼神及伺候者奏上五官五官料簡除死定
生或注錄精神未判是非若已定者奏上閻
羅閻羅監察隨罪輕重考而治之世間瘦黃
之病困篤不死一絕一生由其罪福未得料

羅閻羅監察隨罪輕重考而治之世間瘻黄
之病困篤不死一絶一生由其罪福未得料
簡錄其精神在彼王所或七日二七日三七
日乃至七七日名藉定者放其精神還其身
中如從夢中來見其善惡其人若明了者信
驗罪福是故我令勸諸四輩造續命神幡然
四十九燈放諸生命以此幡燈放生功德拔彼
精神令得度苦今世後世不遭厄難
救脫菩薩語阿難言如來世尊說是經典威神
功德利益不少座中諸鬼神有十二神王從
坐而起往到佛所胡跪合掌白佛言我等
十二鬼神在所作護若城邑聚落空閑林中
若四輩弟子誦持此經令所結願无求不得
阿難問言其名云何為我說之救脫菩薩言
灌頂章句是名如是
神名金毗羅　神名和耆羅　神名彌佉羅　神名安陀羅
神名摩尼羅　神名宋林羅　神名因持羅　神名波耶羅
神名摩休羅　神名真陀羅　神名照頭羅　神名毗伽羅
救脫菩薩語阿難言此諸鬼神別有七千以
為眷屬皆悉叉手低頭聽佛世尊說是藥師
琉璃光如來本願功德莫不一時捨鬼神形得
受人身長得度脫无衆惱患若人疾急厄
難之日當以五色縷結其名字得如願已然
後解結令人得福灌頂章句法應如是
佛說是經時比丘僧八千人諸菩薩三万六千
人俱諸天龍鬼神八部大王无不歡喜阿難從

BD00032號　灌頂章句拔除過罪生死得度經　（16–14）

琉璃光如來本願功德莫不一時捨鬼神形得
受人身長得度脫无衆惱患若人疾急厄
難之日當以五色縷結其名字得如願已然
後解結令人得福灌頂章句法應如是
佛說是經時比丘僧八千人諸菩薩三万六千
人俱諸天龍鬼神八部大王无不歡喜阿難從
座而起前白佛言世尊演說此經法當何名之
佛言此經凡有三名一名藥師琉璃光如來
本願功德二名灌頂章句十二神王結願神
呪三名拔除過罪生死得度佛說經竟大
衆人民作礼奉行

佛說藥師經一卷

BD00032號　灌頂章句拔除過罪生死得度經　（16–15）

佛說藥師經一卷

BD00032號　灌頂章句拔除過罪生死得度經　（16–16）

佛告文殊師利世間有人不解罪福慳貪不
知布施今世後世當得其福世人愚癡但知
貪惜寧自割身肉而噉食之不肯持錢財布
施求後世之福世又有人身不衣食此大慳貪
命終以後當墮餓鬼及在畜生中聞我說是
藥師瑠璃光如来名字之時無不解脫憂苦
者耶皆作信心貪福畏罪人從索頭与頭索
眼与眼乞妻与妻乞子与子求金銀珎寶皆
大布施一時歡喜即發無上正真道意
佛言善復有人受佛淨戒遵奉明法不解罪
福雖知明經不及中義不能分別曉了中事
以自貢高恒常憒憒乃与世間衆魔從事更
作縛著不解行之戀著婦女恩愛之情口為
說空行在有中不能發覺復不自知但能論
說他人是非如此人輩皆當墮於三惡道中
聞我說是藥師瑠璃光本願功德无不歡喜
念欲捨家行作沙門者也
佛言世間有人好自稱譽皆自貢高當墮三
惡道中後還為人牛馬奴婢生下賤中人當
乘其力負重而行困苦疲極去失人身聞我
說是藥師瑠璃光如来本願功德者皆當一
心歡喜踴躍更作謙敬即得解脫衆苦之患
長得歡樂聰明智慧遠離惡道得生善處与
善知識共相值遇無復憂惱離諸魔縛
佛言世間愚癡人輩兩舌鬪諍惡口罵詈更
相嫌恨或就山神樹下鬼神日月之神南斗

BD00033號　灌頂章句拔除過罪生死得度經　（12–1）

長得歡樂聰明智慧遠離惡道得生善處与
善知識共相值遇無復憂惱離諸魔縛
佛言世間愚癡人輩兩舌鬪諍惡口罵詈更
相嫉恨或就山神樹下鬼神日月之神南斗
北辰諸鬼神所作諸呪詛或作人名字或作
人形像或作符書以相厭禱呪詛言說聞我
說是藥師瑠璃光本願功德无不兩作和解
俱生慈心惡意悉滅各各歡喜无復惡念佛
言若四輩弟子比丘比丘尼清信士清信女
常修月六齋年三長齋或晝夜精勤一心苦
行願欲往生西方阿弥陁佛國者憶念晝夜
若一日二日三日四日五日六日七日或復
中悔聞我說是瑠璃光本願功德盡其壽
命欲終之日有八菩薩文殊師利菩薩觀世
音菩薩得大勢菩薩無盡意菩薩寶檀華菩
薩藥王菩薩藥上菩薩弥勒菩薩皆當飛往
迎其精神不經八難生蓮華中自然音樂而相
娛樂佛言假使壽命自欲盡時臨終之日得
聞我說是瑠璃光佛本願功德者命終皆得
上生天上不復經歷三惡道中天上福盡若
下生人間為帝王家作子或生豪姓長者居
士富貴家生皆當端正聰明智慧高才勇猛
若是女人化成男子無復憂苦患難者也
佛語文殊師利我稱譽顯說瑠璃光佛至真
等正覺本所修集無量行願功德如是文殊
師利從座而起長跪叉手白佛言世尊佛去

BD00033號　灌頂章句拔除過罪生死得度經

（12–2）

等正覺本所修集無量行願功德如是文殊
師利從座而起長跪叉手白佛言世尊佛去
世後當以此法開化十方一切衆生使其受
如是經典若有男子女人愛樂是經受持讀
誦宣通之者復能專念若一日二日三日四
日五日乃至七日憶念不忘能以好素帛書
取是經五色雜綵作囊盛之者是時當有諸
天善神四天大王龍神八部常來營衛愛敬
此經能日日作礼持是經者不墮橫死所在
安隱惡氣銷滅諸魔鬼神亦不中害佛言如
是如是如汝所說文殊師利言天尊所說言
无不善也
佛言文殊若有善男子善女人發心造立藥
師瑠璃光如來形像供養礼拜懸雜色幡蓋
燒香散華歌詠讚歎圍遶百帀還坐本處端
坐思惟念藥師瑠璃光佛无量功德若有善
男子善女人七日七夜菜食長齋供養礼拜
藥師瑠璃光佛求心中所願者无不獲得求
長壽得長壽求富饒得富饒求安隱得安隱
求男女得男女求官位得官位若命過已後
欲生妙樂天上者亦當礼敬瑠璃光佛至真
等正覺若欲上生三十三天者亦當礼敬瑠
璃光佛必得往生若欲与明師世世相值者
亦當礼敬瑠璃光佛
佛告文殊師利若欲生十方妙樂國土者亦
應礼敬瑠璃光佛欲得生兜率天上見弥勒

BD00033號　灌頂章句拔除過罪生死得度經

（12–3）

亦當礼敬瑠璃光佛
佛告文殊師利若欲生十方妙樂國土者亦
應礼敬瑠璃光佛欲得生兜率天上見弥勒
者亦應礼拜瑠璃光佛若欲遠諸邪道亦當
礼敬瑠璃光佛若夜惡夢鳥鳴百恠蜚尸邪
忤魍魎鬼神之所嬈者亦當礼敬瑠璃光佛
若為水火之所焚漂者亦當礼敬瑠璃光佛
若入山谷為虎狼熊羆蒺梨諸獸蟲龍蚖虵
蝮蠍種種雜類若有惡心來相向者心當存
念此瑠璃光佛山中諸難不能為害若他方
怨賊偷竊惡人怨家債主欲來侵陵心當存
念瑠璃光佛則不為害以善男子善女人礼
敬瑠璃光如來功德所致華報如是況果報
耶是故吾今勸諸四輩礼事瑠璃光佛至真
等正覺佛告文殊師利我但為汝略說瑠璃
光佛礼敬功德若使我廣說是瑠璃光佛无
量功德為一切人求心中所願者從一劫至一
劫故不周遍其世間人若有着林瘦黄困篤惡
病連年累月不差者聞我說是瑠璃光佛名
字之時横病之厄无不除愈唯宿殃不請耳
佛告文殊師利若善男子善女人受三自歸
若五戒若十戒若善信菩薩二十四戒若沙
門二百五十戒若比丘尼五百戒若菩薩戒
若破是諸戒若能至心一懺悔者復聞我說
瑠璃光佛終不墮三惡道中必得解脫若人
愚癡不受父母師友教誨不信佛不信經戒
不信聖僧應墮三惡道中者亡失人種受畜

BD00033號　灌頂章句拔除過罪生死得度經　（12–4）

愚癡不受父母師友教誨不信佛不信經戒
不信聖僧應墮三惡道中者亡失人種受畜
生身聞我說是瑠璃光佛善願功德者即得
解脫
佛告文殊師利世有惡人雖受禁戒觸事違
犯或煞無道偷竊他人財寶欺詐妄語嬈他
婦女飲酒鬪亂兩舌惡口罵詈毀人犯戒為
惡復祠祀鬼神有如是過罪當墮地獄中若
當屠割若抱銅柱若鐵鉤出舌若洋銅灌口
者聞我說是藥師瑠璃光佛無不即得解脫
者也佛告文殊師利其世間人豪貴下賤不信
佛不信經道不信有沙門不信有須陁洹不信
有斯陁含不信有阿那含不信有阿羅漢不信
有辟支佛不信有十住菩薩不信有三世之
事不信有十方諸佛不信有本師釋迦文佛
不信人死神明更生善者受福惡者受殃有
如是之罪應墮三惡道中聞我說是藥師瑠
璃光佛名字之者一切過罪自然銷滅
佛告文殊師利若有善男子善女人聞我說
是藥師瑠璃光佛如來至真等正覺其誰不
發无上正真道意後皆當作佛人居世間仕
官不遷治生不得飢寒困厄亡失財產无復
方計聞我說藥師瑠璃光佛各各得心中
所願仕官皆得高遷財物自然長益飲食充
饒皆得富貴若為縣官之所拘錄惡人侵枉
若為怨家所得便者心當存念瑠璃光佛若

BD00033號　灌頂章句拔除過罪生死得度經　（12–5）

所願仕宦皆得高遷財物自然長益飲食充
饒皆得富貴若為縣官之所拘錄惡人侵枉
若為怨家所得便者心當存念瑠璃光佛若
婦女產生難者心當念是瑠璃光佛兒則易
生身體平正無諸疾痛六情完具聰明智慧
壽命得長不遭狂橫善神擁護不為惡鬼舐
其頭也佛說是語時阿難在右邊佛顧語阿
難汝信我為文殊師利說往昔東方過十恒
河沙有佛名藥師瑠璃光本願功德者不阿
難白佛言唯天中天佛之所說何敢不信耶
佛復語阿難言世間人雖有眼耳鼻舌身意人
常用是六事以自迷惑信於世間魔邪之言
不信至真至誠度世苦切之語如是人輩難
可開化也阿難白佛言世尊世人多有惡逆
下賤之者若聞佛說是經開人耳目破治人
病除人瞋闇使覩光明解人疑結去人重罪
千劫万劫无復憂患皆因佛說是藥師瑠璃
光本願功德悉令安隱得其福也
佛言阿難汝口為言善而汝內心狐疑我言
阿難汝莫作是念以自毀敗佛言阿難我見
汝心我知汝意汝知之不阿難即以頭面著
地長跪白佛言審如天中天所說我造次聞
佛說是藥師瑠璃光極大尊貴智慧巍巍難
可度量我心有小疑耳敢不首伏佛言汝智
慧狹劣少見少聞我說是深妙之法无上
空義應生信敬貴重之心必當得至无上正

BD00033 號　灌頂章句拔除過罪生死得度經　（12–6）

慧狹劣少見少聞我說是深妙之法无上
空義應生信敬貴重之心必當得至无上正
真道也文殊師利問佛言世尊佛說是藥師
瑠璃光如來無量功德如是不審誰肯信此
言者佛荅文殊言唯有百億諸菩薩摩訶薩
當信是言唯有十方三世諸佛當信是言佛
言我說是藥師瑠璃光如來本願功德難可
得見何況得聞亦難得說亦難得書寫亦難
得讀文殊師利若有善男子善女人能信是
經受持讀誦書著竹帛演能為他人解說中
義此皆先世以發道意今復得聞此微妙法
開化十方无量衆生當知此人必當得至无
上正真道也
佛告阿難我作佛以來從生死復至生死勤
苦累劫无所不經无所不歷无所不作无所
不為如是不可思議況復瑠璃光佛本願功
德者乎汝所以有疑者亦復如是阿難汝聞
佛所說汝諦信之莫作疑惑佛語至誠无有
虛偽亦无二言佛為信者施不為疑者說耶
阿難汝莫作小疑以毀大乘之業汝却後亦
當發摩訶衍心莫以小道毀汝功德耶阿難
言唯天中天我從今日以去无復尒心惟佛
自當知我心耳
佛語阿難此經能照諸天宮殿若三突起時
中有天人發心念此瑠璃光佛本願功德經
者皆得離於彼處之難是經能除水涸不調
是經能除他方盜賊悉令斷滅四方兵火各

BD00033 號　灌頂章句拔除過罪生死得度經　（12–7）

佛説阿難此經所説天宮殿若三寶起
中有天人發心念此瑠璃光佛本願功徳經
者皆得離於彼處之難是經能除水涸不調
是經能除他方逆賊悉令斷滅四方夷狄各
還正治不相嬈惱國土交通人民歡樂是經
能除穀貴飢凍是經能滅惡星變怪是經能
除疫毒之病是經能救三惡道苦地獄餓鬼
畜生等苦若人得聞此經典者无不解脱厄
難者也
尒時衆中有一菩薩名曰救脱從座而起整
衣服叉手合掌而白佛言我等今日聞佛世
尊演説過去東方十恒河沙世界有佛号瑠
璃光一切衆會靡不歡喜救脱菩薩又白佛
言若族姓男女其有尫羸著林痛惱无救護
者我今當勸請諸衆僧七日七夜齋戒一心
受持八禁六時行道卌九遍讀是經典勸然
七層之燈亦勸懸五色續命神幡阿難問救
脱菩薩言續命幡燈法則云何救脱菩薩語
阿難言神幡五色卌九尺燈亦復尒七層之
燈一層七燈燈如車輪若遭厄難閉在牢獄
枷鎖著身亦應造立五色神幡然卌九燈應
放雜類衆生至卌九可得過度危厄之難不
為諸横惡鬼所持
救脱菩薩語阿難言若天王大臣及諸輔相
王子妃主中宫婇女若為疾苦所惱亦應造
立五色續幡然燈續明救諸生命散雜色華
燒衆名香王當放赦屈厄之人徒鎖解脱王

BD00033號　灌頂章句拔除過罪生死得度經　（12–8）

王子妃主中宫婇女若為疾苦所惱亦應造
立五色續幡然燈續明救諸生命散雜色華
燒衆名香王當放赦屈厄之人徒鎖解脱王
得其福天下太平雨澤以時人民歡樂惡龍
攝毒无病苦者四方夷狄不生逆害國土通
同慈心相向无諸怨害四海歌詠稱王之德
乘此福祿在意所生見佛聞法信受教誨從
是福報至无上道
阿難又問救脱菩薩言命可續耶救脱菩薩
荅阿難言我聞世尊説有諸横勸造幡蓋令
其修福又言阿難昔沙祢救蟻以修福故盡
其壽命不更苦患身體安寧福德力強使之
然耶阿難因復問救脱菩薩横有幾種世尊
説言横乃无數略而言之大横有九一者横
病二者横有口舌三者横遭縣官四者身羸
无福又持戒不完横為鬼神之所得便五者
横為劫賊所剥六者横為水火焚漂七者横
為雜類禽獸所噉八者横為怨讎符書厭禱
邪神牽引未得其福但受其殃先亡牽引亦
名横死九者有病不治又不修福湯藥不順
針灸失度不值良醫為病所困於是滅亡又
信世間妖孽之師為作恐動寒熱言語妄發
禍福所犯者多心不自正不能自定卜問覓
禍殺豬狗牛羊種種衆生解奏神明呼諸邪
妖魍魎鬼神請乞福祚欲望長生終不能得
愚癡迷惑信邪倒見死入地獄展轉其中无
解脱時是名九横

BD00033號　灌頂章句拔除過罪生死得度經　（12–9）

妖魍魎鬼神請乞福祚欲望長生終不能得
愚癡迷惑信邪倒見死入地獄展轉其中无
解脫時是名九撗
救脫菩薩語阿難言其世間人瘦黃之病困
篤著床求生不得求死不得栲楚万端此病
人者或其前世造作惡業罪過所招殃咎所
引故使之然耶救脫菩薩語阿難言閻羅王
者主領世間名籍之記若人為惡作諸非法
无孝順心造作五逆破滅三寶无君臣法又
有眾生不持五戒不信正法設有受者多所
毀犯於是地下鬼神及伺候者奏上五官五
官料簡除死定生或注錄精神未判是非若
已定者奏上閻羅閻羅監察隨罪輕重考而
治之世間瘦黃之病困篤不死一絕一生猶其
罪福未得料簡錄其精神在彼王所或七日
五日三七日乃至七七日名籍定者放其精
神還其身中如從夢中見其善惡其人若明
了者信驗罪福是故我今勸諸四輩造續
命神幡然卌九燈放諸生命以此幡燈放生功
德扶彼精神令得度苦令世後世不遭厄難
者耶救脫菩薩語阿難言如來世尊說是經
典威神功德利益不少坐中諸鬼神有十二王
從坐而起往到佛所胡跪合掌白佛言我等
十二鬼神在所作護若城邑聚落空閑林中
若四輩弟子誦持此經令所結願无求不得
阿難問言其名云何為我說之救脫菩薩言
灌頂章句其名如是

BD00033號　灌頂章句拔除過罪生死得度經　（12–10）

典威神功德利益不少坐中諸鬼神有十二王
從坐而起往到佛所胡跪合掌白佛言我等
十二鬼神在所作護若城邑聚落空閑林中
若四輩弟子誦持此經令所結願无求不得
阿難問言其名云何為我說之救脫菩薩言
灌頂章句其名如是
神名金毗羅　神名和耆羅　神名安陁羅　神名祢佉羅
神名摩尼羅　神名宋林羅　神名因持羅　神名婆耶羅
神名摩休羅　神名真陁羅　神名照頭羅　神名毗伽羅
救脫菩薩語阿難言此諸鬼神別有七千以
為眷屬皆悉叉手低頭聽佛世尊說是瑠璃
光如來本願功德莫不一時捨鬼神形得受
人身長得度脫无眾惱患若人病急厄難之
日當以五色縷結其名字得如願已然後解
結令人得福灌頂章句法應如是
佛說是經時比丘僧八千人諸菩薩三万六
千人俱諸天龍神八部大王無不歡喜阿難
從座而起前白佛言演說此經當何名之佛言
此經凡有三名一名藥師瑠璃光本願功德二
名灌頂章句十二神王結願神呪三名拔除
過罪生死得度經佛說經竟大眾人民作
礼奉行

佛說藥師經

BD00033號　灌頂章句拔除過罪生死得度經　（12–11）

神名摩尼羅　神名宋林羅　神名因持羅　神名波耶羅
神名摩休羅　神名真陁羅　神名照頭羅　神名毗伽羅
救脫菩薩語阿難言此諸鬼神別有七千以
為眷屬皆悉叉手低頭聽佛世尊說是瑠璃
光如來本願功德莫不一時捨鬼神形得受
人身長得度脫无衆惱患若人病急厄難之
日當以五色縷結其名字得如願已然後解
結令人得福灌頂章句法應如是
佛說是經時比丘僧八千人諸菩薩三万六
千人俱諸天龍神八部大王無不歡喜阿難
從座而起前白佛言演說此經當何名之佛言
此經凡有三名一名藥師瑠璃光本願功德二
名灌頂章句十二神王結願神呪三名拔除
過罪生死得度經佛說經竟大衆人民作
礼奉行

佛說藥師經

BD00033 號　灌頂章句拔除過罪生死得度經　（12–12）

……衣持
衣□已還至……
而坐時長老須菩提在大……
袒右肩右膝著地合掌恭敬而白佛言
世尊如來善護念諸菩薩善付囑諸菩
世尊善男子善女人發阿耨多羅三藐三菩
提心應云何住云何降伏其心佛言善哉善
哉須菩提如汝所說如來善護念諸菩……
付囑諸菩薩汝今諦聽當為
女人發阿耨多羅三藐三菩
如是降伏其心唯然世尊願樂欲聞
佛告須菩提諸菩薩摩訶薩應如是降伏其
心所有一切衆生之類若卵生若胎生若濕
生若化生若有色若无色若有想若无想若
非有想若非无想我皆令入无餘涅槃而滅
度之如是滅度无量无數无邊衆生實无衆
生得滅度者何以故須菩提若菩薩有我相
人相衆生相壽者相即非菩薩
復次須菩提菩薩於法應无所住行於布施
所謂不住色布施不住聲香味觸法布施須
菩提菩薩應如是布施不住於相何以故若
菩薩不住相布施其福德不可思量須菩提
於意云何東方虛空可思量不不也世尊須
菩提南西北方四維上下虛空可思量不不
也世尊須菩提菩薩无住相布施福德亦復
如是不可思量須菩提菩薩但應如所教住

BD00034 號　金剛般若波羅蜜經　（11–1）

菩提南西北方四維上下虛空可思量不不
也世尊須菩提菩薩无住相布施福德亦復
如是不可思量須菩提菩薩但應如所教住
須菩提於意云何可以身相見如來不不也
世尊不可以身相得見如來何以故如來所
說身相即非身相佛告須菩提凡所有相皆
是虛妄若見諸相非相則見如來
須菩提白佛言世尊頗有衆生得聞如是言
說章句生實信不佛告須菩提莫作是說如
來滅後後五百歲有持戒脩福者於此章句
能生信心以此為實當知是人不於一佛二
佛三四五佛而種善根已於无量千万佛所
種諸善根聞是章句乃至一念生淨信者須
菩提如來悉知悉見是諸衆生得如是无量
福德何以故是諸衆生无復我相人相衆生
相壽者相无法相亦无非法相何以故是諸
衆生若心取相則為著我人衆生壽者若取
法相即著我人衆生壽者何以故若取非法
相即著我人衆生壽者是故不應取法不應
取非法以是義故如來常說汝等比丘知我
說法如筏喻者法尚應捨何況非法
須菩提於意云何如來得阿耨多羅三藐三
菩提耶如來有所說法耶須菩提言如我解
佛所說義无有定法名阿耨多羅三藐三菩
提亦无有定法如來可說何以故如來所說
法皆不可取不可說非法非法所以者何

BD00034號　金剛般若波羅蜜經

（11–2）

佛所說義无有定法名阿耨多羅三藐三菩
提亦无有定法如來可說何以故如來所說
法皆不可取不可說非法非法所以者何
一切賢聖皆以无為法而有差別
須菩提於意云何若人滿三千大千世界七
寶以用布施是人所得福德寧為多不須菩
提言甚多世尊何以故是福德即非福德性
是故如來說福德多若復有人於此經中受
持乃至四句偈等為他人說其福勝彼何以
故須菩提一切諸佛及諸佛阿耨多羅三藐
三菩提法皆從此經出須菩提所謂佛法者
即非佛法
須菩提於意云何須陁洹能作是念我得須
陁洹果不須菩提言不也世尊何以故須陁
洹名為入流而无所入不入色聲香味觸法
是名須陁洹須菩提於意云何斯陁含能作
是念我得斯陁含果不須菩提言不也世尊
何以故斯陁含名一往來而實无往來是名
斯陁含須菩提於意云何阿那含能作是念
我得阿那含果不須菩提言不也世尊何以
故阿那含名為不來而實无來是故名阿那
含須菩提於意云何阿羅漢能作是念我得
阿羅漢道不須菩提言不也世尊何以故實
无有法名阿羅漢世尊若阿羅漢作是念我
得阿羅漢道即為著我人衆生壽者世尊佛
說我得无諍三昧人中最為第一是第一離
欲阿羅漢我不作是念我是離欲阿羅漢

BD00034號　金剛般若波羅蜜經

（11–3）

得阿羅漢道即為著我人衆生壽者世尊佛
說我得无諍三昧人中最為第一是第一離
欲阿羅漢我不作是念我是離欲阿羅漢世
尊我若作是念我得阿羅漢道世尊則不說
須菩提是樂阿蘭那行者以須菩提實无所
行而名須菩提是樂阿蘭那行
佛告須菩提於意云何如來昔在然燈佛所
於法有所得不不也世尊如來在然燈佛所
於法實无所得須菩提於意云何菩薩莊嚴
佛土不不也世尊何以故莊嚴佛土者則非
莊嚴是名莊嚴是故須菩提諸菩薩摩訶薩
應如是生清淨心不應住色生心不應住聲
香味觸法生心應无所住而生其心須菩提
譬如有人身如須弥山王於意云何是身為
大不須菩提言甚大世尊何以故佛說非身
是名大身
須菩提如恒河中所有沙數如是沙等恒河
於意云何是諸恒河沙寧為多不須菩提言
甚多世尊但諸恒河尚多无數何況其沙須
菩提我今實言告汝若有善男子善女人以
七寶滿尒所恒河沙數三千大千世界以用
布施得福多不須菩提言甚多世尊佛告須
菩提若善男子善女人於此經中乃至受持
四句偈等為他人說而此福德勝前福德復
次須菩提隨說是經乃至四句偈等當知此
處一切世間天人阿脩羅皆應供養如佛塔

BD00034 號　金剛般若波羅蜜經　（11–4）

四句偈等為他人說而此福德勝前福德復
次須菩提隨說是經乃至四句偈等當知此
處一切世間天人阿脩羅皆應供養如佛塔
廟何況有人盡能受持讀誦須菩提當知是
人成就最上第一希有之法若是經典所在
之處則為有佛若尊重弟子
尒時須菩提白佛言世尊當何名此經我等
云何奉持佛告須菩提是經名為金剛般若
波羅蜜以是名字汝當奉持所以者何須菩
提佛說般若波羅蜜則非般若波羅蜜須菩
提於意云何如來有所說法不須菩提白佛
言世尊如來无所說須菩提於意云何三千
大千世界所有微塵是為多不須菩提言甚
多世尊須菩提諸微塵如來說非微塵是名
微塵如來說世界非世界是名世界須菩提
於意云何可以三十二相見如來不不也世
尊何以故如來說三十二相即是非相是名
三十二相須菩提若有善男子善女人以恒
河沙等身命布施若復有人於此經中乃至
受持四句偈等為他人說其福甚多
尒時須菩提聞說是經深解義趣涕淚悲泣
而白佛言希有世尊佛說如是甚深經典我
從昔來所得慧眼未曾得聞如是之經世尊
若復有人得聞是經信心清淨則生實相當
知是人成就第一希有功德世尊是實相者
則是非相是故如來說名實相世尊我得聞

BD00034 號　金剛般若波羅蜜經　（11–5）

智是人成就第一希有功德世尊是實相者
則是非相是故如來說名實相世尊我得聞
如是經典信解受持不足為難若當來世後
五百歲其有衆生得聞是經信解受持是人
則為第一希有何以故此人无我相人相衆
生相壽者相所以者何我相即是非相人相
衆生相壽者相即是非相何以故離一切諸
相則名諸佛佛告須菩提如是如是若復有
人得聞是經不驚不怖不畏當知是人甚為
希有何以故須菩提如來說第一波羅蜜非
第一波羅蜜是名第一波羅蜜須菩提忍辱
波羅蜜如來說非忍辱波羅蜜何以故須菩
提如我昔為歌利王割截身體我於今時无
我相无人相无衆生相无壽者相何以故我
於往昔節節支解時若有我相人相衆生相
壽者相應生瞋恨須菩提又念過去於五百
世作忍辱仙人於尒所世无我相无人相无衆
生相无壽者相
是故須菩提菩薩應離一切相發阿耨多羅
三藐三菩提心不應住色生心不應住聲香
味觸法生心應生无所住心若心有住則為
非住是故佛說菩薩心不住色布施須菩提
菩薩為利益一切衆生應如是布施如來說
一切諸相即是非相又說一切衆生則非衆
生須菩提如來是真語者實語者如語者不
誑語者不異語者須菩提如來所得法此法

生須菩提如來是真語者實語者如語者不
誑語者不異語者須菩提如來所得法此法
无實无虛須菩提若菩薩心住於法而行布
施如人入闇則无所見若菩薩心不住法而
行布施如人有目日光明照見種種色須
菩提當來之世若有善男子善女人能於此
經受持讀誦則為如來以佛智慧悉知是人
悉見是人皆得成就无量无邊功德
須菩提若有善男子善女人初日分以恒河
沙等身布施中日分復以恒河沙等身布施
後日分亦以恒河沙等身布施如是无量百
千万億劫以身布施若復有人聞此經典信
心不逆其福勝彼何況書寫受持讀誦為人
解說須菩提以要言之是經有不可思議不
可稱量无邊功德如來為發大乘者說為發
最上乘者說若有人能受持讀誦廣為人說
如來悉知是人悉見是人皆成就不可量不
可稱无有邊不可思議功德如是人等則為
荷擔如來阿耨多羅三藐三菩提何以故須
菩提若樂小法者著我見人見衆生見壽者
見則於此經不能聽受讀誦為人解說須菩
提在在處處若有此經一切世間天人阿脩
羅所應供養當知此處則為是塔皆應恭敬
作禮圍遶以諸華香而散其處復次須菩提
善男子善女人受持讀誦此經若為人輕賤
是人先世罪業應墮惡道以今世人輕賤故

作礼圍遶以諸華香而散其處復次須菩提
善男子善女人受持讀誦此經若為人輕賤
是人先世罪業應墮惡道以今世人輕賤故
先世罪業則為消滅當得阿耨多羅三藐三
菩提須菩提我念過去无量阿僧祇劫於然
燈佛所得值八百四千万億那由他諸佛悉
皆供養承事无空過者若復有人於後末世
能受持讀誦此經所得功德於我所供養諸
佛功德百分不及一千万億分乃至筭數辟
喻所不能及須菩提若善男子善女人於後
末世有受持讀誦此經所得功德我若具說
者或有人聞心則狂亂狐疑不信須菩提當
知是經義不可思議果報亦不可思議
尔時須菩提白佛言世尊善男子善女人發
阿耨多羅三藐三菩提心云何應住云何降
伏其心佛告須菩提善男子善女人發阿耨
多羅三藐三菩提者當生如是心我應滅度
一切衆生滅度一切衆生已而无有一衆生
實滅度者何以故若菩薩有我相人相衆生
相壽者相則非菩薩所以者何須菩提實无
有法發阿耨多羅三藐三菩提者須菩提於
意云何如來於然燈佛所有法得阿耨多羅
三藐三菩提不不也世尊如我解佛所說義
佛於然燈佛所无有法得阿耨多羅三藐三
菩提佛言如是如是須菩提實无有法如來
得阿耨多羅三藐三菩提須菩提若有法如

BD00034 號　金剛般若波羅蜜經　（11–8）

菩提佛言如是如是須菩提實无有法如來
得阿耨多羅三藐三菩提須菩提若有法如
來得阿耨多羅三藐三菩提然燈佛則不與
我受記汝於來世當得作佛号釋迦牟尼以
實无有法得阿耨多羅三藐三菩提是故然
燈佛與我受記作是言汝於來世當得作佛
号釋迦牟尼何以故如來者即諸法如義若
有人言如來得阿耨多羅三藐三菩提須菩
提實无有法佛得阿耨多羅三藐三菩提須
菩提如來所得阿耨多羅三藐三菩提於是
中无實无虛是故如來說一切法皆是佛法
須菩提所言一切法者即非一切法是故名
一切法須菩提譬如人身長大須菩提言世
尊如來說人身長大則為非大身是名大身
須菩提菩薩亦如是若作是言我當滅度无
量衆生則不名菩薩何以故須菩提无有法
名為菩薩是故佛說一切法无我无人无衆
生无壽者須菩提若菩薩作是言我當莊嚴
佛土是不名菩薩何以故如來說莊嚴佛土
者即非莊嚴是名莊嚴須菩提若菩薩通達
无我法者如來說名真是菩薩
須菩提於意云何如來有肉眼不如是世尊
如來有肉眼須菩提於意云何如來有天眼
不如是世尊如來有天眼須菩提於意云何
如來有慧眼不如是世尊如來有慧眼須菩
提於意云何如來有法眼不如是世尊如來

BD00034 號　金剛般若波羅蜜經　（11–9）

如來有慧眼不如是世尊如來有慧眼須菩
提於意云何如來有法眼不如是世尊如來
有法眼須菩提於意云何如來有佛眼不如
是世尊如來有佛眼
須菩提於意云何恒河中所有沙數佛說是
沙不如是世尊如來說是沙須菩提於意云
何如一恒河中所有沙有如是等恒河是諸
恒河所有沙數佛世界如是寧為多不甚多
世尊佛告須菩提尒所國土中所有衆生若
干種心如來悉知何以故如來說諸心皆為
非心是名為心所以者何須菩提過去心不
可得現在心不可得未來心不可得
須菩提於意云何若有人滿三千大千世界
七寶以用布施是人以是因緣得福多不如
是世尊此人以此因緣得福甚多須菩提若
福德有實如來不說得福德多以福德无故
如來說得福德多
須菩提於意云何佛可以具足色身見不不
也世尊如來不應以色身見何以故如來說
具足色身即非具足色身是名具足色身須
菩提於意云何如來可以具足諸相見不不
也世尊如來不應以具足諸相見何以故如
來說諸相具足即非具足是故名諸相具足
須菩提汝勿謂如來作是念我當有所說法
莫作是念何以故若人言如來有所說法即
為謗佛不能解我所說故須菩提說法者无
法可說是名說法

BD00034號　金剛般若波羅蜜經　（11–10）

莫作是念何以故若人言如來有所說法即
為謗佛不能解我所說故須菩提說法者无
法可說是名說法
須菩提白佛言世尊佛得阿耨多羅三藐三
菩提為无所得耶如是如是須菩提我於阿
耨多羅三藐三菩提乃至无有少法可得是
名阿耨多羅三藐三菩提
復次須菩提是法平等无有高下是名阿耨
多羅三藐三菩提以无我无人无衆生无壽
者脩一切善法則得阿耨多羅三藐三菩提
須菩提所言善法者如來說非善法是名善
法須菩提若三千大千世界中所有諸須彌
山王如是等七寶聚有人持用布施若人以
此般若波羅蜜經乃至四句偈等受持為他
人說於前福德百分不及一百千万億分乃
至筭數譬喻所不能及
須菩提於意云何汝等勿謂如來作是念我
當度衆生須菩提莫作是念何以故實无有
衆生如來度者若有衆生如來度者如來則
有我人衆生壽者須菩提如來說有我者則
非有我而凡夫之人以為有我須菩提凡夫
者如來說則非凡夫
須菩提於意云何可以三十二相觀如來不
須菩提言如是如〻　〻來佛
言須菩提若〻
則是如

BD00034號　金剛般若波羅蜜經　（11–11）

意樂便能捨家趣於非家如來法中受持
學處无有毀犯正多聞解甚深義離增上
慢不謗正法不為魔伴漸次脩行諸菩薩
行速得圓滿
復次曼殊室利若諸有情慳貪嫉妬自讚
毀他當墮三惡趣中无量千歲受諸劇苦受
劇苦已從彼命終還生人間作牛馬駝驢恒
被鞭撻飢渴逼惱又常負重隨路而行或
得為人生居下賤作人奴婢受他驅使恒不
自在若昔人中曾聞世尊藥師瑠璃光如來
名号由此善因今復憶念至心歸依以佛神
力衆苦解脫諸根聰利智慧多聞恒求勝
法常遇善友永斷魔羂破无明鷇竭煩惱河
解脫一切生老病死憂悲苦惱
復次曼殊室利若諸有情好喜乖離更相
鬪訟惱亂自他以身語意造作增長種種
惡業展轉常為不饒益事互相謀害告召山
林樹塚等神殺諸衆生取其血宍祭祀藥叉
邏刹婆等書怨人名作其形像以惡呪術而
呪咀之厭媚蠱道呪起屍鬼令斷彼命及壞
其身是諸有情若得聞此藥師瑠璃光如來名
号彼諸惡事悉不能害一切展轉皆起慈心利
益安樂无損惱意及嫌恨心各各歡悅於自
所受生於喜足不相侵淩互為饒益
復次曼殊室利若有四衆苾芻苾芻尼鄔

BD00035號　藥師瑠璃光如來本願功德經　（6–1）

益安樂无損惱意及嫌恨心各各歡悅於自
所受生於喜足不相侵淩互為饒益
復次曼殊室利若有四衆苾芻苾芻尼鄔
波索迦鄔波斯迦及餘淨信善男子善
女人等有能受持八分齋戒或經一年或復
三月受持學處以此善根願生西方極樂世界
无量壽佛所聽聞正法而未定者若聞世尊
藥師瑠璃光如來名号臨命終時有八菩薩乘神
通來示其道路即於彼界種種雜色衆寶華
中自然化生或有因此生於天上雖生天中
而本善根亦未窮盡不復更生諸餘惡趣天
上壽盡還生人間或為輪王統攝四洲威德
自在安立无量百千有情於十善道或生剎
帝利婆羅門居士大家多饒財寶倉庫盈溢
形相端嚴眷屬具足聰明智慧勇健威猛
如大力士若是女人得聞世尊藥師瑠璃光
如來名号至心受持於後不復更受女身
爾時曼殊室利童子白佛言世尊我當誓於
像法轉時以種種方便令諸淨信善男子善
女人等得聞世尊藥師瑠璃光如來名号乃
至睡中亦以佛名覺悟其耳世尊若於此
經受持讀誦或復為他演說開示若自書若
使人書恭敬尊重以種種華香塗香末香燒
香花鬘瓔珞幡蓋伎樂而為供養以五色綵
作囊盛之掃灑淨處敷設高座而用安處
爾時四大天王與其眷屬及餘无量百千天
衆皆詣其所供養守護世尊若此經寶流行

BD00035號　藥師瑠璃光如來本願功德經　（6–2）

作囊盛之掃灑淨處敷設高座而用安處
尒時四大天王與其眷屬及餘无量百千天
衆皆詣其所供養守護世尊若此經寶流行
之處有能受持以彼世尊藥師瑠璃光如來
本願功德及聞名号當知是處无復橫死亦
復不為諸惡鬼神奪其精氣設已奪者還
得如故身心安樂
佛告曼殊室利如是如是如汝所說曼殊室
利若有淨信善男子善女人等欲供養彼世
尊藥師瑠璃光如來者應先造立彼佛形像
敷清淨座而安處之散種種花燒種種香以
種種幢幡莊嚴其處七日七夜受八分齋
戒食清淨食澡浴香潔著新淨衣應生
无垢濁心无怒害心於一切有情起利益
安樂慈悲喜捨平等之心鼓樂歌讚右遶
像復應念彼如來本願功德讀誦此經思
惟其義演說開示隨所樂願一切皆遂求長
壽得長壽求富饒得富饒求官位得官位
求男女得男女若復有人忽得惡夢見諸惡
相或恠鳥來集或於住處百恠出現此人若
以衆妙資具恭敬供養彼世尊藥師瑠璃光
如來者惡夢惡相諸不吉祥皆悉隱沒不
能為患或有水火刀毒懸嶮惡象師子虎狼
熊羆毒虵惡蝎蜈蚣蚰蜒蚊虻等怖若能至
心憶念彼佛恭敬供養一切怖畏皆得解脫若
他國侵擾盜賊反亂憶念恭敬彼如來者亦
皆解脫復次曼殊室利若有淨信善男子善

BD00035 號　藥師瑠璃光如來本願功德經　（6–3）

心憶念彼佛恭敬供養一切怖畏皆得解脫若
他國侵擾盜賊反亂憶念恭敬彼如來者亦
皆解脫復次曼殊室利若有淨信善男子善
女人等乃至盡形不事餘天唯當一心歸佛法
僧受持禁戒若五戒十戒菩薩四百戒苾芻
二百五十戒苾芻尼五百戒於所受中或有
毀犯怖墮惡趣若能專念彼佛名号恭敬供養
者必定不受三惡趣生或有女人臨當產時受
於極苦若能至心稱名禮讚恭敬供養彼如
來者衆苦皆除所生之子身分具足形色端
正見者歡喜利根聰明安隱少病无有非人
奪其精氣
尒時世尊告阿難言如我稱揚彼佛世尊
藥師瑠璃光如來所有功德此是諸佛甚
深行處難可解了汝為信不阿難白言大德
世尊我於如來所說契經不生疑惑所以者何
一切如來身語意業无不清淨世尊此日月
輪可令墮落妙高山王可使傾動諸佛所言
无有異也世尊有諸衆生信根不具聞說諸
佛甚深行處作是思惟云何但念藥師瑠璃
光如來一佛名号便獲尒所功德勝利由此不
信返生誹謗彼於長夜失大利樂墮諸惡
趣流轉无窮佛告阿難是諸有情若聞世尊
藥師瑠璃光如來名号至心受持不生疑惑
墮惡趣者无有是處阿難此是諸佛甚深所
行難可解了汝今能受當知皆是如來威力

BD00035 號　藥師瑠璃光如來本願功德經　（6–4）

藥師琉璃光如來名号至心受持不生疑惑
墮惡趣者无有是處阿難此是諸佛甚深所
行難可信解汝今能受當知皆是如來威力
阿難一切聲聞獨覺及未登地諸菩薩等皆
悉不能如實信解唯除一生所繫菩薩阿難
人身難得於三寶中信敬尊重亦難可得得
聞世尊藥師瑠璃光如來名号復難於是阿
難彼藥師瑠璃光如來无量菩薩行无量巧
方便无量廣大願我若一劫若一劫餘而廣說
者劫可速盡彼佛行願善巧方便无有盡也
尒時衆中有一菩薩摩訶薩名日救脫即
從座起偏袒一肩右膝著地曲躬合掌而白
佛言大德世尊像法轉時有諸衆生為種種
患之所困厄長病羸瘦不能飲食喉脣乾燥
見諸方暗死相現前父母親屬朋友知識啼
泣圍遶然彼自身卧在本處見琰魔使引其
神識至于琰魔法王之前然諸有情有俱生
神隨其所作若罪若福皆具書之盡持授與
琰魔法王尒時彼王推問其人筭計所作隨
其罪福而處斷之時彼病人親屬知識若
能為彼歸依世尊藥師瑠璃光如來請諸衆
僧轉讀此經然七層之燈懸五色續命神幡或
有是處神識得還如在夢中明了自見或經
七日或二十一日或三十五日或四十九日彼識
還時如從夢覺皆自憶知善不善業所得
果報由自證見業果報故乃至命難亦不造

BD00035 號　藥師瑠璃光如來本願功德經　（6–5）

有是處神識得還如在夢中明了自見或經
七日或二十一日或三十五日或四十九日彼識
還時如從夢覺皆自憶知善不善業所得
果報由自證見業果報故乃至命難亦不造
作諸惡之業是故淨信善男子善女人等皆
應受持藥師瑠璃光如來名号隨力所能恭
敬供養
尒時阿難問救脫菩薩日善男子應云何恭
敬供養彼世尊藥師瑠璃光如來續命幡燈
復云何造救脫菩薩言大德若有病人欲脫
病苦當為其人七日七夜受持八分齋戒應以
飲食及餘資具隨力所辦供養苾芻僧晝
夜六時礼拜供養彼世尊藥師瑠璃光如
来讀誦此經四十九遍然四十九燈造彼
如来形像七軀一一像前各置七燈一一燈量大
如車輪乃至四十九日光明不絕造五色綵幡
長四十九搩手應放雜類衆生至四十九可
得過度危厄之難不為諸橫惡鬼所持復次
阿難若剎帝利灌頂王等災難起時所謂
人衆疾疫難他國侵逼難自界叛逆難星
宿變怪難日月薄蝕難非時風雨難過時
不雨難彼剎帝利灌頂王等尒時應於一切
有情起慈悲心赦諸繫閉依前所說供養之
法供養彼世尊藥師瑠璃光如來由此善根
及彼如來本願力故令其國界即得安隱風

BD00035 號　藥師瑠璃光如來本願功德經　（6–6）

受故名作持……亦名為持
循善行行本所受名之為犯慚愧避……能懺悔持然犯有二
非一往善成然亦醒而還復第二句
一者作犯現違聖教廣造諸過稱為作犯二者止犯不唯教奉循止而
有違故名止犯對斯二犯悔而還復並稱為持上來已弁教之宗旨其
唯受隨若无其受則行无所起以有受故衆行得生若无隨
行便戒羸等失以有隨故令受光潔故地持云此二種戒攝受
无量諸餘淨戒是故須受隨二法　就受門中廣釋緣躰
光明受緣後釋受躰　言受緣者八門解義一釋名第二辯
義總別第三能秉教人師徒位別第四教所被者聖凡不等
五稱受多少……以戒時節第七受捨緣頃第八
……名多少不定或五四受言无上讓
法或五六受曰各……一是自誓受戒不然之義今
約四分宗立五受言五受者謂善來上法三歸八敬羯磨　弟是
言善來者此人宿植妙因道根緣聞仏說法幹證初果滌散生死
帰來出家仏言善來比丘即發戒品故曰善來久可此等諸人滌散
生死帰來出家仏命善來即發具足故曰善來　言上法者往實之
理超出相有物莫能加故稱上法无欲迦葉循道進德感盡觧
滿會上法而發具戒故曰上法久可盡无生智超出學表會而
得戒故曰上法故母經中違五善根上受具足言三歸者此等諸人
未感知來玄悟見道但託小聖諸阿羅漢等以為良緣久滌散二有
帰來出家母云諸羅漢等教令剃頭染衣準仗三寶帰依心成即發
具足故……弘抑女人不聽在道波闍聞之特
生猒離遂……阿難見已為其三請如來遂宣
敬法阿難傳授愛道聞之尊斯八法作奉行之意即發具足故
曰八敬言羯磨者斯等人輩要假強緣扶彼弱因方能發彼戒緣
僧衆羯磨言下而發戒品隱其能秉就所秉邊名故曰羯磨受
戒此五受法得名有四善來躰境善謂行者求戒心來是聖教故或
可讚歎受名有心受戒仏言善來故尓上法從境又可當躰受名
違五善根上受具足故謂盡无生智帰敬二受約境就心羯磨從

[illegible]
戒此五受法得名有四善來躬境善謂行者求戒心來是聖教故或
可讚歎受名有心受戒仏言善來故尔上法從境又可當躬受名
遠立善根上受具足故謂盡无生智歸敬二受约境就心羯磨從
教名可功德謂名辯事故　第二總別四受是別羯磨是總從
遠緣彰名或四或六而羯磨统収故說爲總問羯磨受戒既有四緣
何故獨彰羯磨餘不彰名者可一釋云從餘緣彰名乃有多種今
且隱別就[illegible]妨　第三東人多論判言見諦自
得餘六從他[illegible]類彼論以判此五述而言之盡從仏
受以仏出世有是語[illegible]若以義推上法得戒名爲自受餘之四種是
從他得云何上法名爲自受論云以根本而言由仏說法得證无漏發於
具足名從仏受以義而推自以盡智明之現前而得具戒又名自得不從
他受故論云若法者仏五比丘受師等若尔何故論云從他教得答此
據述因而說善來八敬是仏所秉名從仏受三歸羯磨弟子所秉
是從弟子言教下得　第四所被分別四分律弁善來受戒局在聖
位故律中云見法得法得果證已去得无漏解脫心出家至順之極方
應善來發具足戒內凡已還想心所聞非至順之極故闕不度又
上法受者要第四果以其惑盡解滿故尔三歸八敬內凡已上是
多論此二受法不論不捨故知內凡已去言羯磨受者始興爲凡一興
已後三人[illegible]外經淨行梵志得初果已羯磨爲受四分律中蓮
花色尼名同此例　第五稽緣多少善來受戒具四緣得一證初果受
言見法得法已二内有出家善心又言欲於如來法中脩梵行故三假
對仏形又云前白仏言四假仏教謂聖命善來上法受戒具三緣發
假仏教核如見論說二有祈戒心是以餘文羅漢沙弥无出家意故但
得其果明須有心三得无漏空解謂盡智現前即得具戒三語受戒
名具三緣一假弟子形對諸羅漢二假弟子教謂口授三歸言辭无
錄三歸依心成領前歸依故能得戒八敬受戒具四緣發一假仏
八敬之教二假弟子形三弟子教謂口宣八敬四奉行之意故愛道自
陳我等頂受羯磨受戒具足四緣如律所說一僧數滿足緣二教法
成就緣三結界成就緣四身无遮難緣若具此四是大比丘得成戒
本把戒之人四中若闕非大比丘故須此四方成比丘　問善來等
受以心爲緣羯磨一受何故不尔　答羯磨非不有心以假外緣作法
從強以弁故從因名又可羯磨四心俱得然謹不弁必豫又雖母命前四

成就緣三結界成就緣四身无遮難緣若具此四是大比丘得成戒
本犯戒之人四中若闕非大比丘故須此四方成比丘　問善來等
受以心爲緣羯磨一受何故不尒　答羯磨非不有心以假外緣作法
從強以弁故從因名又可羯磨四心俱得恐隘不弁心緣又唯毋論前四
心爲緣羯磨一受雖文不列要之須心故律文云眠醉狂等不得戒故
第六得戒時節善來受者唱善竟即發具足故律云乃至得盡
苦原上法受戒盡智現前時得以小乘分齊羅漢梵行已立自然戒淨
故更不復他受戒　問此上法得者得作无作不　答以非作法但得无作
問既非作戒何因得發无作戒者　答以非學爲故无其作以道力故得无
作戒三歸受戒第三語竟即發具戒八敬受戒說第八說即得戒品羯
磨一受羯磨竟便發具戒諸論大同　第七受捨漸頓先明受漸頓
羯磨一受点漸頓餘之四受頓而非漸如何羯磨漸頓先受五戒次受
十戒後受具戒是名爲漸若不受五十戒直一受具戒得三種戒說之爲頓
問若一時受得三種戒者何須漸受　答除習仏法必須次第先受五戒以
自調伏信樂漸增次受十戒善心轉深次受具戒如是次第得仏法味好樂
堅固難可退敗不失次第不破威儀如趣大海漸漸深入一時受者既失次第又
破威儀故須漸　問一時頓受得三戒者其无作躰爲一爲三　答但發具戒一
无作躰更无餘二无作之躰若尒便是一戒如何言三　答比丘受得防[illegible]无作
与沙弥俗人同戒者其實躰一是以多論家據其躰望三人始終位別言得
三戒理實三无　問所以得知但一无三　答即此論文解次第受中俗人下
品五戒次中品心受沙弥戒前五戒仍本下品五戒外發方爲中品上品心
受具本前二品仍猶下中五十外發始爲上品據斯以驗次第漸受
三時心別同戒无作　尚不發三起況一時受者而得有三故知漸次望位別
作三非躰有三点可心論云一切回一切交得三戒者三時漸受之既時別重發无
作有三躰故若論頓受既一時方可名爲望位爲三非躰有三
次解捨之漸頓若望四受之捨俱頓羯磨捨受並含漸頓爲但羯磨一受
一受制局漸捨兼漸　問羯磨頓受既得三戒捨時云何　答義含漸
頓者也　要心三戒俱捨　則頓失三是名頓捨若言我作沙弥但捨具戒言
作優婆塞者又捨十戒又言我三歸人方捨五戒名爲漸頓　問受之
与捨俱頓並漸或以漸受頓捨此三可尒若本頓受俱得具戒一无作躰
云何漸捨若得漸捨便成三躰如何言一　若比丘一時受防[illegible]无作通沙弥
俗人共有防非是故捨時要心捨[illegible]

伯僕異家者又捨十戒又言我三比人亦捨五戒名爲漸捐　閒受之
與捨俱頓並漸或以漸受頓捨此三可尒若本頓受俱得具戒一无作躰
云何漸捨若得漸捨便成三躰如何言一若比丘一時受防惡无作通沙弥
俗人共有防非是故捨時要心捨具不捨十戒若與沙弥戒同心則在故律文
言我作沙弥以十對五義亦同尒故言我作優婆塞是以論說據躰通
三人有共用義故望位說三非躰有三如此釋時頓受漸捨義亦无防故
多云譬如樹葉夏青秋黃冬時則自宜躰有殊隨時異故樹葉色異
而始終一葉戒亦如是常是一戒隨位異故是以羯磨一受受捨俱頓並漸善
來等四唯頓非漸以无作法躰故　第八優劣如多論說若就灾患有无四受
是勝羯磨爲劣若取任持仏法利益寬長羯磨一勝餘四受劣言四勝一
劣者羯磨受者如實凡夫福德淺薄感得此戒多諸灾患容有趣上折下奉
持心劣令戒有羸餘四受法如凡已去理解心中受得斯戒持心堅固肥而
不羸二者羯磨凡夫容有不果道法捨本所受餘四受法果道情殷理无
退捨三者羯磨容有轉爲二形餘受法須无此變四者羯磨受人或起邪見
斷捨善根餘四理解不斷善根羯磨一受或有上四故稱爲劣餘四受法无
前過非是以名勝此對始興若聖人受亦是其勝言一勝四劣者羯磨一受乃
具六義一是時長謂通現未二處扁三方除欝單越三報兼男女四謂流
凡聖五所被无數亦多生作法以斯諸義仏法始終以白四羯磨爲宗本能继
續三寶作无邊益利有住持之功莫大羯磨故說爲勝餘四受中善來
一受終盡雙林自外三受中間即亡又局閻浮不該餘二凡聖位差報
局男女對前六義耳各闕少紹继功微故稱四劣　茂戒緣竟
第二次弁受躰於中四門料簡第一釋名出躰二戒先後第三受隨同異
第三弁茂戒緣第四所茂多少第一言釋名者戒相雖衆義要二種一曰作戒
二无作戒先釋別名作與无作次解通名所目之戒言作者謂方便身口起動
造作稱之爲作故心論云作者身動方便言无作者身動滅已與餘識俱彼
法隨生名爲无作如善受戒穢汙无記心現前善戒隨生惡戒亦尒次釋通
名戒者此作无作俱有鷲防感稱爲戒依善生經通有五名一名爲制之斷
一切諸不善故名爲戒又名迮隘雖有諸惡性不容受故名爲戒又名清涼遮
熱煩惱令不入故又名爲上能上天堂至无上道又名學調伏心智故名戒此
五咸是義用釋名是故從用立名稱之爲戒然於五中迮隘清涼是義名
餘三用名問何故得知有作无作答諸論廣明二種戒躰一如心論第三羯磨
剎那作及无作根本業道又云身口作前二有對身口无作俱不可見无對三

五戒是義用釋名是故從用立名稱之爲戒然於五中進隘清涼是義名
餘三用名問何故得知有作无作答諸論廣明二種戒體一如心論第三羯磨
剎那作及无作根本業道又云身口作前二有對身口无作俱不可見无對二
多論云初念戒有身口教及无教第二念唯有无教无有有教三十住毗婆
沙云律儀善根有其二種一者有作二者无作作者是色无作非色非心以斯文
知故戒有二種問何須作无作者答若无其作无所從生若无无作不可一形防非故
須兩戒此逕言耳如上法得戒以道力故得无作戒次弁戒體若依多論作无作
戒並是色法爲體此義可謂六種分別一有爲无爲分別二戒俱是有爲
法聚非三无爲故第二有爲中三聚分別作无作戒並色法爲體心及
四相不相應法是其戒因故論云作及无作假色是分別色陰第
三色聚中三色分別一可見有對色謂色入二不可見有對色謂五根
四塵三不可見无對色謂法入中无作若言作戒前二色攝无作戒者第
三色攝故伽心二論云身作可見有對口作不可見有對身口无作俱不
可見无對論云身作前二色中唯色入攝口作戒者是聲入攝非餘八色其
二无作並法入體攝此作无作俱是色陰第四就色聲中報方便分別色雖
通報及方便然身作是方便非報故心論云作者身動身方便口作唯方
便以聲非報法故身口二无作非報非方便第五三性分別身口色聲是善非
餘兩故心論云以清淨心動身口名善作等即向初色有廿種前十二唯无記後
八高下長短方圓正不正通三性局取善邊耳作戒體三聲之中謂除第三
因不受四大聲如風響等唯无記故就初因受四大聲第三因俱聲此二通
三性中亦取善聲邊爲口作體沉論身口无作通於二性今論戒故是善性
攝第六始終分別此善作中通於終始不取始謂始從清師終至羯磨未竟
要心未熟善而非戒第三羯磨一剎那須要斯心滿思願成就善而是戒故
局取終然依得宗无作之戒定用非色非心爲體作戒者取文不定或有取文色
心爲體故論文言業者非直音聲要以心力助成故知身業亦以心力助成明知
二業色入爲體又引論文以心爲體是故論言離心无身口業故知二業用
心爲體又假色爲身口業體故論云身口業依止四大意業依心若身口
業非四大爲體者意業依心亦不應以心爲體然意業依心故即說意
業用心爲體故知身業以四大動爲業業无別體即用四大作體口業者由
大相繫於中出聲聲成音曲有所表彰以爲字句爲口作業業无別體用聲
作體是以論云是法名聲性法入所攝故以遠從四大即聲成故用聲爲體身
業近采四大文即用所表以爲體 [illegible]月二戒[illegible]論[illegible]以一[illegible]

業用心為躰故知身業以四大動為業〻无別躰即用四大作躰口業者四
大相繫於中出聲〻成音曲有所表彰以為字句名為口作業〻无別躰用聲
作躰是以論士是法名聲性法入所攝故以遠從四大即聲成故用聲為躰身
業近依四大故即用所依心為躰　次明二戒先後依心論說似一時得
故文言第三一念作无作根本業道又多云初念戒有教无教後次第
生戒第二念但有无教无有教故知一時然无作三時有非戒者一者因時无
作但是作俱是非全戒躰二身是果時无作〻有二一是作俱二是形俱〻
一種方是戒躰三謂果後唯有形俱此是戒躰以其果時有形俱故明一時得
若依此宗以先後發故實云問齊何名為无作答第二念頌名為无作以作
戒為初念故名无作為第二念唯羯磨竟所有无作是並戒躰前二時中
位是能俱所攝又善生經方便心異作時心異衆緣和合得名為作以作
因緣發生无作〻已過去唯有无作其心雖在惡无記中本所作業不名
漏失棲斯以弁明先後發　第二受隨同異首辭受隨義一譬如一
檣能捍衆敵為破斯義故立此受隨二法並作无作先辭无作有
其七種一道共无作二定共无作三形俱四要期如日夜及處中要期等
五隨業无作如隨戒无作及處中隨作業發者是六事无作如塔寺
橋船等事存時念〻發无作等七隨用无作即前事存有人用時
須發无作者是就此七中形俱定受要期通二餘五定隨次弁同異受
隨无作同義有三謂名躰義異須有六第一受中无作義均一品隨中无
作乃有優劣言受中无作一品者若本上品心受所發无作心增上故
戒亦上品或容犯罪或終至羅漢更无增減以其酬本一品心故中下心受
義亦同然三品各定故言義均一品隨中无作多品不定故優劣對五篇弁
此優劣者若就根條初勝乃至五劣若自分勝進五勝乃至初劣即從
五篇次第〻義又可一〻篇一〻戒心有增微事別不等即有九品之持故
隨无作有斯階降　第二總別受中无作發心總斷一切惡意於生非
生類得律儀故攝為總隨行无作次第漸成不可頓起故名為別
第三懸對受中无作懸有防非未即有行隨中无作對事防非行成
眩潔問懸未有非對即隨行受有何用　答若无其受隨不成隨

第三懸對受中无作懸有防非未即有行隨中无作對事防非行成
眹潔問懸未有非對即隨行受有何用　答若无其受隨不成隨
㳄戊一㠯故　第四長短受是形俱說以為長隨行无作從緒行發非
形俱故目〻為短　第五有无者受中无作通三〻性唯善隨无作者躰
非二性亦不通兩此校尅性為別受隨俱善餘二並殊今約有无有通
不通受是形俱通在餘二性中故說為寬隨是作俱〻等局善性中所
以言狹此就一心自作為言若先後心及以教人餘二性中隨亦通有如教
相所詮犯不犯中亦同此狹故犯行中无不犯行若通就先後心及教
人犯行中亦有不犯行此即受隨俱寬作此解者然須約以為三〻若局
善性俱狹受隨同善性故若隨人等俱寬以亦通三性故若以自作
隨行對受亦別方有寬狹此唯多論有四五不同若實依論不別寬
狹長短然須受中无作定是長寬隨无作若具於二種以道无作寬長尓
第六受是根本隨是枝條次解二作同異同義有五謂名躰義寬狹長短
等不同有四〻品多品二惣別三亦懸對四根條此說可知既有此殊豈同昔
解受隨義一　第三弁發戒緣者若依薩婆多別解脫戒唯約見在
以過未非衆生故若准遠宗發戒〻時不存過未心得戒以非衆生故現存
相續心中發戒以是衆生然受戒時要須三世境上所有〻惡皆作斷意方
能發戒還防三世境上非所以然者過去〻境能生惡心故論云如人供養過
去所尊是亦得福律儀亦尓未來〻境亦生惡心故須普緣惣作斷意方
能發戒又若過未不發戒者三世諸仏戒不齊等以其諸仏戒品齊等故緣三
世發戒也　問戒防未非此〻足殊已起何故得言緣三世境發還防三世非也
答境雖過去非〻過去等以斯義故猶防未非是以須尓　第四發戒多
少諸戒雖衆不過二種謂作无作〻〻已過去唯有无作〻形相續此无作戒乃
有多品以所防〻惡既有无量戒寧是一故多論云於一衆生數非衆生數而
發律儀言於〻衆生數者上至非想下至阿鼻可煞不可煞可誑不可
誑等〻〻衆生乃至如来就根本而言不過有身口七惡三因緣故一貪
故起七二嗔〻故起七三癡故七〻三七廿一惡對防此惡受戒〻時謂從无貪等三

誑等。衆生乃至如來皆根本而言不過有身口七惡三因緣故一貪
故起七二嗔故起七三癡故七七廿一惡對防此惡受戒之時謂從无貪等三
善根心各得身口七枝合廿一種戒善乃至三千大千下衆生皆亦如是若十戒
五戒得十二種戒故心多二論於一切衆生一切時戒不斷或廿一種故經云衆生
无邊戒亦无邊若非衆生數乃至草木生種大地非法衣食等及下罪受
本受戒時要期不作還得尔所戒善功德故善生經云大地等无邊戒亦无
邊出家僧尼仏聖弟子位尊人天實由於此又雜阿毗曇論四万二千擅河謂四万二
千學處一切恒流其猶河水洗除破戒煩惱言四万二千者根本戒有四百廿所以
尔者如婆藪斗律戒有二百多明輕戒優婆提舍戒有一百廿一多明重戒比丘
尼別戒九十九合成四百廿是一一戒有攝僧等十功德一一功德能生十種正行謂信
等五根无貪等三及身口三護一戒即百合戒有四百廿豈非四万二千又解无領
比丘若謂第三羯磨竟時四万二千學處一時並起无一戒不生故稱无領擭斯以驗故
知戒量不可勝數問僧尼二衆戒數各分何聽无領比丘尼直言四万二千耶一解擭
二種通說若取實理各隨本戒二約轉根義釋俱有四万二千上來受戒法門
辯了自下隨戒寄文中說　第三正釋戒經題目言四分者蓋是一百年後五
部之内一部之別名言戒者是毗尼都教之宗然大聖如來始從鹿野垂終泥
洹隨根制戒輕重差殊緩急有異仏滅後優波離等撰仏遺言載傳竹帛
次第任持乃至毱多一百餘年並以衆宗无所化衆生不相是非但為一部大
毗尼藏備傳於世然優波毱多有五弟子各執一見以為楷准至傳聖教不能
均融齊於一是分離遂為五典各自相傳並流季世究其宗旨无非仏說
如破金杖並為金用惣別之教咸可受持本一金別義興於此又依三藏
傳云一百年後分為五部二百年後為十二部四百年後分作十八隨相雖有多種莫
不皆是一大毗尼藏故文殊請經仏說偈曰摩訶僧祇部分別出有七難毗尼十一
是為廿部十八及本二悉從大乘出无是亦无非我說未來起樓斯以論明知四
分名者於多部中一部之別名若就能象應言曇无德戒本此名法護今約所論
彰名故言四分四誦成部因以名焉今此戒經從彼律出故云四分戒本隨文釋中文
雖浩博聖凡見異分釋多種不定今且約一義文分為三一者序分二者正宗三

分名者於多部中一部之別名若就能彖應言曇无德戒本此名法護今約所論
彰名故言四分四誦成部目以名焉今此戒經從彼律出故云四分戒本隨文釋中文
雖浩博聖凡見異分釋多種不定今且約一義文分爲三一者序分二者正宗三
者流通初定三文第一從稽首礼至如是持已來名爲序分第二從四波羅夷
法至七滅已還名爲正宗第三從七佛已下至共成仏道是流通分次釋此三名題宗
由致教起之端名之爲序此五篇七聚及七滅法正明犯以不犯輕重等相被時之
益正當聖意當於序興又當機感故曰正宗法傳季世目之爲流流而不擁
名之爲通故曰流通次釋所以者說經由序制戒必有由藉故須序序分既彰
宜宣宗本故須正宗正說之文豈唯現在亦欲開演大丈流傳像季末代等
聞企渴同悟故須流通就前序中復分爲二初十二偈正明律主將欲流傳聖
教被及遐代恐時不信歸敬三寶嘆戒功能勸信奉循是故自作廣略二教通序
前開持毀之言以成說聽之本第二從和合已下是二教大宗發起之序於斯二序
六門解釋一明二序意三義故爾一人有師徒謂曇无德如來二別二時有現未三
經解不同如來經者出於金口曇无德經傳於竹素以斯三異得有二經二有
二教須立二序第二序名不同鮮法以弁勸信發起若也約人曇无如來雖名有
殊且約前說第三惣別偈序是別長行是惣惣別可知第四所明吉異流濡聖
教非信不傳故此偈序寄嘆戒功勸信奉循以明序義和合以下大聖欲明被
時之益輕重等相故戒發起第五先後次第問發起前興反在後說勸信
偈後迴在前明所以爾者答二種不須故作如是一戒制戒戒相隔於勸信發起
不依二顯曇无德勸信不具若勸信前明順前兩義故迴發起勸信後說
有可不勞多妨理而言之勸信之偈乃存流通事後何以不對正宗等以弁先
後故知不尔但勸信雖後此須前明第六隨文科釋偈文分三初稽首礼三字是
立何敬敬之儀式二諸仏已下七字是何所敬顯所敬境三今演已下是何敬彰其敬意
所謂略廣嘆戒勸信稽首礼淚明能敬敬躬頭頂暨足身業致虔故曰稽首
又稽者屈也首者頭也故曰稽首謂律主等行者身口意業身業恭礼
口業稱楊讚嘆意業信敬尊重此就能敬人業具成身口意弁若眉明
敬躬其唯信歟　諸仏及法比丘僧次明所敬敬境衆聖非一稱之曰諸道敬

又稽者屈也首者頭也故曰稽首謂律主等行者身口意業身業恭礼
口業稱揚讚嘆意業信敬尊重此能敬人業具成身口意弁若屆明
敬躰其唯信敬 諸仏及法比丘僧次明所敬〻境衆〻聖非一稱〻曰諸宜敬
教主而兼礼餘仏者顯教道理均化儀无二諸仏平等故須齊敬仏者
西音此方稱覺具一切智通達諸法自覺〻他三覺圓滿故名為仏已上稽
首〻通下二句〻名及所言法者有其二義一軌解〻法〻名自躰二軌用釋名
法行者軌則所言比丘者是西音智度論中三義解釋一名乞士二意故乞一為
資身長道離四邪命正命自活故曰比丘二為益施主僧田行施獲反報〻福是
故須乞二名破煩惱比丘為破丘名煩惱能破煩惱故名比丘三曰怖魔能怖於魔度
魔人民故名怖魔具足三義故曰比丘所言僧者名是西音此名和合謂四人
已上於理於事絶去違諍名和合衆比丘者能成〻曰僧者所成〻衆惣別合举
故曰比丘僧此三種境世所珎貴咸稱為寶三寶不同略有一躰別相住持九種
〻異義如經論廣弁 今演〻毗尼法會正法久住從此已下章其教意〻有二一
就別敬二約惣敬言別敬者敬仏四意一仏是教主將傳聖教寧不致虔表師
資有序二報恩供養三開示僧尼尊奉〻儀四請威加護敬法三意一法是所傳〻
旨真〻蓋軌聚故偏宜敬二示尊奉〻儀三請威加護次惣敬三意雜心論去開發
衆生三寶念是故稽首礼三寶成實論去三寶最吉祥故我經初說令律主敬
者為演〻毗尼勸時生信稟化相傳有久住〻益是其大益先解初文於諸吐
宣故曰今演〻毗尼西音此方稱滅魁滅由於行教能功能章名故說此教為毗尼
法毗尼〻名乃有多義如三藏義說一能引生是毗尼義謂第三羯磨竟時能
引生四万二千功德一時並起二能教身口清淨及正直是毗尼義謂離業濁煩惱濁
故名身口清淨正直故向滅三有滅義是毗尼義性離諸惡業非不生故名為滅
罰勝故名毗尼謂引俗入道引小入大令凡入聖等五勝人所行是毗尼義謂一切聖
人同行此法惣攝律教一切都盡既有多義今翻滅者謂能得於滅且當第二句斷
第三滅義但經論廣明滅義今且略弁多少所言正法〻雖有四今約行教二法而
明正法故善見云仏語阿難我滅度後有五種法令法久住一毗尼者是汝大師二下至
五人持律在世三若有中國十人邊地五人如法受戒四乃至有廿人如法出罪五以律師
[illegible]

BD00036號　四分律戒本疏　（27–10）

明丘法故善見云仏語阿難我滅度後有五種法令法久住一比丘者是汝大師二下至
五人持律在世三者有中国十人邊地五人如法受戒四乃至有廿人如法出罪五以律師
持律故仏法住世五千年又論說言衆行〻軌稱爲正法〻由人弘人能通法〻在人故更與
不墜故曰令正法久住　戒如海无涯如寶求无猒欲護聖法財衆集聽我說此一偈
略嘆戒功能勸信奉脩所防〻悪既有无量能防〻戒寧有涯際故經云說言衆
生无邊戒亦无涯七寶之珎世俗所貴求〻无猒七善律儀聖人所尊智者脩
学而无疲勞求〻无猒玉帛珎寶躰挂不浄蜀人常護勸令脩信等七法能
資聖道故名爲財智者常護勸令脩學戒律法門故曰聽我說欲除四弃法及
滅僧殘法鄣卅捨隨衆集聽我說　此一偈文勸捨極悪不善〻業而令脩学
卅丘曰故多論說戒有四義餘經所无一者戒是仏法平地万善由〻生長二者諸仏弟
子皆依戒住一切衆生由戒而有三是趣卅初門　四是仏法瓔珞而能荘嚴諸仏正法以
此義故持戒〻力能滅諸悪故勸聽說　毗婆尸式弃毗舍拘留孫倶那含牟尼加葉
釋迦文諸世尊大德爲我說是事我今欲善說諸賢咸共聽　此偈〻文引仏爲證廣
略二教七仏同說是故我今勸令奉脩聽徒非一曰諸並有和直〻行稱賢翼仁者廣
者詳審故言咸共聽　譬如人毀足不堪有所涉毀戒亦如是不得生天人欲得生天
上若生人間者常當護戒足勿令有毀損　此二偈文而明持犯兩法前則彰其
毀犯後乃況其護持人欲遠涉事必須其脚足欲遠至卅應存戒品具
足人足既損難趣遠涉戒足闕況溺三塗故今勸令護戒如足是以經說
如人无足欲行遠路如鳥无翅欲飛昇高如海无船欲渡彼岸是不可得戒无
浄戒欲得聖果无有是處是故護戒勿令毀損　如御入嶮道失轄折軸憂
毀戒亦如是死時懷恐懼　此偈明毀戒之義御以喻身轄喻律儀軸喻根本
若失小戒即犯根本故卅云勿輕小罪以爲无殃水渧雖微漸盈大器毀
戒〻俞亦復如是不護小戒即有犯重〻憂故四分律云破戒〻人有五種過一
欲自害二智者所呵三悪名流布四臨終生悔五死墮地獄以此義故令奉脩
如人自照鏡好醜生欣慼說戒亦如是全毀生憂喜　此偈法喻如相合鏡喻
浄戒好醜喻持犯若戒全時便生喜悦若毀戒行有憂悲故毗婆沙云戒
如明鏡无我像現戒如瓔珞能嚴相好若照浄戒毀犯乃見故言憂喜　如兩陣共

如人自照鏡好醜生欣慼說戒亦如是全毀生憂喜 此偈法喻如相合鏡喻
淨戒好醜喻持犯爲戒全時依生喜悅爲毀戒行有憂悲故毗婆沙云戒
如明鏡无我像現戒如瓔珞能嚴相好爲照淨戒毀犯乃見故言憂喜 如兩陣共
戰勇法有進退說戒亦如是淨穢生安畏 此偈明進脩持犯二門兩陣喻持犯
勇怯喻勝劣戒行爲全依進聖果以毀戒故退墮惡道持戒不犯依有無夫樂
惡戒因緣畏失證勝報智度論云破戒之人人所不敬其處如冢辟如羅剎惡心
可畏如大病人人所不近辟如毒蛇難可共住常懷怖懼我爲仏賊乃至臨終
生悔而无安樂持淨戒者諸天常護正法不斷故花嚴云具足能持諸威
儀教授六法常和敬善御大衆心无憂去來今仏共同讚持戒因緣法久住
是人能報諸仏恩又云戒是无上菩提本應當具足持淨戒爲能堅持於禁
戒則是如來所讚嘆 世間王爲宗衆流海爲宗衆星月爲宗衆聖仏
爲宗一切衆律中戒經爲上宗 此偈以勝比劣世王能攝故名爲宗大海深廣是
故名宗月能圓滿故名爲宗仏具衆德是故名宗戒含多義是故名宗故經
說言以因此戒得生諸禪及滅苦智如海攝衆流淵无涯戒善理深資潤无窮
起於万行喻爲於海爲誡行論安除細乱惠斷煩惱所以是勝根條往別戒
是根本定惠從生戒復是勝約教弁者餘詮定惠故二蔵勝爲詮根本毗尼
爲勝今言宗者根本故宗摩訶論云異有四種一生善勝名宗二滅惡中勝
故名爲宗三相引故勝依有漏戒得无漏戒是故名勝四相益故勝依非
心戒起於心戒一切勝實非戒不起故戒經爲上宗 如來立禁戒半月半月說
此半偈結前嘆戒勸信諸文畢意難明寄言以彰申敬讚美立宗勸信爲
久該德即廣所通之法宜悔巳情息嘆歸礼上來廣略二教通文畢自下
廣略二教發起意各分其三謂序正流通 和合僧集會從此已下
廣明發起起序四分律文時有與同師知識別部說戒法當尊重衆事恭敬
布薩聽一處住和合說戒遠者與罪仏言有三種和合一應來者來二應與欲者
與欲三現前得呵者不呵及此別衆言僧集會者謂同一界皆應相喚是爲
所教作法法時共集一處爲多爲少乃至一人心念說戒是名集會 未受具戒者出

布薩聽一處住和合說戒遠者與罪仏言有三種和合一應來者來二應與欲者
與欲三現前得訶者不訶 及比別衆言僧集會者謂同一界皆應相喚是仏
所教作法法時共集一處爲多爲少乃至一人心念說戒是名集會 未受具戒者出
此明異衆儀式四分律文時有比丘令餘六衆處說戒事仏並令至不見不聞
處又除人未受戒者非人來者聽之又不應在尼前作也若有異衆乃
令遠去下座應答未受具戒者已出若无異衆應言此處无未受
戒人沙彌出時應誦五德十數不者得吉羅 不來諸比丘說欲及清淨
此名和合之義時有病比丘不來聽戒仏言應與欲及清淨隨其要略
若不見身相不口說者不成與欲以要言之一切如法事業同緣仏開與欲若无本
緣妄陳欲法不成與欲障僧說戒翻上成欲 誰遣比丘尼來請教戒 此
明尼請儀式若有受尼來請教誡者此時應起僧中爲請衆中爲有具
十德者即應差遣必若无者上座應作略教授法語請人言語尼衆
此寺无堪教授尼人亦无善說法者尼衆應一心行道謹慎莫放逸彼答
言尓若无請者下坐應答此處无尼來請教誡 僧今和合何所作爲
此句明問僧所作儀式答 更有餘法事皆應此時先作爲无餘事一人應答
說戒羯磨 上來是衆法方便 自下正作二同 大德僧聽今白月十五日衆
僧說戒爲僧時到僧忍聽和合說戒白如是 此明作法儀式四分律中仏語
比丘當依王法黑白二月大小兩日隨國同稱言爲僧時到謂作法時至
僧忍聽者勸衆祥和下白衆知故曰白如是以律文爲有四人應作此
白三人已下當三說語戒獨住比丘心念布薩爲不如是皆得吉羅
諸大德我今欲說波羅提木叉戒 此句明發起正說戒序將欲說戒
故標傍之 諸大德者先告衆也 波羅提木叉者西音此翻爲別
解脫也由受此戒別離種種惡故又能彰解脫果名得名爲解脫
律儀然不爲惡衆所縛故名解脫又稟初隨順解脫故名波羅提木
又是剋因標果稱又律中仏語比丘新受戒者未得聞戒不知何奉
聽集一處和合說之波羅提木叉者戒也 自攝持威儀住處行根

BD00036號 四分律戒本疏 （27–13）

律儀悉不名惡衆所縛故名解脫又亦隨順解脫故名明持木
又是別因標果稱叉又律中仏語比丘新受戒者未得聞戒不知何等
聽集一處和合說之波羅提木叉者戒也　自稱持威儀住處行根
面首集衆善法三昧成就當結說當發起演布開現反覆分別
衆集現前嘿然聽善思念之　此句明聽法儀式是故律云同羯磨
者集在一處乃至應訶者不訶是名如法　為衆大聲小歎妙高座
立上而說八難緣隨時略說　為客舊來集數有多少說至比席
告淨須聽審知律仏端意專志而聽律法是名善思念之等
為自知有犯者即應自懺悔不犯者默々者知諸大德清淨　此句明犯
不犯義所言犯者不謹之人放縱身口違禁興過不循善行汙本所
受名之為犯慚愧退謝還令復本亦名為持　雖非一往善成然亦毀
而還復第二句明故名犯已能悔是故律云有二種智人有罪能見己
如法懺悔　所言不犯者上行之流一往順教惡離善行故名不犯所以律云
无犯有二者本不犯犯已能悔同名无犯為欲懺者當詣清淨比丘說
犯名字如法除已得聞戒為无犯者即當嘿然表心淨故　為有他
問者亦如是荅　此句明問義律云非但誦戒之時須如是荅為有餘人
問荅如是故四分律言如是荅者譬如一々比丘相問荅也是名亦如是　如是
皆在於衆中乃至三問憶念有罪不懺悔者得故妄語罪　此明違教
罪四分律云嘿妄語者得吉羅罪是故衆中問時憶念有罪即應發露
為恐不憶雖嘿无罪為正說戒時彼時憶念恐亂大衆即應心念發
露說戒已後如法懺悔　故妄語者仏說障道法　此句明違罪果報
言鄣道者妄語之罪能令衆僧墮三惡道不獲聖果亦障四禪
及三々昧乃至四果是故律云仏告比丘如彼大海不受死屍設有漂出
我法亦爾不受死屍謂死屍者非沙門梵行自言沙門梵行犯戒惡
法不淨穢汙邪見覆善內懷腐爛外現白淨如空中樹雖在衆坐
常離衆遠衆亦遠彼故知懺罪方成聞戒為彼比丘憶念有罪欲求清
淨者應懺々悔々得安樂　此明懺法　為憶初篇犯罪即應依大乘懺為

我法然亦不受死屍諸死屍者非法[illegible]梵行[illegible]
法不淨穢汙邪見覆善內懷腐爛外現白淨如空中樹雖在衆坐
常離衆遠衆亦遠彼故知識罪方成聞戒爲彼比丘憶念有罪欲求清
淨者應識識悔悔得安樂此明識法爲憶初篇犯罪即應緣大乘識爲
憶僧殘如律廣識乃至吉羅類亦可知由識因緣三業得淨是故律中仏告
比丘以戒攝淨便得淨定乃至智慧亦復清淨三學淨故能引諸禪及證
聖果故曰識悔得安樂 諸大德我已說戒經序今問諸大德是中清淨不
諸大德是中清淨嘿然故是事如是持此句結成受持也由衆嘿然故法事
皆成雖有三問共是一法故但得一罪 上來已明廣略兩教發起別序從
此已下即明廣教正宗 諸大德是四波羅夷法半月半月說戒經中來
自下正宗宗內物有八門以階輕重此一初明第一篇一篇之內皆有三段初
標說儀次陳本戒後問清淨此前一句是其標也下至七門皆准於此問
所以得興廣教者答僧尼不勝名利廣生有漏壞其略教是以如來隨
有缺犯制廣補之使犯相斑輕重位別教禁群機有當時之益原意在
此故號正宗宗之旨不出身口正善受之互持犯相輕重但人多釋不可具錄今
且略撰宗求分爲二種一者正持行相二者作持行相此二種持結攝戒經始終
惣盡戒本之內且從八節科義此八爲五犯三十九十合爲一犯惡說共爲一
犯不定會在七滅故但爲五將此五犯兩種解釋 第一惣相解釋 第二
各別釋義惣相之中四門分別第一五篇第二七聚第三方便第四持犯此
四位中五篇雖是究竟以其根本究竟業道是以先明雖然究竟前
後眷屬相亦須識是故七聚以爲第二七聚之義亦含輕重五七之果成本
由因造緣差互不可有盡暢思業故方便以爲第三既識過相階差理須
護持犯第四欲明五篇四解釋第一釋位第二辨名第三五五所以第四次第 第一釋
位者比丘尼以正善爲宗故用能治戒行以爲所明四分律中名五犯聚僧祇
以爲五篇科以一名說四義名初篇十三僧殘以爲第二篇卅九十共爲第三篇
四提舍尼爲第四篇衆學及滅淨爲第五篇所言篇者輕重相形是故
名篇又云篇者類也又說均等名篇各具三均故名爲篇一者名均齊二
者罪均齊三者究竟均齊具此三均齊等故得篇名如前篇名戒俱名

四提舍尼爲第四篇衆學及滅諍爲第五篇所言篇者輕重相形是故
名篇又云多篇者類也又說均等名篇各具三均故名爲篇一者名均齊二
者體均齊三者究竟均齊具此三均齊等故得篇名如前篇名戒俱名
波羅夷輕重義等有此相似録爲初篇餘非類者理不得同乃至第五類
亦同尒　第二弁得名者夷當體得名祇云極惡三義故惡一者退没謂退
失道果二不共住非二僧攝故三者墮落捨此身已墮向阿鼻地獄故
即此極惡惡名當罪人是故當體得名僧殘者境體受名犯此罪
已垢纏行者非全堪用故名爲殘有殘之罪由僧除滅故名僧殘言
墮者從體及境作名又云隨義墮罪有此能故從功能作名言提舍
者從對治境亦可責過受稱文言我犯可呵法言吉羅者從具語立名
故見論云吉羅名惡作　第三立之意或言業有五故立爲五篇亦可雖
俗制道如五刑罪或可如來隨根之教略標斯五　第四次第先能所防罪
解推尋本制之興隨犯而禁輕重事亂无定今明次第可所依唯蓋是大
聖欲令斯法絡傳遐代故命憂波離曲宣方軌亦以重輕次比於後故
憂波離佛滅後一依聖教集佛所制正死之罪宜加先勒故并在初餘爲輕者依
其階位乃至第五類以可知爲棱能防行次而者初篇是行根本故須先
明初篇行壞下四棱條焉能得生是故初篇先立根本行既立已不脩衆
々法々不成纓紉不立何能象法故立衆行爲第二篇衆法雖成爲不
脩篠儀纓紉難立故明第三身口威々儀々既尒爲不離譏過爲不
敬順三寶除遜弥諍反成滯尋縛在三有焉能出離是故第五
篇敬順三寶威儀導勲趣道々行此棱根本所以初勝爲棱難
防第五㝡勝乃至初爲　第二七聚四門分別一約位二立名三偷蘭
先後四入篇不入言約位者四夷爲第一十三爲第二一切偷蘭爲第三
捨墮爲第四々提舍爲第五惡作爲第六惡說爲第七所言聚者
衆罪非一聚在一處名之爲聚言立名者初篇當體殘約境義蘭就
所防罪立名體唯不善故見論偷蘭名大遮能障道故名爲偷蘭
提墮功能可呵約責立名第六約作得名故曰惡作第七就說爲名故言

所防罪立名，緣唯不善，故見論偷蘭名大遮，能障道故名為偷蘭
提愼切，舷可訶約責立名。第六約作得名，故曰惡作。第七就說為名，故言
惡說。言偷蘭先後者，偷蘭過麁，故能治之行在戒門。偏若約均雜往分
須在第五。以躰含方便究竟之異，雜门所收麁重，是故須在均下雜上
位當第五。又解作因故，三為果故，五為方成他之戒，故尔。言入不入者
凡入五篇皆具三義：一名均，二躰均，三究竟均。羯等四聚並具此義。蘭中
但有名均，雖是蘭聚，闕餘二均，以通因果，含輕重，故不入五篇。所言輕
重有四種別：一不可懺，如二逆是；二大衆蘭，初二篇下是；三小衆蘭；四對手蘭
一人邊懺。輕者出界四人中懺，殘邊重者同戒生，輕殘自邊，輕者對手懺。有此
差別，故不入五篇。 第三方便，於中有三：一者遠方便，二者進趣方便，三者隣
緣方便。遠者，有果而不成進趣者，以因成果；隣緣者，无果而可成。言遠者
如自覆藏罪是非，不藉此覆藏生於後犯，名曰方便。終不攬此以成
於彼，故名為遠。論其正躰，其唯究竟殺人，蘭吉類然同尔。廣論五
犯悉可為遠，如自稱得聖遠資犯盜，如初戒。五殘不淨，行媒中説，故眾
衣同行宿坐資犯初戒，下二准可說。知舉此五犯与衆為條，餘類相望容
有由藉，如斯等類名遠方便。二進趣方便者，心悕前事，身口運動造境求
成，以名進趣。如律所明，尖之偷蘭是名進趣方便。三隣緣方便，於中有七：一者隣緣，二
者境違，三者緣差，四者境差，五者想心，六者疑心，七者善心息。名隣緣方便。二境違
方便者，如欲殺人前境入定，或又害我，以彼緣違，差此進趣，惡不成，故曰緣境違。三緣差方便
者，欲害前人更自害人，實伏想卑義覺成，有緣来差，此心不遂，殺事故曰緣差方便。四境差
方便者，如非人想人疑等是，如下廣說。殺五人衆苦者是。五想心方便者，死心煞人心緣非者是。
六疑心方便者，起心煞人而生疑想，為人非人死，緣於兩境疑心煞者，從兩境結罪。七善
心息方便者，可知。此七方便諸部不定，被律棵惡但云方便，謂從境對闕无想疑文
言，昔所想疑，瓮觸女人命殘故遮，應具此七，如生非生想疑等吉。若依五分，不問遮
法一切俱六，謂无疑殺以疑是兩疑，啄有緣本心，故從境對其正罪是。以文言是文
疑殘非時疑，乖不蘭疑，皆得提罪。殺想究徹，故不問性遮，心境想應犯，不想
應雖成蘭。若殺人非人想殺蘭，女男想昔所想觸蘭。若說四分具此七方便。第四持
犯。此戒所明不過二種持犯，謂此二種各有其兩。言二犯者，廣造諸惡作而成犯，名為
作犯；於善不修止而有違，名曰止犯。對此二過故立兩持：若不作斷一切惡，熹離苦不
究竟，為欲離苦究竟清淨，止持作持；若復求涅槃，修一切善心，得果不蕩，又為
欲得果滿足，故須作作持，以觸止果，故俱二種。此尋對文說，可知。若約身口弁持犯

犯此戒所明不過二種持犯皆此二種各有其兩言二犯者廣造諸惡作而成犯名為
作犯於善不修止而有違名曰止犯對此二過故立兩持若不作斷一切惡意離苦不
究竟為欲離苦究竟須脩止持修作犯若復不爲脩一切善心得果不滿足為
欲持果滿足故須作持以稱止果故俱二種此并對文說可知若約身口弁持犯
者謂殺盜等身止持如應來者投福田具然燈不受坐食等類是身作持離
四過如妄語等可是口作犯者咸善止故是口止持如受持衣鉢處分說淨離衣六
年作衆二年六法作知淨語復地壞生二入聚落及順教脩習等是口作持身口
合者作說可知身口兩犯又前而說意成身口故不須別說意雖持犯如律所言六
犯所起不中由身心及當處觀其六意及汝以何心等皆是四成身口論云然獨意无
持犯故文但意不犯及六犯中由身口不由心等是故成論十不善業善品開一切業
意業大所以雖居不結罪者得福異結成諸果故今此二種持犯義如律廣從此
已下隨八文一一別料先說初篇兩種分別業一揔想分別業二依文各各別說先
說揔想十門分別一業不孤起要籌發等雖无量不出三毒故以初四配於三毒成
犯之想義雖由等觀必在具具論之所謂身口是以業二解身口成犯身口之業不過
自作教人故次業三自作教人等不自成要由託境是以業四犯境寬狹犯竟雖
衆并過自他爲是業五境有自他境緣雖具无心不成心有魁勞所顧小
同對境差殊犯不犯已故此業六并其魁勞不同雖心所標魁勞之殊及至
生造趣境有差年心有[illegible][illegible]有犯不犯故此業七餘悟因果八下至任運九立竟見
次業十對持犯言起由三毒者不淨門戒唯已利已爲違故以三犯含盲成盜
煞二戒違通損益以三事成妄語一戒是通以利已爲違与初不同貪癡
起成婬二事起者善生云若自樂行非梵行是名貪若婬怨家眷屬名從
瞋於所生母行名從癡而說境損思故並貪心成盜三事起成者貪心起所知若
盜怨家用物及現得等瞋起瞋成若盜下往是名從癡又祇律云摩摩奪
三寶物僧物名癡成煞三起成唯說可知妄語規利瞋嫌恨故无真心發思成業
若小妄語理即通三二身口者位三煞戒身犯非口事狹形交非身不弁故
亦盜煞二戒盜盜雜空發麁相續故身業犯自作遣使故此俱弁故口有犯
知光物過開教人盜煞等是妄語口業正犯類已得聖怖招名利非言不宣
故正犯知作書想相亦在犯限故身亦在有成所依成論身口并造三自作
教人位亦有三種戒自重教輕教人爲非樂在前人邊非我故能教不
重出家之人應勸人脩善反更助惡故能教蘭盜煞二戒違通損益自
作教人損境无殊結罪亦重等日自作教人彼我俱犯妄語自作正犯教人因不同
若進人稱已得聖名利權已与自自作无殊故得同犯所教人犯輕若直教人自
稱招利權彼於我无潤故但犯蘭此局說自重教輕教初戒是自重說說
輕教重足數僧漏失是自他俱重盜煞損壞及一切同犯者是自他俱輕足勸
足是若犯不犯說亦有四句可知若約能所以說作兩个四句亦可知問自他能所
[illegible]自作解若言

[illegible]
福枍剎檀彼於我无闕故但犯蘭此局況為自重殺輕殺初戒是自當說識
輕殺重盜數僧漏失是自他俱重盜殺損壞及一切同犯者是自他俱輕至勸
足是若犯不犯說名有四句可知若約能所以說作兩个四句並可知問自他能所
此義何異答自他者不論所殺七衆之義對自作辨若言
能所以能教罪与所教五衆有罪者對說淺異四犯境寬狹住二婬戒說
二境是故名寬餘三局在人境故揀良以婬欲之情順情內逸招心厚重不
擇境之美惡唯問人畜但使正道觸思无殊故三趣犯以道相制故又下之
及犯戒餘三戒事姿於外損在前境趣列報殊譜微優劣暢思階降故
人犯事餘趣即輕互自他往二不淨行戒自他境犯以係文意尋是下之三戒要
在他境盜以損主故所以重自盜无別可損故聖不制問以何盜得已衣蘭
答他衣已衣共在一處意取他衣錯得已衣亦望他衣上境差得蘭也已衣作
境差而得故言已衣蘭為已衣无罪以自施自慳等好可知煞他犯戒故成犯境
誑欲規利何須自誑第六對兌淨亦別若望初戒對兌淨俱犯下之三戒如其大
淨隨三趣境重輕結犯若也妻對他之三戒各稱境犯妻等境差三戒
境差蘭若論同趣爲異異境四單闕並无犯雙闕但犯輕若非情无主物爲
異境四單雙俱不犯一境既尓廣說即无量若其就對兌淨隨意在人錯不蘭
張王者是若望同趣對兌淨俱犯戒若非畜爲異異境上半單闕境對兌淨俱
无犯下半雙闕故對兌淨並犯輕若非情无主物想爲異異境對兌淨俱无犯一趣既
尓餘非亦然七錯誤皆是殊誤不當之隨若迷妻出尋多有多今若隨名對定体
容有列錯就境差誤允俱錯二境想別歷然及至迷婬成多有殊二境交誘
名之爲錯若稱従隨彼心想誤至稱之爲誤就四戒配位分爲四第一以二對婬
戒錯誤俱犯良以違起同情得正道暢適不并不隨餘想是故誤犯文言道異道
非是想之義又不蘭三趣報有交涉但得正道色名成重業二誤對二戒但重
緣其誤无兩並不得者无心欲誤俱犯文言四趣盜煞雖女似言盜戒故第三以錯對
三戒俱不犯以望餘境本心无殺知随略損故所以知第四錯誤對妄語所稱法錯誤
俱不犯如錯稱聖而言允諸稱非境如增上慢人迷凡謂聖誤心非均故並不犯第
八下衆任運如沙彌時殺人然後受戒已受具所殺之人後本言教獲時斷命其
前令解脫能教沙彌三往爭任運犯三波羅夷若受戒竟所教妻成罪戒俱得
緣其善因圓滿惡業成就故煩无任運可知九立意次第者但聖制戒欲令調伏貪
瞋癡善故爲諸比丘說增戒學問戒能防非不斷枉結何以而言對之識制戒
答若峰對治而言戒能防非受除煩亂惠不祇興必因禪受由淨戒推此得本故
故言制戒爲祈三毒譬如有人欲正長江先塞泉原戒故能斷三毒乃至善提也
能成就諸戒同此言次第者僧祇律云五年冬分第五半月十二日制此初戒即是
十月廿七日餘三戒六年並冬分盜第二半月十日殺第三半月即是

答若據對治而言戒能防非定除乱惠不能典心四禪定由淨戒推内帰本故
故言制戒爲勝三喻譬如有人欲正長江先塞泉泉戒故能断三毒乃至菩提也
能成就諸戒同此言次第者僧祇律云五年冬分第五半月十二日制此福戒是
十月廿七日餘三戒六年並冬分第二半月十日謂九月十日煞第三半月是
九月廿四日妄語第四半月十三日又釋次第謂初是輕重等其次第三十捨記對治
比丘罪最戒正持作犯言對治者謂離淫清淨對初少欲之行對盗慈悲之行治
煞實語治除妄等是　婬戒第一　從此已列解初戒於中有四一制戒意二釋名
字三具縁成犯四闕縁義此三四者並有通別諸戒例然一制戒意一通二別言通
意者如多論云以持戒故滅得未起非法二滅得已起疑網能知輕重識別識除對
治故以善護得中不與輕重名種之招生十利四德正當制意故四分律言如
來出世見衆過失謂十利種与諸比丘制戒乃至正法久住此是通意義
謗諸戒下不更說第二別意婬欲之法幹是離穢生死根本若不斷除沉淪
三有莫能出離鄣道之原力過於此護達之家寧容不禁是以鉴制三
釋名字亦有通別通者戒是通名亦淨行等是別号言不淨之行是婬
欲之法是所防過戒是能持之行既通戒相離不寄縁以彰欲使觀過興
厭脩不淨觀離欲行成能所通攀故名不淨行戒三具縁成犯亦有通別
言通者三一是大比丘簡非所被文言若比丘故二廣判救後以其初人教
未犒故三重病壞心簡癡狂等也之三義蓋括上下故明了論云若人已受
大比丘戒若不知未已制戒若不重病狂是人既犯此戒乃至吉羅皆同此
說下更不標言別者此具四縁一有婬心二起方便三与境合四若爲怨逼受[illegible]
縁成一正境二有染心三与境合四若受楽犯戒通三別四[illegible]縁成犯四闕
縁義一解闕通縁全无罪可知無可闕初及第三等有罪明方便中闕縁方次等无
罪可知闕第二全无罪次闕別縁若闕初縁非道道想疑得二偸蘭闕二三兩縁无犯闕第四縁
有二偸蘭從破威儀身手未及偸蘭就小衆對手三說懺從身手相及至未成重之蘭就
大衆應三乞乞已應一白白已亦應三說懺遍闕縁比說可知闕但一方便闕別有四但五方便從此已
下正明戒本諸戒制開不同初戒制又有其三一略制二隨制三廣制言略制者於此戒緣初因
須陁那比丘起過故制言隨結者後因跋闍比丘不樂梵行明使還家仏因隨結言廣者後有
乞食比丘林中与畜起過仏因此人廣制故名滿足戒本言開者如初篇四目連開增上慢第二篇
漏失開夢中第三篇開食賊落亡五縁等皆隨開乃至吉羅類亦可知今所論是戒本者若比
丘共比丘共同戒若不還戒戒羸不自捨犯不淨行乃至共畜生是比丘波羅夷不共住此
滿足戒本句有其八初略并後廣釋初句總明受法行次句雖明受法若五同戒者雖明行法因
四不還戒者明須不捨有戒可犯故五戒羸不悔者雖厭道而犯任故六不淨行等者此境
非第七戒者結罪第八不共住者是治罰也　此廣釋所言若比丘者四分律云名字比丘相
似比丘自稱比丘乞求比丘著割截衣比丘破結使比丘善來比丘受戒白四如法成就得處所

[illegible]

滿足戒本句有其八初略舉後廣釋初句總明受法行次句雜明受法若三目戒者雜明行法曰

四不還戒者明清不捨有戒可犯故五戒羸不悔者雖歡道罷犯住故六不淨行等者訖境

非梵七戒者結罪梵八不共住者是治罰也　此廣釋所言若比丘者四分律云名字比丘相

似比丘自稱比丘乞求比丘著割截衣比丘破結使比丘善來比丘受戒白四羯磨如法成就得處所

比丘次釋比丘義言名字比丘者如是通別之義相似比丘者犯重人內實破戒威儀相

顯似他持戒故曰相似比丘自稱比丘者十誦律云謂賊住比丘人自言我是比丘故曰自稱比丘

言乞求比丘者乞求於聖教以乞資身離五邪命正命自活故曰乞求比丘者若著此衣有二

利益一能其細好離自貪著二亦為王賊之所貪集等有資身受用之善奉備聖教[illegible]

著此衣故曰著割截衣比丘言破結使比丘者理解在心中西義具戒故曰破結也言善

來比丘者佛命善來即成具戒故名善來比丘言白四如法成就得處所比丘者若受

大戒僧數滿足緣此白四羯磨作法成就緣得處所結界成就界不別眾緣住比丘中身

无遮難緣此白四法現前諸僧法界事此人是戒本中若比丘義約通未作故

須辨此人所言共比丘者此明受法共人殊疑列所緣義故曰共比丘律云若共餘比丘

受大戒白四羯磨得至住比丘法中者是為共比丘義言同戒者辨明行法同先年所同

故律云佛言我為弟子結戒乃至教法是同宗犯是持行同是也下解其同義戒

者隨戒身體是戒者禁防義同戒等者名數同是名同戒義所言不還戒者明清

淨不捨有戒可犯故律中亦言若有比丘不樂梵行聽捨戒還家後欲出家得受大戒於

中有二明不捨二釋捨義如律廣說所言戒羸不自悔者律云若有比丘常懷愁憂不樂

梵行厭比丘法意欲在家者中四句差別律文廣明所言不淨行者是比境非梵律云

不淨行是婬欲言波羅夷者此是自行絕言不共住者是眾法絕名論四義故名不共住

一既壞道无所住因殯出眾外生天龍等傳毀心故二現法无有增愛清淨共住犯[illegible]

者出眾故三為息外道誹謗故四為持戒者安樂增上善根為破戒生慚愧心不犯諸惡

故是以令彼不共住故律云不得同一說戒是名不共住六七兩句次不廣釋犯不犯罪由

託境境緣不同有其三種人畜女三名五婦律女二形黃門男子女等五境處別二三不

同於畜女二形及婦女三處於黃門及男子二處此十五種境名有隔等四句不同復

此等諸境覺睡死擇四種境上各有犯義乃至總過名同此例若廣說共有三千

七白無四句皆是究竟罪故論云犯想有三自有婬心向前境從有隔年隆任下如毛

頭結成大重二若為怨逼戒持至前境或就其身於三持中乃至一持受樂皆成重業

是故僧祇律云可畏之甚无過女人敗戒正德莫不由女色善見狂云寧以男根內毒

蛇口不以此緣墮三惡道四分律云義亦如是譬毒蛇三種害人一者見害二者觸害三者

吝嗌害可知四五種害人若是女人心發欲想聞聲見染能滅善法得吉羅罪若觸女人能

燒功德犯僧殘罪若共交會犯於重罪問此婬欲法何以類毒答有七種義寧內蛇口不應

是故僧祇律云可畏〻甚無過女人敗毀正德莫不由女色善見律云寧以男根內毒
蛇口中不以此終墮三惡道四分律云義亦如是譬毒蛇三種害人一者見害二者觸害三者
齧害女亦爾三種害人若見女人心發欲想聞諍起染能滅善法得吉羅罪若觸女人能
壞功德犯僧殘罪若共交合犯於重罪問此婬欲法何以類毒答有七種義害內蛇口不應
犯色一爲毒所害但害一身女害多身二毒害報無記女害法身三毒害一人心四毒害數女
害不足五毒害得生人天女害隨於地獄六毒害得聖果女害不證涅槃七毒害佛所讚
毀女害爲聖可責是故寧犯此戒毒蛇莫犯女人言波羅夷者此是犯罪名僧祇云此罪
名極惡三意故惡一者退沒故惡當犯此戒道果無分二者不入二種僧數三者命中已後定
墮地獄故名極惡四分律云譬如斷人頭不可復起比丘亦爾犯此法者不復成比丘故名波
羅夷如目連問罪報經云若比丘無慚愧心輕慢佛語犯波羅夷罪他化自在天壽六千年
歲墮泥犁中於人間數九百廿一億六千歲就犯之輕重有三一自作二教人三無犯自作之
復有其二道非道差別故教他有二道俗有業無犯者有二一睡眼無所覺知二遍所謎
三時無樂者是餘義如律廣說　盜戒第二前就初色起貪制其婬戒此就外財起貪猶
繫生死故次後解有其四一制戒意如前列意者凡盜貨財形命之本非此不傳人濟實
重惠深出家所爲應慚已得物今乃非理假棄損他不接過甚〻重是故聖禁二釋
名者非理損故名爲盜〻者非戒〻是離治盜是所防禁彼所防以列能治故曰
盜戒第三具緣通緣如上列緣具五一是有主物道以損主爲宗故須有主物〻雖
有主搏想及疑亦不成重故次第二有主想〻雖境當盜非五但得輕偷是以第三須明
重物〻雖滿五無心不犯爲是第四次明盜心〻雖念盜物未離處損主未成故次第四闕
緣若闕初緣得三偷蘭初句非人物想二畜生物想三無主物人主物想闕第二緣答
有無蘭轉想有三疑心有三雙闕有三〻合九轉想〻者初句作人主物作差至境所
轉作非人物想取隨其後心〻雖但結列心盜人方便故云人主物想非人物想蘭此句既
知餘句因除第二句人主物畜生想取第三人物無主物想取疑爲人主物非人物
第二爲人主物爲畜生物第三爲人主物爲無物此三並闕次緣二緣三者第一重意
欲盜人主物而非人物替人主物處是闕物緣就非人物上復生疑心即闕第二緣爲人物非人物
此第一句畜生物替人物處復生疑心爲人物畜生物雜句無主物替人物處復生疑心爲人
物第三句並是得蘭闕第三重物作輕物亦蘭闕第四緣無盜心全無罪闕第五緣輕偷蘭
重蘭是等闕緣具足方波曰下正明戒本此戒檀尼迦比丘昔受王教取彼要材截割
是戒今并論之戒本者若比丘若在聚落若閑靜處不與盜心取隨不與取法若爲王〻大
臣所捉若殺若縛若驅出國汝是賊汝癡汝無所知是比丘波羅夷不共住此第二戒
本句有其八初略并後廣〻釋略中初一犯人第二物〻所在盜〻處所三不與者主不捨
四盜心取者盜〻心也五隨不与者所盜重物六得罪七結罪八結增已下廣辯言
若比丘者義如前釋言村落者俗所居曰村〻有四種一者四周垣墻二者柵籬二者

已下初若數若得若應比丘是貝說疾說無所知是比丘波羅夷不共住此舉之或
本句有其八初略弁後廣釋略中初一犯人第二物三所在盜〻處所二不与者主不捨
四盜心取者盜業盜心也五隨不与者所盜重物六結罪七結罪八結歸已下廣弁言
若比丘者義如前釋言村落者依所居曰村〻有四種一者四周垣墻二者柵籬二者
籬墻不周四者四周有屋言閑静處者盜〻處所以者律中若地上若乘上若空若上若田若
邸若水若船若關塞不输税若取他寄信物若取水若樹木若園果草木若無主若
二足若四足多足若同財業若要若伺候若守護若羅要前是物所在盜〻處所也
總是此二六句前十三就處以明盜物二寄信下八就所取物以明盜三同財下五律要
以明盜此等〻義如律疏廣明所言不与者主不捨若他物想他所護想有主想非己
物非暫用非同意故言盜心取者賊業賊心取也有五種黑闇心邪心曲戾心恐怯
心常有盜他物心又五種取決定取恐怯取守物見便取倚託取戒依親友往
方若以言詞辯說誑惑而取者是也隨不与取法者所盜重物以王立法若取
五錢若直五錢物羅應至死似隨王法盜滿物重所言王者得自在不屬人
也所言大臣補佐王者是所言若投若縛若殺若擯乃至無所知者此是俗治
罰法言投者是王祖治法若縛是父王治法若殺是頻婆娑羅法若擯是世王罰
法治是賊無所知是呵責賊法言波羅夷者此是犯罪〻名義如初戒弁所言不
共住者不得於說戒受歲羯磨二種僧中共住故於持戒會捨重〻中
盜是難護故須廣明但今略標盜〻想義如諸部律論删述盜業略有三位於
三寶物作盜二盜人物三盜非畜物三寶中有其三種一者自護二者他護盜非畜
物中復有兩種一者非人二者畜生若偷三寶物約三境得罪就守護人滿五
結重罪若無守護約本境得蘭罪若不滿五四錢重蘭已下乃至一錢輕
蘭盜人物亦亦盜非人物得蘭盜畜生得吉羅若作与想取已有想輩釋想暫
取想親厚意想取者皆無犯　緣戒第三　一制戒意者趣報勝善曰所
招惡心俱道器住出家之人應壞四等令及貪忿斷壞陰境遠慈增他損害道器
中之甚為此聖制二釋名者五陰諸中假立衆生斷於五陰名為殺生比所防戒是能治
所能通些本名殺生戒三具緣通緣如上別緣有五者是人蘭餘趣犯故二
是人想疑猶故三心無心重故四起方便以方境不可壞故雖方便加害若命未
斷所規未果惡心不暢亦不重故決第五斷命四開緣若開初緣若三句蘭罪一非人
人想二畜生人想就作人想初緣開境遂三若開第二人想有六蘭迷諸想開畜法想
三句文難是一義合三句一人非人想疑若根本迷人作非人想殺無罪非人有吉
今律文結蘭者據本作人想往殺已得偷蘭遮牢人所持作非人想殺若結後心應
得吉羅隱其後〻罪結其前心故得偷蘭問若後心無蘭者何律文人非想蘭
答據想當非人時有無偷蘭〻想當非人殺合前心偷蘭不得攬因處果對此持
想結前心蘭故言人非人想蘭如三諫捨者三蘭皆可捨善意心有蘭由其捨故前心

[illegible]
今律文結蘭者據本作人想往煞已得偷蘭遮主人所捧作非人想煞若得後心應
得吉羅隱其後之罪結其前心故得偷蘭問若後心无蘭者何律文人非想亦蘭
答轉想當非人時實无偷蘭由想當非人故令前心偷蘭不得攬因成果業由轉
想結前心蘭故言人非人想蘭如三諫捨者三蘭豈可捨善心有蘭由其捨故前心
除蘭住在因位業後轉捨心結前二蘭故言捨者偷蘭此亦如是二人作意生想二人
作杌想向人非人想結前心蘭若向境結非人人想亦應業法結前心土文解亦爾
成人家方便故蘭心結前闕境結後以文俱偷蘭故作此解時人人想有前心吉此重不尔
今稱非人想亦結前所以尔者若本煞非人後心當人可言為成人方便結後心蘭非人前
吉穢而不敢今文所舉本意煞人非人境業想煞從在本境已以非人境業闕前煞人之業
使不成重即是煞人方便前生非人之境後起由是業其後境結前心方便比於
轉想本業兩殊俱結前心如五是此法既尔四類煞決疑心闕決忌義各含三謂對人
境白餘三疑是決實闕兩經義各含三二非人頭人處須生疑為人非人二畜生疑三杌木
疑問境心已闕何故復疑闕二緣合離可目闕境心果故決來問果想云何答果境
上生疑不同闕初結疑當將異境列前闕第二有斯列升想故須先蘭義雖少異
莫不闕二何況重闕解若不也者人情意謂疑對本境可成人方便疑當果境不成人
方便故須靈闕問此得何罪答非人疑蘭若尔對本境疑結前心蘭靈闕對果疑
亦應結前心吉解言此之疑並結來疑前當疑緣果吉非宗故不論如上謂問想疑之心
疑心弁體想不尔者解言想一向故不成體如人非想不闕境非人人想不少故何得成體
无想疑並闕心是亦无妨諸戒類尔又此言闕境等只各可爭雙二闕應各十九如境業說餘
戒亦然此第二闕不下復論闕三全无罪客提吉闕四无罪闕五極重二蘭此等通列
具七方便人處既尔餘二類然極重為列已下正明戒本此戒因不淨觀如來制斷煞業
次因設故隨結若比丘故自手斷人命持刀與人歎譽死快勸死此男用此惡法為寧
死不生作如是心思惟種種方便歎譽死快勸死是比丘波羅夷不共住此明滿足戒本
句有其六初明斷六句文後乃廣釋文義言略者第一句是死人第二句自煞業
第三句所害境第四句從持刀下至寧死此結勸死已來文是歎煞業於中文二持與
与人者文煞具煞歎譽死快曰歎煞也勸死下是勸煞二作如是心下總以結前
二句第五句結罪第六句治擯文廣解六句文義所言比丘者義如上言故自手
斷者是煞業若自煞若教煞若遣使煞若往來使煞若展轉使若求男子煞若
教人求男子煞若求持刀人煞若教人求持刀人煞若身現相若口說若身口俱
現相若教使歎若遣書若教遣書若坑陷若倚撥若與藥若安煞具若
餘方便煞者皆是煞業所言人命者從初識至後識一念識滅又命盡人根滅名
[illegible]

苐三句所害境兄苐四句從持力下至寧死勝勸死已來文是教殺業於中文有六
与人者文殺具然歎死譽死使口歎殺也勸死下是勸殺二作如是心下惣以結前
二句苐五句結罪苐六句治攝不廣解六句文義所言比丘者義如上言故自手
斷者是殺業若自殺若教殺若遣使殺若往來使殺若展轉使若求男子殺若
教人求男子殺若求持刀人殺若教人求持刀人殺若身現相若口說若身口俱
現相若教使歎若遣書若教遣書若坑陷若倚撥若与藥若安殺具若道
餘方便殺者皆是殺業所言人命者從初識至後識一念識乃至又要胎人報之始名
初識要終之運是之後識中間連持是之命根此者一報名殺無人者有命報所攝五分
若人若似人者入胎卅九日過已後盡名為人所言持刀与人乃至勸死已來是苐四教
殺業若対心教害展受教者殺具三拜之中但犯重罪受教殺王役者犯重能犯無
各便得殺歡喜蘭罪若対教殺坐之則莫殺受教者之勝乃殺能犯無罪
於五人身殺无殺心故得生天逆方便若為心口犯重使者不犯重中問但趣一非能
教二非所教業自不作故展轉使者一切得重並是能教所教業展故餘可教
知言須羅識者義如上言不共住者類上可知今日法處就三趣以頭然義具人約
趣明殺父母殺人非化生業可得報就父母之道顯以成已畢竟復有其恩深重理
應教養報恩有福今反內懷賊恐興此逆害違恩背養為逆情深故論為逆
殺義如前說問殺父母為知得逆不知得逆答若本害心无有差對父母雖可知得本
所期殺以逆罪故見日實是父作非父想殺不得出家若本対不殺殺父作賊想而
殺父持羅漢作異想不知是父但得重罪而不犯逆答依論言又非父想殺得出家不犯逆
殺羅漢如方便時逆問答又出家時羅漢殺父羅漢而得一逆為經論不同十律直得波問似殺
父羅漢得幾罪似答得第廿二逆又涅槃經一者殺父王三殺須陁洹罪思之重又雜
寶藏直是陁羅王出家去子為王出家去子為王後殺羅漢子王殺又比丘言故得二罪似比若
文斷父命終時即捐恩義養是福福田二境既別心緣兩害故得兩逆二義對人境別故更令
想以其緣異心而害故得二逆有可一逆雖可二緣二義不同一行者既无二命何得二罪理可
業思是重无別二逆問若父出家竟轉根為尼若殺者是得殺父逆不答依曰若殺父非
母非羅漢而得逆罪謂父壞大人者是以斯文證故知逆罪所以爾者根雖為異人者不殊
殺父之逆餘打本說佗總罪不望違恩打時女故徒打尼之罪既違曰此父者相塊故
若殺比丘尼者皆是恩義故問若打比丘尼得打父罪不答但得打尼之罪若不殺父尼時不
得逆罪如似一又若當打時道俗別為佐別既持尼女故知既依但得打尼之罪問又母
夜變為畜生殺得何罪答得但殺畜生提罪若尔如殺父人不應得殺又之逆解又實
變者之已命終意无此謂剎那中陰又意報故得提罪轉根為女猶是報關有違
恩是以非殺若父報得遍變瘦非父想殺者本得逆罪以父境死故若不知无
罪若殺之言生又安住犯提以行不滿故 又報多殺之中日頗有殺父安諸比丘与受
戒得受戒非答有謂殺畜生父母者是非人又畜蘭提二非若執想疑犯上
可知不犯者律言若擲刀杖瓦石誤中彼身而死及扶抱之等人而死或以藥食

BD00036號　四分律戒本疏　（27–25）

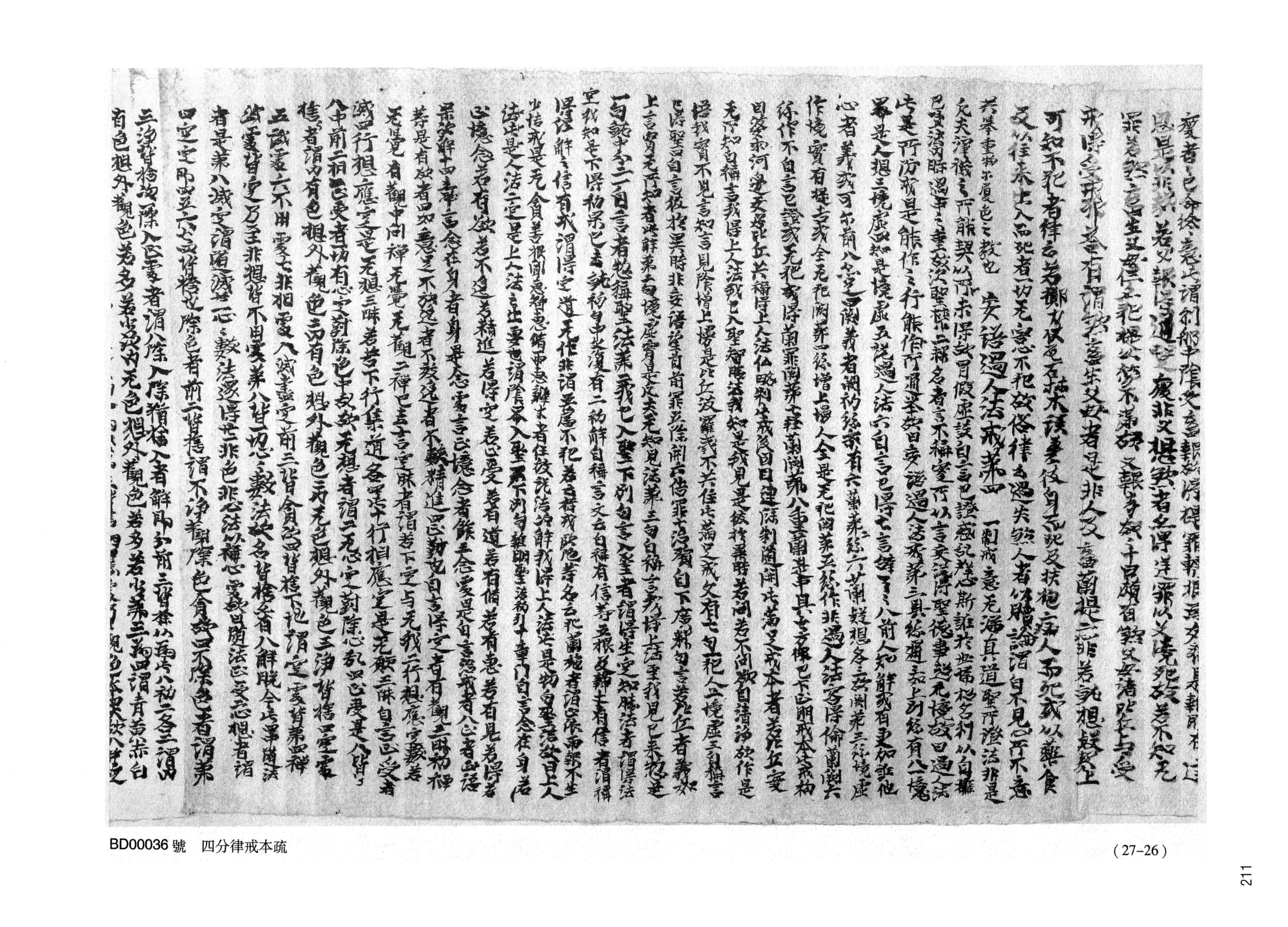

BD00036號　四分律戒本疏

（27–26）

四空定即四无色定亦背捨也除色者前二皆捨謂不淨觀除色貪第三不除色亦者謂第
三淨背捨次除入正處者謂八除入除猶治入者解即和前三背捨以爲十八初二各三謂内
有色想外觀色若多若少次内无色想外觀色若多若少第三第四謂青黄赤白
亦名八勝處八制入一切正受者是十功入即次第三背捨初四廣處乃觀色本是大故八背受
處識處故十有言道者即十捨道亦云依戒淨一定具六清淨持戒得二善知識三守根
攝本四飲食知量五初夜後夜精勤修眼六具善覺七具六善行者亦八具善信九具
解脫處十无障十一无著依舍利弗所說爲解十一捨道云何一捨道身念處是名一捨
道云何二捨道定慧是云何三捨道有覺有觀定无覺有觀定无覺无觀定无想等是云
何四捨道四念處四正懃神足四禪四无色定四向道四脩定四斷等是云何五捨道五根
五力五解脫入五出界五觀定五生解脫法等是云何六捨道六念六向出六界六明分法
六境日法六无諍正覺見等是云何七覺七相七定因緣法等是云何八捨道八聖道八解脫八勝入
等是云何九滅九次第定九想等是云何十捨道十想十真法等是十真者正見正覺正
語正業正命正進正念正定正解脫正智也十二道捨者十二解脫入是也名十二捨道所言備者
備五分法身謂戒定慧解脫解脫知見所言有恵者勉舉无漏恵又言四聖諦智亦云
亦云者得謂得天眼清淨所言果從不淨觀乃至四禪四空定等第四句從彼
於異時呈言見已未明非妄語時望首前罪謂語妄已後或因人諫不因人問
欲自清雪首露前愆故曰也所言增上慢者无漏聖法出過相有名爲增上
然比丘未得謂得名爲增上慢十誦云比丘久在林不見妙色斷惑伏故自謂永斷
增淺近城傍見諸妙色貪染還生知已是凡即便脩道及成羅漢以疑白佛佛開
言增上慢人不在犯限所言波羅夷者是結罪句四分十誦多論云從得不淨
觀以上至四果來若言我得皆凡重若現身相前人不義疑亦凡重疑明偷蘭
若於非人說亦蘭疑即死吉畜生說亦吉十誦問此不淨等是近小法何以犯重
答是甘露初門一切聖人由之如入有四分云天龍神來供養我皆犯重罪所言不
共住者是知初戒廣并已下明不共犯律云此自知有得不淨觀及夢中說
皆不犯重如犯吉羅以非言說知儀軌故也諸德大我說四波羅夷法若比丘犯一一波
羅夷法不得以觀比丘共如前後亦如是是比丘得波羅夷應不共住此句總結
明初篇四戒律攝云如前在俗不是比丘後犯戒時亦復如是故曰如前後亦如是若犯
良量无德宗云如前犯得餘後犯亦餘故曰之義故曰如前後亦如是以戒戒辨 罪俱
故示今問諸大德是中清淨不如是三問謂問於前夷罪之中得清淨不
諸大德是中清淨嘿然故是
事如持是此句答前三問所言是中是清淨不於初篇戒法不闕故名清淨由衆
嘿然和清淨故事成就故

四分戒疏卷第一

若有自書寫教人書寫是无量壽宗要經讀誦受持畢竟不墮地獄在在所生得宿命智陁羅尼曰
南謨薄伽勃底一阿波唎蜜多二阿喻紇硯那三須毗你失指多四囉佐耶五怛他羯他耶六怛
姪他唵七薩婆桑悉迦囉八波唎輸底九達磨底十伽迦那十一莎訶其持迦底十二薩婆婆毗輸
底十三摩訶娜耶十四波唎婆嚟莎訶十五
若有自書寫教人書寫是无量壽宗要經受持讀誦如同書寫八万四千部經典陁羅尼曰
南謨薄伽勃底一阿波唎蜜多二阿喻紇硯那三須毗你失指多四囉佐耶五怛他羯他耶六怛姪
他唵七薩婆桑悉迦囉八波唎輸底九達磨底十伽迦那十一莎訶其持迦底十二薩婆婆毗輸底十三
摩訶娜耶十四波唎婆嚟莎訶十五
若有自書寫教人書寫是无量壽宗要經受持讀誦即是書寫八万四千部建立塔廟陁羅尼曰
南謨薄伽勃底一阿波唎蜜多二阿喻紇硯那三須毗你失指多四囉佐耶五怛他羯他耶六怛姪
他唵七薩婆桑悉迦囉八波唎輸底九達磨底十伽迦那十一莎訶其持迦底十二薩婆婆毗輸
底十三摩訶娜耶十四波唎婆嚟莎訶十五
若有自書寫教人書寫是无量壽宗要經能消五无間等一切重罪陁羅尼曰
南謨薄伽勃底一阿波唎蜜多二阿喻紇硯那三須毗你失指多四囉佐耶五怛他羯他耶六怛
姪他唵七薩婆桑悉迦囉八波唎輸底九達磨底十伽迦那十一莎訶其持迦底十二薩婆婆
毗輸底十三摩訶娜耶十四波唎婆嚟莎訶十五
若有自書寫教人書寫是无量壽宗要經受持讀誦設有重罪猶如須弥盡能除滅陁羅尼曰
南謨薄伽勃底一阿波唎蜜多二阿喻紇硯那三須毗你失指多四囉佐耶五怛他羯他耶六怛
姪他唵七薩婆桑悉迦囉八波唎輸底九達磨底十伽迦那十一莎訶其持迦底十二薩婆婆毗
輸底十三摩訶娜耶十四波唎婆嚟莎訶十五
若有自書寫教人書寫是无量壽宗要經受持讀誦若魔魔之眷屬夜叉羅剎不得其便於
无枉死陁羅尼曰　南謨薄伽勃底一阿波唎蜜多二阿喻紇硯那三須毗你失指多四囉佐耶五
怛他羯他耶六怛姪他唵七薩婆桑悉迦囉八波唎輸底九達磨底十伽迦那十一莎訶其持迦底十二
薩婆婆毗輸底十三摩訶娜耶十四波唎婆嚟莎訶十五
若有自書寫教人書寫是无量壽宗要經受持讀誦當命終時有九十九億佛現其人前來千佛
授手能遊一切佛剎莫於此經生疑惑陁羅尼曰
南謨薄伽勃底一阿波唎蜜多二阿喻紇硯那三須毗你失指多四囉佐耶五怛他羯他耶六怛姪
他唵七薩婆桑悉迦囉八波唎輸底九達磨底十伽迦那十一莎訶其持迦底十二薩婆婆毗輸
底十三摩訶娜耶十四波唎婆嚟莎訶十五
若有自書寫教人書寫是无量壽宗要經受持讀誦常得四大天王隨其衛護陁羅尼曰

BD00037 號　無量壽宗要經　（4–1）

南謨薄伽勃底一阿波唎蜜多二阿喻紇硯那三須毗你失指多四囉佐耶五怛他羯他耶六怛姪
他唵七薩婆桑悉迦囉八波唎輸底九達磨底十伽迦那十一莎訶其持迦底十二薩婆婆毗輸
底十三摩訶娜耶十四波唎婆嚟莎訶十五
若有自書寫教人書寫是无量壽宗要經受持讀誦常得四大天王隨其衛護陁羅尼曰
南謨薄伽勃底一阿波唎蜜多二阿喻紇硯那三須毗你失指多四囉佐耶五怛他羯他耶六
怛姪他唵七薩婆桑悉迦囉八波唎輸底九達磨底十伽迦那十一莎訶其持迦底十二薩婆婆
毗輸底十三摩訶娜耶十四波唎婆嚟莎訶十五
若有自書寫教人書寫是无量壽宗要經受持讀誦當得往生西方極樂世界阿彌陁淨土陁羅尼曰
南謨薄伽勃底一阿波唎蜜多二阿喻紇硯那三須毗你失指多四囉佐耶五怛他羯他耶六怛姪他
唵七薩婆桑悉迦囉八波唎輸底九達磨底十伽迦那十一莎訶其持迦底十二薩婆婆毗輸
底十三摩訶娜耶十四波唎婆嚟莎訶十五
若有方所自書寫使人書寫是无量壽經典之處則為是塔皆應恭敬作礼若是畜生或為
鳥獸得聞是經如是等類皆當不久得成一切種知陁羅尼曰
南謨薄伽勃底一阿波唎蜜多二阿喻紇硯那三須毗你失指多四囉佐耶五怛他羯他耶六
怛姪他唵七薩婆桑悉迦囉八波唎輸底九達磨底十伽迦那十一莎訶其持迦底十二薩婆
婆毗輸底十三摩訶娜耶十四波唎婆嚟莎訶十五
若有於是无量壽經自書寫使人書畢竟不受女人之身陁羅尼曰
南謨薄伽勃底一阿波唎蜜多二阿喻紇硯那三須毗你失指多四囉佐耶五怛他羯他耶六怛姪他唵七薩
婆桑悉迦囉八波唎輸底九達磨底十伽迦那十一莎訶其持迦底十二薩婆婆毗輸底十三摩訶娜
耶十四波唎婆嚟莎訶十五
若有能於是經少分能惠施者等於三千大千世界滿中七寶布施陁羅尼曰
南謨薄伽勃底一阿波唎蜜多二阿喻紇硯那三須毗你失指多四囉佐耶五怛他羯他耶六怛姪他唵七
薩婆桑悉迦囉八波唎輸底九達磨底十伽迦那十一莎訶其持迦底十二薩婆婆毗輸底十三摩訶娜
耶十四波唎婆嚟莎訶十五
若有能供養是經者則是供養一切諸經等无有異陁羅尼曰
南謨薄伽勃底一阿波唎蜜多二阿喻紇硯那三須毗你失指多四囉佐耶五怛他羯他耶六怛姪他
唵七薩婆桑悉迦囉八波唎輸底九達磨底十伽迦那十一莎訶其持迦底十二薩婆婆毗輸底十三摩訶
娜耶十四波唎婆嚟莎訶十五
如是毗婆尸佛　尸弃佛　毗舍浮佛　俱留孫佛　俱那含牟尼佛　迦葉佛　釋迦牟尼佛
若有人以七寶供養如是七佛其福有限書寫受持是无量壽咒經所有功德不可數量陁羅尼曰
南謨薄伽勃底一阿波唎蜜多二阿喻紇硯那三須毗你失指多四囉佐耶五怛他羯他耶六怛姪他唵七

BD00037 號　無量壽宗要經　（4–2）

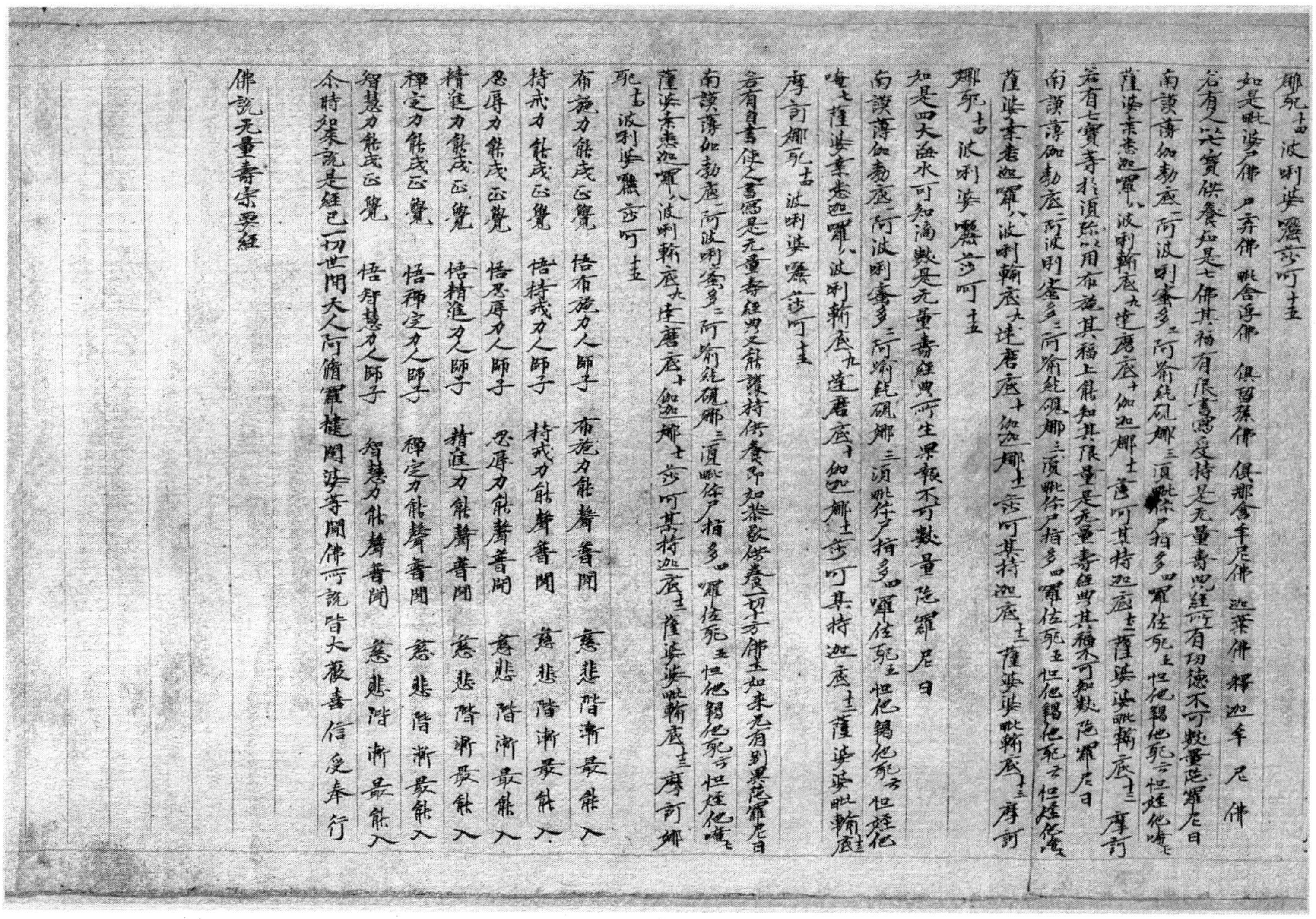

耶死十四 波唎婆嚟莎訶十五
如是毗婆尸佛 尸棄佛 毗舍浮佛 俱留孫佛 俱那含牟尼佛 迦葉佛 釋迦牟尼佛
若有人以七寶供養如是七佛其福有限書寫受持是无量壽咒經所有功德不可數量陀羅尼曰
南謨薄伽勃底一阿波唎蜜多二阿喻紇硯娜三須毗你尸指多四囉佐死五怛他羯他死六怛姪他唵七
薩婆桑悉迦囉八波唎輸底九達磨底十伽伽娜十一莎訶其持迦底十二薩婆婆毗輸底十三摩訶
若有七寶等於須彌以用布施其福上能知其限量是无量壽經咒其福不可知數陀羅尼曰
南謨薄伽勃底一阿波唎蜜多二阿喻紇硯娜三須毗你尸指多四囉佐死五怛他羯他死六怛姪他唵七
薩婆桑悉迦囉八波唎輸底九達磨底十伽伽娜十一莎訶其持迦底十二薩婆婆毗輸底十三摩訶
娜死十四 波唎婆嚟莎訶十五
如是四大海水可知滴數是无量壽經典所生果報不可數量陀羅尼曰
南謨薄伽勃底一阿波唎蜜多二阿喻紇硯娜三須毗你尸指多四囉佐死五怛他羯他死六怛姪他
唵七薩婆桑悉迦囉八波唎輸底九達磨底十伽伽娜十一莎訶其持迦底十二薩婆婆毗輸底十三
摩訶娜死十四 波唎婆嚟莎訶十五
若有自書使人書寫是无量壽經典又能護持供養即如恭敬供養一切十方佛土如來无有別異陀羅尼曰
南謨薄伽勃底一阿波唎蜜多二阿喻紇硯娜三須毗你尸指多四囉佐死五怛他羯他死六怛姪他唵七
薩婆桑悉迦囉八波唎輸底九達磨底十伽伽娜十一莎訶其持迦底十二薩婆婆毗輸底十三摩訶娜
死十四 波唎婆嚟莎訶十五
布施力能成正覺 悟布施力人師子 布施力能聲普聞 慈悲階漸最能入
持戒力能成正覺 悟持戒力人師子 持戒力能聲普聞 慈悲階漸最能入
忍辱力能成正覺 悟忍辱力人師子 忍辱力能聲普聞 慈悲階漸最能入
精進力能成正覺 悟精進力人師子 精進力能聲普聞 慈悲階漸最能入
禪定力能成正覺 悟禪定力人師子 禪定力能聲普聞 慈悲階漸最能入
智慧力能成正覺 悟智慧力人師子 智慧力能聲普聞 慈悲階漸最能入
尒時如來說是經已一切世間天人阿脩羅揵闥婆等聞佛所說皆大歡喜信受奉行
佛說无量壽宗要經

BD00037 號　無量壽宗要經　（4–3）

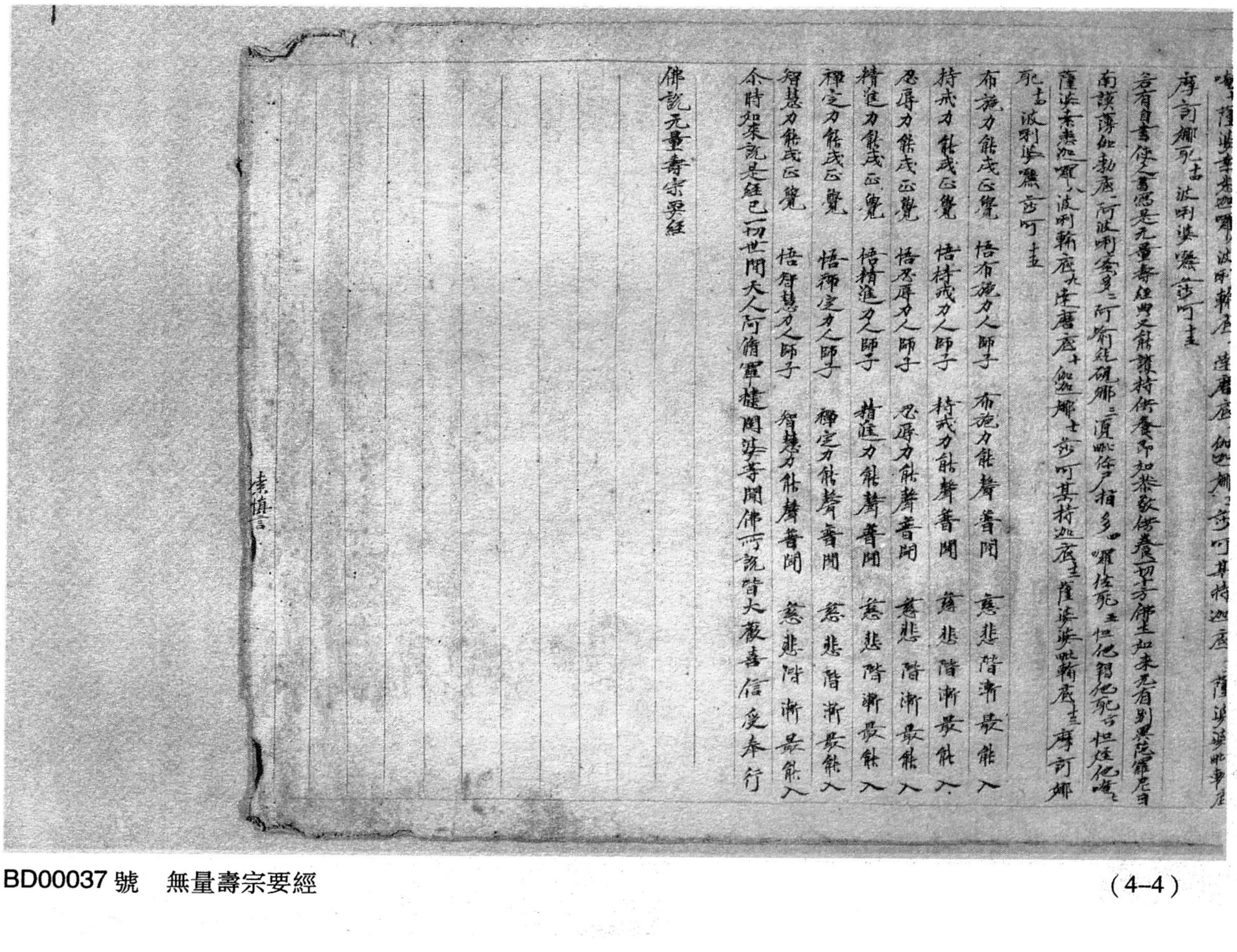

唵七薩婆桑悉迦囉八波唎輸底九達磨底十伽伽娜十一莎訶其持迦底十二薩婆婆毗輸底
摩訶娜死十四 波唎婆嚟莎訶十五
若有自書使人書寫是无量壽經典又能護持供養即如恭敬供養一切十方佛土如來无有別異陀羅尼曰
南謨薄伽勃底一阿波唎蜜多二阿喻紇硯娜三須毗你尸指多四囉佐死五怛他羯他死六怛姪他唵七
薩婆桑悉迦囉八波唎輸底九達磨底十伽伽娜十一莎訶其持迦底十二薩婆婆毗輸底十三摩訶娜
死十四 波唎婆嚟莎訶十五
布施力能成正覺 悟布施力人師子 布施力能聲普聞 慈悲階漸最能入
持戒力能成正覺 悟持戒力人師子 持戒力能聲普聞 慈悲階漸最能入
忍辱力能成正覺 悟忍辱力人師子 忍辱力能聲普聞 慈悲階漸最能入
精進力能成正覺 悟精進力人師子 精進力能聲普聞 慈悲階漸最能入
禪定力能成正覺 悟禪定力人師子 禪定力能聲普聞 慈悲階漸最能入
智慧力能成正覺 悟智慧力人師子 智慧力能聲普聞 慈悲階漸最能入
尒時如來說是經已一切世間天人阿脩羅揵闥婆等聞佛所說皆大歡喜信受奉行
佛說无量壽宗要經
索慎言

BD00037 號　無量壽宗要經　（4–4）

BD00037 號背　藏文雜寫　　（1–1）

受八關齋戒文

善男子善女人等今朝是大齋之日龍天八部天曹
地府善惡部官一切靈神降下閻浮察諸衆生所有
惡之日若有衆生修諸善法聖賢歡喜乃令世界
民安樂若有衆生不修齋戒造諸惡業閻羅大王
使者録其名字將過閻羅王所命終之後受無量
苦所以大慈悲父流此要門令每月六齋日受持齋
戒夫受八枝淨戒先與七門分別第一讚戒功德第二
啓請賢聖第三懺悔罪障第四歸依三寶第五
政受戒羯磨第六説其戒相第七迴向發願如是七
不門同未可具説且令當第一讚戒功德是教經曰夫受戒者乃
是成佛之根原斷惡修善之根本亦是人天之脚足三
乘之福因一切諸佛菩薩聲聞緣覺乃至人天所有
勝福莫不因戒而得故入佛法海先須以戒為因因戒
生定因定能發惠因惠斷煩惱方成聖果故梵網經云戒
如明日月亦如瓔珞珠微塵菩薩衆由戒成正覺故知
戒是無上菩提之因能生一切諸善功德故須先持戒
後修餘行如人嫌空谷響先止自家聲若厭世
間苦必須斷諸惡若不斷惡修善得生人天得出
三界者無有是處則令去聖遙遠諸賢亦惡魔

行行飾行如人嬾空谷響音先上自家聲若戲世
聞若必須漸漸諸惡若不斷惡修善得生人天得出
三界者无有是處則今去聖遥遠諸賢亦隱魔
軍熾盛欲宮盛興今諸有情習不善業慳貪嫉妬
我慢愚癡從无始來沉輪生死受无量苦所以大慈悲
愍流此教門令善男子善女人等欲得度生死海
先須以戒為舟船登涅槃山以戒為脚足如人有足
隨意能往若無足者如折翼鳥一步不前故戒經
云欲得生天上若生人間者常當護戒足勿令有毀
損故薩遮尼乾子經云若不持戒捨此身已長劫墮
於地獄餓鬼畜生三惡道中乃至亦癩野干之身
尚自不得何況具足得受人身故須殊敬如是三歸五
戒十善八關諸佛禁戒由如仏身等无有異此之戒者
則是如來法身舍利故仏臨般涅槃特尊者向難重
請如來自言世尊我等一切衆生及四部弟子如來在
世以仏為師如來滅後以何為師唯願世尊莫般涅槃久住依世
久住依世佛告阿難我今周流已畢無復施為所應
度者我已度訖其未度者我今已作得度因緣汝
等一切衆生仏滅度後應以波羅提木叉為汝之師如
我在世等無有異故須殊敬希有心如闇遇明如貧
人得寶如寒念火如渴思漿生難遭相故知戒是菩
提之根本亦是一切德之寶戒器一切善法依戒增長一切
德依戒滿足故諸經中讚功德云戒如大地土能生禪定
等戒如大海水具足功德寶戒如大劫火能燒

[illegible]故知戒是善
提之根本亦是功德之寶器一切善法依戒增長一切功
德依戒滿足故諸經中讚戒功德云戒如大地土能生禪定
等戒如大海水具足功德寶戒如大劫火能燒
煩惱薪戒如大道師引諸求道者戒如大輪王所往
無障等戒如大智炬能破無明闇戒如大法船能度
三有海戒如大猛將能伏諸魔怨戒如大慈父能
救眾生苦戒如大慈母能以眾生樂故知戒者能開
發宿世善芽於生死險路之中戒為資粮大黑
闇逕戒為明燈大怖畏處戒為伴侶登涅槃山
戒為梯蹬度生死海戒為浮囊善男子善女人等
欲求出離生死不見人天勝福者當須以戒為基
若無戒善為造惡業當來定墮地獄无有出期
故菩薩戒經云剎那造罪殃墜無間一失人身万劫
不復壯色不停猶如奔馬人命無常過於山水須
臾之間即歸磨滅如是具足得受人身者猶如盲龜
遇浮木孔甚難可值諸聽眾等今於此處難得而
得故涅槃經云加葉菩薩白仏言世尊我等一切
眾生捨此人身已却得人身者多不得人身多多者併
[illegible]取少土置於甲上仏問加葉曰甲上土多大
地土多加葉言大地土多不可稱計甲上土少不可
足言仏告加葉汝等一切眾生捨此人身已却得人
身者如指甲上土不得人身者如大地土加葉當
時發愍聲哀聲大哭悶絕躄地良久乃蘇法華經
云世有六事難可值遇可[illegible]

……者一切……人身已去得人
身者如指甲上土不得人身者如大地土加業當
時驚愕哀聲大哭悶絕僻地良久乃蘇法華經
云世有六事難可值遇何等為六一者人身難得二
者雖得人身六根難具三者中国難生四者仏世
難值五者正法難聞六者信心難發今者善男
子善女人等既得人身六根具足又聞正法當須深
生慶賀幸三寶恩不能如仏長時修行且每
月六齋日受持八戒當來必定不失人身及以
天身不墮惡道故須深心敬信發勝上之心慇
請賢聖若不啓請賢聖賢聖不來道場賢聖
若不降臨誰為證盟縱然懺悔罪難滅必須虔恭
合掌懇到至誠同心啓請能不能既若能者依口宣
請
弟子某甲等合道場人稽首和南十方諸仏諸大菩
薩羅漢聖僧舍利浮圖郏形寶塔鹿菀初轉四諦
法輪雙樹後極一乘與曲經行樹下獨覺聖人坐定
山間得道羅漢上至非相非非相天四禪四空五淨
居等色界自在天梵王帝釋提桓因六欲天子龍
神八部護世四王大將鎮軍金剛密跡閻羅天子五道
大神太山府君司命司録天曹地府善惡部官左膊
右肩罪福童子護法護戒護法善神日宮月宮光
明梵宮衆山空石室雜欲諸仙曠野丘陵大力鬼神向
鼻地獄羅刹夜叉十八泥犁牛頭獄卒鳩盤荼等
行病鬼王巡歷人間吐諸毒氣胎卵濕化蠢動含
靈有形无形有相无相有天眼者有天耳者有他

……說仙曠野山陵大力鬼神
鼻地獄羅剎夜叉十八泥犁牛頭獄卒擁鳥獸茶等
行病鬼王遍歷人間吐諸毒氣胎卵濕化蠢動含
靈有形無形有相無相有天眼者有天耳者有他
心者通感顯降臨來此道場證盟弟子發露懺
悔懺已後永斷相續盡未來際更不敢造惟
十方諸佛大慈大悲心攝受弟子罪障消滅至心歸
命頂禮常住三寶啓請已了夫受戒者先須至
誠懺悔洗滌身心身器清淨方堪受戒若不懺悔
即受戒者一切德不圓猶如穢器盛食無所堪任故須
懺悔三業清淨無上戒品方得增長言懺悔者改往
修來滅惡生善法猶如濁水置之明珠以珠力故
其水即清故涅槃經云世有二種白法能救眾生何等
為二一者慚二者愧若有眾生造惡業已深生慚
愧悔過自責當知是人其罪得滅善男子善女
人等既是凡夫處在煩惱誰能無罪小多皆有
然雖犯有輕重並能障道譬如世間毒藥不限多少
能害依人故戒經云勿輕小罪以為無殃水滴雖微漸
盈大器諸聽眾等已具慚愧捨身家緣來投道場者
先須洗蕩身心尅意懺悔於三寶前五體投地悲
泣流淚發殷重心於其自身作重病相於說法人
作大醫王相拔苦以樂聞說罪者身心戰悼遍
躰汗流或怖不安身毛皆豎有如是人相者當知是
人無始時來所有惡業悉皆消滅恒以善根運運增
長大須努力懇禱至誠莫生散亂有所造罪不得
隱沒惣合自陳謂是俗人不識其相夫發根罪本不還
三業今且但依三業懺悔諸根本罪猶如伐樹但斷
其根枝條自枯罪亦如是但懺三業一切諸罪悉得
消滅今至誠懺悔

陀沒他念自陳諸是俗人不諳其相夫發根罪本不遇
三業今且但依三業懺悔諸根本罪猶如伐樹但斷
其根枝條自枯罪亦如是但懺三業一切諸罪悉得
消滅各各至誠於口懺悔
弟子某甲等今道場今自從无始曠大劫來及以此生
至于今日無明所覆煩惱自纏不識業因隨惡流轉或
作五逆无間重罪或煞父害母煞阿羅漢破和合僧出
仏身血或焚燒經像污穢伽藍拂撲蚤虱狃捏蟻
子養蠶煮繭屠煞牛羊爆剥鷄猪彈射禽獸將
刀欲割哀鳴驚天正刺因候悲聲動地尋思若
楚豈忍心瘦殺……或因遊獵網捕生食
魚鱉死命抓安箭下刑前衆生怕怖无處藏身食肉
人……或與盜竊四方見錢三寶珎財將私受用
或曰儀借拉諱不還切德之資覺見生隱沒道場布施
口許心違無數熾多臨時改易或恃執勢柱法受財
譏謗平人逼迫而取輕秤小斗對面偷侵同利合財恒懷
取剝或於美境深起染心不問親疎恣情放逸侵陵
貞潔汙淨伽寺舍塔中行諸非法或兇言鄙語拉突尊
親惡口穢辱毀篾三寶或詐為親善卧揩兩頭為設
異端離他骨肉心靈口曷轉是為非曲順人情翻長作
短或求名利自讚毀他憎嫉良賢橫加拉害況於十惡
五逆无不皆遍口四身三恒常滌毒愚癡障蔽不覺
不知於中自安不驚不怖輪迴三有流溺四流展轉其
中受苦无盡如斯之罪无量无邊由若塵沙難可知數
今遂善友教我覺知教我懺悔教我歸依我從今身
乃至成仏一切諸惡誓當斷一切諸善誓當修一切衆
生誓當度无上菩提誓當速證唯願十方諸仏
發大神通來降道場慈光照燭宜現業道滅於……

乃至成仏一切諸惡誓當惣斷一切諸善誓當惣修一切衆
生誓當惣度无上菩提誓當速證唯願十方諸仏
發大神通來降道場慈光照燭冥觀菓道咸願證知
今日今時對諸仏前發露懺悔願罪消滅至心歸命敬礼
常住三寶懺悔已了次須歸依三寶然後受戒弟一歸依仏
寶者仏是一切衆生无上慈父能於三界拔衆生苦究竟
令得大涅槃樂非如世間父母暫時因緣百年之後各隨
六道不[illegible]故須歸依無上仏寶弟二歸依法寶者法
是一切衆生良藥能療衆生熱惱重病故須歸依无上
法寶弟三歸依僧寶者僧是一切衆生良祐福田能長衆
生菩提[illegible]若能恭敬供養者獲福无量故須歸依无
上僧此三歸依能拔三塗得超三界故花嚴經云歸依仏得獲
心[illegible]歸依法薩婆若海得大惣持門歸依僧息諍論
同歸和合海故須先受三歸後受八戒善男子善女人等就
此之中先受翻邪三歸後受得戒三歸者能不能既說能者
惣依口道
弟子某甲等合道場人歸依仏兩足尊歸依法離欲尊歸依僧
衆中尊如來至真等正覺是我世尊我今歸依唯願三寶
慈悲攝受慈愍故 弟子某甲等合道場人歸依仏竟
歸依法竟歸依僧竟從今已往稱仏為師更不歸餘邪
魔外道唯願三寶慈悲攝受慈愍故三說 歸依三寶已
了自下弟五正受八戒如優婆塞戒經說若有人以四大寶
藏滿中七珎持用布施不如有人一日一夜受持八戒功德无量
又如弥勒下生百年持戒亦不如今時一日一夜何故耶答弥勒
尊世下生之日衆生根熟无有惡緣戒即易持今者時當
五濁人多弊惡不善增廣戒即難持故一日一夜勝彼百年此
六齋日皆是惡日如四天王經說一者大力鬼神性皆衆生之
日二者四天大王觀察衆生所有善惡之日若有衆生受持

BD00038號　受八關齋戒文　（11–7）

五濁人多難惡不善增廣戒即難持故一日一夜勝彼百年此
六齋日皆是惡日如四天王經說一者大力鬼神惱害衆生之
日二者四天大王觀察衆生所有善惡之日若有衆生受持
齋戒孝養父母修諸福業四天王及帝釋諸天悉皆歡喜
同說偈言六齋神足日受持清淨戒是人命終已功德必如我
猶受戒故臨命終時帝釋諸天迎接行人將上天堂受勝
妙樂若不持戒不孝父母造諸惡業閻羅大王使者錄其
名字將過閻羅王所命終之後受苦無量是以如來見諸
衆生煩惱覆性深著愛見不能自覺所以留此齋教每
月六齋日令受八支淨戒以持戒故敢得戒神擁護其人不
令惡鬼伺求其便見身之中持一一戒感得五箇戒神擁
護若持八戒五八卌得卌箇戒神衛護其人遠離衰耗命終
之後定得生天受勝快樂此之八戒有其三翻羯磨秉法第一翻
羯磨聲斷之時恒沙善法悉皆運動第二羯磨聲斷
之時恒沙善法悉皆集在空中第三翻羯磨聲斷之時
恒沙善法一時注汝身心今者若是有為有相之法應作天
崩地裂之聲此是無為無色之法但表領受一切戒法悉皆
具足入汝身中今且各各至誠發增上勝心聽其羯磨若能
不能既若能者各各生渴仰踟蹰合掌不得嚴亂聽受羯磨
佛子言八戒者不煞不盜不婬不妄語遠酒離花香高床
過中食如是等八法聖人所遠離汝是凡夫具足煩惱未能
如佛長劫修行且一日一夜為我如來八戒弟子從今晨至明
清旦依其中閑不得犯能持不 汝若能 三說 今朝羯磨且無其倒錯
故知善男子善女人專注此一期受戒羯磨已了所言八關齋
戒者前七是戒弟八名齋所言關者閉八難門開八正路得
八自在往八解脫故戒諸佛如來皆因此戒得成正覺善男子
善女人等曾於過去世中受持齋戒今得人身又聞政法今
善不犯此八關齋戒者未來世中必當作佛自下弟六略釋戒
相如阿含經云弟一不殺生者上至人命下至蠢動有情不得與其煞

八日在住八解脫故。我諸仏如來皆因此戒得成正覺。善男子
善女人等，曾於過去世中受持齋戒，今得人身，又聞政法。今
若不犯此八關齋戒者，未來世中必當作仏。自下弟六略釋戒
相，如阿含經云：弟一不煞生者，上至人命，下至蠢動有情，不得興其煞
害之心。若故犯者，當來世中墮三惡道，所以刀山劍嶺，徹骨
穿皮，劍樹森林，傷筋斷體，一日一夜，万死万生，縱得人身，有二
衆報：一者多病，二者短命。弟二不偷盜者，上至金銀七寶，
下至草葉縷線，已來不得懷盜心取。若故犯者，當來世中
墮三惡道，所以刀輪地獄，本為好偷；鐵索泥犁，備治盜
竊。從[illegible]獄出，猛火焚熱，劍輪飛空，摧殘手足。若生人中，
得二衆報：一者長受貧窮，二者雖有財物，不得自在
之報。弟三不婬欲者，於一切男女境上，不得興其汙染
之心，亦不得同床共宿，非法語嘆，說[illegible]情之事。若
故犯者，當來世中墮三惡道，所以鐵床地獄，本為多
婬；銅柱燎燃，備治邪行。杖穿九竅，火炎驚天，射箭六根，
膿血遍地。若生人中，得二衆惡報：一者諸根不具，二者所取妻
妾皆不貞良之報。弟四不妄語者，為持戒人前，當
真實語，終不起誑惑之心。若故犯者，當來世中墮三惡
道，所以銅馳盤口，本為妄言；鐵犁燃心，斯由誑語；利刀割舌，
只為不真；猛火燒然，皆由綺語。若生人中，得二衆惡報：
一者口氣常臭，二者所出言語人不信受之報。弟五不飲
酒食肉者，為持戒故，不得飲酒食肉，亦不得勸他人。若故犯
者，當來世中墮三惡道，所以融銅灌口，為[illegible]肥膿鐵汁燒
心，斯由食肉；劍林可怕，恰似花園；銅室遍空，[illegible]酒[illegible]
[illegible]者，若生人中，得二衆報：一者愚癡，二者諸根闇鈍。弟六不
得[illegible]者華瓔珞，香油脂粉塗身。為持戒故，亦不得歌
舞[illegible]唱。若故犯者，當來世中墮三惡道，所以鐵輪似雪，
剖[illegible]徹心，劍葉如霜，痛連骨髓。若生人中，得二衆報：一者
身體醜陋，二者人不喜見。弟七不[illegible]坐高廣大床者，為

……第六不
[illegible]著華鬘瓔珞香油脂粉塗身為持戒故亦不得歌
舞[illegible]唱若故犯者當來世中墮三惡道中所以鐵輪似雪
[illegible]徹心髀劒棘如霜痛連骨髓若生人中得二衆報一者
身體醜陋二者人不喜見　第七不[illegible]坐高廣大床者為
持戒故上至諸佛寶床乃至師僧父母貴人之床輙不得坐若
故犯者當來世中墮三惡道中所以銅烏鐵嘴啄六根
鐵猶彈毛生吞五藏心懸劒樹腸掛刀林若生人中得二衆
[illegible]報一者永失尊貴二者常居卑賤[illegible]　第八不過中
食者為持戒故不得非時食持齋一日得百劫餘糧若故
犯者當來世中墮餓鬼道中所以餓鬼者[illegible]大山之難
滿咽如針[illegible]滴水不通百千萬劫[illegible]不曾聞漿水之名何況
飲食若生人中得二種惡報一者所生國土飲食難二者居因
齒踈缺若犯二戒得二種惡報若能防護一日一夜近則得生
人天樂遠則得生十方淨土又賴此福成於無上佛果菩提
如此勝利長爪梵志經中說其八戒當來獲果皆有無量
第一不殺生者於諸衆生常懷悲心如一子想[illegible]當
來世[illegible]生人天受於妙樂命不中夭畢竟獲得金剛之
身常住慧命無窮盡[illegible]　第二不偷盜者於諸衆生起大
慈心當來獲得十指纖長網縵為相猶如鵝王於其指
端常有光明化出財寶廣施衆生用之無盡　第三不婬
欲者為修梵行故當來感得清淨之身馬王藏相莊嚴其
身諸根具足色力堅固　第四不妄語者離口過故常真
實語更無虛誑當來感得廣長舌相自覆面輪口業
清淨所說言教人皆信受　第五不飲酒食肉者離惛沉故
當來常得聰明智慧諸根明利威儀庠序如師子王乃至夢
中常見善事　第六不歌舞倡伎香花瓔珞嚴身者離
飾好故當來常得相好[illegible]圓光一尋遍照十方一音說法
隨類悟解身器清淨衆人[illegible]見　第七不坐高廣大床者
離憍慢故當來得坐金剛王座降魔成道　第八不過

BD00038號　受八關齋戒文　（11–10）

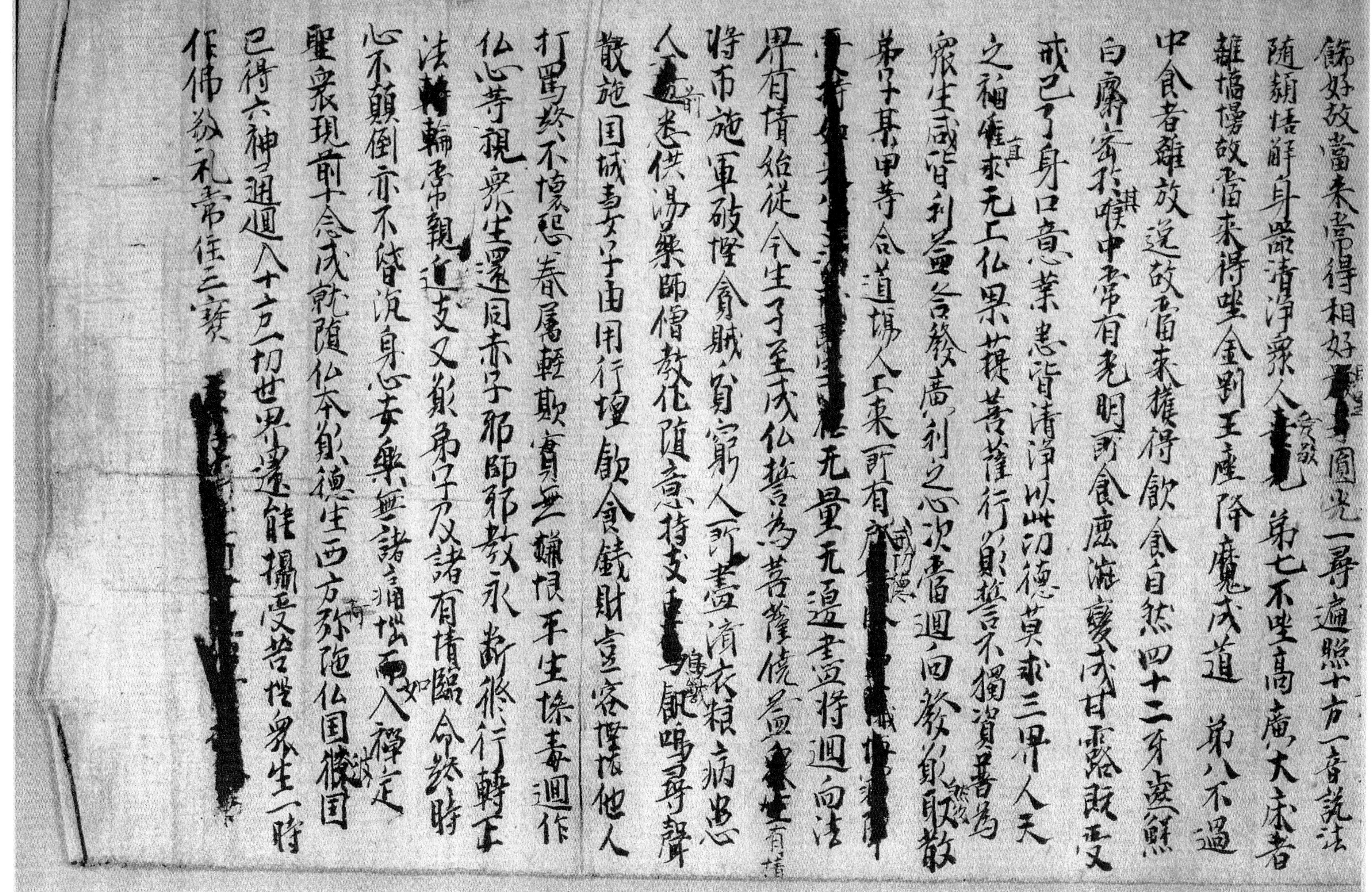

BD00038 號　受八關齋戒文

(11–11)

BD00038號背　雜寫

（1-1）

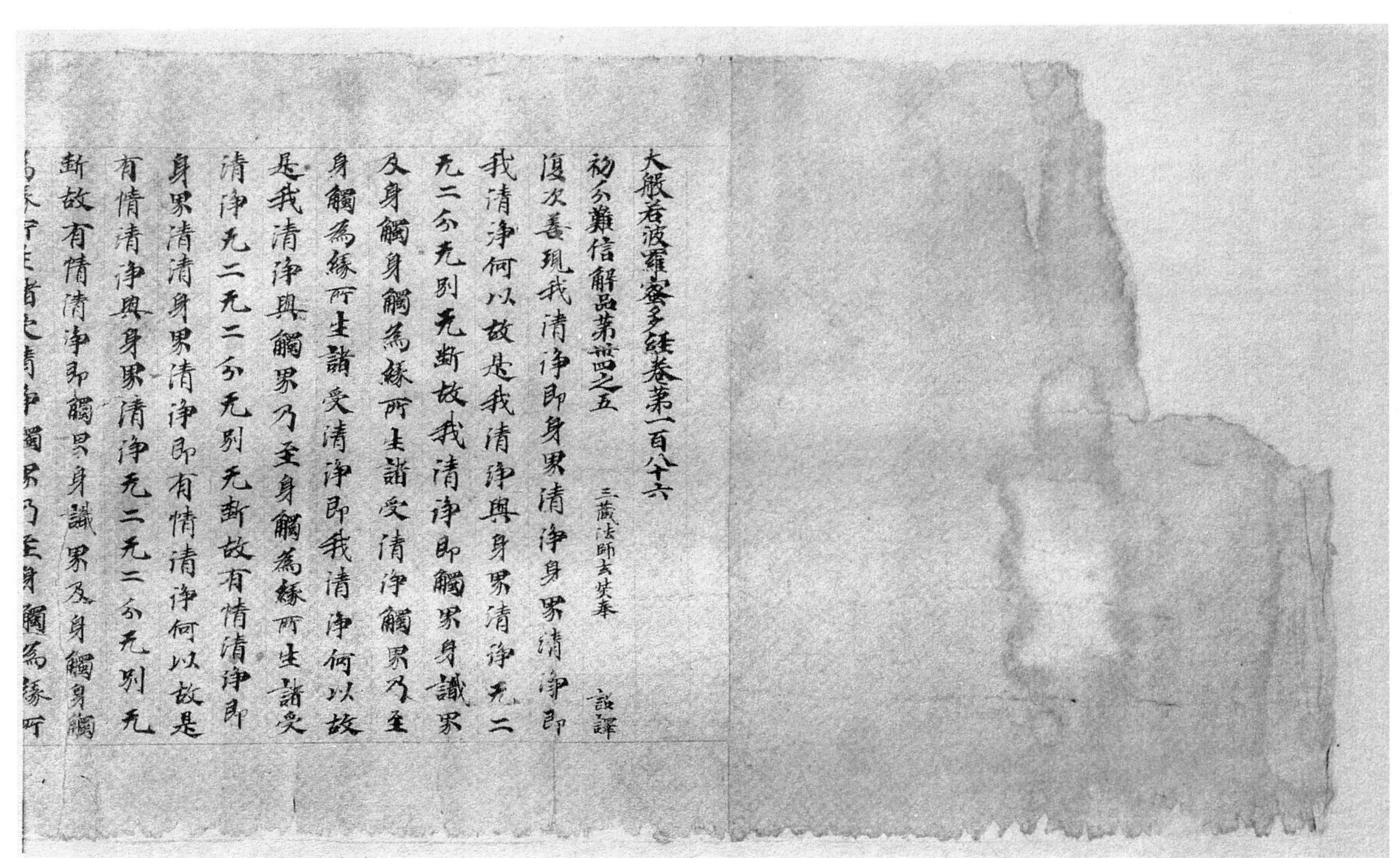

大般若波羅蜜多經卷第一百八十六

初分難信解品第卅四之五　三藏法師玄奘奉　詔譯

復次善現我清淨即身界清淨身界清淨即
我清淨何以故是我清淨與身界清淨无二
无二分无別无斷故我清淨即觸界身識界
及身觸身觸為緣所生諸受清淨觸界乃至
身觸為緣所生諸受清淨即我清淨何以故
是我清淨與觸界乃至身觸為緣所生諸受
清淨无二无二分无別无斷故有情清淨即
身界清淨身界清淨即有情清淨何以故是
有情清淨與身界清淨无二无二分无別无
斷故有情清淨即觸界身識界及身觸身觸
為緣所生諸受清淨觸界乃至身觸為緣所

BD00039號　大般若波羅蜜多經卷一八六　（5-1）

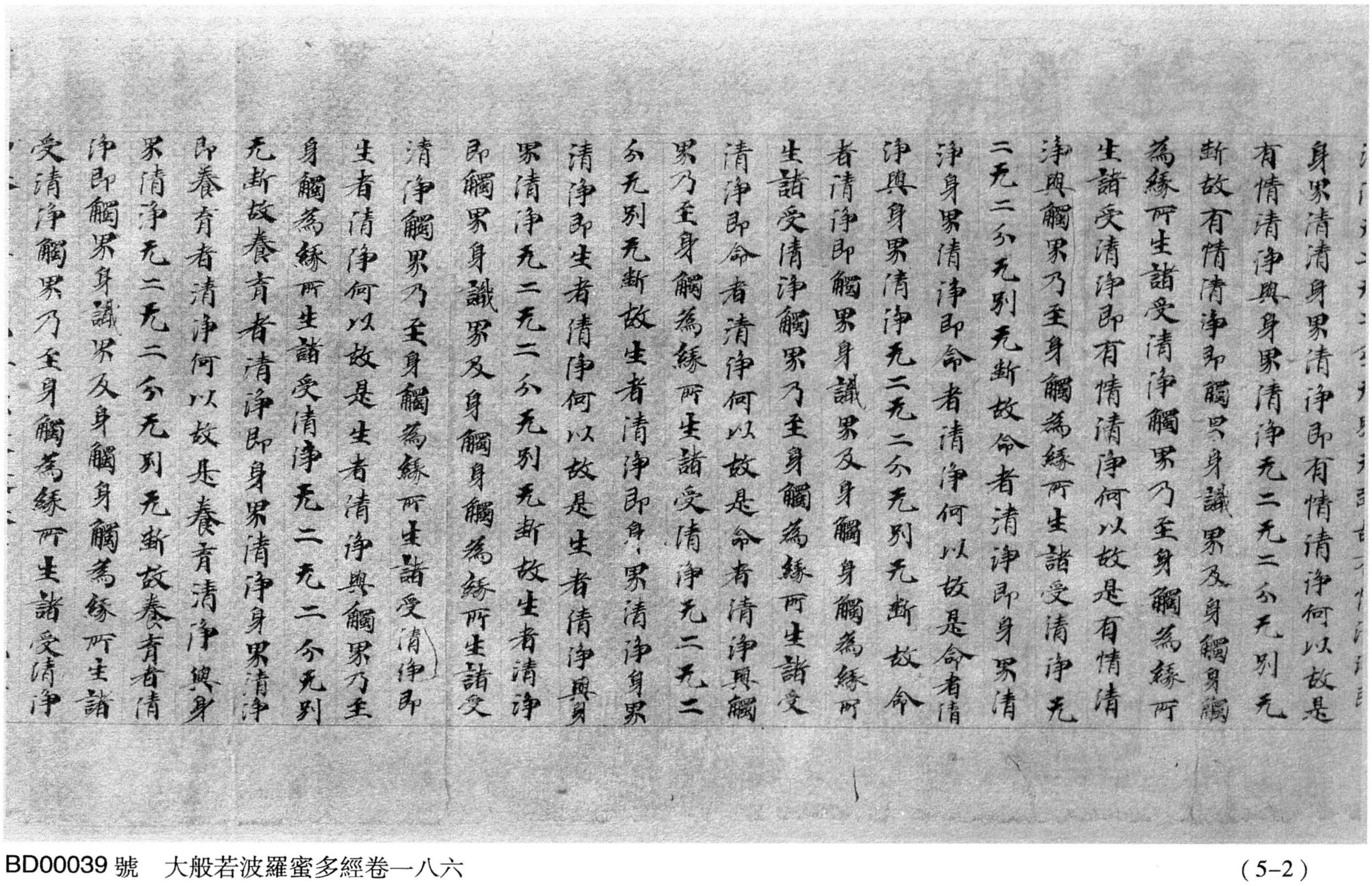

身界清淨身界清淨即有情清淨何以故是
有情清淨與身界清淨无二无二分无別无
斷故有情清淨即觸界身識界及身觸身觸
為緣所生諸受清淨觸界乃至身觸為緣所
生諸受清淨即有情清淨何以故是有情清
淨與觸界乃至身觸為緣所生諸受清淨无
二无二分无別无斷故命者清淨即身界清
淨身界清淨即命者清淨何以故是命者清
淨與身界清淨无二无二分无別无斷故命
者清淨即觸界身識界及身觸身觸為緣所
生諸受清淨觸界乃至身觸為緣所生諸受
清淨即命者清淨何以故是命者清淨與觸
界乃至身觸為緣所生諸受清淨无二无二
分无別无斷故生者清淨即身界清淨身界
清淨即生者清淨何以故是生者清淨與身
界清淨无二无二分无別无斷故生者清淨
即觸界身識界及身觸身觸為緣所生諸受
清淨觸界乃至身觸為緣所生諸受清淨即
生者清淨何以故是生者清淨與觸界乃至
身觸為緣所生諸受清淨无二无二分无別
无斷故養育者清淨即身界清淨身界清淨
即養育者清淨何以故是養育者清淨與身
界清淨无二无二分无別无斷故養育者清
淨即觸界身識界及身觸身觸為緣所生諸
受清淨觸界乃至身觸為緣所生諸受清淨

BD00039號　大般若波羅蜜多經卷一八六　（5-2）

淨即觸界身識界及身觸身觸為緣所生諸
受清淨觸界乃至身觸為緣所生諸受清淨
即養育者清淨何以故是養育者清淨與觸
界乃至身觸為緣所生諸受清淨无二无二
分无別无斷故士夫清淨即身界清淨身界
清淨即士夫清淨何以故是士夫清淨與身
界清淨无二无二分无別无斷故士夫清淨
即觸界身識界及身觸身觸為緣所生諸受
清淨觸界乃至身觸為緣所生諸受清淨即
士夫清淨何以故是士夫清淨與觸界乃至
身觸為緣所生諸受清淨无二无二分无別
无斷故補特伽羅清淨即身界清淨身界清
淨即補特伽羅清淨何以故是補特伽羅清
淨與身界清淨无无二分无別无斷故補
特伽羅清淨即觸界身識界及身觸身觸為
緣所生諸受清淨觸界乃至身觸為緣所生
諸受清淨即補特伽羅清淨何以故是補特
伽羅清淨與觸界乃至身觸為緣所生諸受
清淨无二无二分无別无斷故意生清淨即
身界清淨身界清淨即意生清淨何以故是
意生清淨與身界清淨无二无二分无別无
斷故意生清淨即觸界身諸界及身觸身觸
為緣所生諸受清淨觸界乃至身觸為緣所
生諸受清淨即意生清淨何以故是意生清
淨與觸界乃至身觸為緣所生諸受清淨无

BD00039號　大般若波羅蜜多經卷一八六　（5–3）

斷故意生清淨即觸界身諸界及身觸身觸
為緣所生諸受清淨觸界乃至身觸為緣所
生諸受清淨即意生清淨何以故是意生清
淨與觸界乃至身觸為緣所生諸受清淨无
二无二分无別无斷故儒童清淨即身界清
淨身界清淨即儒童清淨何以故是儒童清
淨與身界清淨无二无二分无別无斷故儒
童清淨即觸界身識界及身觸身觸為緣所
生諸受清淨觸界乃至身觸為緣所生諸受
清淨即儒童清淨何以故是儒童清淨與觸
界乃至身觸為緣所生諸受清淨无二无二
分无別无斷故作者清淨即身界清淨身界
清淨即作者清淨何以故是作者清淨與身
界清淨无二无二分无別无斷故作者清淨
即觸界身識界及身觸身觸為緣所生諸受
清淨觸界乃至身觸為緣所生諸受清淨即
作者清淨何以故是作者清淨與觸界乃至
身觸為緣所生諸受清淨无二无二分无別
无斷故受者清淨即身界清淨身界清淨即
受者清淨何以故是受者清淨與身界清淨
无二无二分无別无斷故受者清淨即觸界
身識界及身觸身觸為緣所生諸受清淨觸
界乃至身觸為緣所生諸受清淨即受者清
淨何以故是受者清淨與觸界乃至身觸為
緣所生諸受清淨无二无二分无別无斷故
知者清淨即身界清淨身界清淨即知者清

BD00039號　大般若波羅蜜多經卷一八六　（5–4）

淨與身界清淨无二无二分无別无斷故儒
童清淨即觸界身識界及身觸身觸為緣所
生諸受清淨觸界乃至身觸為緣所生諸受
清淨即儒童清淨何以故是儒童清淨與觸
界乃至身觸為緣所生諸受清淨无二无二
分无別无斷故作者清淨即身界清淨身界
清淨即作者清淨何以故是作者清淨與身
界清淨无二无二分无別无斷故作者清淨
即觸界身識界及身觸身觸為緣所生諸受
清淨觸界乃至身觸為緣所生諸受清淨即
作者清淨何以故是作者清淨與觸界乃至
身觸為緣所生諸受清淨无二无二分无別
无斷故受者清淨即身界清淨身界清淨即
受者清淨何以故是受者清淨與身界清淨
无二无二分无別无斷故受者清淨即觸界
身識界及身觸身觸為緣所生諸受清淨觸
界乃至身觸為緣所生諸受清淨即受者清
淨何以故是受者清淨與觸界乃至身觸為
緣所生諸受清淨无二无二分无別无斷故
知者清淨即身界清淨身界清淨即知者清
淨何以故是知者清淨與身界清淨无二无
二分无別无斷故知者清淨即觸界身識界
及身觸身觸為緣所生諸受清淨觸界乃至

BD00039 號　大般若波羅蜜多經卷一八六　（5–5）

所有勝業資助我　令得[illegible]
敬礼无欺誑　敬礼解脫者　敬礼離欲人　敬
敬礼心清淨　敬礼光明者　敬礼真實語　敬
敬礼住勝義　敬礼大衆主　敬礼辯才天　令我
願我所求事　皆悉速成就　无病常安隱　壽命得延長
善解諸明呪　勤修菩提道　廣饒益群生　求心願早遂
我說真實語　我說无誑語　天女妙辯才　令我得成就
唯願天女來　令我語无滯　速入身口內　聰明足辯才
願令我舌根　當得如來辯　由彼語威力　調伏諸衆生
我所出語時　隨事皆成就　聞者生恭敬　所作不唐捐
若我求辯才　事不成就者　天女之實語　皆悉成虛妄
有作无間罪　佛語令調伏　及以阿羅漢　所有報恩語
舍利子目連　世尊衆第一　斯等真實語　願我皆成就
我今皆召請　佛之聲聞衆　皆願速來至　成就我求心
所求真實語　皆願无虛誑　上從色究竟　及以淨居天
大梵及梵輔　一切梵王衆　乃至遍三千　索訶世界主
并及諸眷屬　我今皆請召　唯願降慈悲　哀憐同攝受
他化自在天　及以樂變化　覩史多天衆　慈氏當成佛
夜摩諸天衆　及三十三天　四大王衆天　一切諸天衆
地水火風神　依妙高山住　七海山神衆　所有諸眷屬
滿財及五頂　日月諸星辰　如是諸天衆　令世間安隱
斯等諸天神　不樂作罪業　敬佛鬼子母　及最小愛兒
天龍藥叉衆　乾闥阿蘇羅　及以緊那羅　莫呼洛伽等
我以世尊力　悉皆申請召　願降慈悲心　與我无礙辯
一切人天衆　能了他心者　皆願加神力　與我妙辯才
乃至盡虛空　周遍於法界　所有含生類　與我妙辯才

BD00040 號　金光明最勝王經卷八　（12–1）

天龍藥叉衆 乾闥阿蘇羅 及以緊那羅 莫呼洛伽等
我以世尊力 悉皆申請召 願降慈悲心 與我无礙辯
一切人天衆 能了他心者 皆願加神力 與我妙辯才
乃至盡虛空 周遍於法界 所有含生類 與我妙辯才
尒時辯才天女聞是請已告婆羅門言善哉
大士若有男子女人能依如是呪及呪讚如前
所說受持法式歸敬三寶虔心正念於所求
事皆不唐捐兼復受持讀誦此金光明微妙
經典所願求者无不果遂速得成就除不至
心時婆羅門深心歡喜合掌頂受
尒時佛告辯才天女善哉善哉善女天汝能
流布是妙經王擁護所有受持經者及能利
益一切衆生令得安樂說如是法施與辯才
不可思議得福无量諸發心者速趣菩提
金光明最勝王經大吉祥天女品第十六
尒時大吉祥天女即從座起前礼佛足合掌
恭敬白佛言世尊我若見有苾芻苾芻尼鄔
波索迦鄔波斯迦受持讀誦為人解說是金
光明最勝王經者我當專心恭敬供養此等
法師所謂飲食衣服卧具醫藥及餘一切所
須資具皆令圓滿无有乏少若晝若夜於此
經王所有句義觀察思量安樂而住令此經
典於贍部洲廣行流布為彼有情已於无量
百千佛所種善根者常使得聞不速隱沒復
於无量百千億劫當受人天種種勝樂常得
豐稔永除飢饉一切有情恒受安樂亦得值
遇諸佛世尊於未來世速證无上大菩提果

BD00040號　金光明最勝王經卷八　（12–2）

百千佛所種善根者常使得聞不速隱沒復
於无量百千億劫當受人天種種勝樂常得
豐稔永除飢饉一切有情恒受安樂亦得值
遇諸佛世尊於未來世速證无上大菩提果
永絕三塗輪迴苦難世尊我念過去有瑠璃
金山寶花光照吉祥功德海如來應正等覺
十号具足我於彼所種諸善根由彼如來慈
悲愍念威神力故令我今日隨所念處隨所
視方隨所至國能令無量百千万億衆生受
諸快樂乃至所須衣服飲食資生之具金銀
瑠璃車𤦲碼碯珊瑚虎魄真珠等寶悉令充
足若復有人至心讀誦是金光明最勝王經
亦當日日燒衆名香及諸妙花為我供養彼
瑠璃金山寶花光照吉祥功德海如來應正
等覺復當每日於三時中稱念我名別以香
花及諸美食供養於我亦常聽受此妙經王
得如是福而說頌曰
由能如是持經故　自身眷屬離諸衰
所須衣食无乏時　威光壽命難窮盡
能使地味常增長　諸天降雨隨時節
令彼天衆咸歡悅　及以園林穀果神
叢林果樹並滋榮　所有苗稼咸成就
欲求珍財皆滿願　隨所念者遂其心
佛告大吉祥天女善哉善哉汝能如是憶念
昔因報恩供養利益安樂无邊衆生流布是
經功德無盡

BD00040號　金光明最勝王經卷八　（12–3）

普因報恩供養利益安樂无邊衆生流布是
經切德無盡

金光明最勝王經大吉祥天女增長財物品第十七

尒時大吉祥天女復白佛言世尊北方薜室
羅末拏天王城名有財去城不遠有國名曰
妙花福光中有勝殿七寶所成世尊我常住
彼若復有人欲求五穀日日增多倉庫盈溢
者應當發起敬信之心淨治一室瞿摩塗地
應我像前種種瓔珞周帀莊嚴當洗浴身著
淨衣服塗以名香入淨室內發心為我每日三
時稱彼佛名及此經名号礼敬南謨瑠璃
金山寶花光照吉祥功德海如來持諸香
花及以種種甘美飲食至奉獻亦以香花
及諸飲食供養我像復持飲食散擲餘方
施諸神等實言邀請大吉祥天發所求願若
如所言是不虛者於我所請勿令空尒于時吉
祥天女知是事已便生愍念令其宅中財穀
增長即當誦呪請召於我先稱佛名及菩
薩名字一心敬礼

南謨一切十方三世諸佛　南謨寶髻佛
南謨无垢光明寶幢佛　南謨金幢光佛
南謨百金光藏佛　南謨金蓋寶積佛
南謨金花光幢佛　南謨大燈光佛
南謨大寶幢佛　南謨東方不動佛
南謨南方寶幢佛　南謨西方无量壽佛
南謨北方天鼓音佛　南謨妙幢菩薩

BD00040 號　金光明最勝王經卷八　（12–4）

南謨大寶幢佛　南謨東方不動佛
南謨南方寶幢佛　南謨西方无量壽佛
南謨北方天鼓音佛　南謨妙幢菩薩
南謨金光菩薩　南謨金藏菩薩
南謨常啼菩薩　南謨法上菩薩
南謨善安菩薩

敬礼如是佛菩薩已次當誦呪請召我大吉
祥天女由此呪力所求之事皆得成就即說
呪曰

南謨室唎莫訶天女　怛姪他
鉢唎脯嚟拏折囇　三曼頞
達唎設泥（去下皆同）　莫訶毗訶囉揭帝
三曼哆毗曇末泥　莫訶迦里也
鉢喇底瑟侘鉢泥　薩婆頞他娑彈泥
蘇鉢喇底晡黎　痾耶娜達摩多
莫訶毗俱比帝　莫訶迷咥嚕
郎波僧呬羝　莫訶頡唎使
蘊僧近入里呬羝　三曼多頞他
阿奴波剌泥　莎訶

世尊若人誦持如是神呪請召我時我聞請
已即至其所令願得遂世尊是灌頂法句定
成就句真實之句无虛誑句是平等行於諸
衆生是正善根若有受持讀誦呪者應七日
七夜受八支戒於晨朝時先嚼齒木淨漱
已及於晡後香花供養一切諸佛自陳其罪
當為已身及諸含識迴向發願令所希求速

BD00040 號　金光明最勝王經卷八　（12–5）

七夜受八戒於晨朝時先嚼齒木淨漱
已及於晡後香花供養一切諸佛自陳其罪
當為己身及諸含識迴向發願令所希求速
得成就淨治一室或在空閑阿蘭若處瞿摩
為壇燒栴檀香而為供養置一勝座幡蓋莊
嚴以諸名花布列壇內應當至心誦持前呪希
望我至我於尒時即便護念觀察是人來
入其室就座而坐受其供養從是以後當令
彼人於睡夢中得見於我隨所求事以實告
知若聚落空澤及僧住處隨所求者皆令圓
滿金銀財寶牛羊穀麥飲食衣服皆得隨心
受諸快樂既得如是勝妙果報當以上分供養
三寶及施於我廣修法會設諸飲食布列香
花既供養已所有供食貨之取直復為供養
我當終身常住於此擁護是人令無闕乏隨
所希求悉皆稱意亦當時時給濟貧乏不
應慳惜獨為己身常讀是經供養不絕當以
此福普施一切迴向菩提願出生死速得解脫
尒時世尊讚言善哉吉祥天女汝能如是流
布此經不可思議自他俱益

金光明最勝王經堅牢地神品第十八

尒時堅牢地神即於衆中從座而起合掌恭
敬而白佛言世尊是金光明最勝王經若現
在世若未來世若在城邑聚落王宮樓觀及
阿蘭若山澤空林有此經王流布之處世尊
我當往詣其所供養恭敬擁護流通若有方
處為說法師敷置高座演說經者我以神力

阿蘭若山澤空林有此經王流布之處世尊
我當往詣其所供養恭敬擁護流通若有方
處為說法師敷置高座演說經者我以神力
不現本身在於座所頂戴其足我得聞法深
心歡喜得飡法味增益威光慶悅無量自身
既得如是利益亦令大地深十六万八千踰
繕那至金剛輪際令其地味悉皆增益乃至
四海所有土地亦使肥濃田疇沃壤倍勝常日
亦復令此贍部洲中江河池沼所有諸樹藥
草叢林種種花果根莖枝葉及諸苗稼形
相可愛衆所樂觀色香具足皆堪受用若諸
有情受用如是勝飲食已長命色力諸根安
隱增益光輝無諸痛惱心慧勇健無不堪能
又此大地凡有所須百千事業悉皆周備世
尊以是因緣諸贍部洲安隱豐樂人民熾盛
無諸衰惱所有衆生皆受安樂既受如是身
心快樂於此經王深加愛敬所在之處皆願受
持供養恭敬尊重讚歎又復於彼說法大
師法座之處悉皆往彼為諸衆生勸請說是
最勝經王何以故世尊由說此經我之自身
并諸眷屬咸蒙利益光輝氣力勇猛威勢顏
容端正倍勝於常世尊我堅牢地神蒙法味
已令贍部洲縱廣七千踰繕那地皆沃壤乃
至如前所有衆生皆受安樂是故世尊時彼
衆生為報我恩應作是念我當必定聽受是
經恭敬供養尊重讚歎作是念已即從住處
城邑聚落舍宅空地往法會所頂禮法師聽

衆生為報我恩應作是念我當必定聽受是
經恭敬供養尊重讚歎作是念已即從住處
城邑聚落舍宅空地詣法會所頂礼法師聽
受是經既聽受已各還本處心生慶喜共作
是言我等今者得聞甚深无上妙法即是攝
受不可思議功德之聚由經力故我等當值无
量无邊百千俱胝那庾多佛承事供養永
離三塗極苦之處復於來世百千生中常生
天上及在人間受諸勝樂時彼諸人各還本
處為諸人衆說是經王若一喻一品一昔因緣
一如來名一菩薩名一四句頌或復一句為
諸衆生說是經典乃至首題名字世尊隨
諸衆生所住之處其地悉皆沃壤肥濃過於
餘處凡是土地所生之物悉得增長滋茂廣
大令諸衆生受於快樂多饒珍財好行惠施
心常堅固深信三寶作是語已尒時世尊告
堅牢地神曰若有衆生聞是金光明最勝經
王乃至一句命終之後當得往生三十三天
及餘天處若有衆生為欲供養是經王故莊
嚴宅宇乃至張一傘蓋懸一繒幡由是因緣
六天之上如念受生七寶妙宮隨意受用各各
自然有七千天女共相娛樂日夜常受不可
思議殊勝之樂作是語已尒時堅牢地神白
佛言世尊以是因緣若有四衆昇於法座
說是法時我當晝夜擁護是人自隱其身在
於座所頂戴其足世尊如是經典為彼衆生

BD00040號 金光明最勝王經卷八 (12-8)

佛言世尊以是因緣若有四衆昇於法座
說是法時我當晝夜擁護是人自隱其身在
於座所頂戴其足世尊如是經典為彼衆生
已於百千佛所種善根者於贍部洲流布不
滅是諸衆生聽斯經者於未來世无量百千
俱胝那庾多劫天上人中常受勝樂得遇諸
佛速成阿耨多羅三藐三菩提不歷三塗生
死之苦尒時堅牢地神白佛言世尊我有心
呪能利人天安樂一切若有男女及諸四
衆欲得親見我真身者應當至心持此陁
羅尼隨其所願皆悉遂心所謂資財珍寶伏
藏及求神通長年妙藥并療衆病降伏怨敵
制諸異論當持淨室安置道場洗浴身已著鮮
潔衣踞草座上於有舍利尊像之前或有
舍利制底之所燒香散花飲食供養於白月
八日布灑星合即可誦此請召之呪
怛姪他 只里只里 主嚕主嚕 句嚕句嚕
拘柱拘柱 覩柱覩柱 縛訶上 縛訶
伐捨伐捨 莎訶
世尊此之神呪若有四衆誦一百八遍請召
於我我為是人即來赴請又復世尊若有衆
生欲得見我現身共語者亦應如前安置法
式誦此神呪
怛姪他 頞析泥去 頞力刹泥 室尸達哩
訶訶 呬呬 區嚕 伐灑 莎訶
世尊此之神呪若有四衆誦一百八遍請召
於我我為是人即來赴請又復世尊若有衆

BD00040號 金光明最勝王經卷八 (12-9)

訶訶呬呬區嚕　伐曬莎訶
世尊此之神呪若有四衆誦一百八遍請召
於我我爲是人即來赴請又復世尊若有衆
生欲得見我現身共語者亦應如前安置法
式誦此神呪
怛姪他頞折泥去　頡力利泥室尸達哩
訶訶呬呬區嚕　伐曬莎訶
世尊若人持此呪時應誦一百八遍并誦前呪
我必現身隨其所願悉得成就終不虛然若
欲誦此呪時先誦護身呪曰
怛姪他你窒里　末捨羯擻棕擻矩擻
勃地上勃地㘑　底擻娢擻矩句擻
佉婆上只里　莎訶
世尊誦此呪時取五色線誦呪二十一遍作
二十一結繫在左髀肘後即便護身无有所懼
若有至心誦此呪者所求必遂我不妄語我
以佛法僧寶而爲要契證知是實
尒時世尊告地神曰善哉善哉汝能以是實
語神呪護此經王及說法者以是因緣令汝
獲得无量福報
金光明最勝王經僧慎尒耶藥叉大將品第十九
尒時僧慎尒耶藥叉大將并與二十八部藥
叉諸神於大衆中皆從座起偏袒右肩右膝
著地合掌向佛白言世尊此金光明最勝經
王若現在世及未來世所在宣揚流布之處
若於城邑聚落山澤空林或王宮殿或僧住

著地合掌向佛白言世尊此金光明最勝經
王若現在世及未來世所在宣揚流布之處
若於城邑聚落山澤空林或王宮殿或僧住
處世尊我僧慎尒耶藥叉大將并與二十八
部藥叉諸神俱詣其所各自隱形隨處擁護
彼說法師令離衰惱常受安樂及聽法者若
男若女童男童女於此經中乃至受持一四句
頌或持一句或此經王首題名号及此經中
一如來名一菩薩名發心稱念恭敬供養者
我當救護攝受令无灾橫離苦得樂世尊
何故我名正了知此之因緣是佛親證我知諸
法我曉一切法隨所有一切法如所有一法諸法
種類體性差別世尊如是諸法我能了知
我有難思智光我有難思智炬我有難思
智行我有難思智聚我於難思智境而能
通達世尊如我於一切法正知正曉正覺能
正觀察世尊以是因緣我藥叉大將名正了
知以是義故我能令彼說法之師言詞辯了
具足莊嚴亦令精氣從毛孔入身力充足威
光勇健難思智光皆得成就得正憶念无有
退屈增益彼身令无衰減諸根安樂常生歡
喜以是因緣爲彼有情已於百千佛所殖諸
善根修福業者於贍部洲廣宣流布不速隱
沒彼諸有情聞是經已得不可思議大智光
明及以无量福智之聚於未來世當受无量
俱胝那庾多劫不可思量人天勝樂常與諸
佛共相直遇速證無上正等菩提閻羅[illegible]

種類體性差別世尊如是諸法我能了知
我有難思智光我有難思智炬我有難思
智行我有難思智聚我於難思智境而能
通達世尊如我於一切法正知正曉正覺能
正觀察世尊以是因緣我藥叉大將名正了
知以是義故我能令彼說法之師言詞辯了
具足莊嚴亦令精氣從毛孔入身力充足威
光勇健難思智光皆得成就得正憶念无有
退屈增益彼身令无衰減諸根安樂常生歡
喜以是因緣為彼有情已於百千佛所殖諸
善根脩福業者於贍部洲廣宣流布不速隱
沒彼諸有情聞是經已得不可思議大智光
明及以无量福智之聚於未來世當受无量
俱胝那庾多劫不可思量人天勝樂常與諸
佛共相值遇速證無上正等菩提閻羅之界
三塗極苦不復經過
尒時正了知藥叉大將白佛言世尊我有陁
羅尼今對佛前親自陳說為欲饒益憐愍諸
有情故即說呪曰
南謨佛陁(引)也　南謨達摩也
南謨僧伽(引)也　南謨跋囉鉗(大含)摩也
南謨曰達囉也　南謨折咄喃
莫曷囉闍喃　怛姪他呬里呬里
弭里弭里瞿里　莫訶瞿里健陁里
莫訶健陁里　達囉弭雉
莫訶達囉弭雉　單荼典勸(駈問)苐(去)

BD00040號　金光明最勝王經卷八　(12–12)

色色呈呼名如以等色白非
無嗔嘆性上看性妙中妙要底了要會流
盧樓呵羅耀諸佛子莫嗔嗔嘆憂愁嗔嘆是
障道於此道門無嗔嘆澄心須看內外照眼中
有驗須磨耀銅鏡不摩不中照恒奈了緣
掃婆呵也淨掃　按按崖崖畔畔　第六心離禪
門觀不來不去無崖畔覺上看覺除空
亂佛与衆生同歸鼓本元清淨魔垢散數
底利會流盧樓按可畔
諸佛子莫惕看道上大有羅刹喚愚人來
去常鑿半染着色塵心奈亂行往坐卧無
鼓在於衆中牡叫嘆得他勸聞耳權難耶
羅荼觀婆呵也鈍漢佛佛會會總總　第七圓明
大覺悟四門十八離名數四生妙有懸通度
三男大師實難遇生死涅槃不合往燙呵
送上不流注身心魔自去去底利去會流盧
樓沸會與　諸佛子常覺悟靜心往立
無染悉一切魔軍自然去與驅侶專住婆
呵也大悟　呵樂樂藥藥　第八禪門絕針勾
不高不下無闌閡不出不入無滅廓示想
顯聲是初學生動念憩令看着九坐用
切作不作無樂可樂是常樂惠燈一照三千
郭之水常清八萬物十方　諸佛同開覺

BD00041號1　楞伽經禪門悉曇章　BD00041號2　千手千眼觀世音菩薩廣大圓滿無礙大悲心陀羅尼經咒鈔（擬）

（4–2）

馱傳囉舍耶〻呼嚧〻摩囉呼嚧〻醯唎娑〻囉〻悉〻蘇〻
〻嚕〻菩〻地夜〻菩〻馱〻夜〻弥帝哩夜那囉謹墀他唎瑟吒耶般
夜摩那娑皤訶悉馱耶娑皤訶引上摩訶悉馱夜娑皤
訶悉揄藝室皤囉耶娑皤訶那囉謹墀娑皤訶摩
囉那囉糁鑁訶謹佉耶娑皤訶跛阿悉馱夜娑皤訶
斫吉囉阿悉馱夜娑皤訶娑摩羯悉馱夜娑皤訶那
囉謹墀縛迦囉耶娑皤訶摩婆唎商羯囉夜娑皤訶
南謨曷囉怛那哆囉夜耶南謨阿唎耶縛盧枳帝濕皤囉
夜悉殿都湯馱囉跋馱娑皤訶　千眼千手廣大圓滿無礙大
悲降伏九十五種邪道摧魔軍破業障拔攝一切毒害惡賊
消滅一切災旅延壽大法身陀羅尼曰　南謨薩縛若耶一
南謨喝囉怛那哆囉夜耶　南謨阿弥陀婆耶怛他揭哆耶阿
囉訶羝三藐三菩馱耶　南謨阿利耶縛嚕枳帝濕皤囉
耶菩地薩埵耶摩訶薩埵耶摩訶迦嚕尼迦耶
南謨摩訶娑他摩跋囉鉢哆耶　菩地娑埵耶摩訶娑
埵耶引上摩訶迦嚕尼迦耶　南謨㖿嚩囉毗摩那嘌鉢剎底
瑟耶埵　僧弃耶素唎耶舍嚕娑訶　薩囉阿羝唎迦鉢囉娑
阿縛娑　悉馱棄㗚　哆嚩摩訶麼你摩嗔咤軍荼囉馱㗚寧
娑伽縛底　鉢頭摩跛娜嚩薩囉嚕迦阿耶　耆麼娜耶
唵唵馱社佉絺摩毗耆吠瑟咤薩婆娑哆皤　跛哩輸遮娜耶
怛地他引上唵娑囉部嚩　摩訶嚕迦嚩囉嚩　阿哆麼悉底
㗭　阿囉鉢咤囉毗娜耆那伽囉耶伽囉耶　薩沙　摩訶謀
訶社囉耆麼迦舍娑塞迦阿叻訖沙迦　薩婆跋耶　寞哩揭羝
鉢囉舍摩伽娜鞨囉　鞞〻摩訶菩地薩埵哆皤縛囉馱鉢頭摩
嚕迦叁步馱　摩訶迦嚕娑迦折咤摩俱咤　楞訖哩哆舍利
蘭摩戶迦娜迦　囉社哆茷折　囉吠蛀哩耶楞訖㗚哆嚕喇
囉耶哆娑視那迦摩　囉楞訖㗚哆鉢囉皤囉娜哩者娜摩

BD00041 號 2　千手千眼觀世音菩薩廣大圓滿無礙大悲心陀羅尼經咒鈔（擬）　（4–3）

鉢囉舍摩伽娜羯囉馱々摩訶菩地薩跢睹縛囉馱鉢頭摩
嚕迦全步馱摩訶迦嚕尼迦析吒摩俱吒楞訖哩哆舍利
蘭摩戶迦娜迦囉社哆𦮙析囉哎哇哩耶楞訖嘌哆嗜唎
囉耶跢婆視舵迦摩囉楞訖嘌哆鉢囉睹囉娜哩者娜摩
訶社那娜囉那利舍多婆薩囉伕多迦耶摩訶菩提薩哆
睹毗々馱々摩々毗々那々舍耶々摩訶演觀嚕訖絲奢迦睹吒縛哆
睹僧婆貿囉迦波囉迦囉摩他那布魯沙鉢頭摩布魯
沙那伽布嚕沙婆楊囉毗々囉々社耶素々咀々跢々鉢哩縛哩
多馱々摩々些々摩々勸々嚕々跋々囉々奢々婆々耶々祇々離々
尼々棃々闍々遠々覩々那々毗々覩々那々覩々嚕々伽々耶々伽々馱々耶々嚷々
婆々鉢々囉々貿々婆々嶔尼馱迦沭奢縛薩娜麼々比丘道貞
寫貿々囉々僧々貿々囉々覩々嚕々嶔々摩訶湯婆羅都嚕嶔
迦囉娜奢哆鉢囉細迦縛婆娑毗沙那奢摩迦摩訶菩
提薩跢睹縛囉馱耶婆睹訶

善付囑諸菩薩汝
善女人發阿耨多羅三藐三菩提心應如是
住如是降伏其心唯然世尊願樂欲聞
佛告須菩提諸菩薩摩訶薩應如是降伏其
心所有一切衆生之類若卵生若胎生若濕生
若化生若有色若无色若有想若无想若
非有想若非无想我皆令入无餘涅槃而滅度
之如是滅度无量无數无邊衆生實无衆生
得滅度者何以故須菩提若菩薩有我想
人相衆生相壽者相即非菩薩
復次須菩提菩薩於法應无所住行於布施
所謂不住色布施不住聲香味觸法布施須
菩提菩薩應如是布施不住於相何以故若
菩薩不住相布施其福德不可思量須菩提
於意云何東方虛空可思量不不也世尊須
菩提南西北方四維上下虛空可思量不不
也世尊須菩提菩薩无住相布施福德亦復
如是不可思量須菩提菩薩但應如所教住
須菩提於意云何可以身相見如來不不也
世尊不可以身相得見如來何以故如來所
說身相即非身相佛告須菩提凡所有相皆
是虛妄若見諸相非相則見如來
須菩提白佛言世尊頗有衆生得聞如是言
說章句生實信不佛告須菩提莫作是說
如來滅後後五百歲有持戒脩福者於此章
句能生信心以此爲實當知是人不於一佛二

BD00042號　金剛般若波羅蜜經　（12–1）

說章句生實信不佛告須菩提莫作是說
如來滅後後五百歲有持戒脩福者於此章
句能生信心以此爲實當知是人不於一佛二
佛三四五佛而種善根已於无量千万佛所
種諸善根聞是章句乃至一念生淨信者須
菩提如來悉知悉見是諸衆生得如是无量
福德何以故是諸衆生无復我相人相衆生
相壽者相无法相亦无非法相何以故是諸
衆生若心取相則爲著我人衆生壽者若取
法相即著我人衆生壽者何以故若取非法
相即著我人衆生壽者是故不應取法不應
取非法以是義故如來常說汝等比丘知我
說法如筏喻者法尚應捨何況非法
須菩提於意云何如來得阿耨多羅三藐三
菩提耶如來有所說法耶須菩提言如我解
佛所說義无有定法名阿耨多羅三藐三菩
提亦无有定法如來可說何以故如來所說
法皆不可取不可說非法非非法所以者何
一切賢聖皆以无爲法而有差別
須菩提於意云何若人滿三千大千世界七
寶以用布施是人所得福德寧爲多不須菩
提言甚多世尊何以故是福德即非福德性
是故如來說福德多若復有人於此經中受
持乃至四句偈等爲他人說其福勝彼何以
故須菩提一切諸佛及諸佛阿耨多羅三藐
三菩提法皆從此經出須菩提所謂佛法者

BD00042號　金剛般若波羅蜜經　（12–2）

故須菩提一切諸佛及諸佛阿耨多羅三狼
三菩提法皆從此經出須菩提所謂佛法者
即非佛法
須菩提於意云何須陁洹能作是念我得須
陁洹果不須菩提言不也世尊何以故須陁
洹名為入流而无所入不入色聲香味觸法
是名須陁洹須菩提於意云何斯陁含能作
是念我得斯陁含果不須菩提言不也世尊
何以故斯陁含名一往来而實无往来是名
斯陁含須菩提於意云何阿那含能作是念
我得阿那含果不須菩提言不也世尊何以
故阿那含名為不来而實无来是故名阿那
含須菩提於意云何阿羅漢能作是念我得
阿羅漢道不須菩提言不也世尊何以故實
无有法名阿羅漢世尊若阿羅漢作是念我
得阿羅漢道即為著我人衆生壽者世尊佛
說我得无諍三昧人中最為第一是第一離
欲阿羅漢我不作是念我是離欲阿羅漢世
尊我若作是念我得阿羅漢道世尊則不說
須菩提是樂阿蘭那行者以須菩提實无所
行而名須菩提是樂阿蘭那行
佛告須菩提於意云何如来昔在然燈佛所
於法有所得不世尊如来在然燈佛所於法
實无所得須菩提於意云何菩薩莊嚴佛土
不不也世尊何以故莊嚴佛土者即非莊嚴
是名莊嚴是故須菩提諸菩薩摩訶薩應如

BD00042號　金剛般若波羅蜜經　（12–3）

不不也世尊何以故莊嚴佛土者即非莊嚴
是名莊嚴是故須菩提諸菩薩摩訶薩應如
是生清淨心不應住色生心不應住聲香味
觸法生心應无所住而生其心須菩提譬如
有人身如須弥山王於意云何是身為大不
須菩提言甚大世尊何以故佛說非身是名
大身
須菩提如恒河中所有沙數如是沙等恒河
於意云何是諸恒河沙寧為多不須菩提言
甚多世尊但諸恒河尚多无數何況其沙須
菩提我今實言告汝若有善男子善女人以
七寶滿尒所恒河沙數三千大千世界以用
布施得福多不須菩提言甚多世尊佛告須
菩提若善男子善女人於此經中乃至受持
四句偈等為他人說而此福德勝前福德復
次須菩提隨說是經乃至四句偈等當知此
處一切世間天人阿脩羅皆應供養如佛塔
廟何況有人盡能受持讀誦須菩提當知是
人成就最上第一希有之法若是經典所在
之處則為有佛若尊重弟子
尒時須菩提白佛言世尊當何名此經我等
云何奉持佛告須菩提是經名為金剛般若
波羅蜜以是名字汝當奉持所以者何須菩
提佛說般若波羅蜜則非般若波羅蜜須菩
提於意云何如来有所說法不須菩提白佛
言世尊如来无所說須菩提於意云何三千

BD00042號　金剛般若波羅蜜經　（12–4）

提於意云何如來有所說法不須菩提白佛
言世尊如來无所說須菩提於意云何三千
大千世界所有微塵是為多不須菩提言甚
多世尊須菩提諸微塵如來說非微塵是名
微塵如來說世界非世界是名世界須菩提
於意云何可以卅二相見如來不不也世尊
不可以卅二相得見如來何以故如來說卅二
相即是非相是名卅二相須菩提若有善男子
善女人以恒河沙等身命布施若復有人於
此經中乃至受持四句偈等為他人說其福
甚多
尒時須菩提聞說是經深解義趣涕淚悲泣
而白佛言希有世尊佛說如是甚深經典我
從昔來所得慧眼未曾得聞如是之經世尊
若復有人得聞是經信心清淨則生實相當
知是人成就第一希有功德世尊是實相者
則是非相是故如來說名實相世尊我今得
聞如是經典信解受持不足為難若當來世
後五百歲其有眾生聞是經典信解受持是
人則為第一希有何以故此人无我相人相
眾生相壽者相所以者何我相即是非相人
相眾生相壽者相即是非相何以故離一切
諸相則名諸佛
佛告須菩提如是如是若復有人得聞是經
不驚不怖不畏當知是人甚為希有何以故
須菩提如來說第一波羅蜜非第一波羅蜜

BD00042號　金剛般若波羅蜜經　（12–5）

佛告須菩提如是如是若復有人得聞是經
不驚不怖不畏當知是人甚為希有何以故
須菩提如來說第一波羅蜜非第一波羅蜜
是名第一波羅蜜須菩提忍辱波羅蜜如來
說非忍辱波羅蜜何以故須菩提如我昔為
歌利王割截身體我於尒時无我相无人相
无眾生相无壽者相何以故我於往昔節節
支解時若有我相人相眾生相壽者相應生
瞋恨須菩提又念過去於五百世作忍辱仙
人於尒所世无我相无人相无眾生相无壽
者相是故須菩提菩薩應離一切相發阿耨
多羅三藐三菩提心不應住色生心不應住
聲香味觸法生心應生无所住心若心有住
則為非住是故佛說菩薩心不應住色布施須
菩提菩薩為利益一切眾生應如是布施如
來說一切諸相即是非相又說一切眾生則
非眾生須菩提如來是真語者實語者如語
者不誑語者不異語者須菩提如來所得法
此法无實无虛須菩提若菩薩心住於法而
行布施如人入闇則无所見若菩薩心不住
法而行布施如人有目日光明照見種種色
須菩提當來之世若有善男子善女人能於
此經受持讀誦則為如來以佛智慧悉知是
人悉見是人皆得成就无量无邊功德
須菩提若有善男子善女人初日分以恒河
沙等身布施中日分復以恒河沙等身布施
後日分亦以恒河沙等身布施如是无量百

BD00042號　金剛般若波羅蜜經　（12–6）

須菩提若有善男子善女人初日分以恒河
沙等身布施中日分復以恒河沙等身布施
後日分亦以恒河沙等身布施如是无量百
千万億劫以身布施若復有人聞此經典信
心不逆其福勝彼何况書寫受持讀誦為人
解說須菩提以要言之是經有不可思議不
可稱量无邊功德如来為發大乘者說為發
最上乘者說若有人能受持讀誦廣為人說
如来悉知是人悉見是人皆得成就不可量不
可稱无有邊不可思議功德如是人等則為
荷擔如来阿耨多羅三藐三菩提何以故須
菩提若樂小法者著我見人見衆生見壽者
見則於此經不能聽受讀誦為人解說須菩
提在在處處若有此經一切世間天人阿脩
羅所應供養當知此處則為是塔皆應恭敬
作礼圍繞以諸華香而散其處
復次須菩提善男子善女人受持讀誦此經
若為人輕賤是人先世罪業應墮惡道以今
世人輕賤故先世罪業則為消滅當得阿耨
多羅三藐三菩提須菩提我念過去无量阿
僧祇劫於然燈佛前得值八百四千万億那
由他諸佛悉皆供養承事无空過者若復有
人於後末世能受持讀誦此經所得功德於
我所供養諸佛功德百分不及一千万億分
乃至算數譬喻所不能及須菩提若善男子
善女人於後末世有受持讀誦此經所得功

BD00042號　金剛般若波羅蜜經　（12–7）

乃至算數譬喻所不能及須菩提若善男子
善女人於後末世有受持讀誦此經所得功
德我若具說者或有人聞心則狂亂狐疑不
信須菩提當知是經義不可思議果報亦不
可思議
尒時須菩提白佛言世尊善男子善女人發
阿耨多羅三藐三菩提心云何應住云何降
伏其心佛告須菩提善男子善女人發阿耨
多羅三藐三菩提者當生如是心我應滅度
一切衆生滅度一切衆生已而无有一衆生
實滅度者何以故若菩薩有我相人相衆生
相壽者相則非菩薩所以者何須菩提實无
有法發阿耨多羅三藐三菩提者須菩提於
意云何如来於然燈佛所有法得阿耨多羅
三藐三菩提不不也世尊如我解佛所說義
佛於然燈佛所无有法得阿耨多羅三藐三
菩提佛言如是如是須菩提實无有法如来
得阿耨多羅三藐三菩提須菩提若有法如
来得阿耨多羅三藐三菩提然燈佛則不與
我受記汝於来世當得作佛号釋迦牟尼以
實无有法得阿耨多羅三藐三菩提是故然
燈佛與我受記作是言汝於来世當得作佛
号釋迦牟尼何以故如来者即諸法如義若
有人言如来得阿耨多羅三藐三菩提須菩
提實无有法佛得阿耨多羅三藐三菩提須菩
提如来所得阿耨多羅三藐三菩提於是

BD00042號　金剛般若波羅蜜經　（12–8）

提實无有法佛得阿耨多羅三藐三菩提須菩
提如來所得阿耨多羅三藐三菩提於是
中无實无虛是故如來說一切法皆是佛法
須菩提所言一切法者即非一切法是故名
一切法須菩提譬如人身長大須菩提言世
尊如來說人身長大則為非大身是名大身
須菩提菩薩亦如是若作是言我當滅度无
量眾生則不名菩薩何以故須菩提實无有
法名為菩薩是故佛說一切法无我无人无
眾生无壽者須菩提若菩薩作是言我當莊
嚴佛土是不名菩薩何以故如來說莊嚴佛
土者即非莊嚴是名莊嚴須菩提若菩薩通
達无我法者如來說名真是菩薩
須菩提於意云何如來有肉眼不如是世尊
如來有肉眼須菩提於意云何如來有天眼
不如是世尊如來有天眼須菩提於意云何
如來有慧眼不如是世尊如來有慧眼須菩
提於意云何如來有法眼不如是世尊如來
有法眼須菩提於意云何如來有佛眼不如
是世尊如來有佛眼須菩提於意云何恒河
中所有沙佛說是沙不如是世尊如來說是
沙須菩提於意云何如一恒河中所有沙有
如是等恒河是諸恒河所有沙數佛世界如
是寧為多不甚多世尊佛告須菩提爾所國
土中所有眾生若干種心如來悉知何以故
如來說諸心皆為非心是名為心所以者何
須菩提過去心不可得見在心不可得

BD00042號　金剛般若波羅蜜經　（12–9）

是寧為多不甚多世尊佛告須菩提爾所國
土中所有眾生若干種心如來悉知何以故
如來說諸心皆為非心是名為心所以者何
須菩提過去心不可得現在心不可得未來
心不可得須菩提於意云何若有人滿三千
大千世界七寶以用布施是人以是因緣得
福多不如是世尊此人以是因緣得福甚多
須菩提若福德有實如來不說得福德多以
福德无故如來說得福德多
須菩提於意云何佛可以具足色身見不不世
世尊如來不應以具足色身見何以故如來說
具足色身即非具足色身是名具足色身須
菩提於意云何如來可以具足諸相見不不
也世尊如來不應以具足諸相見何以故如
來說諸相具足即非具足是名諸相具足須
菩提汝勿謂如來作是念我當有所說法莫
作是念何以故若有人言如來有所說法即為
謗佛不能解我所說故須菩提說法者无法
可說是名說法須菩提白佛言世尊佛得阿
耨多羅三藐三菩提為无所得耶如是如是
須菩提我於阿耨多羅三藐三菩提乃至无
有少法可得是名阿耨多羅三藐三菩提復
次須菩提是法平等无有高下是名阿耨多
羅三藐三菩提以无我无人无眾生无壽者
脩一切善法則得阿耨多羅三藐三菩提須
菩提所言善法者如來說非善法是名善法

BD00042號　金剛般若波羅蜜經　（12–10）

脩一切善法則得阿耨多羅三藐三菩提須
菩提所言善法者如來說非善法是名善法
須菩提若三千大千世界中所有諸須彌山
王如是等七寶聚有人持用布施若人以此
般若波羅蜜經乃至四句偈等受持讀誦為
他人說於前福德百分不及一百千万億分
乃至筭數譬喻所不能及
須菩提於意云何汝等勿謂如來作是念我
當度衆生須菩提莫作是念何以故實无有
衆生如來度者若有衆生如來度者如來則
有我人衆生壽者須菩提如來說有我者則
非有我而凡夫之人以為有我須菩提凡夫
者如來說則非凡夫須菩提於意云何可以
卅二相觀如來不須菩提言如是如是以卅
二相觀如來佛言須菩提若以卅二相觀如
來者轉輪聖王則是如來須菩提白佛言世
尊如我解佛所說義不應以卅二相觀如來
尒時世尊而說偈言
若以色見我　以音聲求我　是人行邪道　不能見如來
須菩提汝若作是念如來不以具足相故得
阿耨多羅三藐三菩提須菩提莫作是念如
來不以具足相故得阿耨多羅三藐三菩提
須菩提汝若作是念發阿耨多羅三藐三菩
提者說諸法斷滅相莫作是念何以故發阿耨
多羅三藐三菩提者於法不說斷滅相須菩
提若菩薩以滿恒河沙等世界七寶布施若

BD00042 號　金剛般若波羅蜜經　（12–11）

衆生如來度者若有衆生如來度者如來則
有我人衆生壽者須菩提如來說有我者則
非有我而凡夫之人以為有我須菩提凡夫
者如來說則非凡夫須菩提於意云何可以
卅二相觀如來不須菩提言如是如是以卅
二相觀如來佛言須菩提若以卅二相觀如
來者轉輪聖王則是如來須菩提白佛言世
尊如我解佛所說義不應以卅二相觀如來
尒時世尊而說偈言
若以色見我　以音聲求我　是人行邪道　不能見如來
須菩提汝若作是念如來不以具足相故得
阿耨多羅三藐三菩提須菩提莫作是念如
來不以具足相故得阿耨多羅三藐三菩提
須菩提汝若作是念發阿耨多羅三藐三菩
提者說諸法斷滅相莫作是念何以故發阿耨
多羅三藐三菩提者於法不說斷滅相須菩
提若菩薩以滿恒河沙等世界七寶布施若
復有人知一切法无我得成於忍此菩薩勝
前菩薩所得功德須菩提以諸菩薩不受福
德故須菩提白佛言世尊云何菩薩不受福
德須菩提菩薩所作福德不應貪著是故說
不受福德須菩提若有人言如來若來若去
若坐若卧是人不解我所說義何以故如來
者无所從來亦无所去故名如來須菩提若
善男子善女人以三千大千世界碎為微塵
於意

BD00042 號　金剛般若波羅蜜經　（12–12）

BD00042 號背　雜寫　（1–1）

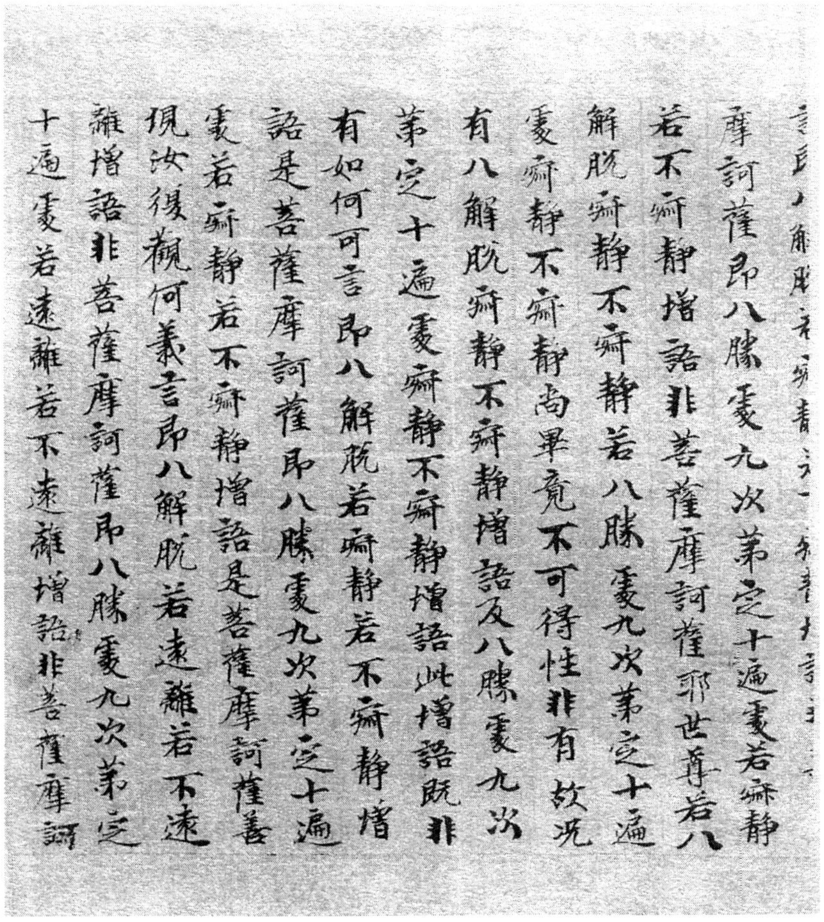

摩訶薩即八勝處九次第定十遍處若寂靜
若不寂靜增語非菩薩摩訶薩耶世尊若八
解脫寂靜不寂靜若八勝處九次第定十遍
處寂靜不寂靜尚畢竟不可得性非有故況
有八解脫寂靜不寂靜增語及八勝處九次
第定十遍處寂靜不寂靜增語此增語既非
有如何可言即八解脫若寂靜若不寂靜增
語是菩薩摩訶薩即八勝處九次第定十遍
處若寂靜若不寂靜增語是菩薩摩訶薩善
現汝復觀何義言即八解脫若遠離若不遠
離增語非菩薩摩訶薩即八勝處九次第定
十遍處若遠離若不遠離增語非菩薩摩訶

BD00043 號 A　大般若波羅蜜多經卷三一　（1–1）

BD00043 號 A 背　勘記　　（1–1）

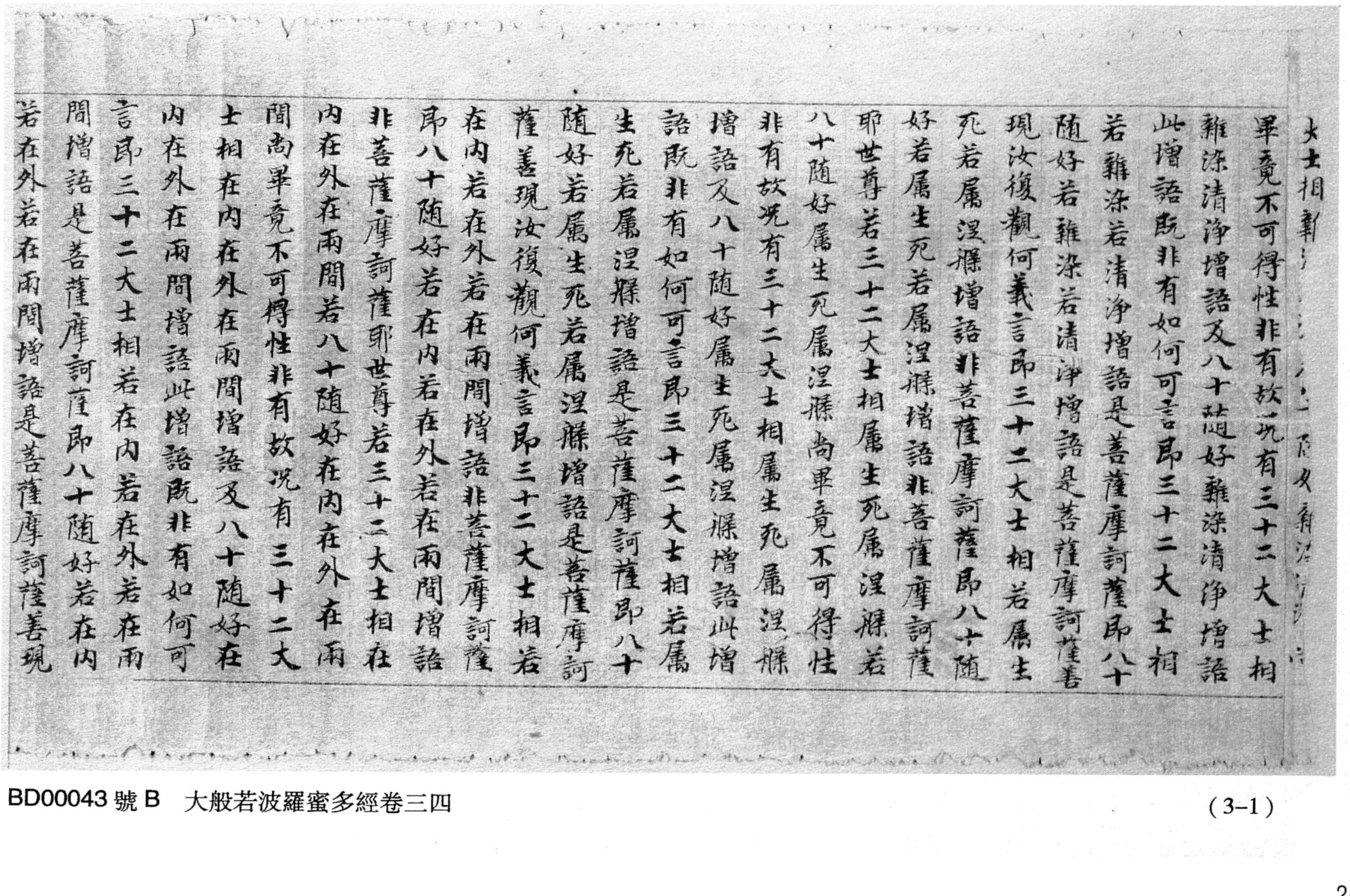

大士相新

畢竟不可得性非有故況有三十二大士相
雜染清淨增語及八十隨好雜染清淨增語
此增語既非有如何可言即三十二大士相
若雜染若清淨增語是菩薩摩訶薩即八十
隨好若雜染若清淨增語是菩薩摩訶薩善
現汝復觀何義言即三十二大士相若屬生
死若屬涅槃增語非菩薩摩訶薩即八十隨
好若屬生死若屬涅槃增語非菩薩摩訶薩
耶世尊若三十二大士相屬生死屬涅槃若
八十隨好屬生死屬涅槃尚畢竟不可得性
非有故況有三十二大士相屬生死屬涅槃
增語及八十隨好屬生死屬涅槃增語此增
語既非有如何可言即三十二大士相若屬
生死若屬涅槃增語是菩薩摩訶薩即八十
隨好若屬生死若屬涅槃增語是菩薩摩訶
薩善現汝復觀何義言即三十二大士相若
在內若在外若在兩間增語非菩薩摩訶薩
即八十隨好若在內若在外若在兩間增語
非菩薩摩訶薩耶世尊若三十二大士相在
內在外在兩間若八十隨好在內在外在兩
間尚畢竟不可得性非有故況有三十二大
士相在內在外在兩間增語及八十隨好在
內在外在兩間增語此增語既非有如何可
言即三十二大士相若在內若在外若在兩
間增語是菩薩摩訶薩即八十隨好若在內
若在外若在兩間增語是菩薩摩訶薩善現

BD00043 號 B　大般若波羅蜜多經卷三四　　（3–1）

士相在內在外在兩間增語及八十隨好在
內在外在兩間增語此增語既非有如何可
言即三十二大士相若在內若在外若在兩
間增語是菩薩摩訶薩即八十隨好若在內
若在外若在兩間增語是菩薩摩訶薩善現
汝復觀何義言即三十二大士相若可得若
不可得增語非菩薩摩訶薩即八十隨好若
可得若不可得增語非菩薩摩訶薩耶世尊
若三十二大士相可得不可得若八十隨好
可得不可得尚畢竟不可得性非有故況有
三十二大士相可得不可得增語及八十隨
好可得不可得增語此增語既非有如何可
言即三十二大士相若可得若不可得增語
是菩薩摩訶薩即八十隨好若可得若不可
得增語是菩薩摩訶薩
復次善現汝觀何義言即無忘失法增語非
菩薩摩訶薩即恒住捨性增語非菩薩摩訶
薩耶具壽善現荅言世尊若無忘失法若恒
住捨性尚畢竟不可得性非有故況有無忘
失法增語及恒住捨性增語此增語既非有
如何可言即無忘失法增語是菩薩摩訶薩
即恒住捨性增語是菩薩摩訶薩善現汝復
觀何義言即無忘失法若常若無常增語非
菩薩摩訶薩即恒住捨性若常若無常增語
非菩薩摩訶薩耶世尊若無忘失法常無常
若恒住捨性常無常尚畢竟不可得性非有
故況有無忘失法常無常增語及恒住捨性

BD00043 號 B　大般若波羅蜜多經卷三四　（3–2）

可得不可得尚畢竟不可得性非有故況有
三十二大士相可得不可得增語及八十隨
好可得不可得增語此增語既非有如何可
言即三十二大士相若可得若不可得增語
是菩薩摩訶薩即八十隨好若可得若不可
得增語是菩薩摩訶薩
復次善現汝觀何義言即無忘失法增語非
菩薩摩訶薩即恒住捨性增語非菩薩摩訶
薩耶具壽善現荅言世尊若無忘失法若恒
住捨性尚畢竟不可得性非有故況有無忘
失法增語及恒住捨性增語此增語既非有
如何可言即無忘失法增語是菩薩摩訶薩
即恒住捨性增語是菩薩摩訶薩善現汝復
觀何義言即無忘失法若常若無常增語非
菩薩摩訶薩即恒住捨性若常若無常增語
非菩薩摩訶薩耶世尊若無忘失法常無常
若恒住捨性常無常尚畢竟不可得性非有
故況有無忘失法常無常增語及恒住捨性
常無常增語此增語既非有如何可言即無
忘失法若常若無常增語是菩薩摩訶薩即
恒住捨性若常若無常增語是菩薩摩訶薩
善現汝復觀何義言即無忘失法若樂若苦
增語非菩薩摩訶薩即恒住捨性若樂若苦
增語非菩薩摩訶薩耶世尊若無忘失法樂
苦若恒住捨性樂苦尚畢竟不可得性非有
故況有無忘失法樂苦增語及恒住捨性樂

BD00043 號 B　大般若波羅蜜多經卷三四　（3–3）

遠離不遠離若一來不還阿羅漢果遠離不
遠離尚畢竟不可得性非有故況有預流果
遠離不遠離增語及一來不還阿羅漢果遠
離不遠離增語此增語既非有如何可言即
預流果若遠離若不遠離增語是菩薩摩訶
薩即一來不還阿羅漢果若遠離若不遠離
增語是菩薩摩訶薩善現汝復觀何義言即
預流果若有為若無為增語非菩薩摩訶薩
即一來不還阿羅漢果若有為若無為增語
非菩薩摩訶薩耶世尊若預流果有為無為
若一來不還阿羅漢果有為無為尚畢竟不
可得性非有故況有預流果有為無為增語
及一來不還阿羅漢果有為無為增語此增
語既非有如何可言即預流果若有為若無
為增語是菩薩摩訶薩即一來不還阿羅漢
果若有為若無為增語是菩薩摩訶薩善現
汝復觀何義言即預流果若有漏若無漏增
語非菩薩摩訶薩即一來不還阿羅漢果若
有漏若無漏增語非菩薩摩訶薩耶世尊若
預流果有漏無漏若一來不還阿羅漢果有
漏無漏尚畢竟不可得性非有故況有預流
果有漏無漏增語及一來不還阿羅漢果有
漏無漏增語此增語既非有如何可言即預
流果若有漏若無漏增語是菩薩摩訶薩即
一來不還阿羅漢果若有漏若無漏增語是
菩薩摩訶薩善現汝復觀何義言即預流果

BD00043 號 C　大般若波羅蜜多經卷三五　（2–1）

預流果若有為若無為增語非菩薩摩訶薩
即一來不還阿羅漢果若有為若無為增語
非菩薩摩訶薩耶世尊若預流果有為無為
若一來不還阿羅漢果有為無為尚畢竟不
可得性非有故況有預流果有為無為增語
及一來不還阿羅漢果有為無為增語此增
語既非有如何可言即預流果若有為若無
為增語是菩薩摩訶薩即一來不還阿羅漢
果若有為若無為增語是菩薩摩訶薩善現
汝復觀何義言即預流果若有漏若無漏增
語非菩薩摩訶薩即一來不還阿羅漢果若
有漏若無漏增語非菩薩摩訶薩耶世尊若
預流果有漏無漏若一來不還阿羅漢果有
漏無漏尚畢竟不可得性非有故況有預流
果有漏無漏增語及一來不還阿羅漢果有
漏無漏增語此增語既非有如何可言即預
流果若有漏若無漏增語是菩薩摩訶薩即
一來不還阿羅漢果若有漏若無漏增語是
菩薩摩訶薩善現汝復觀何義言即預流果
若生若滅增語非菩薩摩訶薩即一來不還
阿羅漢果若生若滅增語非菩薩摩訶薩耶
世尊若預流果生滅若一來不還阿羅漢果
生滅尚畢竟不可得性非有故況有預流果

BD00043 號 C　大般若波羅蜜多經卷三五　（2–2）

BD00043號C背　勘記　（1–1）

佛說長者女菴提遮師子吼了義經
如是我聞一時佛住舍衛國祇樹給孤獨園
與无量比丘比丘尼優婆塞優婆夷菩薩摩
訶薩衆俱尒時去舍衛城西二十餘里有一
村名曰長提有一婆羅門名婆私膩迦在其
中住其人學問廣博深信內典敬承佛教時
婆羅門欲設大會至祇洹所請佛及僧佛則受
其請婆羅門還家又勅其時佛與大衆往詣
彼村至婆羅門舍尒時長者見佛歡喜踊躍
不能自勝即率諸眷屬來至佛所各各礼佛
恭敬而住其婆羅門有一長女名菴提遮先
嫡與人暫來還家侍省父母其女容貌端正
其廣高遠用心柔下其懷藝然能和夫妻侍
養親族事夫如禁其儀无比出於群類父母
眷屬皆出見佛唯有此女獨在室內 其女自
以生來父母莫測其所由故名之菴提遮
尒時如來即知長者有一女在室內 未出亦
知其不出所由其若出者利益无量大衆及
諸天人佛即告長者言汝之眷屬出來盡耶
其婆羅門叉手長跪佛前以此女不出之狀
將之爲恥嘿然未答佛則知其意仍告之言
中時向至可設飲耶時婆羅門即承佛教延

BD00044號　長者女菴提遮師子吼了義經　（7–1）

諸天人佛即告長者言汝之眷屬出來盡耶
其婆羅門束手長跪佛前以此女不出之狀
狩之為耻嘿然未荅佛則知其意仍告之言
中時向至可設供耶時婆羅門即承佛教赴
設供養大衆及其長者眷屬中食已訖唯有
此女未及得食時如來鉢中故留殘食遣一化女持此餘
食与彼室內女菴提遮時化女人以偈告曰
此是如來餘　无上勝尊賜　我當承佛教　願仁清淨受
其女菴提遮即以偈歎曰
嗚呼大慈悲　知我在室已　今賜一味食　尋仰覲聖顏
復以偈荅彼化女曰
我常念所思　大聖之所行　未曾與汝異　何事不清淨
其化女聞菴提遮說偈已即沒不現其女菴
提遮以心念誦偈言
我夫今何在　願出見勝尊　願知我淨心　速來得同聞
尒時菴提遮淨心力故其夫隨念即至其所
是女菴提遮見其夫已心生歡喜以偈歎曰
嗚呼大勝尊　今隨濟我願　不辞破小義　恐當不同聞
其夫見菴提遮偈言已即還以偈責曰
嗚呼汝大癡　不知善自宜　勞聖賜餘食　守義竟何為
時女菴提遮即隨其夫往詣佛所各自礼佛
及諸大衆恭敬而立時女菴提遮以偈歎曰
我念大慈悲　救護十方尊　欲設祕密藏　賜我淨餘食
大聖甚難會　世必有所疑　誰可問法者　發衆菩提基
尒時舍利弗即白佛言世尊此是何女人忽

BD00044號　長者女菴提遮師子吼了義經　（7–2）

大聖甚難會　世必有所疑　誰可問法者　發衆菩提基
尒時舍利弗即白佛言世尊此是何女人忽
今來至此復說如是法偈言得餘食佛告舍
利弗言此是長者女復問曰從何而來何因
至此佛告舍利弗此女不從遠來只在此室
雖有父母眷屬其夫不在以自識敬順夫因
緣故不從父母輕尒出遊現於大衆尒時舍
利弗白佛言是女以何善因故生此長者家
其客若此復以何因緣故得如是士夫禁約
若此不能自由見佛及僧佛即告舍利弗汝自
問之時舍利弗問其女曰汝以何因緣生
此長者家復以何因緣得如是人為夫禁戒
若此不能自由見佛及僧其女菴提遮以偈
荅曰
我以不惡生　生此長者家　又不執女相　得是清淨夫
我在內室中　以為自在意　是今未曾越　聖知賜我餘
嗚呼今大德　不知真實由　絲豪不負越　故名大自在
我雖內室中　尊如目前現　仁稱阿羅漢　常隨不能見
大聖非是色　亦不離色身　聲聞見淺句　謂是大力人
嗚呼今大德　隨聖少方便　不知本元由　於我生倒見
尒時舍利弗嘿然而止私自念言此是何女
人其辯若此我所不及佛即知其意而告之
曰勿退於問荅生於異心是女人已經值无
量諸佛所說是法藥勿疑之也
尒時文殊師利問菴提遮曰汝今知生死義

BD00044號　長者女菴提遮師子吼了義經　（7–3）

量諸佛所說是法藥勿疑之也
尒時文殊師利問菴提遮曰汝今知生死義
耶荅曰以佛力故知又問曰若知者生以何
為義荅曰生以不生生為生義又問曰云何不
生生為生義耶荅曰若能明知地水火風四
緣畢竟未曾自得有所和合而能隨其所宜
有所說者以為生義又問曰若知地水火風
畢竟不自得有所和合為生義者即應无有
生相將何為生義荅曰雖在生處而无生者
是為正生故說有義文殊又問曰死以何為
義耶荅曰死以不死死為死義又問曰云何
以不死死為死義耶荅曰若能明知地水火
風畢竟不自得有所散而能隨其所宜有所
說者是為死義又問曰若知地木火風畢竟
不自得有所散者即无死相將何為死義荅
曰雖在死處其心不亡者是為正死故說有
義文殊師利又問曰常以何為義荅曰若能
明知諸法畢竟生滅變易无定如幻相而能
隨其所宜有所說者是為常義又問曰若知
諸法畢竟生滅无定如幻相者即是无常義
云何將為常義耶荅曰諸法生而不自得生
滅而不自得滅乃至變易亦復如是以不自
得故說為常義也又問曰无常以何為義荅
曰若知諸法畢竟不生不滅隨如是相而能
隨其所宜有所說者是為无常義又問曰若
知諸法畢竟不生不滅者即是常義云何說

BD00044號　長者女菴提遮師子吼了義經　（7–4）

曰若知諸法畢竟不生不滅隨如是相而能
隨其所宜有所說者是為无常義又問曰若
知諸法畢竟不生不滅者即是常義云何說
為无常義耶荅曰但以諸法自在變易无定
明不自得隨如是知者故說有无常義耶又
問曰空以何為義荅曰若能知諸法相未曾
自空不壞今有而能不空空不有有者故說
有空義又問曰若不空空不有有者即无有事
將何為空義耶其女菴提遮則以偈荅曰
嗚呼真大德　不知實空義　色无有自相　豈非如空也
空若自有空　則不能容色　空不自空故　衆色從是生
尒時文殊師利又問曰頗有明知生而不生
相為生所留者不荅曰有雖自明見其力未
充而為生所留者是也又問曰頗有无知不
識生性而畢竟不為生所留者不荅曰无
所以者何若不見生性雖因調伏少得安處
其不安之相常為對治若能見生性者雖在
不安之處而吉相常為現前若不如是知者
雖有種種勝辯談說甚深典籍而即是生滅
心說彼實相密要之言如盲辯色因他語故
說得青黃赤白黑而不能自見色之正相今
不能見諸法者亦復如是但令為生所生為
死所死而有所說者乃於其人即无生死之
義耶若為常无常所繫者亦復如是當知大
德空者亦不自得空故說有空義耶

BD00044號　長者女菴提遮師子吼了義經　（7–5）

義耶若為常无常所繫者亦復如是當知大
德空者亦不自得空故說有空義耶
尒時佛告文殊師利如是如是如菴提遮所
說真實无異曰可令月可令熱是菴提遮
所說不可移易時舍利弗復問其女曰汝之
智慧辯才若此佛所稱歎我等聲聞之所不
及云何不能離是女身色相也其女答曰我
欲問大德即隨意答我大德今現是男不舍
利弗言我雖色是男而心非男也其女言大
德我亦如是如大德所言雖在女相其心即
非女也舍利弗言汝今現為夫所拘執何能
如此其女答曰大德能自信己之所言不舍利
弗言我之自言云何不自信其女答曰若
自信者大德前言說我色是男而心非男者
即心與色有所二用也若大德自信此言者
即於我所不生有夫之惡見大德自男故生
我女相以我女色故壞大德心也而以自見
彼女者則不能於法生實信也舍利弗言我
於汝所不敢生於惡見其女答曰但以對世
尊故不敢非是實言也若實不生惡見者云
何說我言汝今現為夫所拘執耶是盡從何
而來舍利弗言我以久離習故有之言非實
心也其女問曰大德我今問者隨意答我大
德既言久離男女相者大德色久離耶心久
離耶時舍利弗默然不荅尒時菴提遮以偈
頌言

BD00044號　長者女菴提遮師子吼了義經　（7–6）

我女相以我女色故壞大德心也而以自見
彼女者則不能於法生實信也舍利弗言我
於汝所不敢生於惡見其女答曰但以對世
尊故不敢非是實言也若實不生惡見者云
何說我言汝今現為夫所拘執耶是盡從何
而來舍利弗言我以久離習故有之言非實
心也其女問曰大德我今問者隨意答我大
德既言久離男女相者大德色久離耶心久
離耶時舍利弗默然不荅尒時菴提遮以偈
頌言
若心得久離　畢竟不生見　誰為作女人　於色疑不淨
若論色久離　法本不自有　畢竟不曾汙　將何為作惡
嗚呼今大德　徒學不能知　自男生我女　豈非妄想悲
悔過於大衆　於法勿生疑　我上所言說　是佛神力持
時菴提遮說是偈已其比丘比丘尼優婆塞
優婆夷天及人一千餘人得阿耨多羅三藐
三菩提心有五千衆於中得无生法忍者得
法眼淨者又得心解脫者其无量聲聞衆而
於佛法自生慙恥者无量
尒時佛告舍利弗是女人非是凡也已值无
量諸佛常能說如是師子吼了義經利益无
量衆生我亦自與是女人同事无量諸佛
是女人不久當成正覺是諸衆中於
所說法要即能生實信者皆已久明
所說

BD00044號　長者女菴提遮師子吼了義經　（7–7）

菩薩不住相布施其福德不可思量須菩提
於意云何東方虛空可思量不不也世尊須
菩提南西北方四維上下虛空可思量不不
也世尊須菩提菩薩无住相布施福德亦復
如是不可思量須菩提菩薩但應如所教住
須菩提於意云何可以身相見如來不不也
世尊不可以身相得見如來何以故如來所
說身相即非身相佛告須菩提凡所有相
皆虛妄若見諸相非相則見如來
須菩提白佛言世尊頗有衆生得聞如是言
說章句生實信不佛告須菩提莫作是說如
來滅後後五百歲有持戒脩福者於此章句
能生信心以此為實當知是人不於一佛二
佛三四五佛而種善根已於无量千万佛所
種諸善根聞是章句乃至一念生淨信者須
菩提如來悉知悉見是諸衆生得如是无量
福德何以故是諸衆生无復我相人相衆生
相壽者相无法相亦无非法相何以故是諸
衆生若心取相則為著我人衆生壽者若
取法相即著我人衆生壽者何以故若取非法
相即著我人衆生壽者是故不應取法不應
取非法以是義故如來常說汝等比丘知我
說法如筏喻者法尚應捨何況非法
須菩提於意云何如來得阿耨多羅三藐三
菩提耶如來有所說法耶須菩提言如我解
佛所說義无有定法名阿耨多羅三藐三菩

BD00045 號　金剛般若波羅蜜經　（13–1）

取非法以是義故如來常說汝等比丘知我
說法如筏喻者法尚應捨何況非法
須菩提於意云何如來得阿耨多羅三藐三
菩提耶如來有所說法耶須菩提言如我解
佛所說義无有定法名阿耨多羅三藐三菩
提亦无有定法如來可說何以故如來所說
法皆不可取不可說非法非非法所以者何
一切賢聖皆以无為法而有差別
須菩提於意云何若人滿三千大千世界七
寶以用布施是人所得福德寧為多不須菩
提言甚多世尊何以故是福德即非福德性
是故如來說福德多若復有人於此經中受
持乃至四句偈等為他人說其福勝彼何以
故須菩提一切諸佛及諸佛阿耨多羅三藐
三菩提法皆從此經出須菩提所謂佛法者
即非佛法
須菩提於意云何須陁洹能作是念我得須
陁洹果不須菩提言不也世尊何以故須陁
洹名為入流而无所入不入色聲香味觸法
是名須陁洹須菩提於意云何斯陁含能作
是念我得斯陁含果不須菩提言不也世尊
何以故斯陁含名一往來而實无往來是名
斯陁含須菩提於意云何阿那含能作是念
我得阿那含果不須菩提言不也世尊何以
故阿那含名為不來而實无來是故名阿那
含須菩提於意云何阿羅漢能作是念我得
阿羅漢道不須菩提言不也世尊何以故實

BD00045 號　金剛般若波羅蜜經　（13–2）

故阿那含名爲不來而實无來是故名阿那
含須菩提於意云何阿羅漢能作是念我得
阿羅漢道不須菩提言不也世尊何以故實
无有法名阿羅漢世尊若阿羅漢作是念
我得阿羅漢道即爲著我人衆生壽者世尊
佛說我得无諍三昧人中最爲第一是第一離
欲阿羅漢我不作是念我是離欲阿羅漢世
尊我若作是念我得阿羅漢道世尊則不說
須菩提是樂阿蘭那行者以須菩提實无所
行而名須菩提是樂阿蘭那行
佛告須菩提於意云何如來昔在然燈佛所
於法有所得不世尊如來在然燈佛所於法
實无所得
須菩提於意云何菩薩莊嚴佛土不不也世
尊何以故莊嚴佛土者則非莊嚴是名莊嚴
是故須菩提諸菩薩摩訶薩應如是生清淨
心不應住色生心不應住聲香味觸法生心
應无所住而生其心須菩提譬如有人身如
須弥山王於意云何是身爲大不須菩提言
甚大世尊何以故佛說非身是名大身
須菩提如恒河中所有沙數如是沙等恒河
於意云何是諸恒河沙寧爲多不須菩提言
甚多世尊但諸恒河尚多无數何況其沙須
菩提我今實言告汝若有善男子善女人以
七寶滿尒所恒河沙數三千大千世界以用
布施得福多不須菩提言甚多世尊佛告須
菩提若善男子善女人於此經中乃至受持

BD00045號　金剛般若波羅蜜經　（13–3）

七寶滿尒所恒河沙數三千大千世界以用
布施得福多不須菩提言甚多世尊佛告須
菩提若善男子善女人於此經中乃至受持
四句偈等爲他人說而此福德勝前福德
復次須菩提隨說是經乃至四句偈等當知
此處一切世間天人阿脩羅皆應供養如佛
塔廟何況有人盡能受持讀誦須菩提當知
是人成就最上第一希有之法若是經典所
在之處則爲有佛若尊重弟子
尒時須菩提白佛言世尊當何名此經我等
云何奉持佛告須菩提是經名爲金剛般若
波羅蜜以是名字汝當奉持所以者何須菩
提佛說般若波羅蜜則非般若波羅蜜須菩
提於意云何如來有所說法不須菩提白佛
言世尊如來无所說須菩提於意云何三千
大千世界所有微塵是爲多不須菩提言甚
多世尊須菩提諸微塵如來說非微塵是
名微塵如來說世界非世界是名世界須菩提
於意云何可以三十二相見如來不不也世
尊不可以三十二相得見如來何以故如來
說三十二相即是非相是名三十二相
須菩提若有善男子善女人以恒河沙等身
命布施若復有人於此經中乃至受持四句
偈等爲他人說其福甚多
尒時須菩提聞說是經深解義趣涕淚悲泣而
白佛言希有世尊佛說如是甚深經典我
從昔來所得慧眼未曾得聞如是之經世尊

BD00045號　金剛般若波羅蜜經　（13–4）

爾時須菩提聞說是經深解義趣涕淚悲泣而
白佛言希有世尊佛說如是甚深經典我
從昔來所得慧眼未曾得聞如是之經世尊
若復有人得聞是經信心清淨則生實相當
知是人成就第一希有功德世尊是實相者
則是非相是故如來說名實相世尊我今得
聞如是經典信解受持不足為難若當來世
後五百歲其有眾生得聞是經信解受持
是人則為第一希有何以故此人无我相人相眾
生相壽者相所以者何我相即是非相人
相眾生相壽者相即是非相何以故離一切
諸相則名諸佛
佛告須菩提如是如是若復有人得聞是
經不驚不怖不畏當知是人甚為希有何以故
須菩提如來說第一波羅蜜非第一波羅蜜
是名第一波羅蜜
須菩提忍辱波羅蜜如來說非忍辱波羅
蜜何以故須菩提如我昔為歌利王割截身體
我於尒時无我相无人相无眾生相无壽者相
何以故我於往昔節節支解時若有我相
人相眾生相壽者相應生瞋恨須菩提又念
過去於五百世作忍辱仙人於尒所世无我相
无人相无眾生相无壽者相是故須菩提
菩薩應離一切相發阿耨多羅三藐三菩提
心不應住色生心不應住聲香味觸法生心
應生无所住心若心有住則為非住是故佛

BD00045 號　金剛般若波羅蜜經　（13–5）

心不應住色生心不應住聲香味觸法生心
應生无所住心若心有住則為非住是故佛
說菩薩心不應住色布施須菩提菩薩為利
益一切眾生應如是布施如來說一切諸相
即是非相又說一切眾生則非眾生
須菩提如來是真語者實語者如語者不誑
語者不異語者須菩提如來所得法此法无
實无虛
須菩提若菩薩心住於法而行布施如人入闇
則无所見若菩薩心不住法而行布施如人
有目日光明照見種種色
須菩提當來之世若有善男子善女人能於此
經受持讀誦則為如來以佛智慧悉知是人
悉見是人皆得成就无量无邊功德
須菩提若有善男子善女人初日分以恒河
沙等身布施中日分復以恒河沙等身布
施後日分亦以恒河沙等身布施如是无量百
千万億劫以身布施若復有人聞此經典信
心不逆其福勝彼何況書寫受持讀誦為人
解說
須菩提以要言之是經有不可思議不可種
量无邊功德如來為發大乘者說為發最上
乘者說若有人能受持讀誦廣為人說如來
悉知是人悉見是人皆得成就不可量不可
稱无有邊不可思議功德如是人等則為荷
擔如來阿耨多羅三藐三菩提何以故須菩
提若樂小法者著我見人見眾生見壽者

BD00045 號　金剛般若波羅蜜經　（13–6）

塔如來阿耨多羅三藐三菩提何以故須菩
提若樂小法者著我見人見衆生見壽者
見則於此經不能聽受讀誦爲人解說須菩
提在在處處若有此經一切世間天人阿脩羅
所應供養當知此處則爲是塔皆應恭敬
作礼圍遶以諸華香而散其處
復次須菩提善男子善女人受持讀誦此經若
爲人輕賤是人先世罪業應墮惡道以今世
人輕賤故先世罪業則爲消滅當得阿耨多
羅三藐三菩提須菩提我念過去无量阿僧
祇劫於然燈佛前得值八百四千万億那由
他諸佛悉皆供養承事无空過者若復有
人於後末世能受持讀誦此經所得功德於
我所供養諸佛功德百分不及一千万億分
乃至筭數譬喻所不能及須菩提若善男子
善女人於後末世有受持讀誦此經所得功
德我若具說者或有人聞心則狂亂狐疑不
信須菩提當知是經義不可思議果報亦不
可思議
尔時須菩提白佛言世尊善男子善女人發
阿耨多羅三藐三菩提心云何應住云何降
伏其心佛告須菩提善男子善女人發阿耨
多羅三藐三菩提者當生如是心我應滅度
一切衆生滅度一切衆生已而无有一衆生實
滅度者何以故若菩薩有我相人相衆生相
壽者相則非菩薩所以者何須菩提實无

一切衆生滅度一切衆生已而无有一衆生實
滅度者何以故若菩薩有我相人相衆生相
壽者相則非菩薩所以者何須菩提實无
有法發阿耨多羅三藐三菩提者
須菩提於意云何如來於然燈佛所有法得
阿耨多羅三藐三菩提不不也世尊如我解
佛所說義佛於然燈佛所无有法得阿耨
多羅三藐三菩提佛言如是如是須菩提實
无有法如來得阿耨多羅三藐三菩提須菩提
若有法如來得阿耨多羅三藐三菩提然燈
佛則不與我受記汝於來世當得作佛号釋
迦牟尼以實无有法得阿耨多羅三藐三菩
提是故然燈佛與我受記作是言汝於來世
當得作佛号釋迦牟尼何以故如來者即諸
法如義若有人言如來得阿耨多羅三藐三
菩提須菩提實无有法佛得阿耨多羅三藐
三菩提須菩提如來所得阿耨多羅三藐三
菩提於是中无實无虛是故如來說一切法
皆是佛法須菩提所言一切法者即非一切
法是故名一切法
須菩提譬如人身長大須菩提言世尊如來
說人身長大則爲非大身是名大身
須菩提菩薩亦如是若作是言我當滅度
无量衆生則不名菩薩何以故須菩提實无
有法名爲菩薩是故佛說一切法无我无人无
衆生无壽者須菩提若菩薩作是言我當

有法名為菩薩是故佛說一切法无我无人无
衆生无壽者須菩提若菩薩作是言我當
莊嚴佛土是不名菩薩何以故如來說莊嚴佛
土者即非莊嚴是名莊嚴須菩提若菩薩
通達无我法者如來說名真是菩薩
須菩提於意云何如來有肉眼不如是世尊
如來有肉眼須菩提於意云何如來有天
眼不如是世尊如來有天眼須菩提於意云何
如來有慧眼不如是世尊如來有慧眼須
菩提於意云何如來有法眼不如是世尊如來
有法眼須菩提於意云何如來有佛眼不如
是世尊如來有佛眼須菩提於意云何恒河
中所有沙佛說是沙不如是世尊如來說
是沙須菩提於意云何如一恒河中所有沙
有如是等恒河是諸恒河所有沙數佛世界
如是寧為多不甚多世尊佛告須菩提尒所國
土中所有衆生若干種心如來悉知何以故
如來說諸心皆為非心是名為心所以者何
須菩提過去心不可得現在心不可得未來
心不可得須菩提於意云何若有人滿三千
大千世界七寶以用布施是人以是因緣得
福多不如是世尊此人以是因緣得福甚多
須菩提若福德有實如來不說得福德多
以福德无故如來說得福德多
須菩提於意云何佛可以具足色身見不不
也世尊如來不應以具足色身見何以故如
來說具足色身即非具足色身是名具

BD00045號　金剛般若波羅蜜經　（13–9）

須菩提於意云何佛可以具足色身見不不
也世尊如來不應以具足色身見何以故如
來說具足色身即非具足色身是名具
足色身須菩提於意云何如來可以具足諸相
見不不也世尊如來不應以具足諸相見何以
故如來說諸相具足即非具足是名諸相具
足須菩提汝勿謂如來作是念我當有所說
法莫作是念何以故若人言如來有所說法
即為謗佛不能解我所說故須菩提說法
者无法可說是名說法
須菩提白佛言世尊佛得阿耨多羅三藐三
菩提為无所得耶如是如是須菩提我於阿
耨多羅三藐三菩提乃至无有少法可得是
名阿耨多羅三藐三菩提復次須菩提是法
平等无有高下是名阿耨多羅三藐三菩
提以无我无人无衆生无壽者脩一切善
法則得阿耨多羅三藐三菩提須菩提所言
善法者如來說非善法是名善法須菩提若三
千大千世界中所有諸須弥山王如是等七寶
聚有人持用布施若人以此般若波羅蜜經乃
至四句偈等受持讀誦為他人說於前福德百
分不及一百千万億分乃至筭數譬喻所不能及
須菩提於意云何汝等勿謂如來作是念我當
度衆生須菩提莫作是念何以故實无有衆生
如來度者如來則有我人衆生壽者須菩提如
來說有我者則非有我而凡夫之人以為有我

BD00045號　金剛般若波羅蜜經　（13–10）

如來度者如來則有我人衆生壽者須菩提如
來說有我者則非有我而凡夫之人以為有我
須菩提凡夫者如來說則非凡夫須菩提於意
云何可以卅二相觀如來不須菩提言如是如是以
卅二相觀如來佛言須菩提若以卅二相觀如來者
轉輪聖王則是如來須菩提白佛言世尊如我解
佛所說義不應以卅二相觀如來尒時世尊而說偈
言
若以色見我　以音聲求我　是人行邪道　不能見如來
須菩提汝若作是念如來不以具足相故得阿
耨多羅三藐三菩提須菩提莫作是念如來
不以具足相故得阿耨多羅三藐三菩提須菩
提汝若作是念發阿耨多羅三藐三菩提者說
諸法斷滅莫作是念何以故發阿耨多羅三藐三
菩提者於法不說斷滅相須菩提若菩薩以滿
恒河沙等世界七寶布施若復有人知一切法无我
得成於忍此菩薩勝前菩薩所得功德須菩提
以諸菩薩不受福德故須菩提白佛言世尊云何
菩薩不受福德須菩提菩薩所作福德不應
貪著是故說不受福德須菩提若有人言如
來若來若去若坐若卧是人不解我所說義
何以故如來者无所從來亦无所去故名如來
須菩提若善男子善女人以三千大千世界
碎為微塵於意云何是微塵衆寧為多不甚
多世尊何以故若是微塵衆實有[illegible]

BD00045號　金剛般若波羅蜜經　（13–11）

須菩提若善男子善女人以三千大千世界
碎為微塵於意云何是微塵衆寧為多不甚
多世尊何以故若是微塵衆實有者佛則不
說是微塵衆所以者何佛說微塵衆則非微
塵衆是名微塵衆世尊如來所說三千大千
世界則非世界是名世界何以故若世界實有
者則是一合相如來說一合相則非一合相是
名一合相須菩提一合相者則是不可說但凡
夫之人貪著其事須菩提若人言佛說我見
人見衆生見壽者見須菩提於意云何是人
解我所說義不世尊是人不解如來所說義
何以故世尊說我見人見衆生見壽者見即
非我見人見衆生見壽者見是名我見人見
衆生見壽者見須菩提發阿耨多羅三藐三
菩提心者於一切法應如是知如是見如是信
解不生法相須菩提所言法相者如來說即
非法相是名法相須菩提若有人以滿无量阿
僧祇世界七寶持用布施若有善男子善
女人發菩薩心者持於此經乃至四句偈等
受持讀誦為人演說其福勝彼云何為人演說
不取於相如如不動何以故
一切有為法　如夢幻泡影　如露亦如電　應作如是觀
佛說是經已長老須菩提及諸比丘比丘尼
優婆塞優婆夷一切世間天人阿脩羅聞
佛所說信受奉行

金剛般若波羅蜜經

BD00045號　金剛般若波羅蜜經　（13–12）

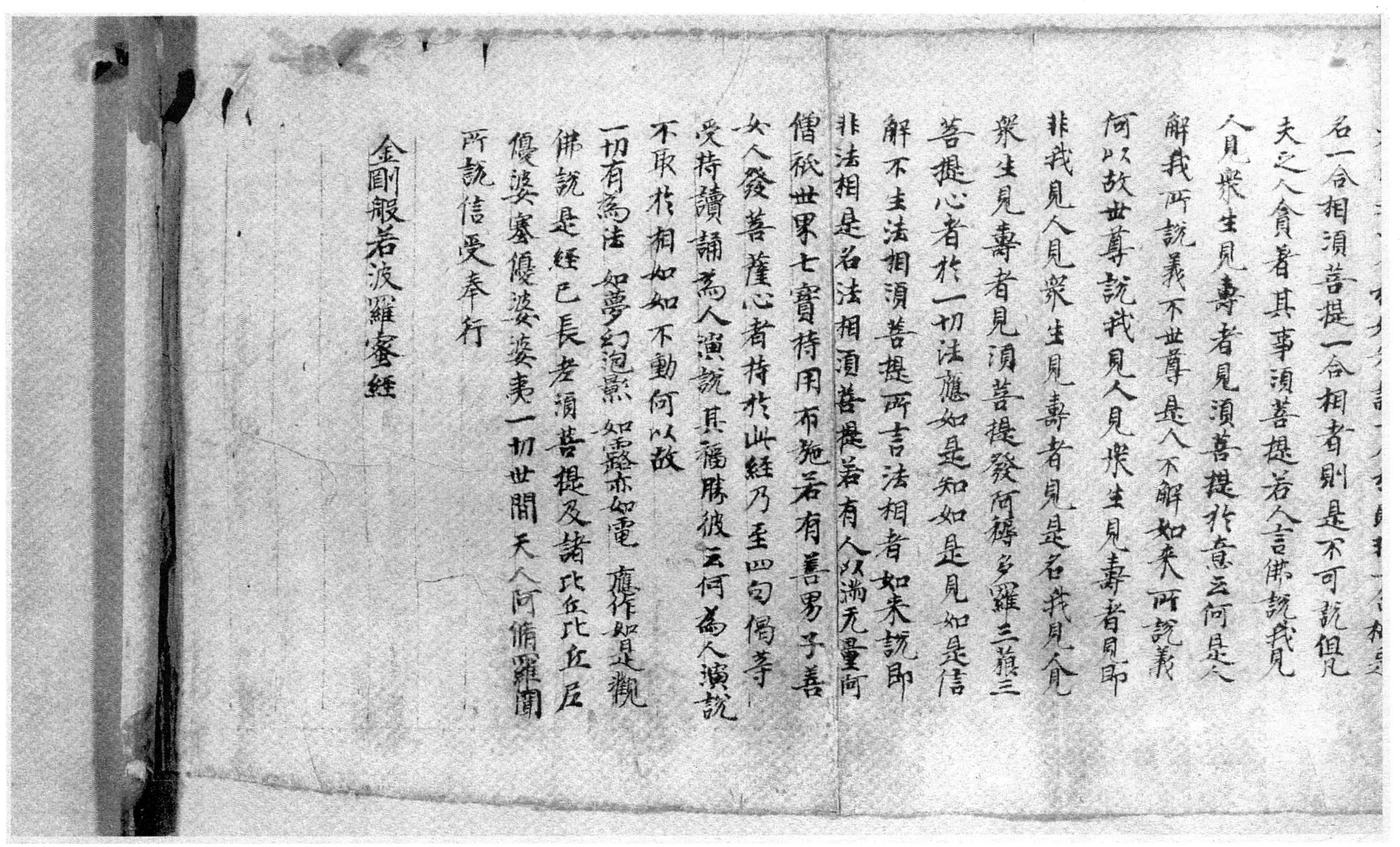

名一合相須菩提一合相者則是不可説但凡
夫之人貪著其事須菩提若人言佛説我見
人見衆生見壽者見須菩提於意云何是人
解我所説義不世尊是人不解如來所説義
何以故世尊説我見人見衆生見壽者見即
非我見人見衆生見壽者見是名我見人見
衆生見壽者見須菩提發阿耨多羅三藐三
菩提心者於一切法應如是知如是見如是信
解不生法相須菩提所言法相者如來説即
非法相是名法相須菩提若有人以滿无量阿
僧祇世界七寶持用布施若有善男子善
女人發菩薩心者持於此經乃至四句偈等
受持讀誦爲人演説其福勝彼云何爲人演説
不取於相如如不動何以故
一切有爲法　如夢幻泡影　如露亦如電　應作如是觀
佛説是經已長老須菩提及諸比丘比丘尼
優婆塞優婆夷一切世間天人阿脩羅聞
所説信受奉行
金剛般若波羅蜜經

BD00045 號　金剛般若波羅蜜經　（13–13）

……相　遍照於十方　微妙淨法身　具相三十二
以八十種好　用莊嚴法身　天人所戴仰　龍神咸恭敬
一切衆生類　无不宗奉者　又聞成菩提　唯佛當證知
我闡大乘教　度脫苦衆生
時舍利弗語龍女言汝謂不久得无上道
是事難信所以者何女身垢穢非是法器云何
能得无上菩提佛道懸曠經无量劫勤
苦積行具修諸度然後乃成又女人身猶有
五障一者不得作梵天王二者帝釋三者魔
王四者轉輪聖王五者佛身云何女身速得
成佛尒時龍女有一寶珠價直三千大千世
界持以上佛佛即受之龍女謂智積菩薩
尊者舍利弗言我獻寶珠世尊納受是
事疾不答言甚疾女言以汝神力觀我成佛
復速於此當時衆會皆見龍女忽然之間變成男
子具菩薩行即往南方无垢世界坐寶蓮華
成等正覺三十二相八十種好普爲十方一切衆
生演說妙法尒時娑婆世界菩薩聲聞天龍
八部人與非人皆遙見彼龍女成佛普爲
時會人天說法心大歡喜悉遙敬禮无量
衆生聞法解悟得不退轉无量衆生得
受道記无垢世界六反震動娑婆世界三
千衆生住不退地三千衆生發菩提心而得
受記智積菩薩及舍利弗一切衆會默然信受
妙法蓮華經勸持品第十三
尒時藥王菩薩摩訶薩及大樂說菩薩摩

BD00046 號　妙法蓮華經卷四　（3–1）

受記智積菩薩及舍利弗一切衆會嘿然信受
妙法蓮華經勸持品第十三
尒時藥王菩薩摩訶薩及大樂說菩薩摩
訶薩與二万菩薩眷屬俱皆於佛前作是誓
言唯願世尊不以為慮我等於佛滅後當奉
持讀誦說此經典後惡世衆生善根轉少多增
上慢貪利供養增不善根遠離解脫雖可
教化我等當起大忍力讀誦此經持說書寫
種種供養不惜身命尒時衆中五百阿羅
漢得授記者白佛言世尊我等亦自誓願於異
國土廣說此經復有學无學八千人得授
記者從座而起合掌向佛作是誓言世尊我等
亦當於他國土廣說此經所以者何是娑婆
國中人多弊惡懷增上慢功德淺薄瞋濁諂
曲心不實故尒時佛姨母摩訶波闍波提比
丘尼與學无學比丘尼六千人俱從座而起
一心合掌瞻仰尊顏目不暫捨於時世尊告
憍曇弥何故憂色而視如來汝心將无謂
我不說汝名授阿耨多羅三藐三菩提記耶
憍曇弥我先摠說一切聲聞皆已授記今汝欲
知記者將來之世當於六万八千億諸佛法
中為大法師及六千學无學比丘尼俱為法
師汝如是漸漸具菩薩道當得作佛號一切
衆生喜見如來應供正遍知明行足善逝世
間解无上士調御丈夫天人師佛世尊憍
曇弥是一切衆生喜見佛及六千菩薩轉次授
記得阿耨多羅三藐三菩提尒時羅睺羅母

BD00046號　妙法蓮華經卷四　（3–2）

國土廣說此經復有學无學八千人得授
記者從座而起合掌向佛作是誓言世尊我等
亦當於他國土廣說此經所以者何是娑婆
國中人多弊惡懷增上慢功德淺薄瞋濁諂
曲心不實故尒時佛姨母摩訶波闍波提比
丘尼與學无學比丘尼六千人俱從座而起
一心合掌瞻仰尊顏目不暫捨於時世尊告
憍曇弥何故憂色而視如來汝心將无謂
我不說汝名授阿耨多羅三藐三菩提記耶
憍曇弥我先摠說一切聲聞皆已授記今汝欲
知記者將來之世當於六万八千億諸佛法
中為大法師及六千學无學比丘尼俱為法
師汝如是漸漸具菩薩道當得作佛號一切
衆生喜見如來應供正遍知明行足善逝世
間解无上士調御丈夫天人師佛世尊憍
曇弥是一切衆生喜見佛及六千菩薩轉次授
記得阿耨多羅三藐三菩提尒時羅睺羅母
耶輸陀羅比丘尼作是念世尊於授記中
獨不說我名佛告耶輸陀羅汝於來世百千
万億諸佛法中修菩薩行為大法師漸具
佛道於善國中當得作佛具足千万光相如來
應供正遍知明行足善逝世間解无上士調
御丈夫天人師佛世尊佛壽无量阿僧
祇劫尒時摩訶波闍波提比丘尼及耶輸陀
羅比丘尼并其眷屬皆大歡喜得未曾有即
於佛前而說偈言

BD00046號　妙法蓮華經卷四　（3–3）

南无寶作菩薩　南无廣德菩薩
南无護賢劫菩薩　南无寶月菩薩
南无湯陁婆香菩薩　南无樂作菩薩
南无无垢稱菩薩　南无思益菩薩
南无普華菩薩　南无月勝菩薩
南无月山菩薩　南无智山菩薩
南无若鳩羅菩薩　南无遠鳩羅菩薩
南无鳩陁羅菩薩　南无秀伽伽羅菩薩
南无日陳羅菩薩
歸命如是等十方无量无邊菩薩
復次應稱辟支佛
南无善快辟支佛　南无違陁辟支佛
南无吉沙辟支佛　南无憂波吉祇辟支佛
南无斷有辟支佛　南无憂波交羅辟支佛
南无斷愛辟支佛　南无施婆羅辟支佛
南无轉覺辟支佛　南无去垢辟支佛
南无高去辟支佛　南无阿悉多辟支佛
歸命如是等无量无邊辟支佛
次復懺悔
弟子今以捴相懺悔一切諸業今當次第更
復一一别相懺悔若捴若别若麁若細若輕
若重若說不說品類相從願皆消滅别相
者先懺身三次懺口四其餘諸障次第懺
身三業者第一殺害如經所明恕己[illegible]
[illegible]勿殺勿行杖雖復禽獸之[illegible]

BD00047號　佛名經（十六卷本）卷三　（7–1）

歸命如是等无量无邊辟支佛
次復懺悔
弟子今以捴相懺悔一切諸業今當次第更
復一一别相懺悔若捴若别若麁若細若輕
若重若說不說品類相從願皆消滅别相
者先懺身三次懺口四其餘諸障次第懺
身三業者第一殺害如經所明恕己[illegible]
喻勿殺勿行杖雖復禽獸之殊保命[illegible]
其事是一若尋此衆生无始以來或是我父
母兄弟六親眷屬以業因緣輪迴六道出
生入死改形易報不復相識而今興害食噉
南无雲世界名奮迅如來彼如來受名自
在觀菩薩阿耨多羅三藐三菩提
南无花因覆世界名一切發衆生信發心如
來彼如來授名勝惠菩薩阿耨多羅三藐
三菩提
南无星宿行世界名樂星宿起如來彼如
來授名无憂菩薩阿耨多羅三藐三菩
提
南无寶花世界名勝衆如來彼如來受名妙
勝菩薩阿耨多羅三藐三菩提
南无无量至世界名无量花如來彼如來
受名香烏菩薩阿耨多羅三藐三菩提
南无花世界名寶勝如來彼如來受名遠
離諸有菩薩阿耨多羅三藐三菩提
南无種種幢世界名月功德如來彼如來

BD00047號　佛名經（十六卷本）卷三　（7–2）

南无花世界名寶勝如来彼如来受名遠
離諸有菩薩阿耨多羅三藐三菩提
南无種種幢世界名月功德如来彼如来
受名斷一切諸難菩薩阿耨多羅三藐三菩
提
南无可樂世界名見發心輪法輪如来彼如
来受名不退轉輪菩薩阿耨多羅三藐
三菩提
南无无畏世界名十方稱名如来彼如来
授名智稱菩薩阿耨多羅三藐三菩提
南无自在世界迦陵伽佛
南无安樂世界日輪發明佛
南无无畏世界寶勝佛
南无智成就世界智起佛
南无純樂世界功德王住佛
南无蓋行花世界无障导眼佛
南无金剛輪世界无畏佛
南无發起世界智積佛
南无善清淨世界无觀相發行佛
南无普光明世界光明輪威德王勝佛
南无高幢世界慧佛
南无得世界那羅延佛
南无垢世界无垢幢佛
南无遠離一切憂障世界安隱佛
南无賢上世界遠離諸煩惱佛
南无一切安樂清淨慧佛

BD00047號　佛名經（十六卷本）卷三　（7–3）

南无賢上世界遠離諸煩惱佛
南无一切安樂清淨慧佛
南无无量功德具足世界善思惟發佛
南无平等世界降伏諸惡佛
南无无畏世界憂波羅勝佛
南无十方光明世界勝力王佛
南无常光明世界无量光明雲香彌留佛
南无常莊嚴世界降伏男女佛
南无沉水香世界種種花佛
南无香蓋世界无邊智佛
南无栴檀香世界寶上王佛
南无香世界彌留佛
南无普喜世界知見一切衆生信佛
南无不可量世界无邊聲佛
南无佛花莊嚴世界智功德勝佛
南无善住世界不動步佛
南无花世界无障导吼聲佛
南无月世界普寶藏佛
南无堅住世界迦葉佛
南无普波頭摩世界觀一切境界鏡佛
南无栴檀世界上首佛
南无寶世界成就義佛
南无有月世界成就勝佛
南无无障导世界名稱佛
南无安樂世界斷一切疑佛

BD00047號　佛名經（十六卷本）卷三　（7–4）

南无安樂世界斷一切疑佛
南无王世界智勝佛
南无普畏世界月佛
南无種種成就世界功德微佛
南无種種花世界星宿王佛
南无廣世界无量幢佛
南无羅网世界羅网光明佛
南无无驚怖世界淨聲佛
南无可樂世界現寶勝佛
南无離觀世界一切法无所發佛
南无常稱世界不斷一切衆生發行佛
南无常歡喜世界无量奮迅佛
南无普鏡世界達一切法佛
南无普照世界普見一切佛
南无一切功德成就世界成就无邊勝
功德佛
南无无垢世界智起光佛
南无怖畏鉢羅世界波頭摩勝佛
南无波頭摩怖世界十方勝佛
南无天世界堅固衆生佛
南无光明世界智光明佛
南无安樂調世界脩智佛
南无安樂世界遠離胎佛
南无无染世界明王佛
南无雲世界斷一切煩惱佛
南无普色世界无邊智稱佛

BD00047號　佛名經（十六卷本）卷三　（7-5）

南无安樂調世界脩智佛
南无安樂世界遠離胎佛
南无无染世界明王佛
南无雲世界斷一切煩惱佛
南无普色世界无邊智稱佛
是此以上一千九百佛十二部經一切賢聖
南无堅固世界旃檀屋勝佛
南无无比功德世界成就无比勝花佛
次礼十二部尊經大藏法輪
南无道神足經　南无轉輪本起經
南无瑞應本起經　南无法鼓經
南无向阜曇薩經　南无日光三昧經
南无作形像經　南无轉女身經
南无威儀經　南无比羅三昧經
南无施食五種福經　南无梵經
南无龍樹因果經　南无龍樹所問經
南无阿難四事經　南无七婦經
南无灌佛經　南无五福德子經
南无五濁世經　南无滅十方冥經
南无時食經　南无大頭陁經
南无孚妙經　南无門妙分趣經
南无四帝經　南无尼宅迴茬經
南无菩提經　南无稱楊佛經
次礼十方諸大菩薩摩訶薩
南无堅勝菩薩　南无斷諸惡道菩薩
南无不疲惓菩薩　南无須弥山菩薩

BD00047號　佛名經（十六卷本）卷三　（7-6）

南无堅固世界旃檀屋勝佛
南无无比功德世界成就无比勝花佛
次礼十二部尊經大藏法輪
南无道神足經　南无轉輪本起經
南无瑞應本起經　南无法鼓經
南无向皐曇薩經　南无日光三昧經
南无作形像經　南无轉女身經
南无威儀經　南无比羅三昧經
南无施食五種福經　南无梵經
南无龍樹因果經　南无龍樹所問經
南无阿難四事經　南无七婦經
南无灌佛經　南无五福德子經
南无五濁世經　南无滅十方冥經
南无時食經　南无大頭陁經
南无孚妙經　南无門妙分趣經
南无四帝經　南无尼宅迴至經
南无菩提經　南无稱揚佛經
次礼十方諸大菩薩摩訶薩
南无堅勝菩薩　南无斷諸惡道菩薩
南无不疲惓菩薩　南无須弥山菩薩
南无大須弥山菩薩　南无心勇猛菩薩
南无師子奮迅行菩薩　南无不可思議菩薩
南无善勝菩薩　南无善意菩薩
南无寶語菩薩　南无愛見菩薩
南无无障导菩薩　南无斷諸疑菩薩

BD00047 號　佛名經（十六卷本）卷三　（7–7）

薄德少福人　衆苦所逼迫　入邪見稠林　若有若无等
依止此諸見　具足六十二　深著虛妄法　堅受不可捨
我慢自矜高　諂曲心不實　於千万億劫　不聞佛名字
亦不聞正法　如是人難度　是故舍利弗　我為設方便
說諸盡苦道　示之以涅槃　我雖說涅槃　是亦非真滅
諸法從本來　常自寂滅相　佛子行道已　來世得作佛
我有方便力　開示三乘法　一切諸世尊　皆說一乘道
今此諸大衆　皆應除疑惑　諸佛語无異　唯一无二乘
過去无數劫　无量滅度佛　百千万億衆　其數不可量
如是諸世尊　種種緣譬喻　无數方便力　演說諸法相
是諸世尊等　皆說一乘法　化无量衆生　令入於佛道
又諸大聖主　知一切世間　天人羣生類　深心之所欲
更以異方便　助顯第一義　若有衆生類　值諸過去佛
若聞法布施　或持戒忍辱　精進禪智等　種種脩福德
如是諸人等　皆已成佛道　諸佛滅度已　若人善軟心
如是諸衆生　皆已成佛道　諸佛滅度已　供養舍利者
起万億種塔　金銀及頗梨　車𤦲與馬瑙　玫瑰瑠璃珠
清淨廣嚴飾　莊挍於諸塔　或有起石廟　栴檀及沈水
木蜜并餘材　塼瓦泥土等　若於曠野中　積土成佛廟
乃至童子戲　聚沙為佛塔　如是諸人等　皆已成佛道
若人為佛故　建立諸形像　刻雕成衆相　皆已成佛道
或以七寶成　鍮石赤白銅　白鑞及鉛錫　鐵木及與泥
或以膝漆布　嚴飾作佛像　如是諸人等　皆已成佛道
采畫作佛像　百福莊嚴相　自作若使人　皆已成佛道

BD00048 號　妙法蓮華經卷一　（4–1）

或以膠漆布　嚴飾作佛像　如是諸人等　皆已成佛道
綵畫作佛像　百福莊嚴相　自作若使人　皆已成佛道
乃至童子戲　若草木及筆　或以指爪甲　而畫作佛像
如是諸人等　漸漸積功德　具足大悲心　皆已成佛道
但化諸菩薩　度脫无量衆　若人於塔廟　寶像及畫像
以華香幡蓋　敬心而供養　若使人作樂　擊鼓吹角貝
簫笛琴箜篌　琵琶鐃銅鈸　如是衆妙音　盡持以供養
或以歡喜心　歌唄頌佛德　乃至一小音　皆已成佛道
若人散亂心　乃至以一華　供養於畫像　漸見无數佛
或有人禮拜　或復但合掌　乃至舉一手　或復小低頭
以此供養像　漸見无量佛　自成无上道　廣度无數衆
入无餘涅槃　如薪盡火滅　若人散亂心　入於塔廟中
一稱南无佛　皆已成佛道　於諸過去佛　在世或滅後
若有聞是法　皆已成佛道　未來諸世尊　其數无有量
是諸如來等　亦方便說法　一切諸如來　以无量方便
度脫諸衆生　入佛无漏智　若有聞法者　无一不成佛
諸佛本誓願　我所行佛道　普欲令衆生　亦同得此道
未來世諸佛　雖說百千億　无數諸法門　其實為一乘
諸佛兩足尊　知法常无性　佛種從緣起　是故說一乘
是法住法位　世間相常住　於道場知已　導師方便說
天人所供養　現在十方佛　其數如恒沙　出現於世間
安隱衆生故　亦說如是法　知第一寂滅　以方便力故
雖示種種道　其實為佛乘　知衆生諸行　深心之所念
過去所習業　欲性精進力　及諸根利鈍　以種種因緣

BD00048號　妙法蓮華經卷一　（4–2）

雖示種種道　其實為佛乘　知衆生諸行　深心之所念
過去所習業　欲性精進力　及諸根利鈍　以種種因緣
譬喻亦言辭　隨應方便說　今我亦如是　安隱衆生故
以種種法門　宣示於佛道　我以智慧力　知衆生性欲
方便說諸法　皆令得歡喜　舍利弗當知　我以佛眼觀
見六道衆生　貧窮无福慧　入生死險道　相續苦不斷
深著於五欲　如犛牛愛尾　以貪愛自蔽　盲瞑无所見
不求大勢佛　及與斷苦法　深入諸邪見　以苦欲捨苦
為是衆生故　而起大悲心　我始坐道場　觀樹亦經行
於三七日中　思惟如是事　我所得智慧　微妙最第一
衆生諸根鈍　著樂癡所盲　如斯之等類　云何而可度
爾時諸梵王　及諸天帝釋　護世四天王　及大自在天
并餘諸天衆　眷屬百千万　恭敬合掌礼　請我轉法輪
我即自思惟　若但讚佛乘　衆生沒在苦　不能信是法
破法不信故　墜於三惡道　我寧不說法　疾入於涅槃
尋念過去佛　所行方便力　我今所得道　亦應說三乘
作是思惟時　十方佛皆現　梵音慰喻我　善哉釋迦文
第一之導師　得是无上法　隨諸一切佛　而用方便力
我等亦皆得　最妙第一法　為諸衆生類　分別說三乘
少智樂小法　不自信作佛　是故以方便　分別說諸果
雖復說三乘　但為教菩薩　舍利弗當知　我聞聖師子
深淨微妙音　喜稱南无佛　復作如是念　我出濁惡世
如諸佛所說　我亦隨順行　思惟是事已　即趣波羅柰
諸法寂滅相　不可以言宣　以方便力故　為五比丘說
是名轉法輪　便有涅槃音　及以阿羅漢　法僧差別名

BD00048號　妙法蓮華經卷一　（4–3）

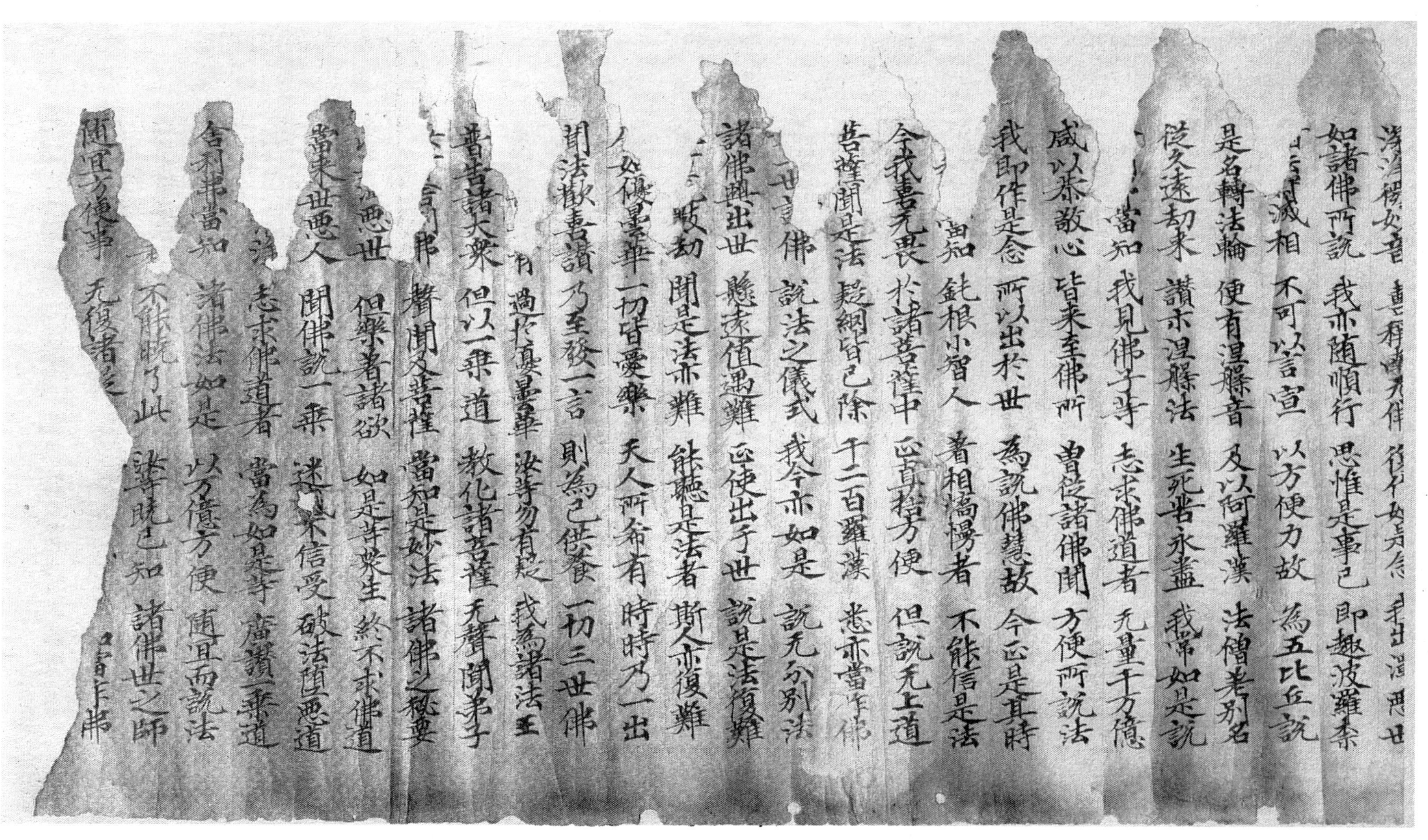

濟濟微妙音 喜稱南无佛 復作如是念 我出濁惡世
如諸佛所說 我亦隨順行 思惟是事已 即趣波羅柰
寂滅相 不可以言宣 以方便力故 為五比丘說
是名轉法輪 便有涅槃音 及以阿羅漢 法僧差別名
從久遠劫來 讚示涅槃法 生死苦永盡 我常如是說
當知 我見佛子等 志求佛道者 无量千万億
咸以恭敬心 皆來至佛所 曾從諸佛聞 方便所說法
我即作是念 所以出於世 為說佛慧故 今正是其時
知 鈍根小智人 著相憍慢者 不能信是法
今我喜无畏 於諸菩薩中 正直捨方便 但說无上道
菩薩聞是法 疑網皆已除 千二百羅漢 悉亦當作佛
佛 說法之儀式 我今亦如是 說无分別法
諸佛興出世 懸遠值遇難 正使出于世 說是法復難
數劫 聞是法亦難 能聽是法者 斯人亦復難
如優曇華 一切皆愛樂 天人所希有 時時乃一出
聞法歡喜讚 乃至發一言 則為已供養 一切三世佛
有 過於優曇華 汝等勿有疑 我為諸法王
普告諸大眾 但以一乘道 教化諸菩薩 无聲聞弟子
弗 聲聞及菩薩 當知是妙法 諸佛之秘要
惡世 但樂著諸欲 如是等眾生 終不求佛道
當來世惡人 聞佛說一乘 迷惑不信受 破法墮惡道
志求佛道者 當為如是等 廣讚一乘道
舍利弗當知 諸佛法如是 以万億方便 隨宜而說法
不能曉了此 汝等既已知 諸佛世之師
隨宜方便事 无復諸疑 當作佛

BD00048 號　妙法蓮華經卷一　（4–4）

白佛……得聞如是言
章句生實信不佛告須菩提莫作是說如
來滅後後五百歲有持戒……者於此章句
能生信心以此為實當知是人不於一佛二
佛三四五佛而種善根已於无量千万佛所
種諸善根聞是章句乃至一念生淨信者
須菩提如來悉知悉見是諸眾生得如是无
量福德何以故是諸眾生无復我相人相眾生
相壽者相无法相亦无非法相何以故是諸
眾生若心取相則為著我人眾生壽者若取
法相即著我人眾生壽者何以故若取非法
相即著我人眾生壽者是故不應取法不
應取非法以是義故如來常說汝等比丘知
我說法如筏喻者法尚應捨何況非法
須菩提於意云何如來得阿耨多羅三藐三
菩提耶如來有所說法耶須菩提言如我解
佛所說義无有定法名阿耨多羅三藐三菩
提亦无有定法如來可說何以故如來所說
法皆不可取不可說非法非非法所以者何

BD00049 號　金剛般若波羅蜜經　（13–1）

佛所説義无有定法名阿耨多羅三藐三菩
提亦无有定法如來可説何以故如來所説
法皆不可取不可説非法非非法所以者何
一切賢聖皆以无為法而有差別
須菩提於意云何若人滿三千大千世界七
寶以用布施是人所得福德寧為多不須菩提
言甚多世尊何以故是福德即非福德性是故
如來説福德多若復有人於此經中受持乃至
四句偈等為他人説其福勝彼何以故須菩提
一切諸佛及諸佛阿耨多羅三藐三菩提法皆
從此經出須菩提所謂佛法者即非佛法
須菩提於意云何須陁洹能作是念我得須
陁洹果不須菩提言不也世尊何以故須陁
洹名為入流而无所入不入色聲香味觸法
是名須陁洹須菩提於意云何斯陁含能作
是念我得斯陁含果不須菩提言不也世尊
何以故斯陁含名一往來而實无往來是名
斯陁含須菩提於意云何阿那含能作是念
我得阿那含果不須菩提言不也世尊何以
故阿那含名為不來而實无來是故名阿那
含須菩提於意云何阿羅漢能作是念我得
阿羅漢道不須菩提言不也世尊何以故實
无有法名阿羅漢世尊若阿羅漢作是念我
得阿羅漢道即為著我人衆生壽者世尊佛
説我得无諍三昧人中最為第一是第一離

BD00049 號　金剛般若波羅蜜經　（13–2）

无有法名阿羅漢世尊若阿羅漢作是念我
得阿羅漢道即為著我人衆生壽者世尊佛
説我得无諍三昧人中最為第一是第一離
欲阿羅漢我不作是念我是離欲阿羅漢世
尊我若作是念我得阿羅漢道世尊則不説
須菩提是樂阿蘭那行者以須菩提實无所
行而名須菩提是樂阿蘭那行
佛告須菩提於意云何如來昔在然燈佛所
於法有所得不世尊如來在然燈佛所於法
實无所得須菩提於意云何菩薩莊嚴佛
土不不也世尊何以故莊嚴佛土者則非莊嚴
是名莊嚴是故須菩提諸菩薩摩訶薩應如
是生清淨心不應住色生心不應住聲香味
觸法生心應无所住而生其心須菩提譬如
有人身如須弥山王於意云何是身為大不
須菩提言甚大世尊何以故佛説非身是名
大身須菩提如恒河中所有沙數如是沙等
恒河於意云何是諸恒河沙寧為多不須菩
提言甚多世尊但諸恒河尚多无數何況其
沙須菩提我今實言告汝若有善男子善女
人以七寶滿尒所恒河沙數三千大千世界
以用布施得福多不須菩提言甚多世尊佛
告須菩提若善男子善女人於此經中乃至
受持四句偈等為他人説而此福德勝前福
德復次須菩提隨説是經乃至四句偈等當

BD00049 號　金剛般若波羅蜜經　（13–3）

告須菩提若善男子善女人扵此經中乃至
受持四句偈等為他人說而此福德勝前福
德復次須菩提隨說是經乃至四句偈等當
知此處一切世間天人阿脩羅皆應供養如
佛塔廟何況有人盡能受持讀誦須菩提當
知是人成就最上第一希有之法若是經典
所在之處則為有佛若尊重弟子
尒時須菩提白佛言世尊當何名此經我等
云何奉持佛告須菩提是經名為金剛般若
波羅蜜以是名字汝當奉持所以者何須菩
提佛說般若波羅蜜則非般若波羅蜜須菩
提扵意云何如來有所說法不須菩提白佛
言世尊如來无所說須菩提扵意云何三千
大千世界所有微塵是為多不須菩提言甚
多世尊須菩提諸微塵如來說非微塵是名
微塵如來說世界非世界是名世界須菩提
扵意云何可以三十二相見如來不不也世
尊不可以三十二相得見如來何以故如來說
三十二相即是非相是名三十二相須菩提
若有善男子善女人以恒河沙等身命布施
若復有人扵此經中乃至受持四句偈等為
他人說其福甚多
尒時須菩提聞說是經深解義趣涕淚悲泣
而白佛言希有世尊佛說如是甚深經典我
從昔來所得慧眼未曾得聞如是之經世尊

BD00049 號　金剛般若波羅蜜經　（13–4）

而白佛言希有世尊佛說如是甚深經典我
從昔來所得慧眼未曾得聞如是之經世尊
若復有人得聞是經信心清淨則生實相當
知是人成就第一希有功德世尊是實相者
則是非相是故如來說名實相世尊我今得
聞如是經典信解受持不足為難若當來世
後五百歲其有衆生得聞是經信解受持是
人則為第一希有何以故此人无我相人相
衆生相壽者相所以者何我相即是非相人
相衆生相壽者相即是非相何以故離一切
諸相則名諸佛佛告須菩提如是如是若復
有人得聞是經不驚不怖不畏當知是人甚
為希有何以故須菩提如來說第一波羅蜜
非第一波羅蜜是名第一波羅蜜
須菩提忍辱波羅蜜如來說非忍辱波羅蜜
何以故須菩提如我昔為歌利王割截身體
我扵尒時无我相无人相无衆生相无壽者
相何以故我扵往昔節節支解時若有我相
人相衆生相壽者相應生瞋恨須菩提又念
過去扵五百世作忍辱仙人扵尒所世无我
相无人相无衆生相无壽者相是故須菩提
菩薩應離一切相發阿耨多羅三藐三菩提
心不應住色生心不應住聲香味觸法生心應
生无所住心若心有住則為非住是故佛說菩

BD00049 號　金剛般若波羅蜜經　（13–5）

心不應住色生心不應住聲香味觸法生心應
生无所住心若心有住則為非住是故佛說菩
薩心不應住色布施須菩提菩薩為利益一切
衆生應如是布施如來說一切諸相即是非相
又說一切衆生則非衆生須菩提如來是真語
者實語者如語者不誑語者不異語者須菩
提如來所得法此法无實无虛須菩提若菩
薩心住於法而行布施如人入闇則无所見若
菩薩心不住法而行布施如人有目日光明照見
種種色須菩提當來之世若有善男子善女
人能於此經受持讀誦則為如來以佛智慧悉
知是人悉見是人皆得成就无量无邊功德
須菩提若有善男子善女人初日分以恒河沙
等身布施中日分復以恒河沙等身布施
後日分亦以恒河沙等身布施如是无量百
千万億劫以身布施若復有人聞此經典信
心不逆其福勝彼何況書寫受持讀誦為人
解說須菩提以要言之是經有不可思議不
可稱量无邊功德如來為發大乘者說為發
最上乘者說若有人能受持讀誦廣為人說
如來悉知是人悉見是人皆成就不可量不
可稱无有邊不可思議功德如是人等則為
荷擔如來阿耨多羅三藐三菩提何以故須
菩提若樂小法者著我見人見衆生見壽者

BD00049 號　金剛般若波羅蜜經　（13–6）

菩提若樂小法者著我見人見衆生見壽者
見則於此經不能聽受讀誦為人解說須菩
提在在處處若有此經一切世間天人阿脩
羅所應供養當知此處則為是塔皆應恭敬
作礼圍繞以諸華香而散其處
復次須菩提善男子善女人受持讀誦此經
若為人輕賤是人先世罪業應墮惡道以今
世人輕賤故先世罪業則為消滅當得阿耨
多羅三藐三菩提須菩提我念過去无量阿
僧祇劫於然燈佛前得值八百四千万億那由
他諸佛悉皆供養承事无空過者若復有人
於後末世能受持讀誦此經所得功德於我
所供養諸佛功德百分不及一千万億分乃至
筭數譬喻所不能及須菩提若善男子善女
人於後末世有受持讀誦此經所得功德我若
具說者或有人聞心則狂亂狐疑不信須菩提
當知是經義不可思議果報亦不可思議
尒時須菩提白佛言世尊善男子善女人發
阿耨多羅三藐三菩提心云何應住云何降
伏其心佛告須菩提善男子善女人發阿耨
多羅三藐三菩提者當生如是心我應滅度
一切衆生滅度一切衆生已而无有一衆生
實滅度者何以故若菩薩有我相人相衆生
相壽者相則非菩薩所以者何須菩提實无

BD00049 號　金剛般若波羅蜜經　（13–7）

一切衆生滅度一切衆生已而无有一衆生
實滅度者何以故若菩薩有我相人相衆生
相壽者相則非菩薩所以者何須菩提實无
有法發阿耨多羅三藐三菩提者須菩提於
意云何如來於然燈佛所有法得阿耨多羅
三藐三菩提不不也世尊如我解佛所說義
佛於然燈佛所无有法得阿耨多羅三藐三
菩提佛言如是如是須菩提實无有法如來
得阿耨多羅三藐三菩提須菩提若有法如
來得阿耨多羅三藐三菩提然燈佛則不與
我受記汝於來世當得作佛号釋迦牟尼以
實无有法得阿耨多羅三藐三菩提是故然
燈佛與我受記作是言汝於來世當得作佛
号釋迦牟尼何以故如來者即諸法如義若
有人言如來得阿耨多羅三藐三菩提須菩
提實无有法佛得阿耨多羅三藐三菩提須
菩提如來所得阿耨多羅三藐三菩提於是
中无實无虛是故如來說一切法皆是佛法
須菩提所言一切法者即非一切法是故名一
切法須菩提譬如人身長大須菩提言世尊
如來說人身長大則為非大身是名大身須
菩提菩薩亦如是若作是言我當滅度无量
衆生則不名菩薩何以故須菩提實无有法
名為菩薩是故佛說一切法无我无人无衆
生无壽者須菩提若菩薩作是言我當莊嚴

BD00049號　金剛般若波羅蜜經　（13–8）

名為菩薩是故佛說一切法无我无人无衆
生无壽者須菩提若菩薩作是言我當莊嚴
佛土是不名菩薩何以故如來說莊嚴佛土
者即非莊嚴是名莊嚴須菩提若菩薩通達
无我法者如來說名真是菩薩
須菩提於意云何如來有肉眼不如是世尊
如來有肉眼須菩提於意云何如來有天眼
不如是世尊如來有天眼須菩提於意云何
如來有慧眼不如是世尊如來有慧眼須菩
提於意云何如來有法眼不如是世尊如來
有法眼須菩提於意云何如來有佛眼不如
是世尊如來有佛眼須菩提於意云何恒河
中所有沙佛說是沙不如是世尊如來說是
沙須菩提於意云何如一恒河中所有沙有
如是等恒河是諸恒河所有沙數佛世界如
是寧為多不甚多世尊佛告須菩提尒所國
土中所有衆生若干種心如來悉知何以故
如來說諸心皆為非心是名為心所以者何
須菩提過去心不可得現在心不可得未來
心不可得須菩提於意云何若有人滿三千
大千世界七寶以用布施是人以是因緣得福
多不如是世尊此人以是因緣得福甚多須
菩提若福德有實如來不說得福德多以福
德无故如來說得福德多

BD00049號　金剛般若波羅蜜經　（13–9）

多不如是世尊此人以是因緣得福甚多須
菩提若福德有實如来不說得福德多以福
德无故如来說得福德多
須菩提於意云何佛可以具足色身見不不
也世尊如来不應以具足色身見何以故如来
說具足色身即非具足色身是名具足色身須
菩提於意云何如来可以具足諸相見不不也
世尊如来不應以具足諸相見何以故如来
說諸相具足即非具足是名諸相具足
須菩提汝勿謂如来作是念我當有所說法
莫作是念何以故若人言如来有所說法即
為謗佛不能解我所說故須菩提說法者无
法可說是名說法須菩提白佛言世尊佛得
阿耨多羅三藐三菩提為无所得耶如是如
是須菩提我於阿耨多羅三藐三菩提乃至
无有少法可得是名阿耨多羅三藐三菩提
復次須菩提是法平等无有高下是名阿耨
多羅三藐三菩提以无我无人无衆生无壽者
脩一切善法則得阿耨多羅三藐三菩提須菩
提所言善法者如来說非善法是名善法
須菩提若三千大千世界中所有諸須弥山
王如是等七寶聚有人持用布施若人以此
般若波羅蜜經乃至四句偈等受持讀誦
為他人說於前福德百分不及一百千万億
分乃至筭數譬喻所不能及

BD00049 號　金剛般若波羅蜜經　（13–10）

般若波羅蜜經乃至四句偈等受持讀誦
為他人說於前福德百分不及一百千万億
分乃至筭數譬喻所不能及
須菩提於意云何汝若勿謂如来作是念我
當度衆生須菩提莫作是念何以故實无有
衆生如来度者若有衆生如来度者如来則
有我人衆生壽者須菩提如来說有我者則
非有我而凡夫之人以為有我須菩提凡夫
者如来說則非凡夫須菩提於意云何可以
三十二相觀如来不須菩提言如是如是以
三十二相觀如来佛言須菩提若以三十二
相觀如来者轉輪聖王則是如来須菩提白佛
言世尊如我解佛所說義不應以三十二相觀
如来尒時世尊而說偈言
若以色見我　以音聲求我　是人行邪道　不能見如来
須菩提汝若作是念如来不以具足相故得
阿耨多羅三藐三菩提須菩提莫作是念如
来不以具足相故得阿耨多羅三藐三菩提
須菩提汝若作是念發阿耨多羅三藐三菩
提者說諸法斷滅莫作是念何以故發阿耨
多羅三藐三菩提者於法不說斷滅相須菩
提若菩薩以滿恒河沙等世界七寶布施若
復有人知一切法无我得成於忍此菩薩勝
前菩薩所得功德須菩提以諸菩薩不受福
德故須菩提白佛言世尊云何菩薩不受福

BD00049 號　金剛般若波羅蜜經　（13–11）

前菩薩所得功德須菩提以諸菩薩不受福
德故須菩提白佛言世尊云何菩薩不受福
德須菩提菩薩所作福德不應貪著是故說
不受福德須菩提若有人言如來若來若去若
坐若卧是人不解我所說義何以故如來
者无所從來亦无所去故名如來
須菩提若善男子善女人以三千大千世界
碎為微塵於意云何是微塵衆寧為多不甚
多世尊何以故若是微塵衆實有者佛則不
說是微塵衆所以者何佛說微塵衆則非微塵
衆是名微塵衆世尊如來所說三千大千世
界則非世界是名世界何以故若世界實有
者則是一合相如來說一合相則非一合相
是名一合相須菩提一合相者則是不可說
但凡夫之人貪著其事須菩提若人言佛說
我見人見衆生見壽者見須菩提於意云
何是人解我所說義不世尊是人不解如
來所說義何以故世尊說我見人見衆生見
壽者見即非我見人見衆生見壽者見是名
我見人見衆生見壽者見須菩提發阿耨多
羅三藐三菩提心者於一切法應如是知如
是見如是信解不生法相須菩提所言法相
者如來說即非法相是名法相須菩提若有人
以滿无量阿僧祇世界七寶持用布施若有
善男子善女人發菩薩心者持於此經乃至
四句偈等受持讀誦為人演說其福勝彼云

BD00049號　金剛般若波羅蜜經　（13–12）

我見人見衆生見壽者見須菩提於意云
何是人解我所說義不世尊是人不解如
來所說義何以故世尊說我見人見衆生見
壽者見即非我見人見衆生見壽者見是名
我見人見衆生見壽者見須菩提發阿耨多
羅三藐三菩提心者於一切法應如是知如
是見如是信解不生法相須菩提所言法相
者如來說即非法相是名法相須菩提若有人
以滿无量阿僧祇世界七寶持用布施若有
善男子善女人發菩薩心者持於此經乃至
四句偈等受持讀誦為人演說其福勝彼云
何為人演說不取於相如如不動何以故
一切有為法　如夢幻泡影　如露亦如電　應作如是觀
佛說是經已長老須菩提及諸比丘比丘尼
優婆塞優婆夷一切世間天人阿脩羅聞佛
所說皆大歡喜信受奉行

金剛般若波羅蜜經

BD00049號　金剛般若波羅蜜經　（13–13）

菩提
不可得體□體□
可得菩薩菩薩名不可行
非行不可得行非行□名不
於一切寂靜法□□得安
善根而得生故
善男子譬如須彌山王
心利衆生故是名初□□蜜因善男
子辟如大地持衆物故□名第二持戒波羅
蜜因辟如師子有大威力獨步无畏離驚恐
故是名第三忍辱波羅蜜因辟如風輪那羅
延力勇壯速疾心不退故是名第四勤策波
羅蜜因辟如七寶樓觀有四階道清涼之風
來吹四門受安隱樂靜慮法藏求滿足故是
名第五靜慮波羅蜜因譬如日輪光耀熾盛
此心速能破滅生死无明闇故是名第六智
慧波羅蜜因辟如商主能令一切心願滿足
此心能度生死險道獲功德寶故是名第七
方便勝智波羅蜜因辟如淨月圓滿无翳此
心能於一切境界清淨具足故是名第八願
波羅蜜因辟如轉輪聖王主兵寶臣隨意自
在此心善能莊嚴淨佛國土无量功德廣利
群生故是名第九力波羅蜜因辟如虛空及
轉輪聖王此心能於一切境界无有障礙於
一切處皆得自在至灌頂位故是名第十智
波羅蜜因善男子是名菩薩摩訶薩十種菩

BD00050號　金光明最勝王經卷四　（15–1）

波羅蜜因辟如轉輪聖王主兵寶臣隨意自
在此心善能莊嚴淨佛國土无量功德廣利
群生故是名第九力波羅蜜因辟如虛空及
轉輪聖王此心能於一切境界无有障礙於
一切處皆得自在至灌頂位故是名第十智
波羅蜜因善男子是名菩薩摩訶薩十種菩
提心因如是十因汝當修學
善男子依五種法菩薩摩訶薩成就布施波
羅蜜云何為五一者信根二者慈悲三者无
求欲心四者攝受一切衆生五者願求一切
智善男子是名菩薩摩訶薩成就布施波
羅蜜善男子復依五法菩薩摩訶薩成就持
戒波羅蜜云何為五一者三業清淨二者不
為一切衆生作煩惱因緣三者閉諸惡道開
善趣門四者過於聲聞獨覺之地五者一切
功德皆悉滿足善男子是名菩薩摩訶薩成
就持戒波羅蜜善男子復依五法菩薩摩訶
薩成就忍辱波羅蜜云何為五一者能伏貪
瞋煩惱二者不惜身命不求安樂止息之想
三者思惟往業遭苦能忍四者發慈悲心成
就衆生諸善根故五者為得甚深无生法忍
善男子是名菩薩摩訶薩成就忍辱波羅蜜
善男子復依五法菩薩摩訶薩成就勤策波羅
蜜云何為五一者與諸煩惱不樂共住二
者福德未具不受安樂三者於諸難行苦行
之事不生厭心四者以大慈悲攝受利益方便
成熟一切衆生五者願求不退轉地善男子
是名菩薩摩訶薩成就勤策波羅蜜善男
子復依五法菩薩摩訶薩成就靜慮波羅蜜

BD00050號　金光明最勝王經卷四　（15–2）

成熟一切眾生五者願求不退轉地善男子
是名菩薩摩訶薩成就勤策波羅蜜善男
子復依五法菩薩摩訶薩成就靜慮波羅蜜
云何為五一者於諸善法攝令不散故二者常
願解脫不著二邊故三者願得神通成就
眾生諸善根故四者為淨法界蠲除心垢故
五者為斷眾生煩惱根本故善男子是名菩
薩摩訶薩成就靜慮波羅蜜善男子復依五
法菩薩摩訶薩成就智慧波羅蜜云何為五
一者常於一切諸佛菩薩及明智者供養親
近不生厭背二者諸佛如來說甚深法心常
樂聞无有厭足三者真俗勝智樂善分別四
者見修煩惱咸速斷除五者世間伎術五明
之法皆悉通達善男子是名菩薩摩訶薩成
就智慧波羅蜜善男子復依五法菩薩摩訶
薩成就方便波羅蜜云何為五一者於一切
眾生意樂煩惱心行差別悉皆通達二者无
量諸法對治之門心皆曉了三者大慈悲定出
入自在四者於諸波羅蜜多皆願修行成
熟滿足五者一切佛法皆願了達攝受无遺
善男子是名菩薩摩訶薩成就方便勝智波
羅蜜善男子復依五法菩薩摩訶薩成就願
波羅蜜云何為五一者於一切法從本以來不
生不滅非有非无心得安住二者觀一切
法最妙理趣離垢清淨心得安住三者過一
切相心本真如无作无行不異不動心得安
住四者為欲利益諸眾生事於俗諦中心得

BD00050號　金光明最勝王經卷四　（15-3）

切相心本真如无作无行不異不動心得安
住四者為欲利益諸眾生事於俗諦中心得
安住五者於奢摩他毗鉢舍那同時運行心
得安住善男子是名菩薩摩訶薩成就願波
羅蜜善男子復依五法菩薩摩訶薩成就力
波羅蜜云何為五一者以正智力能了一切眾
生心行善惡二者能令一切眾生入於甚
深微妙之法三者一切眾生輪迴生死隨其緣
業如實了知四者於諸眾生三種根性以
正智力能分別知五者於諸眾生如理為說
令種善根成熟度脫皆是智力故善男子是
名菩薩摩訶薩成就力波羅蜜善男子復依
五法菩薩摩訶薩成就智波羅蜜云何為五
一者能於諸法分別善惡二者於黑白法遠
離攝受三者能於生死涅槃不厭不喜四者
具福智行至究竟處五者受勝灌頂能得諸
佛不共法等及一切智智善男子是名菩薩
摩訶薩成就智波羅蜜善男子何者是波羅
蜜義所謂修習勝利是波羅蜜義滿足无量
大甚深智是波羅蜜義行非行法心不執著
是波羅蜜義生死過失涅槃功德正覺正觀
是波羅蜜義愚人智人皆悉攝受是波羅蜜
義能現種種珎妙法寶是波羅蜜義无礙解
脫智慧滿足是波羅蜜義法界眾生界正分
別知是波羅蜜義施等及智能令至不退轉
是波羅蜜義无生法忍能令滿足是波羅蜜
義一切眾生功德善根能令成熟是波羅蜜
義能於菩提成佛十方四无所畏不共法等

BD00050號　金光明最勝王經卷四　（15-4）

[illegible]蜜義[illegible]能令至不退轉
是波羅蜜義无生法忍能令滿足是波羅蜜
義一切衆生功德善根能令成熟是波羅蜜
義能於菩提成佛十方四无所畏不共法等
皆悉成就是波羅蜜義生死涅槃了无二相
是波羅蜜義濟度一切是波羅蜜義一切外
道來相詰難善能解釋令其降伏是波羅蜜
義能轉十二妙行法輪是波羅蜜義无所着
无所見患累是波羅蜜多義
善男子初地菩薩是相先現三千大千世界
无量无邊種種寶藏无不盈滿菩薩悉見善
男子二地菩薩是相先現三千大千世界地平
如掌无量无邊種種妙色清淨珎寶莊嚴
之具菩薩悉見善男子三地菩薩是相先現
自身勇健甲仗莊嚴一切怨賊皆能摧伏菩
薩悉見善男子四地菩薩是相先現四方風
輪種種妙花悉皆散灑充布地上菩薩悉見
善男子五地菩薩是相先現有妙寶女衆寶
瓔珞周遍嚴身首冠名花以為其飾菩薩悉
見善男子六地菩薩是相先現七寶花池有
四階道金砂遍布清淨无穢八功德水皆悉
盈滿嗢鉢羅花拘物頭花分陁利花隨處莊
嚴於花池所遊戲快樂清涼无比菩薩悉見
善男子七地菩薩是相先現於菩薩前有諸
衆生應墮地獄以菩薩力便得不墮无有損
傷亦无恐怖菩薩悉見善男子八地菩薩是
相先現於身兩邊有師子王以為衛護一切
衆獸悉皆怖畏菩薩悉見善男子九地菩薩
[illegible]

傷亦无恐怖菩薩悉見善男子八地菩薩是
相先現於身兩邊有師子王以為衛護一切
衆獸悉皆怖畏菩薩悉見善男子九地菩薩
是相先現轉輪聖王无量億衆圍遶供養頂
上白蓋无量衆寶之所莊嚴菩薩悉見善男
子十地菩薩是相先現如來之身金色晃耀
无量淨光悉皆圓滿有无量億梵王圍遶恭
敬供養轉於无上微妙法輪菩薩悉見
善男子云何初地名為歡喜謂初證得出世
之心昔所未得而今始得於大事用如其所
願悉皆成就生極喜樂是故最初名為歡喜
諸微細垢犯戒過失皆得清淨是故二地名
為无垢无量智慧三昧光明不可傾動无能
摧伏聞持陁羅尼以為根本是故三地名為
明地以智慧火燒諸煩惱增長光明修行覺
品是故四地名為燄地修行方便勝智自在
極難得故見修煩惱難伏能伏是故五地名
為難勝行法相續了了顯現无相思惟皆悉
現前是故六地名為現前无漏无間无相思
惟解脫三昧遠修行故是地清淨无有障礙
是故七地名為遠行无相思惟修得自在諸
煩惱行不能令動是故八地名為不動說一
切法種種差別皆得自在无患无累增長智
慧自在无礙是故九地名為善慧法身如虛
空智慧如大雲皆能遍滿覆一切是故第
十名為法雲
善男子執著有相我法无明怖畏生死惡趣
无明此二无明障[illegible]

十名爲法雲
善男子執著有相我法无明怖畏生死惡趣
无明此二无明障於初地微細學處誤犯无
明發起種種業行无明此二无明障於二地未
得令得愛著无明能障殊勝惣持无明此
二无明障於三地味著等至喜悅无明微妙
淨法愛樂无明此二无明障於四地欲背生
死无明希趣涅槃无明此二无明障於五地觀
行流輪无明麁相現前无明此二无明障
於六地微細諸相現行无明作意欣樂无相
无明此二无明障於七地於无相觀功用无
明執相自在无明此二无明障於八地於所說
義及名句文此二无量未善巧无明於詞
辯中不隨意无明此二无明障於九地於大
神通未得自在變現无明微細秘密未能悟
解事業无明此二无明障於十地於一切境
微細所知障礙无明極細煩惱麁重无明此
二无明障於佛地
善男子菩薩摩訶薩於初地中行施波羅
蜜於二地行戒波羅蜜於第三地行忍波羅
羅蜜於第六地行慧波羅蜜於第七地行方
便勝智波羅蜜於第八地行願波羅蜜於第
九地行力波羅蜜於第十地行智波羅蜜善
男子菩薩摩訶薩最初發心攝受能生妙寶
三摩地第二發心攝受能生可愛樂三摩地
第三發心攝受能生難動三摩地第四發心
攝受能生不退轉三摩地第五發心攝受能

充

无明此二无明障於初地微細學處誤犯无
明發起種種業行无明此二无明障於二地
未得令得愛著无明能障殊勝惣持无明此
二无明障於三地味著等至喜悅无明微妙
淨法愛樂无明此二无明障於四地欲背生
死无明希趣涅槃无明此二无明障於五地
觀行流轉无明麁相現前无明此二无明障
於六地微細諸相現行无明作意欣樂无相
无明此二无明障於七地於无相觀功用无
明執相自在无明此二无明障於八地於所
說義及名句文此二无量未善巧无明於詞
辯中不隨意无明此二无明障於九地於大
神通未得自在變現无明微細秘密未能悟
解事業无明此二无明障於十地於一切境
微細所知障礙无明極細煩惱麁重无明此
二无明障於佛地
善男子菩薩摩訶薩於初地中行施波羅
蜜於第二地行戒波羅蜜於第三地行忍波羅
蜜於第四地行勤波羅蜜於第五地行定波
羅蜜於第六地行慧波羅蜜於第七地行方
便勝智波羅蜜於第八地行願波羅蜜於第
九地行力波羅蜜於第十地行智波羅蜜善
男子菩薩摩訶薩最初發心攝受能生妙寶
三摩地第二發心攝受能生可愛樂三摩地
第三發心攝受能生難動三摩地第四發心
攝受能生不退轉三摩地第五發心攝受能
生寶花三摩地第六發心攝受能生日圓

攝受能生不退轉三摩地第五發心攝受能
生寶花三摩地第六發心攝受能生日圓
光𦦨三摩地第七發心攝受能生一切願如
意成就三摩地第八發心攝受能生現前證
住三摩地第九發心攝受能生智藏三摩地
第十發心攝受能生勇進三摩地善男子是
名菩薩摩訶薩十種發心善男子菩薩摩
訶薩於此初地得陀羅尼名依功德力尒時世
尊即說呪曰
怛　姪　他　晡嚟你曼奴喇　剃
獨　虎　獨虎獨虎　耶跋蘊　利　瑜
阿婆薩底(丁里反下皆同)　耶跋　旃　達　羅
調　怛　底　多　跋　達　咯　叉　漫
憚荼鉢喇訶　囒　矩嚕　莎訶
善男子此陀羅尼是過一恒河沙數諸佛所
說為護初地菩薩故若有誦持此陀羅尼呪
者得脫一切怖畏所謂虎狼師子惡獸之類
一切惡鬼人非人等怨賊災橫及諸苦惱解
脫五障不忘念初地
善男子菩薩摩訶薩於第二地得陀羅尼名
善安樂住
怛　姪　他　嗢　篅(入聲下同)　里
質　里　質　里　嗢篅羅篅羅(引)　喃
繕覩繕都嗢篅里　虎嚕虎嚕莎訶
善男子此陀羅尼是過二恒河沙數諸佛所
說為護二地菩薩故若有誦持此陀羅尼呪
者脫諸怖畏惡獸惡鬼人非人等惡賊災橫
及諸苦惱解脫五障不忘念二地

BD00050號　金光明最勝王經卷四　（15–9）

說為護二地菩薩故若有誦持此陀羅尼呪
者脫諸怖畏惡獸惡鬼人非人等惡賊災橫
及諸苦惱解脫五障不忘念二地
善男子菩薩摩訶薩於第三地得陀羅尼名
難勝力
怛　姪　他　憚宅枳　般　宅　枳
鞨喇擨　高喇　擨　雞由哩　憚擨里莎訶
善男子此陀羅尼是過三恒河沙數諸佛所
說為護三地菩薩故若有誦持此陀羅尼呪
者脫諸怖畏惡獸惡鬼人非人等怨賊災橫
及諸苦惱解脫五障不忘念三地
善男子菩薩摩訶薩於第四地得陀羅尼
名大利益
怛　姪　他　室　唎　唎　室　唎
陀弭你陀弭　你　陀哩陀哩你
室唎　室唎　你　毗舍羅波世波　始娜
畔陀弭帝莎訶
善男子此陀羅尼是過四恒河沙數諸佛所
說為護四地菩薩故若有誦持此陀羅尼呪
者脫諸怖畏惡獸惡鬼人非人等怨賊災橫
及諸苦惱解脫五障不忘念四地
善男子菩薩摩訶薩於第五地得陀羅尼名
種種功德莊嚴
怛　姪　他　訶哩　訶　哩　你
遮哩　遮　哩　你　鞨　喇　摩(引)　你
僧鞨喇摩　你　三婆山你　瞻跋你
悉耽婆你　謨漢你　薛闍步陛　莎訶
善男子此陀羅尼是過五恒河沙數諸佛

BD00050號　金光明最勝王經卷四　（15–10）

僧羯唎摩你 三婆山你瞻跋你
悉馱婆你謨漢你 碎闍步陛莎訶
善男子此陀羅尼是過五恒河沙數諸佛
所說為護五地菩薩摩訶薩故若有誦持此
陀羅尼呪者脫諸怖畏惡獸惡鬼人非人等怨
賊災橫及諸苦惱解脫五障不忘念五地
善男子菩薩摩訶薩於第六地得陀羅尼名
圓滿智
怛姪他 毗徒哩毗徒哩
摩哩你迦里迦里 毗度漢底
嚕嚕嚕 主嚕主嚕
杜嚕婆杜嚕婆 捨捨設者婆哩灑
莎入悉底薩婆薩埵喃 悉甸覩漫
曼怛囉鉢陀你莎訶
善男子此陀羅尼是過六恒河沙數諸佛所
說為護六地菩薩摩訶薩故若有誦持此陀
羅尼呪者脫諸怖畏惡獸惡鬼人非人等怨
賊災橫及諸苦惱解脫五障不忘念六地
善男子菩薩摩訶薩於第七地得陀羅尼名
法勝行
怛姪他 勺訶上勺訶引嚕
勺訶勺訶勺訶嚕 鞞陸枳鞞陸枳
阿蜜栗多唬漢你 勃里山你
鞞嚕勅枳婆嚕伐底 鞞提呬枳
頻陀鞞哩你 阿蜜哩底枳
薄虎主愈 薄虎主愈莎訶
善男子此陀羅尼是過七恒河沙數諸佛所
說為護七地菩薩故若有誦持此陀羅尼呪

BD00050號　金光明最勝王經卷四　（15–11）

善男子此陀羅尼是過七恒河沙數諸佛所
說為護七地菩薩故若有誦持此陀羅尼呪
者脫諸怖畏惡獸惡鬼人非人等怨賊災橫
及諸苦惱解脫五障不忘念七地
善男子菩薩摩訶薩於第八地得陀羅尼名
無盡藏
怛姪他 室唎室唎室唎你
蜜底蜜底 羯哩羯哩醯嚕醯嚕
主嚕主嚕 畔陀弭莎訶
善男子此陀羅尼是過八恒河沙數諸佛所說
為護八地菩薩故若有誦持此陀羅尼呪者
脫諸怖畏惡獸惡鬼人非人等怨賊災橫及
諸苦惱解脫五障不忘念八地
善男子菩薩摩訶薩於第九地得陀羅尼
名無量門
怛姪他 訶哩旃荼哩枳
俱藍婆喇體天里反 都剌死
柭吒柭吒死室剎室剎 迦室哩迦必室剎
莎孃活悉底 薩婆薩埵喃莎訶
善男子此陀羅尼是過九恒河沙數諸佛所
說為護九地菩薩故若有誦持此陀羅尼呪
者脫諸怖畏惡獸惡鬼人非人等怨賊災橫
及諸苦惱解脫五障不忘念九地
善男子菩薩摩訶薩於第十地得陀羅尼名
破金剛山
怛姪他 悉提去蘇悉提去
謨折你木察你 毗木底菴末麗
毗末麗涅末麗 忙揭[illegible]

BD00050號　金光明最勝王經卷四　（15–12）

怛姪他　悉提去穌悉提去
謨折木窣你　毗木底菴末䉼
毗末䉼涅末䉼　忙揭䉼
呬囒若揭鞞　曷喇怛娜揭鞞
三曼多跋姪䉼　薩婆頞他娑憚你
摩捺斯莫訶摩捺斯　頞步底
頞窒步底　阿喇誓毗喇誓
頞主底菴蜜栗底　阿喇闍毗喇闍
跋藍讁　跋囉甜火合麼莎入䉼
晡喇你晡喇娜　曼奴喇剃莎訶
善男子此陀羅尼灌頂吉祥句是過十恒河
沙數諸佛所說為護十地菩薩故若有誦持
此陀羅尼呪者脫諸怖畏惡獸惡鬼人非人
等怨賊災橫一切毒害皆悉除滅解脫五障
不忘念十地
尒時師子相无礙光燄菩薩聞佛說此不可
思議陀羅尼已即從座起偏袒右肩右膝著
地合掌恭敬頂礼佛足以頌讚佛
敬礼无譬喻　甚深无相法　衆生失正知　唯佛能濟度
如來明慧眼　不見一法相　復以正法眼　普照不思議
不生於一法　亦不滅一法　由斯平等見　得至无上處
不壞於生死　亦不住涅槃　不著於二邊　是故證圓寂
於淨不淨品　世尊知一味　由不分別故　獲得最清淨
世尊无邊身　不說於一字　令諸弟子衆　法雨皆充滿
佛觀衆生相　一切種皆无　然於苦惱者　常興於救護
苦樂常无常　有我无我等　不一亦不異　不生亦不滅
如是衆多義　隨說有差別　譬如空谷響　唯佛能了知
法界无分別　是故无異乘　為度衆生故　分別說有三

BD00050號　金光明最勝王經卷四　（15–13）

苦樂常无常　有我无我等　不一亦不異　不生亦不滅
如是衆多義　隨說有差別　譬如空谷響　唯佛能了知
法界无分別　是故无異乘　為度衆生故　分別說有三
尒時大自在梵天王亦從座起偏袒右肩右
膝著地合掌恭敬頂礼佛足而白佛言世尊
此金光明最勝王經希有難量初中後善文
義究竟皆能成就一切佛法若受持者是人
則為報諸佛恩佛言善男子如是如是如汝
所說善男子若得聽聞是經典者皆不退於
阿耨多羅三藐三菩提何以故善男子是能
成熟不退地菩薩殊勝善根是第一法印是
衆經王故應聽聞受持讀誦何以故善男子
若一切衆生未種善根未成熟善根未親近
諸佛者不能聽聞是微妙法若善男子善女
人能聽受者一切罪障皆悉除滅得最淨清
常得見佛不離諸佛及善知識勝行之人恒
聞妙法住不退地獲得如是勝陀羅尼門所
謂无盡无減海印出妙功德陀羅尼无盡无
減通達衆生意行言語陀羅尼无盡无減日
圓无垢相光陀羅尼无盡无減滿月相光陀羅
尼无盡无減能伏諸惑演功德流陀羅尼
无盡无減破金剛山陀羅尼无盡无減說不可
說義因緣藏陀羅尼无盡无減通達實語
法則音聲陀羅尼无盡无減虛空无垢心行
印陀羅尼无盡无減无邊佛身皆能顯現陀
羅尼无盡无減
善男子如是等无盡无減諸陀羅尼門得成
就故是菩薩摩訶薩能於十方一切佛土化

BD00050號　金光明最勝王經卷四　（15–14）

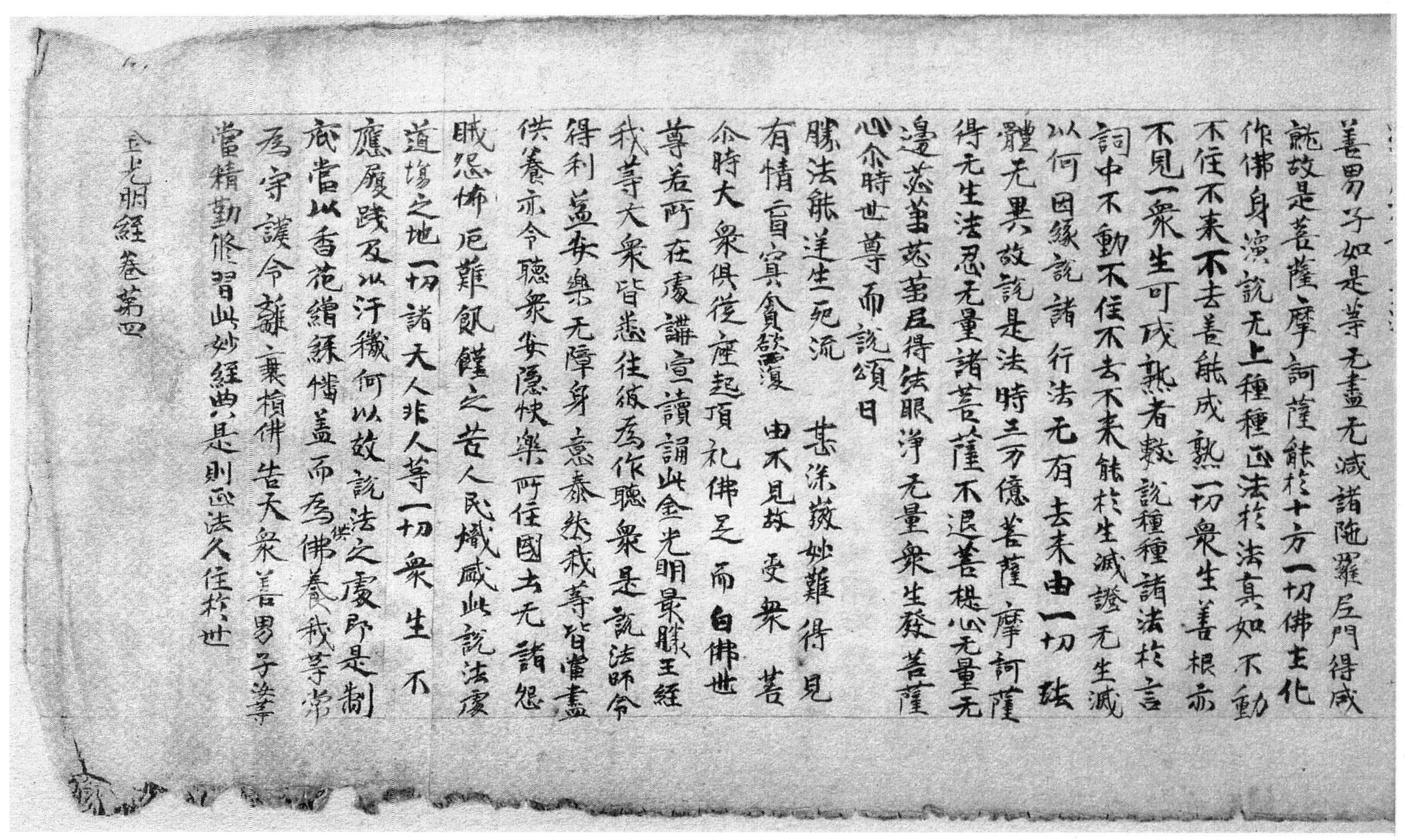

善男子如是等无盡无滅諸陁羅尼門得成
就故是菩薩摩訶薩能於十方一切佛土化
作佛身演說无上種種正法於法真如不動
不住不來不去善能成熟一切衆生善根亦
不見一衆生可成熟者數說種種諸法於言
詞中不動不住不去不來能於生滅證无生滅
以何因緣說諸行法无有去來由一切法
體无異故說是法時三万億菩薩摩訶薩
得无生法忍无量諸菩薩不退菩提心无量无
邊苾芻苾芻尼得法眼淨无量衆生發菩薩
心尒時世尊而說頌曰
勝法能逆生死流　甚深微妙難得見
有情盲冥貪欲覆　由不見故受衆苦
尒時大衆俱從座起頂礼佛足而白佛世
尊若所在處講宣讀誦此金光明最勝王經
我等大衆皆悉往彼為作聽衆是說法師令
得利益安樂无障身意泰然我等皆當盡心
供養亦令聽衆安隱快樂所住國土无諸怨
賊恐怖厄難飢饉之苦人民熾盛此說法處
道場之地一切諸天人非人等一切衆生不
應履踐及以汙穢何以故說法之處即是制
底當以香花繒綵幡蓋而為佛[供]養我等常
為守護令離衰損佛告大衆善男子汝等
當精勤修習此妙經典是則正法久住於世
金光明經卷第四

BD00050 號　金光明最勝王經卷四　（15–15）

夫

BD00050 號背　雜寫　（1–1）

得功德如向所說眼耳鼻舌身意清淨得大
勢乃往古昔過无量无邊不可思議阿僧祇
劫有佛名威音王如来應供正遍知明行足
善逝世間解无上士調御丈夫天人師佛世
尊劫名離衰國名大成其威音王佛於彼世
中為天人阿脩羅說法為求聲聞者說應四
諦法度生老病死究竟涅槃為求辟支佛者
說應十二因緣法為諸菩薩因阿耨多羅三
藐三菩提說應六波羅蜜法究竟佛慧得大
勢是威音王佛壽四十万億那由他恒河沙劫
正法住世劫數如一閻浮提微塵像法住
世劫數如四天下微塵其佛饒益衆生已然
後滅度正法像法滅盡之後於此國土復有
佛出亦号威音王如来應供正遍知明行足
善逝世間解无上士調御丈夫天人師佛世
尊如是次第有二万億佛皆同一号最初威
音王如来既已滅度正法滅後於像法中增
上慢比丘有大勢力尒時有一菩薩比丘名
常不輕得大勢以何因緣名常不輕是比丘凡
有所見若比丘比丘尼優婆塞優婆夷皆悉
礼拜讚嘆而作是言我深敬汝等不敢輕慢
所以者何汝等皆行菩薩道當得作佛而是
比丘不專讀誦經典但行礼拜乃至遠見

BD00051號　妙法蓮華經卷六　（8–1）

常不輕得大勢以何因緣名常不輕是比丘凡
有所見若比丘比丘尼優婆塞優婆夷皆悉
礼拜讚嘆而作是言我深敬汝等不敢輕慢
所以者何汝等皆行菩薩道當得作佛而是
比丘不專讀誦經典但行礼拜乃至遠見
四衆亦復故往礼拜讚嘆而作是言我不敢
輕於汝等汝等皆當作佛故四衆之中有生
瞋恚心不淨者惡口罵詈言是无智比丘從
何所来自言我不輕汝而與我等受記當得
作佛我等不用如是虛妄受記如此經歷多
年常被罵詈不生瞋恚常作是言如當作佛
說是語時衆人或以杖木瓦石而打擲之避
走遠住猶高聲唱言我不敢輕於汝等汝等
皆當作佛以其常作是語故增上慢比丘比
丘尼優婆塞優婆夷号之為常不輕是比丘
臨欲終時於虛空中具聞威音王佛先所說
法華經二十千万億偈悉能受持即得如上
眼根清淨耳鼻舌身意根清淨得是六根清淨
已更增壽命二百万億那由他歲廣為人說
是法華經於時增上慢四衆比丘比丘尼優
婆塞優婆夷輕賤是人為作不輕名者見
其得大神通力樂說辯力大善寂力聞其所
說皆信伏隨從是菩薩復化千万億衆令住
阿耨多羅三藐三菩提命終之後得值二千

BD00051號　妙法蓮華經卷六　（8–2）

說皆信伏隨從是菩薩復化千万億衆令住
阿耨多羅三藐三菩提命終之後得值二千
億佛皆号日月燈明於其法中說是法華經
以是因緣復值二千億佛同号雲自在燈王
於此諸佛法中受持讀誦為諸四衆說此經
典故得是常眼清淨耳鼻舌身意諸根清淨
於四衆中說法心无所畏得大勢是常不輕
菩薩摩訶薩供養如是若干諸佛恭敬尊重
讚嘆種諸善根於後復值千万億佛亦於諸
佛法中說是經典功德成就當得作佛得大
勢於意云何尒時常不輕菩薩豈異人乎則
我身是若我於宿世不受持讀誦此經為他
人說者不能疾得阿耨多羅三藐三菩提我
於先佛所受持讀誦此經為人說故疾得阿
耨多羅三藐三菩提得大勢彼時四衆比丘
比丘尼優婆塞優婆夷以瞋恚意輕賤我故
二百億劫常不值佛不聞法不見僧千劫於
阿鼻地獄受大苦惱畢是罪已復遇常不輕
菩薩教化阿耨多羅三藐三菩提得大勢於
汝意云何尒時四衆常輕是菩薩者豈異人
乎今此會中跋陁婆羅等五百菩薩師子月
等五百比丘尼思佛等五百優婆塞皆於阿
耨多羅三藐三菩提不退轉者是得大勢當
知是法華經大饒益諸菩薩摩訶薩能令至

BD00051號　妙法蓮華經卷六　（8–3）

等五百比丘尼思佛等五百優婆塞皆於阿
耨多羅三藐三菩提不退轉者是得大勢當
知是法華經大饒益諸菩薩摩訶薩能令至
於阿耨多羅三藐三菩提是故諸菩薩摩訶
薩於如來滅後常應受持讀誦解說書寫是
經尒時世尊欲重宣此義而說偈言
過去有佛　号威音王　神智无量　將導一切
天人龍神　所共供養　是佛滅後　法欲盡時
有一菩薩　名常不輕　時諸四衆　計著於法
不輕菩薩　往到其所　而語之言　我不輕汝
汝等行道　皆當作佛　諸人聞已　輕毀罵詈
不輕菩薩　能忍受之　其罪畢已　臨命終時
得聞此經　六根清淨　神通力故　增益壽命
復為諸人　廣說是經　諸著法衆　皆蒙菩薩
教化成就　令住佛道　不輕命終　值无數佛
說是經故　得无量福　漸具功德　疾成佛道
彼時不輕　則我身是　時四部衆　著法之者
聞不輕言　汝當作佛　以是因緣　值无數佛
此會菩薩　五百之衆　并及四部　清信士女
今於我前　聽法者是　我於前世　勸是諸人
聽受斯經　第一之法　開示教人　令住涅槃
世世受持　如是經典　億億万劫　至不可議
時乃得聞　是法華經　億億万劫　至不可議
諸佛世尊　時說是經　是故行者　於佛滅後

BD00051號　妙法蓮華經卷六　（8–4）

世世受持　如是經典　億億万劫　至不可議
時乃得聞　是法華經　億億万劫　至不可議
諸佛世尊　時說是經　是故行者　於佛滅後
聞如是經　勿生疑惑　應當一心　廣說此經
世世值佛　疾成佛道
妙法蓮華經如來神力品第二十一
尒時千世界微塵等菩薩摩訶薩從地踊出者
皆於佛前一心合掌瞻仰尊顏而白佛言
世尊我等於佛滅後世尊分身所在國土滅
度之處當廣說此經所以者何我等亦自欲
得是真淨大法受持讀誦解說書寫而供養
之尒時世尊於文殊師利等无量百千万億
舊住娑婆世界菩薩摩訶薩及諸比丘比丘
尼優婆塞優婆夷天龍夜叉乾闥婆阿脩
羅迦樓羅緊那羅摩睺羅伽人非人等一切
衆前現大神力出廣長舌上至梵世一切毛孔
放於无量无數色光皆悉遍照十方世界衆寶
樹下師子座上諸佛亦復如是出廣長舌放
无量光釋迦牟尼佛及寶樹下諸佛現神
力時滿百千歲然後還攝舌相一時謦欬俱
共彈指是二音聲遍至十方諸佛世界地皆
六種震動其中衆生天龍夜叉乾闥婆阿脩
羅迦樓羅緊那羅摩睺羅伽人非人等以佛
神力故皆見此娑婆世界无量无邊百千万

六種震動其中衆生天龍夜叉乾闥婆阿脩
羅迦樓羅緊那羅摩睺羅伽人非人等以佛
神力故皆見此娑婆世界无量无邊百千万
億衆寶樹下師子座上諸佛及見釋迦牟尼佛
共多寶如來在寶塔中坐師子座又見无
量无邊百千万億菩薩摩訶薩及諸四衆恭
敬圍繞釋迦牟尼佛既見是已皆大歡喜得
未曾有即時諸天於虛空中高聲唱言過此
无量无邊百千万億阿僧祇世界有國名娑
婆是中有佛名釋迦牟尼今為諸菩薩摩
訶薩說大乘經名妙法蓮華教菩薩法佛所
護念汝等當深心隨喜亦當礼拜供養釋迦
牟尼佛彼諸衆生聞虛空中聲已合掌向娑
婆世界作如是言南无釋迦牟尼佛南无釋
迦牟尼佛以種種華香瓔珞幡蓋及諸嚴身
之具珍寶妙物皆共遙散娑婆世界所散諸物
從十方來譬如雲集變成寶帳遍覆此間諸
佛之上于時十方世界通達无礙如一佛土
尒時佛告上行等菩薩大衆諸佛神力如是
无量无邊不可思議若我以是神力於无量
无邊百千万億阿僧祇劫為囑累故說此經
功德猶不能盡以要言之如來一切所有之
法如來一切自在神力如來一切秘要之藏
如來一切甚深之事皆於此經宣示顯說

无邊百千万億阿僧祇劫為囑累故說此經
功德猶不能盡以要言之如來一切所有之
法如來一切自在神力如來一切秘要之藏
如來一切甚深之事皆於此經宣示顯說是
故汝等於如來滅後應一心受持讀誦解說
書寫如說修行所在國土若有受持讀誦解
說書寫如說修行若經卷所住之處若於園
中若於林中若於樹下若於僧坊若白衣舍
若在殿堂若山谷曠野是中皆應起塔供養
所以者何當知是處即是道場諸佛於此得
阿耨多羅三藐三菩提諸佛於此轉于法輪
諸佛於此而般涅槃尒時世尊欲重宣此義
而說偈言
諸佛救世者　住於大神通　為悅衆生故　現无量神力
舌相至梵天　身放无數光　為求佛道者　現此希有事
諸佛謦欬聲　及彈指之聲　周聞十方國　地皆六種動
以佛滅度後　能持是經故　諸佛皆歡喜　現无量神力
囑累是經故　讚美受持者　於无量劫中　猶故不能盡
是人之功德　无邊无有窮　如十方虛空　不可得邊際
能持是經者　則為已見我　亦見多寶佛　及諸分身者
又見我今日　教化諸菩薩　能持是經者　令我及分身
滅度多寶佛　一切皆歡喜　十方現在佛　并過去未來
亦見亦供養　亦令得歡喜　諸佛坐道場　所得秘要法
能持是經者　不久亦當得　能持是經者　於諸法之義

BD00051號　妙法蓮華經卷六　（8–7）

滅度多寶佛　一切皆歡喜　十方現在佛　并過去未來
亦見亦供養　亦令得歡喜　諸佛坐道場　所得秘要法
能持是經者　不久亦當得　能持是經者　於諸法之義
名字及言辭　樂說无窮盡　如風於空中　一切无障礙
於如來滅後　知佛所說經　因緣及次第　隨義如實說
如日月光明　能除諸幽冥　斯人行世間　能滅衆生闇
教无量菩薩　畢竟住一乘　是故有智者　聞此功德利
於我滅度後　應受持斯經　是人於佛道　決定无有疑

妙法蓮華經囑累品第二十二

尒時釋迦牟尼佛從法座起現大神力以右
手摩无量菩薩摩訶薩頂而作是言我於无
量百千万億阿僧祇劫修習是難得阿耨多
羅三藐三菩提法今以付囑汝等汝等應當
一心流布此法廣令增益如是三摩諸菩薩
摩訶薩頂而作是言我於无量百千万億阿
僧祇劫修習是難得阿耨多羅三藐三菩提
法今以付囑汝等汝等當受持讀誦廣宣此
法令一切衆生普得聞知所以者何如來有
大慈悲无諸慳悋亦无所畏能與衆生佛之
智慧如來智慧自然智慧如來是一切衆生
之大施主汝等亦應隨學如來之法勿生慳
悋於未來世若有善男子善女人信如來智
慧者當為演說此法華經使得聞知為令其
人得佛慧故若有衆生不信受者於如來

BD00051號　妙法蓮華經卷六　（8–8）

所以者何菩□
死則有病若衆生得離
病譬如長者唯有一子
若子病愈父母亦愈菩
之若子衆生病則菩□
愈又言是疾何所因起菩
文殊師利言居士此室何以空无侍者維摩詰
言諸佛國土亦復皆空又問以何為空答曰
空空又問空何用空答曰以无分別空故
空又問空可分別耶答曰分別亦空又問空
當於何求答曰當於六十二見中求又問六
十二見當於何求答曰當於諸佛解脫中
求又問諸佛解脫當於何求答曰當於一切
衆生心行中求又仁者所問何无侍者一切衆
魔及諸外道皆吾侍也所以者何衆魔者樂
生死菩薩於生死而不捨外道樂諸見菩
薩於諸見而不動文殊師利言居士所疾為
何等相維摩詰言我病无形不可見又問此
病身合耶心合耶答曰非身合身相離故亦
非心合心如幻故又問地大水大火大風大於
此四大何大之病答曰是病非地大亦不離
地大水火風大亦復如是而衆生病從四大
起以其有病是故我病

BD00052號　維摩詰所說經卷中　（26–1）

此四大何大之病答曰是病非地大亦不離
地大水火風大亦復如是而衆生病從四大
起以其有病是故我病
尒時文殊師利問維摩詰言菩薩應云何
慰喻有疾菩薩維摩詰言說身无常不說
猒離於身說身有苦不說樂於涅槃說身无我
而教導衆生說身空寂不說畢竟寂滅說
悔先罪而不說入於過去以己之疾愍於彼疾
當識宿世无數劫苦當念饒益一切衆生憶
所脩福念於淨命勿生憂惱常起精進當作
醫王療治衆病菩薩應如是慰喻有疾菩
薩令其歡喜
文殊師利言居士有疾菩薩云何調伏其心
維摩詰言有疾菩薩應作是念今我此病皆
□世妄想顛倒諸煩惱生无有實法誰受
病者所以者何四大合故假名為身四大无主
身亦无我又此病起皆由著我是故於我不
應生著既知病本即除我想及衆生想當起法
想應作是念但以衆法合成此身起唯法
起滅唯法滅又此法者各不相知起時不言
我起滅時不言我滅彼有疾菩薩為滅法
想當作是念此法想者亦是顛倒顛倒者是即

BD00052號　維摩詰所說經卷中　（26–2）

我起滅時不言我滅彼有疾菩薩為滅法
想當作是念此法想者亦是顛倒顛倒者是即
大患我應離之云何為離離我我所云何離我
我所謂離二法云何離二法謂不念內外諸法
行於平等云何平等謂我等涅槃等所以者
何我及涅槃此二皆空以何為空但以名字
故空如此二法无决定性得是平等无有餘
病唯有空病空病亦空是有疾菩薩以无
所受而受諸受未具佛法亦不滅受而取證
也設身有苦念惡趣眾生起大悲心我既
調伏亦當調伏一切眾生但除其病而不除
法為斷病本而教導之何謂病本謂有攀緣
從有攀緣則為病本何所攀緣謂之三界
云何斷攀緣以无所得若无所得則无攀緣何
謂无所得謂二見何謂二見謂內見外見是
无所得文殊師利是為有病菩薩調伏其
心為斷老病死苦是菩薩菩提若不如是已
所脩治為无惠利辟如勝怨乃可為勇如
是斷除老病死者菩薩之謂也彼有疾菩薩
應復作是念如我此病非真非有眾生病亦
非真非有作是觀時於諸眾生若起愛見
大悲即應捨離所以者何菩薩斷除客塵煩
惱而起大悲愛見悲者則於生死有疲厭心

大悲即應捨離所以者何菩薩斷除客塵煩
惱而起大悲愛見悲者則於生死有疲厭心
若能離此无有疲厭在在所生不為愛見之
所覆也所生无縛能為眾生說法解縛如佛所
說若自有縛能解彼縛无有是處若自无縛能
解彼縛斯有是處故菩薩不應起縛何謂縛何
謂解貪著禪味是菩薩縛以方便生是菩薩解
又无方便慧縛有方便慧解无慧方便縛有慧
方便解何謂无方便慧縛謂菩薩以愛見心莊
嚴佛土成就眾生於空无相无作法中而自調
无方便慧縛何謂有方便慧解謂不以愛見
心莊嚴佛土成就眾生於空无相无作法中以自
調伏而不疲厭是名有方便慧解何謂无慧方
便縛謂菩薩住貪欲瞋恚邪見等諸煩惱而殖
眾德本是名无慧方便縛何謂有慧方便解謂離
諸貪欲瞋恚邪見等諸煩惱而殖眾本迴向阿耨
多羅三藐三菩提心是名有慧方便解
文殊師利彼有疾菩薩應如是觀諸法又復
觀无常苦空非我是名為慧雖身有疾常
在生死饒益一切而不厭惓是名方便又復觀
身身不離病病不離身是病是身非新非故
是名為慧設身有疾而不永滅是名方便文殊
師利有疾菩薩應如是調伏其心不住其中亦復

身身不離病病不離身是病是身非新非故
是名為慧設身有疾而不永滅是名方便文殊
師利有疾菩薩應如是調伏其心不住其中亦復
不住不調伏心所以者何若住不調伏心是愚人
法若住調伏心是聲聞法是故菩薩不當住
於調伏不調伏心離此二法是菩薩行在於生死
不為污行住於涅槃不永滅度是菩薩行非
凡夫行非賢聖行是菩薩行非垢行非淨行
是菩薩行雖過魔行而現降衆魔是菩薩行求
一切智无非時求是菩薩行雖觀諸法不生而不
入正位是菩薩行雖觀十二緣起而入諸耶見是菩
薩行雖攝一切衆生而不愛著是菩薩行
雖樂遠離而不依身心盡是菩薩行雖行三界而
不壞法性是菩薩行雖行於空而殖德本是菩
薩行雖行无相而度衆生是菩薩行雖行无作
而現受身是菩薩行雖行无起而起一切善
行是菩薩行雖行六波羅蜜而遍知衆生心
心數法是菩薩行雖行六通而不盡漏是菩
薩行雖行四无量心而不貪著生於梵世是
菩薩行雖行禪定解脫三昧而不隨禪生是
菩薩行雖行四念處而不永離身受心法是
菩薩行雖行四正勤而不捨身心精進是菩

BD00052號　維摩詰所說經卷中　（26–5）

菩薩行雖行四念處而不永離身受心法是
菩薩行雖行四正勤而不捨身心精進是菩
薩行雖行四如意足而得自在神通是菩薩
行雖行五根而分別衆生諸根利鈍是菩薩
行雖行五力而樂求佛十力是菩薩行雖
行七覺分而分別佛之智慧是菩薩行雖
行八正道而樂行无量佛法是菩薩行雖行止
觀助道之法而不畢竟墮於寂滅是菩薩行雖
行諸法不生不滅而以相好莊嚴其身是菩薩
行雖現聲聞辟支佛威儀而不捨佛法是菩薩
行雖隨諸法究竟淨相而隨所應為現其身是菩
薩行雖觀諸佛國土永寂如空而現種種清淨
佛土是菩薩行雖得佛道轉于法輪入於涅槃而
不捨於菩薩之道是菩薩行說是語時文殊師利
所將大衆其中八千天子皆發阿耨多羅三藐三
菩提心

不思議品第六　一品

尒時舍利弗見此室中无有床座作是念斯諸
菩薩大弟子衆當於何坐長者維摩詰知其意
語舍利弗言云何仁者為法來耶求床座耶舍
利弗言我為法來非為床座維摩詰言唯舍利
弗夫求法者不貪軀命何況床座夫求法者非

BD00052號　維摩詰所說經卷中　（26–6）

利弗言我為法來非為床座維摩詰言唯舍利
弗夫求法者不貪軀命何況床座夫求法者非
有色受想行識之求非有界入之求非有欲色无色
之求唯舍利弗夫求法者不著佛求不著法求不
著衆求夫求法者无見苦求无斷集求无造盡證
脩道之求所以者何法无戲論若言我當見苦斷
集滅證脩道是則戲論非求法也唯舍利弗法名
寂滅若行生滅是求生滅非求法也法名无染若
染於法乃至涅槃是則染著非求法也法无行處
若行於法是則行處非求法也法无取捨若取捨
是則取捨非求法也法无處所若著處所是則著
處非求法也法名无相若隨相識是則求相非求法
不可住若住於法是則住法非求法也法不可見聞
覺知若行見聞覺知是則見聞覺知非求法也法
名无為若行有為是求有為非求法也是故舍
利弗若求法者於一切法應无所求說是語時五
百天子於諸法中得法眼淨尒時長者維摩詰
問文殊師利仁者遊於无量千万億阿僧祇國何
等佛土有好上妙功德成就師子之座文殊師利言
居士東方度卅六恒河沙國有世界名須弥相其佛
号須弥燈王今現在彼佛身長八万四千由旬其師
子座高八万四千由旬嚴飾第一於是長者維摩詰
現神通力即時彼佛遣三万二千師子座高廣嚴

BD00052 號　維摩詰所說經卷中　（26–7）

子座高八万四千由旬嚴飾第一於是長者維摩詰
現神通力即時彼佛遣三万二千師子座高廣嚴
淨來入維摩詰室諸菩薩大弟子釋梵四天王
等昔所未見其室廣博悉苞容三万二千師子
座无所妨礙於毗耶離城及閻浮提四天下亦不
迫迮悉見如故尒時維摩詰語文殊師利就師
子座與諸菩薩上人俱坐當自立身如彼座像其
得神通菩薩即自變形為四万二千由旬坐師
子座諸新發意菩薩及大弟子皆不能昇尒
時維摩詰語舍利弗就師子座舍利弗言居士此
座高廣吾不能昇維摩詰言唯舍利弗為須弥
燈王如來作礼乃可得坐於是新發意菩薩及
大弟子即為須弥燈王如來作礼便得坐師子座
舍利弗言居士未曾有也如是小室乃容受此高
廣之座於毗耶離城无所妨礙又於閻浮提聚落
城邑及四天下諸天龍王鬼神宮殿亦不迫迮維
摩詰言唯舍利弗諸佛菩薩有解脫名不可思
議若菩薩住是解脫者以須弥之高廣內芥子
中无所增減須弥山王本相如故而四天王忉利
諸天不覺不知己之所入唯應度者乃見須弥入
芥子中是名不可思議解脫法門又以四大海水
入一毛孔不嬈魚鱉黿鼉水性之屬而彼大海本

BD00052 號　維摩詰所說經卷中　（26–8）

諸天不覺不知己之所入唯應度者乃見須弥入
芥子中是名不可思議解脫法門又以四大海水
入一毛孔不嬈魚鼈黿鼉水性之屬而彼大海本
相如故諸龍鬼神阿脩羅等不覺不知己之所
入扵此衆生亦无所嬈又舍利弗住不可思議
解脫菩薩斷取三千大千世界如陶家輪著
右掌中擲過恒河沙世界之外其中衆生
不覺不知己之所往又復還置本處都不使人
有往來想而此世界本相如故又舍利弗或有
衆生樂久住世而可度者菩薩即演七日以
為一劫令彼衆生謂之一劫或有衆生不樂久
住而可度者菩薩即促一劫以為七日令彼
衆生謂之七日又舍利弗住不可思議解脫
菩薩以一切佛土嚴餝之事集在一國示扵
衆生又菩薩以一佛土衆生置之右掌飛到十
方遍示一切而不動本處又舍利弗十方衆生
供養諸佛之具菩薩扵一毛孔皆令得見又十
方國土所有日月星宿扵一毛孔普使見之又舍
利弗十方世界所有諸風菩薩悉能吸著口中
而身无損外諸樹木亦不摧折又十方世界劫
盡燒時以一切火內扵腹中火事如故而不為害 下
又扵下方過恒河沙等諸佛世界取一佛土舉著
上方過恒河沙无數世界如持針鋒舉一棗葉而

BD00052 號　維摩詰所說經卷中　（26–9）

盡燒時以一切火內扵腹中火事如故而不為害 下
又扵下方過恒河沙等諸佛世界取一佛土舉著
上方過恒河沙无數世界如持針鋒舉一棗葉而
无所嬈又舍利弗住不可思議解脫菩薩能以神
通現作佛身或現辟支佛身或現聲聞身或現帝
釋身或現梵王身或現世主身或現轉輪王身又十
方世界所有衆聲上中下音皆能變之令作佛聲
演出无常苦空无我之音及十方諸佛所說種種之
法皆扵其中普令得聞舍利弗我今略說菩薩不
可思議解脫之力若廣說者窮劫不盡是時大
迦葉聞說菩薩不可思議解脫法門歎未曾有
謂舍利弗譬如有人扵盲者前現衆色像非彼
所見一切聲聞聞是不可思議解脫法門不能解了
為若此也智者聞是其誰不發阿耨多羅三藐三菩
提心我等何為永絕其根扵此大乘已如敗種一
切聲聞聞是不可思議解脫法門皆應號泣聲
震三千大千世界一切菩薩應大欣慶頂受此法若
有菩薩信解不可思議解脫門者一切魔衆无如之
何大迦葉說是語時三万二千天子皆發阿耨多羅三
藐三菩提心尒時維摩詰大迦葉仁者十方无量
阿僧祇世界中作魔王者多是住不可思議解脫菩
薩以方便力教化衆生現作魔王又迦葉十方无量
菩薩或有人從乞手足耳鼻頭目髓腦血肉皮骨聚

BD00052 號　維摩詰所說經卷中　（26–10）

阿僧祇世界中作魔王者多是住不可思議解脫菩
薩以方便力教化衆生現作魔王又迦葉十方无量
菩薩或有人從乞手足耳鼻頭目髓腦血肉皮骨聚
落城邑妻子奴婢象馬車乘金銀瑠璃車𤦲馬瑙
珊瑚琥珀真珠珂貝衣服飲食如此乞者多是住
不可思議解脫菩薩以方便力而往試之令其堅
固所以者何住不可思議解脫菩薩有威德力
故行逼迫示諸衆生如是難事凡夫下劣无有力勢
不能如是逼迫菩薩譬如龍象蹴踏非驢所堪
是名住不可思議解脫菩薩智慧方便之門
觀衆生品第七
尒時文殊師利問維摩詰言菩薩云何觀於衆
生維摩詰言譬如幻師見所幻人菩薩觀衆生
為若此如智者見水中月如鏡中見其面像如熱
時焰如呼聲響如空中雲如水聚沫如水上泡如芭
蕉堅如電久住如第五大如第六陰如第七情如
第十三入如十九界菩薩觀衆生為若此如无色界
色如燋穀牙如須陀洹身見如阿那含入胎如阿
羅漢三毒如得忍菩薩貪恚毀禁如佛煩惱習如
盲者見色如入滅盡定出入息如空中鳥跡如石女
兒如化人煩惱如夢所見已寤如滅度者受身如
无烟之火菩薩觀衆生為若此

BD00052號　維摩詰所說經卷中　（26–11）

盲者見色如入滅盡定出入息如空中鳥跡如石女
兒如化人煩惱如夢所見已寤如滅度者受身如
无烟之火菩薩觀衆生為若此
文殊師利言若菩薩作是觀者云何行慈維
摩詰言菩薩作是觀已自念我當為衆生說
如斯法是即真實慈也行寂滅慈无所生故行
不熱慈无煩惱故行等之慈等三世故行无諍慈
无所起故行不二慈内外不合故行不壞慈畢竟盡
故行堅固慈心无毀故行清淨慈諸法性淨故行无
邊慈如虛空故行阿羅漢慈破結賊故行菩薩慈
安衆生故行如來慈得如相故行佛之慈覺衆
生故自然慈无因得故行菩提慈等一味故行无
比慈斷諸愛故行大悲慈導以大乘故行无猒
慈觀空无我故行法施慈无遺惜故行持戒慈化
毀禁故行忍辱慈護彼我故行精進慈荷負衆
生故行禪定慈不受味故行智慧慈无不知時故
行方便慈一切示現故行无隱慈直心清淨故行
深心慈无雜行故行无誑慈不虛假故行安樂慈
令得佛樂故菩薩之慈為若此也
文殊師利又問何謂為悲荅曰菩薩所作功德
皆與一切衆生共之何謂為喜荅曰有所饒益
歡喜无悔何謂為捨荅曰所作福祐无所希望
文殊師利又問生死有畏菩薩當何所依維摩詰

BD00052號　維摩詰所說經卷中　（26–12）

歡喜无悔何謂為捨荅曰所作福祐无所希望
文殊師利又問生死有畏菩薩當何所依維摩詰
言菩薩於生死畏中當依如來功德之力文殊師利
又問菩薩欲依如來功德之力當於何住荅曰菩薩
依如來功德力者當住度脫一切衆生又問欲度衆
生當何所除荅曰欲度衆生除其煩惱又問欲
除煩惱當何所行荅曰當行正念又問云何行於
正念荅曰當行不生不滅又問何法不生何法不
滅荅曰不善不生善法不滅又問善不善孰
為本荅曰身為本又問身孰為本荅曰欲貪為
本又問欲貪孰為本荅曰虛妄分別為本又問虛妄
分別孰為本荅曰顛倒想為本又問顛倒想孰
為本荅曰无住為本又問无住孰為本荅曰无住
則无本文殊師利從无住本立一切法
時維摩詰室有一天女見諸大人聞所說法便現
其身即以天華散諸菩薩大弟子上華至諸
菩薩即皆墮落至大弟子便著不墮一切弟
子神力去華不能令去尒時天問舍利弗何
故去華荅曰此華不如法是以去之天曰勿
謂此華為不如法所以者何是華无所分別仁
者自生分別想耳若於佛法出家有所分別為
不如法若无分別是則如法觀諸菩薩華不著
者以斷一切分別想故譬如人畏時非人得其

謂此華為不如法所以者何是華无所分別仁
者自生分別想耳若於佛法出家有所分別為
不如法若无分別是則如法觀諸菩薩華不著
者以斷一切分別想故譬如人畏時非人得其
便如是弟子畏生死故色聲香味觸得其便
已離畏者一切五欲无能為也結習未盡華著
身耳結習盡者華不著也舍利弗言天止此室其
已久如荅曰我止此室如耆年解脫舍利弗言
止此久耶天曰耆年解脫亦何如久舍利弗默然
不荅天曰如何耆舊大智而默荅曰解脫者无
所言說故吾於是不知所云天曰言說文字皆
解脫相所以者何解脫者不內不外不在兩間文字
亦不內不外不在兩間是故舍利弗无離文字說
解脫也所以者何一切諸法是解脫相舍利弗言
不復以離婬怒癡為解脫乎天曰佛為增上慢
人說離婬怒癡為解脫耳若无增上慢者佛
說婬怒癡性即是解脫舍利弗言善哉善哉天
女汝何所得以何為證辯乃如是天曰我无得无
證故辯如是所以者何若有得有證者則於佛法
為增上慢舍利弗問天汝於三乘為何志求天
曰以聲聞法化衆生故我為聲聞以因緣法化衆
生故我為辟支佛以大悲化衆生故我為大乘舍
利弗如人入瞻蔔林唯齅瞻蔔不齅餘香如是若入
此室但聞佛功德之香不樂聞聲聞辟支佛功德香

利弗如人入𦺹蔔林唯齅𦺹蔔不齅餘香如是若入
此室但聞佛功德之香不樂聞聲聞辟支佛功德香
也舍利弗其有釋梵四天王諸天龍鬼神等入此室
者聞斯上人講說正法皆樂佛功德之香發心而
出舍利弗吾止此室十有二年初不聞說聲聞
辟支佛法但聞菩薩大慈大悲不可思議諸佛之
法舍利弗此室常現八未曾有難得之法何等為八
此室常以金色光照晝夜无異不以日月所照為明
是為一未曾有難得之法此室入者不為諸垢之所
惱也是為二未曾有難得之法此室常有釋梵四天
王他方菩薩來會不絕是為三未曾有難得之法
此室常說六波羅蜜不退轉法是為四未曾有難
得之法此室常作天人第一之樂絃出无量法化之
聲是為五未曾有難得之法此室有四大藏衆
寶積滿周窮濟乏求得无盡是為六未曾有難
得之法此室釋迦牟尼佛阿彌陁佛阿閦佛寶德
寶焰寶月寶嚴難勝師子響一切利成如是等
十方无量諸佛是上人念時即皆為來廣說諸
佛秘要法藏說已還去是為七未曾有難得之
法此室一切諸天嚴飾宮殿諸佛淨土皆於中現
是為八未曾有難得之法舍利弗此室常現八未
曾有難得之法誰有見斯不思議事而復樂於聲

BD00052號　維摩詰所説經卷中　（26–15）

是為八未曾有難得之法舍利弗此室常現八未
曾有難得之法誰有見斯不思議事而復樂於聲
聞法乎
舍利弗言汝何以不轉女身天曰我從十二年
來求女人相了不可得當何所轉譬如幻師化
作幻女若有人問何以不轉女身是人為正問不
舍利不言不也幻无定相當何所轉天曰一切諸法
亦復如是无有定相云何乃問不轉女身即時天
女以神通力變舍利弗令如天女天自化身如舍
利弗而問言何以不轉女身舍利弗以天女像而荅
言我今不知何轉而變為女身天曰舍利弗若能
轉此女身則一切女人亦當能轉如舍利弗非女而
現女身一切女人亦復如是雖現女身而非女也是
故佛說一切諸法非男非女即時天女還攝神力
舍利弗身還復如故天問舍利弗女身色相今何所
在舍利弗言女身色相无在无不在天曰一切諸法
亦復如是无在不在夫无在无不在者佛所說也
舍利弗問天汝於此沒當生何所天曰佛化所生
吾如彼生曰佛化所生非沒生也天曰衆生猶然无
沒生也舍利弗問天汝久如當得阿耨多羅三藐
三菩提天曰如舍利弗還為凡夫我乃當成阿
耨多羅三藐三菩提舍利弗言我作凡夫无有
是處天曰我得阿耨多羅三藐三菩提亦无是處

BD00052號　維摩詰所説經卷中　（26–16）

三菩提天曰如舍利弗還為凡夫我乃當成阿
耨多羅三藐三菩提舍利弗言我作凡夫无有
是處天曰我得阿耨多羅三藐三菩提亦无是處
所以者何菩提无住處是故无有得者舍利弗言
今諸佛得阿耨多羅三藐三菩提已得當今得如
恒河沙皆謂何乎天曰皆以世俗文字數故說有
三世非謂菩提有去來今天曰舍利弗汝得阿羅
漢道耶曰无所得故而得天曰諸佛菩薩亦復如
是无所得故而得尒時維摩詰語舍利弗是
天女曾已供養九十二億佛已能遊戲菩薩神
通所願具足得无生忍住不退轉以本願故隨意
能現教化衆生

佛道品第八

尒時文殊師利問維摩詰言菩薩云何通達佛
道維摩詰言若菩薩行於非道是為通達佛
道又問云何菩薩行於非道荅曰若菩薩行五
无間而无惱恚至于地獄无諸罪垢至于畜生无有
无明憍慢等過至于餓鬼而具足功德行色无色
界道不以為勝示行貪欲離諸染著示行瞋恚
於諸衆生无有恚礙示行愚癡而以智慧調伏其
心示行慳貪而捨内外所不惜身命示行毀禁而
安住淨戒乃至小罪猶懷大懼示行瞋恚而常慈
忍示行懈怠而勤脩功德示行亂意而常念定

安住淨戒乃至小罪猶懷大懼示行瞋恚而常慈
忍示行懈怠而勤脩功德示行亂意而常念定
示行愚癡而通達世間出世間慧示行諂偽而善
方便隨諸經義示行憍慢而於衆生猶如橋梁示
行諸煩惱而心常清淨示入於魔而順佛智慧不
隨他教示入聲聞而為衆生說未聞法示入辟支
佛而成就大悲教化衆生示入貧窮而有寶手功德
无盡示入形殘而具諸相好以自莊嚴示入下賤而生
佛種姓中具諸功德示入羸劣醜陋而得那羅延身
一切衆生之所樂見示入老病而永斷病根超越
死畏示有資生而恒觀无常實无所貪示有妻
妾婇女而常遠離五欲淤泥現於訥鈍而成辯才總
持无失示入邪濟而以正濟度諸衆生現遍入諸
道而斷其因緣現於涅槃而不斷生死文殊師
利菩薩能如是行於非道是為通達佛道
於是維摩詰問文殊師利何等為如來種文殊師
利言有身為種无明有愛為種貪恚癡為種四
顛倒為種五蓋為種六入為種七識處為種八
邪法為種九惱處為種十不善道為種以要言
之六十二見及一切煩惱皆是佛種曰何謂也荅
曰見无為入正位者不能復發阿耨多羅三藐
三菩提心譬如高原陸地不生蓮華卑濕淤泥
乃生此華如是見无為法入正位者終不復能生

三菩提心辟如高原陸地不生蓮華卑濕淤泥
乃生此華如是見无為法入正位者終不復能生
於佛法煩惱泥中乃有衆生起佛法耳又如殖種於
空終不得生糞壤之地乃能滋茂如是入无為正
位者不生佛法起於我見如須弥山猶能發于阿耨多
羅三藐三菩提心生佛法矣是故當知一切煩惱為
如來種辟如不入巨海不能得无價寶珠如是不
入煩惱大海則不能生一切智寶
尒時大迦葉歎言善哉善哉文殊師利快說此語
誠如所言塵勞之儔為如來種我等今者不復
堪任發阿耨多羅三藐三菩提心乃至五无間罪
猶能發意生於佛法而今我等永不能發辟如
根敗之士其於五欲不能復利如是聲聞諸結
斷者於佛法中无所復益永不願故文殊師利
凡夫於佛有反復而聲聞无也所以者何凡夫聞佛
法能起无上道心不斷三寶正使聲聞終身聞佛
法力无畏等永不能發无上道意尒時會中有
菩薩名普現色身問維摩詰言居士父母妻子
親戚眷屬吏民知識悉為是誰奴婢僮僕象馬
車乘皆何所在於是維摩詰以偈答曰
智度菩薩母　方便以為父　一切衆導師　无不由是生
法喜以為妻　慈悲心為女　善心誠實男　畢竟空寂舍
弟子衆塵勞　隨意之所轉　道品善知識　由是成正覺

BD00052 號　維摩詰所說經卷中　（26–19）

車乘皆何所在於是維摩詰以偈答曰
智度菩薩母　方便以為父　一切衆導師　无不由是生
法喜以為妻　慈悲心為女　善心誠實男　畢竟空寂舍
弟子衆塵勞　隨意之所轉　道品善知識　由是成正覺
諸度法等侶　四攝衆妓女　歌詠誦法言　以此為音樂
揔持之園苑　无漏法林樹　覺意淨妙華　解脫智慧果
八解之浴池　定水湛然滿　布以七淨華　浴此无垢人
象馬五通馳　大乘以為車　調御以一心　遊於八正路
相具以嚴容　衆好飾其姿　慚愧之上服　深心為華鬘
富有七財寶　教授以滋息　如所說脩行　迴向為大利
四禪為牀座　從於淨命生　多聞增智慧　以為自覺音
甘露法之食　解脫味為漿　淨心以澡浴　戒品為塗香
摧滅煩惱賊　勇健无能踰　降伏四種魔　勝幡建道場
雖知无起滅　示彼故有生　悉現諸國土　如日无不見
供養於十方　无量億如來　諸佛及己身　无有分別想
雖知諸佛國　及與衆生空　而常脩淨土　教化於群生
諸有衆生類　形聲及威儀　无畏力菩薩　一時能盡現
覺知衆魔事　而示隨其行　以善方便智　隨意皆能現
或示老病死　成就諸群生　了知如幻化　通達无有礙
或現劫盡燒　天地皆洞然　衆人有常想　照令知无常
无數億衆生　俱來請菩薩　一時到其舍　化令向佛道
經書禁呪術　工巧諸伎藝　盡現行此事　饒益諸群生
世間衆道法　悉於中出家　因以解人惑　而不墮邪見

BD00052 號　維摩詰所說經卷中　（26–20）

經書禁呪術 工巧諸伎藝 盡現行此事 饒益諸群生
世間衆道法 悉於中出家 因以解人惑 而不墮邪見
或作日月天 梵王世界主 或時作地水 或復作風火
劫中有疾疫 現作諸藥草 若有服之者 除病消衆毒
劫中有飢饉 現身作飲食 先救彼飢渴 却以法語人
劫中有刀兵 為之起慈悲 化彼諸衆生 令住无諍地
若有大戰陣 立之以等力 菩薩現威勢 降伏使和安
一切國土中 諸有地獄處 輒往到于彼 勉濟諸苦惱
一切國土中 畜生相啖食 皆現生於彼 為之作利益
亦受於五欲 亦復現行禪 令魔心憒亂 不能得其便
火中生蓮華 是可謂希有 在欲而行禪 希有亦如是
或現作婬女 引諸好色者 先以欲鉤牽 後令入佛智
或為邑中主 或作商人導 國師及大臣 以祐利衆生
諸有貧窮者 現作无盡藏 因以勸導之 令發菩提心
我心憍慢者 為現大力士 消伏諸貢高 令住无上道
其有恐懼衆 居前而安慰 先施以无畏 後令發道心
或現離婬欲 為五通仙人 開導諸群生 令住戒忍慈
見須供事者 現為作僮僕 既悅可其意 乃發以道心
隨彼之所須 得入於佛道 以善方便力 皆能給足之
如是道无量 所行无有崖 智慧无邊際 度脫无數衆
假令一切佛 於无數億劫 讚歎其功德 猶尚不能盡
誰聞如是法 不發菩提心 除彼不肖人 癡冥无智者
入不二法門品第九

假令一切佛 於无數億劫 讚歎其功德 猶尚不能盡
誰聞如是法 不發菩提心 除彼不肖人 癡冥无智者
入不二法門品第九
尒時維摩詰謂衆菩薩言諸仁者云何菩薩入
不二法門各隨所樂說之會中有菩薩名法自
在說言諸仁者生滅為二法本不生今則无滅得
此无生法忍是為入不二法門
德守菩薩曰我我所為二因有我故便有我所
若无有我則无我所是入不二法門
不眴菩薩曰受不受為二若法不受則不可得以
不可得故无取无捨无作无行是為入不二法門
德頂菩薩曰垢淨為二見垢實性則无淨相順
於滅相是為入不二法門
善宿菩薩曰是動是念為二不動則无念无念
則无分別通達此者是為入不二法門
善眼菩薩曰一相无相為二若知一相即是无相亦
不取无相入於平等是為入不二法門
妙臂菩薩曰菩薩心聲聞心為二觀心相空如幻
化者无菩薩心无聲聞心是為入不二法門
弗沙菩薩曰善不善為二若不起善不善入无
相際而通達者是為入不二法門
師子菩薩曰罪福為二若達罪性則與福无異以
金剛慧決了此相无縛无解者是為入不二法門

相除而通達者為入不二法門
師子菩薩曰罪福為二若達罪性則與福无異以
金剛慧決了此相无縛无解者是為入不二法門
師子意菩薩曰有漏无漏為二若得諸法等則
不起漏不漏想不著於相亦不住无相是為入不
二法門
淨解菩薩曰有為无為為二若離一切數則心
如虛空以清淨慧无所礙者是為入不二法門
那羅延菩薩曰世間出世間為二世間性空即是
出間於其中不入不出不溢不散是為入不二法門
善意菩薩曰生死涅槃為二若見生死性則无生死
无縛无解不然不滅如是解者是為入不二法門
現見菩薩曰盡不盡為二法若究竟盡若不盡
皆是无盡相无盡相即是空空則无有盡不盡相
如是入者是為入不二法門
普守菩薩曰我无我為二我尚不可得非我何可
得見我實性者不復起二是為入不二法門
電天菩薩曰明无明為二无明實性即是明明亦不
可取離一切數於其中平等无二者是為入不二法門
喜見菩薩曰色色空為二色即是空非色滅空色
性自空如是受想行識識空為二識即是空非識
滅空識性自空於其中而通達者是為入不二法門
明相菩薩曰四種異空種異為二四種性即是空

BD00052 號　維摩詰所說經卷中　（26–23）

滅空識性自空於其中而通達者是為入不二法門
明相菩薩曰四種異空種異為二四種性即是空
種性如前際後際空故中際亦空若能如是
知諸種性者是為入不二法門
妙意菩薩曰眼色為二若知眼性於色不貪不恚
癡是名寂滅如是耳聲鼻香舌味身觸意法
為二若知意性於法不貪不恚不癡是名寂
滅安住其中是為入不二法門
无盡意菩薩曰布施迴向一切智為二布施性
即是迴向一切智性如是持戒忍辱精進禪定
智慧迴向一切智為二智慧性即是迴向一切智性
於其中入一相者是為入不二法門
深慧菩薩曰是空是无相是无作為二空即无
无相无相即无作若空无作則无心意識於一
解脫門即是三解脫門者是為入不二法門
寂根菩薩曰佛法衆為二佛即是法法即是衆
是三寶皆无為相與虛空等一切法亦尒能隨此
行者是為入不二法門
心无礙菩薩曰身滅為二身即是身滅所以者何
見身實相者不起見身及以滅身與滅身无二
无分別於其中不驚不懼者是為入不二法門
上善菩薩曰身口意善為二是三業皆无作相

BD00052 號　維摩詰所說經卷中　（26–24）

身身實相者不起見身及見滅身與滅身无二
无分別於其中不驚不懼者是爲入不二法門
上善菩薩曰身口意善爲二是三業皆无作相
身无作相即口无作相口无作相即意无作相是
三業无作相即一切法无作相能如是隨无作慧
者是爲入不二法門
福田菩薩曰福行罪行不動行爲二三行實性即
是空空則无福行无罪行无不動行於此三行
而不起者是爲入不二法門
華嚴菩薩曰從我起二爲二見我實相者不起
二法若不住二法則无有識无所識者是爲入
不二法門
德藏菩薩曰有所得相爲二若无所得則无取
捨无取捨者是爲入不二法門
月上菩薩曰闇與明爲二无闇无明則无有二所以
者何如入滅受想定无闇无明一切法相亦復如
是於其中平等入者是爲入不二法門
寶印手菩薩曰樂涅槃不樂世間爲二若不樂
涅槃不厭世間則无有二所以者何若有縛則有
解若本无縛其誰求解无縛无解則无樂厭
是爲入不二法門
珠頂王菩薩曰正道邪道爲二住正道者則不
分別是邪是正離此二法是爲入不二法門

BD00052 號　維摩詰所說經卷中　（26–25）

者何如入滅受想定无闇无明一切法相亦復如
是於其中平等入者是爲入不二法門
寶印手菩薩曰樂涅槃不樂世間爲二若不樂
涅槃不厭世間則无有二所以者何若有縛則有
解若本无縛其誰求解无縛无解則无樂厭
是爲入不二法門
珠頂王菩薩曰正道邪道爲二住正道者則不
分別是邪是正離此二法是爲入不二法門
樂實菩薩曰實不實爲二實見者尚不見實何
況非實所以者何非肉眼所見慧眼乃能見而此
慧眼无見无不見是爲入不二法門
如是諸菩薩各各說已問文殊師利何等是菩
薩不二法門
文殊師利曰如我意者於一切法无言无說
无示无識離諸問答是爲入不二法門
於是文殊師利問維摩詰我等各自說已仁者
當說何等是菩薩入不二法門時維摩詰嘿然无
言文殊師利嘆曰善哉善哉乃至无有文字語言
是真入不二法門說是入不二法門時於此衆中
五千菩薩皆入不二法門得无生法忍

BD00052 號　維摩詰所說經卷中　（26–26）

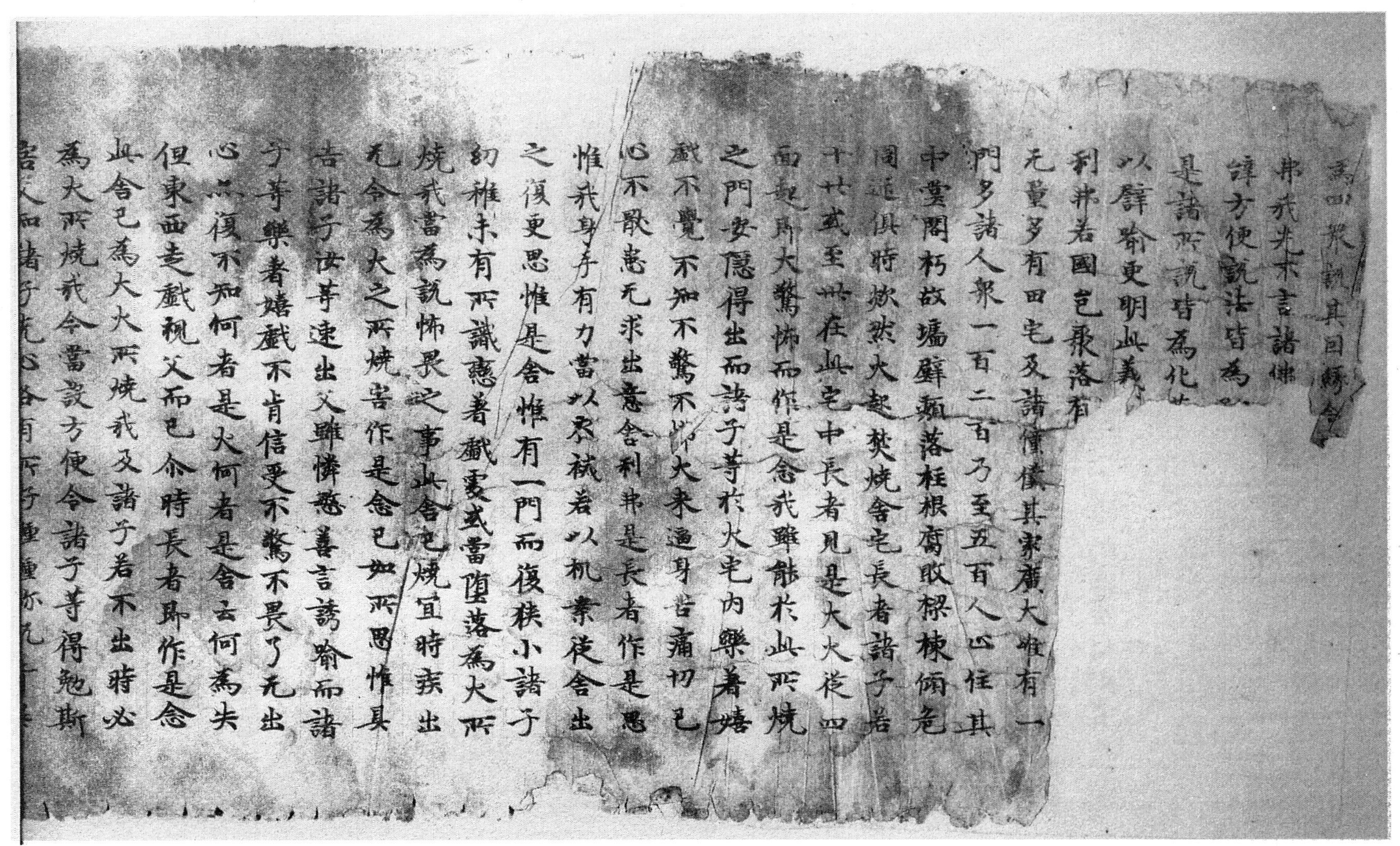

為四衆說其因緣令
弗我先不言諸佛
辭方便說法皆為
是諸所說皆為化
以譬喻更明此義
利弗若國邑聚落有
无量多有田宅及諸僮僕其家廣大唯有一
門多諸人衆一百二百乃至五百人止住其
中堂閣朽故牆壁頹落柱根腐敗梁棟傾危
周迊俱時欻然火起焚燒舍宅長者諸子若
十廿或至卅在此宅中長者見是大火從四
面起即大驚怖而作是念我雖能於此所燒
之門安隱得出而諸子等於火宅內樂著嬉
戲不覺不知不驚不怖火來逼身苦痛切己
心不猒患无求出意舍利弗是長者作是思
惟我身手有力當以衣裓若以机案從舍出
之復更思惟是舍唯有一門而復狹小諸子
幼稚未有所識戀著戲處或當墮落為火所
燒我當為說怖畏之事此舍已燒宜時疾出
无令為火之所燒害作是念已如所思惟具
告諸子汝等速出父雖憐愍善言誘喻而諸
子等樂著嬉戲不肯信受不驚不畏了无出
心亦復不知何者是火何者是舍云何為失
但東西走戲視父而已尒時長者即作是念
此舍已為大火所燒我及諸子若不出時必
為火所燒我今當設方便令諸子等得勉斯
害父知諸子先心各有所好種種珎玩

BD00053號　妙法蓮華經卷二　（21–1）

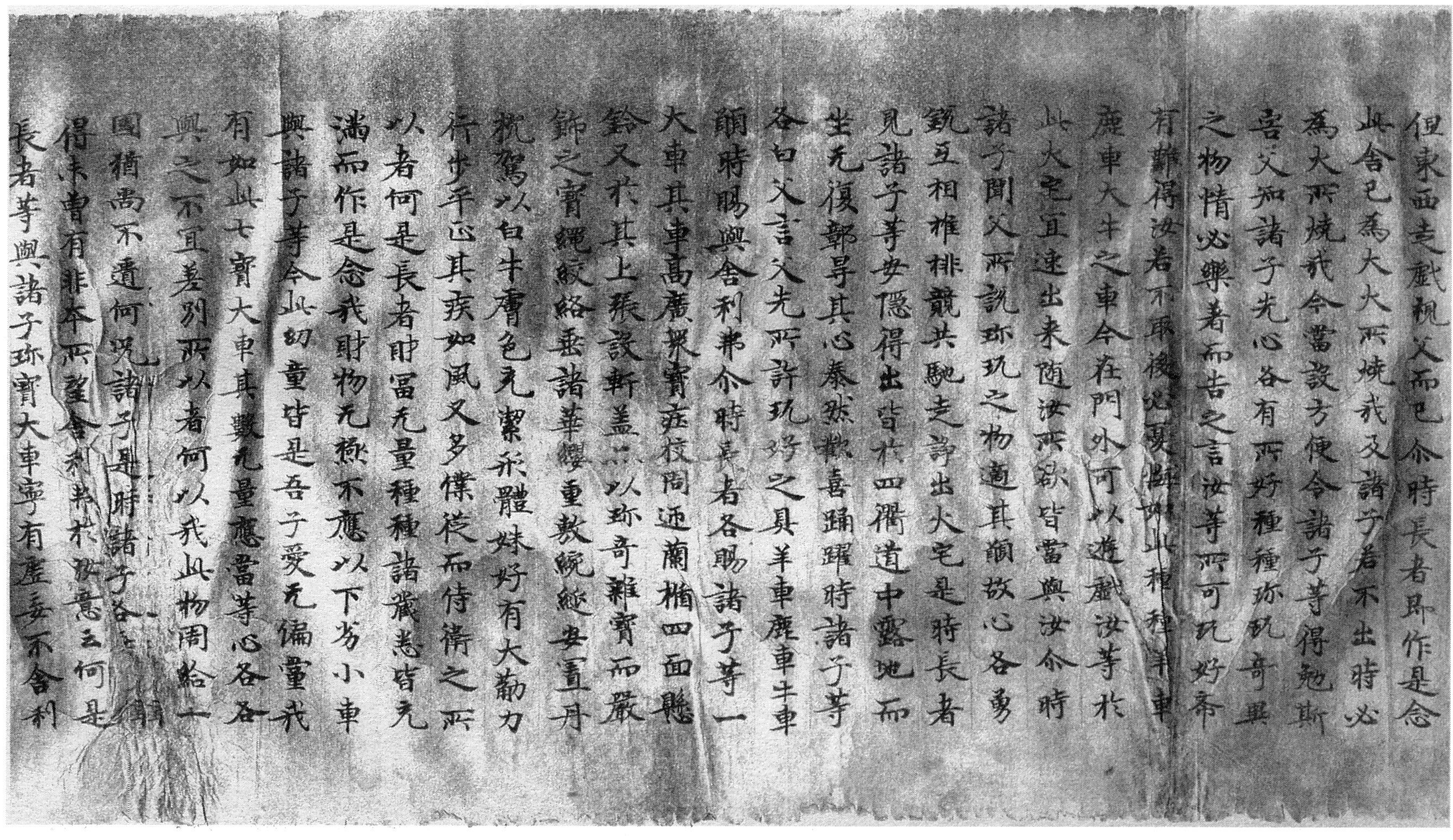

但東西走戲視父而已尒時長者即作是念
此舍已為大火所燒我及諸子若不出時必
為火所燒我今當設方便令諸子等得勉斯
害父知諸子先心各有所好種種珎玩奇異
之物情必樂著而告之言汝等所可玩好希
有難得汝若不取後必憂悔如此種種羊車
鹿車牛車今在門外可以遊戲汝等於
此火宅宜速出來隨汝所欲皆當與汝尒時
諸子聞父所說珎玩之物適其願故心各勇
鋭互相推排競共馳走爭出火宅是時長者
見諸子等安隱得出皆於四衢道中露地而
坐无復鄣㝵其心泰然歡喜踊躍時諸子等
各白父言父先所許玩好之具羊車鹿車牛車
願時賜與舍利弗尒時長者各賜諸子等一
大車其車高廣衆寶莊校周迊欄楯四面懸
鈴又於其上張設幰蓋亦以珎奇雜寶而嚴
飾之寶繩絞絡垂諸華纓重敷綩綖安置丹
枕駕以白牛膚色充潔形體姝好有大筋力
行步平正其疾如風又多僕從而侍衛之所
以者何是長者財富无量種種諸藏悉皆充
溢而作是念我財物无極不應以下劣小車
與諸子等今此幼童皆是吾子愛无偏黨我
有如此七寶大車其數无量應當等心各各
與之不宜差別所以者何以我此物周給一
國猶尚不匱何況諸子是時諸子各乘大
得未曾有非本所望舍利弗於汝意云何是
長者等與諸子珎寶大車寧有虛妄不舍利

BD00053號　妙法蓮華經卷二　（21–2）

……以我此物周給一
國猶尚不遺何況諸子是時諸子各……
得未曾有非本所望舍利弗於汝意云何是
長者等與諸子珎寶大車寧有虛妄不舍利
弗言不也世尊是長者但令諸子得免火難
全其軀命非為虛妄何以故若全身命便為
已得玩好之具況復方便於彼火宅而拔濟
之世尊若是長者乃至不與最小一車猶不
虛妄何以故是長者先作是意我以方便令
子得出以是因緣无虛妄也何況長者自知
財富无量欲饒益諸子等与大車佛告舍利
弗善哉善哉如汝所言舍利弗如來亦復如
是則為一切世間之父於諸怖畏衰惱憂患
无明闇蔽永盡无餘而悉成就无量知見力
无所畏有大神力及智慧力具足方便智慧
波羅蜜大慈大悲常无懈惓恒求善事利益
一切而生三界朽故火宅為度眾生生老病
死憂悲苦惱愚癡闇蔽三毒之火教化令得
阿耨多羅三藐三菩提見諸眾生為生老
病死憂悲苦惱之所燒煮亦以五欲財利故
受種種苦又以貪著追求故現受眾苦後受
地獄畜生餓鬼之苦若生天上及在人間貧
窮困苦愛別離苦怨憎會苦如是等種種諸
苦眾生沒在其中歡喜遊戲不覺不知不驚
不怖亦不生厭不求解脫於此三界火宅東
西馳走雖遭大苦不以為患舍利弗佛見此
已便作是念我為眾生之父應拔其苦難與
……智慧樂令其遊戲舍利弗如來

BD00053號　妙法蓮華經卷二　（21–3）

不怖亦不生厭不求解脫於此三界火宅東
西馳走雖遭大苦不以為患舍利弗佛見此
已便作是念我為眾生之父應拔其苦難與
无量无邊佛智慧樂令其遊戲舍利弗如來
復作是念若我但以神力及智慧力捨於方
便為諸眾生讚如來知見力无所畏者眾生
不能以是得度所以者何是諸眾生未免生
老病死憂悲苦惱而為三界火宅所燒何由
能解佛之智慧舍利弗如彼長者雖復身手
有力而不用之但以慇懃方便免濟諸子火
宅之難然後各與珎寶大車如來亦復如是
雖有力无所畏而不用之但以智慧方便於
三界火宅拔濟眾生為說三乘聲聞辟支佛
佛乘而作是言汝等莫得樂住三界火宅勿
貪麁弊色聲香味觸也若貪著生愛則為所
燒汝速出三界當得三乘聲聞辟支佛佛乘
我今為汝保任此事終不虛也汝等但當懃
脩精進如來以是方便誘進眾生復作是言
汝等當知此三乘法皆是聖所稱歎自在无
繫无所依求乘是三乘以无漏根力覺道禪
定解脫三昧等而自娛樂便得无量安隱快
樂舍利弗若有眾生內有智性從佛世尊聞
法信受慇懃精進欲速出三界自求涅槃是
名聲聞乘如彼諸子為求羊車出於火宅若
有眾生從佛世尊聞法信受慇懃精進求自
然慧樂獨善寂深知諸法因緣是名辟支佛
乘如彼諸子為求鹿車出於火宅若有眾生

BD00053號　妙法蓮華經卷二　（21–4）

名聲聞乘如彼諸子為求羊車出於火宅若
有眾生從佛世尊聞法信受慇懃精進求自
然慧樂獨善寂深知諸法因緣是名辟支佛
乘如彼諸子為求鹿車出於火宅若有眾生
從佛世尊聞法信受懃脩精進求一切智佛
智自然智无師智如來知見力无所畏愍念
安樂无量眾生利益天人度脫一切是名大
乘菩薩求此乘故名為摩訶薩如彼諸子為
求牛車出於火宅舍利弗如彼長者見諸子
等安隱得出火宅到无畏處自惟財富无量
等以大車而賜諸子如來亦復如是為一切
眾生之父若見无量億千眾生以佛教門出
三界苦怖畏險道得涅槃樂如來爾時便作
是念我有无量无邊智慧力无畏等諸佛法
藏是諸眾生皆是我子等與大乘不令有人
獨得滅度皆以如來滅度而滅度之是諸眾
生脫三界者悉與諸佛禪定解脫等娛樂之
具皆是一相一種聖所稱歎能生淨妙第一
之樂舍利弗如彼長者初以三車誘引諸子
然後但與大車寶物莊嚴安隱第一然彼長
者无虛妄之咎如來亦復如是无有虛妄初
說三乘引導眾生然後但以大乘而度脫之
何以故如來有无量智慧力无所畏諸法之
藏能與一切眾生大乘之法但不盡能受舍
利弗以是因緣當知諸佛方便力故於一佛
乘分別說三佛欲重宣此義而說偈言

BD00053號　妙法蓮華經卷二　（21-5）

利弗以是因緣當知諸佛方便力故於一佛
乘分別說三佛欲重宣此義而說偈言
譬如長者　有一大宅　其宅久故　而復頓弊
堂舍高危　柱根摧朽　梁棟傾斜　基陛頹毀
牆壁圮坼　泥塗褫落　覆苫亂墜　椽梠差脫
周障屈曲　雜穢充遍　有五百人　止住其中
鴟梟鵰鷲　烏鵲鳩鴿　蚖蛇蝮蠍　蜈蚣蚰蜒
守宮百足　狖狸鼷鼠　諸惡蟲輩　交橫馳走
屎尿臭處　不淨流溢　蜣蜋諸蟲　而集其上
狐狼野干　咀嚼踐蹋　嚌齧死屍　骨肉狼藉
由是群狗　競來搏撮　飢羸慞惶　處處求食
鬪諍齟掣　啀喍嗥吠　其舍恐怖　變狀如是
處處皆有　魑魅魍魎　夜叉惡鬼　食噉人肉
毒蟲之屬　諸惡禽獸　孚乳產生　各自藏護
夜叉競來　爭取食之　食之既飽　惡心轉熾
鬪諍之聲　甚可怖畏　鳩槃荼鬼　蹲踞土埵
或時離地　一尺二尺　往返遊行　縱逸嬉戲
捉狗兩足　撲令失聲　以腳加頸　怖狗自樂
復有諸鬼　其身長大　裸形黑瘦　常住其中
發大惡聲　叫呼求食　復有諸鬼　其咽如針
復有諸鬼　首如牛頭　或食人肉　或復噉狗
頭髮蓬亂　殘害兇險　飢渴所逼　叫喚馳走
夜叉餓鬼　諸惡鳥獸　飢急四向　窺看窗牖
如是諸難　恐畏无量　是朽故宅　屬于一人
其人近出　未久之間　於後宅舍　忽然火起
四面一時　其焰俱熾　棟梁椽柱　爆聲震裂

BD00053號　妙法蓮華經卷二　（21-6）

其人近出　未久之間　扵後宅舍　忽然火起
四面一時　其焰俱熾　棟梁椽柱　爆聲震裂
摧折墮落　牆壁崩倒　諸鬼神等　揚聲大叫
鵰鷲諸鳥　鳩槃荼等　周章惶怖　不能自出
惡獸毒虫　藏竄孔穴　毗舍闍鬼　亦住其中
薄福德故　為火所逼　共相殘害　飲血噉肉
野干之屬　並已前死　諸大惡獸　競來食噉
臭烟熢㶿　四面充塞　蜈蚣蚰蜒　毒蛇之類
為火所燒　爭走出穴　鳩槃荼鬼　隨取而食
又諸餓鬼　頭上火燃　飢渴熱惱　周章悶走
其宅如是　甚可怖畏　毒害火災　衆難非一
是時宅主　在門外立　聞有人言　汝諸子等
先因遊戲　來入此宅　稚小无知　歡娛樂着
長者聞已　驚入火宅　方宜救濟　令无燒害
告喻諸子　說衆患難　惡鬼毒虫　災火蔓莚
衆苦次第　相續不絕　毒蛇蚖蝮　及諸夜叉
鳩槃荼鬼　野干狐狗　鵰鷲鵄梟　百足之屬
飢渴惱急　甚可怖畏　此苦難處　況復大火
諸子无知　雖聞父誨　猶故樂著　嬉戲不已
是時長者　而作是念　諸子如此　益我愁惱
今此舍宅　无一可樂　而諸子等　耽湎嬉戲
不受我教　將為火害　即便思惟　設諸方便
告諸子等　我有種種　珍玩之具　妙寶好車
羊車鹿車　大牛之車　今在門外　汝等出來
吾為汝等　造作此車　隨意所樂　可以遊戲
諸子聞說　如此諸車　即時奔競　馳走而出
到扵空地　離諸苦難　長者見子　得出火宅

吾為汝等　造作此車　隨意所樂　可以遊戲
諸子聞說　如此諸車　即時奔競　馳走而出
到扵空地　離諸苦難　長者見子　得出火宅
住扵四衢　坐師子座　而自慶言　我今快樂
此諸子等　生育甚難　愚小无知　而入險宅
多諸毒虫　魑魅可畏　大火猛焰　四面俱起
而此諸子　貪樂嬉戲　我已救之　令得脫難
是故諸人　我今快樂
尒時諸子　知父安坐　皆詣父所　而白父言
願賜我等　三種寶車　如前所許　諸子出來
當以三車　隨汝所欲　今正是時　唯垂給與
長者大富　庫藏衆多　金銀瑠璃　車𤦲馬瑙
以衆寶物　造諸大車　莊校嚴飾　周匝蘭楯
四面懸鈴　金繩交絡　真珠羅網　張施其上
金華諸瓔　處處垂下　衆綵雜飾　周匝圍繞
柔軟繒纊　以為茵蓐　上妙細㲲　價直千億
鮮白淨潔　以覆其上　有大白牛　肥壯多力
形體姝好　以駕寶車　多諸儐從　而侍衛之
以是妙車　等賜諸子　諸子是時　歡喜踊躍
乘是寶車　遊扵四方　嬉戲快樂　自在无㝵
告舍利弗　我亦如是　衆聖中尊　世間之父
一切衆生　皆是吾子　深著世樂　无有慧心
三界无安　猶如火宅　衆苦充滿　甚可怖畏
常有生老　病死憂患　如是等火　熾燃不息
如來已離　三界火宅　寂然閑居　安處林野
今此三界　皆是我有　其中衆生　悉是吾子

如来已離 三界火宅 寂然閑居 安處林野
今此三界 皆是我有 其中衆生 悉是吾子
而今此處 多諸患難 唯我一人 能為救護
雖復教詔 而不信受 於諸欲染 貪著深故
以是方便 為説三乘 令諸衆生 知三界苦
開示演説 出世間道 是諸子等 若心決定
具足三明 及六神通 有得縁覺 不退菩薩
汝舍利弗 我為衆生 以此譬喻 説一佛乘
汝等若能 信受是語 一切皆當 成得佛道
是乘微妙 清淨第一 於諸世間 為无有上
佛所悦可 一切衆生 所應稱讃 供養礼拜
无量億千 諸力解脱 禪定智慧 及佛餘法
得如是乘 令諸子等 日夜劫數 常得遊戲
與諸菩薩 及聲聞衆 乘此寶乘 直至道場
以是因縁 十方諦求 更无餘乘 除佛方便
告舍利弗 汝諸人等 皆是吾子 我則是父
汝等累劫 衆苦所燒 我皆濟拔 令出三界
我雖先説 汝等滅度 但盡生死 而實不滅
今所應作 唯佛智慧
若有菩薩 於是衆中 能一心聽 諸佛實法
諸佛世尊 雖以方便 所化衆生 皆是菩薩
若人小智 深著愛欲 為此等故 説於苦諦
衆生心喜 得未曾有 佛説苦諦 真實无異
若有衆生 不知苦本 深著苦因 不能暫捨
為是等故 方便説道 諸苦所因 貪欲為本
若滅貪欲 无所依止 滅盡諸苦 名第三諦

為是等故 方便説道 諸苦所因 貪欲為本
若滅貪欲 无所依止 滅盡諸苦 名第三諦
為滅諦故 脩行於道 離諸苦縛 名得解脱
是人於何 而得解脱 但離虚妄 名為解脱
其實未得 一切解脱 佛説是人 未實滅度
斯人未得 无上道故 我意不欲 令至滅度
我為法王 於法自在 安隱衆生 故現於世
汝舍利弗 我此法印 為欲利益 世間故説
在所遊方 勿妄宣傳
若有聞者 隨喜頂受 當知是人 阿惟越致
若有信受 此經法者 是人已曾 見過去佛
恭敬供養 亦聞是法 若人有能 信汝所説
則為見我 亦見於汝 及比丘僧 并諸菩薩
斯法華經 為深智説 淺識聞之 迷惑不解
一切聲聞 及辟支佛 於此經中 力所不及
汝舍利弗 尚於此經 以信得入 況餘聲聞
其餘聲聞 信佛語故 隨順此經 非己智分
又舍利弗 憍慢懈怠 計我見者 莫説此經
凡夫淺識 深著五欲 聞不能解 亦勿為説
若人不信 毀謗此經 則斷一切 世間佛種
或復顰蹙 而懷疑惑 汝當聽説 此人罪報
若佛在世 若滅度後 其有誹謗 如斯經典
見有讀誦 書持經者 輕賤憎嫉 而懷結恨
此人罪報 汝今復聽
其人命終 入阿鼻獄 具足一劫 劫盡更生
如是展轉 至无數劫 從地獄出 當墮畜生

其人命終　入阿鼻獄　具足一劫　劫盡更生
如是展轉　至無數劫　從地獄出　當墮畜生
若狗野干　其形頞瘦　黧黮疥癩　人所觸嬈
又復為人　之所惡賤　常困飢渴　骨肉枯竭
生受楚毒　死被瓦石　斷佛種故　受斯罪報
若作駱駝　或生驢中　身常負重　加諸杖捶
但念水草　餘無所知　謗斯經故　獲罪如是
有作野干　來入聚落　身體疥癩　又無一目
為諸童子　之所打擲　受諸苦痛　或時致死
於此死已　更受蟒身　其形長大　五百由旬
聾騃無足　宛轉腹行　為諸小蟲　之所唼食
晝夜受苦　無有休息　謗斯經故　獲罪如是
若得為人　諸根闇鈍　矬陋攣躄　盲聾背傴
有所言說　人不信受　口氣常臭　鬼魅所著
貧窮下賤　為人所使　多病痟瘦　無所依怙
雖親附人　人不在意　若有所得　尋復忘失
若修醫道　順方治病　更增他疾　或復致死
若自有病　無人救療　設服良藥　而復增劇
若他反逆　抄劫竊盜　如是等罪　橫羅其殃
如斯罪人　永不見佛　衆聖之王　說法教化
如斯罪人　常生難處　狂聾心亂　永不聞法
於無數劫　如恒河沙　生輒聾瘂　諸根不具
常處地獄　如遊園觀　在餘惡道　如己舍宅
駝驢猪狗　是其行處　謗斯經故　獲罪如是
若得為人　聾盲瘖瘂　貧窮諸衰　以自莊嚴
水腫乾痟　疥癩癰疽　如是等病　以為衣服

BD00053 號　妙法蓮華經卷二　（21–11）

若得為人　聾盲瘖瘂　貧窮諸衰　以自莊嚴
水腫乾痟　疥癩癰疽　如是等病　以為衣服
身常臭處　垢穢不淨　深著我見　增益瞋恚
婬欲熾盛　不擇禽獸　謗斯經故　獲罪如是
告舍利弗　謗斯經者　若說其罪　窮劫不盡
以是因緣　我故語汝　無智人中　莫說此經
若有利根　智慧明了　多聞強識　求佛道者
如是之人　乃可為說　若人曾見　億百千佛
殖諸善本　深心堅固　如是之人　乃可為說
若人精進　常修慈心　不惜身命　乃可為說
若人恭敬　無有異心　離諸凡愚　獨處山澤
如是之人　乃可為說
又舍利弗　若見有人　捨惡知識　親近善友
如是之人　乃可為說　若見佛子　持戒清潔
如淨明珠　求大乘經　如是之人　乃可為說
若人無瞋　質直柔軟　常愍一切　恭敬諸佛
如是之人　乃可為說
復有佛子　於大衆中　以清淨心　種種因緣
譬喻言辭　說法無礙　如是之人　乃可為說
若有比丘　為一切智　四方求法　合掌頂受
但樂受持　大乘經典　乃至不受　餘經一偈
如是之人　乃可為說
如人至心　求佛舍利　如是求經　得已頂受
其人不復　志求餘經　亦未曾念　外道典籍
如是之人　乃可為說
告舍利弗　我說是相　求佛道者　窮劫不盡

BD00053 號　妙法蓮華經卷二　（21–12）

如是之人　乃可為說
告舍利弗　我說是相　求佛道者　窮劫不盡
如是等人　則能信解　汝當為說　妙法華經
妙法蓮華經信解品第四
尒時慧命須菩提摩訶迦旃延摩訶迦葉摩
訶目揵連從佛所聞未曾有法世尊授舍利
弗阿耨多羅三藐三菩提記發希有心歡喜
踊躍即從座起整衣服偏袒右肩右膝著地
一心合掌曲躬恭敬瞻仰尊顏而白佛言我
等居僧之首年並朽邁自謂已得涅槃无所
堪任不復進求阿耨多羅三藐三菩提世尊
往昔說法既久我時在座身體疲懈但念空
无相无作於菩薩法遊戲神通淨佛國土成
就衆生心不憙樂所以者何世尊令我等出
於三界得涅槃證又今我等年已朽邁於佛
教化菩薩阿耨多羅三藐三菩提不生一念
好樂之心我等今於佛前聞授聲聞阿耨多
羅三藐三菩提記心甚歡喜得未曾有不謂
於今忽然得聞希有之法深自慶幸獲大善
利无量珎寶不求自得世尊我等今者樂說
譬喻以明斯義譬如有人年既幼稚捨父逃
逝久住他國或十二十至五十歲年既長大
加復窮困馳騁四方以求衣食漸漸遊行遇
向本國其父先來求子不得中止一城其家
大富財寶无量金銀瑠璃珊瑚虎珀頗梨珠
等其諸倉庫悉皆盈溢多有僮僕臣佐吏民

大富財寶无量金銀瑠璃珊瑚虎珀頗梨珠
等其諸倉庫悉皆盈溢多有僮僕臣佐吏民
象馬車乘牛羊无數出入息利乃遍他國商
估賈客亦甚衆多時貧窮子遊諸聚落經歷
國邑遂到其父所止之城父每念子與子離
別五十餘年而未曾向人說如此事但自思
惟心懷悔恨自念老朽多有財物金銀珎寶
倉庫盈溢无有子息一旦終沒財物散失无
所委付是以慇懃每憶其子復作是念我若
得子委付財物坦然快樂无復憂慮世尊尒
時窮子傭賃展轉遇到父舍住立門側遙見
其父踞師子床寶机承足諸婆羅門剎利居
士皆恭敬圍繞以真珠瓔珞價直千萬莊嚴
其身吏民僮僕手執白拂侍立左右覆以寶
帳垂諸華幡香水灑地散衆名華羅列寶物
出内取與有如是等種種嚴飾威德特尊窮
子見父有大力勢即懷恐怖悔來至此竊作
是念此或是王或是王等非我傭力得物之
處不如往至貧里肆力有地衣食易得若久
住此或見逼迫強使我作作是念已疾走而
去時富長者於師子座見子便識心大歡喜
即作是念我財物庫藏今有所付我常思念
此子无由見之而忽自來甚適我願我雖年
朽猶故貪惜即遣傍人急追將還尒時使者
疾走往捉窮子驚愕稱怨大喚我不相犯何
為見捉使者執之逾急強牽將還于時窮子

朽猶故貪惜即遣傍人急追將還尒時使者
疾走往捉窮子驚愕稱怨大喚我不相犯何
為見捉使者執之逾急強牽將還于時窮子
自念无罪而被囚執此必定死轉更惶怖悶
絕躃地父遙見之而語使言不須此人勿強
將來以冷水灑面令得醒悟莫復與語所以
者何父知其子志意下劣自知豪貴為子所
難審知是子而以方便不語他人云是我子
使者語之我今放汝隨意所趣窮子歡喜得
未曾有從地而起往至貧里以求衣食尒時
長者將欲誘引其子而設方便密遣二人形
色憔悴无威德者汝可詣彼徐語窮子此有
作處倍與汝直窮子若許將來使作若言欲
何所作便可語之雇汝除糞我等二人亦共
汝作時二使人即求窮子既已得之具陳上
事尒時窮子先取其價尋與除糞其父見子
愍而怪之又以他日於窗牖中遙見子身羸
瘦憔悴糞土塵坌污穢不淨即脫瓔珞細軟
上服嚴飾之具更著麤弊垢膩之衣塵土坌
身右手執持除糞之器狀有所畏語諸作人
汝等勤作勿得懈息以方便故得近其子後
復告言咄男子汝常此作勿復餘去當加汝
價諸有所須盆器米麵鹽醋之屬莫自疑難
亦有老弊使人須者相給好自安意我如汝
父勿復憂慮所以者何我年老大而汝少壯
汝常作時无有欺怠瞋恨怨言都不見汝有

BD00053號　妙法蓮華經卷二　（21–15）

父勿復憂慮所以者何我年老大而汝少壯
汝常作時无有欺怠瞋恨怨言都不見汝有
此諸惡如餘作人自今已後如所生子即時
長者更與作字名之為兒尒時窮子雖欣此
遇猶故自謂客作賤人由是之故於二十年
中常令除糞過是已後心相體信入出无難
然其所止猶在本處世尊尒時長者有疾自
知將死不久語窮子言我今多有金銀珍寶
倉庫盈溢其中多少所應取與汝悉知之我
心如是當體此意所以者何今我與汝便為
不異宜加用心无令漏失尒時窮子即受教
勑領知眾物金銀珍寶及諸庫藏而无希取
一湌之意然其所止故在本處下劣之心亦
未能捨復經少時父知子意漸以通泰成就
大志自鄙先心臨欲終時而命其子并會親
族國王大臣剎利居士皆悉已集即自宣言
諸君當知此是我子我之所生於某城中捨
吾逃走跉跰辛苦五十餘年其本字某我名
某甲昔在本城懷憂推覓忽於此間遇會
得之此實我子我實其父今我所有一切財物
皆是子有先所出內是子所知世尊是時窮
子聞父此言即大歡喜得未曾有而作是念
我本无心有所希求今此寶藏自然而至世
尊大富長者則是如來我等皆似佛子如來
常說我等為子世尊我等以三苦故於生死
中受諸熱惱迷惑无知樂著小法今日世尊

BD00053號　妙法蓮華經卷二　（21–16）

真大富長者則是如来我等皆似佛子如来
常說我等為子世尊我等以三苦故於生死
中受諸熱惱迷惑无知樂著小法今日世尊
令我等思惟蠲除諸法戲論之糞我等於中
勤加精進得至涅槃一日之價既得此已心
大歡喜自以為足便自謂於佛法中懃精進
故所得弘多然世尊先知我等心著弊欲樂
於小法便見縱捨不為分別汝等當有如来
知見寶藏之分世尊以方便力說如来智慧
我等從佛得涅槃一日之價以為大得於此
大乘无有志求我等又因如来智慧為諸菩
薩開示演說而自於此无有志願所以者何
佛知我等心樂小法以方便力隨我等說而
我等不知真是佛子今我等方知世尊於佛
智慧无所悋惜所以者何我等昔来真是佛
子而但樂小法若我等有樂大之心佛則為
我說大乘法於此經中唯說一乘而昔於菩
薩前毀呰聲聞樂小法者然佛實以大乘教
化是故我等說本无心有所希求今法王
大寶自然而至如佛子所應得者皆已得之
尒時摩訶迦葉欲重宣此義而說偈言
我等今日　聞佛音教　歡喜踊躍　得未曾有
佛說聲聞　當得作佛　无上寶聚　不求自得
譬如童子　幼稚无識　捨父逃逝　遠到他土
周流諸國　五十餘年　其父憂念　四方推求
求之既疲　頓止一城　造立舍宅　五欲自娛
其家巨富　多諸金銀　車𤦲馬碯　真珠瑠璃

BD00053號　妙法蓮華經卷二　(21–17)

周流諸國　五十餘年　其父憂念　四方推求
求之既疲　頓止一城　造立舍宅　五欲自娛
其家巨富　多諸金銀　車𤦲馬碯　真珠瑠璃
象馬牛羊　輦轝車乘　田業僮僕　人民衆多
出入息利　乃遍他國　商估賈人　无處不有
千万億衆　圍繞恭敬　常為王者　之所愛念
羣臣豪族　皆共宗重　以諸緣故　往来者衆
豪富如是　有大力勢　而年朽邁　益憂念子
夙夜惟念　死時將至　癡子捨我　五十餘年
庫藏諸物　當如之何
尒時窮子　求索衣食　從邑至邑　從國至國
或有所得　或无所得　飢餓羸瘦　體生瘡癬
漸次經歷　到父住城　傭賃展轉　遂至父舍
尒時長者　於其門內　施大寶帳　處師子座
眷屬圍繞　諸人侍衛
或有計筭　金銀寶物　出內財產　注記券疏
窮子見父　豪貴尊嚴　謂是國王　若國王等
驚怖自恠　何故至此
覆自念言　我若久住　或見逼迫　強驅使作
思惟是已　馳走而去　借問貧里　欲往傭作
長者是時　在師子座　遙見其子　嘿而識之
即勅使者　追捉將来　窮子驚喚　迷悶躃地
是人執我　必當見殺　何用衣食　使我至此
長者知子　愚癡狹劣　不信我言　不信是父
即以方便　更遣餘人　眇目矬陋　无威德者
汝可語之　云當相雇　除諸糞穢　倍與汝價
窮子聞之　歡喜隨来　為除糞穢　淨諸房舍

BD00053號　妙法蓮華經卷二　(21–18)

即以方便　更遣餘人　眇目矬陋　无威德者
汝可語之　云當相雇　除諸糞穢　倍與汝價
窮子聞之　歡喜隨来　為除糞穢　淨諸房舍
長者於牖　常見其子　念子愚劣　樂為鄙事
於是長者　著弊垢衣　執除糞器　往到子所
方便附近　語令勤作
既益汝價　并塗足油　飲食充足　薦席厚暖
如是苦言　汝當懃作　又以軟語　若如我子
長者有智　漸令入出　經二十年　執作家事
示其金銀　真珠頗梨　諸物出入　皆使令知
猶處門外　止宿草菴　自念貧事　我无此物
父知子心　漸已曠大　欲與財物　即聚親族
國王大臣　刹利居士　於此大衆　說是我子
捨我他行　經五十歲　自見子来　已二十年
昔於某城　而失是子　周行求索　遂来至此
凡我所有　舍宅人民　悉以付之　恣其所用
子念昔貧　志意下劣　今於父所　大獲珎寶
并及舍宅　一切財物　甚大歡喜　得未曾有
佛亦如是　知我樂小　未曾說言　汝等作佛
而說我等　得諸无漏　成就小乘　聲聞弟子
佛勑我等　說最上道　脩習此者　當得成佛
我承佛教　為大菩薩　以諸因緣　種種譬喻
若干言辭　說无上道
諸佛子等　從我聞法　日夜思惟　精懃脩習
是時諸佛　即授其記　汝於来世　當得作佛
一切諸佛　秘藏之法　但為菩薩　演其實事
而不為我　說斯真要

一切諸佛　秘藏之法　但為菩薩　演其實事
而不為我　說斯真要
如彼窮子　得近其父　雖知諸物　心不希求
我等雖說　佛法寶藏　自无志願　亦復如是
我等內滅　自謂為足　唯了此事　更无餘事
我等若聞　淨佛國土　教化衆生　都无欣樂
所以者何　一切諸法　皆悉空寂　无生无滅
无大无小　无漏无為　如是思惟　不生喜樂
我等長夜　於佛智慧　无貪无著　无復志願
而自於法　謂是究竟
我等長夜　脩習空法　得脫三界　苦惱之患
住最後身　有餘涅槃　佛所教化　得道不虛
則為已得　報佛之恩
我等雖為　諸佛子等　說菩薩法　以求佛道
而於是法　永无願樂
導師見捨　觀我心故　初不勸進　說有實利
如富長者　知子志劣　以方便力　柔伏其心
然後乃付　一切財物
佛亦如是　現希有事　知樂小者　以方便力
調伏其心　乃教大智
我等今日　得未曾有　非先所望　而今自得
如彼窮子　得无量寶
世尊我今　得道得果　於无漏法　得清淨眼
我等長夜　持佛淨戒　始於今日　得其果報
法王法中　久脩梵行　今得无漏　无上大果
我等今者　真是聲聞　以佛道聲　令一切聞

法王法中　久脩梵行　今得无漏　无上大果
我等今者　真是聲聞　以佛道聲　令一切聞
我等今者　真阿羅漢　於諸世間　天人魔梵
普於其中　應受供養
世尊大恩　以希有事　憐愍教化　利益我等
无量億劫　誰能報者
手足供給　頭頂礼敬　一切供養　皆不能報
若以頂戴　兩肩荷負　於恒沙劫　盡心恭敬
又以美饍　无量寶衣　及諸臥具　種種湯藥
牛頭栴檀　及諸珍寶　以起塔廟　寶衣布地
如斯等事　以用供養　於恒沙劫　亦不能報
諸佛希有　无量无邊　不可思議　大神通力
无漏无為　諸法之王　能為下劣　忍于斯事
取相凡夫　隨宜而說　諸佛於法　得最自在
知諸衆生　種種欲樂　及其志力　隨所堪任
以无量喻　而為說法
隨諸衆生　宿世善根　又知成熟　未成熟者
種種籌量　分別知已　於一乘道　隨宜說三

妙法蓮華經卷第二

BD00053號　妙法蓮華經卷二　（21–21）

五眼經文
有无斯照隨法[illegible]
有眼故去不見非
何故言不見有但
見有二種一真如平
條然有異故言不見
本來不生古今空寂
中絕相故聖人无有
見世所以得言見者
而猶如實而見世此
不見非謂眼境並无令不覺世若
言不見便謂諸佛菩薩一向无眼
故次明也
如來有肉眼者何者是肉眼所知境界
如來有肉眼明凡夫之人肉眼但見因緣和
合虛妄境界見上不見下然衆生造業既殊
報得肉眼亦差品不同或但見鄣內不見鄣
外或內外俱見或晝見夜不見或夜見晝不
見或晝夜俱見此等諸眼皆是父母所生眼
如菲婆提人以父母所生眼[illegible]色前
後俱見如來同凡夫見此虛妄之色故云如
來有肉眼也如來有天眼者天眼有二種一
者修得二者報得何者是天眼所知境界天
眼亦照因緣和合虛妄境界皆見鄣[illegible]
亦有見下不見上者有見前不見[illegible]
力見上見下見前見後有四方俱[illegible]
所見亦同凡夫顛倒取境如來稱

BD00054號　金剛仙論卷八　（28–1）

者修得二者報得修者是天眼所知境界天
眼亦照因緣和合虛妄境界皆見鄣下之
亦有見下不見上者有見前不見
力見上見下見前見後有四方俱
所見亦同凡夫顛倒取境如來稱
而緣以此為異故言如來有天眼
人有報得肉眼有報得天眼亦有修
者此皆三界中法明諸佛菩薩道超出表久
已无此二眼何故導言如來有此二眼者直
以見同二眼故言如來有天眼也
如來有慧眼者何者是慧眼所緣境明慧眼
知一切有為法无為法有漏无漏善惡无記
等法而不作念我知此法明如來亦同二乘
所緣法故言如來有慧眼也
如來有法眼者何者是法眼所緣境界明法
眼能知三乘聖人當證果時乘何等心證於
道果如此法眼所緣證法差別如來亦同見
之故言如來有法眼也
如來有佛眼者然上之四眼見境不周知法
不盡故設所知見不能明了明佛眼所見真
俗並照巨細斯鑒一切万法了了通達无境
不周无法不盡故名佛眼此明如來有五眼
故有照境之見既有此眼故知佛有身有眼
言不見非无身无眼言不見故次明此五眼
經文也乘五眼經文復更生疑疑云十方世
界无量无邊直三千世界中所有種種諸法
尚不可知盡況无邊世界中亦有種種諸法
何故但明此五眼若正有此五眼是為如來

經文也乘五眼經文復更生疑疑云十方世
界无量无邊直三千世界中所有種種諸法
尚不可知盡況无邊世界中亦有種種諸法
何故但明此五眼若正有此五眼是為如來
則知法不盡見境不周故引恒河沙喻以答
此疑欲明如來雖但有五眼而照所知之境
莫不皆盡然知境雖盡不可俱鄣於文且境
中微細難知者不過心法故舉恒沙世界中
衆生一衆生身中有善心不善心无記心有
漏无漏三世等心數不可限量一衆生有若
干種心恒沙世界衆生各有介許心數差別
不同如來以三達靈知於一念中朗照故不
應難云若如來但有五眼則知境不盡也此
明眼雖有五而知境斯盡也
佛言須菩提於意云何如恒河中所有沙佛
說是沙不者前舉五眼明佛內具能見之鑑
旨不孤起起必知境今将明五眼所知之境
故佛問須菩提汝意地思惟籌量謂如來知
此恒河中沙頭數多少不也應如是問所以
乃言如來說是不者明理而言之要先知後
說今言如來說者明知如來知故方說故云
佛說是沙不也須菩提言如是世尊如來說
是沙者明須菩提得賓加力故解如來意故
何述如來所說言如是世尊如來實了了
知此恒河中沙頭數多少故說非為不知也
此喻意明以一恒河為一衆生此一衆生有善不
善无記等心數法多少如恒河中沙復以此

知此恒河中沙頭數多少故說非為不知也
此喻意明以一恒河為一衆生此一衆生有善不
善无記等心數法多少如恒河中沙復以此
沙數恒河為一衆生一衆生亦有尒許沙數
心數法復以此沙數佛世界尒許世界中復
有无量恒河復以一河為一衆生尒許衆生
心數法皆了了知況餘非心心法也
乘此更生疑念如地前菩薩以信解解力故
亦知一三千世界中衆生心數法未知今言
如來知恒沙衆生心數法者為同地前菩薩
但知一佛三千世界中恒沙衆生心數法為
亦遍知十方无量恒河沙世界中衆生心數
法也將釋此疑故佛重問須菩提於意云何
如一恒河中所有沙數佛世界至如是佛世
界寧為多不此欲明如來非但知一三千世
界中恒沙衆生心心數法也乃遍知十方世界
中无量恒河沙衆生心數法也須菩提言彼
世界甚多世尊者明須菩提仰荅如來如上
所說十方恒沙世界實多无量也
佛告須菩提尒許世界中衆生若干種心住
如來悉知者上來問荅雖有重數正荅意在
此文明如來乃是一切智人但以五眼了了
遍知十方恒河沙世界中衆生色心等法无
不皆盡今且舉知心法明知色亦无遺也然
就此所知法中有種種差別憂劣不同如人
中果報比於諸天憂劣上下不得為喻況諸

BD00054號　金剛仙論卷八　（28–4）

就此所知法中有種種差別憂劣不同如人
中果報比於諸天憂劣上下不得為喻況諸
佛菩薩出世勝報比於人天之果俱然懸絕
不可等數如來了達无餘故言悉知也何以
故者因向若干種心住如來悉知復生疑念
上云衆生五陰六塵六識體是虛妄若取此
衆生五陰等虛妄法者即非菩薩又云離一
切諸相則名諸佛若尒何以故今復言若干
種心住如來悉知若如來知見此法則應是
實非為虛妄未知此言心住者為四念處真
如境中住為餘法中住若是真實上下應言
虛妄導如來不見若是虛妄不應復言若干
種心住如來悉知故言何以故也即荅如來
說諸心住皆為非心住此言諸心住者凡夫
六識於虛妄法中顛倒而住皆為非心住者非
於四念處中无顛倒真實住也此明上言離
者虛妄故離今所以言知者如來五眼照境
斯盡虛實俱了故云知非為真實也是名為
心住者經虛妄緣中顛倒住久得結上皆為
非心住是名為非四念處境中真實住也何
以故過去心不可得等者釋上何以知此言心
住者是六識顛倒虛妄緣中住故釋云過去
心等不可得明以三世等心不住為住故曰
虛妄也過去心法已謝於往空故不可得未
來心未至空故不可得現在心念念生滅不
住即體是空故不可得也
因三世虛妄諸心顛倒復更生疑若心住是

BD00054號　金剛仙論卷八　（28–5）

來心未至空故不可得現在心念念生滅不
住即體是空故不可得也
因三世虛妄諸心顛倒復更生疑若心住是
虛妄顛倒者便謂凡夫聖人心皆是虛妄顛
倒若尒則初地以上諸菩薩心亦是虛妄顛
倒以心虛妄顛倒故所有布施等福德智慧
了因之行亦應是顛倒故非菩提因不成彼
圻无漏功德也為斷此疑故答言以三千世
界七寶布施得福甚多此明初地以上得真
无漏解不取相不住心行布施故福德非顛
倒以非顛倒故成波羅蜜行不同地前凡夫
六識心是虛妄取相顛倒故福德亦是顛倒
然此福德雖非顛倒而要以地前取相顛倒
福德為因故非條然也得福甚多者明此无
相布施乃感常住佛果无盡之福故言得福
甚多也
即復生疑若此三千七寶布施實有福德是
无漏非顛倒者何故上三千七寶布施言非
福德聚也為斷此疑故答言須菩提若福德
聚相有實者如來則不說福德聚福德聚然
上明二種福德聚一是取相有漏福德聚二是
不取相无漏福德聚我言非福德聚者明有
漏福德聚非趣菩提无漏福德聚不言无
漏福德亦非福德聚也那得以彼三千世界
七寶布施取相福德是顛倒故難我此中初
地以上不取相布施无漏福德亦使是顛倒
也

BD00054 號　金剛仙論卷八　（28–6）

七寶布施取相福德是顛倒故難我此中初
地以上不取相布施无漏福德亦使是顛倒
也
論曰復有疑等此先牒前所疑事也若如是
以下序生疑意指經為釋也此一段經以三
行偈釋初偈正釋五眼經文作問答意斷疑
第二偈釋恒沙世界譬喻中一段經文第三
偈釋三千世界七寶布施福多經文初偈云
雖不見諸法者上疑云不見諸法未知為有
眼而不見為无眼故不見也故偈釋明諸佛
菩薩雖不同凡夫於眾生五陰色等有為法
上有取相之見非不有五眼如法相虛實而
見非全无眼故不見也故第二句云非无了
境眼此眼雖云諸佛不見諸法非无五眼照
境之用也何以得知故次下句言諸佛五種
實此明諸佛有五眼具足也若尒即復生疑
此五種眼還同於凡夫顛倒之見故即答以
見彼顛倒明諸佛菩薩實有五眼稱於顛倒
境界而見而見非顛倒故不同凡夫也此半偈
雖解經意猶未釋經文故拘摽作第二偈也
長行論云何故說彼非顛倒者論主將釋此
偈答之意故設問云若諸佛實有五眼見
前境界者前境是虛妄故能緣之智則應是
顛倒何故說彼五眼為非顛倒也即答為顯
斷疑譬喻是故說我知彼種種心住如是等也
明為釋若但有五眼則知多境不盡之疑故
引恒沙譬喻是故言導若干種心住如來悉

BD00054 號　金剛仙論卷八　（28–7）

斷疑譬喻是故說我知彼種種心住如是等也
明為釋若但有五眼則知多境不盡之疑故
引恒沙譬喻是故言導若干種心住如來悉
知非同凡夫顛倒之知也故下問云此亦何
義即答彼非顛倒以見顛倒故也何者是顛
倒者問若佛五眼非顛倒者何者顛倒眼
也即答偈言種種顛倒識以離於實念也明
六識非一故云種種妄取六塵以不實為實
此惜境之心故云顛倒識也何以得知六識
是顛倒次下句云以離於實念實念者四念
處觀也觀我此身常此身无常乃至法亦如
是也以六識不住四念處中乃取虛妄六塵
故名顛倒也不住彼實智是故說顛倒者此
二句成上二句也明六識不住彼四念處實智
境中是故我說為顛倒也此義云何至差別
顛倒釋偈中初句也何故彼心住名為顛倒
者何故六種心住名為顛倒也即以偈下三
句答明其六識但緣六塵虛妄境界不能
住四念處境中是故說顛倒也
如來說諸心住皆為非心住者提此一偈所
釋經來也此句亦現遠離四念處者釋向六
識心住離四念處境故說為非心住也此以
何義者此以義故六識離四念處名為非心
住也即答心住者住彼念處也明若心住於
四念境中者可名為住而此六識以離彼四
念處取虛妄境界故云不住也又住不動根
本名異義一者釋上心住彼念處者有於住

BD00054號　金剛仙論卷八　（28–8）

四念境中者可名為住而此六識以離彼四
念處取虛妄境界故云不住也又住不動根
本名異義一者釋上心住彼念處者有於住
義也依世雜論解以後釋前何故名住以其
不動何故不動以根本也又解何故名住明
菩薩以四念處解極心真如理中故名為住
既心住真如不為五欲所壞故曰不動亦得
云不為二乘所壞故曰不動此真如解既不
為五欲所動便能与菩提為基故名根本也
若如是不住是故說心住者若不能如是於
四念處境中住者是故便說為虛妄境中住
也此明不住相續不斷行因者雙釋住不住
義也此不住者釋前句也若如是不住相續
不斷行因者釋是故說心住也是故不住者
經虛妄住者為非實住也亦彼相續顛倒明
虛妄境中相續住者是顛倒識也經答上問
何故彼心住名為顛倒也如經過去心以下
舉釋虛妄住非心住經結成顛倒義也以過
去未來以下釋三世心住經可知也
何故依福德重說譬喻者作問生起第三偈
也第三偈佛智慧根本者上難云以心顛倒
故此福德亦應是顛倒今言佛智慧根本明
此初地以上不取相布施是无漏福德乃与
佛果種智以為勝因故曰佛智慧根本也又
第二句云非顛倒功德明知此菩薩布施福
德非取相顛倒心也以是福德相者以是佛
智慧根本福德相也故重說譬喻者重說三

BD00054號　金剛仙論卷八　（28–9）

第二句云非顛倒功德明知此菩薩布施福
德非取相顛倒心也以是福德相者以是佛
智慧根本福德相也故重說譬喻者重說三
千世界施福明雖同是布施但取相心中布
施者福德是顛倒不取相心施施名雖同而
福非顛倒也然取相心施雖是顛倒非不因
此地前取相有漏施福以之為因然後得入
初地无漏有順理之義故地前取相福德亦得
相從為不顛倒福德也此說何義至何名善
法者此序經中生疑之意也為斷此疑以下
至福德非顛倒釋答疑之意也何以故者釋
此七寶施福何以得為非顛倒也即提偈
上句來答以佛智慧根本故非顛倒也云何
亦現根本者問云何亦現此七寶施福是佛
智慧根本也如經須菩提等舉經為取第二
福德聚答佛智慧根本義也此義云何以下
釋經中第二福德聚是其无漏故非顛倒以
无漏故得為佛智慧根本也
須菩提於意云何佛可以色身見不等此一
段經是斷疑分中第六段經文此經所以來
者有疑故上已三處明可以相成就見如來
不此中第四何故復言佛可以具足色相身
成就見不也初一邊明法身上无應佛生住
滅三相第二邊明法身上无報佛大丈夫相
第三邊明法身上无色等法有為万相此三處
就別相中以明法身佛古今湛然如虛空身

第三邊明法身上无色等法有為万相此三處
就別相中以明法身佛古今湛然如虛空身
非修行故得不可以色相而見須彌山王喻
中明報身佛由行者修行因緣万德圓滿以
色相莊嚴體非有為有漏湛然常住此就別
相明報佛第六段中无有定法得菩提者明
應佛從感故有非修行可得畢竟无色无心
此就別相明應佛此三佛歷然不同也法身
佛非報應二佛報身佛非法身應身佛應身
佛非法報二佛此就三種佛別相義邊不得
為一也有人生疑若此三佛差別不同則皆
是不實何以故應身佛非修行所得无色无
心則是虛妄既離法身有報佛報佛則是本
无今有已有還无亦是不實若法身佛如虛
空不可得見體亦不實此是一種疑又上第
六段中云聖人以无為法得名復云由行者
修行因緣成就相好名之為佛若然為當即
法身上有此報應二佛色相之身實然是一
為條然異於法身有此二色相身也若實然
是一則不應有三佛用差若條然異者則皆
是虛妄无有一義有如此疑故佛問須菩提
佛可以具足色身見不等此答意云汝不應
作是難所以然者明此三佛亦有一義亦有
異義故語一則始終一法性无有二相論異
則三佛體用有別歷然不同此三種佛理而
言之恒一恒三恒三恒一言三不傷其一體

異義故說一即如然一法性无有二相諸異
則三佛體用有別雖然不同此三種佛理而
言之恒一恒三恒三恒一言三不傷其一體
論一不廢其三用故不應難言此三種佛為
真然作一為條然有異為釋此疑故次明也
於意云何佛可以具足色身見不者此佛問
須菩提明虛空法身古今湛然體无色相可
以報應二佛具足色身見不也故須菩提答
不也世尊如來不應以色身見此明三佛別
相異義邊明法身如來古今湛然猶如虛空
不可以報應二佛具足色身而見故不得說
即法身上有報應二佛具足色身此一句傾
上經中三佛別相法身義邊不可以二佛具
足色身見也何以故者有人乘此生疑若法
身如來古今无相猶如虛空不可以報應二
佛具足色身見者法身便一向无色若尒則
異於法身別有報應二佛具足之色則還同
前疑三佛條然別相何以故復作如是說也
故即答如來說具足色身此明三佛一義邊
即法身上有功德智慧二種莊嚴真如解脫
色万德圓滿无所缺少以修行因緣顯本有
法身以為報佛故即法身上有此具足色身
也若法身中无具足色者則不應有報應二
佛具足色身以斯義故得導即法身上有報
應二佛色身此明三佛不異義也是故上言
一切法皆是佛法覆復生疑若即法身上有
報應二種色身者便法身中有色上不應言

應二佛色身此明三佛不異義也是故上言
一切法皆是佛法覆復生疑若即法身上有
報應二種色身者便法身中有色上不應言
報佛卅三丈夫相及應佛相非法身相也又
亦不應云法身古今一定如虛空也故答言
即非具足色身明向者就三佛一義邊得云
即法身上有具足色身若據異義邊明法身
古今一定无有二佛色身之用故上初句云不
應以具足色身見故言即非具足色身也此
成上經卅二大人相即是非相也若法身上
无報應色者還同前疑若法身佛就體无
色身可見者此之色身則條然異於法身報
得導言即法身佛上有具足色身也故答言
是故如來說名具足色身明法身中雖即无報
應之色可見然正顯法身作報佛色身之用由
有報應故不離法身有報應之色故言如
來說名具足色身也此成上第二句一義邊
一切法皆是佛法也又復就理而言亦得
云是故如來說名不具足色身所以得云不
具足身者就異義邊論明即法身佛上无二
佛色身之用故亦得云不具足色身此句雙
結三佛一異有色之義但以答難故直云是
故如來說名具足色身此成上異義也
又問此中但就色身明具足之義則足何故復
明諸相具足也有人乘无生疑若法身佛
上无具足色身此法身佛為有卅二相為无
卅二相為一為異也有如此疑問以故諸相經
答明因色身故判有卅二相上已了了雜釋

上无具足色身此法身佛為有卅二相為无
卅二相為一為異也有如此疑問以故諸相經
荅明曰色身故則有卅二相上已了了解釋
即法身佛上有具足色身即法身上无具
足色身何得難言若法身无色為有諸相為
无諸相也諸相四句經文不異前具足色身
中義故不別釋也
論曰復有疑若諸佛以无為法得名者牒上
苐六段中經來也論主略申生疑所以云何
諸佛成就八十種好卅二相而名為佛者序
作難之辭云若法身佛无為法得名如虛虛
者与報應二佛色相之身為一為異等也廣
作疑問不異經相也生起為斷此疑是故說
非成就色身非成就諸相者略舉經中色相二
處三佛異義經文荅其不異之難又色身攝得
八十種好卅二相復舉上二處三佛一義經意
荅其異疑也如經以下舉二處一異經來結
也此一段經文以二行偈釋初偈釋經中法
身佛不可以具足色身見不可以具足諸相
見苐二偈上三句釋經中如來說具足色身
具足相身下一句釋經中即非具足色身即
非具足相身是故如來說具足色身具足相
身等經也何故如是說者將欲偈釋故先問
何故不定荅乃作如此不定之說或言法身
有色相或言法身无色相也故即偈荅法身
畢竟體非彼相好身此二偈明說三佛異義
邊不得言有色相一義邊得言有色相也法

畢竟體非彼相好身此二偈明說三佛異義
邊不得言有色相一義邊得言有色相也法
身畢竟體者以初一偈釋二處經中佛問須
菩提若乃至如來不應以色身見不應以相
身見等明虛空法身畢竟无有報應色相之
用可見故云法身畢竟體也何以故以報應
色相之身修行方得故色相之身顯用於報
應真如法身雖万德圓滿但釋體而論故无
色相之用也如冬樹无葉以時未至故非一
向无也若一向无者應時至亦无以此喻驗
之法身非不有色相以時未至故不可見也
非彼相好身者明法身非報應相好身也以
非相成就者所以言法身非相好身者以法
身不為現用相好所成故也法身何故不為相
所成故下句云非彼法身故明相好之身
非古今一定法身之體故言非彼法身故此
明法身佛異義也
苐二偈上句釋經中何以故如來說具足色
身具足相身二處經文也明法身上雖无色
相之用可見然不離於法身以修行因緣則
有報應色相之用畢竟不從餘處來也故云
不離於法身彼二非不佛也彼二者彼色
之与相非不是法身佛故苐三句云故重說
成就下一句並釋法身中亦得言有色相亦
无二者此明虛空法身中畢竟无報應色相
故言亦无二釋經中即非具足色身相身也
雖法身上无亦得導即法身中有故云及有

无二者此明虛空法身中畢竟无報應色相
故言亦无二釋經中即非具足色身相身也
雖法身上无亦得道即法身中有故云及有
二此明不離法身有報應色相之身也釋經
中是故說具足色身具足相身也此二偈說
何義至以非彼法身相故釋初偈明法身異
義邊无色相也此二非不彼乃至偈言彼二
非不佛故釋苐二偈上二句引所釋經證舉
偈苐二句結明一義邊法身有色相也是故
此二乃至以不離法身故釋苐二偈中下句
明法身中亦得說无報應色相二亦得說有
色相二也所以此中再邊釋此一異之義者
但經中為釋難故有其兩重故論主亦重釋
也是故此二亦得言无故說非身成就非相
成就此是釋法身无色相義經論相屬也亦
得言有故說色身成就諸相成就者此解法
身有色相義經論相屬也偈言亦无二及有
者釋竟以偈結之也何故如是說者設問也
以彼法身中无即於是義者答法身中无色
相所以也說如來色身成就諸相成就以不離
彼身故者答法身有色相所由也而法身不
如是說者明雖不離法身有色相之身而法
身義邊古今一定畢竟无此色相為生下疑
故作此句欲使乘无生難因言長理故後章
得顯也
佛言須菩提於意云何汝謂如來有所說法
耶莫此斷疑分中苐七段經文已三遍來此

佛言須菩提於意云何汝謂如來有所說法
耶莫此斷疑分中苐七段經文已三遍來此
所以來有疑故也上來廣辯法身之體畢竟
无有有為方相又此前段經復明虛空法身
異義邊體无報應色相若法身无色相則亦
无眼等諸根既无諸根亦无口業云何言如
來說此法問法身佛為說法為不說法也若
法身佛不說法者報應二佛亦應一向不說
法又疑若使如來說法者為即此證智法身
有言教可說為離此證智法身別有此言教
可說也為斷此疑故答於意云何汝謂如來
有所說法耶此答意明法身之體无名无相
畢竟无色相可見无言教可說又雖无色相
諸根然要顯法身為報佛由法身現時為報
故得言曰法身有色相諸根有口業有言教
說法故上論云聖人證无為法還說无為法
若以此文驗者雖即證法无言教可說亦不
得離此所證法身別有教法可說也於意云
何者此應有問答而不作問答故如來直問
須菩提於意云何欲使賔辭而答也
汝謂如來作是念如來有所說法不者問須
菩提汝謂如來作念謂於无名相證法中有
名相可說不汝謂如來作是念離於所證法
更有言教法可說不也莫作是念者處須菩
提此念汝若謂如來於證法无名相理取同名
相可說者此是不正念若謂如來離於證智
更有教法可說者此亦是不正念故言莫作

相可說者此是不正念若謂如來離於證智
更有教法可說者此亦是不正念故言莫作
是念也何以故須菩提若人言如來有所說
法則爲謗佛不能解我所說義者此釋前何
以故汝向所說是不正說若人言如來有所
說法則爲謗佛明佛實不作是說導言如來
作此說即誣聖言故言謗佛此人所以生謗者
以不解如來所說理教一異之義故云何不
解聞言證法无名相便謂離於證法條然更
有言教可說不知證智无名相无法可說故
曰不解義不知因尋教得理由證有說故不
解義也何以故者此世辯釋名何以故導言
如來有所說法則是謗佛也故下即云如來
說法說法者无法可說明說法有二一是所
詮證義二能詮言教然此理教雖殊而本末
相由理无條然若證法有名相可說者此不
解聖意名爲謗佛聞言證法无名相便謂離
此證法別有言教可說復是不解聖意亦
爲謗佛也无法可說者明證法无言教可說
離於證法亦无言教可說也是名說法者
如是解證法无名相可說不離證法有教法
可說者方名正解方名正說故言是名說法
也亦應言是名非說法明若不如是解證中
无名相可說曰證有名相可說者故非說法
也
論曰復有疑乃至若相成就不可得見者牒
次前无色无相經也云何言如來說法者作

BD00054號　金剛仙論卷八　（28–18）

論曰復有疑乃至若相成就不可得見者牒
次前无色无相經也云何言如來說法者作
難目下經文以下引經申斷疑之意也
此經以一行偈釋如佛法亦然者釋經中乃
至不能解我所說故如佛者如前經中明法
身佛上有色相无色相三佛一異離即之義
也法亦然者佛既如此理教法一異義亦同
也明能詮言教所詮證義依此而論亦得言
有差別故次第二句云所說二差別此釋經
中說法說法者二差別者理教殊也此明能
詮所詮異義邊亦然也亦得言无差別故下
二句云不離於法界說法无自相此釋經中
无法可說是名說法法也不離於法界者明
聖人證於真如法界還說此真如故知此所
詮證義能詮聲教不得相離此明一義邊亦
然也說法无自相者既如證如說離於真如
法界更无言教自相可說即證智體无有名
相故亦无言教自相可說也長行論初何故
言說法說法者提經爲問也即指偈者言所
說二差別故何者是二乃至所有義此出經
中重言說法說法者偈中二也何故言无法
可說者若有言教能說復有所說義便應是
有說何故言无法可說也即以下半偈答言不
離於法界說法无自相故也此以何義以下
有一問答釋偈也
尒時慧命須菩提白佛言世尊頗有衆生於
未來世聞說此經法生信心不等此一段經

BD00054號　金剛仙論卷八　（28–19）

尒時慧命須菩提白佛言世尊頗有衆生於
未來世聞說此經法生信心不等此一段經
是斷疑分中第八段經文復所以來此亦有
疑故來世前段經或明法身體无報應色相
之身或云即法身上有報應色相今疑者偏
執无邊生難若一義邊即法身上有報應色
相者法身佛旣體如虛空不可以色相而見
此報應二佛与法身一故則應是无又次前
經明眞如法界體絕名相与言教有異復云
不離眞法界有言教可說若尒此眞法界融
亦如虛空无有聲教此聲教旣与證智體一
應亦是其无以證法无名相故也此之兩處
或明法身法界无色相言教而復言不離法
身法界有此色相言教斯二段經一異之義
至深難解爲但現坐能信爲未來世中亦有
人能信爲一向无人能信也又若有人能信
者有何等人能生信心爲是凡夫爲是聖人
也有如此疑故須菩提問頗有衆生聞說此
法生信心不佛即荅彼非衆生非不衆生此
荅意明經理雖甚深難信然非但道蓋當時
現坐生信明未來世中亦有人能信何人能
信明要地前地上二種菩薩久供諸佛殖因
深遠具是二種无我解者能信此經也經言
彼非衆生非不衆生者此出有能信人也應
直荅言菩薩有智慧人能信此經何故乃言
彼非衆生非不衆生也然此聖人相解其言
雖隱而能於此言取悟也彼非衆生者明彼

BD00054 號　金剛仙論卷八　（28–20）

直荅言菩薩有智慧人能信此經何故乃言
彼非衆生非不衆生也然此聖人相解其言
雖隱而能於此言取悟也彼非衆生者明彼
能信人非无智慧不修行不曾供養諸佛聞
此經未生信衆生也非不衆生者非不是能
信聖人衆生明此人已曾供養過去諸佛修
行來久聞此深經則能生信无疑是故彼非
无智不信衆生是有智慧能信衆生故次明
也何以故者此世聲釋前應問何以故名此
能信人作彼非衆生何故復名爲非不衆生
也我未解此義唯願如來爲我解說即荅言
須菩提衆生衆生者此重牒前彼非衆生非
不衆生然後釋也如來說非衆生是名衆生
者明此能信人非是底下愚癡凡夫不信衆
生也是名菩薩摩訶薩能信聖人使衆生也
論曰復有疑若言諸佛說者是无所說法不
離於法界亦是其无者牒前有色相无色相
有說法无說法二處深經也有何等人能信
此甚深法界者作疑問之意也自下經文者
栺經爲釋世所說說者深者以此一偈釋斯
一段經依經次第應言說者所說深但以闌
隨論法隨逐語便故言所說說者深亦以乘
勢明義故也正釋經中聞說此經也所說者
牒前經中如來所說理之与教說者者牒前
不可以色相成就見法身如來等經中所明
三種佛能說人也深者明前所牒二經一異
理深即舉爲疑斯之二經佛說太深於未來

BD00054 號　金剛仙論卷八　（28–21）

三種佛能說人也深者明前所牒二經一異
理深即舉為疑斷之二經佛說太深於未來
世為有人能信為當无人能信也故下句云非
无能信者此句明有人能信也應問何者是
能信人故下句即指出其人非衆生衆生釋
經中彼非衆生非不衆生非衆生者明非
无信衆生也衆生者是有信衆生也非聖者
此世辯釋名非衆生者非是不聖正是聖也
故即云非不聖也此是出其能信之人也
何故言須菩提非衆生非不衆生者提經為
問也偈言以下指下半偈為釋也此以何義
者此半偈以何義故得釋彼非衆生非不衆
生經為能信人也即釋若有信此經至非凡
夫體故解經偈中彼非衆生也若有信此經
彼人非衆生者取偈上句中能信義也非
衆生者提偈苐三句中非衆生來也非无聖
體者以偈下句中非聖而字釋前非衆生也
非无聖體者非凡夫體故者此是論主結能
信者是聖人非凡夫體也非不衆生者提經
來也以有聖體故者以偈苐四句中非不聖
釋之也彼人非凡夫衆生非不是聖體衆生
者結此能信為非凡夫是聖人也如經何以
故至是名衆生故引如來成釋為證也如來
說非衆生者非凡夫衆生此論主釋經是故
說衆生者結為能信聖人衆生也衆生者以
聖人衆生是故說非衆生者以是能信聖衆
生故結為非凡夫衆生也

說非衆生者非凡夫衆生此論主釋經是故
說衆生者結為能信聖人衆生也衆生者以
聖人衆生是故說非衆生者以是能信聖衆
生故結為非凡夫衆生也
佛言須菩提於意云何如來得阿耨三菩提
也此苐是斷疑分中苐九段經文此已五遍
來文雖相似而義有殊故非重也此所以來
者為釋疑故也此疑從何處生上來已廣明
法身古今體滿非脩得法文即此斷疑分初
苐二段經中言无有實法如來得阿耨三菩
提明法身菩提非有為法故不可以有為相
得即復言如來所得阿耨三菩提明菩提之
體是无為法故有菩提可得復以大身譬喻
釋成明法身本來圓滿具二莊嚴離於二鄣
非脩行得即生疑云若言如來得三菩提者
為脩行故得為不脩行故得若法身菩提古
今一定猶如虛空万德圓滿非脩行因緣然
後可得者云何言行者一阿僧祇脩行滿足
證於初地轉得七地二阿僧祇滿乃至十地上
上轉勝三阿僧祇後證佛果菩提也以此驗
知法身便脩行因緣可得後方圓足那得
道言法身如來猶如虛空万德圓滿非脩
得法也若由脩行得者云何乃離於上上證
所得報佛而說別有法身如來此執一難異
也又次前苐六段經明法身猶如虛空體无
諸相非脩行得法故不可以具足色相而見
乘生疑念若法身非脩得法无色相可見者
云何菩薩脩行因緣轉轉證得阿耨三菩提

諸相非修行得法故不可以見是色相而見
乘生疑念若法身非修得法无色相可見者
云何菩薩修行因緣轉轉證得阿耨三菩提
也此疑既起之在先所以今方斷者以中間
更乘生異疑遣之未盡故今方釋也此謂為
疑故經中荅意明佛有二種一法身佛古今
湛然體性圓非修得法此即性淨涅槃二
者報佛藉十地方便修行因緣本有之性顯
用之時名為報佛即方便涅槃不可以報身
方便修涅槃行得故便使法佛性淨涅槃亦
修行而得為釋此疑故次明也然就斯一段
經凡有四子句前三句明法身佛性淨涅槃
體相圓滿非修得法一句明報佛方便涅
槃亦万德圓滿而有无方大用是可修得法
也
无有少法得三菩提者此是第一子句明法
身如來万德圓滿无所欠減雖在煩惱染法
於万德中不少一法非以修行因緣後方滿
足故得名為无上菩提故云无少法得三菩
提也此就法體滿足以明法身非修得法也
復次須菩提是法平等无有高下是名三菩
提者此是第二子句釋初句法身所以万德
本圓非修行方滿者以法身古今一定非以
由人修行因緣故在聖人心中万德增名為
高非以人不修行因緣故在闡提心中万德
減名為下此就行者以明法佛體无增減非
修得也以无眾生无人无壽者得平等三菩

由人修行因緣故在聖人心中万德增名為
高非以人不修行因緣故在闡提心中万德
減名為下此就行者以明法佛體无增減非
修得也以无眾生无人无壽者得平等三菩
提者此是第三子句釋前第二句法身所以
平等无有高下者明一切眾生法身體相万
德皆等无此功德多彼功德少本來寂滅自
性離鄣一切平等无有我人等或不如金剛
以還因中行者行有深淺斷或有多少故勝
如不同有憂劣之別故起慢心自謂我功德
多遣或亦多彼劣於我所以有此分別慢者
以其先有煩惱遣之未盡故有我人等見明
一切眾生法身佛性无有憂劣從本以來清
淨體无或染故言无我人平等得三菩提故
勝鬘經云剎那善心非煩惱所染剎那不善
心亦非煩惱所染依西國剎那有十種名此言
剎那者憍為空也明空善心非煩惱所染不
空善心亦非煩惱所染空善心者明古今一
定法身如來藏體空无廿五有生死万相故
空言也不空善心者明法身自性體備万德
妙有湛然不空也故即上經言空如來藏也
前二子句明法身妙有即不空如來藏此一
句明法身妙无即空如來藏也此就无鄣清
淨以彰法佛平等滿足非修得也此前三句
宛轉釋法佛性淨涅槃義竟也
時眾聞言法身古今圓滿非修得法乘即生
[illegible]

淨以彰法佛平等滿足非修得也此前三句
究轉釋法佛性淨涅槃義竟也
時衆聞言法身古今圓滿非修得法乘即生
疑若介何故諸菩薩發菩提心三大阿僧初
修十地行竟何所為故若一切善法得三菩
提此是第四句明報佛方便涅槃有修得也
所以擾報佛明有修得者然報佛要就行者
修得現用時語既就行者論之便有修行因
緣方善滿足則有法可得前但擾性體本有
為言而不辯其用今就行者會時而語佛性
有用以有用不用異故得云有增減也復就
擾行者顯報有於修得故言一切善法得三
菩提也乘茲即生疑念若一切善法得三菩
提者疑謂一切名濫有漏无漏世間出世間
善法俱是一切可皆得菩提也若皆得者何
故上論偈言福不趣菩提也以斷此疑故答
言須菩提所言善法善法者如來說非善法
名是善法者此明善法有二一有漏善法二
无漏善法如來說非善法者明向言一切善
是一切无漏善法非是不趣菩提有漏善法
也故下句云是名善法此明是名无漏善 法
亦得言是名非善法明无漏非有漏故也
論曰頌有疑若如來不得一法得三菩提者
舉所疑經來也云何離於上上證轉轉得三菩
提者作難也自下經文為斷此疑亦現非證法
名為得三菩提者論主略引經中斷疑意也

舉所疑經來也云何離於上上證轉轉得三菩
提者作難也自下經文為斷此疑亦現非證法
名為得三菩提者論主略引經中斷疑意也
此以二偈釋茲一段初偈釋前三句明法身
无修得下一偈釋後一句明報佛有修得也
彼處无少法知菩提无上此二句釋初子句
知菩提无上者以知彼法身處體相滿足无
所缺少故得名為无上最勝菩提也法界不
增減者釋第二子句明此法身非修得方滿
名為增亦非不修行故少名為減也淨平等
自相者釋第三子句明法佛體上古今清淨
從本以來无我人等或故言淨也第二句知菩
提无上依下長行論釋此一句義通前三故
上三句下皆應言知菩提无上也第二偈有
无上方便者釋第四子句明報佛是修得就
現用義邊得名為增未用義邊得名為減也
及離於漏法等下三句釋第四子句下須菩
提所言善法善法者等釋疑經文也及離於
漏法者明報佛方便之因无漏善法體離諸
漏非有漏善法也是故非淨法者明有漏善
法非是无漏清淨善法也即是清淨法者如
是非有漏善法故即是出世无漏清淨善法
方便因也何得以有漏善法於菩提无方便
因難无漏善法亦使非方便因也此明何義
以下至如經一切善法得三菩提釋三偈中上
五子句解經中四子句也先次第解釋後
以經結之也除菩提善法下尚之首胃目中

非是无漏清淨善法也即是清淨法者如
是非有漏善法故即是出世无漏清淨善法
方便因也何得以有漏善法於菩提无方便
因難无漏善法亦使非方便因也此明何義
以下至如經一切善法得三菩提釋三偈中上
五子句解經中四子句也先次第解釋後
以經結之也餘菩提者善法不滿足者謂因中
方便菩提亦謂二乘菩提體未滿足須更修
習故言餘菩提者善法不滿足也須菩提所
言善法者如來說非善法等何故如是說者
先提下荅疑經為問即牒後偈下三句為釋
此以何義以下復設問也彼法无有漏法故
名非善法者此解无漏善法非是有漏善法
故如來說名為非善法也以无有漏法是故
名善法者解无漏善法為善法也以以決定善
法者結无漏善法也

金剛仙論卷第八

BD00054號　金剛仙論卷八　（28–28）

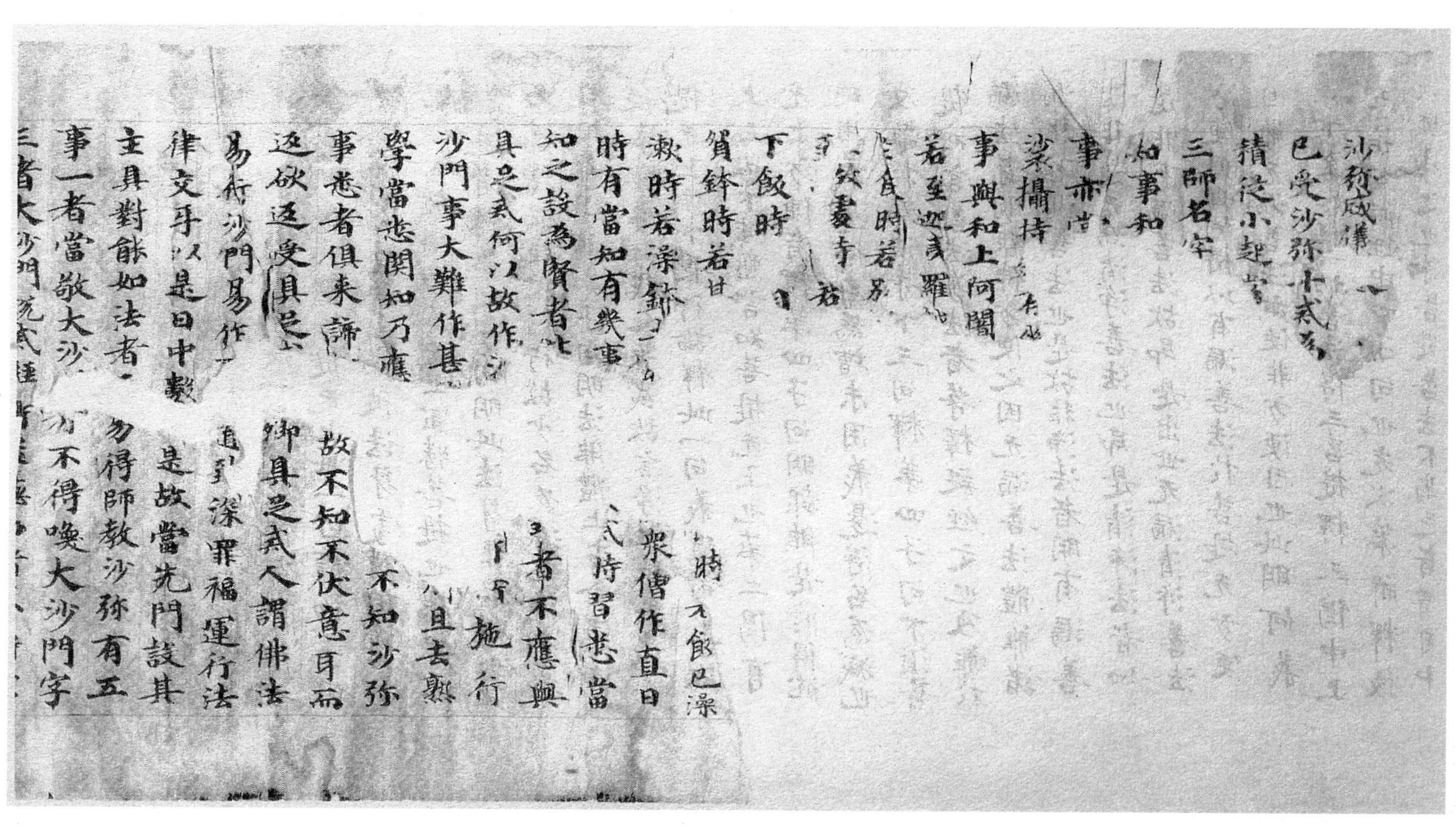
沙彌威儀 一
已受沙彌十戒
三師名字
如事和
事亦當
事與和上阿闍
下飯時
賀鉢時若甘
漱時若澡鉢
時有當知有幾事
知之設為賢者七
具足戒何以故作
沙門事大難作甚
學當悉閑知乃應
事悉者俱來誦
返欲返受具足
易作沙門易作
律文手以是日中數
主具對能如法者
事一者當敬大沙
時不飯已澡
衆僧作直日
人持習悉當
者不應與
施行
不知沙彌
故不知不伏意耳而
御具足戒人謂佛法
進至深罪福運行法
是故當先門該其
多得師教沙彌有五
不得喚大沙門字

BD00055號　沙彌威儀　（10–1）

[illegible]
事一者當敬大沙[illegible]不得喚大沙門字
三者大沙門說戒經不得盜聽四者不得求
大比丘長短五者[illegible]誤時不得轉行說
是為威儀法
當教行五事一者不得於屏處罵大比丘二
者不得輕易大比丘於前戲咲效其語言形
相行步三者見大[illegible]則當[illegible]若讀經
若飯時者作衆事應起四者與大比丘
相逢當以住下道避之五者若調戲若見大
比丘即當以謝言不及是為施行所應尒
沙彌事和上有十事一者當早起二者欲入
戶當先三彈指三者具揚枝澡水四者當授
袈裟却授履五[illegible]掃地更益澡水六者當辟
掃拭林席七者師未還不得中捨戶去師還
逆取袈裟內襞之八者若有過和上阿闍梨
教勑之不得還逆語九者當低頭受師語去
當思惟念行之十者出戶當還牽戶閉之是
為事和上法
沙彌事阿闍梨有五事一者視阿闍梨一切
當如視我二者不得調戲三者設呵罵汝不
得還語四者若使出不淨器不唾不得惡
恚五者暮宿當案摩之是為事阿闍梨法也
沙彌事師當早起具楊枝澡水有六事一者
斷析楊枝當隨度二者當破頭三者當澡使
淨四者當易故宿水五者當淨澡灌六者當
滿中水持入不得使有聲是為給楊枝澡水

[illegible]
淨四者當易故宿水五者當淨澡灌六者當
滿中水持入不得使有聲是為給楊枝澡水
法
授袈裟有四事一者當徐徐一手提下授之
二者當次視上下三者當正住持師衣已四
者當上著肩上是為袈裟法疊袈裟有四事
一者當視上下二者不得使著地三者當著
常處四者還上是為疊袈裟法
持鉢有四事一者當令淨二者拭令燥三者
帶令堅四者不得有聲是為持鉢法
持履有四事一者先斗藪之二者當視次比
之三者當澡手不得便持袈裟四者師坐當
取次比之是為持履法
持錫杖有四事一者當取拭去生垢二者當
取不得著地使有聲三者師出戶乃當授四
者師出還當逆取若俱行若入衆若礼佛當
取持是為持錫杖法
俱應請連坐飯時有四事一者若坐當離師
六尺二者視師大嚫竟乃授鉢三者不得先
師食四者食已當起取鉢自近是為連坐飯
時法
別坐飯時法有四事一者當立住師邊二者
教飯乃當坐去三者頭面著地作礼四者去
飯不得居坐上戲飯已竟當至師邊住師教
還坐乃應坐是為別坐飯時法
入城乞食時有四事一者當持師鉢二者當
[illegible]

還坐乃應坐是為別坐飯時法
入城乞食時有四事一者當持師鉢二者當
隨不得以足蹈師影三者於城外當取鉢授
師四者入城欲別行當報師是為行乞食法
俱還至故處飯時有四事一者當先徐徐開
户出布二者澡師已乃却自澡三者授師鉢
却自叉手住四者當豫具澡豆手巾是為還
師飯時法
還水邊飯時有四事一者當求淨處二者當
求草作坐三者當取水澡師手乃却授鉢四
者師教使飯當作礼却坐是為水邊飯時法
止於樹下飯時有四事一者持鉢著樹枝取
葉作坐二者取水還當澡師手設不得水求
取淨草授師三者還取師鉢授師四者當豫
具淨草淨師鉢已却熟拭鉢乃去是為樹下
飯時法
住於道中相待有三事一者持鉢著淨地作
礼如事說二者當視日早晚可自還歸若道
止三者當取師鉢并持隨後去是為道中相
待法
合鉢食時有三事一者若師鉢中無酪蘇漿
當自取所得鉢授師不受且當却住二者涂
取鉢中半飯出著樹葉上三者却自取鉢中
半飯并師鉢却住是為合鉢食時法
轉賀鉢時有三事一者師鉢中得善自取不
如者便當授師二者欲賀鉢當護不受三者
師[illegible]

半飯并師鉢却住是為合鉢食時法
轉賀鉢時有三事一者師鉢中得善自取不
如者便當授師二者欲賀鉢當護不受三者
師堅呼賀鉢當取一兩飡便當拭鉢還授師
是為賀鉢時法
對飯時有三事一者當授師鉢乃却自飯二
者數視所欲得即當起取與三者食不得大
疾亦不得後已起當復問得何等師言持去
乃當持去是為對飯時法
前後飯時有三事一者持師鉢具已當却至
屏處住聽師呼聲即當之二者當豫取澡水
著一邊三者師飯畢當澡師手却住師教去
飯乃當作礼去飯是為前後法
飯已澡漱有三事一者澡漱已當先取鉢澡
令清淨已著樹葉上二者却自澡鉢已亦著
樹葉上先取師鉢以手摩令燥內著囊中付
師三者還自取鉢拭令燥內著囊中帶之
住是為澡鉢時法
澡鉢去時有三事一者言我今欲過某許賢
者某甲二者頭面著地作礼便去三者獨還
去不得過餘聚落中戲咲直歸故處讀經是
為澡鉢去時法
沙弥入衆有五事一者當眼覺二者當習諸
事三者當給衆四者當授大沙門物五者欲
受大戒時三師易得耳
復有五事一者當礼佛二者當礼比丘僧三
者當問訊上坐四者當留上坐處五者下寺

受大戒時三師易得耳
復有五事一者當礼佛二者當礼比丘僧三
者當問訊上坐四者當留上坐處五者不得
諍坐處
復有五事一者不得於坐上遥相呼語咲二
者不得數起出三者若衆僧喚沙弥其甲即
當起應四者當隨衆僧教令五者摩摩諦喚
有所作當還白師是為入衆法
沙弥作直日有五事一者當偕衆僧物二者
不得當道作事三者事未竟已不得中起捨
去四者若和上阿闍梨喚不得便往應當報
摩摩諦五者當隨摩摩諦教令不得違戾是
為直日法擇菜有五事一者當却根二者當
齊頭三者不得使有青黃合四者洗菜當三
易水令淨已當三振去水五者作事畢竟當
還掃除使淨
復有五事一者不得私取衆僧物二者若有
所欲取當報摩摩諦三者盡力作衆僧事四
者當掃除食堂中乃却布坐蓆五者當朝暮
掃除舍後蓋水
汲水有十事一者手不淨不得便用汲水當
先澡手二者不得大投灌井中使有聲三者
當徐徐下灌不得大桃擊左右著使有聲四
者不得使繩頭還入井中五者不得持腹伏
井欄上六者不得持灌水入著釜中七者不
得持灌置地八者當洗澡罌令淨九者舉水

井欄上六者不得持灌水入著釜中七者不
得持灌置地八者當洗澡罌令淨九者舉水
入當徐徐行十者著屏處不得妨人道中
澡釜有五事一者當先澡釜鍚上二者當洗
餅裹三者當澡中要腹四者當澡裏底五者
皆當三易水
吹竈有五事一者不得蹲吹火二者不得吹
生薪三者不得倒吹濕薪四者不得然腐薪
五者不得熱湯澆火滅
掃地有五事一者順行二者灑地不得有厚
薄三者不得汙濺四壁四者不得蹈濕上壞
地五者掃已即當自擇草尒棄之
比丘僧飯食沙弥掃地有五事一者却行二
者不得桃辭手三者過六人止作一聚四者
悉掃遍為善五者即當自手除持出棄之
持水澡灌瀉水有五事一者一手持上一手
持下不得轉易二者當近左面堅持直視前
三者當視人手澆下水不得多亦不得少正
當授人手中四者下水當去人手四寸不得
高不得下當相視水多少設水少不能足一
人當益不得侄人手五者已澡手還著袈裟
持澡鉢有五事一者不得使鉢有聲二者當
兩手堅持當倚右面三者當隨人手高下不
得左右顧視四者澡鉢中滿當出棄之不得
澆人前地五者已當過澡手還著袈裟
手巾有五事一者當右手持上左手持下一

澆人前地五者已當過澡手還著袈裟
手巾有五事一者當右手持上左手持下一
頭授人二者當去坐二尺不得前倚人膝三
者當持巾隨郭人口四者人拭未放巾不得
引去已下竟當報主若著故處五者已當澡
手還著袈裟
授履有五事一者當先外藪去中所有二者
當從上起三者當隨澡鉢後亦主令自識四
者不得持左著右皆當下竟沙弥五者已竟
當還澡手還著袈裟
沙弥鉢有七事一者鉢中有餘飯不得便取
棄之二者欲棄飯當著淨地三者當用澡豆
若果華四者澡鉢不得於淨地當人道中五
者澡鉢當使下有枝六者當更淨水水不遠
棄汙濺人地七者欲倒棄鉢中當去地四寸
不得高下
拭鉢有五事一者當澡手拭使燥二者當持
淨手巾著膝上三者當拭裹使燥即當持淨
巾并覆著囊中著常處
行會飯時教沙弥持鉢有五事一者不得置
地二者不得累使有聲三者倩下著地四者
人未授鉢不得持鉢置案上五者不得從人
後授鉢當正從前亦不得衆中視師飯已當
起取鉢還坐
沙弥為師持書行荅謝人有七事一者當直
往二者當直還三者當識師所語亦當識人
報語四者不得妄有所過五者若有所借不

往二者當直還三者當識師所語亦當識人
報語四者不得妄有所過五者若有所借不
得止留宿六者不得調譺七者行出當有法
則
沙弥給衆僧使未竟不得妄入沙門戶有三
事一者和上阿闍梨暫使往二者若倩有所
取三者自往問經應得入
欲入戶有七事一者當三彈指乃得入二者
不得當人道作三者不得妄說他事四者當
叉手如法說五者數倨不得交脚六者不得
調譺七者不得桒人先欲出當還向牽戶獨
使沙弥遠出行當教上頭有三事一者彼人
問卿和上名何等便報言和上字某甲二者
復問言卿和上作沙門幾歲便報言若干歲
三者復問卿和上何許人便報言某郡縣人
設復問阿闍梨名何等便報言字某甲復問
卿阿闍梨年幾何便報言年若干復問阿闍
梨是何許人便報言某郡國人若復問賢者
何許人便報言某郡縣人復問賢者名何等
便報言字某甲復問卿作沙弥已來幾何時
便報言已若干歲若干日月若干時節是為
和上阿闍梨亦自知時字歲日月數
入浴室有五事一者當伍頭入二者當避上
坐處三者上坐讀經不得狂語四者不得以
更相洗五者不得持水澆火滅復有五事一
者不得調譺二者不得破中瓫瓮三者用水

取三者自往問經應得人
欲入户有七事一者當三彈指乃得入二者
不得當人道作三者不得妄說他事四者當
叉手如法說五者教倨不得交脚六者不得
調戲七者不得彰人先欲出當還向户獨
使沙弥遠出行當教上頭有三事一者彼人
問卿和上名何等便報言和上字某甲二者
復問言卿和上作沙門幾歲便報言若干歲
三者復問卿和上何許人便報言某郡縣人
設復問阿闍梨名何等便報言字某甲復問
卿阿闍梨年幾何便報言年若干復問阿闍
梨是何許人便報言某郡國人若復問賢者
何許人便報言某郡縣人復問賢者名何等
便報言字某甲復問卿作沙弥已來幾何時
便報言已若干歲若干日月若干時節是爲
和上阿闍梨亦自知時字歲日月數
入浴室有五事一者當位頭入二者當避上
坐處三者上坐讀經不得狂語四者不得以
更相洗五者不得持水澆火滅復有五事一
者不得調戲二者不得破中瓮瓮三者用水
不得大費四者不得濁中澡豆麻油五者自
出去不得止浣衣
至舍後有十事一者欲大小便即當行二者
行不得左右視三者至三彈指四者不得過

BD00055號　沙彌威儀　（10–10）

如說我名字等畢竟不生如我說
法亦如是无自性何等色畢竟不生何等受
想行識畢竟不生須菩提何因緣故言畢竟
不生不名爲色畢竟不生不名爲受想行識
須菩提何因緣故言若畢竟不生法當教是
般若波羅蜜耶須菩提何因緣故言離
不生亦无菩薩行阿耨多羅三藐三菩提
菩提何因緣故言若菩薩聞作是說心不沒
不悔不驚不怖不畏若能如是行是名菩薩
摩訶薩行般若波羅蜜尒時須菩提報舍利
弗言衆生无所有故菩薩前際不可得衆生
空故菩薩前際不可得衆生離故菩薩前際
不可得舍利弗色无有故菩薩前際不可得
受想行識无有故菩薩前際不可得色空故
菩薩前際不可得受想行識空故菩薩前際不
可得色離故菩薩前際不可得受想行識離
故菩薩前際不可得舍利弗色性无故菩薩
前際不可得受想行識性无故菩薩前際不
可得舍利弗檀波羅蜜无有故菩薩前際不
可得尸羅波羅蜜羼提波羅蜜毗梨耶波羅
蜜禪波羅蜜般若波羅蜜无有故菩薩前際
不可得何以故舍利弗空中前際不可得後
際不可得中際不可得空不異菩薩菩薩不
異前際舍利弗空菩薩前際是諸法无二无
别以是因緣故舍利弗菩薩前際不可得舍
利弗檀波羅蜜空故檀波羅蜜離故檀波

BD00056號　摩訶般若波羅蜜經（異卷）卷一一　（16–1）

與前際舍利弗空菩薩前際是諸法无二无
別以是因緣故舍利弗菩薩前際不可得舍
利弗檀波羅蜜檀波羅蜜空故檀波羅蜜離故檀波
羅蜜性无故菩薩前際不可得尸羅波羅
蜜羼提波羅蜜毗梨耶波羅蜜禪波羅蜜
般若波羅蜜空故般若波羅蜜離故般若
波羅蜜性无故菩薩前際不可得何以故舍
利弗空中前際不可得後際不可得中際不
可得空不與菩薩々々不與前際舍利弗空菩
薩前際无二无別以是因緣故舍利弗菩薩
前際不可得復次舍利弗內空无所有故菩
薩前際不可得乃至无法有法空无所有故
菩薩前際不可得內空空故內空離故內空
性无故乃至无法有法空空故離故性无故
菩薩前際不可得餘如上說復次舍利弗四
念處无所有故菩薩前際不可得四念處空
故離故性无故菩薩前際不可得乃至十八
不共法无所有故菩薩前際不可得十八不
共法空故離故性无故菩薩前際不可得餘
如上說以是因緣故舍利弗菩薩前際不可
得復次舍利弗一切三昧門一切陀隣尼門
无有故菩薩前際不可得三昧門陀隣尼門
空故離故性无故菩薩前際不可得餘如上
說復次舍利弗法性无有故菩薩前際不可
得法性空故離故性无故菩薩前際不可得
餘如上說復次舍利弗如无有故空故離故
性无故實際无有故空故離故性无故不可

BD00056號　摩訶般若波羅蜜經（異卷）卷一一　（16–2）

性无故實際无有故空故離故性无故不可
思議性无有故空故離故性无故菩薩前際
不可得餘如上說復次舍利弗聲聞无有故
菩薩前際不可得聲聞空故離故性无故菩
薩前際不可得辟支佛无有故空故離故性无
故菩薩前際不可得佛无有故空故離故性
无故菩薩前際不可得阿耨多羅三藐三菩
提无有故乃至性无故菩薩前際不可得復
次一切種智无有故乃至性无故菩薩前際不
可得何以故舍利弗空前際不可得後際
不可得中際不可得菩薩不可得舍利弗空
不與菩薩々々不與前際空菩薩前際是諸法
无二无別以是因緣故舍利弗菩薩前際不
可得後際不可得中際々々如是如舍利弗言
色无邊故當知菩薩々々无邊受想行識无邊
故當知菩薩々々无邊舍利弗色如虛空受想
行識如虛空何以故舍利弗如虛空邊不可
得中不可得无邊无中故但說名虛空如是舍
利弗色邊不可得中不可得是色空故空中
々々无有邊々々无中受想行識邊不可得中不
可得識空故空中々々无邊々々无中以是因緣
故舍利弗色无邊故當知菩薩々々无邊受想
行識无邊故當知菩薩々々无邊乃至十八不
共法々々如是如舍利弗言色是菩薩是亦不
可得受想行識是菩薩是々不可得舍利弗
色色相空受想行識識相空檀波羅蜜檀波

BD00056號　摩訶般若波羅蜜經（異卷）卷一一　（16–3）

可得受想行識是菩薩是〻不可得舍利弗
色色相空受想行識識相空檀波羅蜜檀波
羅蜜相空乃至般若波羅蜜〻如是內空內
空相空乃至无法有法空无法有法空相空
四念處四念處相空乃至十八不共法十八
不共法相空如法性實際不可思議性不可
思議性相空三昧門三昧門相空陁羅尼門
陁羅尼門相空一切智一切智相空道智道
智相空一切種智一切種智相空聲聞乘聲
聞乘相空辟支佛乘辟支佛乘相空佛乘佛乘
相空聲聞人聲聞人相空辟支佛辟支佛相空
佛佛相空空中色不可得受想行識不可得
以是因緣故舍利弗色是菩薩是〻不可得
受想行識是菩薩是〻不可得如舍利弗言
何因緣故一切種一切處菩薩不可得當教
何等菩薩般若波羅蜜舍利弗色中不可
得色受中不可得受受中不可得受色中不
可得受想中不可得想想中不可得想色受
中不可得想行中不可得行行中不可得行
色受想中不可得行識中不可得識識中不
可得識色受想行中不可得舍利弗眼眼中不
得得眼耳中不可得耳耳中不可得耳眼中不可
得耳鼻中不可得鼻鼻中不可得鼻眼耳中
不可得鼻舌中不可得舌舌中不可得舌眼耳
鼻中不可得舌身中不可得身身中不可得身
眼耳鼻舌中不可得身意中不可得意意中不
可得意眼耳鼻舌身中不可得六入六識六觸

BD00056號　摩訶般若波羅蜜經（異卷）卷一一　（16–4）

眼耳鼻舌中不可得身意中不可得意意中不
可得意眼耳鼻舌身中不可得六入六識六觸
六觸因緣生受〻如是檀波羅蜜乃至般若波
羅蜜內空乃至无法有法空四念處乃至十八
不共法一切三昧門一切陁羅尼門性法乃
至辟支佛法初地乃至第十地一切智道種智
一切種智〻如是須陁洹乃至阿羅漢辟支
佛菩薩佛〻如是菩薩菩薩中不可得菩薩
般若波羅蜜中不可得般若波羅蜜般若波
羅蜜中不可得般若波羅蜜中菩薩不可得
般若波羅蜜中教化无所有不可得教化中
教化无所有不可得教化中菩薩及般若波
羅蜜无所有不可得舍利弗如是一切法无
所有不可得以是因緣故一切種一切處菩
薩不可得當教何等菩薩般若波羅蜜如舍
利弗言何因緣故說菩薩摩訶薩但有假名
舍利弗色是假名受想行識是假名色名非
色受想行識名非識何以故名名相空若空
則非菩薩以是因緣故舍利弗菩薩但有假
名復次舍利弗檀波羅蜜但有名字名字中
非有檀波羅蜜檀波羅蜜中非有名字以是
因緣故菩薩但有假名尸羅波羅蜜羼提波
羅蜜毗梨耶波羅蜜禪波羅蜜般若波羅蜜
但有名字名字中无有般若波羅蜜般若波
羅蜜中无有名字以是因緣故菩薩但有假
名舍利弗內空但有名字乃至无法有法空

BD00056號　摩訶般若波羅蜜經（異卷）卷一一　（16–5）

羅蜜中无有名字以是因緣故菩薩但有假
名舍利弗内空但有名字乃至无法有法空
但有名字名字中无内空内空中无名字何以
故名字内空俱不可得乃至无法有法空〻
如是以是因緣故舍利弗菩薩但有假名舍
利弗四念處但有名字乃至十八不共法但有
名字一切三昧門一切陁羅尼門乃至一切
種智〻如是以是因緣故舍利弗我說菩薩
但有假名如舍利弗言何因緣故說我名字
畢竟不生舍利弗我畢竟不可得云何當有
生乃至知者見者畢竟不可得云何當有生
舍利弗色畢竟不可得云何當有生受想行
識畢竟不可得云何當有生眼畢竟不可得
乃至意觸因緣生受畢竟不可得云何當有
生檀波羅蜜畢竟不可得乃至般若波羅蜜
畢竟不可得云何當有生内空畢竟不可得
乃至无法有法空畢竟不可得云何當有生
四念處畢竟不可得乃至十八不共法畢竟
不可得云何當有生諸三昧門諸陁羅尼門
畢竟不可得云何當有生聲聞乃至佛畢竟
不可得云何當有生以是因緣故舍利弗我
說如我名字我〻畢竟不生如舍利弗所言如
我諸法〻〻如是无有自性舍利弗諸法和合
生故无自性舍利弗何等和合生无自性舍
利弗色和合生无自性受想行識和合生无
自性眼和合生无自性乃至意和合生无自
性色乃至法眼界乃至法界地種乃至識種

BD00056號　摩訶般若波羅蜜經（異卷）卷一一　（16–6）

自性眼和合生无自性乃至意和合生无自
性色乃至法眼界乃至法界地種乃至識種
眼觸乃至意觸眼觸因緣生受乃至意觸因
緣生受和合生无自性檀波羅蜜乃至般若
波羅蜜和合生无自性四念處乃至十八不
共法和合生无自性復次舍利弗一切法无
常〻不失舍利弗問須菩提何等法无常〻
不失須菩提言色无常〻不失受想行識无
常〻不失何以故法无常即是動相即是空
相以是因緣故舍利弗一切有為法无常〻
不失若有漏法若无漏法若有記法若无記
法何以故若法无常即是動相即是空相以
是因緣故舍利弗一切作法无常〻不失復
次舍利弗一切法非常非滅舍利弗言何等
法非常非滅須菩提言色非常非滅何以故
性自尒受想行識非常非滅何以故性自尒
乃至意識因緣生受非常非滅何以故性自
尒以是因緣故舍利弗諸法和合生无自性
如舍利弗所言何因緣故色畢竟不生受想
行識畢竟不生須菩提言色非作法受想行
識非作法何以故作者不可得故舍利弗眼
非作法何以故作者不可得故乃至意〻如
是眼界乃至意觸因緣生受〻如是復次舍
利弗一切諸法皆非起非作何以故作者不
可得故以是因緣故舍利弗色畢竟不生受
想行識畢竟不生如舍利弗所言何因緣故
畢竟不生是不名為色畢竟不生是不名為

BD00056號　摩訶般若波羅蜜經（異卷）卷一一　（16–7）

想行識畢竟不生如舍利弗所言何因緣故
畢竟不生是不名為色畢竟不生是不名為
受想行識須菩提言色性空是空无生无滅
无住无異受想行識性空是空无生无滅无
住无異眼乃至一切有為法性空是空无生
无滅无住无異以是因緣故舍利弗畢竟不
生不名色畢竟不生不名受想行識如舍利
弗所言何因緣故畢竟不生法當教是般若
波羅蜜耶須菩提言畢竟不生即是般若波
羅蜜般若波羅蜜即是畢竟不生般若波羅
蜜畢竟不生无二无別以是因緣故舍利弗
我說畢竟不生當教是般若波羅蜜耶如舍
利弗所言何因緣故離畢竟不生无菩薩行
阿耨多羅三藐三菩提須菩提言菩薩摩訶
薩行般若波羅蜜時不見畢竟不生異般若
波羅蜜亦不見畢竟不生異菩薩畢竟不生
及菩薩无二无別不見畢竟不生異色何以
故是畢竟不生及色无二无別不見畢竟不
生異受想行識何以故畢竟不生受想行識
无二无別乃至一切種智亦如是以是因緣
故舍利弗離畢竟不生无菩薩行阿耨多
羅三藐三菩提如舍利弗所言何因緣故菩
薩聞作是說心不沒不悔不驚不怖不畏是
名菩薩行般若波羅蜜須菩提言菩薩摩訶
薩不見諸法有覺知想見一切諸法如夢如幻
如炎如影如化舍利弗以是因緣故菩薩聞作
是說心不沒不悔不驚不怖不畏須菩提白

BD00056號　摩訶般若波羅蜜經（異卷）卷一一　（16–8）

如炎如影如化舍利弗以是因緣故菩薩聞作
是說心不沒不悔不驚不怖不畏須菩提白
佛言世尊菩薩摩訶薩行般若波羅蜜如是
觀諸法是時菩薩摩訶薩不受色不示色不
住色不著色不言是色受想行識亦不受不
示不住不著亦不言是受想行識眼不受不
示不住不著亦不言是眼耳鼻舌身意亦不
受不示不住不著亦不言是意檀波羅蜜不
受不示不住不著亦不言是檀波羅蜜尸波
羅蜜羼提波羅蜜毗梨耶波羅蜜禪波羅蜜
般若波羅蜜不受不示不住不著亦不言是
般若波羅蜜內空不受不示不住不著亦不
言是內空乃至无法有法空亦如是復次世
尊菩薩摩訶薩行般若波羅蜜時四念處不
受不示不住不著亦不言是四念處乃至十
八不共法不受不示不住不著亦不言是十
八不共法一切三昧門一切陁羅尼門乃至
一切種智不受不示不住不著亦不言是一
切種智復次世尊菩薩摩訶薩行般若波羅
蜜時不見色乃至不見一切種智何以故色
不生是非色受想行識不生是非識眼不生
是非眼耳鼻舌身意不生是非意檀波羅蜜
不生是非檀波羅蜜乃至般若波羅蜜不生
是非般若波羅蜜何以故色不生不二不別
乃至般若波羅蜜不生不二不別內空不生
是非內空乃至无法有法空不生是非无法
有法空何以故內空乃至无法有法空不生

BD00056號　摩訶般若波羅蜜經（異卷）卷一一　（16–9）

是非內空乃至无法有法空不生是非无法
有法空何以故內空乃至无法有法空不生
不二不別世尊四念處不生非四念處何以
故四念處不生不二不別何以故世尊是不
生法非一非二非三非異以是故四念處不
生不二不別乃至十八不共法不生非十八
不共法何以故十八不共法不生不二不別
何以故世尊是不生法非一非二非三非異
以是故十八不共法不生非十八不共法世
尊如不生是非如乃至不可思議性不生是
非不可思議性世尊是阿耨多羅三藐三菩
提不生一切智一切種智不生是非一切種
智何以故是阿耨多羅三藐三菩提乃至一
切種智不生不二不別何以故世尊是不生
非一非二非三非異以是故乃至一切種智
不生非一切種智世尊色不滅相是非色何
以故色及不滅相不二不別何以故世尊是
不滅法非一非二非三非異以是故色不滅
相是非色受想行識不滅相是非識何以故
識及不滅不二不別何以故世尊是不滅法非
一非二非三非異以是故識不滅是非識檀
波羅蜜乃至般若波羅蜜內空乃至无法有
法空四念處乃至十八不共法亦如是世尊
以是故色入无二法數受想行識入无二法
數乃至一切種智入无二法數
摩訶般若波羅蜜經无生品第廿五
尒時慧命舍利弗語須菩提菩薩摩訶薩行

BD00056號　摩訶般若波羅蜜經（異卷）卷一一　（16–10）

摩訶般若波羅蜜經无生品第廿五
尒時慧命舍利弗語須菩提菩薩摩訶薩行
般若波羅蜜觀諸法何等是菩薩何等是般
若波羅蜜何等是觀須菩提語舍利弗汝所
問何等是菩薩爲阿耨多羅三藐三菩提是
人發大心以是故名爲菩薩亦知一切法一
切種相是中亦不著知色相不著乃至知十
八不共法亦不著舍利弗問須菩提何等爲
一切法相須菩提言若以名字因緣和合等
知諸法是色是聲香味觸法是內是外是有
爲法是无爲法以是名字相語言知諸法是
名知諸法相如舍利弗所問何等是般若波
羅蜜遠離故名般若波羅蜜何等法遠離遠
離陰界入遠離檀波羅蜜乃至禪波羅蜜遠
離內空乃至无法有法空以是故遠離名般
若波羅蜜復次遠離四念處乃至遠離十八
不共法遠離一切智以是因緣故遠離名般
若波羅蜜如舍利弗所問何等是觀舍利弗
菩薩摩訶薩行般若波羅蜜時觀色非常非
无常非樂非苦非我非无我非空非不空非
相非无相非作非无作非寂滅非不寂滅非
離非不離受想行識亦如是檀波羅蜜乃至
般若波羅蜜內空乃至无法有法空四念處
乃至十八不共法一切三昧門一切陁羅尼
門乃至一切種智觀非常非无常非樂非苦
非我非无我非空非不空非相非无相非作

BD00056號　摩訶般若波羅蜜經（異卷）卷一一　（16–11）

非我非无我非空非不空非相非无相非作
非无作非寂滅非不寂滅非離非不離舍利
弗是名菩薩摩訶薩行般若波羅蜜時觀諸
法舍利弗問須菩提何因緣故色不生是非
色受想行識不生是非識乃至一切種智不
生是非一切種智須菩提言色色相空色空
中无色无生以是因緣故色不生是非色受
想行識識相空識空中无識无生以是因緣
故受想行識不生是非受想行識舍利弗檀
波羅蜜檀波羅蜜相空檀波羅蜜空中无檀
波羅蜜无生尸波羅蜜羼提波羅蜜毗梨耶
波羅蜜禪波羅蜜般若波羅蜜般若波羅蜜
相空般若波羅蜜空中无般若波羅蜜无生
以是因緣故舍利弗般若波羅蜜不生是非
般若波羅蜜內空乃至无法有法空四念處
乃至十八不共法一切種智亦如是以是因緣
故內空不生是非內空乃至一切種智不生
是非一切種智舍利弗問須菩提何因緣
故言色不二是非色受想行識不二是非識
乃至一切種智不二是非一切種智須菩提
荅言所有色所有不二所有受想行識所有
不二是一切法皆不合不散无色无形无對
一相所謂无相眼乃至一切種智亦如是以
是因緣故舍利弗色不二是非色受想行識
不二是非識乃至一切種智不二是非一切種
智舍利弗問須菩提何因緣故言是色入无
二法數受想行識入无二法數乃至一切種

不二是非識乃至一切種智不二是非一切種
智舍利弗問須菩提何因緣故言是色入无
二法數受想行識入无二法數乃至一切種
智入无二法數須菩提荅言色不異无生无
生不異色色即是无生无生即是色受想行
識不異无生无生不異識識即是无生无生
即是識以是因緣故舍利弗色入无二法數
受想行識入无二法數乃至一切種智亦如
是尒時須菩提白佛言世尊若菩薩摩訶薩
行般若波羅蜜如是觀諸法是時見色无生
畢竟淨故見受想行識无生畢竟淨故見我
无生畢竟淨故乃至知者見者无生畢竟淨
故見檀波羅蜜无生乃至般若波羅蜜无生
畢竟淨故見內空无生乃至无法有法空
无生畢竟淨故見四念處无生乃至十八
不共法无生畢竟淨故見一切三昧一切陀
羅尼无生畢竟淨故乃至見一切種智
无生畢竟淨故見凡人凡人法无生畢竟淨
故見須陀洹須陀洹法斯陀含斯陀含法
阿那含阿那含法阿羅漢阿羅漢法辟支佛
辟支佛法菩薩菩薩法佛佛法无生畢竟淨
故舍利弗語須菩提如我聞須菩提所說義
色是不生受想行識是不生乃至佛佛法是
不生若尒者不應得須陀洹須陀洹果斯陀
含斯陀含果阿那含阿那含果阿羅漢阿羅
漢果辟支佛辟支佛道不應得菩薩摩訶薩
一切種智亦无六道別異亦不應得菩薩摩

漢果辟支佛辟支佛道不應得菩薩摩訶薩
一切種智亦无六道別異亦不應得菩薩摩
訶薩五種菩提須菩提若一切法不生相何
以故須陁洹爲斷三結故脩道斯陁含爲薄
婬恚癡故脩道阿那含爲斷五下分結故脩
道阿羅漢爲斷五上分結故脩道辟支佛爲
辟支佛法故脩道何以故菩薩摩訶薩作難
行苦行爲衆生受種種苦何以故佛得阿耨
多羅三藐三菩提何以故佛轉法輪須菩提
語舍利弗我不欲令无生法有所得我亦不
欲令无生法中得須陁洹須陁洹果乃至不
欲令无生法中得阿羅漢阿羅漢果辟支佛
辟支佛道我亦不欲令菩薩作難行爲衆生
受種種苦菩薩亦不以難行心行道何以故
舍利弗生難心苦心不能利益无量阿僧祇
衆生舍利弗今菩薩憐愍衆生於衆生如父
母兄弟想如兒子及已身想如是能利益无
量阿僧祇衆生用无所得故所以者何菩薩
摩訶薩應生如是心如我一切處一切種不
可得內外法亦如是若生如是想則无難心
苦心何以故是菩薩於一切種一切處一切法不
受故舍利弗我亦不欲令无生中佛得阿耨
多羅三藐三菩提亦不欲令无生中轉法輪
亦不欲令以无生法得道舍利弗語須菩提
令欲令以生法得道以无生法得道須菩提
語舍利弗我不欲令以生法得道舍利弗言

BD00056號　摩訶般若波羅蜜經（異卷）卷一一　（16–14）

令欲令以生法得道以无生法得道須菩提
語舍利弗我不欲令以生法得道舍利弗言
令須菩提欲令以无生法得道須菩提言我
亦不欲令以无生法得道舍利弗言如須菩
提所說无知无得須菩提言有知有得不以
二法令以世間名字故有知有得世間名字
故有須陁洹乃至阿羅漢辟支佛諸佛第一
實義中无知无得无須陁洹乃至无佛須菩
提若世間名字故有知有得六道別異亦世
間名字故有非以第一實義耶須菩提言如
是如是舍利弗如世間名字故有知有得六
道別異亦世間名字故有非以第一實義何以
故舍利弗第一實義中无業无報无生无滅无
淨无垢舍利弗語須菩提不生法生生法生
須菩提言我不欲令不生法生之不欲令生
法生舍利弗言何等不生法不欲令生須菩
提言色是不生法自性空不欲令生受想行
識不生法自性空不欲令生乃至阿耨多羅
三藐三菩提不生法自性空不欲令生舍利
弗語須菩提生生不生生須菩提言非生生亦
非不生生何以故舍利弗生不生是二法不
合不散无色无形无對一相所謂无相舍利
弗以是因緣故非生生亦非不生生爾時舍
利弗語須菩提須菩提樂說无生法及无生
相須菩提語舍利弗我樂說无生法亦樂說
无生相何以故諸无生法无生相樂說及說

BD00056號　摩訶般若波羅蜜經（異卷）卷一一　（16–15）

无生相何以故諸无生法无生相樂說及說
言是一切法皆不合不散无色无形无對一
相所謂无相舍利弗語須菩提汝樂說不生
法々樂說不生相是樂說語言々不生須菩
提言如是如是舍利弗何以故舍利弗色不
生受想行識不生眼不生乃至意不生地種不
生乃至識種不生身行不生口行不生意行
不生檀波羅蜜不生乃至一切種智不生以
是因緣故舍利弗我樂說不生法々樂說不
生相是樂說語言々不生尒時舍利弗語須
菩提須菩提於說法人中應㝡在上何以故
須菩提隨所問皆能荅須菩提言諸法无所
依故舍利弗語須菩提云何諸法无所依須
菩提言色性常空不依內不依外不依兩中
間受想行識性常空不依內不依外不依兩
中間眼耳鼻舌身意性常空不依內不依外
不依兩中間色性常空乃至法性常空不依
內不依外不依兩中間檀波羅蜜性常空乃
至般若波羅蜜性常空不依內不依外不依
兩中間內空性常空乃至无法有法空性常
空不依內不依外不依兩中間舍利弗四念
處性常空乃至一切種智性常空不依內不
依外不依兩中間以是因緣故舍利弗一切
諸法无所依性常空故

摩訶般若波羅蜜經卷第十一

BD00056 號　摩訶般若波羅蜜經（異卷）卷一一　　（16–16）

卷下
至此諸菩薩……於
心而說言佛說八解脫
聞法乎若欲食
得未曾有食時維摩詰即入
一力示諸大衆上方界分過卌二
土有國名衆香佛号香積今現在
其國香氣比於十方諸佛世界人天之香最
為第一彼土无有聲聞辟支佛名唯有清淨
大菩薩衆佛為說法其界一切皆以香作樓
閣經行香地苑園皆香其食香氣周流十方
无量世界時彼佛與諸菩薩方共坐食有諸
天子皆号香嚴悉發阿耨多羅三藐三菩提
心供養彼佛及諸菩薩此諸大衆莫不目見
時維摩詰問衆菩薩諸仁者誰能致彼佛飯
以文殊師利威神力故咸皆嘿然維摩詰言
仁者此諸大衆无乃可耻文殊師利曰如佛所
言勿輕未學於是維摩詰不起于坐居衆會
前化作菩薩相好光明威德殊勝蔽於衆會
而告之曰汝往上方界分度如卌二恒河沙佛
土有國名衆香佛号香積與諸菩薩方共坐
食汝往到彼如我辭曰維摩詰稽首礼世尊
足下致敬无量問訊起居少病少惱氣力安
不願得世尊所食之餘當於娑婆世界施作
佛事令此樂小法者得弘大道亦使如来名

BD00057 號　維摩詰所說經卷下　　（20–1）

不願得世尊所食之餘當於娑婆世界施作
佛事令此樂小法者得弘大道亦使如來名
聲普聞時化菩薩即於會前昇于上方舉
衆皆見其去到衆香界礼彼佛足又聞其言
維摩詰稽首世尊足下致敬无量問訊起居
少病少惱氣力安不願得世尊所食之餘欲
於娑婆世界施作佛事使此樂小法者得弘
大道亦使如來名聲普聞彼諸大士見化菩
薩歎未曾有今此上人從何所來娑婆世界
爲在何許云何名爲樂小法者即以問佛佛
告之曰下方度如卌二恒河沙佛土有世界
名娑婆佛号釋迦牟尼今現在於五濁惡世
爲樂小法衆生敷演道教彼有菩薩名維摩
詰住不可思議解脫爲諸菩薩說法故遣化來
稱揚我名并讚此土令彼菩薩增益功德彼
菩薩言其人何如乃住是化德力无畏神足
若斯佛言甚大一切十方皆遣化往施作佛
事饒益衆生於是香積如來以衆香鉢盛滿
香飯與化菩薩時彼九百万菩薩俱發聲言
我欲詣娑婆世界供養釋迦牟尼佛并欲見
維摩詰等諸菩薩衆佛言可往攝汝身香
无令彼諸衆生起惑著心又當捨汝本形勿使
彼國求菩薩者而自鄙耻又汝於彼莫懷輕
賤而作礙想所以者何十方國土皆如虛空
又諸佛爲欲化諸樂小法者不盡現其清淨

BD00057 號　維摩詰所說經卷下　（20–2）

又諸佛爲欲化諸樂小法者不盡現其清淨
土耳時化菩薩既受鉢飯與彼九百万菩薩
俱承佛威神及維摩詰力於彼世界忽然不
現須臾之間至維摩詰舍維摩詰即化作九
百万師子之座嚴好如前諸菩薩皆坐其上
化菩薩以滿鉢香飯與維摩詰飯香普薰
毗耶離城及三千大千世界時毗耶離婆羅門
居士等聞是香氣身意快然歎未曾有於
是長者主月蓋從八万四千人來入維摩詰舍
見其室中菩薩甚多諸師子座高廣嚴好皆
大歡喜礼衆菩薩及大弟子却住一面諸地
神虛空神及欲色界諸天聞此香氣亦皆來
入維摩詰舍時維摩詰語舍利弗等諸大聲
聞仁者可食如來甘露味飯大悲所薰无以
限意食之使不消也有異聲聞念是飯少而
此大衆人人當食化菩薩曰勿以聲聞小德
小智稱量如來无量福慧四海有竭此飯无
盡使一切人食揣若須弥乃至一劫猶不能
盡所以者何无盡戒定智慧解脫解脫知見
功德具足者所食之餘終不可盡於是鉢飯
悉飽衆會猶故不賜其諸菩薩聲聞天人食
此飯者身安快樂譬如一切樂莊嚴國諸菩
薩也又諸毛孔皆出妙香亦如衆香國土諸
樹之香
尒時維摩詰問衆香菩薩香積如來以何說

BD00057 號　維摩詰所說經卷下　（20–3）

尒時維摩詰問衆香菩薩香積如來以何說
彼菩薩曰我土如來无文字說但以衆香
令諸天人得入律行菩薩各各坐香樹下聞
斯妙香即獲一切德藏三昧得是三昧者菩
薩所有功德皆悉具足彼諸菩薩問維摩詰
今世尊釋迦牟尼以何說法維摩詰言此土
衆生剛強難化故佛為說剛強之語以調伏
之言是地獄是畜生是餓鬼是諸難處是愚
人生處是身邪行是身邪行報是口邪行是
口邪行報是意邪行是意邪行報是殺生是
殺生報是不與取是不與取報是邪婬是邪
婬報是妄語是妄語是兩舌是兩舌報是惡
口是惡口報是无義語是无義語報是貪嫉
是貪嫉報是瞋惱是瞋惱報是邪見是邪見
報是慳悋是慳悋報是毀戒是毀戒報是瞋
恚是瞋恚報是懈怠是懈怠報是亂意是亂
意報是愚癡是愚癡報是結戒是持戒是
犯戒是應作是不應作是鄣礙是不鄣礙是
得罪是離罪是淨是垢是有漏是无漏是邪
道是正道是有為是无為是世間是涅槃以
難化之人心如猨猴故以若干種法制御其
心乃可調伏譬如象馬憰悷不調加諸楚毒乃
至徹骨然後調伏如是剛強難化衆生故以
一切苦切之言乃可入律彼諸菩薩聞說
是已皆曰未曾有也如世尊釋迦牟尼佛隱
其无量自在之力乃以貧所樂法度脫衆生

BD00057 號　維摩詰所說經卷下　（20–4）

是已皆曰未曾有也如世尊釋迦牟尼佛隱
其无量自在之力乃以貧所樂法度脫衆生
斯諸菩薩亦能勞謙以无量大悲生是佛土
維摩詰言此土菩薩於諸衆生大悲堅固誠
如所言然其一世饒益衆生多於彼國百千
劫行所以者何此娑婆世界有十事善法諸
餘淨土之所无有何等為十以布施攝貧窮
以淨戒攝毀禁以忍辱攝瞋恚以精進攝懈
怠以禪定攝亂意以智慧攝愚癡說除難法
度八難者以大乘法度樂小乘者以諸善根
濟无德者常以四攝成就衆生是為十彼菩
薩曰菩薩成就幾法於此世界行无瘡疣生
于淨土維摩詰言菩薩成就八法於此世界
行无瘡疣生于淨土何等為八饒益衆生而
不望報代一切衆生受諸苦惱所作功德盡
以施之等心衆生謙下无礙於諸菩薩視之
如佛所未聞經聞之不疑不與聲聞而相違
背不嫉彼供不高己利而於其中調伏其心
常省己過不訟彼短恒以一心求諸功德是為
八維摩詰文殊師利於大衆中說是法時百
千天人皆發阿耨多羅三藐三菩提心十千
菩薩得无生法忍
維摩詰菩薩行品第十
是時佛說法於菴羅樹園其地忽然廣博
嚴事一切衆會皆作金色阿難白佛言世尊
以何因緣有此瑞應是處忽然廣博嚴事一切

BD00057 號　維摩詰所說經卷下　（20–5）

嚴事一切衆會皆作金色阿難白佛言世尊
以何因緣有此瑞應是處忽然廣博嚴事一切
衆會皆作金色佛告阿難是維摩詰文殊師
利與諸大衆恭敬圍遶發意欲來故先爲此
瑞應於是維摩詰語文殊師利可共見佛與
諸菩薩礼事供養文殊師利言善哉行矣今
正是時維摩詰即以神力持諸大衆并師子
座置於右掌往詣佛所到已着地稽首佛足
右遶七帀一心合掌在一面立其諸菩薩即
皆避坐稽首佛足亦遶七帀於一面立諸大
弟子釋梵四天王等亦皆避坐稽首佛足在
一面立於是世尊如法慰問諸菩薩已各令
復坐即皆受教衆坐已定佛語舍利弗汝見
菩薩大士自在神力之所爲乎唯然已見於
汝意云何世尊我覩其爲不可思議非意所
圖非度所測尒時阿難白佛言世尊今所聞
香自昔未有是爲何香佛告阿難是彼菩薩毛
孔之香於是舍利弗語阿難言我等毛孔亦
出是香阿難言此所從來曰是長者維摩詰
從衆香國取佛餘飯於舍食者一切毛孔皆
香若此阿難問維摩詰是香氣住當久如維
摩詰言至此飯消曰此飯久如當消曰此飯勢
力至于七日然後乃消又阿難若聲聞人
未入正位食此飯者得入正位然後乃消已
入正位食此飯者得心解脫然後乃消若未
發大乘意食此飯者至發意乃消已發意食

入正位食此飯者得心解脫然後乃消若未
發大乘意食此飯者至發意乃消已發意食
此飯者得无生忍然後乃消已得无生忍食
此飯者至一生補處然後乃消辟如有藥名
曰上味其有服者身諸毒滅然後乃消此飯
如是滅除一切諸煩惱毒然後乃消阿難白
佛言未曾有也世尊如此香飯能作佛事佛
言如是如是阿難或有佛土以佛光明而作
佛事有以諸菩薩而作佛事有以佛所化人
而作佛事有以菩提樹而作佛事有以佛衣
服卧具而作佛事有以飲食而作佛事有以
園林臺觀而作佛事有以三十二相八十隨
形好而作佛事有以佛身而作佛事有以虛
空而作佛事衆生應以此緣得入律行有以
夢幻影響鏡中像水中月熱時焰如是等喻
而作佛事有以音聲語言文字而作佛事或
有清淨佛土寂寞无言无說无示无識无作
无爲而作佛事如是阿難諸佛威儀進止諸
所施爲无非佛事阿難有此四魔八万四千
諸煩惱門而諸衆生爲之疲勞諸佛即以此
法而作佛事是名入一切諸佛法門菩薩入
此門者若見一切淨妙佛土不以爲喜不貪
不高若見一切不淨佛土不以爲憂不礙不
沒但於諸佛生清淨心歡喜恭敬未曾有也
諸佛如來功德平等爲教化衆生故而現佛
土不同阿難汝見諸佛國土地有若[illegible]

諸佛如来功德平等為教化衆生故而現佛
土不同阿難汝見諸佛國土地有若干而虛
空无若干也如是見諸佛色身有若干耳其
无礙慧无若干也阿難諸佛色身威相種姓
戒定智慧解脫解脫知見力无所畏不共之
法大慈大悲威儀所行及其壽命說法教化
成就衆生淨佛國土具諸佛法悉皆同等是
故名為三藐三佛陁名為多陁阿伽度名為
佛陁阿難若我廣說此三句義汝以劫壽不
能盡受正使三千大千世界滿中衆生皆如
阿難多聞第一得念揔持此諸人等以劫之
壽亦不能受如是阿難諸佛阿耨多羅三藐
三菩提无有限量智慧辯才不可思議阿難
白佛言我從今已往不敢自謂以為多聞佛
告阿難勿起退意所以者何我說汝於聲聞
中為最多聞非謂菩薩且止阿難其有智者
不應限度諸菩薩也一切海淵尚可測量菩
薩禪定智慧揔持辯才一切功德不可量也阿
難汝等捨置菩薩所行是維摩詰一時所見
神通之力一切聲聞辟支佛於百千劫盡力
變化所不能作
尒時衆香世界菩薩来者合掌白佛言世
尊我等初見此土生下劣想今自悔責捨離
是心所以者何諸佛方便不可思議為度衆生
故隨其所應現佛國異唯然世尊願賜少法
還於本土當念如来佛告諸菩薩有盡无

BD00057號　維摩詰所說經卷下　（20–8）

故隨其所應現佛國異唯然世尊願賜少法
還於本土當念如来佛告諸菩薩有盡无
盡解脫法門汝等當學何謂為盡謂有為法
何謂无盡謂无為法如菩薩者不盡有為不
住无為何謂不盡有為謂不離大慈不捨大悲
深發一切智心而不忽忘教化衆生終不猒惓
於四攝法常念順行護持正法不惜軀命
種諸善根无有疲猒志常安住方便迴向求
法不懈說法无悋勤供諸佛故入生死而无
所畏於諸榮辱心无憂喜不輕未學敬學如
佛墮煩惱者令發正念於遠離樂不以為貴
不著己樂慶於彼樂在諸禪定如地獄想於
生死中如園觀想見来求者為善師想捨諸
所有具一切智想見毀戒人起救護想諸波
羅蜜為父母想道品之法為眷屬想發行
善根无有齊限以諸淨國嚴飾之事成已佛
土行不限施具足相好除一切惡身口意淨
生死无數劫意而有勇聞佛无量德志而
不惓以智慧劍破煩惱賊出陰界入荷負衆
生永使解脫以大精進摧伏魔軍常求无念
實相智慧行少欲知足而不捨世法不壞威
儀而能隨俗起神通慧引導衆生得念揔持
所聞不忘善別諸根斷衆生疑以樂說辯演
法无礙淨十善道受天人福脩四无量開梵
天道勸請說法隨喜讚善得佛音聲身口
意善得佛威儀深脩善法所行轉勝以大乘

BD00057號　維摩詰所說經卷下　（20–9）

天道勸請說法隨喜讚善得佛音聲身口
意善得佛威儀深脩善法所行轉勝以大乘
教成菩薩僧心无放逸不失眾善行如此法
是名菩薩不盡有為何謂菩薩不住无為謂
脩學空不以空為證脩學无相无作不以无相
无作為證脩學无起不以无起為證觀於无
常而不猒善本觀世間苦而不惡生死觀於
无我而誨人不惓觀於寂滅而不永滅觀
於遠離而身心脩善觀无所歸而歸趣善法
觀於无生而以生法荷負一切觀於无漏而不
斷諸漏觀无所行而以行法教化眾生觀於
空无而不捨大悲觀正法位而不隨小乘觀
諸法虛妄无牢无人无主无相本願未滿而不
虛福德禪定智慧脩如此法是名菩薩不住
无為又具福德故不住无為具智慧故不盡
有為大慈悲故不住无為滿本願故不盡有
為集法藥故不住无為隨授藥故不盡有
知眾生病故不住无為滅眾生病故不盡有
為諸正士菩薩已脩此法不盡有為不住无
為是名盡无盡解脫法門汝等當學尒時彼
諸菩薩聞說是法皆大歡喜以眾妙華若干
種色若干種香散遍三千大千世界供養於
佛及此經法并諸菩薩已稽首佛足歎未曾
有言釋迦牟尼佛乃能於此善行方便言已
忽然不現還到彼國

BD00057號　維摩詰所說經卷下　（20–10）

有言釋迦牟尼佛乃能於此善行方便言已
忽然不現還到彼國
維摩詰經見阿閦佛品第十二
尒時世尊問維摩詰汝欲見如來為以何等
觀如來乎維摩詰言如自觀身實相觀佛亦
然我觀如來前際不來後際不去今則不住
不觀色不觀色如不觀色性不觀受想行識
不觀識如不觀識性非四大起同於虛空六
入无積眼耳鼻舌身心已過不在三界三垢
已離順三脫門三明與无明等不一相不異
相不自相不他相非无相非取相不此岸不
彼岸不中流而化眾生觀於寂滅亦不永滅
不此不彼不以此不以彼不可以智知不可以
識識无晦无明无名无相无強无弱非淨非
穢不在方不離方非有為非无為无示无說
不施不慳不戒不犯不忍不恚不進不怠不
定不亂不智不愚不誠不欺不來不去不
出不入一切言說道斷非福田非不福田非
應供養非不應供養非取非捨非相非无相
同真際等法性不可稱不可量過諸稱量
非大非小非見非聞非覺非知離眾結縛等
諸智同眾生於諸法无分別一切无失无濁
无惱无作无起无生无滅无畏无憂无喜无
猒无著无已有无當有无今有不可以一切
言說分別顯示世尊如來身為若此作如是
觀以斷觀者名為正觀若他觀者名為邪觀

BD00057號　維摩詰所說經卷下　（20–11）

言說分別顯示世尊如来身為若此作如是
觀以斯觀者名為正觀若他觀者名為邪觀
尒時舍利弗問維摩詰汝於何沒而来生此
維摩詰言汝所得法有沒生乎舍利弗言无
沒生也若諸法无沒生相云何問言汝於何
沒而来生此於意云何譬如幻師幻作男女
寧沒生邪舍利弗言无沒生也汝豈不聞佛
說諸法如幻相乎荅曰如是若一切法如幻相
者云何問言汝於何沒而来生此舍利弗
沒者為虛誑法壞敗之相生者為虛誑法相
續之相菩薩雖沒不盡善本雖生不長諸惡
是時佛告舍利弗有國名妙喜佛号无動是
維摩詰於彼國沒而来生此舍利弗言未曾
有也世尊是人乃能捨清淨土而来樂此多
怒害處維摩詰語舍利弗於意云何日光出
時與冥合乎荅曰不也日光出時則无衆冥維
摩詰言夫日何故行閻浮提荅曰欲以明照
為之除冥維摩詰言菩薩如是雖生不淨
佛土為化衆生不與愚闇而共合也但滅衆
生煩惱闇耳
是時大衆渴仰欲見妙喜世界无動如来及
其菩薩聲聞之衆佛知一切衆會所念告維
摩詰言善男子為此衆會現妙喜國无動如
来及諸菩薩聲聞之衆衆皆欲見於是維摩
詰心念吾當不起于坐接妙喜國鐵圍山川
溪谷江河大海泉源須弥諸山及日月星宿

来及諸菩薩聲聞之衆衆皆欲見於是維摩
詰心念吾當不起于坐接妙喜國鐵圍山川
溪谷江河大海泉源須弥諸山及日月星宿
天龍鬼神梵天等宮并諸菩薩聲聞之衆城
邑聚落男女大小乃至无動如来及菩提樹
諸妙蓮華能於十方作佛事者三道寶階
從閻浮提至忉利天以此寶階諸天来下悉為
礼敬无動如来聽受經法閻浮提人亦登其
階上昇忉利見彼諸天妙喜世界成就如是无
量功德上至阿迦膩吒天下至水際以右手
斷取如陶家輪入此世界猶持華鬘示一
切衆作是念已於三昧現神通力以其右
手斷取妙喜世界置於此土彼得神通菩薩
及聲聞衆并餘天人俱發聲言唯然世尊誰
取我去願見救護无動佛言非我所為是維
摩詰神力所作其餘未得神通者不覺不知
己之所往妙喜世界雖入此土而不增減於是
世界亦不迫隘如本无異
尒時釋迦牟尼佛告諸大衆汝等且觀妙喜
世界无動如来其國嚴飾菩薩行淨弟子清
白皆曰唯然已見佛言若菩薩欲得如是清
淨佛土當學无動如来所行之道現此妙喜
國時娑婆世界十四那由他人發阿耨多羅
三藐三菩提心皆願生於妙喜佛土釋迦牟
尼佛即記之曰當生彼國時妙喜世界於此
國土所應饒益其事訖已還復本處舉衆

尼佛即記之曰當生彼國時妙喜世界於此
國土所應饒益其事訖已還復本處舉衆
皆見佛告舍利弗汝見此妙喜世界及无動佛
不唯然已見世尊願使一切衆生得清淨土如
无動佛獲神通力如維摩詰世尊我等快得
善利得見是人親近供養其諸衆生若今現
在若佛滅後聞此經者亦得善利况復聞
已信解受持讀誦解說如法脩行若有手得
是經典者便為已得法寶之藏若有讀誦解
釋其義如說脩行則為諸佛之所護念其有
供養如是人者當知則為供養於佛其有書
持此經卷者當知其室則有如來若聞是經
能隨喜者斯人則為取一切智若能信解此
經乃至一四句偈為他說者當知此人即是
受阿耨多羅三藐三菩提記
維摩詰經法供養品第十三
尒時釋提桓因於大衆中白佛言世尊我雖
從佛及文殊師利聞百千經未曾聞此不可
思議自在神通決定實相經典如我解佛所
說義趣若有衆生聞是經法信解受持讀誦
之者必得是法不疑何况如說脩行斯人則
為閉衆惡趣開諸善門常為諸佛之所護念
降伏外學摧滅魔怨脩治菩提安處道場履
踐如來所行之跡世尊若有受持讀誦如說
脩行者我當與諸眷屬供養給事所在聚落

BD00057 號　維摩詰所說經卷下　（20–14）

脩行者我當與諸眷屬供養給事所在聚落
城邑山林曠野有是經處我亦與諸眷屬聽
受法故共到其所其未信者當令生信其已信
者當為作護佛言善哉善哉天帝如汝所說
吾助尒喜此經廣說過去未來現在諸佛
不可思議阿耨多羅三藐三菩提是故天帝
若善男子善女人受持讀誦供養是經者則
為供養去來今佛天帝正使三千大千世界
如來滿中譬如甘蔗竹葦稻麻叢林若有善
男子善女人或一劫或減一劫恭敬尊重讚
歎供養奉諸所安至諸佛滅後以一一全身
舍利起七寶塔縱廣一四天下高至梵天表
刹莊嚴以一切華香瓔珞幢幡伎樂微妙第
一若一劫若減一劫而供養之於天帝意云
何其人植福寧為多不釋提桓因言多矣
世尊彼之福德若以百千億劫說不能盡佛
告天帝當知是善男子善女人聞是不可思議
解脫經典信解受持讀誦脩行福多於彼所
以者何諸佛菩提皆從是生菩提之相不可
限量以是因緣福不可量
佛告天帝過去无量阿僧祇劫時世有佛號
曰藥王如來應供正遍知明行足善逝世間
解无上士調御丈夫天人師佛世尊世界曰
大莊嚴劫曰莊嚴佛壽二十小劫其聲聞僧
三十六億那由他菩薩僧有十二億天帝是

BD00057 號　維摩詰所說經卷下　（20–15）

大莊嚴劫曰莊嚴佛壽二十小劫其聲聞僧
三十六億那由他菩薩僧有十二億天帝是
時有轉輪聖王名曰寶蓋七寶具足主四天
下王有千子端正勇健能伏怨敵尒時寶
蓋與其眷屬供養藥王如来施諸所安至滿五
劫過五劫已告其千子汝等亦當如我以深
心供養於佛於是千子受父王命供養藥王
如来復滿五劫一切施安其王一子名曰月
蓋獨坐思惟寧有供養殊過此者以佛神力
空中有天曰善男子法之供養勝諸供養
即問何謂法之供養天曰汝可往問藥王如来
當廣為汝說法之供養即時月蓋王子行詣藥
王如来稽首佛足却住一面白佛言世尊
諸供養中法供養勝云何為法供養佛言善
男子法供養者諸佛所說深經一切世間難
信難受微妙難見清淨无染非但分別思惟
之所能得菩薩法藏所攝陁羅尼印印之至
不退轉成就六度善分別義順菩提法衆經
之上入大慈悲離衆魔事及諸邪見順因緣
法无我无人无衆生无壽命空无相无作无
起能令衆生坐於道場而轉法輪諸天龍神
乾闥婆等所共歎譽能令衆生入佛法藏攝
諸賢聖一切智慧說衆菩薩所行之道依於
諸法實相之義明宣无常苦空无我寂滅能
救一切毀禁衆生諸魔外道及貪著者能使
怖畏諸佛賢聖所共稱歎背生死苦示涅槃

救一切毀禁衆生諸魔外道及貪著者能使
怖畏諸佛賢聖所共稱歎背生死苦示涅槃
樂十方三世諸佛所說若聞如是等經信解
受持讀誦以方便力為諸衆生分別解說顯
示分明守護法故是名法之供養又於諸法
如說脩行隨順十二因緣離諸邪見得无生忍
決定无我无有衆生而於因緣果報无違无
諍離諸我所依於義不依語依於智不依識
依了義經不依不了義經依於法不依人隨
順法相无所入无所歸无明畢竟滅故諸行
亦畢竟滅乃至生畢竟滅故老死亦畢竟
滅作如是觀十二因緣无有盡相不復起見
是名最上法之供養
佛告天帝王子月蓋從藥王佛聞如是法得
柔順忍即解寶衣嚴身之具以供養佛白佛
言世尊如来滅後我當行法供養守護正法
願以威神加哀建立令我得降魔怨脩菩薩
行佛知其深心所念而記之曰汝於末後守
護法城天帝時王子月蓋見法清淨聞佛授
記以信出家脩集善法精進不久得五神通
通菩薩道得陁羅尼无斷辯才於佛滅後以
其所得神通總持辯才之力滿十小劫藥王
如来所轉法輪隨而分布月蓋比丘以守護法
勤行精進即於此身化百萬億人於阿耨
多羅三藐三菩提立不退轉十四那由他人

多羅三藐三菩提立不退轉十四那由他人
深發聲聞辟支佛心无量衆生得生天上天
帝時王寶蓋豈異人乎今現得佛號寶焰如
來其王千子即賢劫中千佛是也從迦羅鳩
孫馱為始得佛最後如來號曰樓至月蓋比
丘則我身是如是天帝當知此要以法供養
於諸供養為上為最第一无比是故天帝當
以法之供養供養於佛

維摩詰經囑累品第十四

於是佛告弥勒菩薩言弥勒我今以是无量
億阿僧祇劫所集阿耨多羅三藐三菩提法
付囑於汝如是輩經於佛滅後末世之中汝
等當以神力廣宣流布於閻浮提无令斷絶
所以者何未來世中當有善男子善女人及天
龍鬼神乾闥婆羅刹等發阿耨多羅三藐
三菩提心樂于大法若使不聞如是等經則
失善利如此輩人聞是等經必多信樂發希
有心當以頂受隨諸衆生所應得利而為廣說
弥勒當知菩薩有二相何謂為二一者好
於雜句文飾之事二者不畏深義如實能入
若好雜句文飾事者當知是為新學菩薩
若於如是无染无著甚深經典无有恐畏能
入其中聞已心淨受持讀誦如說脩行當知是
為久脩道行弥勒復有二法名新學者不能
決定於甚深法何等為二一者所未聞深經

決定於甚深法何等為二一者所未聞深經
聞之驚怖生疑不能隨順毀謗不信而作是
言我初不聞從何所來二者若有護持解說
如是深經者不肯親近供養恭敬或時於中
說其過惡有此二法當知是新學菩薩為自
毀傷不能於深法中調伏其心弥勒復有二
法菩薩雖信解深法猶自毀傷而不能得无
生法忍何等為二一者輕慢新學菩薩而不
教誨二者雖解深法而取相分別是為二法
弥勒菩薩聞說是已白佛言世尊未曾有世
尊如佛所說我當遠離如斯之惡奉持如來无
數阿僧祇劫所集阿耨多羅三藐三菩提法
若未來世善男子善女人求大乘者當令手
得如是等經與其念力使受持讀誦為他廣
說世尊若後末世有能受持讀誦為他說者
當知皆是弥勒神力之所建立佛言善哉善
哉弥勒如汝所說佛助尒喜於是一切菩薩
合掌白佛我等亦於如來滅後十方國土廣
宣流布阿耨多羅三藐三菩提復當開導
諸說法者令得是經
尒時四天王白佛言世尊在在處處城邑聚
落山林曠野有是經卷讀誦解說者我當率
諸官屬為聽法故往詣其所擁護其人面百
由旬令无伺求得其便者是時佛告阿難受
持是經廣宣流布阿難言唯然我已受持要
者世尊當何名斯經佛言阿難是經名為維

說世尊若後末世有能受持讀誦爲他說者
當知是爲弥勒神力之所建立佛言善哉善
哉弥勒如汝所說佛助尒喜於是一切菩薩
合掌白佛我等亦於如來滅後十方國土廣
宣流布阿耨多羅三藐三菩提復當開導
諸說法者令得是經
尒時四天王白佛言世尊在在處處城邑聚
落山林曠野有是經卷讀誦解說者我當率
諸官屬爲聽法故往詣其所擁護其人面百
由旬令无伺求得其便者是時佛告阿難受
持是經廣宣流布阿難言唯然我已受持要
者世尊當何名斯經佛言阿難是經名爲維
摩詰所說亦名不可思議解脫法門如是受
持
佛說是經已長者維摩詰文殊師利舍利弗
阿難等及諸天人阿脩羅一切大衆聞佛所
說皆大歡喜作礼而去

維摩詰經卷下

BD00057 號　維摩詰所說經卷下　（20–20）

是名智者　所親近處
顛倒分別　諸法有无　是實非實　是生非生
在於閑處　脩攝其心　安住不動　如須弥山
觀一切法　皆无所有　猶如虛空　无有堅固
不生不出　不動不退　常住一相　是名近處
若有比丘　於我滅後　入是行處　及親近處
說斯經時　无有怯弱
菩薩有時　入於靜室　以正憶念　隨義觀法
從禪定起　爲諸國王　王子臣民　婆羅門等
開化演暢　說斯經典　其心安隱　无有怯弱
文殊師利　是名菩薩　安住初法　能於後世
說法華經
又文殊師利如來滅後於末法中欲說是經
應住安樂行若口宣說若讀經時不樂說人
及經典過亦不輕慢諸餘法師不說他人好
惡長短於聲聞人亦不稱名說其過惡亦不
稱名讚歎其美又亦不生怨嫌之心善脩如
是安樂心故諸有聽者不逆其意有所難
問不以小乘法荅但以大乘而爲解說令得一
切種知尒時世尊欲重宣此義而說偈言
菩薩常樂　安隱說法　於清淨地　而施床座
以油塗身　澡浴塵穢　著新淨衣　內外俱淨
安處法座　隨問爲說
若有比丘　及比丘尼　諸優婆塞　及優婆夷
國王王子　群臣士民　以微妙義　和顏爲說
若有問難　隨義而荅　因緣譬喻　敷演分別
以是方便　皆使發心　漸漸增益　入於佛道

BD00058 號　妙法蓮華經卷五　（23–1）

若有比丘 及比丘尼 諸優婆塞 及優婆夷
國王王子 群臣士民 以微妙義 和顏為說
若有問難 隨義而答 因緣譬喻 敷演分別
以是方便 皆使發心 漸漸增益 入於佛道
除嬾墮意 及懈怠想 離諸憂惱 慈心說法
晝夜常說 无上道教 以諸因緣 无量譬喻
開示衆生 咸令歡喜
衣服卧具 飲食湯藥 而於其中 无所悕望
但一心念 說法因緣 願成佛道 令衆亦尒
是則大利 安樂供養
我滅度後 若有比丘 能演說斯 妙法華經
心无嫉恚 諸惱鄣礙 亦无憂愁 及罵詈者
又无怖畏 加刀杖等 亦无擯出 安住忍故
智者如是 善脩其心 能住安樂 如我上說
其人功德 千万億劫 筭數譬喻 說不能盡

又文殊師利菩薩摩訶薩於後末世法欲
滅時受持讀誦斯經典者无懷嫉妬諂誑之
心亦勿輕罵學佛道者求其長短若比丘比
丘尼優婆塞優婆夷求聲聞者求辟支佛
者求菩薩道者无得惱之令其疑悔語其人言
汝等去道甚遠終不能得一切種智所以者
何汝是放逸之人於道懈怠故又亦不應戲
論諸法有所諍競當於一切衆生起大悲想於
諸如來起慈父想於諸菩薩起大師想於十
方諸大菩薩常應深心恭敬礼拜於一切衆
生平等說法以順法故不多不少乃至深愛
法者亦不為多說文殊師利是菩薩摩訶
薩於後末世法欲滅時有成就是第三安樂

法者亦不為多說文殊師利是菩薩摩訶
薩於後末世法欲滅時有成就是第三安樂
行者說是法時无能惱亂得好同學共讀誦
是經亦得大衆而來聽受聽已能持持已能
誦誦已能說說已能書若使人書供養經卷
恭敬尊重讚歎尒時世尊欲重宣此義而
說偈言

若欲說是經 當捨嫉恚慢 諂誑邪偽心 常脩質直行
不輕蔑於人 亦不戲論法 不令他疑悔 云汝不得佛
是佛子說法 常柔和能忍 慈悲於一切 不生懈怠心
十方大菩薩 愍衆故行道 應生恭敬心 是則我大師
於諸佛世尊 生无上父想 破於憍慢心 說法无鄣礙
第三法如是 智者應守護 一心安樂行 无量衆所敬

又文殊師利菩薩摩訶薩於後末世法欲滅
時有持是法華經者於在家出家人中生
大慈心於非菩薩人中生大悲心應作是念如
是之人則為大失如來方便隨宜說法不聞
不知不覺不問不信不解其人雖不問不信
不解是經我得阿耨多羅三藐三菩提時隨
在何地以神通力智慧力引之令得住是法
中文殊師利是菩薩摩訶薩於如來滅後有
成就此第四法者說是法時无有過失常為
比丘比丘尼優婆塞優婆夷國王王子大臣
人民婆羅門居士等供養恭敬尊重讚歎
虛空諸天為聽法故亦常隨侍若在聚落城
邑空閑林中有人來欲問難者諸天晝夜常為
法故而衛護之能令聽者皆得歡喜所以者
何此經是一切過去未來現在諸佛神力所

法故而衛護之能令聽者皆得歡喜所以者
何此經是一切過去未來現在諸佛神力所
護故文殊師利是法華經於无量國中乃至
名字不可得聞何況得見受持讀誦文殊師
利譬如強力轉輪聖王欲以威勢降伏諸國
而諸小王不順其命時轉輪王起種種兵而
往討罰王見兵衆戰有功者即大歡喜隨功
賞賜或與田宅聚落城邑或與衣服嚴身之
具或與種種珍寶金銀琉璃車璖馬瑙珊瑚
虎魄象馬車乘奴婢人民唯髻中明珠不以
與之所以者何獨王頂上有此一珠若以與
之王諸眷屬必大驚恠文殊師利如來亦復
如是以禪定智慧力得法國土王於三界而
諸魔王不肯順伏如來賢聖諸將與之共戰
其有功者心亦歡喜於四衆中為說諸經令
其心悅賜以禪定解脫无漏根力諸法之財
又復賜與涅槃之城言得滅度引導其心令
皆歡喜而不為說是法華經文殊師利如轉
輪王見諸兵衆有大功者心甚歡喜以此難
信之珠久在髻中不妄與人而今與之如來
亦復如是於三界中為大法王以法教化一切
衆生見賢聖軍與五陰魔煩惱魔死魔共戰
有大功勳滅三毒出三界破魔網尒時如來
亦大歡喜此法華經能令衆生至一切智一
切世間多怨難信先所未說而今說之文殊
師利此法華經是諸如來第一之說於諸說
中最為甚深末後賜與如彼強力之王久護

BD00058號　妙法蓮華經卷五　（23–4）

中最為甚深末後賜與如彼強力之王久護
明珠今乃與之文殊師利此法華經諸佛如
來秘密之藏於諸經中最在其上長夜守護
不妄宣說始於今日乃與汝等而敷演之尒
時世尊欲重宣此義而說偈言
常行忍辱　哀愍一切　乃能演說　佛所讚經
後末世時　持此經者　於家出家　及非菩薩
應生慈悲　斯等不聞　不信是經　則為大失
我得佛道　以諸方便　為說此法　令住其中
譬如強力　轉輪之王　兵戰有功　賞賜諸物
象馬車乘　嚴身之具　及諸田宅　聚落城邑
或與衣服　種種珍寶　奴婢財物　歡喜賜與
如有勇健　能為難事　王解髻中　明珠與之
如來亦尒　為諸法王　忍辱大力　智慧寶藏
以大慈悲　如法化世
見一切人　受諸苦惱　欲求解脫　與諸魔戰
為是衆生　說種種法　以大方便　說此諸經
既知衆生　得其力已　末後乃為　說是法華
如王解髻　明珠與之　此經為尊　衆經中上
我常守護　不妄開示　今正是時　為汝等說
我滅度後　求佛道者　欲得安隱　演說斯經
應當親近　如是四法　讀是經者　常无憂惱
又无病痛　顏色鮮白　不生貧窮　卑賤醜陋
衆生樂見　如慕賢聖　天諸童子　以為給使
刀杖不加　毒不能害　若人惡罵　口則閉塞
遊行无畏　如師子王　智慧光明　如日之照
若於夢中　但見妙事　見諸如來　坐師子座
諸比丘衆　圍遶說法　又見龍神　阿脩羅等

BD00058號　妙法蓮華經卷五　（23–5）

若於夢中 但見妙事 見諸如來 坐師子座
諸比丘衆 圍遶說法 又見龍神 阿脩羅等
數如恒沙 恭敬合掌 自見其身 而為說法
又見諸佛 身相金色 放无量光 照於一切
以梵音聲 演說諸法 佛為四衆 說无上法
見身處中 合掌讚佛 聞法歡喜 而為供養
得陁羅尼 證不退智 佛知其心 深入佛道
即為授記 成最正覺 汝善男子 當於來世
得无量智 佛之大道 國土嚴淨 廣大无比
亦有四衆 合掌聽法 又見自身 在山林中
脩習善法 證諸實相 深入禪定 見十方佛
諸佛身金色 百福相莊嚴 聞法為人說 常有是好夢
又夢作國王 捨宮殿眷屬 及上妙五欲 行詣於道場
在菩提樹下 而處師子座 求道過七日 得諸佛之智
成无上道已 起而轉法輪 為四衆說法 經千万億劫
說无漏妙法 度无量衆生 後當入涅槃 如烟盡火滅
若後惡世中 說是第一法 是人得大利 如上諸功德

妙法蓮華經從地踊出品第十五

尒時他方國土諸來菩薩摩訶薩過八恒
河沙數於大衆中起合掌作礼而白佛言世
尊若聽我等於佛滅後在此娑婆世界勤加
精進護持讀誦書寫供養是經典者當於此
土而廣說之尒時佛告諸菩薩摩訶薩衆止
善男子不須汝等護持此經所以者何我娑婆
世界自有六万恒河沙等菩薩摩訶薩一一
菩薩各有六万恒河沙眷屬是諸人等能
於我滅後護持讀誦廣說此經佛說是時
娑婆世界三千大千國土地皆震裂而於其
中有无量千万億菩薩摩訶薩同時踊出

BD00058號　妙法蓮華經卷五　(23–6)

於我滅後護持讀誦廣說此經佛說是時
娑婆世界三千大千國土地皆震裂而於其
中有无量千万億菩薩摩訶薩同時踊出是
諸菩薩身皆金色三十二相无量光明先盡在
此娑婆世界之下此界虛空中住是諸菩薩
聞釋迦牟尼佛所說音聲從下發來一一菩
薩皆是大衆唱導之首各將六万恒河沙眷
屬況將五万四万三万二万一万恒河沙等
眷屬者況復乃至一恒河沙半恒河沙四分之
一乃至千万億那由他分之一況復千万億
那由他眷屬況復億万眷屬況復千万百万
乃至一万況復一千一百乃至一十況復將
五四三二一弟子者況復單己樂遠離行如
是等比无量无邊筭數譬喻所不能知是諸
菩薩從地出已各詣虛空七寶妙塔多寶如
來釋迦牟尼佛所到已向二世尊頭面礼足
及至諸寶樹下師子座上佛所亦皆作礼右
繞三帀合掌恭敬以諸菩薩種種讚法而以
讚歎住在一面欣樂瞻仰於二世尊是諸菩
菩摩訶薩從初踊出以諸菩薩種種讚法而
讚於佛如是時間經五十小劫是時釋迦牟
尼佛嘿然而坐及諸四衆亦皆嘿然五十小
劫佛神力故令諸大衆謂如半日尒時四衆
亦以佛神力故見諸菩薩遍滿无量百千万
億國土虛空是菩薩衆中有四導師一名上
行二名无邊行三名淨行四名安立行是
四菩薩於其衆中最為上首唱導之師在大
衆前各共合掌觀釋迦牟尼佛而問訊言
世尊少病少惱安樂行不

BD00058號　妙法蓮華經卷五　(23–7)

前各共合掌觀釋迦牟尼佛而問訊言
世尊少病少惱安樂行不所應度者受教易
不不令世尊生疲勞耶尒時四大菩薩而說
偈言
世尊安樂　少病少惱　教化眾生　得无疲惓
又諸眾生　受化易不　不令世尊　生疲勞耶
尒時世尊於菩薩大眾中而作是言如是如
是諸善男子如來安樂少病少惱諸眾生等
易可化度无有疲勞所以者何是諸眾生世
世已來常受我化亦於過去諸佛供養尊重
種諸善根此諸眾生始見我身聞我所說即
皆信受入如來慧除先脩習學小乘者如是
之人我今亦令得聞是經入於佛慧尒時諸
大菩薩而說偈言
善哉善哉　大雄世尊　諸眾生等　易可化度
能問諸佛　甚深智慧　聞已信行　我等隨喜
於時世尊讚歎上首諸大菩薩善哉善哉善
男子汝等能於如來發隨喜心尒時彌勒菩
薩及八千恒河沙諸菩薩眾皆作是念我等
從昔已來不見不聞如是大菩薩摩訶薩眾
從地踊出住世尊前合掌供養問訊如來時
彌勒菩薩摩訶薩知八千恒河沙諸菩薩等
心之所念并欲自決所疑合掌向佛以偈問
曰
无量千万億　大眾諸菩薩　昔所未曾見　願兩足尊說
是從何所來　以何因緣集　巨身大神通　智慧叵思議
其志念堅固　有大忍辱力　眾生所樂見　為從何所來
一一諸菩薩　所將諸眷屬　其數无有量　如恒河沙等

其志念堅固　有大忍辱力　眾生所樂見　為從何所來
一一諸菩薩　所將諸眷屬　其數无有量　如恒河沙等
或有大菩薩　將六万恒沙　如是諸大眾　一心求佛道
是諸大菩薩　六万恒河沙　俱來供養佛　及護持是經
將五万恒沙　其數過於是　四万及三万　二万至一万
一千一百等　乃至一恒沙　半及四三分　億万分之一
千万那由他　万億諸弟子　乃至於半億　其數復過上
万百至一万　一千及一百　五十與一十　乃至三二一
單己无眷屬　樂於獨處者　俱來至佛所　其數轉過上
如是諸大眾　若人行籌數　過於恒沙劫　猶不能盡知
是諸大威德　精進菩薩眾　誰為其說法　教化而成就
從誰初發心　稱揚何佛法　受持行誰經　脩習何佛道
如是諸菩薩　神通大智力　四方地震裂　皆從中踊出
世尊我昔來　未曾見是事　願說其所從　國土之名号
我常遊諸國　未曾見是眾
我於此眾中　乃不識一人　忽然從地出　願說其因緣
今此之大會　无量百千億　是諸菩薩等　皆欲知此事
是諸菩薩眾　本末之因緣　无量德世尊　唯願決眾疑
尒時釋迦牟尼佛分身諸佛從无量千万億
他方國土來者在於八方諸寶樹下師子座
上結跏趺坐其佛侍者各各見是菩薩大眾
於三千大千世界四方從地踊出住於虛空
各白其佛言世尊此諸无量无邊阿祇僧菩
薩大眾從何所來尒時諸佛各告侍者諸善
男子且待須臾有菩薩摩訶薩名彌勒釋
迦牟尼之所授記次後作佛已問斯事佛今
答之汝等自當因是得聞尒時釋迦牟尼佛
告彌勒菩薩善哉善哉阿逸多乃能問佛如

各白其佛言世尊此諸无量无邊阿祇僧菩
薩大衆從何所來尒時諸佛各告侍者諸善
男子且待須臾有菩薩摩訶薩名弥勒釋
迦牟尼之所授記次後作佛已問斯事佛今
荅之汝等自當因是得聞尒時釋迦牟尼佛
告弥勒菩薩善哉善哉阿逸多乃能問佛如
是大事汝等當共一心被精進鎧發堅固意
如來今欲顯發宣示諸佛智慧諸佛自在神
通之力諸佛師子奮迅之力諸佛威猛大勢
之力尒時世尊欲重宣此義而說偈言
當精進一心　我欲說此事　勿得有疑悔　佛智叵思議
汝今出信力　住於忍善中　昔所未聞法　今皆當得聞
我今安慰汝　勿得懷疑懼　佛无不實語　智慧不可量
所得第一法　甚深叵分別　如是今當說　汝等一心聽
尒時世尊說此偈已告弥勒菩薩我今於此
大衆宣告汝等阿逸多是諸大菩薩摩訶薩
无量无數阿僧祇從地踊出汝等昔所未見
者我於是娑婆世界得阿耨多羅三藐三菩
提已教化示導是諸菩薩調伏其心令發道
意此諸菩薩皆於是娑婆世界之下此界虛
空中住於諸經典讀誦通利思惟分別正憶
念阿逸多是諸善男子等不樂在衆多有所
說常樂靜處勤行精進未曾休息亦不依止
人天而住常樂深智无有鄣礙亦常樂於諸
佛之法一心精進求无上慧尒時世尊欲重
宣此義而說偈言
阿逸汝當知　是諸大菩薩　從无數劫來　脩習佛智慧
悉是我所化　令發大道心　此等是我子　依止是世界

BD00058號　妙法蓮華經卷五　（23-10）

阿逸汝當知　是諸大菩薩　從无數劫來　脩習佛智慧
悉是我所化　令發大道心　此等是我子　依止是世界
常行頭陁事　志樂於靜處　捨大衆憒閙　不樂多所說
如是諸子等　學習我道法　晝夜常精進　為求佛道故
在娑婆世界　下方空中住
志念力堅固　常勤求智慧　說種種妙法　其心无所畏
我於伽耶城　菩提樹下坐　得成最正覺　轉无上法輪
尒乃教化之　令初發道心　今皆住不退　悉當得成佛
我今說實語　汝等一心信　我從久遠來　教化是等衆
尒時弥勒菩薩摩訶薩及无數諸菩薩等心
生疑惑怪未曾有而作是念云何世尊於少
時間教化如是无量无邊阿僧祇諸大菩薩
令住阿耨多羅三藐三菩提即白佛言世尊
如來為太子時出於釋宮去伽耶城不遠坐
於道場得成阿耨多羅三藐三菩提從是已
來始過四十餘年世尊云何於此少時大作
佛事以佛勢力以佛功德教化如是无量大
菩薩衆當成阿耨多羅三藐三菩提世尊此
大菩薩衆假使有人於千万億劫數不能盡
不得其邊斯等久遠已來於无量无邊諸佛
所殖諸善根成就菩薩道常脩梵行世尊如
此之事世所難信譬如有人色美髮黑年二
十五指百歲人言是我子其百歲人亦指年
少言是我父生育我等是事難信佛亦如是
得道已來其實未久而此大衆諸菩薩等已
於无量千万億劫為佛道故勤行精進善入
出住无量百千万億三昧得大神通久脩梵
行善能次第習諸善法巧於問答人中之寶

BD00058號　妙法蓮華經卷五　（23-11）

於无量千万億劫為佛道故勤行精進善入
出住无量百千万億三昧得大神通久脩梵
行善能次第習諸善法巧於問答人中之寶
一切世間甚為希有今日世尊方云得佛道
時初令發心教化示導令向阿耨多羅三藐
三菩提世尊得佛未久乃能作此大功德事
我等雖復信佛隨宜所說佛所出言未曾虛
妄佛所知者皆悉通達然諸新發意菩薩於
佛滅後若聞是語或不信受而起破法罪業
因緣唯然世尊願為解說除我等疑及未來
世諸善男子聞此事已亦不生疑尒時彌勒
菩薩欲重宣此義而說偈言

佛昔從釋種　出家近伽耶　坐於菩提樹　尒來尚未久
此諸佛子等　其數不可量　久已行佛道　住神通智力
善學菩薩道　不染世間法　如蓮華在水　從地而踊出
皆起恭敬心　住於世尊前　是事難思議　云何而可信
得佛道甚近　所成就甚多　願為除衆疑　如實分別說
譬如少壯人　年始二十五　示人百歲子　髮白而面皺
是等我所生　子亦說是父　父少而子老　舉世所不信
世尊亦如是　得道來甚近　是諸菩薩等　志固无怯弱
從无量劫來　而行菩薩道　巧於難問答　其心无所畏
忍辱心決定　端正有威德　十方佛所讚　善能分別說
不樂在人衆　常好在禪定　為求佛道故　於下空中住
我等從佛聞　於此事无疑　願佛為未來　演說令開解
若有於此經　生疑不信者　即當墮惡道　願今為解說
是无量菩薩　云何於少時　教化令發心　而住不退地

妙法蓮華經如來壽量品第十六
尒時佛告諸菩薩及一切大衆諸善男子汝
[illegible]

BD00058號　妙法蓮華經卷五　（23–12）

妙法蓮華經如來壽量品第十六
尒時佛告諸菩薩及一切大衆諸善男子汝
等當信解如來誠諦之語復告大衆汝等當
信解如來誠諦之語又復告諸大衆汝等當
信解如來誠諦之語是時菩薩大衆彌勒為
首合掌白佛言世尊唯願說之我等當信受
佛語如是三白已復言唯願說之我等當信
受佛語尒時世尊知諸菩薩三請不止而告
之言汝等諦聽如來祕密神通之力一切世
間天人及阿脩羅皆謂今釋迦牟尼佛出釋
氏宮去伽耶城不遠坐於道場得阿耨多羅
三藐三菩提然善男子我實成佛已來无
量无邊百千万億那由他劫譬如五百千万億
那由他阿僧祇三千大千世界假使有人末
為微塵過於東方五百千万億那由他阿僧
祇國乃下一塵如是東盡是微塵諸善男
子於意云何是諸世界可得思惟挍計知其
數不彌勒菩薩等俱白佛言世尊是諸世界
无量无邊非筭數所知亦非心力所及一切
聲聞辟支佛以无漏智不能思惟知其限數
我等住阿惟越致地於是事中亦所不達世
尊如是諸世界无量无邊尒時佛告大菩薩
衆諸善男子今當分明宣語汝等是諸世界
若著微塵及不著者盡以為塵一塵一劫我
成佛已來復過於此百千万億那由他阿僧
祇劫自從是來我常在此娑婆世界說法教
化亦於餘處百千万億那由他阿僧祇國導
利衆生諸善男子於是中間我說燃燈佛等

BD00058號　妙法蓮華經卷五　（23–13）

化亦於餘處百千万億那由他阿僧祇國導
利衆生諸善男子於是中間我說然燈佛等
又復言其入於涅槃如是皆以方便分別諸
善男子若有衆生來至我所我以佛眼觀其
信等諸根利鈍隨所應度處處自說名字不
同年紀大小亦復現言當入涅槃又以種種
方便說微妙法能令衆生發歡喜心諸善男
子如來見諸衆生樂於小法德薄垢重者為
是人說我少出家得阿耨多羅三藐三菩提
然我實成佛已來久遠若斯但以方便教化
衆生令入佛道作如是說諸善男子如來所
演經典皆為度脫衆生或說己身或說他身
或示己身或示他身或示己事或示他事諸
所言說皆實不虛所以者何如來如實知見
三界之相无有生死若退若出亦无在世及
滅度者非實非虛非如非異不如三界見於
三界如斯之事如來明見无有錯謬以諸衆
生有種種性種種欲種種行種種憶想分別
故欲令生諸善根以若干因緣譬喻言辭種
種說法所作佛事未曾暫廢如是我成佛已
來甚大久遠壽命无量阿僧祇劫常住不滅
諸善男子我本行菩薩道所成壽命今猶未
盡復倍上數然今非實滅度而便唱言當取
滅度如來以是方便教化衆生所以者何若
佛久住於世薄德之人不種善根貧窮下賤
貪著五欲入於憶想妄見網中若見如來常
在不滅便起憍恣而懷厭怠不能生難遭之
想恭敬之心是故如來以方便說比丘當知
諸佛出世難可值遇所以者何諸薄德人過

想恭敬之心是故如來以方便說比丘當知
諸佛出世難可值遇所以者何諸薄德人過
无量百千万億劫或有見佛或不見者以此
事故我作是言諸比丘如來難可得見斯衆
生等聞如是語必當生於難遭之想心懷戀
慕渴仰於佛便種善根是故如來雖不實滅
而言滅度又善男子諸佛如來法皆如是為
度衆生皆實不虛譬如良醫智慧聡達明
練方藥善治衆病其人多諸子息若十二十乃
至百數以有事緣遠至餘國諸子於後飲他
毒藥藥發悶亂宛轉于地是時其父還來歸
家諸子飲毒或失本心或不失者遙見其父
皆大歡喜拜跪問訊善安隱歸我等愚癡
誤服毒藥願見救療更賜壽命父見子等苦
惱如是依諸經方求好藥草色香美味皆悉
具足擣篩和合與子令服而作是言此大良藥
色香美味皆悉具足汝等可服速除苦惱无
復衆患其諸子中不失心者見此良藥色香
俱好即便服之病盡除愈餘失心者見其父
來雖亦歡喜問訊求索治病然與其藥而不
肯服所以者何毒氣深入失本心故於此好
色香藥而謂不美父作是念此子可愍為毒
所中心皆顛倒雖見我喜求索救療如是好
藥而不肯服我今當設方便令服此藥即作
是言汝等當知我今衰老死時已至是好良
藥今留在此汝可取服勿憂不差作是教已
復至他國遣使還告汝父已死是時諸子聞
父背喪心大憂惱而作是念若父在者慈愍

復至他國遣使還告汝父已死是時諸子聞
父背喪心大憂惱而作是念若父在者慈愍
我等能見救護今者捨我遠喪他國自惟孤
露無復恃怙常懷悲感心遂醒悟乃知此藥
色味香美即取服之毒病皆愈其父聞子悉
已得差尋便來歸咸使見之諸善男子於意
云何頗有人能說此良醫虛妄罪不不也
世尊佛言我亦如是成佛已來無量無邊百千
万億那由他阿僧祇劫為衆生故以方便力
言當滅度亦無有能如法說我虛妄過者尒
時世尊欲重宣此義而說偈言
自我得佛來　所經諸劫數　無量百千万　億載阿僧祇
常說法教化　無數億衆生　令入於佛道　尒來無量劫
為度衆生故　方便現涅槃　而實不滅度　常住此說法
我常住於此　以諸神通力　令顛倒衆生　雖近而不見
衆見我滅度　廣供養舍利　咸皆懷戀慕　而生渴仰心
衆生既信伏　質直意柔軟　一心欲見佛　不自惜身命
時我及衆僧　俱出靈鷲山　我時語衆生　常在此不滅
以方便力故　現有滅不滅　餘國有衆生　恭敬信樂者
我復於彼中　為說無上法　汝等不聞此　但謂我滅度
我見諸衆生　沒在於苦惱　故不為現身　令其生渴仰
因其心戀慕　乃出為說法　神通力如是　於阿僧祇劫
常在靈鷲山　及餘諸住處　衆生見劫盡　大火所燒時
我此土安隱　天人常充滿　園林諸堂閣　種種寶莊嚴
寶樹多華菓　衆生所遊樂　諸天擊天鼓　常作衆伎樂
雨曼陁羅華　散佛及大衆　我淨土不毀　而衆見燒盡
憂怖諸苦惱　如是悉充滿　是諸罪衆生　以惡業因緣
過阿僧祇劫　不聞三寶名　諸有修功德　柔和質直者

BD00058號　妙法蓮華經卷五

(23-16)

過阿僧祇劫　不聞三寶名　諸有修功德　柔和質直者
則皆見我身　在此而說法　或時為此衆　說佛壽無量
久乃見佛者　為說佛難值　我智力如是　慧光照無量
壽命無數劫　久修業所得　汝等有智者　勿於此生疑
當斷令永盡　佛語實不虛　如醫善方便　為治狂子故
實在而言死　無能說虛妄　我亦為世父　救諸苦患者
為凡夫顛倒　實在而言滅　以常見我故　而生憍恣心
放逸著五欲　墮於惡道中　我常知衆生　行道不行道
隨應所可度　為說種種法　每自作是意　以何令衆生
得入無上道　速成就佛身

妙法蓮華經分別功德品第十七

尒時大會聞佛說壽命劫數長遠如是無量
無邊阿僧祇衆生得大饒益於時世尊告彌
勒菩薩摩訶薩阿逸多我說是如來壽命長
遠時六百八十万億那由他恒河沙衆生得
無生法忍復千倍菩薩摩訶薩得聞持陁
羅尼門復有一世界微塵數菩薩摩訶薩得
樂說無礙辯才復有一世界微塵數菩薩摩
訶薩得百万億無量旋陁羅尼復有三千大
千世界微塵數菩薩摩訶薩能轉不退法輪
復有二千中國土微塵數菩薩摩訶薩能轉
清淨法輪復有小千國土微塵數菩薩摩訶
薩八生當得阿耨多羅三藐三菩提復有四
四天下微塵數菩薩摩訶薩四生當得阿耨
多羅三藐三菩提復有三四天下微塵數菩
薩摩訶薩三生當得阿耨多羅三藐三菩提
復有二四天下微塵數菩薩摩訶薩二生當
得阿耨多羅三藐三菩提復有一四天下微

BD00058號　妙法蓮華經卷五

(23-17)

復有二四天下微塵數菩薩摩訶薩二生當
得阿耨多羅三藐三菩提復有一四天下微
塵數菩薩摩訶薩一生當得阿耨多羅三藐
三菩提復有八世界微塵數衆生皆發阿耨
多羅三藐三菩提心佛說是諸菩薩摩訶薩
得大法利時於虛空中雨曼陀羅華摩訶曼
陀羅華以散无量百千万億寶樹下師子座
上諸佛并散七寶塔中師子座上釋迦牟尼
佛及久滅度多寶如來亦散一切諸大菩薩
及四部衆又雨細末栴檀沉水香等於虛空
中天鼓自鳴妙聲深遠又雨千種天衣垂諸
瓔珞真珠瓔珞摩尼珠瓔珞如意珠瓔珞遍
於九方衆寶香爐燒无價香自然周至供養
大會一一佛上有諸菩薩執持幡蓋次第而
上至于梵天是諸菩薩以妙音聲歌无量
頌讚歎諸佛尒時弥勒菩薩從座而起偏袒
右肩合掌向佛而說偈言
佛說希有法　昔所未曾聞　世尊有大力　壽命不可量
无數諸佛子　聞世尊分別　說得法利者　歡喜充遍身
或住不退地　或得陀羅尼　或无礙樂說　万億旋揔持
或有大千界　微塵數菩薩　各各皆能轉　不退之法輪
或有中千界　微塵數菩薩　各各皆能轉　清淨之法輪
復有小千界　微塵數菩薩　餘各八生在　當得成佛道
復有四三二　如是四天下　微塵諸菩薩　隨數生成佛
或一四天下　微塵數菩薩　餘有一生在　當成一切智
如是等衆生　聞佛壽長遠　得无量无漏　清淨之果報
復有八世界　微塵數衆生　聞佛說壽命　皆發无上心
世尊說无量　不可思議法　多有所饒益　如虛空无邊

BD00058號　妙法蓮華經卷五　（23–18）

復有八世界　微塵數衆生　聞佛說壽命　皆發无上心
世尊說无量　不可思議法　多有所饒益　如虛空无邊
雨天曼陀羅　摩訶曼陀羅　釋梵如恒沙　无數佛土來
雨栴檀沉水　繽紛而亂墜　如鳥飛空下　供散於諸佛
天鼓虛空中　自然出妙聲　天衣千万種　旋轉而來下
衆寶妙香爐　燒无價之香　自然悉周遍　供養諸世尊
其大菩薩衆　執七寶幡蓋　高妙万億種　次第至梵天
一一諸佛前　寶幢懸勝幡　亦以千万偈　歌詠諸如來
如是種種事　昔所未曾有　聞佛壽无量　一切皆歡喜
佛名聞十方　廣饒益衆生　一切具善根　以助无上心
尒時佛告弥勒菩薩摩訶薩阿逸多其有衆
生聞佛壽命長遠如是乃至能生一念信解
所得功德无有限量若有善男子善女人為
阿耨多羅三藐三菩提於八十万億那由他
劫行五波羅蜜檀波羅蜜尸羅波羅蜜羼提
波羅蜜毗梨耶波羅蜜禪波羅蜜除般若波
羅蜜以是功德比前功德百分千分百千万
億分不及其一乃至筭數譬喻所不能知若
善男子善女人有如是功德於阿耨多羅三
藐三菩提退者无有是處尒時世尊欲重宣
此義而說偈言
若人求佛慧　於八十万億　那由他劫數　行五波羅蜜
於是諸劫中　布施供養佛　及緣覺弟子　并諸菩薩衆
珍異之飲食　上服與臥具　栴檀立精舍　以園林莊嚴
如是等布施　種種皆微妙　盡此諸劫數　以迴向佛道
若復持禁戒　清淨无缺漏　求於无上道　諸佛之所歎
若復行忍辱　住於調柔地　設衆惡來加　其心不傾動

BD00058號　妙法蓮華經卷五　（23–19）

如是等布施種種皆微妙盡此諸劫數以迴向佛道
若復持禁戒清淨无缺漏求於无上道諸佛之所歎
若復行忍辱住於調柔地設衆惡來加其心不傾動
諸有得法者懷於增上慢為此所輕惱如是亦能忍
若復勤精進志念常堅固於无量億劫一心不懈息
又於无數劫住於空閑處若坐若經行除睡常攝心
以是因緣故能生諸禪定八十億万劫安住心不亂
持此一心福願求无上道我得一切智盡諸禪定際
是人於百千万億劫數中行此諸功德如上之所說
有善男女等聞我說壽命乃至一念信其福過於彼
若人悉无有一切諸疑悔深心須臾信其福為如此
其有諸菩薩无量劫行道聞我說壽命是則能信受
如是諸人等頂受此經典願我於未來長壽度衆生
如今日世尊諸釋中之王道場師子吼說法无所畏
我等未來世一切所尊敬坐於道場時說壽亦如是
若有深心者清淨而質直多聞能總持隨義解佛語
如是諸人等於此无有疑
又阿逸多若有聞佛壽命長遠解其言趣是
人所得功德无有限量能起如來无上之慧
何況廣聞是經若教人聞若自持若教人持
若自書若教人書若以華香瓔珞幢幡繒蓋
香油蘇燈供養經卷是人功德无量无邊能
生一切種智阿逸多若善男子善女人聞我
說壽命長遠深心信解則為見佛常在耆闍
崛山共大菩薩諸聲聞衆圍繞說法又見此
娑婆世界其地瑠璃坦然平正閻浮檀金以
界八道寶樹行列諸臺樓觀皆悉寶成其菩
薩衆咸處其中若有能如是觀者當知是為
深信解相又復如來滅後若聞是經而不毀

BD00058號　妙法蓮華經卷五

（23–20）

界八道寶樹行列諸臺樓觀皆悉寶成其菩
薩衆咸處其中若有能如是觀者當知是為
深信解相又復如來滅後若聞是經而不毀
呰起隨喜心當知已為深信解相何況讀誦
受持之者斯人則為頂戴如來阿逸多是善
男子善女人不須為我復起塔寺及作僧坊
以四事供養衆僧所以者何是善男子善女
人受持讀誦是經典者為已起塔造立僧坊
供養衆僧則為以佛舍利起七寶塔高廣
漸小至于梵天懸諸幡蓋及衆寶鈴華香瓔
珞末香塗香燒香衆鼓伎樂簫笛箜篌種種
儛戲以妙音聲歌唄讚頌則為於无量千万
億劫作是供養已阿逸多若我滅後聞是經典
有能受持若自書若教人書則為起立僧坊
以赤栴檀作諸殿堂三十有二高八多羅樹
高廣嚴好百千比丘於其中止園林流池經
行禪窟衣服飲食牀褥湯藥一切樂具充滿
其中如是僧坊堂閣若干百千万億其數无
量以此現前供養於我及比丘僧是故我說
如來滅後若有受持讀誦為他人說若自書
若教人書供養經卷不須復起塔寺及造僧
坊供養衆僧況復有人能持是經兼行布施
持戒忍辱精進一心智慧其德最勝无量无
邊譬如虛空東西南北四維上下无量无邊
是人功德亦復如是无量无邊疾至一切種
知若人讀誦受持是經為他人說若自書若
教人書復能起塔及造僧坊供養讚歎聲聞
衆僧亦以百千万億讚歎之法讚歎菩薩功
德又為他人種種因緣隨義解說此法華經

BD00058號　妙法蓮華經卷五

（23–21）

教人書復能起塔及造僧坊供養讚歎聲聞
衆僧亦以百千万億讚歎之法讚歎菩薩功
德又為他人種種因緣隨義解說此法華經
復能清淨持戒與柔和者而共同止忍辱无
瞋志念堅固常貴坐禪得諸深定精進勇猛
攝諸善法利根智慧善荅問難阿逸多若我
滅後諸善男子善女人受持讀誦是經典者
復有如是諸善功德當知是人已趣道場近
阿耨多羅三藐三菩提坐道樹下阿逸多是
善男子若坐若立若行處此中便應起塔一
切天人皆應供養如佛之塔尒時世尊欲重
宣此義而說偈言
若我滅度後　能奉持此經　斯人福无量　如上之所說
是則為具足　一切諸供養　以舍利起塔　七寶而莊嚴
表剎甚高廣　漸小至梵天　寶鈴千万億　風動出妙音
又於无量劫　而供養此塔　華香諸瓔珞　天衣衆伎樂
然香油蘇燈　周帀常照明　惡世法末時　能持是經者
則為已如上　具足諸供養　若能持此經　則如佛現在
以牛頭栴檀　起僧坊供養　當有三十二　高八多羅樹
上饌妙衣服　床臥皆具足　百千衆住處　園林諸流池
經行及禪窟　種種皆嚴好　若有信解心　受持讀誦書
若復教人書　及供養經卷　散華香末香　以須曼瞻蔔
阿提目多伽　薰油常然之　如是供養者　得无量功德
如虛空无邊　其福亦如是　況復持此經　兼布施持戒
忍辱樂禪定　不瞋不惡口　恭敬於塔廟　謙下諸比丘
遠離自高心　常思惟智慧　有問難不瞋　隨順為解說
若能行是行　功德不可量　若見此法師　成就如是德
應以天華散　天衣覆其身　頭面接足礼　生心如佛想
又應作是念　不久詣道樹　得无漏无為　廣利諸人天

BD00058號　妙法蓮華經卷五　（23-22）

宣此義而說偈言
若我滅度後　能奉持此經　斯人福无量　如上之所說
是則為具足　一切諸供養　以舍利起塔　七寶而莊嚴
表剎甚高廣　漸小至梵天　寶鈴千万億　風動出妙音
又於无量劫　而供養此塔　華香諸瓔珞　天衣衆伎樂
然香油蘇燈　周帀常照明　惡世法末時　能持是經者
則為已如上　具足諸供養　若能持此經　則如佛現在
以牛頭栴檀　起僧坊供養　當有三十二　高八多羅樹
上饌妙衣服　床臥皆具足　百千衆住處　園林諸流池
經行及禪窟　種種皆嚴好　若有信解心　受持讀誦書
若復教人書　及供養經卷　散華香末香　以須曼瞻蔔
阿提目多伽　薰油常然之　如是供養者　得无量功德
如虛空无邊　其福亦如是　況復持此經　兼布施持戒
忍辱樂禪定　不瞋不惡口　恭敬於塔廟　謙下諸比丘
遠離自高心　常思惟智慧　有問難不瞋　隨順為解說
若能行是行　功德不可量　若見此法師　成就如是德
應以天華散　天衣覆其身　頭面接足礼　生心如佛想
又應作是念　不久詣道樹　得无漏无為　廣利諸人天
其所住止處　經行若坐臥　乃至說一偈　是中應起塔
莊嚴令妙好　種種以供養　佛子住此地　則是佛受用
常在於其中　經行及坐臥

妙法蓮華經卷第五

BD00058號　妙法蓮華經卷五　（23-23）

佛告言即說心陀羅尼曰
阿囉跛者娜
若善男子善女人有能受持□□即
入如來一切法平等一切文字亦皆平等速
得成就摩訶般若纔誦一遍如持一切八万
四千脩多羅藏欲受持者應先入灌頂曼殊
羅彼阿闍梨月十五日於清淨室塗一圓壇
以牛糞和龍腦香泥塗地即於壇心畫曼殊室
利菩薩作童子形右手執金剛寶劍左手持
摩訶般若梵葉壇輪四周梵寫阿囉跛者娜
字應以種種名香妙花盡心供養其阿闍梨
以金剛印如法念誦為弟子灌頂已然後授
以心陀羅尼念結秘印以金剛縛並建忍願
屈其上節印上承花散而供養便應告言此
心法門一切如來秘密之要慎勿輒示為他
人說破汝三昧耶汝今善聽諦思惟之阿者
是無生義囉者清淨無染離塵垢義跛者亦
無第一義諦諸法平等者者諸法無有諸行
娜有諸法無有性相言說文字皆不可得以
娜字無生性相故者字無有諸行者字無有
諸行者故跛字無第一義諦跛字無第一義
諦故囉字無有塵垢囉字無有塵垢故阿字
法本不生阿字法本不生故娜字無有性相

BD00059 號　金剛頂經曼殊室利菩薩五字心陀羅尼品附真言雜鈔（擬）　（14–1）

諸行者故跛字無第一義諦跛字無第一義
諦故囉字無有塵垢囉字無有塵垢故阿字
法本不生阿字法本不生故娜字無有性相
汝知此要當觀是心本來清淨無所染著離
我我所分別之相入此門者名三摩地是真
脩習當知是人如來印可殊勝功德受斯法
已日日四時於壇念誦如上供養思惟心印
入三摩地若誦一遍遍能除行人一切苦難
若誦兩遍除滅億劫生死重罪若誦三遍三
昧現前若誦四遍惣持不忘若誦五遍速得
成就無上菩提一心念誦滿一月已曼殊室
利即現其身或於空中演說法要是時行者
得宿命智辯才無礙自在神通勝願成就速
證如來金剛法身或於絹素如前畫像滿十
万遍亦得成就或以香泥塗舍利塔梵寫五
字旋繞念誦五十万遍曼殊室利現其人前
而為說法常得諸佛及執金剛菩薩之所護
念一切勝願皆悉具足曼殊室利心陀羅尼
脩行法要凡脩行者入精舍時先從東門作
礼菩薩次南門乃至北門亦復如是入精舍
已面於西方以對菩薩復五體投地一心歸
命然後手執香爐或捧妙蓮花一心供養一
切諸佛瞻仰菩薩生欣樂心發露己身所有
罪咎懇誠悔過次復讚歎如來功德圍繞七

BD00059 號　金剛頂經曼殊室利菩薩五字心陀羅尼品附真言雜鈔（擬）　（14–2）

切諸佛賜何菩薩生欣樂心發露已身所有
罪咎懇誠悔過次復讃歎如来功德圍繞七
匝誦二七遍已復更胡跪發大誓願願我始
從今日聞心地已誓不退轉无上菩提廣度衆
生同男殊室利大悲行願作是念已半跏而
坐放其身心坦然禪悅即以塗香淨其二手
請三部已上下八方結金剛界金剛火焰地
界陁羅尼印
以忍度入力願度間戒度入慧方度從背上
入進忍度間方便方便入檀戒度間檀慧進
力禪智頭相拄覆之向下禪智柱地如釘栓
誦陁羅尼三遍想如獨鈷金剛火焰杵徹金
剛際陁羅尼日
唵 枳里枳里 跋日囉 跋日唎 部嚕（半聲 二合） 滿陁滿
陁吽泮
金剛火焰院界陁羅尼印
准前地印豁開禪智右旋八方誦陁羅尼三
遍遠近隨意金剛火城飛焰電旋陁羅尼日
唵 薩囉 薩囉 跋日囉 鉢囉 迦囉吽泮
金剛火焰界陁羅尼印
亦准前印以禪智捏進力下文側頂上右旋誦
陁羅尼三遍想金剛火焰網上至有頂陁羅
尼日
唵 尾薩（桑紇反） 普囉捺哈（二合） 訖灑（二合） 跋日囉半惹囉

BD00059 號　金剛頂經曼殊室利菩薩五字心陀羅尼品附真言雜鈔（擬）　（14–3）

尼日
唵 尾薩（桑紇反） 普囉捺哈（二合） 訖灑（二合） 跋日囉半惹囉
吽泮
作此結界者六欲魔羅及一切毗那夜迦惶怖
遁走無所容竄次誦瑜伽三昧耶陁羅尼印
福智圓滿十波羅蜜和合堅固建立忍願安於
心上陁羅尼日
唵 三麼耶 薩（桑紇反） 怛梵（二合）
作此法已一切諸佛憶昔本願觀察護念開
心地門陁羅印堅固縛已於右乳上想（怛囉）字
於左乳上想（吒）字心口相應誦陁羅尼齊散十
度縛於心上拍開兩字如啓戶扇以開其心
陁囉尼日
唵 跋日囉 滿馱 怛囉吒
作此法者即能開悟心地法門不 當證一切
三昧 入智字陁羅尼印 又於其前觀一
蓮花紅頗梨色中有阿字光色炳晃如白摩
尼分明見已以堅固縛禪智入中進力如環
其家相合想其字內於心中陁羅尼日
唵 跋日囉 徽舍惡
所以者何即此惡字是一切如来寂靜智義
亦在一切衆生心行之中而未顯今以如来
智慧方便加持之故照於其中故脩行者應
當殷重生難遭想如法脩習閑智陁羅尼印

BD00059 號　金剛頂經曼殊室利菩薩五字心陀羅尼品附真言雜鈔（擬）　（14–4）

智慧方便加持之故照於其中故脩行者應
當殷重生難遭想如法脩習閦智陀羅尼印
准前入印唯屈進力拄禪智背誦陀羅尼
以印當心作開戶想陀羅尼曰
唵　跛日囉　毋瑟致上　鈐
作此法者以得如來寂靜智故心生殷重
而秘之當知行人速證寂靜菩提之道三摩
地門陀羅尼印　二羽外相叉仰於臍下端
身正意息諸攀緣其出入息一一明了觀
盡空中無量諸佛相好具足大如胡麻數如
微塵周遍法界應當一一於諸佛前五體
投地一心歸命陀羅尼曰
唵　薩婆怛他蘗多播娜曼娜能去　迦略弭
尒時諸佛於行人前一時彈指驚悟行者而
告之言善男子汝能發菩提心當觀自心而
說陀羅尼曰
唵　心多鉢囉二合　帝微能去　迦略弭
時脩行者得是教已踊躍歡喜頂礼諸佛即
誦密語觀於心中所內惡字猶如滿月未全
顯現如翳輕霧於一食頃作是觀已白諸佛
言我已見心猶月而未分明唯願世尊慈賜
方便　尒時諸佛同聲讚言善哉善哉善男
子如是如是我當復以陀羅尼加持於汝令
得顯現

子如是如是我當復以陀羅尼加持於汝令
得顯現
唵　菩提心多毋怛䖩二合　娜夜弭
誦此密語復觀心月轉明淨已於其月中
觀曼殊室利一字陀羅尼鈐字如黃金色
化為猛利金剛寶劍光明照耀遍於十方
入是三昧復誦陀羅尼曰
唵　底下以下同　瑟吒　跛日囉　底乞瑟拏曇
其月與劍轉分明已漸令廣大周遍法界量
同虛空純一無雜無有自他一切諸相即此劍
者為於己身能觀之心在於劍中亦為一體
入此三昧時陀羅尼曰
唵　薩頗羅　跛日囉　底乞瑟拏
隨力而住已復觀其劍漸漸而卷虛空諸佛
隨入其中量同本身晃然而正入是三昧時
陀羅尼曰
唵　僧訶上　囉跛日囉　底乞瑟拏
以一切如來入身劍已加持力故即變己身
為曼殊室利菩薩身紫金色頂有五髻項背
圓光左手執青蓮花蓮花上有梵夾右手執
金剛寶劍行者己身為菩薩已恐復散亂而
有退失復以陀羅尼印而加持之
菩薩三業陀羅尼印
堅固縛已直取忍願屈其上節陀羅尼曰

菩薩三業陀羅尼曰
堅固縛已直竪忍願屈其上節陀羅尼曰
唵　嚩佉㘕娜曇
以印心上次額及喉安於頂上各誦一遍此加
持已設心散亂本相不易一切非人見俯行者
與曼殊室利菩薩等無有異
五髻陀羅尼印
十度和合戒慧檀方忍力願進各頭相合禪
智並竪誦陀羅尼印
於心上左右肩口安於頂上各誦一遍作此
法已五方如來皆在於頂五髻之上陀羅尼曰
娜麽三滿多勃陀南　阿鉢囉伍訶多沙婆
娜南　怛姪他　唵囉囉娑麽囉　阿鉢囉底訶多
沙婆耶　俱摩囉　略波陀哩尼　吽吽薩泮吽
薩縛訶
曼殊室利菩薩灌頂陀羅尼印
福智圓滿禪智入中進力相蹙如摩尼寶安
於額上陀羅尼曰
唵囉怛娜句捨阿上　蘗哩也三合　吽縏寶鬘陀羅尼印
結灌頂已開印二分誦陀羅尼曰
唵囉怛娜句捨　蘗哩也　麽綠
額上三繞如縏寶鬘分手頂後亦復三繞向前
而下從檀惠散如垂帶勢
慈悲金剛甲陀羅尼印
一一惠固已進力側文進面想唵字力面想

BD00059 號　金剛頂經曼殊室利菩薩五字心陀羅尼品附真言雜鈔（擬）　（14–7）

慈悲金剛甲陀羅尼印
一一惠固已進力側文進面想唵字力面想
中又龍字放綠色光不斷絕抽藕絲當心三繞
背亦三繞次於臍下復至膝後於結跏上復
至坐後却來當背又於背上又來當喉還
向頸上還來額上並至頂後各三繞已向前
而下後檀惠散如垂天衣　先於壇中畫像
心上想一鋡字為金剛鉤化為真身菩薩並
後重請入於像內請菩薩金剛鉤陀羅尼印
二惠固以已其觀羽置心羽上檀惠相〻陀羅
尼曰　唵跋日朗　句捨若
誦此三遍進度招真身菩薩應念而至金
剛索陀羅尼印
准前請印唯秘進力相拄如環陀羅尼曰
唵　跋日囉　波捨吽
當心結已誦陀羅尼三遍想菩薩法身来
入畫像
金剛鏁陀羅尼印
二惠固已進力右押左相鉤拄禪智背中
節陀羅尼曰
唵　跋日囉　菩普二合　吒鋡
作此法者聖者本身加持不散
金剛鈴陀羅尼印
准前鏁印進力檀惠各反相鉤陀羅尼曰

BD00059 號　金剛頂經曼殊室利菩薩五字心陀羅尼品附真言雜鈔（擬）　（14–8）

金剛鈴陁羅尼印
准前鏁印進力檀惠各叉相鉤陁羅尼曰
唵　跛日囉　建荼讙
作此法者一切諸佛菩薩及本聖者皆悉歡喜
獻遏伽水陁羅尼印
以欝金龍腦白檀香水盛遏伽器開佛部印
捧而供養陁羅尼曰
唵　跛日路　娜迦拆
作供養者如以一切如来金剛甘露灌一切衆
生頂除滅有情無量業障飲此水者除諸灾患
百字陁羅尼印　結前劍印陁羅尼曰
唵　渴嘌伽 二合 菩怛嚩 二合 三摩也 麼努播羅也
渴嘌伽 二合 菩怛嚩 二合 薩怛嚩帝尾 二合
怒跛底瑟奼你嘌 二合 拏讙 二合撋 口呼之 寐婆嚩素
覩瑟諭 二合 寐婆嚩　阿努囉　訖姤 二合 寐
婆嚩　素布諭 二合 寐婆嚩　菩婆悉地迷曳 二合
鉢囉也磋　薩婆揭摩素者寐　叱多室利 二合
藥㧖嚧 二合 吽訶訶訶訶呼 入聲 婆伽梵薩婆怛
他蘗多　渴嘌伽 二合 磨寐悶遮渴嘌霓 三合 婆嚩
磨訶　三磨耶薩怛嚩悪 引
誦此陁羅尼能令聖者歡喜堅固菩提所求
勝願能速成就　金剛嬉戲內供養陁羅尼印
堅固縛已直竪禪智以印當心陁羅尼曰
唵麼訶囉底 丁以 反

唵麼訶囉底 丁以 反
作此法者如以一切如来智慧供養諸佛以
為遊戲
金剛內供養陁羅尼印
即以前印向前申臂如捧鬘供養勢陁羅尼曰
唵　路跋輸 去 鞞作此法者如以菩提花而為供養
金剛謌內供養陁羅尼印
准前印從齊而上至口方散如歌發想陁羅尼曰
唵　輸嚧 二合 怛囉 二合 諜企曳 二合
作此法者如以一切如来密言謌詠而為供養
金剛儛內供養陁羅尼印
准前印如謌詠想至口便散左旋合掌於頂
上散陁羅尼曰
唵　薩婆　補而曳 三合平聲
作此法者如以一切如来辯才而為供養
金剛香陁羅尼印
以堅固縛向地而散如焚香陁羅尼曰
唵　跛日囉度閇
作此法者如焚世間一切妙香而為供養能
令一切有情得涼果
金剛花陁羅尼印
以堅固縛向上散之如花勢陁羅尼曰
唵　跛日囉補澁閇

唵　跋日羅補澁閇
作此法者同以世間一切妙花而為供養能
令一切有情速得具足三十二相
金剛燈陁羅尼印
如嬉獻印禪智急捏地陁羅尼曰
唵　跋日囉魯計
作此法者如以一切如来智燈而為供養
能令有情速得成就如智慧金剛塗香陁羅尼
印　以堅固縛向心而散陁羅尼曰
唵　跋日囉㰦提
作此法者如以尸羅智香而為供養令諸
有情速得清淨戒身
八供養以二羽相叉仰於臍下誦觀菩薩演
五字陁羅尼曰
五色明從口而出入於行者心月之中阿字
當前餘四字右旋次第而布一一思惟五字
之義是名三摩地念誦若金剛念誦者依前
觀字急合齒令舌微動若言音念誦亦觀心
中一一字相依字而轉不緩不急令自聞結
前劒印誦七遍已捧菩提珠當心而念每日
四時不令間闕每時千遍或二千遍或五百
三百乃至八百勿令減是設身疲𢬵念惡趣衆
生倍加精進慈悲喜捨如是脩習當知行人

三百乃至八百勿令減是設身疲𢬵念惡趣衆
生倍加精進慈悲喜捨如是脩習當知行人
満足六度證諸如来一切三昧常得曼殊室
利乃至一切菩薩而為法侶勝上警試難可
預言諸脩行人自當證悟舉要言之精進脩
持現於此生得證初地後十六生當得成阿
耨多羅三藐三菩提是故行人當應敬奉若
欲此時有二種法一者發遣二者召菩薩入
於己身若發遣者一一依前八供養已即以
劒印誦陁羅尼
唵　跋日囉　底乞　瑟奴𥞊
即召發遣若召菩薩者依前四攝入自身
已以八印而為供養被金剛甲復誦三昧
陁羅尼任四威儀任其行適一切有情人非
人等親近行者聞音見形如親奉曼殊行
得功德其於利益難可校量世間勝事不
求自獲若見諸人須欽敬者想彼人首戴
如来形然後拜跪若不示者陥彼衆生又
復自犯三昧耶禁若入觸穢欲散身者復
想菩薩入旃娜囉
金剛頂經曼殊室利菩薩五字心陁羅尼品
娜慕囉怛那　怛囉夜耶　娜慕阿哩耶　𩘱嚕
吉帝　濕𩘱囉耶　菩提薩耶　摩訶薩埵耶

吉帝 溫嚩囉耶 菩提薩耶 摩訶薩埵耶
娜慕翳迦惹吒耶 麼訶嗒乞灑斯移 阿衣
囉麼麼 阿囉乞灑斯 麼麼毋迦 薩婆迦
唎也拙 迦略四 怛姪他 阿難帝 薩嚩訶
惹衣惹也 薩婆徽近娜 尾耶衣建略乞叉薩嚩
訶
金剛頂經五字心陁羅尼經
南麼三㬅多伐折囉赧一 戰拏摩訶略灑儜
薩破吒也鈄怛囉迦悍㵻 引當誦三遍
徽細金剛定
唵素乞差磨嚩日囉 漸舒金剛定
唵娑頗囉嚩日囉 漸収金剛定
唵僧訶囉嚩日囉 堅住金剛定
唵底瑟吒捺哩 荼嚩日囉 慈无量三昧
唵摩訶昧怛哩耶娑頗囉 悲无量三昧
唵迦嚕拏耶娑頗囉 喜无量三昧
唵勃陁鉢囉冒那娑頗囉 捨无量三昧
唵摩秏悶乞差娑頗囉 文殊師利矣㬅得迦便者陁羅尼
唵𡄳哩瑟吒哩 引 尾乞哩多娜耶吽薩嚩奢怛喻
娜捨耶娑揞娑耶娑泮吒娑嚩訶
掘地真言

BD00059 號　金剛頂經曼殊室利菩薩五字心陀羅尼品附真言雜鈔（擬）　（14–13）

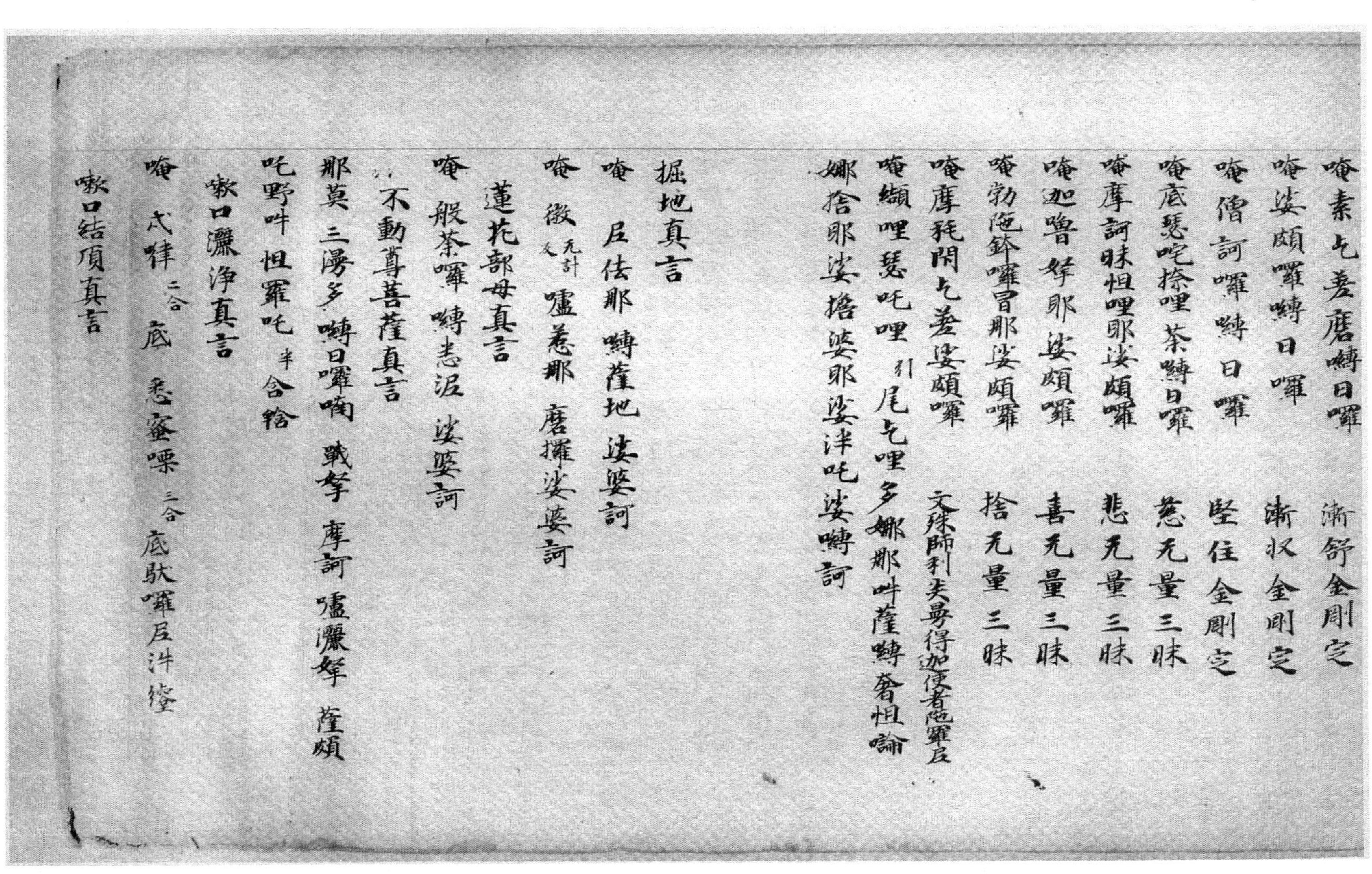

唵素乞差磨嚩日囉 漸舒金剛定
唵娑頗囉嚩日囉 漸収金剛定
唵僧訶囉嚩日囉 堅住金剛定
唵底瑟吒捺哩 荼嚩日囉 慈无量三昧
唵摩訶昧怛哩耶娑頗囉 悲无量三昧
唵迦嚕拏耶娑頗囉 喜无量三昧
唵勃陁鉢囉冒那娑頗囉 捨无量三昧
唵摩秏悶乞差娑頗囉 文殊師利矣㬅得迦便者陁羅尼
唵𡄳哩瑟吒哩 引 尾乞哩多娜耶吽薩嚩奢怛喻
娜捨耶娑揞娑耶娑泮吒娑嚩訶
掘地真言
唵 尼佉那 嚩薩地 娑婆訶
唵 徽 无計文 嚧惹那 磨攞娑婆訶
蓮花部母真言
唵 般荼囉 嚩悉泥 娑婆訶
不動尊菩薩真言
那莫 三㵻多 嚩日囉喃 戰拏 摩訶 嚧灑拏 薩頗
吒野吽 怛羅吒 半 含鋡
漱口灑淨真言
唵 式犍 二合 底 悉蜜嘌 三合 底馱囉尼汁鐙
漱口結頂真言

BD00059 號　金剛頂經曼殊室利菩薩五字心陀羅尼品附真言雜鈔（擬）　（14–14）

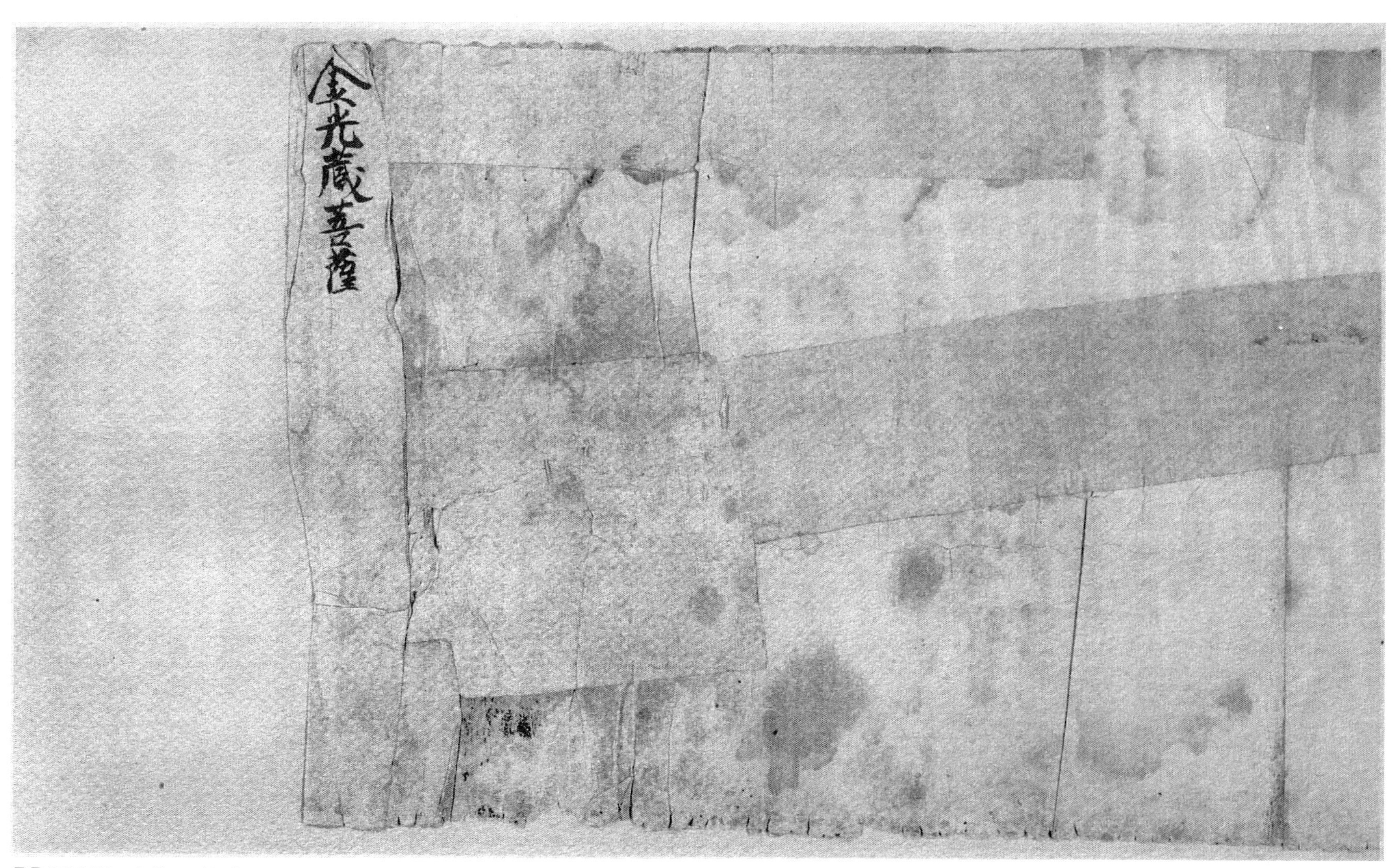

BD00059 號背　雜寫　　(1–1)

亦復如
音聲普遍世
覆三千大千國
我是如來應供正遍
解无上士調御丈夫天人
者令度未解者令解未安　安未涅槃者
令得涅槃今世後世如實知之我是一切知者一
切見者知道者開道者說道者汝等天人
阿脩羅衆皆應到此為聽法故尒時无數千
万億種衆生來至佛所而聽法如來于時觀
是衆生諸根利鈍精進懈怠隨其所堪而
為說法種種无量皆令歡喜快得善利是諸
衆生聞是法已現世安隱後生善處以道受
樂亦得聞法既聞法已離諸障礙於諸法中
任力所能漸得入道如彼大雲雨於一切卉木
藂林及諸藥草如其種性具足蒙潤各得生
長如來說法一相一味所謂解脫相離相滅相
究竟至於一切種智其有衆生聞如是法若
持讀誦如說脩行所得功德不自覺知所以
者何唯有如來知此衆生種相體性念何事
思何事脩何事云何念云何思云何脩以何
法念以何法思以何法脩以何法得何法衆生
住於種種之地唯有如來如實見之明了无
礙如彼卉木藂林諸藥草等而不自知上中

BD00060 號　妙法蓮華經卷三　　(24–1)

法念以何法思以何法脩以何法得何法衆生
住於種種之地唯有如來如實見之明了无
礙如彼卉木䕺林諸藥草等而不自知上中
下性如來知是一相一味之法所謂解脫相
離相滅相究竟涅槃常寂滅相終歸於空
佛知是已觀衆生心欲而將護之是故不即
為說一切種智汝等迦葉甚為希有能知
如來隨宜說法能信能受所以者何諸佛世
尊隨宜說法難解難知尒時世尊欲重宣
此義而說偈言
破有法王　出現世間　隨衆生欲　種種說法
如來尊重　智慧深遠　久嘿斯要　不務速說
有智若聞　則能信解　无智疑悔　則為永失
是故迦葉　隨力為說　以種種緣　令得正見
迦葉當知　譬如大雲　起於世間　遍覆一切
惠雲含潤　雷光晃曜　雷聲遠震　令衆悅豫
日光掩蔽　地上清涼　靉靆垂布　如可承攬
其雨普等　四方俱下　流澍无量　率土充洽
山川險谷　幽邃所生　卉木藥草　大小諸樹
百穀苗稼　甘蔗蒲桃　雨之所潤　无不豐足
乾地普洽　藥木並茂　其雲所出　一味之水
草木䕺林　隨分受潤　一切諸樹　上中下等
稱其大小　各得生長　根莖枝葉　華果光色
一雨所及　皆得鮮澤　如其體相　性分大小
所潤是一　而各滋茂　佛亦如是　出現於世
譬如大雲　普覆一切　既出于世　為諸衆生

BD00060號　妙法蓮華經卷三　（24–2）

一雨所及　皆得鮮澤　如其體相　性分大小
所潤是一　而各滋茂　佛亦如是　出現於世
譬如大雲　普覆一切　既出于世　為諸衆生
分別演說　諸法之實　大聖世尊　於諸天人
一切衆中　而宣是言　我為如來　兩足之尊
出于世間　猶如大雲　充潤一切　枯槁衆生
皆令離苦　得安隱樂　世間之樂　及涅槃樂
諸天人衆　一心善聽　皆應到此　覲无上尊
我為世尊　无能及者　安隱衆生　故現於世
為大衆說　甘露淨法　其法一味　解脫涅槃
以一妙音　演暢斯義　常為大乘　而作因緣
我觀一切　普皆平等　无有彼此　愛憎之心
我无貪著　亦无限礙　恒為一切　平等說法
如為一人　衆多亦然　常演說法　曾无他事
去來坐立　終不疲猒　充足世間　如雨普潤
貴賤上下　持戒毀戒　威儀具足　及不具足
正見耶見　利根鈍根　等雨法雨　而无懈惓
一切衆生　聞我法者　隨力所受　住於諸地
或處人天　轉輪聖王　釋梵諸王　是小藥草
知无漏法　能得涅槃　起六神通　及得三明
獨處山林　常行禪定　得緣覺證　是中藥草
求世尊處　我當作佛　行精進定　是上藥草
又諸佛子　專心佛道　常行慈悲　自知作佛
決定无疑　是名小樹　安住神通　轉不退輪
度无量億　百千衆生　如是菩薩　名為大樹
佛平等說　如一味雨　隨衆生性　所受不同

BD00060號　妙法蓮華經卷三　（24–3）

决定无疑 是名小樹 安住神通 轉不退輪
度无量億 百千衆生 如是菩薩 名為大樹
佛平等說 如一味雨 隨衆生性 所受不同
如彼草木 所稟各異 佛以此喻 方便開示
種種言辞 演說一法 於佛智慧 如海一渧
我雨法雨 充滿世間 一味之法 隨力脩行
如彼藂林 藥草諸樹 隨其大小 漸增茂好
諸佛之法 常以一味 令諸世間 普得具足
漸次脩行 皆得道果 聲聞緣覺 處於山林
住冣後身 聞法得果 是名藥草 各得增長
若諸菩薩 智慧堅固 了達三界 求冣上乘
是名小樹 而得增長 復有住禪 得神通力
聞諸法空 心大歡喜 放无數光 度諸衆生
是名大樹 而得增長 如是迦葉 佛所說法
譬如大雲 以一味雨 潤於人華 各得成實
迦葉當知 以諸因緣 種種譬喻 開示佛道
是我方便 諸佛亦然 今為汝等 說冣實事
諸聲聞衆 皆非滅度 汝等所行 是菩薩道
漸漸脩學 悉當成佛

妙法蓮華經授記品第六

尒時世尊說是偈已告諸大衆唱如是言我
此弟子摩訶迦葉於未來世當得奉覲三
百万億諸佛世尊供養恭敬尊重讚歎廣
宣諸佛无量大法於冣後身得成為佛名
曰光明如來應供正遍知明行足善逝世間
解无上士調御丈夫天人師佛世尊國名光

BD00060號　妙法蓮華經卷三　（24–4）

宣諸佛无量大法於冣後身得成為佛名
曰光明如來應供正遍知明行足善逝世間
解无上士調御丈夫天人師佛世尊國名光
德劫名大莊嚴壽十二小劫正法住世二十小劫
像法亦住二十小劫國界嚴飾无諸穢惡凡
礫荊棘便利不淨其土平正无有高下坑坎
堆埠瑠璃為地寶樹行列黄金為繩以界道
側散諸寶華周遍清淨其國菩薩无量千
億諸聲聞衆亦復无數无有魔事雖有魔
及魔民皆護佛法尒時世尊欲重宣此義而
說偈言

告諸比丘 我以佛眼 見是迦葉 於未來世
過无數劫 當得作佛 而於來世 供養奉覲
三百万億 諸佛世尊 為佛智慧 淨脩梵行
供養冣上 二足尊已 脩習一切 无上之慧
於冣後身 得成為佛 其土清淨 瑠璃為地
多諸寶樹 行列道側 金繩界道 見者歡喜
常出好香 散衆名華 種種奇妙 以為莊嚴
其地平正 无有丘坑 諸菩薩衆 不可稱計
其心調柔 逮大神通 奉持諸佛 大乘經典
諸聲聞衆 无漏後身 法王之子 亦不可計
乃以天眼 不能數知 其佛當壽 十二小劫
正法住世 二十小劫 像法亦住 二十小劫
光明世尊 其事如是

尒時大目犍連須菩提摩訶迦旃延等皆
悉悚慄一心合掌瞻仰尊顏目不暫捨即
共同聲而說偈言

BD00060號　妙法蓮華經卷三　（24–5）

尒時大目揵連須菩提摩訶迦旃延等皆
悉悚慄一心合掌瞻仰尊顏目不暫捨即
共同聲而說偈言
大雄猛世尊 諸釋之法王 哀愍我等故 而賜佛音聲
若知我深心 見為授記者 如以甘露灑 除熱得清涼
如從飢國來 忽遇大王饍 心猶懷疑懼 未敢即便食
若復得王教 然後乃敢食 我等亦如是 每惟小乘過
不知當云何 得佛无上慧 雖聞佛音聲 言我等作佛
心尚懷憂懼 如未敢便食 若蒙佛授記 尒乃快安樂
大雄猛世尊 常欲安世間 願賜我等記 如飢須教食
尒時世尊知諸大弟子心之所念告諸比丘是
須菩提於當來世奉覲三百万億那由他佛
供養恭敬尊重讚歎常脩梵行具菩薩道
於最後身得成為佛号曰名相如來應供正
遍知明行足善逝世間解无上士調御丈夫
天人師佛世尊劫名有寶國名寶生其土
平正頗梨為地寶樹莊嚴无諸丘坑沙礫荊
棘便利之穢寶華覆地周遍清淨其土人
民皆處寶臺珎妙樓閣聲聞弟子无量无
邊筭數譬喻所不能知諸菩薩衆无數千
万億那由他佛壽十二小劫正法住世二十小
劫像法亦住二十小劫其佛常處虛空為衆
說法度脫无量菩薩及聲聞衆尒時世尊欲重
宣此義而說偈言
諸比丘衆 今告汝等 皆當一心 聽我所說
我大弟子 須菩提者 當得作佛 号曰名相

BD00060號　妙法蓮華經卷三　（24–6）

諸比丘衆 今告汝等 皆當一心 聽我所說
我大弟子 須菩提者 當得作佛 号曰名相
當供无數 万億諸佛 隨佛所行 漸具大道
最後身得 三十二相 端正姝妙 猶如寶山
其佛國土 嚴淨第一 衆生見者 無不愛樂
佛於其中 度无量衆 其佛法中 多諸菩薩
皆悉利根 轉不退輪 彼國常以 菩薩莊嚴
諸聲聞衆 不可稱數 皆得三明 具六神通
住八解脫 有大威德 其佛說法 現於无量
神通變化 不可思議 諸天人民 數如恒沙
皆共合掌 聽受佛語 其佛當壽 十二小劫
正法住世 二十小劫 像法亦住 二十小劫
尒時世尊復告諸比丘衆我今語汝是大迦
旃延於當來世以諸供具供養奉事八千億
佛恭敬尊重諸佛滅後各起塔廟高千由
旬縱廣正等五百由旬皆以金銀琉璃車渠
馬瑙真珠玫瑰七寶合成衆華瓔珞塗香
末香燒香繒蓋幢幡供養塔廟過是已後
當復供養二万億佛亦復如是供養是諸佛
已具菩薩當得作佛号曰閻浮那提金光如來
應供正遍知明行足善逝世間解无上士調御
丈夫天人師佛世尊其土平正頗梨為地寶樹
莊嚴黃金為繩以界道側妙華覆地周遍
清淨見者歡喜无四惡道地獄餓鬼畜生
阿脩羅道多有天人諸聲聞衆及諸菩薩无
量万億莊嚴其國佛壽十二小劫正法住世二

BD00060號　妙法蓮華經卷三　（24–7）

阿脩羅道多有天人諸聲聞衆及諸菩薩无
量万億莊嚴其國佛壽十二小劫正法住世二
十小劫像法亦住二十小劫尒時世尊欲重宣
此義而說偈言
諸比丘衆 皆一心聽 如我所說 真實无異
是迦栴延 當以種種 妙好供具 供養諸佛
諸佛滅後 起七寶塔 亦以華香 供養舍利
其冣後身 得佛智慧 成等正覺 國土清淨
度脫无量 万億衆生 皆為十方 之所供養
佛之光明 无能勝者 其佛号曰 閻浮金光
菩薩聲聞 斷一切有 无量无數 莊嚴其國
尒時世尊復告大衆我今語汝是大目揵連
當以種種供具供養八千諸佛恭敬尊重諸
佛滅後各起塔廟高千由旬縱廣正等五百
由旬以金銀琉璃車𤦲馬瑙真珠玫瑰七寶
合成衆華瓔珞塗香末香燒香繒蓋幢幡以
用供養過是已後當復供養二百万億諸佛
亦復如是當得成佛号曰多摩羅跋栴檀香
如來應供正遍知明行足善逝世間解无上
士調御丈夫天人師佛世尊劫名喜滿國名
意樂其土平正頗梨為地寶樹莊嚴散真
珠華周遍清淨見者歡喜多諸天人菩薩
聲聞其數无量佛壽二十四小劫正法住世
四十小劫像法亦住四十小劫尒時世尊欲
重宣此義而說偈言
我此弟子 大目揵連 捨是身已 得見八千

四十小劫像法亦住四十小劫尒時世尊欲
重宣此義而說偈言
我此弟子 大目揵連 捨是身已 得見八千
二百万億 諸佛世尊 為佛道故 供養恭敬
於諸佛所 常脩梵行 於无量劫 奉持佛法
諸佛滅後 起七寶塔 長表金刹 華香伎樂
而以供養 諸佛塔廟 漸漸具足 菩薩道已
於意樂國 而得作佛 号多摩羅 栴檀之香
其佛壽命 二十四劫 常為天人 演說佛道
聲聞无量 如恒河沙 三明六通 有大威德
菩薩无數 志固精進 於佛智慧 皆不退轉
佛滅度後 正法當住 四十小劫 像法亦尒
我諸弟子 威德具足 其數五百 皆當授記
於未來世 咸得成佛 我及汝等 宿世因緣
吾今當說 汝等善聽

妙法蓮華經化城喻品第七

佛告諸比丘乃往過去无量无邊不可思議
阿僧祇劫尒時有佛名大通智勝如來應
供正遍知明行足善逝世間解无上士調御丈
夫天人師佛世尊其國名好成劫名大相諸
比丘彼佛滅度已來甚大久遠譬如三千大
千世界所有地種假使有人磨以為墨過於
東方千國土乃下一點大如微塵又過千國土
復下一點如是展轉盡地種墨於汝等意云
何是諸國土若筭師若筭師弟子能得邊
際知其數不不也世尊諸比丘是人所經國

何是諸國王若筭師若筭師弟子能得邊
際知其數不不也世尊諸比丘是人所經國
土若點不點盡末為塵一塵一劫彼佛滅度
已來復過是數无量无邊百千万億阿僧祇
劫我以如來知見力故觀彼久遠猶若今日尒
時世尊欲重宣此義而說偈言
我念過去世 无量无邊劫 有佛兩足尊 名大通智勝
如人以力磨 三千大千土 盡此諸地種 皆悉以為墨
過於千國土 乃下一塵點 如是展轉點 盡此諸塵墨
如是諸國土 點與不點等 復盡末為塵 一塵為一劫
此諸微塵數 其劫復過是 彼佛滅度來 如是无量劫
如來无礙智 知彼佛滅度 及聲聞菩薩 如見今滅度
諸比丘當知 佛智淨微妙 无漏无所礙 通達无量劫
佛告諸比丘大通智勝佛壽五百四十万億那
由他劫其佛本坐道場破魔軍已垂得阿耨多
羅三藐三菩提而諸佛法不現在前如是一
小劫乃至十小劫結跏趺坐身心不動而諸
佛法猶不在前尒時忉利諸天先為彼佛
於菩提樹下敷師子座高一由旬佛於此座
當得阿耨多羅三藐三菩提適坐此座時諸
梵天王雨眾天華面百由旬香風時來吹去
萎華更雨新者如是不絕滿十小劫供養
於佛乃至滅度常雨此華四王諸天為供養
佛常擊天鼓其餘諸天作天伎樂滿十小劫
至于滅度亦復如是諸比丘大通智勝佛過
十小劫諸佛之法乃現在前成阿耨多羅三

BD00060號　妙法蓮華經卷三　(24–10)

至于滅度亦復如是諸比丘大通智勝佛過
十小劫諸佛之法乃現在前成阿耨多羅三
藐三菩提其佛未出家時有十六子其第一者
名曰智積諸子各有種種珎異玩好之具聞
父得成阿耨多羅三藐三菩提皆捨所珎往
詣佛所諸母涕泣而隨送之其祖轉輪聖
王與一百大臣及餘百千万億人民皆共圍
繞隨至道場咸欲親近大通智勝如來供養
恭敬尊重讚歎到已頭面礼足繞佛畢已一
心合掌瞻仰世尊以偈頌曰
大威德世尊 為度眾生故 於无量億歲 尒乃得成佛
諸願已具足 善哉吉无上 世尊甚希有 一坐十小劫
身體及手足 靜然安不動 其心常惔怕 未曾有散亂
究竟永寂滅 安住无漏法 今者見世尊 安隱成佛道
我等得善利 稱慶大歡喜 眾生常苦惱 盲瞑无導師
不識苦盡道 不知求解脫 長夜增惡趣 減損諸天眾
從瞑入於瞑 永不聞佛名 今佛得最上 安隱无漏法
我等及天人 為得最大利 是故咸稽首 歸命无上尊
尒時十六王子偈讚佛已勸請世尊轉於法輪
咸作是言世尊說法多所安隱憐愍饒益諸
天人民重說偈言
世雄无等倫 百福自莊嚴 得无上智慧 願為世間說
度脫於我等 及諸眾生類 為分別顯示 令得是智慧
若我等得佛 眾生亦復然 世尊知眾生 深心之所念
亦知所行道 又知智慧力 欲樂及脩福 宿命所行業
世尊悉知已 當轉无上輪

BD00060號　妙法蓮華經卷三　(24–11)

若我等得佛　衆生亦復然　世尊知衆生　深心之所念
亦知所行道　又知智慧力　欲樂及脩福　宿命所行業
世尊悉知已　當轉无上輪
佛告諸比丘大通智勝佛得阿耨多羅三藐
三菩提時十方各五百万億諸佛世界六種
震動其國中間幽瞑之處日月威光所不能
照而皆大明其中衆生各得相見咸作是言
此中云何忽生衆生又其國界諸天宮殿乃
至梵宮六種震動大光普照遍滿世界勝諸
天光尒時東方五百万億諸國土中梵天宮
殿光明照曜倍於常明諸梵天王各作是念
今者宮殿光明昔所未有以何因緣而現此相
是時諸梵天王即各相詣共議此事而彼衆
中有一大梵天王名救一切為諸梵衆而說
偈言
我等諸宮殿　光明昔未有　此是何因緣　宜各共求之
為大德天生　為佛出世間　而此大光明　遍照於十方
尒時五百万億國土諸梵天王與宮殿俱各以
衣裓盛諸天華共詣西方推尋是相見大通
智勝如来處于道場菩提樹下坐師子座
諸天龍王乾闥婆緊那羅摩睺羅伽人非
人等恭敬圍繞及見十六王子請佛轉法輪即
時諸梵天王頭面礼佛繞百千帀即以天華
而散佛上其所散華如須弥山并以供養佛
菩提樹其菩提樹高十由旬華供養已各以
宮殿奉上彼佛而作是言唯見哀愍饒益我

BD00060號　妙法蓮華經卷三　（24–12）

而散佛上其所散華如須弥山并以供養佛
菩提樹其菩提樹高十由旬華供養已各以
宮殿奉上彼佛而作是言唯見哀愍饒益我
等所獻宮殿願垂納處時諸梵天王即於佛前
一心同聲以偈頌曰
世尊甚希有　難可得值遇　具无量功德　能救護一切
天人之大師　哀愍於世間　十方諸衆生　普皆蒙饒益
我等所從來　五百万億國　捨深禪定樂　為供養佛故
我等先世福　宮殿甚嚴飾　今以奉世尊　唯願哀納受
尒時諸梵天王偈讚佛已各作是言唯願世
尊轉於法輪度脫衆生開涅槃道時諸梵天
王一心同聲而說偈言
世雄兩足尊　唯願演說法　以大慈悲力　度苦惱衆生
尒時大通智勝如来默然許之又諸比丘東南
方五百万億國土諸大梵天王各自見宮殿光
明照曜昔所未有歡喜踊躍生希有心即各
相詣共議此事而彼衆中有一大梵天王名
曰大悲為諸梵衆而說偈言
是事何因緣　而現如此相　我等諸宮殿　光明昔未有
為大德天生　為佛出世間　未曾見此相　當共一心求
過千万億土　尋光共推之　多是佛出世　度脫苦衆生
尒時五百万億諸梵天王與宮殿俱各以衣
裓盛諸天華共詣西北方推尋是相見大通
智勝如来處于道場菩提樹下坐師子座諸
天龍王乾闥婆緊那羅摩睺羅伽人非人
等恭敬圍繞及見十六王子請佛轉法輪時諸

BD00060號　妙法蓮華經卷三　（24–13）

天龍王乾闥婆緊那羅摩睺羅伽人非人
等恭敬圍繞及見十六王子請佛轉法輪時諸
梵天王頭面礼佛繞百千帀即以天華而散
佛上所散之華如須弥山并以供養佛菩提
樹華供養已各以宮殿奉上彼佛而作是言
唯見哀愍饒益我等所獻宮殿願垂納處尒
時諸梵天王即於佛前一心同聲以偈頌曰
聖主天中王 迦陵頻伽聲 哀愍衆生者 我等今敬礼
世尊甚希有 久遠乃一現 一百八十劫 空過无有佛
三惡道充滿 諸天衆減少 今佛出於世 為衆生作眼
世間所歸趣 救護於一切 為衆生之父 哀愍饒益者
我等宿福慶 今得值世尊
尒時諸梵天王偈讚佛已各作是言唯願世
尊哀愍一切轉於法輪度脫衆生時諸梵天
王一心同聲而說偈言
大聖轉法輪 顯示諸法相 度苦惱衆生 令得大歡喜
衆生聞此法 得道若生天 諸惡道減少 忍善者增益
尒時大通智勝如來嘿然許之又諸比丘南方
五百万億國土諸大梵天王各自見宮殿光明
照曜昔所未有歡喜踊躍生希有心即各相
詣共議此事以何因緣我等宮殿有此光曜
而彼衆中有一大梵天王名曰妙法為諸梵
衆而說偈言
我等諸宮殿 光明甚威曜 此非无因緣 是相宜求之
過於百千劫 未曾見是相 為大德天生 為佛出世間
尒時五百万億諸梵天王與宮殿俱各以衣

BD00060 號　妙法蓮華經卷三　（24–14）

我等諸宮殿 光明甚威曜 此非无因緣 是相宜求之
過於百千劫 未曾見是相 為大德天生 為佛出世間
尒時五百万億諸梵天王與宮殿俱各以衣
裓盛諸天華共詣北方推尋是相見大通智
勝如來處于道場菩提樹下坐師子座諸天
龍王乾闥婆緊那羅摩睺羅伽人非人等恭
敬圍繞及見十六王子請佛轉法輪時諸梵
天王頭面礼佛繞百千帀即以天華而散佛上
所散之華如須弥山并以供養佛菩提樹華
供養已各以宮殿奉上彼佛而作是言唯見
哀愍饒益我等所獻宮殿願垂納處尒時
諸梵天王即於佛前一心同聲以偈頌曰
世尊甚難見 破諸煩惱者 過百三十劫 今乃得一見
諸飢渴衆生 以法雨充滿 昔所未曾覩 无量智慧者
如優曇波羅 今日乃值遇 我等諸宮殿 蒙光故嚴飾
世尊大慈愍 唯願垂納受
尒時諸梵天王偈讚佛已各作是言唯願世
尊轉於法輪令一切世間諸天魔梵沙門婆
羅門皆獲安隱而得度脫時諸梵天王一心
同聲以偈頌曰
唯願天人尊 轉无上法輪 擊于大法鼓 而吹大法螺
普雨大法雨 度无量衆生 我等咸歸請 當演深遠音
尒時大通智勝如來嘿然許之西南方乃至下
方亦復如是尒時上方五百万億國土諸大
梵天王皆悉自覩所止宮殿光明威曜昔所
未有歡喜踊躍生希有心即各相詣共議此

BD00060 號　妙法蓮華經卷三　（24–15）

梵天王各自見所止宮殿光明照曜昔所
未有歡喜踊躍生希有心即各相詣共議此
事以何因緣我等宮殿有斯光明而彼衆中
有一大梵天王名曰尸棄為諸梵衆而說偈言
今以何因緣　我等諸宮殿　威德光明曜　嚴飾未曾有
如是之妙相　昔所未聞見　為大德天生　為佛出世間
尒時五百万億諸梵天王與宮殿俱各以衣
祴盛諸天華共詣下方推尋是相見大通智
勝如來處于道場菩提樹下坐師子座諸天
龍王乹闥婆緊那羅摩睺羅伽人非人等恭
敬圍繞及見十六王子請佛轉法輪時諸梵
天王頭面礼佛繞百千帀即以天華而散佛
上所散之華如須弥山并以供養佛菩提樹
華供養已各以宮殿奉上彼佛而作是言唯
見哀愍饒益我等所獻宮殿願垂納處尒
時諸梵天王即於佛前一心同聲以偈頌曰
善哉見諸佛　救世之聖尊　能於三界獄　勉出諸衆生
普智天人尊　哀愍群萌類　能開甘露門　廣度於一切
於昔无量劫　空過无有佛　世尊未出時　十方常暗瞑
三惡道增長　阿脩羅亦盛　諸天衆轉減　死多墮惡道
不從佛聞法　常行不善事　色力及智慧　斯等皆減少
罪業因緣故　失樂及樂想　住於耶見法　不識善儀則
不蒙佛所化　常墮於惡道　佛為世間眼　久遠時乃出
哀愍諸衆生　故現於世間　超出成正覺　我等甚欣慶
及餘一切衆　喜歎未曾有　我等諸宮殿　蒙光故嚴飾
今以奉世尊　唯垂哀納受　願以此功德　普及於一切
我等與衆生皆共成佛道

BD00060號　妙法蓮華經卷三　（24–16）

及餘一切衆　喜歎未曾有　我等諸宮殿　蒙光故嚴飾
今以奉世尊　唯垂哀納受　願以此功德　普及於一切
我等與衆生　皆共成佛道
尒時五百万億諸梵天王偈讚佛已各白佛
言唯願世尊轉於法輪多所安隱多所度脫
時諸梵天王而說偈言
世尊轉法輪　擊甘露法鼓　度苦惱衆生　開示涅槃道
唯願受我請　以大微妙音　哀愍而敷演　无量劫習法
尒時大通智勝如來受十方諸梵天王及十
六王子請即時三轉十二行法輪若沙門婆
羅門若天魔梵及餘世間所不能轉謂是苦
是苦集是苦滅是苦滅道及廣說十二因緣
法无明緣行行緣識識緣名色名色緣六入
六入緣觸觸緣受受緣愛愛緣取取緣有有
緣生生緣老死憂悲苦惱无明滅則行滅行滅
則識滅識滅則名色滅名色滅則六入滅六入
滅則觸滅觸滅則受滅受滅則愛滅愛滅則
取滅取滅則有滅有滅則生滅生滅則老
死憂悲苦惱滅佛於天人大衆之中說是法
時六百万億那由他人以不受一切法故而於
諸漏心得解脫皆得深妙禪定三明六通具
八解脫第二第三第四說法時千萬億恒
河沙那由他等衆生亦以不受一切法故而
於諸漏心得解脫從是已後諸聲聞衆无量
无邊不可稱數尒時十六王子皆以童子出
家而為沙弥諸根通利智慧明了已曾供養

BD00060號　妙法蓮華經卷三　（24–17）

於諸漏心得解脫得是已後諸聲聞衆无量
无邊不可稱數尒時十六王子皆以童子出
家而為沙弥諸根通利智慧明了已曾供養
百千万億諸佛淨脩梵行求阿耨多羅三藐
三菩提俱白佛言世尊是諸无量千万億
大德聲聞皆已成就世尊亦當為我等說
阿耨多羅三藐三菩提法我等聞已皆共脩
學世尊我等志願如來知見深心所念佛自
證知尒時轉輪聖王所將衆中八万億人見十
六王子出家亦求出家王即聽尒時彼佛
受沙弥請過二万劫已乃於四衆之中說是
大乘經名妙法蓮華教菩薩法佛所護念說
是經已十六沙弥為阿耨多羅三藐三菩提故
皆共受持諷誦通利說是經時十六菩薩沙
弥皆悉信受聲聞衆中亦有信解其餘衆
生千万億種皆生疑惑佛說是經於八千
劫未曾休廢說此經已即入靜室住於禪定八
万四千劫是時十六菩薩沙弥知佛入室寂
然禪定各昇法座亦於八万四千劫為四部
衆廣說分別妙法華經一一皆度六百万億
那由他恒河沙等衆生示教利喜令發阿耨
多羅三藐三菩提心大通智勝佛過八万四
千劫已從三昧起往詣法座安詳而坐普告
大衆是十六菩薩沙弥甚為希有諸根通
利智慧明了已曾供養无量千万億數諸佛
於諸佛所常脩梵行受持佛智開示衆生令

利智慧明了已曾供養无量千万億數諸佛
於諸佛所常脩梵行受持佛智開示衆生令
入其中汝等皆當數數親近而供養之所以者
何若聲聞辟支佛及諸菩薩能信是十六
菩薩所說經法受持不毀者是人皆當得
阿耨多羅三藐三菩提如來之慧佛告諸比丘
是十六菩薩常樂說是妙法蓮華經一一菩薩
所化六百万億那由他恒河沙等衆生世世所
生與菩薩俱從其聞法悉皆信解以此因緣得
值四万億諸佛世尊于今不盡諸比丘我今
語汝彼佛弟子十六沙弥今皆得阿耨多羅
三藐三菩提於十方國土現在說法有
无量百千万億菩薩聲聞以為眷屬其二
沙弥東方作佛一名阿閦在歡喜國二名
須弥頂東南方二佛一名師子音二名師子
相南方二佛一名虛空住二名常滅西南方二
佛一名帝相二名梵相西方二佛一名阿弥陀
二名度一切世間苦惱西北方二佛一名多摩
羅跋栴檀香神通二名須弥相北方二佛一名
雲自在二名雲自在王東北方佛名壞一切
世間怖畏第十六我釋迦牟尼佛於娑婆國
土成阿耨多羅三藐三菩提諸比丘我等為
沙弥時各各教化无量百千万億恒河沙等
衆生從我聞法為阿耨多羅三藐三菩提
此諸衆生于今有住聲聞地者我常教化阿
耨多羅三藐三菩提是諸人等應以是法漸

衆生從我聞法為阿耨多羅三藐三菩

此諸衆生于今有住聲聞地者我常教化阿
耨多羅三藐三菩提是諸人等應以是法漸
入佛道所以者何如來智慧難信難解尒
時所化无量恒河沙等衆生者汝等諸比丘
及我滅度後未來世中聲聞弟子是也我滅
度後復有弟子不聞是經不知不覺菩薩
所行自於所得功德生滅度想當入涅槃我
於餘國作佛更有異名是人雖生滅度之想
入於涅槃而於彼土求佛智慧得聞是經唯
以佛乘而得滅度更无餘乘除諸如來方便說
法諸比丘若如來自知涅槃時到衆又清淨
信解堅固了達空法深入禪定便集諸菩
薩及聲聞衆為說是經世間无有二乘而得
滅度唯一佛乘得滅度耳比丘當知如來方便
深入衆生之性知其志樂小法深著五欲為
是等故說於涅槃是人若聞則便信受譬如五
百由旬險難惡道曠絕无人怖畏之處若有
多衆欲過此道至珎寶處有一導師聰慧
明達善知險道通塞之相將導衆人欲過
此難所將人衆中路懈退白導師言我等疲
極而復怖畏不能復進前路猶遠今欲退還
導師多諸方便而作是念此等可愍云何捨大
珎寶而欲退還作是念已以方便力於險道中
過三百由旬化作一城告衆人言汝等勿怖
莫得退還今此大城可於中止隨意所作若

過三百由旬化作一城告衆人言汝等勿怖
莫得退還今此大城可於中止隨意所作若
入是城快得安隱若能前至寶所亦可得去
是時疲極之衆心大歡喜歎未曾有我等
今者免斯惡道快得安隱於是衆人前入
化城生已度想生安隱想尒時導師知此人
衆既得止息无復疲惓即滅化城語衆人言
汝等去來寶處在近向者大城我所化作為
止息耳諸比丘如來亦復如是今為汝等作大
導師知諸生死煩惱惡道險難長遠應去
應度若衆生但聞一佛乘者則不欲見佛不
欲親近便作是念佛道長遠久受懃苦乃可
得成佛知是心怯弱下劣以方便力而於中
道為止息故說二涅槃若衆生住於二地如來
尒時即便為說汝等所作未辦汝所住地近於
佛慧當觀察籌量所得涅槃非真實也但
是如來方便之力於一佛乘分別說三如彼
導師為止息故化作大城既知息已而告之
言寶處在近此城非實我化作耳尒時世
尊欲重宣此義而說偈言
大通智勝佛　十劫坐道場　佛法不現前　不得成佛道
諸天神龍王　阿脩羅衆等　常雨於天華　以供養彼佛
諸天擊天鼓　并作衆伎樂　香風吹萎華　更雨新好者
過十小劫已　乃得成佛道　諸天及世人　心皆懷踊躍
彼佛十六子　皆與其眷屬　千万億圍繞　俱行至佛所

[illegible]常雨於天華　以供養彼佛
諸天擊天鼓　并作眾伎樂　香風吹萎華　更雨新好者
過十小劫已　乃得成佛道　諸天及世人　心皆懷踊躍
彼佛十六子　皆與其眷屬　千万億圍繞　俱行至佛所
頭面禮佛足　而請轉法輪　聖師子法雨　充我及一切
世尊甚難值　久遠時一現　為覺悟群生　震動於一切
東方諸世界　五百万億國　梵宮殿光曜　昔所未曾有
諸梵見此相　尋來至佛所　散華以供養　并奉上宮殿
請佛轉法輪　以偈而讚歎　佛知時未至　受請嘿然坐
三方及四維　上下亦復尒　散華奉宮殿　請佛轉法輪
世尊甚難值　願以本慈悲　廣開甘露門　轉无上法輪
无量慧世尊　受彼眾人請　為宣種種法　四諦十二緣
无明至老死　皆從生緣有　如是眾過患　汝等應當知
宣暢是法時　六百万億姟　得盡諸苦際　皆成阿羅漢
第二說法時　千万恒沙眾　於諸法不受　亦得阿羅漢
從是後得道　其數无有量　万億劫筭數　不能得其邊
時十六王子　出家作沙弥　皆共請彼佛　演說大乘法
我等及營從　皆當成佛道　願得如世尊　慧眼第一淨
佛知童子心　宿世之所行　以无量因緣　種種諸譬喻
說六波羅蜜　及諸神通事　分別真實法　菩薩所行道
說是法華經　如恒河沙偈　彼佛說經已　靜室入禪定
一心一處坐　八万四千劫　是諸沙弥等　知佛禪未出
為无量億眾　說佛无上慧　各各坐法座　說是大乘經
於佛宴寂後　宣揚助法化　一一沙弥等　所度諸眾生
有六百万億　恒河沙等眾　彼佛滅度後　是諸聞法者
在在諸佛土　常與師俱生　是十六沙弥　具足行佛道

BD00060 號　妙法蓮華經卷三　（24–22）

於佛宴寂後　宣揚助法化　一一沙弥等　所度諸眾生
有六百万億　恒河沙等眾　彼佛滅度後　是諸聞法者
在在諸佛土　常與師俱生　是十六沙弥　具足行佛道
今現在十方　各得成正覺　尒時聞法者　各在諸佛所
其有住聲聞　漸教以佛道　我在十六數　曾亦為汝說
是故以方便　引汝趣佛慧　以是本因緣　今說法華經
令汝入佛道　慎勿懷驚懼　譬如險惡道　迥絕多毒獸
又復无水草　人所怖畏處　无數千万眾　欲過此險道
其路甚曠遠　經五百由旬　時有一導師　強識有智慧
明了心決定　在險濟眾難　眾人皆疲惓　而白導師言
我等今頓乏　於此欲退還　導師作是念　此輩甚可愍
如何欲退還　而失大珍寶　尋時思方便　當設神通力
化作大城郭　莊嚴諸舍宅　周帀有園林　渠流及浴池
重門高樓閣　男女皆充滿　即作是化已　慰眾言勿懼
汝等入此城　各可隨所樂　諸人既入城　心皆大歡喜
皆生安隱想　自謂已得度　導師知息已　集眾而告言
汝等當前進　此是化城耳　我見汝疲極　中路欲退還
故以方便力　權化作此城　汝今勤精進　當共至寶所
我亦復如是　為一切導師　見諸求道者　中路而懈廢
不能度生死　煩惱諸險道　故以方便力　為息說涅槃
言汝等苦滅　所作皆已辦　既知到涅槃　皆得阿羅漢
尒乃集大眾　為說真實法　諸佛方便力　分別說三乘
唯有一佛乘　息處故說二　今為汝說實　汝所得非滅
為佛一切智　當發大精進　汝證一切智　十力等佛法
具三十二相　乃是真實滅　諸佛之導師　為息說涅槃
既知是息已　引入於佛慧

BD00060 號　妙法蓮華經卷三　（24–23）

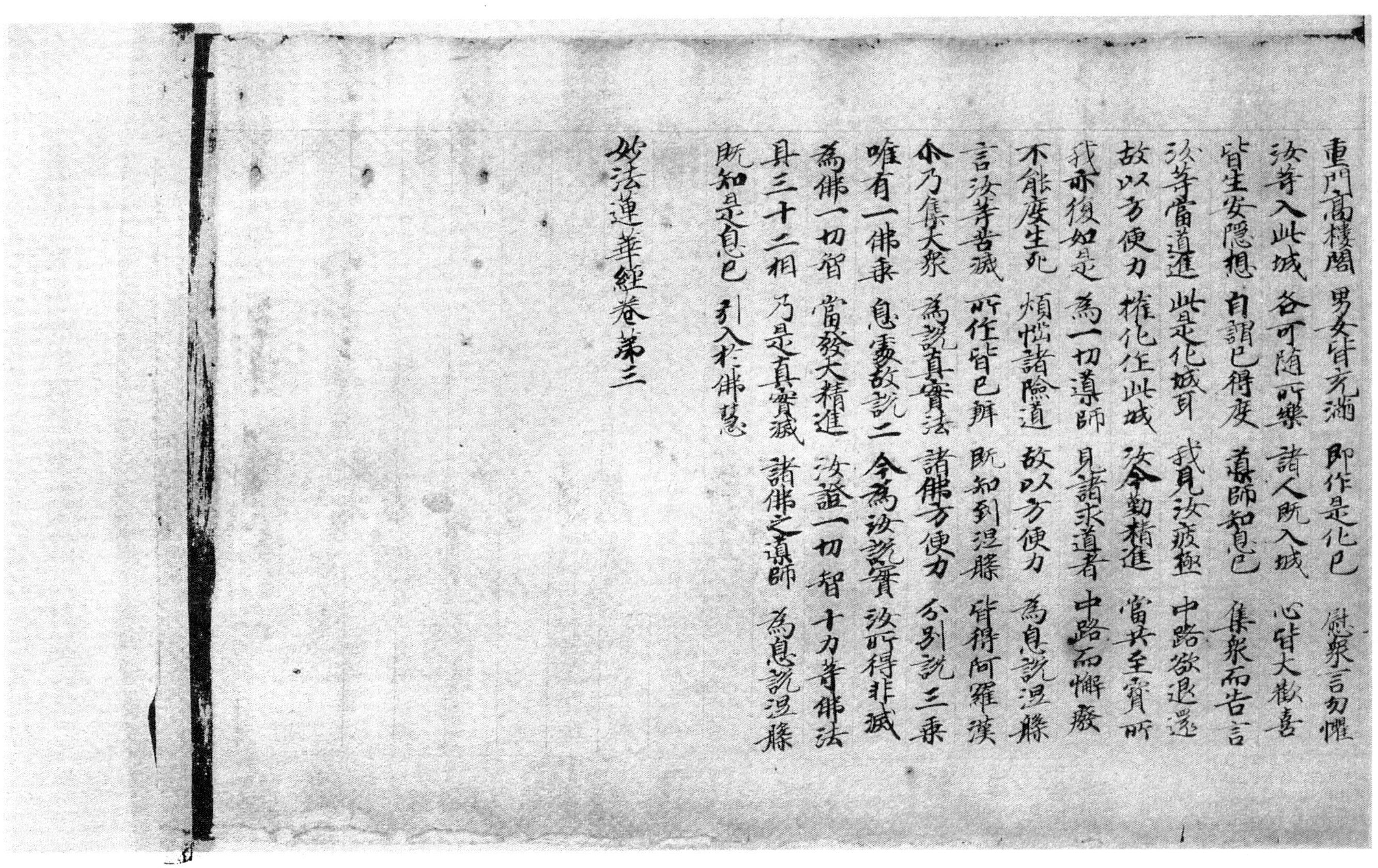

重門高樓閣　男女皆充滿　即作是化已　慰衆言勿懼
汝等入此城　各可隨所樂　諸人既入城　心皆大歡喜
皆生安隱想　自謂已得度　導師知息已　集衆而告言
汝等當前進　此是化城耳　我見汝疲極　中路欲退還
故以方便力　權化作此城　汝今勤精進　當共至寶所
我亦復如是　為一切導師　見諸求道者　中路而懈廢
不能度生死　煩惱諸險道　故以方便力　為息說涅槃
言汝等苦滅　所作皆已辦　既知到涅槃　皆得阿羅漢
尒乃集大衆　為說真實法　諸佛方便力　分別說三乘
唯有一佛乘　息處故說二　今為汝說實　汝所得非滅
為佛一切智　當發大精進　汝證一切智　十力等佛法
具三十二相　乃是真實滅　諸佛之導師　為息說涅槃
既知是息已　引入於佛慧

妙法蓮華經卷第三

BD00060 號　妙法蓮華經卷三　（24–24）

不動本處
諸佛之具菩薩於
十方國土所有日月星
一毛孔普使見之又舍利弗十方世界
所有諸風菩薩悉能吸著口中而身无損外
諸樹木亦不摧折又十方世界劫盡燒時以一
切火內於腹中火事如故而不為害又於下
方過恒河沙等諸佛世界取一佛土舉著上
方過恒河沙无數世界如持針鋒舉一棗葉
而无所嬈又舍利弗住不可思議解脫菩
薩能以神通現作佛身或現辟支佛身或現聲
聞身或現帝釋身或現梵王身或現世主身
或現轉輪王身又十方世界所有衆聲上中
下音皆能變之令作佛聲演出无常苦空无
我之音及十方諸佛所說種種之法皆於其
中普令得聞舍利弗我今略說菩薩不可思
議解脫之力若廣說者窮劫不盡是時大迦
葉聞說菩薩不可思議解脫法門歎未曾有
謂舍利弗譬如有人於盲者前現衆色像非
彼所見一切聲聞聞是不可思議解脫法門
不能解了為若此也智者聞是其誰不發阿
耨多羅三藐三菩提心我等何為永絕其根

BD00061 號 A　維摩詰所說經卷中　（5–1）

謂舍利弗譬如有人於盲者前現衆色像非
彼所見一切聲聞聞是不可思議解脫法門
不能解了爲若此也智者聞是其誰不發阿
耨多羅三藐三菩提心我等何爲永絶其根
於此大乘已如敗種一切聲聞聞是不可思
議解脫法門皆應號泣聲震三千大
一切菩薩應大欣慶頂受此法若有信
解不可思議解脫門者一切魔衆无如之何
大迦葉說是語時三万二千天子皆發阿耨
多羅三藐三菩提心
尒時維摩詰語大迦葉仁者十方无量阿僧
祇世界中作魔王者多是住不可思議解脫
菩薩以方便力教化衆生現作魔王又求
十方无量菩薩或有人從乞手足耳鼻頭目
髓腦血肉皮骨聚落城邑妻子奴婢象馬車
乘金銀瑠璃車璖馬瑙珊瑚虎珀真珠珂貝
衣服飲食如此乞者多是住不可思議解脫
菩薩以方便力而往試之令其堅固所以者
何住不可思議解脫菩薩有威德力故行逼
迫示諸衆生如是難事凡夫下劣无有力勢
不能如是逼迫菩薩譬如龍象蹴踏非驢所
堪是名住不可思議解脫菩薩智慧方便
之門

觀衆生品第七

尒時文殊師利問維摩詰言菩薩云何觀於

BD00061 號 A　維摩詰所說經卷中　（5–2）

觀衆生品第七

尒時文殊師利問維摩詰言菩薩云何觀於
衆生維摩詰言譬如幻師見所幻人菩薩
觀衆生爲若此如智者見水中月如鏡中見
其面像如熱時焰如呼聲響如空中雲如水
聚沫如水上泡如芭蕉堅如電久住如第五
大如第六陰如第七情如十三入如十九界菩
薩觀衆生爲若此如无色界色如燋穀牙
如須陁洹身見如阿那含入胎如阿羅漢三
毒如得忍菩薩貪恚毀禁如佛煩惱習如盲
者見色如入滅定出入息如空中鳥跡如石女
兒如化人煩惱如夢所見已寤如滅度者受
身如无烟之火菩薩觀衆生爲若此文殊師
利言若菩薩作是觀者云何行慈維摩詰
言菩薩作是觀已自念我當爲衆生說如斯
法是即真實慈也行寂滅慈无所生故行不
熱慈无煩惱故行等之慈等三世故行无諍慈
无所起故行不二慈内外不合故行不壞慈
畢竟盡故行堅固慈心无毀故行清淨慈諸
法性淨故行无邊慈如虛空故行阿羅漢慈
破結賊故行菩薩慈安衆生故行如來慈得
如相故行佛之慈覺衆生故行自然慈无所
因得故行菩提慈等一味故行无比慈斷諸
愛故行大悲慈導以大乘故行无猒慈觀空无
我故行法施慈无遺惜故行持戒慈化毀禁

BD00061 號 A　維摩詰所說經卷中　（5–3）

憂故行大悲慈導以大乘故行无猒慈觀空无
我故行法施慈无遺惜故行持戒慈化毀禁
故行忍辱慈護彼我故行精進慈荷負衆生
故行禪定慈不受味故行智慧慈无不知時
故行方便慈一切示現故行无隱慈直心清
淨故行深心慈无雜行故行无誑慈不虛假
故行安樂慈令得佛樂故菩薩之慈為若此
也文殊師利又問何為悲荅曰菩薩所作
功德皆與一切衆生共之何謂為喜荅曰有
所饒益歡喜无悔何謂為捨荅曰所作福祐
无所悕望文殊師利又問生死有畏菩薩當
何所依維摩詰言菩薩於生死畏中當依如
來功德之力文殊師利又問菩薩欲依如來
功德之力當於何住荅曰菩薩欲依如來功
德力者當住度脫一切衆生又問欲度衆生
當何所除荅曰欲度衆生除其煩惱又問欲
除煩惱當何所行荅曰當行正念又問云何
行於正念荅曰當行不生不滅又問何法不
生何法不滅荅曰不善不生善法不滅又問
善不善孰為本荅曰身為本又問身孰為本
荅曰欲貪為本又問欲貪孰為本荅曰虛妄
分別為本又問虛妄分別孰為本荅曰顛倒想為
本又問顛倒想孰為本荅曰无住為本又問无住
孰為本荅曰无住則无本文殊師利從无住本立一切法
時維摩詰室有一天女見諸大人聞所說法便

BD00061 號 A　維摩詰所說經卷中　（5–4）

來功德之力文殊師利又問菩薩欲依如來
功德之力當於何住荅曰菩薩欲依如來功
德力者當住度脫一切衆生又問欲度衆生
當何所除荅曰欲度衆生除其煩惱又問欲
除煩惱當何所行荅曰當行正念又問云何
行於正念荅曰當行不生不滅又問何法不
生何法不滅荅曰不善不生善法不滅又問
善不善孰為本荅曰身為本又問身孰為本
荅曰欲貪為本又問欲貪孰為本荅曰虛妄
分別為本又問虛妄分別孰為本荅曰顛倒想為
本又問顛倒想孰為本荅曰无住為本又問无住
孰為本荅曰无住則无本文殊師利從无住本立一切法
時維摩詰室有一天女見諸大人聞所說法便
現其身即以天華散諸菩薩大弟子上華
至諸菩薩即皆墮落至大弟子便著不墮一
切弟子神力去華不能令去尒時天問舍利
弗何故去華荅曰此華不如法是以去之天
曰勿謂此華為不如法所以者何是華无所
分別仁者自生分別想耳若於佛法出家有
所分別為不如法若无所分別是則如法觀諸
菩薩華不著以斷一切分別想故譬如人
畏時非人得其便如是弟子畏生死故色聲
香味觸得其便已離畏者一切五欲无能為
也結習未盡華著身耳結習盡者華不著

BD00061 號 A　維摩詰所說經卷中　（5–5）

介時復有恒河沙姟佛一時同聲是无量壽
宗要經陁羅尼曰
南謨薄伽勃底一 阿波唎蜜哆二 阿喻紇硯娜三
須毗你志楢陁四 囉佐耶五 怛他羯他耶六 怛侄他唵七
薩婆桑志迦囉八 波唎輸底九 達磨底十 伽迦娜十一
莎訶其特迦底十二 莎婆娑毗輸底十三 摩訶娜耶十四
波唎婆唎莎訶十五
善男子若有自書寫教人書寫是无量壽宗
要經如其命盡復得長壽而滿百年陁羅尼曰
南謨薄伽勃底一 阿波唎蜜哆二 阿喻紇硯娜三
須毗你志楢陁四 囉佐耶五 怛他羯他耶六 怛侄他唵七
薩婆桑志迦囉八 波唎輸底九 達磨底十 伽迦娜十一
莎訶其特迦底十二 莎婆娑毗輸底十三 摩訶娜耶十四
波唎婆唎莎訶十五
若有自書寫教人書寫是无量壽宗要經讀
誦受持畢竟不墮地獄在在所生得宿命
智陁羅尼曰
南謨薄伽勃底一 阿波唎蜜哆二 阿喻紇硯娜三
須毗你志楢陁四 囉佐耶五 怛他羯他耶六 怛侄他唵七
薩婆桑志迦囉八 波唎輸底九 達磨底十 伽迦娜十一
莎訶其特迦底十二 莎婆娑毗輸底十三 摩訶娜耶十四
波唎婆唎莎訶十五
若有自書寫教人書寫是无量壽宗要經受
持讀誦如同書寫八万四千一切經典陁羅尼曰

BD00061 號 B　無量壽宗要經　（3–1）

莎訶其特迦底十二 莎婆娑毗輸底十三 摩訶娜耶十四
波唎婆唎莎訶十五
若有自書寫教人書寫是无量壽宗要經受
持讀誦如同書寫八万四千一切經典陁羅尼曰
南謨薄伽勃底一 阿波唎蜜哆二 阿喻紇硯娜三
須毗你志楢陁四 囉佐耶五 怛他羯他耶六 怛侄他唵七
薩婆桑志迦囉八 波唎輸底九 達磨底十 伽迦娜十一
莎訶其特迦底十二 莎婆娑毗輸底十三 摩訶娜耶十四
波唎婆唎莎訶十五
若有自書寫教人書寫是无量壽宗要經即
是書寫八万四千部經建立塔廟陁羅尼曰
南謨薄伽勃底一 阿波唎蜜哆二 阿喻紇硯娜三
須毗你志楢陁四 囉佐耶五 怛他羯他耶六 怛侄他唵七
薩婆桑志迦囉八 波唎輸底九 達磨底十 伽迦娜十一
莎訶其特迦底十二 莎婆娑毗輸底十三 摩訶娜耶十四
波唎婆唎莎訶十五
若有自書寫教人書寫是无量壽宗要經能
消五无間等一切重罪陁羅尼曰
南謨薄伽勃底一 阿波唎蜜哆二 阿喻紇硯娜三
須毗你志楢陁四 囉佐耶五 怛他羯他耶六 怛侄他唵七
薩婆桑志迦囉八 波唎輸底九 達磨底十 伽迦娜十一
莎訶其特迦底十二 莎婆娑毗輸底十三 摩訶娜耶十四
波唎婆唎莎訶十五
若有自書寫教人書寫是无量壽宗要經受持
讀誦設有重罪猶如須弥盡能除滅陁羅尼曰
南謨薄伽勃底一 阿波唎蜜哆二 阿喻紇硯娜三
須毗你志楢陁四 囉佐耶五 怛他羯他耶六 怛侄他唵七

BD00061 號 B　無量壽宗要經　（3–2）

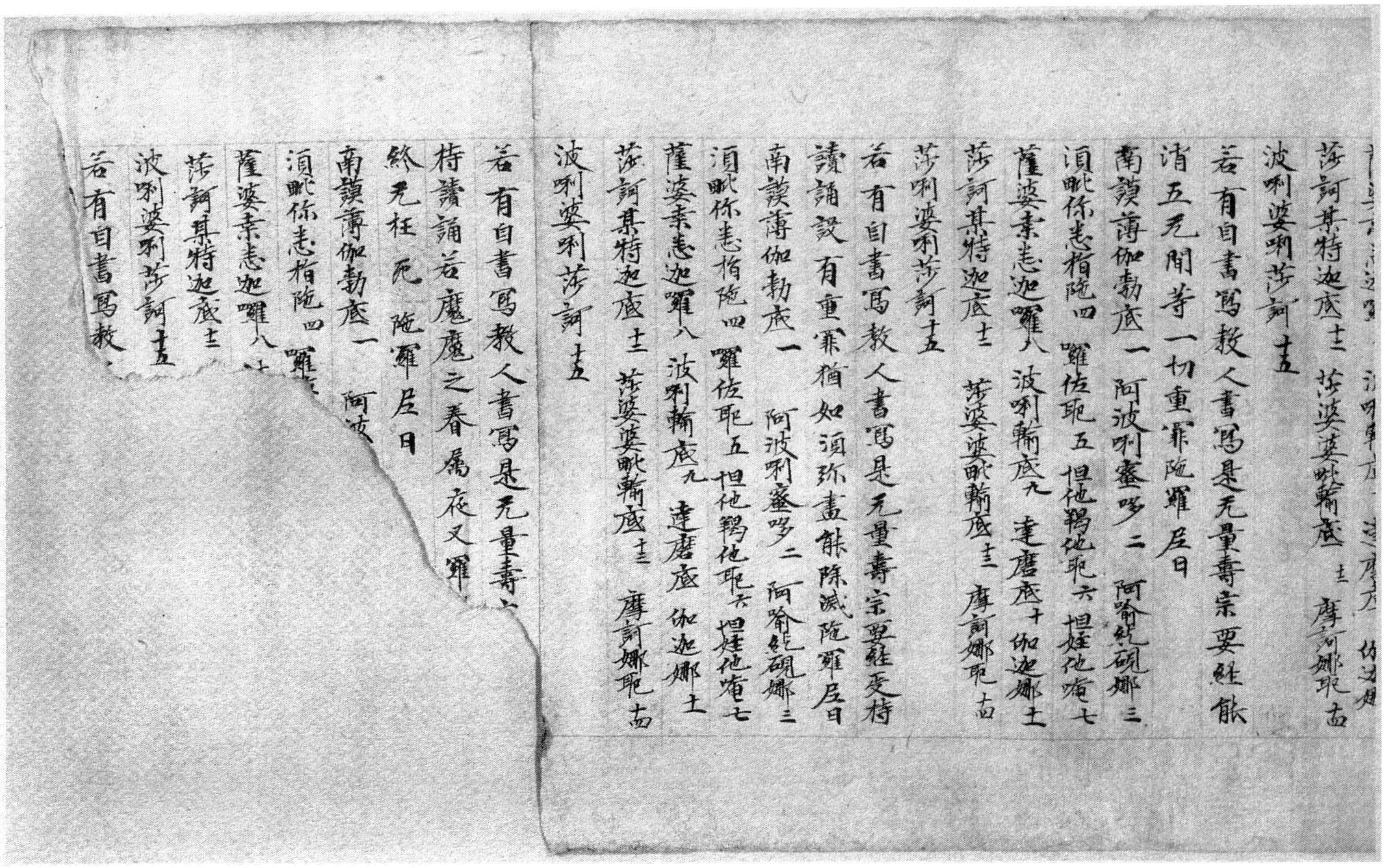

莎訶某特迦底十三 莎婆娑毗輸底十四 摩訶娜耶十五
波唎婆唎莎訶十六
若有自書寫教人書寫是无量壽宗要經能
消五无間等一切重罪陁羅尼曰
南謨薄伽勃底一 阿波唎蜜哆二 阿喻紇硯娜三
須毗你志指陁四 囉佐耶五 怛他羯他耶六 怛姪他唵七
薩婆桒悉迦囉八 波唎輸底九 達磨底十 伽迦娜十一
莎訶某特迦底十二 莎婆娑毗輸底十三 摩訶娜耶十四
莎唎婆唎莎訶十五
若有自書寫教人書寫是无量壽宗要經受持
讀誦設有重罪猶如須弥盡能除滅陁羅尼曰
南謨薄伽勃底一 阿波唎蜜哆二 阿喻紇硯娜三
須毗你志指陁四 囉佐耶五 怛他羯他耶六 怛姪他唵七
薩婆桒悉迦囉八 波唎輸底九 達磨底 伽迦娜十
莎訶某特迦底十一 莎婆娑毗輸底十二 摩訶娜耶十四
波唎婆唎莎訶十五
若有自書寫教人書寫是无量壽…
持讀誦若魔魔之眷屬夜叉羅…
終无枉死陁羅尼曰
南謨薄伽勃底一 阿波…
須毗你志指陁四 囉…
薩婆桒悉迦囉八 …
莎訶某特迦底十二
波唎婆唎莎訶十三
若有自書寫教…

BD00061 號 B　無量壽宗要經　（3–3）

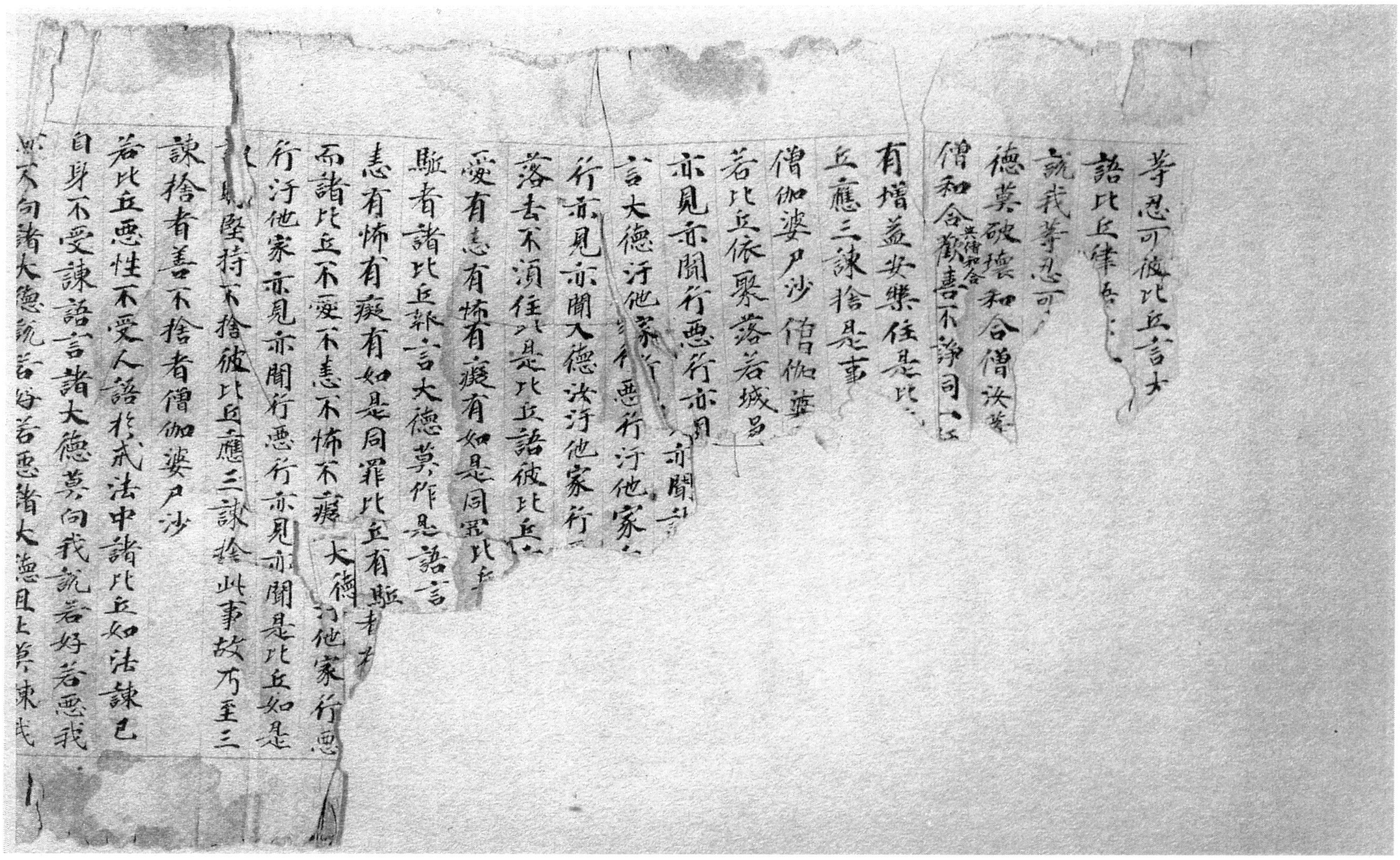

等忍可彼比丘言大…
語比丘律…
説我等忍可…
德莫破壞和合僧汝莫…
僧和合歡喜不諍同一…
有增益安樂住是比…
丘應三諫捨是事…
僧伽婆尸沙
若比丘依聚落若城邑…
亦見亦聞行惡行亦…
言大德汙他家亦行惡行亦聞…
行亦見亦聞大德汝汙他家行惡行汙他家…
落去不須住此是比丘語彼比丘…
愛有恚有怖有癡有如是同罪比丘…
駈者諸比丘報言大德莫作是語言
恚有怖有癡有如是同罪比丘有駈有不…
而諸比丘不愛不恚不怖不癡大德汙他家行惡
行汙他家亦見亦聞行惡行亦見亦聞是比丘如是
諫時堅持不捨彼比丘應三諫捨此事故乃至三
諫捨者善不捨者僧伽婆尸沙
若比丘惡性不受人語於戒法中諸比丘如法諫已
自身不受諫語言諸大德莫向我説若好若惡我
亦不向諸大德説若好若惡諸大德且止莫諫我

BD00062 號　四分律比丘戒本　（20–1）

諫是比丘堅持不捨彼比丘應三諫捨此事故乃至三
諫捨者善不捨者僧伽婆尸沙
若比丘惡性不受人語於戒法中諸比丘如法諫已
自身不受諫語言諸大德莫向我說若好若惡我
亦不向諸大德說若好若惡諸大德且止莫諫我
彼比丘諫是比丘言大德莫自身不受諫語大德自
身當受諫語大德如法諫諸比丘諸比丘亦如法
諫大德如是佛弟子衆得增益展轉相諫展轉
相教展轉懺悔是比丘如是諫時堅持不捨彼比
丘應三諫捨是事故乃至三諫捨者善不捨者
僧伽婆尸沙
諸大德我已說十三僧伽婆尸沙法九初犯四乃至三
諫若比丘犯一一法知而覆藏應强與波利婆沙行波
利婆沙竟增上與六夜摩那埵行摩那埵已餘有
出罪法應二十僧中出是比丘罪若少一人不滿廿衆
出是比丘罪不得除諸比丘亦可呵此是時
今問諸大德是中清淨不 三說
諸大德是中清淨嘿然故是事如是持
諸大德是二不定法半月半月說戒經中來
若比丘共女人獨在屏處覆處鄣處可作婬處坐
說非法語有住信優婆私於三法中一一法說若波
羅夷若僧伽婆尸沙若波逸提是坐比丘自言我
犯是罪於三法中應一一治若波羅夷若僧伽婆
尸沙若波逸提如住信優婆私所說應如法治是比
丘是名不定法
若比丘共女人在露現處不可作婬處坐說麁惡語
有住信優婆夷於二法中一一法說若僧伽婆尸沙若

BD00062 號　四分律比丘戒本　（20–2）

若比丘共女人在露現處不可作婬處坐說麁惡語
有住信優婆夷於二法中一一法說若僧伽婆尸沙若
波逸提是坐比丘自言我犯是事於二法中應一一
法治若僧伽婆尸沙若波逸提如住信優婆夷所
說應如法治是比丘是名不定法
諸大德我已說二不定法今問諸大德是中清淨不 三說
諸大德是中清淨嘿然故是事如是持
諸大德是三十尼薩耆波逸提法半月半月說戒經中來
若比丘衣已竟迦絺那衣已出畜長衣經十日不淨
施得畜若過十日尼薩耆波逸提
若比丘衣已竟迦絺那衣已出於三衣中離一一衣
異處宿除僧羯磨尼薩耆波逸提
若比丘衣已竟迦絺那衣已出若比丘得非時衣欲
須便受受已疾疾成衣若足者善若不足者得
畜經一月為滿足故若過畜者尼薩耆波逸提
若比丘從非親里比丘尼取衣除貿易尼薩耆波逸提
若比丘令非親里比丘尼浣故衣若染若打尼薩耆
波逸提
若比丘從非親里居士若居士婦乞衣除餘時尼薩
耆波逸提餘時者若比丘奪衣失衣燒衣漂衣是
謂餘時
若比丘失衣奪衣燒衣漂衣若非親里居士居士
婦自恣請多與衣是比丘當知足受衣若過受者
尼薩耆波逸提
若比丘居士居士婦為比丘辦衣價買如是衣與某甲
比丘是比丘先不受自恣請到居士家作如是說善

BD00062 號　四分律比丘戒本　（20–3）

比丘是比丘先不受自恣請到居士家作如是說善
哉居士為我買如是如是衣與我為好故若得衣
者尼薩耆波逸提
若比丘二居士居士婦與比丘辦衣價持如是衣價
買如是衣與某甲比丘是比丘先不受居士自恣請
到二居士家作如是言善哉辦如是如是衣價與
我共作一衣為好故若得衣者尼薩耆波逸提
若比丘若王若大臣若婆羅門若居士居士婦遣
使為比丘送衣價持如是衣價與某甲比丘彼使人
至比丘所語比丘言大德今為汝故送是衣價受取是比丘應
語彼使如是言我不應受此衣價我若須衣合時
清淨當受彼使語比丘言大德有執事人不須衣
比丘應語言有若僧伽藍民若優婆塞此是比丘
執事人常為諸比丘執事時彼使往至執事人所與
衣價已還至比丘所作如是言大德所示某甲執事人
我已與衣價大德知時往彼當得衣須衣比丘當
往執事人所若二反三反為作憶念應語言我須
衣若二反三反為作憶念若得衣者善若不得衣
應四反五反六反在前嘿然立若四反五反六反在
前嘿然住得衣者善若不得衣過是求得衣者
尼薩耆波逸提若不得衣從所得衣價處若自
往若遣使往語言汝先遣使持衣價與某甲比丘是
比丘竟不得汝還取莫使失此是時 十
若比丘雜野蠶綿作新臥具者尼薩耆波逸提
若比丘以新純黑羺羊毛作新臥具者尼薩耆波逸提
若比丘作新臥具應用二分純黑羊毛三白四分尨若比
丘不用二分黑三分白四分尨作新臥具者尼薩耆波逸提

BD00062號　四分律比丘戒本　（20–4）

若比丘作新臥具應用二分純黑羊毛三白四分尨若比
丘不用二分黑三分白四分尨作新臥具者尼薩耆波逸提
若比丘作新臥具持至滿六年若減六年不捨故更
作新者除僧羯磨尼薩耆波逸提
若比丘作新坐具當取故者縱廣一搩手裓著新
者上為壞色故若作新坐具不取故縱廣一搩手
裓著新者上用壞色故尼薩耆波逸提
若比丘道路行得羊毛若無人持得自持乃至三由
旬若無人持自持過三由旬尼薩耆波逸提
若比丘使非親里比丘尼浣染擘羊毛者尼薩耆波
逸提
若比丘自手捉錢若金銀若教人捉若置地受者
尼薩耆波逸提
若比丘種種賣買者尼薩耆波逸提
若比丘種種販賣者尼薩耆波逸提 二十
若比丘畜長鉢不淨施得畜十日過者尼薩耆波
逸提
若比丘畜鉢減五綴不漏更求新鉢為好故尼薩
耆波逸提彼比丘應往僧中捨展轉取㝡下鉢與
之令持乃至破應持此是時
若比丘自乞縷綫使非親里比丘尼織師織作衣者
尼薩耆波逸提
若比丘居士居士婦使織師為比丘織作衣彼比丘先
不受自恣請便往織師所語言此衣為我作與我
極好織令廣大堅緻我當少多與汝價是比丘與
衣價乃至一食直若得衣者尼薩耆波逸提
若比丘先與比丘衣後瞋恚故若自奪若教人奪

BD00062號　四分律比丘戒本　（20–5）

衣價乃至一食直若得衣者尼薩耆波逸提
若比丘先與比丘衣後瞋恚故若自奪若教人奪
取還我衣來不與汝若比丘還衣彼取衣者尼薩
耆波逸提
若比丘有病畜殘藥蘇油生蘇蜜石蜜齊七日
得服若過七日服者尼薩耆波逸提
若比丘春殘一月在當求雨浴衣半月應用浴若
比丘過一月前求雨浴衣過半月前用浴尼薩耆波逸
提
若比丘十日未竟夏三月諸比丘得急施衣比
丘知是急施衣當受受已乃至衣時應畜若過
畜者尼薩耆波逸提
若比丘夏三月竟後迦提一月滿在阿蘭若有疑
恐懼住比丘在如是處住三衣中欲留一一衣置舍
內諸比丘有因緣離衣宿乃至六夜若過者尼薩
耆波逸提
若比丘知是僧物自求入己者尼薩耆波逸提
諸大德我已說三十尼薩耆波逸提法今問諸大
德是中清淨不 三說
諸大德是中清淨嘿然故是事如是持
諸大德是九十波逸提法半月半月說戒經中來
若比丘知而妄語者波逸提
若比丘種類毀呰語者波逸提
若比丘兩舌語者波逸提
若比丘與婦女同室宿者波逸提
若比丘與未受大戒人共宿過二宿至三宿波逸提
若比丘與未受大戒人同誦者波逸提

BD00062號　四分律比丘戒本　（20–6）

若比丘與婦女同室宿者波逸提
若比丘與未受大戒人共宿過二宿至三宿波逸提
若比丘與未受大戒人同誦者波逸提
若比丘知他比丘有麤惡罪向未受大戒人說除
僧羯磨波逸提
若比丘向未受大戒人說過人法言我見是我知是
實者波逸提
若比丘與女人說法過五六語除有知男子波逸提
若比丘自手掘地若教人掘者波逸提 十
若比丘壞鬼神村者波逸提
若比丘妄作異語惱他者波逸提
若比丘嫌罵者波逸提
若比丘取僧繩床木床若臥具坐褥露地敷若教
人敷捨去不自舉不教人舉者波逸提
若比丘於僧房中敷僧臥具若自敷若教人敷若
坐若臥去時不自舉不教人舉者波逸提
若比丘知先比丘住處後來強於中間敷臥具止宿
念言彼若嫌迮者自當避我去作如是因緣非餘
非威儀波逸提
若比丘瞋他比丘不喜僧房中若自牽出教人牽
出者波逸提
若比丘若僧房若重閣上脫脚繩床若木床若
坐若臥波逸提
若比丘知水有虫若澆泥若澆草若教人澆者波
逸提
若比丘作大房舍戶扉窗牖及餘莊飾具指授覆

BD00062號　四分律比丘戒本　（20–7）

逸提
若比丘作大房舍户扉窓牖及餘莊餝具指授覆
苫齊二三節若過者波逸提 廿
若比丘僧不差教試比丘尼者波逸提
若比丘為僧差教授比丘尼乃至日暮者波逸提
若比丘語諸比丘作如是語比丘為飲食故教授比
丘尼者波逸提
若比丘與非親里比丘尼衣除貿易波逸提
若比丘與非親里比丘尼作衣者波逸提
若比丘與比丘尼在屏處坐者波逸提
若比丘與比丘尼共期同一道行乃至一村間除異時波
逸提異時者與估客行若疑畏怖時是謂異時
若比丘與比丘尼共期同乘一船若上水下水除直渡
者波逸提
若比丘知比丘尼讚嘆教化因緣得食食除檀越
先請者波逸提
若比丘與婦女共期同一道行乃至一村間波逸提 卅
若比丘施一食處无病比丘應受一食若過受者波逸提
若比丘展轉食除餘時波逸提餘時者病時施衣
時是謂餘時
若比丘別衆食除餘時波逸提餘時者病時作衣
時施衣時道行時乘船時大衆集時沙門施食
時此是時
若比丘至白衣家請比丘與餅麨飯若比丘欲須者
當取二三鉢還至僧伽藍中應分與餘比丘食若
比丘無病過兩三鉢受持還僧伽藍中不分與餘

BD00062號　四分律比丘戒本　（20–8）

當取二三鉢還至僧伽藍中應分與餘比丘食若
比丘無病過兩三鉢受持還僧伽藍中不分與餘
比丘食者波逸提
若比丘足食竟或時受請不作餘食法而食者
波逸提
若比丘知他比丘足食已若受請不作餘食法慇懃
請與食長老取是食以是因緣非餘欲使他犯者
波逸提
若比丘非時受食食者波逸提
若比丘殘宿食而食者波逸提
若比丘不受食若藥著口中除水及楊枝波逸提
若比丘得好美飲食乳酪魚及肉若比丘如此美飲
食無病自為己索者波逸提 四十
若比丘外道男外道女自手與食食者波逸提
若比丘先受請已前食後食行詣餘家不囑授
餘比丘除餘時波逸提餘時者病時作衣時施
衣時是謂餘時
若比丘在食家中有寶強安坐者波逸提
若比丘食家中有寶在屏處坐者波逸提
若比丘獨與女人露地坐者波逸提
若比丘語餘比丘如是語大德共至聚落當與汝
食彼比丘竟不教與是比丘食語言汝去我與汝
一處若坐若語不樂我獨坐獨語樂以此因緣
非餘方便遣去者波逸提
若比丘請比丘四月與藥無病比丘應受若過受
除常請更請分請盡形壽請波逸提

BD00062號　四分律比丘戒本　（20–9）

若比丘請比丘四月與藥無病比丘應受若過受
除常請更請分請盡形壽請波逸提
若比丘往觀軍陣除時因緣波逸提
若比丘有因緣聽至軍中二宿三宿過者波逸提
若比丘二宿三宿軍中住或時觀軍陣鬪戰若觀遊
軍象馬力勢者波逸提 五十
若比丘飲酒者波逸提
若比丘水中嬉戲者波逸提
若比丘以指相擊攊者波逸提
若比丘不受諫者波逸提
若比丘恐怖他比丘者波逸提
若比丘半月洗浴無病比丘應受不得過除餘時波
逸提餘時者熱時病時風時雨時道行時此是時
若比丘無病自為炙身故露地然火若教人然火
除火除時因緣波逸提
若比丘藏他比丘衣鉢坐具針筒若自藏教人藏
下至戲咲者波逸提
若比丘與比丘比丘尼式叉摩那沙弥沙弥尼衣後不語主
還取著者波逸提
若比丘得新衣應三種壞色一一色中隨意壞若青
若黑若木蘭若比丘不以三種壞色若青若黑若
木蘭著餘新衣者波逸提 六十
若比丘故斷畜生命者波逸提
若比丘知水有虫飲用者波逸提
若比丘故惱他比丘令須臾間不樂者波逸提

BD00062號　四分律比丘戒本　（20–10）

若比丘知水有虫飲用者波逸提
若比丘故惱他比丘令須臾間不樂者波逸提
若比丘知他比丘犯麁惡罪覆藏者波逸提
若比丘年滿廿應受大戒若比丘知年不滿廿與受
大戒此人不得戒彼比丘可呵癡故波逸提
若比丘知諍事起如法懺悔已後更發起者波逸提
若比丘知是賊伴結要共同一道行乃至一村者波逸
提
若比丘作如是語我知佛所說法行婬欲非障道法
彼比丘諫此比丘言大德莫作是語莫謗世尊謗世
尊者不善世尊不作是語世尊無數方便說犯
婬欲者是障道法彼比丘諫此比丘時堅持不捨
彼比丘乃至三諫捨此事故若三諫捨者善不捨者
波逸提
若比丘知如是語人未作法如是耶見而不捨供給
所須共同羯磨止宿言語者波逸提
若比丘知沙弥作如是語我從佛聞法若行婬欲非
鄣道法彼比丘諫此沙弥言汝莫誹謗世尊
謗世尊者不善世尊不作是語沙弥世尊無數
方便說婬欲是障道法彼比丘諫此沙弥時堅持不
捨彼比丘應乃至再三呵諫令捨此事故乃至三諫
而捨者善不捨者彼比丘應語彼沙弥言汝自今已
去不得言佛是我世尊不得隨逐餘比丘如諸沙弥
得与比丘二三宿汝今無是事汝出去滅去不應住
若比丘知如是衆中被擯沙弥而誘將畜養共至
宿者波逸提 七十

BD00062號　四分律比丘戒本　（20–11）

若比丘知如是衆中被擯沙彌而誘將畜養共止
宿者波逸提 七十
若比丘餘比丘如法諫時作如是語我今不學此戒
當難問餘智慧持律比丘者波逸提若為知為
學故應難問
若比丘說戒時作如是語大德何用說此雜碎戒
為說戒時令人惱愧懷疑輕呵戒故波逸提
若比丘說戒時作如是說我今始知此法戒經所載
半月半月說戒中來餘比丘知是比丘若二若三說戒
中坐何況多彼比丘無知無解若犯罪應如法治更
重增無知罪語言長老汝無利不善得汝說戒時不
用心念不一心兩耳聽法彼無知故波逸提
若比丘共同羯磨已後作如是語諸比丘隨親厚以
衆僧物與者波逸提
若比丘衆僧斷事未竟不與欲而去者波逸提
若比丘與欲已後悔者波逸提
若比丘共比丘鬪諍已聽此語向彼說者波逸提
若比丘瞋恚故不喜打比丘者波逸提
若比丘瞋恚不喜以手搏比丘者波逸提
若比丘瞋恚故以無根僧伽婆尸沙謗者波逸提 八十
若比丘剎利水澆頭王種王未出未藏寶而入若
過宮門閾者波逸提
若比丘寶及寶莊飾具若自捉教人捉除僧伽藍
中及寄宿處波逸提
若比丘在僧伽藍中若寄宿處若捉寶若以寶莊
飾具若自捉教人捉當作是意若有主識者當

BD00062號　四分律比丘戒本　（20–12）

若比丘在僧伽藍中若寄宿處若捉寶若以寶莊
飾具若自捉教人捉當作是意若有主識者當
取作如是因緣非餘
若比丘非時入聚落不囑餘比丘者波逸提
若比丘作繩床木床足應高如來八指除入陛孔
上截竟若過者波逸提
若比丘作兜羅綿貯繩床木床大小褥成者波逸提
若比丘作骨牙角針筒刳刮成者波逸提
若比丘作尼師壇當應量作是中量者長佛二搩
手廣一搩手半更增廣長各半搩手若過截竟
波逸提
若比丘作覆瘡衣當應量作是中量者長佛四
搩手廣二搩手截竟過者波逸提
若比丘作雨浴衣當應量作是中量者長佛六搩
手廣二搩手半截竟過者波逸提
若比丘與如來等量作衣或過量作者波逸提
是中如來衣量長佛十搩手廣六搩手是謂如來
衣量
諸大德我已說九十波逸提法今問諸大德是中清淨
不 三說
諸大德是中清淨嘿然故是事如是持 九十
諸大德是四波羅提提舍尼法半月半月說戒經中來
若比丘入村中從非親里比丘尼若無病自手受食
食者是比丘應向餘比丘悔過言大德我犯可呵
法所不應為我今向大德悔過是法名悔過法
若比丘至白衣家內食是中有比丘尼指示與某甲

BD00062號　四分律比丘戒本　（20–13）

法所不應爲我今向大德悔過是法名悔過法
若比丘至白衣家内食是中有比丘尼指示與某甲
羹與某甲飯是比丘應語彼比丘尼如是言大姉
且止須比丘食竟若無一比丘語彼比丘尼如是言
大姉且止須比丘食竟是比丘應向餘比丘悔過言
大德我犯可呵法所不應爲我今向大德是法名悔過
法
若比丘先作學家羯磨若比丘於如是學家先
不受請无病自手受食食者是比丘應向餘比
丘悔過言大德我犯可呵法所不應爲我今向大
德悔過是法名悔過法
若比丘在阿蘭若迥遠有疑恐怖處若比丘在
如是阿蘭若處住先不語檀越若僧伽藍外
不受食在僧伽藍内無病自手受食食者應
向餘比丘悔過言大德我犯可呵法所不應爲
我今向大德悔過是法名悔過法
諸大德我已說四波羅提提舍尼法今問諸大
是中清淨不 三說
諸大德是中清淨嘿然故是事如是持
諸大德是衆學戒法半月半月說戒經中來
當齊整著涅槃僧應當學
當齊整著三衣應當學
不得反抄衣行入白衣舍應當學
不得反抄衣行入白舍坐應當學
不得衣纏頸入白衣舍應當學

BD00062號　四分律比丘戒本　（20–14）

不得反抄衣行入白舍坐應當學
不得衣纏頸入白衣舍應當學
不得衣纏頸入白衣舍坐應當學
不得覆頭入白衣舍應當學
不得覆頭入白衣舍坐應當學
不得跳行入白衣舍應當學
不得跳行入白衣舍入坐應當學
不得白衣舍内蹲坐應當學
不得叉腰行入白衣舍應當學
不得叉腰入白衣舍坐應當學
不得搖身行入白衣舍應當學
不得搖身行入白衣舍坐應當學
不得掉臂行入白衣舍應當學
不得掉臂行入白衣舍坐應當學
好覆身入白衣舍應當學
好覆身入白衣舍坐應當學
不得左右顧視行入白衣舍應當學 十二
不得左右顧視行入白衣舍坐應當學
靜嘿入白衣舍應當學
靜嘿入白衣舍坐應當學
不得戲笑行入白衣舍應當學
不得戲笑行入白衣舍坐應當學
用意受食應當學　平鉢受飯應當學
平鉢受羹應當學 等
以次食應當學　羹飯俱食應當學 卅
以次食應當學　不得挑鉢中而食應當學
若比丘
无病不得爲己索羹飯應當學

BD00062號　四分律比丘戒本　（20–15）

若比丘病

次食應當學　不得挑鉢中食應當學
无病不得為己索羹飯應當學
不得以飯覆羹更望得應當學
不得視比坐鉢中起嫌心應當學
當繫鉢想食應當學　不得大搏飯食應當學
不得大張口待飯食應當學　不得含食語應當學
不得搏飯擲著口中食應當學　卌
不得遺落飯食應當學　不得攻嚼飯作聲食應當學
不得頰飯食應當學　太不得噏飯食應當學
不得舌舐食應當學　不得振手食應當學
不得手把散飯食應當學　不得汙手捉食器應當學
不得洗鉢水棄白衣舍應當學
不得生草上大小便涕唾除病應當學　五十
不得淨水中大小便涕唾除病應當學
不得立大小便除病應當學
不得為反抄衣人說法除病應當學
不為得衣纏頸人說法除病應當學
不得為衣纏頸人說法除病應當學
不得為覆頭人說法除病應當學
不得為扠腰人說法除病應當學
不得為著革屣人說法除病應當學
不得為著木屐人說法除病應當學
不得為騎乘人說法除病應當學
不得佛塔內宿除病守護應當學
不得佛塔內藏財物除為堅牢故應當學
不得著革屣入佛塔中應當學
不得手提革屣入佛中應當學

不得著革屣入佛塔中應當學
不得手提革屣入佛中應當學
不得著革屣遶佛塔行應當學
不得著富羅入佛塔應當學
不得手提富羅入佛塔應當學
不得佛塔下食留草及食汙地捨去應當學
不得擔死屍塔下過應當學
不得塔下埋死屍應當學　七十　不得塔下燒死屍應當學
不得塔前燒死屍應當學
不得遶佛塔四邊燒死屍使臭氣來入應當學
不得持死人衣塔下過除為浣染香薰應當學
不得佛塔下大小便應當學　不得向塔大小便應當學
不得遶佛塔四邊大小便臭氣來入應當學
不得持佛像至大小便處應當學
不得塔下嚼楊枝應當學
不得向塔嚼楊枝應當學　八十
不得佛遶塔四邊嚼楊枝應當學
不得塔下涕唾應當學　不得向塔涕唾應當學
不得遶塔四邊涕唾應當學　不得向佛塔舒腳坐應當學
不得安佛在下房己在上房住應當學
人坐己立不得為說法除病應當學
人臥己坐不得為說法除病應當學
人在坐己在非坐不得為說法除病當應學
人在高坐己在下坐不得為說法除病應當學　九十
人在前己在後不得為說法除病應當學
人在高經行處己在下經處不得為說說法除病應當學
人在道己在非道不得為說法除病應當學

人在高經行處己在下經處不得為說說法除病應當學
人在道己在非道不得為說法除病應當學
不得攜手在道行應當學
不得上樹過人頭除時因緣應當學
不得絡囊盛鉢貫杖頭置肩上行應當學
人持杖不得為說法除病應當學
人持劍不得為說法除病應當學
人持矛不得為說法除病應當學
人持刀不得為說法除病應當學
人持蓋不得為說法除病應當學
諸大德我已說眾學戒法今問諸大德是中清
淨不三說 諸大德是中清淨嘿然故是事如是持
諸大德是七滅諍法半月半月戒經中說
若比丘有諍事起即應除滅 應與現前毗尼
當与現前毗尼 應与憶念毗尼 當与憶念毗尼
應与不癡毗尼 當与不癡毗尼 應与自言治
當与自言治 應与覓罪相 當与覓罪相
應与多人語 當与多人語 應与如草布地
當与如草布地
諸大德我已說七滅諍法今問諸大德是中清淨不三說
諸大德是中清淨 嘿然故是事如是持
諸大德我已說戒經序已說四波羅夷法已說十三僧
伽婆尸沙法已說二不定法已說三十尼薩耆波逸提
法已說九十波逸提法已說四波羅提提舍尼法已說
眾學戒法已說七滅諍法此是佛所說戒經半月半月戒
經中說 若更有餘佛法是中皆共和合 應當學
忍辱第一道 佛說无為最 出家惱他人 不名為沙門

BD00062號　四分律比丘戒本　（20-18）

經中說 若更有餘佛法是中皆共和合 應當學
忍辱第一道 佛說无為最 出家惱他人 不名為沙門
此是毗婆尸如來无所著等正覺說是戒經
譬如明眼人 能避嶮惡道 世有聰明人 能避嶮惡道
此是尸棄如來无所著等正覺說是戒經
不謗亦不嫉 當奉行於戒 飲食知止足 常樂在空閑
心定樂精進 是名諸佛教 此是毗葉羅如來无所著等正覺說是戒經
譬如蜂採花 不壞色与香 但取其味去 比丘入聚然
不違戾他事 不觀作不作 但自觀身行 若正若不正
此是拘留孫如來无所著等正覺說戒經
心莫作放逸 聖法當勤學 如是无憂愁 心定入涅槃
此是拘那含牟尼如來无所著等正覺說是戒經
一切惡莫作 當奉行諸善 自淨其志意 是則諸佛教
此是迦葉如來无所著等正覺說是戒經
善護於口言 自淨其志意 身莫作諸惡 此三業道淨
能得如是行 是大仙人道
此是釋迦牟尼如來无所著等正覺於十二年中為无
事僧說戒經 從是已後廣分別說 諸比丘自為樂法
樂沙門者 有慚有愧 樂學者 當於中學
明人能護戒 能得三種樂 名譽及利養 死得生天上
當觀如是處 有智勤護戒 戒淨有智慧 便得第一道
如過去諸佛 及以未來者 現在諸世尊 能勝一切憂
皆共尊敬戒 此是諸佛法 若有自為身 欲求於佛道
當尊重正法 此是諸佛教 七佛為世尊 滅除諸結使
說是七戒經 諸縛得解脫 已入於涅槃 諸戲永滅盡
尊行大仙說 聖賢稱譽戒 弟子之所行 入寂滅涅槃
世尊涅槃時 興起於大悲 集諸比丘眾 与如是教誡

BD00062號　四分律比丘戒本　（20-19）

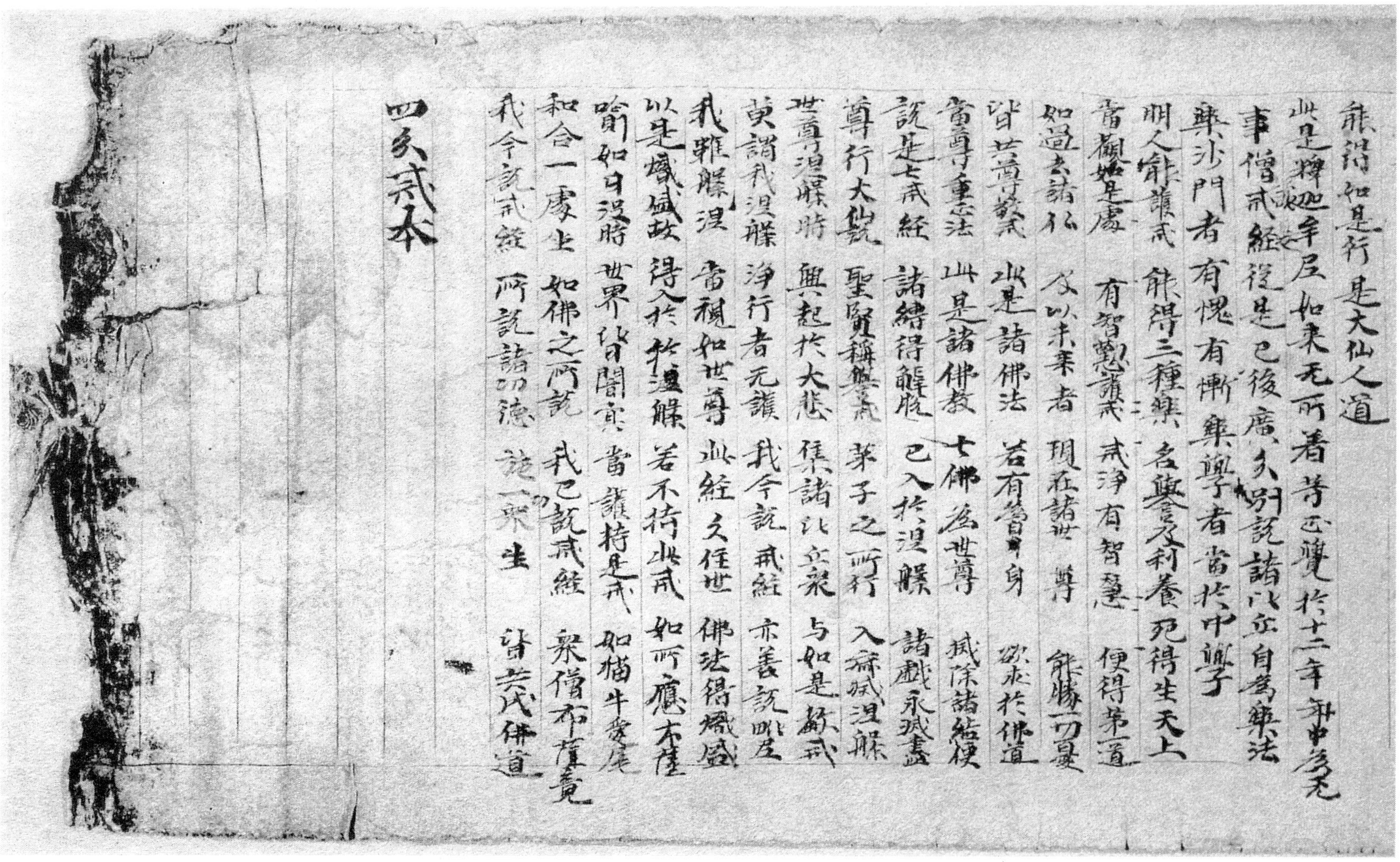

能得如是行　是大仙人道
此是釋迦牟尼如來无所著等正覺於十二年中為无
事僧說戒經從是已後廣分別說諸比丘自為樂法
樂沙門者　有慚有愧樂學者　當於中學
明人能護戒　能得三種樂　名譽及利養　死得生天上
當觀如是處　有智勤護戒　戒淨有智慧　便得第一道
如過去諸佛　及以未來者　現在諸世尊　能勝一切憂
皆共尊敬戒　此是諸佛法　若有自為身　欲求於佛道
當尊重正法　此是諸佛教　七佛為世尊　滅除諸結使
說是七戒經　諸縛得解脫　已入於涅槃　諸戲永滅盡
尊行大仙說　聖賢稱譽戒　弟子之所行　入寂滅涅槃
世尊涅槃時　興起於大悲　集諸比丘眾　与如是教誡
莫謂我涅槃　淨行者无護　我今說戒經　亦善說毗尼
我雖般涅槃　當視如世尊　此經久住世　佛法得熾盛
以是熾盛故　得入於涅槃　若不持此戒　如所應布薩
喻如日沒時　世界皆闇冥　當護持是戒　如犛牛愛尾
和合一處坐　如佛之所說　我已說戒經　眾僧布薩竟
我今說戒經　所說諸功德　施一切眾生　皆共成佛道

四分戒本

BD00062號　四分律比丘戒本　（20–20）

若　若

BD00062號背　雜寫　（1–1）

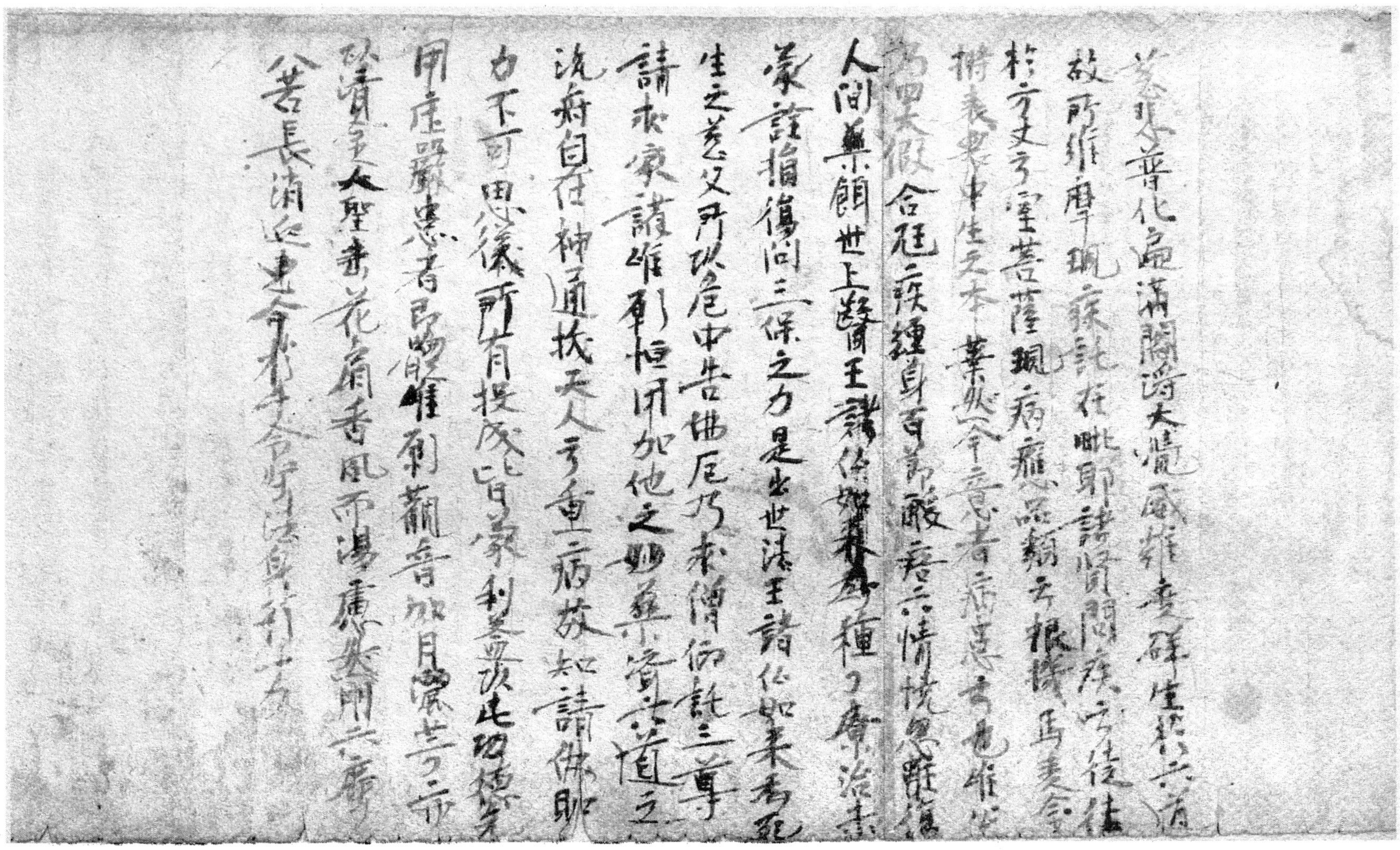

BD00062號背1　患文（擬）　　（1–1）

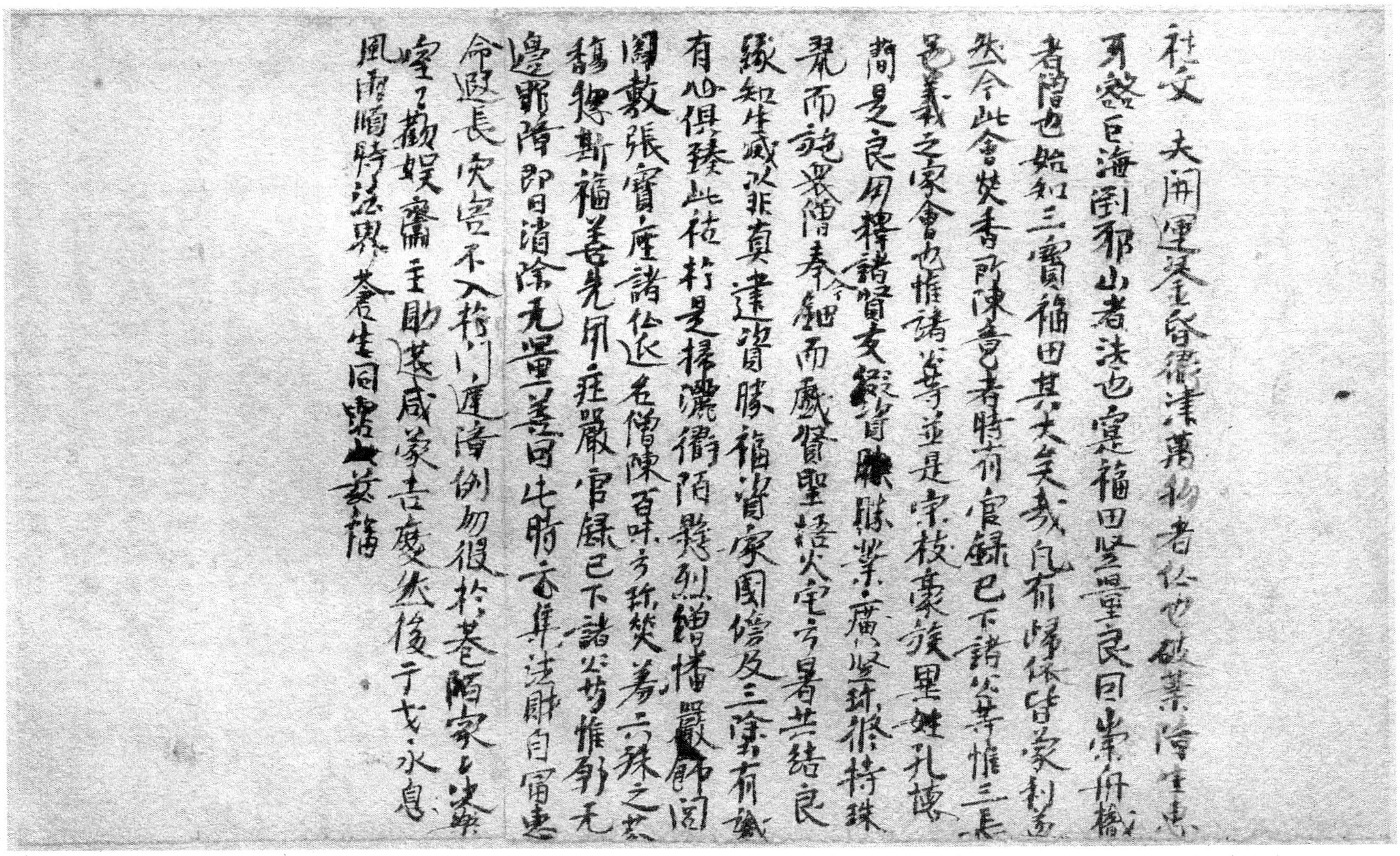

BD00062號背2　社文　　（1–1）

心尚懷憂懼 如未敢便食 若蒙佛授記 尒乃快安樂
大雄猛世尊 常欲安世間 願賜我等記 如飢須教食
尒時世尊知諸大弟子心之所念告諸比丘
是須菩提於當來世奉覲三百万億那由他
佛供養恭敬尊重讃嘆常脩梵行具菩薩
道於最後身得成為佛号曰名相如来應供
正遍知明行足善逝世間解无上士調御丈夫
天人師佛世尊劫名有寶國名寶生其土平
正頗梨為地寶樹莊嚴无諸丘墟沙礫荊棘
便利之穢寶華覆地周遍清淨其土人民皆
處寶臺珎妙樓閣聲聞弟子无量无邊𥮩數
譬喻所不能知諸菩薩衆无數千万億那由
他佛壽十二小劫正法住世二十小劫像法
亦住二十小劫其佛常處虚空為衆說法
度脱无量菩薩及聲聞衆尒時世尊欲重
宣此義而說偈言
諸比丘衆 今告汝等 皆當一心 聽我所說
我大弟子 須菩提者 當得作佛 号曰名相
當供无數 万億諸佛 隨佛所行 漸具大道
最後身得 三十二相 端正殊妙 猶如寶山
其佛國土 嚴淨第一 衆生見者 无不愛樂
佛於其中 度无量衆 其佛法中 多諸菩薩
皆悉利根 轉不退輪 彼國常以 菩薩莊嚴

BD00063號　妙法蓮華經卷三　(19–1)

其佛國土 嚴淨第一 衆生見者 无不愛樂
佛於其中 度无量衆 其佛法中 多諸菩薩
皆悉利根 轉不退輪 彼國常以 菩薩莊嚴
諸聲聞衆 不可稱數 皆得三明 具六神通
住八解脱 有大威德 其佛說法 現於无量
神通變化 不可思議 諸天人民 數如恒沙
皆共合掌 聽受佛語 其佛當壽 十二小劫
正法住世 二十小劫 像法亦住 二十小劫
尒時世尊復告諸比丘衆我今語汝是大迦
旃延於當来世以諸供具供養奉事八千億
佛恭敬尊重諸佛滅後各起塔廟高千由旬
縱廣正等五百由旬皆以金銀琉璃車𤦲馬
瑙真珠玫瑰七寶合成衆華瓔珞塗香末香
燒香繒蓋幢幡供養塔廟過是已後當復供
養二万億佛亦復如是供養是諸佛已具菩
薩道當得作佛号曰閻浮那提金光如来應
供正遍知明行足善逝世間解无上士調御
丈夫天人師佛世尊其土平正頗梨為地寶
樹莊嚴黄金為繩以界道側妙華覆地周遍
清淨見者歡喜无四惡道地獄餓鬼畜生阿
脩羅道多有天人諸聲聞衆及諸菩薩无量
万億莊嚴其國佛壽十二小劫正法住世二
十小劫像法住二十小劫尒時世尊欲重
宣此義而說偈言
諸比丘衆 皆一心聽 如我所說 真實无異

BD00063號　妙法蓮華經卷三　(19–2)

宣此義而說偈言
諸比丘衆　皆一心聽　如我所說　真實无異
是迦旃延　當以種種　妙好供具　供養諸佛
諸佛滅後　起七寶塔　亦以華香　供養舍利
其最後身　得佛智慧　成等正覺　國土清淨
度脫无量　万億衆生　皆為十方　之所供養
佛之光明　无能勝者　其佛号曰　閻浮金光
菩薩聲聞　斷一切有　无量无數　莊嚴其國
尒時世尊復告大衆我今語汝是大目揵連
當以種種供具供養八千諸佛恭敬尊重諸
佛滅後各起塔廟高千由旬縱廣正等五百
由旬以金銀琉璃車𤦲馬瑙真珠玫瑰七寶
合成衆華瓔珞塗香末香燒香繒蓋幢幡
以用供養過是已後當復供養二百万億諸佛
亦復如是當得成佛号曰多摩羅跋栴檀香
如來應供正遍知明行足善逝世間解无上
士調御丈夫天人師佛世尊劫名喜滿國名
意樂其土平正頗梨為地寶樹莊嚴散真珠
華周遍清淨見者歡喜多諸天人菩薩聲
聞其數无量佛壽二十四小劫正法住世四十
小劫像法亦住四十小劫尒時世尊欲重宣
此義而說偈言
我此弟子　大目揵連　捨是身已　得見八千
二百万億　諸佛世尊　為佛道故　供養恭敬

我此弟子　大目揵連　捨是身已　得見八千
二百万億　諸佛世尊　為佛道故　供養恭敬
於諸佛所　常脩梵行　於无量劫　奉持佛法
諸佛滅後　起七寶塔　長表金剎　華香伎樂
而以供養　諸佛塔廟　漸漸具足　菩薩道已
於意樂國　而得作佛　号多摩羅　栴檀之香
其佛壽命　二十四劫　常為天人　演說佛道
聲聞无量　如恒河沙　三明六通　有大威德
菩薩无數　志固精進　於佛智慧　皆不退轉
佛滅度後　正法當住　四十小劫　像法亦尒
我諸弟子　威德具足　其數五百　皆當授記
於未來世　咸得成佛　我及汝等　宿世因緣
吾今當說　汝等善聽
妙法蓮華經化城喻品第七
佛告諸比丘乃往過去无量无邊不可思議
阿僧祇劫尒時有佛名大通智勝如來應供
正遍知明行足善逝世間解无上士調御丈
夫天人師佛世尊其國名好成劫名大相諸
比丘彼佛滅度已來甚大久遠譬如三千大
千世界所有地種假使有人磨以為墨過於
東方千國土乃下一點大如微塵又過千國
土復下一點如是展轉盡地種墨於汝等意
云何是諸國土若筭師若筭師弟子能得
際知其數不不也世尊諸比丘是人所經國

際知其數不不也世尊諸比丘是人所經國
土若點不點盡抹為塵一塵一劫彼佛滅度
已來復過是數无量无邊百千万億阿僧祇
劫我以如來知見力故觀彼久遠猶若今日
尒時世尊欲重宣此義而說偈言
我念過去世 无量无邊劫 有佛兩足尊 名大通智勝
如人以力磨 三千大千土 盡此諸地種 皆悉以為墨
過於千國土 乃下一塵點 如是展轉點 盡此諸塵墨
如是諸國土 點與不點等 復盡抹為塵 一塵為一劫
此諸微塵數 其劫復過是 彼佛滅度來 如是无量劫
如來无导智 知彼佛滅度 及聲聞菩薩 如見今滅度
諸比丘當知 佛智淨微妙 无漏无所导 通達无量劫
佛告諸比丘大通智勝佛壽五百四十万億
那由他劫其佛本坐道場破魔軍已垂得阿
耨多羅三藐三菩提而諸佛法不現在前如
是一小劫乃至十小劫結跏趺坐身心不動而
諸佛法猶不在前尒時忉利諸天先為彼
佛於菩提樹下敷師子座高一由旬佛於此
坐當得阿耨多羅三藐三菩提適坐此座時
諸梵天王雨衆天華面百由旬香風時來吹
去萎華更雨新者如是不絕滿十小劫供養
於佛乃至滅度常雨此華四王諸天為供養
佛常擊天鼓其餘諸天作天妓樂滿十小劫
至于滅度亦復如是諸比丘大通智勝佛過

BD00063號 妙法蓮華經卷三 (19-5)

佛常擊天鼓其餘諸天作天妓樂滿十小劫
至于滅度亦復如是諸比丘大通智勝佛過
十小劫諸佛之法乃現在前成阿耨多羅三
藐三菩提其佛未出家時有十六子其苐一
者名曰智積諸子各有種種珎異玩好之
具聞父得成阿耨多羅三藐三菩提皆捨所
珎往詣佛所諸母涕泣而隨送之其祖轉輪聖
王與一百大臣及餘百千万億人民皆共圍
繞隨至道場咸欲親近大通智勝如來供養
恭敬尊重讚歎到已頭面礼足繞佛畢已一
心合掌瞻仰世尊以偈頌曰
大威德世尊 為度衆生故 於无量億劫 尒乃得成佛
諸願已具足 善哉吉无上 世尊甚希有 一坐十小劫
身體及手足 靜然安不動 其心常憺怕 未曾有散亂
究竟永寂滅 安住无漏法 今者見世尊 安隱成佛道
我等得善利 稱慶大歡喜 衆生常苦惱 盲瞑无導師
不識苦盡道 不知求解脫 長夜增惡趣 減損諸天衆
從冥入於冥 永不聞佛名 今佛得最上 安隱无漏道
我等及天人 為得最大利 是故咸稽首 歸命无上尊
尒時十六王子偈讚佛已勸請世尊轉於法
輪咸作是言世尊說法多所安隱憐愍饒益
諸天人民重說偈言
世雄无等倫 百福自莊嚴 得无上智慧 願為世間說
度脫於我等 及諸衆生類 為分別顯示 令得是智慧
若我等得佛 衆生亦復然 世尊知衆生 深心之所念

BD00063號 妙法蓮華經卷三 (19-6)

度脫於我等 及諸衆生類 爲分別顯示 令得是智慧
若我等得佛 衆生亦復然 世尊知衆生 深心之所念
亦知所行道 又知智慧力 欲樂及脩福 宿命所行業
世尊悉知已 當轉无上輪
佛告諸比丘大通智勝佛得阿耨多羅三藐
三菩提時十方各五百万億諸佛世界六種
震動其國中間幽冥之處日月威光所不能
照而皆大明其中衆生各得相見咸作是言
此中云何忽生衆生又其國界諸天宮殿乃
至梵宮六種震動大光普照遍滿世界勝諸
天光尒時東方五百万億諸國土中梵天宮殿
光明照曜倍於常明諸梵天王各作是念今
者宮殿光明昔所未有以何因緣而現此相是
時諸梵天王即各相詣共議此事時彼衆中有
一大梵天王名救一切爲諸梵衆而說偈言
我等諸宮殿 光明昔未有 此是何因緣 宜各共求之
爲大德天生 爲佛出世間 而此大光明 遍照於十方
尒時五百万億國土諸梵天王與宮殿俱各
以衣裓盛諸天華共詣西方推尋是相見大
通智勝如來處于道場菩提樹下坐師子座
諸天龍王乾闥婆緊那羅摩睺羅伽人非人
等恭敬圍繞及見十六王子請佛轉法輪即
時諸梵天王頭面礼佛繞百千帀即以天華
而散佛上其所散華如須弥山并以供養佛
菩提樹其菩提樹高十由旬華供養已各以

而散佛上其所散華如須弥山并以供養佛
菩提樹其菩提樹高十由旬華供養已各以
宮殿奉上彼佛而作是言唯見哀愍饒益我
等所獻宮殿願垂納處時諸梵天王即於佛
前一心同聲以偈頌曰
世尊甚希有 難可得值遇 具无量功德 能救護一切
天人之大師 哀愍於世間 十方諸衆生 普皆蒙饒益
我等所從來 五百万億國 捨深禪定樂 爲供養佛故
我等先世福 宮殿甚嚴飾 今以奉世尊 唯願哀納受
尒時諸梵天王偈讚佛已各作是言唯願世
尊轉於法輪度脫衆生開涅槃道時諸梵
天王一心同聲而說偈言
世雄兩足尊 唯願演說法 以大慈悲力 度苦惱衆生
尒時大通智勝如來嘿然許之又諸比丘東
南方五百万億國土諸大梵王各自見宮殿
光明照曜昔所未有歡喜踊躍生希有心即
各相詣共議此事時彼衆中有一大梵天王
名曰大悲爲諸梵衆而說偈言
是事何因緣 而現如此相 我等諸宮殿 光明昔未有
爲大德天生 爲佛出世間 未曾見此相 當共一心求
過千万億土 尋光共推之 多是佛出世 度脫苦衆生
尒時五百万億諸梵天王與宮殿俱各以衣
裓盛諸天華共詣西北方推尋是相見大通
智勝如來處于道場菩提樹下坐師子座諸

裓盛諸天華共詣西北方推尋是相見大通
智勝如來處于道場菩提樹下坐師子座諸
天龍王乾闥婆緊那羅摩睺羅伽人非人等
恭敬圍繞及見十六王子請佛轉法輪時諸
梵天王頭面礼佛繞百千帀即以天華而散
佛上所散之華如須弥山并以供養佛菩提
樹華供養已各以宮殿奉上彼佛而作是言
唯見哀愍饒益我等所獻宮殿願垂納受尒
時諸梵天王即於佛前一心同聲以偈頌曰
聖主天中王　迦陵頻伽聲　哀愍衆生者　我等今敬礼
世尊甚希有　久遠乃一現　一百八十劫　空過无有佛
三惡道充滿　諸天衆減少　今佛出於世　為衆生作眼
世間所歸趣　救護於一切　為衆生之父　哀愍饒益者
我等宿福慶　今得值世尊
尒時梵天王偈讚佛已各作是言唯願世
尊哀愍一切轉於法輪度脫衆生時諸梵天
王一心同聲而說偈言
大聖轉法輪　顯示諸法相　度苦惱衆生　令得大歡喜
衆生聞此法　得道若生天　諸惡道減少　忍善者增益
尒時大通智勝如來默然許之又諸比丘南
方五百万億國土諸大梵王各自見宮殿光
明照曜昔所未有歡喜踊躍生希有心即各
相詣共議此事以何因緣我等宮殿有此光
曜而彼衆中有一大梵天王名曰妙法為諸
梵衆而說偈言

BD00063號　妙法蓮華經卷三　(19–9)

曜而彼衆中有一大梵天王名曰妙法為諸
梵衆而說偈言
我等諸宮殿　光明甚威曜　此非无因緣　是相宜求之
過於百千劫　未曾見是相　為大德天生　為佛出世間
尒時五百万億諸梵天王與宮殿俱各以衣
裓盛諸天華共詣北方推尋是相見大通智
勝如來處于道場菩提樹下坐師子座諸天
龍王乾闥婆緊那羅摩睺羅伽人非人等恭
敬圍繞及見十六王子請佛轉法輪時諸梵
天王頭面礼佛繞百千帀即以天華而散佛
上所散之華如須弥山并以供養佛菩提樹
華供養已各以宮殿奉上彼佛而作是言唯
見哀愍饒益我等所獻宮殿願垂納受尒時
諸梵天王即於佛前一心同聲以偈頌曰
世尊甚難見　破諸煩惱者　過百三十劫　今乃得一見
諸飢渴衆生　以法雨充滿　昔所未曾覩　无量智慧者
如優曇鉢華　今日乃值遇　我等諸宮殿　蒙光故嚴飾
世尊大慈悲　唯願垂納受
尒時諸梵天王偈讚佛已各作是言唯願世
尊轉於法輪令一切世間諸天魔梵沙門婆
羅門皆獲安隱而得度脫時諸梵天王一心
同聲以偈頌曰
唯願天人尊　轉无上法輪　擊于大法鼓　而吹大法螺
普雨大法雨　度无量衆生　我等咸歸請　當演深遠音

BD00063號　妙法蓮華經卷三　(19–10)

唯願天人尊　轉无上法輪　擊于大法鼓　而吹大法螺
普雨大法雨　度无量衆生　我等咸歸請　當演深遠音
尒時大通智勝如来嘿然許之西南方乃至
下方亦復如是尒時上方五百万億國土諸
大梵王皆悉自覩所止宮殿光明威曜昔所
未有歡喜踊躍生希有心即各相詣共議此
事以何因緣我等宮殿有斯光明時彼衆中
有一大梵天王名曰尸棄為諸梵衆而說偈言
今以何因緣　我等諸宮殿　威德光明曜　嚴飾未曾有
如是之妙相　昔所未聞見　為大德天生　為佛出世間
尒時五百万億諸梵天王與宮殿俱各以衣
裓盛諸天華共詣下方推尋是相見大通智
勝如来處于道場菩提樹下坐師子座諸天
龍王乾闥婆緊那羅摩睺羅伽人非人等恭
敬圍繞及見十六王子請佛轉法輪時諸梵
天王頭面礼佛繞百千帀即以天華而散佛
上所散之華如須弥山并以供養佛菩提樹
華供養已各以宮殿奉上彼佛而作是言唯
見哀愍饒益我等所獻宮殿願垂納處時諸
梵天王即於佛前一心同聲以偈頌曰
善哉見諸佛　救世之聖尊　能於三界獄　勉出諸衆生
普智天人尊　哀愍羣萌類　能開甘露門　廣度於一切
於昔无量劫　空過无有佛　世尊未出時　十方常闇冥
三惡道增長　阿脩羅亦盛　諸天衆轉減　死多墮惡道
不從佛聞法　常行不善事　色力及智慧　斯等皆減少

三惡道增長　阿脩羅亦盛　諸天衆轉減　死多墮惡道
不從佛聞法　常行不善事　色力及智慧　斯等皆減少
罪業因緣故　失樂及樂想　住於邪見法　不識善儀則
不蒙佛所化　常墮於惡道
佛為世間眼　久遠時乃出　哀愍諸衆生　故現於世間
超出成正覺　我等甚欣慶　及餘一切衆　喜歎未曾有
我等諸宮殿　蒙光故嚴飾　今以奉世尊　唯垂哀納受
願以此功德　普及於一切　我等與衆生　皆共成佛道
尒時五百万億諸梵天王偈讚佛已各白佛
言唯願世尊轉於法輪多所安隱多所度脫
時諸梵天王而說偈言
世尊轉法輪　擊甘露法鼓　度苦惱衆生　開示涅槃道
唯願受我請　以大微妙音　哀愍而敷演　无量劫習法
尒時大通智勝如来受十方諸梵天王及十
六王子請即時三轉十二行法輪若沙門婆
羅門若天魔梵及餘世間所不能轉謂是
苦是苦集是苦滅是苦滅道及廣說十二因
緣法无明緣行行緣識識緣名色名色緣六入
六入緣觸觸緣受受緣愛愛緣取取緣有有
緣生生緣老死憂悲苦惱无明滅則行滅行
滅則識滅識滅則名色滅名色滅則六入滅
六入滅則觸滅觸滅則受滅受滅則愛滅愛
滅則取滅取滅則有滅有滅則生滅生滅則
老死憂悲苦惱滅佛於天人大衆之中說是
法時六百万億那由他人以不受一切法故而

老死憂悲苦惱滅佛於天人大衆之中說是
法時六百万億那由他人以不受一切法故而
於諸漏心得解脫皆得深妙禪定三明六
通具八解脫第二第三第四說法時千万億
恒河沙那由他等衆生亦以不受一切法故
而於諸漏心得解脫從是已後諸聲聞衆无
量无邊不可稱數尒時十六王子皆以童子
出家而爲沙弥諸根通利智慧明了已曾供
養百千万億諸佛淨脩梵行求阿耨多羅三
藐三菩提俱白佛言世尊是諸无量千万
億大德聲聞皆已成就世尊亦當爲我等說
阿耨多羅三藐三菩提法我等聞已皆共脩學
世尊我等志願如來知見深心所念佛自證
知尒時轉輪聖王所將衆中八万億人見十
六王子出家亦求出家王即聽許尒時彼佛
受沙弥請過二万劫已乃於四衆之中說是
大乘經名妙法蓮華教菩薩法佛所護念說
是經已十六沙弥爲阿耨多羅三藐三菩提
故皆共受持諷誦通利說是經時十六菩薩
沙弥皆悉信受聲聞衆中亦有信解其餘衆
生千万億種皆生疑惑佛說是經於八千劫
未曾休廢說此經已即入靜室住於禪定八
万四千劫是時十六菩薩沙弥知佛入室寂
然禪定各昇法座亦於八万四千劫爲四部

BD00063號　妙法蓮華經卷三　（19–13）

万四千劫是時十六菩薩沙弥知佛入室寂
然禪定各昇法座亦於八万四千劫爲四部
衆廣說分別妙法華經一一皆度六百万億
那由他恒河沙等衆生示教利喜令發阿耨
多羅三藐三菩提心大通智勝佛過八万四
千劫已從三昧起往詣法座安詳而坐普告
大衆是十六菩薩沙弥甚爲希有諸根通利
智慧明了已曾供養无量千万億數諸佛於
諸佛所常脩梵行受持佛智開示衆生令入
其中汝等皆當數數親近而供養之所以者
何若聲聞辟支佛及諸菩薩能信是十六菩
薩所說經法受持不毀者是人皆當得阿耨
多羅三藐三菩提如來之慧佛告諸比丘是
十六菩薩常樂說是妙法蓮華經一一菩薩
所化六百万億那由他恒河沙等衆生世世
所生與菩薩俱從其聞法悉皆信解以此因
緣得值四万億諸佛世尊于今不盡諸比丘
我今語汝彼佛弟子十六沙弥今皆得阿耨
多羅三藐三菩提於十方國土現在說法有
无量百千万億菩薩聲聞以爲眷屬其二沙
弥東方作佛一名阿閦在歡喜國二名須弥
頂東南方二佛一名師子音二名師子相南
方二佛一名虛空住二名常滅西南方二佛
一名帝相二名梵相西方二佛一名阿弥陀
二名度一切世間苦惱西北方二佛一名

BD00063號　妙法蓮華經卷三　（19–14）

一名常相二名梵相西方二佛一名阿弥陁
二名度一切世間苦惱西北方二佛一名多
摩羅跋旃檀香神通二名須弥相北方二佛
一名雲自在二名雲自在王東北方佛名壞一
切世間怖畏第十六我釋迦牟尼佛於娑
婆國土成阿耨多羅三藐三菩提諸比丘我
等為沙弥時各各教化无量百千万億恒河
沙等衆生從我聞法為阿耨多羅三藐三菩
提此諸衆生于今有住聲聞地者我常教化
阿耨多羅三藐三菩提是諸人等應以是法
漸入佛道所以者何如来智慧難信難解尒
時所化无量恒河沙等衆生者汝等諸比丘
及我滅度後未来世中聲聞弟子是也我滅
度後復有弟子不聞是經不知不覺菩薩所
行自於所得功德生滅度想當入涅槃我於
餘國作佛更有異名是人雖生滅度之想入
於涅槃而於彼土求佛智慧得聞是經唯以
佛乘而得滅度更无餘乘除諸如来方便說
法諸比丘若如来自知涅槃時到衆又清淨
信解堅固了達空法深入禪定便集諸菩薩
及聲聞衆為說是經世間无有二乘而得滅
度唯一佛乘得滅度耳比丘當知如来方便
深入衆生之性知其志樂小法深着五欲為
是等故說於涅槃是人若聞則便信受譬如

BD00063號　妙法蓮華經卷三　(19–15)

深入衆生之性知其志樂小法深着五欲為
是等故說於涅槃是人若聞則便信受譬如
五百由旬險難悪道曠絶无人怖畏之處若
有多衆欲過此道至珎寶處有一導師聽慧
明達善知險道通塞之相將導衆人欲過此
難所將人衆中路懈退白導師言我等疲極
而復怖畏不能復進前路猶遠今欲退還導
師多諸方便而作是念此等可愍云何捨大
珎寶而欲退還作是念已以方便力於險道
中過三百由旬化作一城告衆人言汝等勿
怖莫得退還今此大城可於中止隨意所作
若入是城快得安隱若能前至寶所亦可得
去是時疲極之衆心大歡喜嘆未曾有我等
今者免斯悪道快得安隱於是衆人前入化
城生已度想生安隱想尒時導師知此人衆
既得止息无復疲惓即滅化城語衆人言汝
等去来寶處在近向者大城我所化作為止
息耳諸比丘如来亦復如是今為汝等作大
導師知諸生死煩惱悪道險難長遠應去應
度若衆生但聞一佛乘者則不欲見佛不欲
親近便作是念佛道長遠久受勤苦乃可得
成佛知是心怯弱下劣以方便力而於中道為
止息故說二涅槃若衆生住於二地如来
尒時即便為說汝等所作未辦汝所住地近
於佛慧當觀察籌量所得涅槃非真實也但

BD00063號　妙法蓮華經卷三　(19–16)

尒時即便爲說言汝等去來寶處在近
於佛慧當觀察籌量所得涅槃非真實也但
是如来方便之力於一佛乘分别說三如彼
導師爲止息故化作大城既知息已而告之
言寶處在近此城非實我化作耳尒時世
尊欲重宣此義而說偈言
大通智勝佛 十劫坐道場 佛法不現前 不得成佛道
諸天神龍王 阿脩羅衆等 常雨於天華 以供養彼佛
諸天擊天鼓 并作衆伎樂 香風吹萎華 更雨新好者
過十小劫已 乃得成佛道 諸天及世人 心皆懷踊躍
彼佛十六子 皆與其眷屬 千万億圍繞 俱行至佛所
頭面礼佛足 而請轉法輪 聖師子法雨 充我及一切
世尊甚難值 久遠時一現 爲覺悟群生 震動於一切
東方諸世界 五百万億國 梵宫殿光曜 昔所未曾有
諸梵見此相 尋来至佛所 散華以供養 并奉上宫殿
請佛轉法輪 以偈而讃嘆 佛知時未至 受請嘿然坐
三方及四維 上下亦復尒 散華奉宫殿 請佛轉法輪
世尊甚難值 願以大慈悲 廣開甘露門 轉无上法輪
无量慧世尊 受彼衆人請 爲宣種種法 四諦十二緣
无明至老死 皆從生緣有 如是衆過患 汝等應當知
宣暢是法時 六百万億姟 得盡諸苦際 皆成阿羅漢
第二說法時 千万恒沙衆 於諸法不受 亦得阿羅漢
從是後得道 其數无有量 万億劫筭數 不能得其邊
時十六王子 出家作沙弥 皆共請彼佛 演說大乘法
我等及營從 皆當成佛道 願得如世尊 慧眼第一淨

時十六王子 出家作沙弥 皆共請彼佛 演說大乘法
我等及營從 皆當成佛道 願得如世尊 慧眼第一淨
佛知童子心 宿世之所行 以无量因緣 種種諸譬喻
說六波羅蜜 及諸神通事 分别真實法 菩薩所行道
說是法華經 如恒河沙偈
彼佛說經已 静室入禪定 一心一處坐 八万四千劫
是諸沙弥等 知佛禪未出 爲无量億衆 說佛无上慧
各各坐法座 說是大乘經 於佛宴寂後 宣暢助法化
一一沙弥等 所度諸衆生 有六百万億 恒河沙等衆
彼佛滅度後 是諸聞法者 在在諸佛土 常與師俱生
是十六沙弥 具足行佛道 今現在十方 各得成正覺
尒時聞法者 各在諸佛所 其有住聲聞 漸教以佛道
我在十六數 曾亦爲汝說 是故以方便 引汝趣佛慧
以是本因緣 今說法華經 令汝入佛道 慎勿懷驚懼
譬如險惡道 逈絶多毒獸 又復无水草 人所怖畏處
无數千万衆 欲過此險道 其路甚曠遠 經五百由旬
時有一導師 强識有智慧 明了心决定 在險濟衆難
衆人皆疲惓 而白導師言 我等今頓乏 於此欲退還
導師作是念 此輩甚可愍 如何欲退還 而失大珎寶
尋時思方便 當設神通力 化作大城郭 莊嚴諸舍宅
周帀有園林 渠流及浴池 重門高樓閣 男女皆充滿
即作是化已 慰衆言勿懼 汝等入此城 各可隨所樂
諸人既入城 心皆大歡喜 皆生安隱想 自謂已得度
導師知息已 集衆而告言 汝等當前進 此是化城耳
我見汝疲極 中道欲退還 故以方便力 權化作此城

譬如險惡道 迥絶多毒獸 又復无水草 人所怖畏處
无數千万衆 欲過此險道 其路甚曠遠 經五百由旬
時有一導師 強識有智慧 明了心決定 在險濟衆難
衆人皆疲惓 而白導師言 我等今頓乏 於此欲退還
導師作是念 此輩甚可愍 如何欲退還 而失大珍寶
尋時思方便 當設神通力 化作大城郭 莊嚴諸舍宅
周帀有園林 渠流及浴池 重門高樓閣 男女皆充滿
即作是化已 慰衆言勿懼 汝等入此城 各可隨所樂
諸人既入城 心皆大歡喜 皆生安隱想 自謂已得度
導師知息已 集衆而告言 汝等當前進 此是化城耳
我見汝疲極 中道欲退還 故以方便力 權化作此城
汝今勤精進 當共至寶所
我亦復如是 為一切導師 見諸求道者 中路而懈廢
不能度生死 煩惱諸險道 故以方便力 為息說涅槃
言汝等苦滅 所作皆已辦
既知到涅槃 皆得阿羅漢 尒乃集大衆 為說真實法
諸佛方便力 分別說三乘 唯有一佛乘 息處故說二
今為汝說實 汝所得非滅 為佛一切智 當發大精進
汝證一切智 十力等佛法 具三十二相 乃是真實滅
諸佛之導師 為息說涅槃 既知是息已 引入於佛慧

妙法蓮華經卷第三

BD00063號　妙法蓮華經卷三　（19–19）

復次常精進若善男子善女人受持是經若
讀若誦若解說若書寫得千二百舌功德若
好若醜若美不美及諸苦澁物在其舌根皆
變成上味如天甘露无不美者若以舌根於大
衆中有所演說出深妙聲能入其心皆令歡
喜快樂又諸天子天女釋梵諸天聞是深妙
音聲有所演說言論次第皆悉來聽及諸龍
龍女夜叉夜叉女乾闥婆乾闥婆女阿脩羅阿
脩羅女迦樓羅迦樓羅女緊那羅緊那羅女
摩睺羅伽摩睺羅伽女為聽法故皆來親近
恭敬供養及比丘比丘尼優婆塞優婆夷國
王王子群臣眷屬小轉輪王大轉輪王七寶千
子內外眷屬乘其宮殿俱來聽法以是菩
薩善說法故婆羅門居士國內人民盡其形
壽隨侍供養又諸聲聞辟支佛菩薩諸佛
常樂見之是人所在方向諸佛皆向其處說
法悉能受持一切佛法又能出於深妙法音尒
時世尊欲重宣此義而說偈言

BD00064號　妙法蓮華經卷六　（22–1）

常樂見之是人所在方面諸佛皆向其處說
法悉能受持一切佛法又能出於深妙法音尒
時世尊欲重宣此義而說偈言
是人舌根淨　終不受惡味　其有所食噉　悉皆成甘露
以深淨妙音　於大眾說法　以諸因緣喻　引導眾生心
聞者皆歡喜　設諸上供養　諸天龍夜叉　及阿脩羅等
皆以恭敬心　而共來聽法　是說法之人　若欲以妙音
遍滿三千界　隨意即能至　大小轉輪王　及千子眷屬
合掌恭敬心　常來聽受法　諸天龍夜叉　羅剎毗舍闍
亦以歡喜心　常樂來供養　梵天王魔王　自在大自在
如是諸天眾　常來至其所　諸佛及弟子　聞其說法音
常念而守護　或時為現身
復次常精進若善男子善女人受持是經若
讀若誦若解說若書寫得八百身功德得
清淨身如淨琉璃眾生喜見其身淨故三千大
千世界眾生生時死時上下好醜生善處惡處
悉於中現及鐵圍山大鐵圍山彌樓山摩訶彌
樓山等諸山及其中眾生悉於中現下至阿鼻
地獄上至有頂所有及眾生悉於中現若聲
聞辟支佛菩薩諸佛說法皆於身中現其色
像尒時世尊欲重宣此義而說偈言

BD00064號　妙法蓮華經卷六　（22-2）

地獄上至有頂所有及眾生悉於中現若聲
聞辟支佛菩薩諸佛說法皆於身中現其色
像尒時世尊欲重宣此義而說偈言
若持法華者　其身甚清淨　如彼淨琉璃　眾生皆喜見
又如淨明鏡　悉見諸色像　菩薩於淨身　皆見世所有
唯獨自明了　餘人所不見　三千世界中　一切諸群萌
天人阿脩羅　地獄鬼畜生　如是諸色像　皆於身中現
諸天等宮殿　乃至於有頂　鐵圍及彌樓　摩訶彌樓山
諸大海水等　皆於身中現　諸佛及聲聞　佛子菩薩等
若獨若在眾　說法悉皆現　雖未得无漏　法性之妙身
以清淨常體　一切於中現
復次常精進若善男子善女人如來滅後受
持是經若讀若誦若解說若書寫得千二百
意功德以是清淨意根乃至聞一偈一句通
達无量无邊之義解是義已能演說一句一
偈至於一月四月乃至一歲諸所說法隨其
義趣皆與實相不相違背若說俗間經書治
世語言資生業等皆順正法三千大千世界
六趣眾生心之所行心所動作心所戲論皆悉
知之雖未得无漏智慧而其意根清淨如此是
人有所思惟籌量言說皆是佛法无不真實
亦是先佛經中所說尒時世尊欲重宣此義

BD00064號　妙法蓮華經卷六　（22-3）

人有所思惟籌量言說皆是佛法无不真實
亦是先佛經中所說　尒時世尊欲重宣此義
而說偈言
是人意清淨　明利无穢濁　以此妙意根　知上中下法
乃至聞一偈　通達无量義　次第如法說　月四月至歲
是世界內外　一切諸衆生　若天龍及人　夜叉鬼神等
其在六趣中　所念若干種　持法華之報　一時皆悉知
十方无數佛　百福莊嚴相　為衆生說法　悉聞能受持
思惟无量義　說法亦无量　終始不忘錯　以持法華故
悉知諸法相　隨義識次第　達名字語言　如所知演說
此人有所說　皆是先佛法　以演此法故　於衆无所畏
持法華經者　意根淨若斯　雖未得无漏　先有如是相
是人持此經　安住希有地　為一切衆生　歡喜而愛敬
能以千万種　善巧之語言　分別而說法　持法華經故
妙法蓮華經常不輕菩薩品第二十
尒時佛告得大勢菩薩摩訶薩汝今當知若比
丘比丘尼優婆塞優婆夷持法華經者若有
惡口罵詈誹謗獲大罪報如前所說其所得
功德如向所說眼耳鼻舌身意清淨得大勢
乃往古昔過无量无邊不可思議阿僧祇劫
有佛名威音王如來應供正遍知明行足善

BD00064號　妙法蓮華經卷六　（22–4）

乃往古昔過无量无邊不可思議阿僧祇劫
有佛名威音王如來應供正遍知明行足善
逝世間解无上士調御丈夫天人師佛世尊劫
名離衰國名大成其威音王佛於彼世中為
天人阿脩羅說法為求聲聞者說應四諦
法度生老病死究竟涅槃為求辟支佛者說
應十二因緣法為諸菩薩因阿耨多羅三
藐三菩提說應六波羅蜜法究竟佛慧得
大勢是威音王佛壽四十万億那由恒河沙
劫正法住世劫數如一閻浮提微塵像法住
世劫數如四天下微塵其佛饒益衆生已然後
滅度正法像法滅盡之後於此國土復有佛
出亦号威音王如來應供正遍知明行足善
逝世間解无上士調御丈夫天人師佛世尊如
是次第有二万億佛皆同一号最初威音王
如來既已滅度正法滅後於像法中增上慢比
丘有大勢力尒時有一菩薩比丘名常不輕得
大勢以何因緣名常不輕是比丘凡有所見若
比丘比丘尼優婆塞優婆夷皆悉礼拜讚歎而
作是言我深敬汝等不敢輕慢所以者何汝
等皆行菩薩道當得作佛而是比丘不專讀

BD00064號　妙法蓮華經卷六　（22–5）

作是言我深敬汝等不敢輕慢所以者何汝
等皆行菩薩道當得作佛而是比丘不專讀
誦經典但行禮拜乃至遠見四衆亦復故往禮
拜讚歎而作是言我不敢輕於汝等汝等皆
當作佛故四衆之中有生瞋恚心不淨者惡口
罵詈言是無智比丘從何所來自言我不輕
汝而與我等受記當得作佛我等不用如是
虛妄受記如此經歷多年常被罵詈不生瞋恚
常作是言汝當作佛說是語時衆人或以杖木
瓦石而打擲之避走遠住猶高聲唱言我不敢
輕於汝等汝等皆當作佛以其常作是語故增上
慢比丘比丘尼優婆塞優婆夷號之為常不輕
是比丘臨欲終時於虛空中具聞威音王佛先所
說法華經二十千万億偈悉能受持即得如上
眼根清淨耳鼻舌身意根清淨得是六根清
淨已更增壽命二百万億那由他歲廣為人說
是法華經於時增上慢四衆比丘比丘尼優
婆塞優婆夷輕賤是人為作不輕名者見其
得大神通力樂說辯力大善寂力聞其所說
皆信伏隨從是菩薩復化千万億衆令住
阿耨多羅三藐三菩提命終之後得值二千

BD00064號　妙法蓮華經卷六

（22–6）

皆信伏隨從是菩薩復化千万億衆令住
阿耨多羅三藐三菩提命終之後得值二千
億佛皆號日月燈明於其法中說是法華經
以是因緣復值二千億佛同號雲自在燈王於
此諸佛法中受持讀誦為諸四衆說此經典故
得是常眼清淨耳鼻舌身意諸根清淨於四
衆中說法心無所畏得大勢是常不輕菩薩
摩訶薩供養如是若干諸佛恭敬尊重讚歎
諸善根於後復值千万億佛亦於諸佛法中說
是經典功德成就當得作佛得大勢於意云
何爾時常不輕菩薩豈異人乎則我身是若
我於宿世不受持讀誦此經為他人說者不能
疾得阿耨多羅三藐三菩提我於先佛所受
持讀誦此經為人說故疾得阿耨多羅三藐
三菩提得大勢彼時四衆比丘比丘尼優婆塞
優婆夷以瞋恚意輕賤我故二百億劫常不值
佛不聞法不見僧千劫於阿鼻地獄受大苦惱
畢是罪已復遇常不輕菩薩教化阿耨多羅
三藐三菩提得大勢於汝意云何爾時四衆常
輕菩薩者豈異人乎今此會中跋陀婆羅等
五百菩薩師子月等五百比丘尼思佛等五百

BD00064號　妙法蓮華經卷六

（22–7）

輕菩薩者豈異人乎今此會中跋陀婆羅等
五百菩薩師子月等五百比丘尼思佛等五百
優婆塞皆於阿耨多羅三藐三菩提不退轉
者是得大勢當知是法華經大饒益諸菩薩
摩訶薩能令至於阿耨多羅三藐三菩提是
故諸菩薩摩訶薩於如來滅後常應受持
讀誦解說書寫是經尒時世尊欲重宣此義而
說偈言
過去有佛　号威音王　神智无量　將導一切
天人龍神　所共供養　是佛滅後　法欲盡時
有一菩薩　名常不輕　時諸四眾　計著於法
不輕菩薩　往到其所　而語之言　我不輕汝
汝等行道　皆當作佛　諸人聞已　輕毀罵詈
不輕菩薩　能忍受之　其罪畢已　臨命終時
得聞此經　六根清淨　神通力故　增益壽命
復為諸人　廣說是經　諸著法眾　皆蒙菩薩
教化成就　令住佛道　不輕命終　值无數佛
說是經故　得无量福　漸具功德　疾成佛道
彼時不輕　則我身是　時四部眾　著法之者
聞不輕言　汝當作佛　以是因緣　值无數佛
此會菩薩　五百之眾　并及四部　清信士女

BD00064 號　妙法蓮華經卷六　（22–8）

聞不輕言　汝當作佛　以是因緣　值无數佛
此會菩薩　五百之眾　并及四部　清信士女
今於我前　聽法者是　我於前世　勸是諸人
聽受斯經　第一之法　開示教人　令住涅槃
世世受持　如是經典　億億万劫　至不可議
時乃得聞　是法華經　億億万劫　至不可議
諸佛世尊　時說是經　是故行者　於佛滅後
聞如是經　勿生疑惑　應當一心　廣說此經
世世值佛　疾成佛道
妙法蓮華經如來神力品第二十一
尒時千世界微塵等菩薩摩訶薩從地踊出
者皆於佛前一心合掌瞻仰尊顏而白佛言
世尊我等於佛滅後世尊分身所在國土滅
度之處當廣說此經所以者何我等亦自欲
得是真淨大法受持讀誦解說書寫而供
養之尒時世尊於文殊師利等无量百千万
億舊住娑婆世界菩薩摩訶薩及諸比丘比
丘尼優婆塞優婆夷天龍夜叉乾闥婆阿脩
羅迦樓羅緊那羅摩睺羅伽人非人等一切
眾前現大神力出廣長舌上至梵世一切毛孔
放於无量无數色光皆悉遍照十方世界眾

BD00064 號　妙法蓮華經卷六　（22–9）

衆前現大神力出廣長舌上至梵世一切毛孔
放於无量无數色光皆悉遍照十方世界衆
寶樹下師子座上諸佛亦復如是出廣長舌
放无量光釋迦牟尼佛及寶樹下諸佛現神力
時滿百千歲然後還攝舌相一時謦欬俱共彈
指是二音聲遍至十方諸佛世界地皆六種震
動其中衆生天龍夜叉乾闥婆阿脩羅迦樓
羅緊那羅摩睺羅伽人非人等以佛神力故皆
見此娑婆世界无量无邊百千万億衆寶樹
下師子座上諸佛及見釋迦牟尼佛共多寶如
來在寶塔中坐師子座又見无量无邊百千
万億菩薩摩訶薩及諸四衆恭敬圍繞釋
迦牟尼佛既見是已皆大歡喜得未曾有即
時諸天於虛空中高聲唱言過此无量无
邊百千万億阿僧祇世界有國名娑婆是中
有佛名釋迦牟尼今為諸菩薩摩訶薩説
大乘經名妙法蓮華教菩薩法佛所護念汝
汝等當深心隨喜亦當礼拜供養釋迦牟尼
佛彼諸衆生聞虛空中聲已合掌向娑婆世
界作如是言南无釋迦牟尼佛南无釋迦牟
尼佛以種種華香瓔珞幡蓋及諸嚴身之具

BD00064號　妙法蓮華經卷六　（22–10）

界作如是言南无釋迦牟尼佛南无釋迦牟
尼佛以種種華香瓔珞幡蓋及諸嚴身之具
珍寶妙物皆共遙散娑婆世界所散諸物從
十方來譬如雲集變成寶帳遍覆此間諸
佛之上于時十方世界通達无礙如一佛土尒
時佛告上行等菩薩大衆諸佛神力如是
无量无邊不可思議若我以是神力於无
量无邊百千万億阿僧祇劫為囑累故説此
經功德猶不能盡以要言之如來一切所有之
法如來一切自在神力如來一切秘要之藏
如來一切甚深之事皆於此經宣示顯説是
故汝等於如來滅後應一心受持讀誦解説
書寫如説脩行所在國土若有受持讀誦解説
書寫如説脩行若經卷所住之處若於園中若
於林中若於樹下若於僧坊若白衣舍若在
殿堂若山谷曠野是中皆應起塔供養所
以者何當知是處即是道場諸佛於此得阿耨
多羅三藐三菩提諸佛於此轉于法輪諸佛
於此而般涅槃尒時世尊欲重宣此義而説偈
言
諸佛救世者　住於大神通　為悅衆生故　現无量神力

BD00064號　妙法蓮華經卷六　（22–11）

言
諸佛救世者　住於大神通　為悅衆生故　現无量神力
舌相至梵天　身放无數光　為求佛道者　現此希有事
諸佛謦欬聲　及彈指之聲　周聞十方國　地皆六種動
以佛滅度後　能持是經故　諸佛皆歡喜　現无量神力
囑累是經故　讚美受持者　於无量劫中　猶故不能盡
是人之功德　无邊无有窮　如十方虛空　不可得邊際
能持是經者　則為已見我　亦見多寶佛　及諸分身者
又見我今日　教化諸菩薩　能持是經者　令我及分身
滅度多寶佛　一切皆歡喜　十方現在佛　并過去未來
亦見亦供養　亦令得歡喜　諸佛坐道場　所得秘要法
能持是經者　不久亦當得　能持是經者　於諸法之義
名字及言辭　樂說无窮盡　如風於空中　一切无障礙
於如來滅後　知佛所說經　因緣及次第　隨義如實說
如日月光明　能除諸幽冥　斯人行世間　能滅衆生闇
教无量菩薩　畢竟住一乘　是故有智者　聞此功德利
於我滅度後　應受持斯經　是人於佛道　決定无有疑

妙法蓮華經囑累品第二十二

尒時釋迦牟尼佛從法座起現大神力以右手
摩无量菩薩摩訶薩頂而作是言我於无
量百千万億阿僧祇劫脩習是難得阿耨多

BD00064號　妙法蓮華經卷六　（22–12）

摩无量菩薩摩訶薩頂而作是言我於无
量百千万億阿僧祇劫脩習是難得阿耨多
羅三藐三菩提法今以付囑汝等汝等應當
一心流布此法廣令增益如是三摩諸菩薩
摩訶薩頂而作是言我於无量百千万億阿
僧祇劫脩習是難得阿耨多羅三藐三菩提
法今以付囑汝汝等當受持讀誦廣宣此法
令一切衆生普得聞知所以者何如來有大
慈悲无諸慳悋亦无所畏能與衆生佛之智
慧如來智慧自然智慧如來是一切衆生之
大施主汝等亦應隨學如來之法勿生慳悋
於未來世若有善男子善女人信如來智慧
者當為演說此法華經使得聞知為令其人
得佛慧故若有衆生不信受者當於如來餘
深法中示教利喜汝等若能如是則為已報
諸佛之恩時諸菩薩摩訶薩聞佛作是說
已皆大歡喜遍滿其身益加恭敬曲躬低頭
合掌向佛俱發聲言如世尊勅當具奉行唯
然世尊願不有慮諸菩薩摩訶薩衆如是
三反俱發聲言如世尊勅當具奉行唯然世
尊願不有慮尒時釋迦牟尼佛令十方來諸

BD00064號　妙法蓮華經卷六　（22–13）

三反俱發聲言如世尊勅當具奉行唯然世
尊願不有慮尒時釋迦牟尼佛令十方來諸
分身佛各還本土而作是言諸佛各隨所安
多寶佛塔還可如故說是語時十方无量分
身諸佛坐寶樹下師子座上者及多寶佛并
上行等无邊阿僧祇菩薩大衆舍利弗等聲
聞四衆及一切世間天人阿脩羅等聞佛所
說皆大歡喜
妙法蓮華經藥王菩薩本事品第二十三
尒時宿王華菩薩白佛言世尊藥王菩薩云何
遊於娑婆世界世尊是藥王菩薩有若千百
万億那由他難行苦行善哉世尊願少解說
諸天龍神夜叉乾闥婆阿脩羅迦樓羅緊
那羅摩睺羅伽人非人等又他國土諸來菩
薩及此聲聞衆聞皆歡喜尒時佛告宿王華
菩薩乃往過去无量恒河沙劫有佛号日月
淨明德如來應供正遍知明行足善逝世間
解无上士調御丈夫天人師佛世尊其佛有
八十億大菩薩摩訶薩七十二恒河沙大
聲聞衆佛壽四万二千劫菩薩壽命亦等彼
國无有女人地獄餓鬼畜生阿脩羅等及以

BD00064號　妙法蓮華經卷六　（22–14）

聲聞衆佛壽四万二千劫菩薩壽命亦等彼
國无有女人地獄餓鬼畜生阿脩羅等及以
諸難地平如掌琉璃所成寶樹莊嚴寶帳
覆上垂寶華幡寶瓶香爐周遍國界七寶
為臺一樹一臺其樹去臺盡一箭道此諸
寶樹皆有菩薩聲聞而坐其下諸寶臺上
各有百億諸天作天伎樂歌歎於佛以為供
養尒時彼佛為一切衆生喜見菩薩及衆菩
薩樂習苦行於日月淨明德佛法中精進經
行一心求佛滿万二千歲已得現一切色身三
昧得此三昧已心大歡喜即作念言我得現一切
色身三昧皆是得聞法華經力我今當供養日
月淨明德佛及法華經即時入是三昧於虛
空中雨曼陀羅華摩訶曼陀羅華細末堅黑
栴檀滿虛空中如雲而下又雨海此岸栴檀之
香此香六銖價直娑婆世界以供養佛作是
供養已從三昧起而自念言我雖以神力
供養於佛不如以身供養即服諸香栴檀薰
陸兜樓婆畢力迦沈水膠香又飲瞻蔔諸華香
油滿千二百歲已香油塗身於日月淨明德
佛前以天寶衣而自纏身灌諸香油以神

BD00064號　妙法蓮華經卷六　（22–15）

佛前以天寶衣而自纏身灌諸香油以神
通力願而自燃身光明遍照八十億恒河
沙世界其中諸佛同時讚言善哉善
男子是真精進是名真法供養如來若以華
香瓔珞燒香末香塗香天繒幡蓋及海此岸
栴檀之香如是等種種諸物供養所不能及
假使國城妻子布施亦所不及善男子是名第
一之施於諸施中最尊最上以法供養諸如來
故作是語已而各嘿然其身火燃千二百歲
過是已後其身乃盡一切眾生憙見菩薩作
如是法供養已命終之後復生日月淨明德佛
國中於淨德王家結加趺坐忽然化生即為
其父而說偈言
大王今當知　我經行彼處　即時得一切　現諸身三昧
勤行大精進　捨所愛之身
說是偈已而白父言日月淨明德佛今故現
在我先供養佛已得解一切眾生語言陀
羅尼復聞是法華經八百千万億那由他甄
迦羅頻婆羅阿閦婆等偈大王我今當還供
養此佛白已即坐七寶之臺上昇虛空高七多
羅樹往到佛所頭面礼足合十指爪以偈讚佛

羅樹往到佛所頭面礼足合十指爪以偈讚佛
容顏甚奇妙　光明照十方　我適曾供養　今復還親近
尒時一切眾生憙見菩薩說是偈已而白佛言
世尊世尊猶故在世尒時日月淨明德佛告一
切眾生憙見菩薩善男子我涅槃時到滅
盡時至汝可安施床座我於今夜當般涅槃
又勑一切眾生憙見菩薩善男子我以佛
法囑累於汝及諸菩薩大弟子并阿耨多羅
三藐三菩提法亦以三千大千七寶世界諸
寶樹寶臺及給侍諸天悉付於汝我滅度
後所有舍利亦付囑汝當令流布廣設供養
應起若干千塔如是日月淨明德佛勑一切眾
生憙見菩薩已於夜後分入於涅槃尒時一切眾
生憙見菩薩見佛滅度悲感懊惱戀慕於
佛即以海此岸栴檀為積供養佛身而以燒
之火滅已後收取舍利作八万四千寶瓶以
起八万四千塔高三世界表刹莊嚴垂諸幡
蓋懸眾寶鈴尒時一切眾生憙見菩薩復
自念言我雖作是供養心猶未足我今當更
供養舍利便語諸菩薩大弟子及天龍夜叉
等一切眾汝等當一心念我今供養日月淨

供養舍利便語諸菩薩大弟子及天龍夜叉
等一切衆汝等當一心念我今供養日月淨
明德佛舍利作是語已即於八万四千塔前然
百福莊嚴臂七万二千歲而以供養令無數求
聲聞衆无量阿僧祇人發阿耨多羅三藐三
菩提心皆使得住現一切色身三昧尒時諸
菩薩天人阿脩羅等見其无臂憂惱悲哀而
作是言此一切衆生憙見菩薩是我等師教
化我者而今燒臂身不具足于時一切衆生
憙見菩薩於大衆中立此誓言我捨兩臂必
當得佛金色之身若實不虛令我兩臂還復
如故作是誓已自然還復由斯菩薩福德智
慧淳厚所致當尒之時三千大千世界六種
震動天雨寶華一切人天得未曾有佛
告宿王華菩薩於汝意云何一切衆生憙
見菩薩豈異人乎今藥王菩薩是也其所
捨身布施如是无量百千万億那由他數宿
王華若有發欲得阿耨多羅三藐三菩提
者能然手指乃至足一指供養佛塔勝以國城
妻子及三千大千國土山林河池諸珎寶物而
供養者若復有人以七寶滿三千大千世界

BD00064號　妙法蓮華經卷六　（22–18）

供養者若復有人以七寶滿三千大千世界
供養於佛及大菩薩辟支佛阿羅漢是人
所得功德不如受持此法華經乃至一四句偈
其福最多宿王華譬如一切川流江河諸
水之中海爲第一此法華經亦復如是於諸
如來所說經中最爲深大又如土山黑山小
鐵圍山大鐵圍山及十寶山衆山之中須弥
山爲第一此法華經亦復如是於諸經中最
爲其上又如衆星之中月天子最爲第一此
法華經亦復如是於千万億種諸經法中
最爲照明又如日天子能除諸闇此經亦復
如是能破一切不善之闇又如諸小王中轉
輪聖王最爲第一此經亦復如是於衆經中
最爲其尊又如帝釋於三十三天中王此經
亦復如是諸經中王又如大梵天王一切衆生
之父此經亦復如一切賢聖學无學及發菩
薩心者之父又如一切凡夫人中須陁洹斯陁
含阿那含阿羅漢辟支佛爲第一此經亦復
如是一切如來所說若菩薩所說若聲聞所
說諸經法中最爲第一有能受持是經典者
亦復如是於一切衆生中亦爲第一一切聲聞

BD00064號　妙法蓮華經卷六　（22–19）

言諸經中最爲第一有能受持是經典者
亦復如是於一切衆生中亦爲第一一切聲聞
辟支佛中菩薩爲第一此經亦復如是於一
切諸經法中最爲第一如佛爲諸法王此經
亦復如是諸經中王宿王華此經能救一切衆
生者此經能令一切衆生離諸苦惱此經能
大饒益一切衆生充滿其願如清涼池能滿
一切諸渴乏者如寒者得火如裸者得衣如
商人得主如子得母如渡得船如病得醫如
暗得燈如貧得寶如民得王如賈客得海如
炬除暗此法華經亦復如是能令衆生離一
切苦一切病痛能解一切生死之縛若人得
聞此法華經若自書若使人書所得功德以
佛智慧籌量多少不得其邊若書是經卷
華香瓔珞燒香末香塗香幡蓋衣服種種
之燈蘇燈油燈諸香油燈瞻蔔油燈須
曼那油燈波羅羅油燈婆利師迦油燈那婆
摩利油燈供養所得功德亦復无量宿王
華若有人聞是藥王菩薩本事品者亦
得无量无邊功德若有女人聞是藥王菩
薩本事品能受持者盡是女身後不復受
若如來滅後後五百歲中若有女人聞是經

BD00064號　妙法蓮華經卷六　（22–20）

薩本事品能受持者盡是女身後不復受
若如來滅後後五百歲中若有女人聞是經
典如說脩行於此命終即往安樂世界阿弥陁
佛大菩薩衆圍繞住處生蓮華中寶座之上
不復爲貪欲所惱亦復不爲瞋恚愚癡所
惱亦復不爲憍慢嫉妬諸垢所惱得菩薩
神通无生法忍得是忍已眼根清淨以是清
淨眼根見七百万二千億那由他恒河沙等諸
佛如來是時諸佛遥共讚言善哉善哉善男
子汝能於釋迦牟尼佛法中受持讀誦思惟是
經爲他人說所得福德无量无邊火不能燒水
不能漂汝之功德千佛共說不能令盡汝今已
能破諸魔賊壞生死軍諸餘怨敵皆悉摧滅
善男子百千諸佛以神通力共守護汝於一切
世間天人之中无如汝者唯除如來其諸聲聞
辟支佛乃至菩薩智慧禪定无有與汝等者
宿王華此菩薩成就如是功德智慧之力若
有人聞是藥王菩薩本事品能隨喜讚善
者是人現世口中常出青蓮華香身毛孔中
常出牛頭栴檀香所得功德如上所說是故宿
王華以此藥王菩薩本事品囑累於汝我滅度

BD00064號　妙法蓮華經卷六　（22–21）

者是人現世口中常出青蓮華香身毛孔中
常出牛頭栴檀香所得功德如上所說是故宿
王華以此藥王菩薩本事品囑累於汝我滅度
後五百歲中廣宣流布於閻浮提无令斷絕惡
魔魔民諸天龍夜叉鳩槃荼等得其便也
宿王華汝當以神通之力守護是經所以者何
此經則為閻浮提人病之良藥若人有病得聞
是經病即消滅不老不死宿王華汝若見有受
持是經者應以青蓮華盛滿末香供散其
上散已作是念言此人不久必當取草坐於道
場破諸魔軍當吹法螺擊大法鼓度脫一切
衆生老病死海是故求佛道者見有受持
是經典人應當如是生恭敬心說是藥王菩
薩本事品時八万四千菩薩得解一切衆
生語言陀羅尼多寶如來於寶塔中讚宿
王華菩薩言善哉善哉宿王華汝成就不
可思議功德乃能問釋迦牟尼佛如此之事
利益无量一切衆生

妙法蓮華經卷六

BD00064號　妙法蓮華經卷六　（22–22）

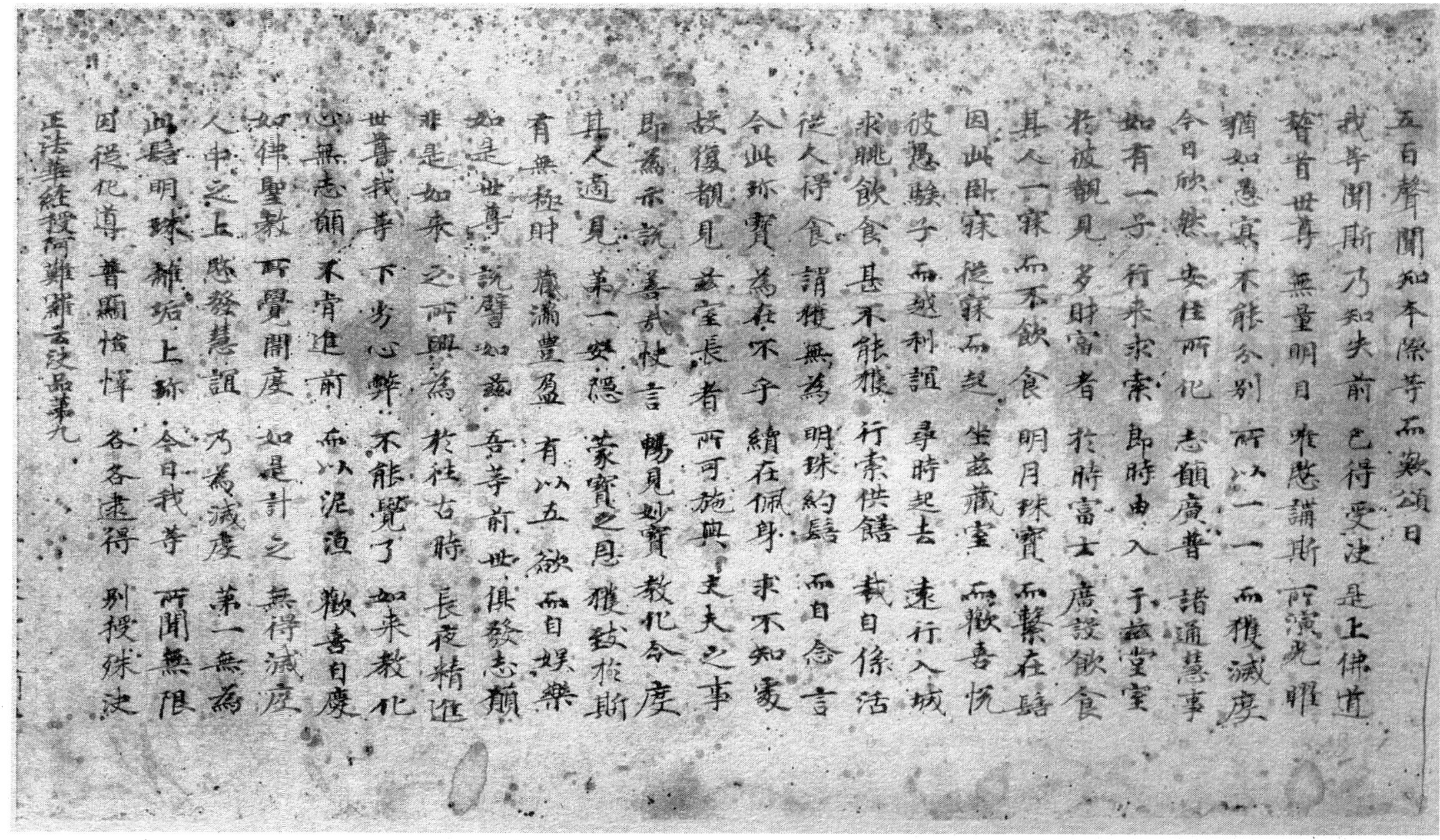
五百聲聞知本際等而歎頌曰
我等聞斯　乃知失前　已得受決　是上佛道
稽首世尊　無量明目　惟愍講斯　所演光曜
猶如愚冥　不能分別　所以一一　而獲滅度
今日欣然　安住所化　志願廣普　諸通慧事
如有一子　行來求索　即時由入　于茲堂室
於彼觀見　多財富者　於時富士　廣設飲食
其人一寐　而不飲食　明月珠寶　而繫在髻
因此卧寐　從寐而起　坐茲藏室　而歡喜悅
彼愚騃子　而越利誼　尋時起去　遠行入城
求賤飲食　甚不能獲　行索供饍　截自係活
從人得食　謂獲無為　明珠約髻　而自念言
今此珍寶　為在不乎　續在佩身　求不知處
故復觀見　茲室長者　所可施與　丈夫之事
即為示說　善哉快言　暢見妙寶　教化令度
其人適見　第一安隱　蒙寶之恩　獲致於斯
有無極財　藏滿豐盈　有以五欲　而自娛樂
如是世尊　說譬如茲　吾等前世　俱發志願
非是如來　之所興為　於往古時　長夜精進
世尊我等　下劣心弊　不能覺了　如來教化
心無志願　不肯進前　而以泥洹　歡喜自慶
如佛聖教　所覺開度　如是計之　無得滅度
人中之上　愍發慧誼　乃為滅度　第一無為
此髻明珠　離垢上珍　今日我等　所聞無限
因從化導　普爾恬怕　各各逮得　別授殊決
正法華經授阿難羅云決品第九

BD00065號　正法華經（七卷本）卷四　（6–1）

此暠明球 離垢上迹 今日我等 所聞無限
因從化導 普願恰懌 各各逮得 別授殊決

正法華經授阿難羅云決品第九

於是賢者阿難自念言我寧可蒙受決例乎
心念此已發願頒密即從坐起稽首佛足賢
者羅云復前自投世尊足下俱共白言唯為
我等演甘露味大聖是久靡不明徹無歸得歸
無救得救無護得護於諸天人阿須倫興立
嚴莊若干種變阿難羅云則是佛子亦為侍
者持聖法藏唯願世尊哀令我等所願具足
授無上正真道又餘聲聞令二千人興塵勞
俱皆從坐起偏袒右肩一心叉手瞻戴尊顏
我等還見佛告阿難汝於來世當得作佛号
海持覺娛樂神通如來至真等正覺明行成
為善逝世間解無上士道法御天人師為佛
衆祐先當供養六十二億佛恭順奉侍執持
正法將護經典然後究竟成最正覺於是開
化廿百千江河沙等天人使發無上正真道
意其佛國土清淨無瑕地紺瑠璃豎諸幢幡
自然莊嚴世界平正無沙礫石山陵谿壑坭
皆柔爽如天綩綖劫名柔和雷震時佛壽命
不可計數億百千姟無可為喻難得崖底諸
弟子衆順道教者不可計會億百千姟無能
限量阿難成佛為大聖時所以日海持覺娛
樂神通具土人民多神變周施如來滅度後
法住過倍像法存立復轉加倍十方無量江
河沙等意百千佛悉當歎頌彼佛功德於時

BD00065號　正法華經（七卷本）卷四　（6–2）

樂神通具土人民多神變周施如來滅度後
法住過倍像法存立復轉加倍十方無量江
河沙等億百千佛悉當歎頌彼佛功德於時
世尊而歎頌曰
令佛班宣 諸比丘衆 仁者阿難 總持吾法
於當來世 成為最勝 供養諸佛 六十二億
名日海持 覺樂神通 於此博聞 彼成大道
其土清淨 顯現徽妙 自然特立 無數幢幡
諸菩薩衆 如江河沙 皆是如來 之所建發
悉如最勝 無極神足 具德名聞 充滿十方
欲計壽命 無量難限 教化世間 多所愍傷
假使其佛 滅度之後 正法當住 過倍具數
像法存立 轉復加倍 最勝宣發 教化若茲
又此衆生 如江河沙 興難應心 立以佛道
尒時新發意八萬菩薩各自念言怪未曾聞
古來未有吾等爲用菩薩誼為諸聲聞類頌
嚚之黠乃復授決當獲大道何因若茲世尊
即知其心所念便告之日諸族姓子及比丘
聽佛法平等族姓適發無上正真道意前於
超空如來至真等正覺所尒而現在博聽衆經
常脩精進來至吾所欲速殷勤由是緣故
速得無上正真道成最正覺仁賢阿難為佛
世尊奉持法藏脩菩薩行出家之緣意願雅
願以諸族姓子用相託付尒時阿難親自從
佛聞已無量空無之誼當得成佛授國土決
聞本行願歡喜悅豫尋即憶念無央數億百
千之姟諸正覺典又觀本行所履之跡前後
功[illegible]即說頌曰

BD00065號　正法華經（七卷本）卷四　（6–3）

聞本行顏歡喜悅豫尋即憶念無央數億百
千之垓諸正覺典又觀本行所履之跡前後
劫數即歎頌曰
我本聞有　無量諸佛　悲念爲余　說經典時
諸有滅度　最勝大聖　今皆憶識　如所聞說
諸見佛道　心不懷疑　如是比者　善權方便
而爲安住　立侍者地　以大道故　奉持正法
於是世尊告賢者羅云羅云思之汝當來世
當得作佛號度七寶蓮華如來至真正覺
明行成爲善逝世間解無上士道法御天人
師爲佛衆祐則當供事如十世界塵數如來
常爲諸佛現在尊子亦復如今爲吾息也其
度七寶蓮華如來國土壽命教化衆生所有
莊嚴亦如海持覺娛樂神通世界清淨羅云
當爲其佛尊子過是以後當得無上正真道
成最正覺佛時頌曰
羅云是我　尊上長者　幼少精懂　柔和姝妙
斯佛之子　當得大道　常以法施　多所悅喜
無數億佛　所見哀念　欲得筭計　無能限量
普爲最勝　諸佛之子　當成大道　衆比丘像
又此羅云　所行溫雅　興立殊願　奉吾正試
咨嗟宣揚　世雄導師　言我今是　如來之子
諸德無量　億垓之數　設有思念　莫能限量
其羅云者　佛之長子　今所適利　住佛道故
爾時阿難羅云俱白佛言今我見二千聲聞
學弟子試心懷欣然瞻戴尊顏道法正典不
可思議願及是時佛告阿難寧見二千聲聞

BD00065號　正法華經（七卷本）卷四　（6–4）

爾時阿難羅云俱白佛言今我見二千聲聞
學弟子試心懷欣然瞻戴尊顏道法正典不
可思議願及是時佛告阿難寧見二千聲聞
學弟子法試者乎阿難白佛唯然見之佛告
阿難斯黨同行等學不學今志大乘當供養
五百世界塵數如來執持正典然於後世一
時同集而於十方各各異土逮成無上正真
道爲最正覺號寶英如來至真等正覺明行
成爲善逝世間解無上士道法御天人師爲
佛衆祐其壽一劫覺慧平等諸聲聞同多少
無差諸菩薩衆亦復如此滅度之後正法住
立數亦無異佛時頌曰
此諸聲聞　二千朋黨　今志住立　於世尊前
斯等聖知　佛皆授決　將來之世　便得成佛
而顯示現　無量辭喻　觀見諸佛　悉當供養
具名行異　遊處十方　悉當忍辱　須臾不變
常復獨處　坐蔟樹下　當得佛道　成就慧誼
皆當成覺　號同一等　名曰寶英　流聞世界
具佛國土　平等殊特　諸聲聞衆　等亦如是
神足光明　皆遍世間　周流一切　十方國土
分別經法　有所依倚　正法存立　等無有異
於是諸賢　聲聞聞佛　授決歡欣　踴躍不能自
勝以頌讚曰
聞佛授我決　世光見飽滿　如甘露見灌　已獲無上安
正法華經藥王如來品第十
佛告諸比丘道法一等無有二乘謂無上正
真道往古來今無有兩正猶如衆流四瀆歸

BD00065號　正法華經（七卷本）卷四　（6–5）

具佛國土　平等殊特　諸聲聞衆　等亦如是
神足光明　皆遍世間　周流一切　十方國土
分別經法　有所依倚　正法存立　等無有異
於是諸賢聲聞聞佛授決歡欣踊躍不能自
勝以頌讚曰
聞佛授我決　世尊見飽滿　如甘露見灌　已獲無上安
正法華經藥王如來品第十
佛告諸比丘道法一等無有二乘謂無上正
真道往古來今無有兩正猶如衆流四瀆歸
海合為一味如日所照靡不周遍未嘗猶滅
若族姓子欲至正覺解無三塗去來今者當
學受持正法華經分別空慧無六度想不以
華香伎樂供養為供養也當了三脫至三達
智無極之慧乃為供養所以者何乃昔久遠
劫難稱限尒時有佛號藥王如來至真等正
覺明行成為善逝世間解無上士道法御天
人師為佛衆祐世界名大清劫曰淨除藥王
如來壽廿中劫諸聲聞衆三十六億菩薩大
士有十二億時轉輪王名曰寶蓋典主四域
王有千子端正勇猛有七寶聖臣降伏怨敵
其王供養藥王如來具五中劫與眷屬俱一
切施安奉敬藥王過五劫已告其千子吾以
供侍如來若等亦當順遵前緒於時千子聞
父王教復以五劫供養藥王如來進以上妙
不違所安彼第一太子名曰善蓋閑居獨處
靜然思念我等今者供養如來寧有殊特

BD00065 號　正法華經（七卷本）卷四　（6–6）

佛藏經卷第二

BD00066 號背　佛藏經（四卷本）卷二護首　（1–1）

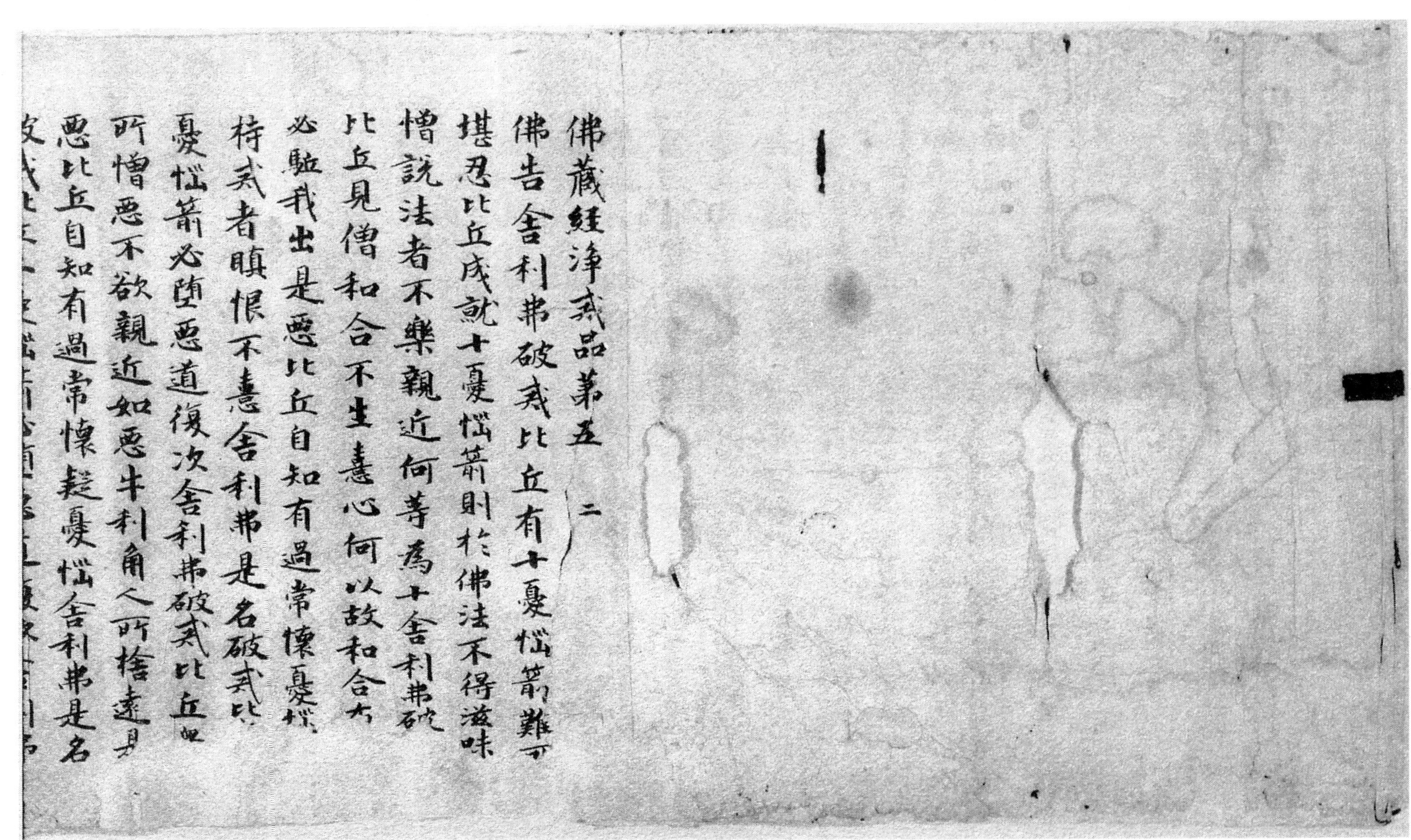
佛藏經淨戒品第五 二
佛告舍利弗破戒比丘有十憂惱箭難可
堪忍比丘成就十憂惱箭則於佛法不得滋味
憎說法者不樂親近何等為十舍利弗破
比丘見僧和合不生憙心何以故和合大
必驗我出是惡比丘自知有過常懷憂惱
持戒者瞋恨不憙舍利弗是名破戒比丘
憂惱箭必墮惡道復次舍利弗破戒比丘
所憎惡不欲親近如惡牛利角人所捨遠是
惡比丘自知有過常懷疑憂惱舍利弗是名
破戒比[illegible]

BD00066號　佛藏經（四卷本）卷二　（19–1）

憂惱箭必墮惡道復次舍利弗破戒比丘
所憎惡不欲親近如惡牛利角人所捨遠是
惡比丘自知有過常懷疑憂惱舍利弗是名
破戒比丘二憂惱箭必墮惡道復次舍利弗
破戒比丘逢見比丘衆自知不同惡心捨離
懷愧恥故不能入衆舍利弗是名破戒比
三憂惱箭必墮惡道復次舍利弗破戒
毒惡心盛不可化喻猶尚無有外道戒
於淨戒以其破戒因緣人不親近舍利弗是
名破戒比丘四憂惱箭必墮惡道復次舍利
弗破戒比丘以他財物自養其身我說此人
為重擔者所以者何行者得者應受供養破
戒比丘非是行者非是得者是故舍利弗破
戒比丘當於百千億万劫數割截身肉以償
施主若生畜生身常負重所以者何如析一
髮為千億分破戒比丘尚不能消一分供養
況能消他衣服飲食臥具醫藥舍利弗破
戒比丘着聖法服猶尚不應入寺一步何況得
受一飲之水乃至牀榻何以故舍利弗如是惡
人於天人中是為大賊一切世間皆應遠離
舍利弗是敗壞人即是惡家如來悉聽一
切世間皆至我所破戒之人如來手遮非我
弟子何況一日住我法中舍利弗譬如死人
死蛇死狗最為臭穢清淨諸天欲遊戲時不
應得見若見則遠如是舍利弗破戒比丘如彼
三屍臭穢不淨智當遠離不與同事布

BD00066號　佛藏經（四卷本）卷二　（19–2）

應得見若見則遠如是舍利弗破戒比丘如彼
三屍臭穢不淨智者遠離不與同事布
薩自恣舍利弗破戒比丘於我法中為是不吉
持戒比丘見此破戒即時遠離何以故若破戒
比丘手所觸物及所受物於持戒者則為毒
惡舍利弗正使三屍臭穢滿地我能於中行
四威儀不能與此破戒比丘須臾共住何以故
舍利弗是為沙門中弊陋下賤為沙門中
朽壞蔽惡為沙門中粃糠為沙門中垢為沙
門中濁為沙門中汙為沙門中曲為沙門中
蠢為沙門中失聖道者如是人等於我法
中出家求道而得重罪舍利弗如是之人於
我法中為是逆賊為是法賊為是欺誑詐
偽之人但求活命貪重衣食是則名為世樂
奴僕舍利弗譬如黃門非男非女破戒比丘亦
復如是不名在家不名出家命終之後直入
地獄舍利弗譬如蝙蝠欲捕鳥時則入穴為
鼠欲捕鼠時則飛空為鳥而實無有大鳥
之用其身臭穢但樂闇冥舍利弗破戒比丘亦
復如是既不入於布薩自恣亦復不入王者使
役不名白衣不名出家如燒屍殘木不復
中用如是比丘無有戒品定品慧品解脫品解
脫知見品但有具足破淨戒品不能出大微
妙音聲戒聲定聲慧聲解脫聲解脫知見
聲但出毀戒蔽惡音聲與諸同惡俱出惡聲

BD00066號　佛藏經（四卷本）卷二　（19–3）

妙音聲戒聲定聲慧聲解脫聲解脫知見
聲但出毀戒蔽惡音聲與諸同惡俱出惡聲
但論衣服飲食林卧受取布施樹木花果為
貴人使及論國土吉凶安危戲笑衆事諸不
善語常於日夜比丘如是身業不淨口業不
淨意業不淨當墮地獄舍利弗是破戒比丘
樂於闇冥如彼蝙蝠聞說正經以為憂惱所以
者何如實說故世間之人不喜實說但樂
順意如是比丘於說法者心不清淨重更為
罪增益地獄舍利弗是名破戒比丘五憂惱
箭必墮地獄復次舍利弗破戒比丘無有善恥
諸根散亂成就不淨身口意業不淨威儀所
著衣服皆不知法好喜妄語不能護口心常
馳騁染於垢穢舍利弗如新凡器盛以屎尿
臭爛膿血後去不淨著旃檀香復去旃檀如
是凡器有何等氣世尊是新凡器先盛屎尿
臭氣堅著唯有臭氣無旃檀香舍利弗人以
清淨信等諸根出家學道遇惡知識而隨其
教舍利弗何等為惡知識惡知識者常好調
戲輕躁無善言語散亂不攝諸根心不專一
癡如白羊親近如是惡知識者失須陀洹果
斯陀含果阿那含果阿羅漢果乃至失於生
天之樂況涅槃道但能脩集破法罪業與破
法者而共從事是人成就不淨身業不淨口
業不淨意業不淨持戒身死之後入於惡趣

BD00066號　佛藏經（四卷本）卷二　（19–4）

法者而共於事是人成就不淨身業不淨口
業不淨意業不淨持戒身死之後入於惡趣
云何惡趣惡趣名為地獄畜生餓鬼阿脩羅
道復有惡道如阿由勒垂婆伽羅目佉垂浮
弥脩遮迦垂脩暗目迦垂是人多生此諸垂
中舍利弗是人隨惡知識若生人中父母生
離死亡喪失親理煩惱國土破壞生八難中
捨八樂處多欲怒癡常好戲調輕躁無善言
語散亂不能攝心癡如白羊為貪欲瞋恚愚
癡所壞聾瘂盲瞎手脚攣躃其惡知識生無
佛處若值佛世自不喜見不喜聞法不與佛
衆而共和合起是惡業惡人共生樂下劣法
於正見中生邪見想於邪見中生正見想是
名下欲下忍下慧舍利弗下慧之人終不能
為厭離滅道涅槃生心舍利弗遇惡知識而
得如是諸煩惱患有是相貌是人聞是諸深
經法驚疑怖畏如墮深坑則墮大羅深坑塹
中何以故舍利弗如經中說破戒比丘有大重
罪何因緣故名為破戒破所受戒難可教
語行無常准多所違逆常行貪著多雜糅
行貪瞋癡行樂諸雜語名為破戒復有樂多事
務樂多諷誦樂多睡眠所言不順無有次第
說不清淨貪著我人壽者命者是故名為弊
惡比丘不知節量不知沙門法不知婆羅門
法樂行鑒術販賣求利樂為國使汙染諸家
樂與白衣給使作務以諸樹葉花果奉上好

BD00066號　佛藏經（四卷本）卷二　（19–5）

惡比丘不知節量不知沙門法不知婆羅門
法樂行鑒術販賣求利樂為國使汙染諸家
樂與白衣給使作務以諸樹葉花果奉上好
為白衣說外道法心常捨離出世間法未滿
二十受具足戒受戒事中有諸不具形體缺
少不應於法受出求穀錢帛金銀不順教誨
巨逆師命不自知身不知他人不能分別貴
賤善品好喜妄語貪著戒取行事散亂心不
專一面有瞋相慳貪不信不識恩義多懷貪
欲睡眠戲調疑悔瞋恨覆藏罪惡好自專執
嫉妬諂曲無有慚愧自大放逸憍慢我慢大
慢邪慢好行欺誑讚美其身多作方便開利
養門陵賤白衣偽現親厚因勢得財以踦衆
人毀破戒品定慧解品解脫知見品於佛法
衆心不定信不信業報貴於現利謂無後世
多諸疑悔志性淺弱常好驚怖舍利弗是名
弊惡比丘如是癡人於我法中便是屎尿臭穢
不淨是人成就身口意惡命不清淨故命終
之後墮在惡道入大地獄如是比丘諸佛如來
及弟子衆常所遠離餘好道者求滅度
者亦皆不近舍利弗辟如旃檀置不淨器同
於不淨不復任用如是舍利弗若在家出家
親近是人習効所行亦破戒品不久同惡顔色
毀悴破失威儀命終之後生地獄中舍利
弗如是惡人諸佛如來及弟子衆并餘求道

BD00066號　佛藏經（四卷本）卷二　（19–6）

毀悴破失威儀命終之後生地獄中舍利
弗如是惡人諸佛如來及弟子衆并餘求道
好滅度者皆所遠離舍利弗譬如旃檀置不
淨器不復任用如是舍利弗若在家出家雖
以塗身猶離不淨舍利弗此惡比丘亦復如
是雖坐衆中著聖法服然是比丘惡相猶現
梵行比丘見此不淨遠而不近見他遠離心
則瞋恨以是因緣死入地獄舍利弗是名破
戒比丘六憂惱箭必墮地獄
復次舍利弗破戒比丘聞佛所說如是等經
心不清淨歡喜信樂自知有過便疑此經為
我等說不為餘人何以故如我等比在此事
故舍利弗如是上妙無比之法破戒比丘乃生
瞋恨於說法者必多不信得聞如是佛所
說經違逆不受而非是言此非佛說教語餘
人何以故破戒比丘不樂脩道脩道比丘不
逆佛語此皆破戒愚癡惡法謂心不信違逆
佛語如是比丘自知有過但生瞋恨惰慢佷
戾惡耶慢心謗佛法僧舍利弗隨此比丘聞
是諸經違逆不信心不通達無上菩提教語
諸人非佛所說舍利弗佛說是人則為謗法
以謗法故為非沙門非釋種子應當滅儐是
等比丘若百千万億諸佛三輪示現不能令
悟使得道果何以故舍利弗如是惡人於此
法中自作鄣道無復生分無有信心但好衣

BD00066號　佛藏經（四卷本）卷二　（19–7）

悟使得道果何以故舍利弗如是惡人於此
法中自作鄣道無復生分無有信心但好衣
食貪樂世利我說此人必墮地獄舍利弗我
今明了告汝若人違逆如是法寶於好生處
永無有分但生惡處常盲無目舍利弗是諸
比丘惰慢熾盛不能定說破我正法其餘衆
人不能自活為利養故隨破我法舍利弗如
是法寶尒時壞滅何以故如是法寶一切諸
佛皆共恭敬諸辟支佛阿羅漢等亦皆恭敬
破戒比丘增上慢者不定說法諸比丘等尒
時皆共輕慢我法而共遠離多懷慳貪專求
生業貴於財利嫉妬所縛常好諍訟互生怨
郡不相敬順無有威儀志性輕躁猶如獼猴
轉易威儀行諸惡業退沙門法遠離賢聖
舍利弗如是惡人覆藏瑕疵多欲多求以財
自活惡魔知心為作方便令其乖異各共散壞一
味僧寶分為五部既有五部則生諍訟互
相是非論說過失舍利弗如今比丘互相教
化互相恭敬同心共行隨順佛說尒時比丘
不相教化不相恭敬見作惡者畏而捨去不
能以法共相教誨或時雖有多聞深智猶懷
惰慢輕賤餘人各以所是自立其論不善相
見況能受教舍利弗如來在世三寶一味我
滅度後分為五部舍利弗惡魔於今猶尚隱
身佐助調達破我法僧如來大智現在世故

BD00066號　佛藏經（四卷本）卷二　（19–8）

滅度後分爲五部舍利弗惡魔於今猶尚隱
身佐助調達破我法僧如来大智現在世故
弊魔不能成其大惡當来之世惡魔變身作
沙門形入於僧中種種邪説令多衆生入於
邪見爲説邪法謂弥樓陁羅迦婆鬬事五分
事念念滅事一切有事有我事有所得事尒
時惡魔説如是等耶貪著事如是事者非諸
佛及佛弟子所説尒時惡人爲魔所迷各執
所見我是彼非舍利弗如来豫見未来世中
有如是等破法事故説是深經悉斷惡魔諸
所執著舍利弗當尒之時閻浮提内多是增
上慢人作小善順便謂得道命終之後當墮
惡趣何以故是人長夜自謂得道亦復稱説
他人得道冒受聖人所供養事是人於諸天
人世間爲大惡賊如是癡人聞説第一實義驚
疑怖畏如墮深坑舍利弗有諸比丘樂此事
者則與共集破壞諸佛無上菩提尒時增
上慢人偏執者多惡魔有復迷或在家出家
者心令執非法説正法者少於援助則便散
壞不復得立舍利弗尒時世間年少比丘多
有利根所以者何諸出家者有餘煩惱還生
人中即復出家是諸比丘憙樂難問推求佛
法第一實義舍利弗尒時增上慢者魔所迷
或但求活命實是凡夫自稱羅漢謂諸年少
比丘等言善身口意此是佛法第一實義善

或但求活命實是凡夫自稱羅漢謂諸年少
比丘等言善身口意此是佛法第一實義善
護淨或讀誦經法懃脩多聞是名順忍因緣
所謂淨心信佛又有第一實義汝當繫心緣中
專念涅槃滅三種苦則能厭離五陰十二入十
八界汝等當於静處觀此陰界入法悉
皆無常自觀其身種種不淨汝等若能如是觀
當得須陁洹果又能於是五陰等法深觀無常
苦空無我無有堅牢則得斯陁含轉復深觀
得阿那含得阿羅漢是爲第一實義是中年
少比丘復聞於佛法中阿羅漢果便謂第一
義邪我等亦知是事得阿羅漢是第一義令
此五陰爲憶念者生爲不憶念者不生荅言
五陰者憶念者生不憶念者不生復問憶念
與五陰爲異不荅言如五陰憶念亦尒復問
若如五陰憶念亦尒者誰是念五陰者荅言
若無念五陰者則無涅槃實有念五陰者是
故有脩八直聖道入涅槃者舍利弗未来世
中多有比丘成就此忍舍利弗尒時會中多
諸天衆歡聞佛法第一實義聞是增上慢者
所説心生疑悔如墮深坑咸作是言咄哉釋
迦牟尼佛法今將速滅舍利弗中有成就善
根比丘謂是比丘癡人空者增上慢者若有
五陰相十二入十八界相者不受此語不憘
不悦從坐而起去舍利弗尒時諸天心大歡

五陰相十二入十八界相者不受此語不惜
不悦從坐而起去舍利弗尒時諸天心大歡
喜四方唱言釋迦牟尼佛猶有好弟子在是
諸人等善根不少不喜聞是不淨所說謂我
見人見諸天聞此皆大歡喜稱楊讚嘆是利
根者喜樂問難必皆成就無生法忍如是人
等合集一處共為徒侶人衆既少勢力亦弱
舍利弗尒時我諸真子於父種族尚無受語
况得供養住上塔寺舍利弗汝且觀之尒時
如來便為輕微我滅度後我諸子等成就善
窮無所得忍時亦輕賤我以是故於無數劫
椎諸惡敵化諸一切天王人王令心清淨所
以尒者令我諸子得安父位舍利弗如來今
以一切世間天人為證如來如法得阿耨多
羅三藐三菩提轉無上法輪沙門婆羅門若
天魔梵所不能轉舍利弗如是現事如來滅
後我此阿耨多羅三藐三菩提我諸弟子等
欲廣流布是諸惡人不能證明亦復不能施
與無畏舍利弗辟如蜜缾置四衢道而作是言
若人能食一毛頭者常不老死尒時諸天世
人各以刀杖衛護是缾時衛護者各作是
言若或有人食一毛者我等當煞舍利弗中
有一人竊作是念是缾中蜜食一毛頭則不
老死我今何為惜死不噉若得噉已則便不
畏諸衛護者亦可常得無老病死如是定心

老死我今何為惜死不噉若得噉已則便不
畏諸衛護者亦可常得無老病死如是定心
不惜壽命直詣缾所諸衛護者各持刀杖競
欲煞之舍利弗是人若能刀杖未及食一渧
者則免衰患無復老死如是舍利弗多有惡
人魔及魔民欲滅我法如來滅後若有人能
隨順空法通達無疑則於諸法心無所得成
就上忍尒時雖為惡人所輕沮壞其道是人
若能不惜身命懃行精進通達諸法無生無
作則得度脫生老病死舍利弗蜜缾者是佛
第一義法諸天世人衛護缾者則是惡人樂
行魔事自失大利亦遮他人行實相者失於
大利舍利弗增上慢者皆是魔黨助成魔
事咸共譏呵無生滅法又舍利弗不淨說者
我見人見衆生見五陰十二入十八界見未得
謂得心計得道計得涅槃咸亦譏呵如是正
法何以故是人貪著空故亦是魔衆魔所
迷惑以我正法而作魔事舍利弗若在家出家
聞是無我無人無衆生畢竟空法驚疑畏者
當知是人受魔教化是像比丘為是盜法惡
威儀者舍利弗是人則是我見衆生見有見
無見常見斷見皆是魔民非佛弟子何以故
我經中說一切世間皆空無我無我所無人
無衆生無常無定無不壞法如是惡人亦復

我經中說一切世間皆空無我無我所[illegible]
無衆生無常無定無不壞法知是惡人亦復
皆共讀誦是經爲他人說而心貪著我見人
見如是癡人名爲造作苦因名爲反覆兩端
名爲鬬亂破僧名爲汙染道法名爲沙門中
濁名爲醜陋穢惡名爲但有言說名爲假偽
沙門名爲沙門中負名爲檐重檐者名爲欺
誑諸佛名爲得逆罪者舍利弗是人名爲大
惡逆賊名爲惡知識名爲破戒名爲邪見名
爲外道名爲無實行名爲惡伴名爲煞鬼名
爲癩創名爲臭穢名爲燒熱名爲諂曲名爲
墮在黑闇名爲入稠㮇林名爲隨生死流名
爲早出惡者名爲地獄名爲畜生名爲餓鬼
名爲阿脩羅名爲不入道者名爲欺誑人者
名爲自讚已者名爲行占相者名爲大聲喚
呼名爲自利求利名爲汙染他家名爲常調
戲者名爲散亂心者名爲貪所害者名爲瞋
所害者名爲癡所害者名爲好面欺者名爲
裹惱裹者名爲無解脫者名爲憂惱縛者名
爲非沙門形像沙門沙門旃陁羅沙門臭穢
沙門糟粕名爲難滿名爲難養名爲壞威儀
者名爲無羞恥者名爲截斷頭者名爲身體
壞者名爲袈裟繫頭名爲自入闇冥者名爲
多貪欲者名爲多瞋恚者名爲多愚癡者名
爲五蓋纏覆名爲沒者名爲虛者空者名爲

爲五蓋纏覆名爲沒者名爲虛者空者名爲
癡者舍利弗云何名空退失諸佛讚善人相
故名爲空退失一切沙門功德沙門事法故
名爲空云何爲虛在聖法外故名爲虛遠離
空無相無願法故名爲虛舍利弗如是惡人
能令魔憙貪著堅執虛妄法故同於凡夫倫
是具有罪惡人相不似得法忍者沙門事法
沙門功德百千万分尚無其一舍利弗是故
名爲空者虛者但深貪著世間利樂非是沙
門自稱沙門不應供養而受供養名爲常賊
立憧相賊名爲自在煞害之賊是人所食一口
皆不清淨唯有向道得道果者能消供養
是人無此是故名爲不淨食者舍利弗是故
名爲空者虛者舍利弗於意云何若人煞生
是人爲是常煞生不常奪命不不也世尊在
家煞生不常奪命煞生時少不煞時多舍利
弗於意云何若人偷盜偷盜時多不盜時多
世尊不盜時多舍利弗於意云何若人邪婬
邪婬時多不邪婬時多世尊不邪婬時多妄
語惡口兩舌綺語貪嫉瞋恚時多不瞋恚時
多世尊不瞋恚時多舍利弗是十不善道
中何者罪重世尊十不善中邪見罪重何以
故世尊邪見皆[illegible]舍利弗

多世尊不瞋恚時多舍利弗是十不善道
中何者罪重世尊十不善中邪見罪重何以
故世尊邪見者垢常著心心不清淨舍利弗
我今語汝若人一日煞百千万億衆生一日偷
盜百千万種金銀寶物邪婬者晝夜不息
妄語者常欺誑人口業不淨無一語實兩舌
者常破和合亦助破者惡口者口常惡逆乃
至不說柔耎一語綺語者無有根本人聞此
事以餘無量語言忏亂貪嫉者於他物中生
非法心瞋恚者無有因緣橫起瞋恚懷恨滿
心邪見者樂行非道舍利弗於意云何若人
成就如是不善法者罪為多不甚多世尊舍
利弗我今語汝若人百歲成就如是十不善
罪破戒比丘一日一夜受他供養罪多於彼
何以故是煞生者多人所知多人所識人所惡
賤人皆知是煞奪命者罪人穢濁是污染
者不善無德人所離者又舍利弗煞生之人
多奪他命或生猒心自知不是當得罪報人
皆知惡無戒穢濁於此人所不望功德乃至
梓毛百分之一况謂福田而供養之又舍利
弗是煞生之人其家妻子人皆知悲不共恭
敬尚不令坐何况供養煞生之人以財自活
養育妻子或時供養沙門婆羅門以此業報
得遇賢聖比丘比丘尼為說道法教離煞生
捨其煞業於佛法中而得出家無有鄣礙得

BD00066號　佛藏經（四卷本）卷二　（19–15）

得遇賢聖比丘比丘尼為說道法教離煞生
捨其煞業於佛法中而得出家無有鄣礙得
出家已近善知識得沙門果是人現世輕受
罪報不鄣聖道得免三塗舍利弗於我法中
有諸比丘非是沙門自言沙門非是梵行自
言梵行斷諸善根鄣入涅槃迷或失道破道
因緣破諸善法行外道事入於惡道多諸惡
賊空生受命猶如死人形色毀悴失正威儀
於我法中名為汙染名為法賊名為逆人名
為魔使猶如行廁亦如死橋猶如像沙門同沙
門服無沙門事舍利弗譬如野干在師子群
亦如黃門在於轉輪聖王衆中亦如獼猴在
於諸天亦復如驢在象王衆亦如盲人在天
眼衆亦如蝙蝠在金翅鳥舍利弗破戒比丘
在我衆中百千万億諸天大衆見此比丘在
衆而坐皆大憂惱而作是言如是惡人何用
布薩是魔黨類欲聞無上佛道向白衣說復
有信樂佛法諸龍鬼神等高聲大笑是惡比
丘何故於此隱藏其身似如惡馬在調善馬
中如是癡人自謂無有見知我惡自藏於此
欺誑天人為是一切天人中賊衆共見已皆便
大笑舍利弗如是罪惡比丘為是諸天所
知惡賊白衣無異而受供養迎送礼拜合掌
恭敬弊人愚癡循如死屍所著衣服皆是偷

BD00066號　佛藏經（四卷本）卷二　（19–16）

知惡賊白衣無異而受供養迎送礼拜合掌
恭敬弊人愚癡猶如死屍所著衣服皆是偷
得鉢中所食皆是盜取無人與者乃至少水
亦是盜得舍利弗破戒比丘所至之方若至
東方南西北方皆是偷地而行何以故是人所
有威儀行法皆是偷盜假竊所作行立坐
卧来去視瞻屈申府仰著衣持鉢今但略説
身口意業有所施作皆是偷賊若有剃是人
髮爲剃賊髮舉要言之破戒比丘有所施作
皆是賊作舍利弗弊惡比丘乃至大小便利澡
手皆是賊法何以故舍利弗閻浮提内皆
是國王及諸大臣人民所有及屬非人是惡
比丘於中爲賊舍利弗若王大臣於惡賊所
不望功德不言善我不言勝我破戒比丘著
聖法服於是人所望得功德是故聽使上住
國土若知其惡乃至唾地亦復不聽是故舍
利弗弊惡比丘動身所作皆是賊作名爲常
賊大賊立幢相賊朾害一切世間人者何以故
無惡不作故是故舍利弗是惡比丘於諸
一切天人世間爲是大賊舍利弗若人是一切
天人世間大賊是人能消一飲水不不也世
尊舍利弗於意云何是人非是大惡人耶
如是世尊舍利弗破戒比丘於諸一切天人
世間有大惡罪以是義故我説此偈

BD00066號　佛藏經（四卷本）卷二　（19–17）

如是世尊舍利弗破戒比丘於諸一切天人
世間有大惡罪以是義故我説此偈
寧啖燒石　吞飲洋銅　不以無戒　食人信施
舍利弗是破戒比丘無色無德無復志願身
心熱毒憙見惡夢不樂獨處或時獨行身到
戰懼見淨戒者僻藏避迴心性自愧不憙欲
見受供養時驚疑畏心常馳騁多諸想念
深貪財利愛樂美食如是比丘命終之後必
入地獄舍利弗是名破戒比丘七憂惱箭必
入地獄復次舍利弗破戒比丘樂在衆内散
亂多語性好嫉妬興破戒者以爲親友常樂
論説破戒惡事以爲憙樂不知爲恥違逆深
經心疑不信或時聞説如是等經疑逆諍競
不樂聽受東西顧望心不專一以手掩口仰視
虛空從坐而起謗佛法教懷瞋恨心罵説
法者以如是等愚惡因緣命終之後深入地
獄舍利弗是名破戒比丘八憂惱箭必墮地
獄復次舍利弗破戒比丘但樂尊重和上阿
闍梨讃其功德以求名利稱持戒者因以自
活執事便附隨宜善巧無有羞恥猶如黑烏
爲僧因緣多求衣服飲食恣口身力肥盛不
知慚愧言無次第手脚麁躁顔色毀悴樂視
婦女不附男子如是惡人衆所輕賤天龍鬼
神所不稱讚乃至諸佛亦不歎説心性急促
常好瞋恚衆僧斷事侯爲勢力舍利弗如是

BD00066號　佛藏經（四卷本）卷二　（19–18）

[illegible]
常好瞋恚衆僧斷事佚為勢力舍利弗如是
破戒比丘多於僧中求有威勢未問而荅常
求他過見淨戒者謂是欺誑懃求道者不問
其法憙樂別異諍者助憙舍利弗是名破戒
比丘九憂惱箭必墮地獄復次舍利弗破戒
比丘好樂他事任持其理有鬪諍者以為憙
樂衣服嚴身學他威儀求好卧具利養安身
樂人稱讚護惜檀越及悋住處恐好比丘来
見我過憎持戒者親附破戒常讚布施不讚
持戒忍辱精進禪定智慧不讚寂滅遠離獨
處常好譏論持戒者過亦不稱讚行頭陁者
或言說其事或惡口橫加或憶想妄說依怙
種姓數問親族以少因緣為貪說法常以曲
心而懷驚疑衆所憎惡久而益賤於持戒者
常好譏說苦切實語者不欲親近意不憙
聞如是等經好持讀誦如是經者聞說是經
心歡憙者亦不憙見又不憙聞讀持戒法說
是等經不来聽受設来聽受不久即還多與
白衣而作知識常樂論說持戒比丘以得自在
輕行罵口舍利弗是名破戒比丘十憂惱箭
必墮惡道舍利弗我滅度後如是等人滿閻
浮提專行求利以自生活

佛藏經卷第二

BD00066 號　佛藏經（四卷本）卷二　（19–19）

有法門名僧伽吒若此法門在閻浮提有人
聞者悉能除滅五逆罪業於阿耨多羅三藐
三菩　何不退轉一切勇於汝意云何若人
聞此沙門福德之聚過於一佛福德之聚一
切勇白佛言云何世尊佛告一切勇如恒河
沙等諸佛如来所有福德若人聞此法門所
得福德亦復如是一切勇若人得聞如是法
門於阿耨多羅三藐三菩提一切不退轉見
一切佛一切得阿耨多羅三藐三菩提悉魔
不惱一切善法皆得成就一切勇聞此法者
能知生滅尒時一切大衆從坐而起偏袒右
肩右膝着地合掌向佛白佛言世尊一佛福
德有幾量也佛言善男子諦聽一佛功德辟
如大海水渧如閻浮提大地微塵如恒河沙
等衆生悉作十地菩薩如是一切十地菩薩
所有福德不如一佛福德之聚一切勇若人
聞此法門福多於此筭數辟喻所不能及尒
時一切大衆聞是說已踊躍歡喜多增福德
時一切勇菩提薩埵白佛言世尊何等衆生
渴樂正法尒時世尊告一切勇菩提薩埵摩
訶薩埵一切勇有二衆生渴仰於法何等為
二一者於一切衆生其心平等二者即聞法
已等為衆說心无悕望一切勇菩提薩埵白
佛言世尊聞何等法得近菩提一切勇渴仰
聞法得近菩提常信樂德受大乘法者得近

BD00067 號　僧伽吒經卷一　（11–1）

已等為衆說心无悕望一切勇菩提薩埵白
佛言世尊聞何等法得近菩提一切勇渴仰
聞法得近菩提常信樂德受大乘法者得近
菩提尒時人天諸龍綵女從坐而起白佛言
世尊我等渴法願佛世尊滿我所願尒時世
尊即便微咲種種色光從口中出遍照十方
上至梵世還從頂入尒時一切勇菩提薩埵
從坐而起偏袒右肩右膝著地白佛言世尊
以何因緣如来現此希有之相尒時世尊告
一切勇菩提薩埵於此會中一切衆生當得
阿耨多羅三藐三菩提成就一切如来境界
是故佛咲一切勇菩提薩埵白佛言世尊何
因緣故此會衆生得阿耨多羅三藐三菩提
佛言善哉善哉一切勇能問如来如是之義
一切勇以願勝故一切勇乃往過去无數阿
僧祇劫有佛世尊号曰寶德如来應供正遍
知明行足善逝世間解无上士調御丈夫天
人師佛世尊一切勇尒時我作摩納之子此
會衆生住佛智慧者往昔之時悉在廠中我
時發願如是諸廠我皆令住佛智慧中時廠
聞已尋皆發言願行如是一切勇此會大衆
因彼善根當得阿耨多羅三藐三菩提尒時
一切勇菩提薩埵摩訶薩埵白佛言世尊若
有衆生聞此法者壽命幾劫佛言其人壽命
滿八十劫一切勇菩提薩埵白佛言世尊劫
以何量佛言善男子譬如大城縱廣十二由
旬高三由旬盛滿胡麻有長壽人過百歲已

以何量佛言善男子譬如大城縱廣十二由
旬高三由旬盛滿胡麻有長壽人過百歲已
取一而去如是城中胡麻悉盡劫猶不盡一
切勇又如大山縱廣二十五由旬高十二由
旬有長壽人過一百歲以輕繒帛一往拂之
如是山盡劫猶不盡是名劫量時一切勇菩
提薩埵摩訶薩埵白佛言世尊一發指願尚
得如是福德之聚壽八十劫何況於佛法中
廣脩諸行善男子若有聞此法門者所得壽
命滿八十劫何況書寫讀誦之者一切勇若
有人以淨信心讀誦此法門福多於前九十
五劫自識宿命六万劫中為轉輪王於現在
世人所敬重刀不能害毒不能傷妖蠱不中
臨命終時得見九十五億諸佛安慰之言汝
莫怖畏汝在世時聞僧伽吒法門九十五億
佛各將其人至其世界一切勇況復有人得
具足聞如是法門尒時一切勇菩提薩埵白
佛言世尊我當聽受如是法門得何福德佛
告一切勇如恒河沙諸佛如来所有福德聞
是經者所得福德亦復如是時一切勇菩提
薩埵白佛言世尊我聽此法心无疲猒佛告
一切勇善哉善哉汝能如是聞法无猒我亦
如是聞法无猒況復凡夫心生猒想一切勇
若有善男子聞此法門生信心者於千劫中
不墮惡道五千劫中不墮畜生万二千劫不
墮愚癡万八千劫不生邊地二万劫中生處
端正二万五千劫常得出家五万劫中作正

墮愚癡万八千劫不生邊地二万劫中生處
端正二万五千劫常得出家五万劫中作正
法王六万五千劫脩行念死一切勇彼善男
子善女人无少不善惡魔不得其便不入母
胎一切勇聞此法門者生生之處九十五阿
僧祇劫不墮惡道於八万劫常得聞持十万
劫離於殺生九万九千劫離於妄語一万三
千劫離於兩舌一切勇如是法門難值難聞
尒時一切勇菩提薩埵摩訶薩埵從坐而起
偏袒右肩右膝着地合掌白佛言世尊謗此
法者其罪多少佛告一切勇其罪甚多時一
切勇菩提薩埵白佛言世尊得幾數罪佛告
一切勇莫問此事善男子若有於十二恒河
沙諸佛如來起於惡心若有謗者罪多於彼
一切勇若於大乘起惱心者如彼衆生被燒
燋然一切勇菩提薩埵白佛言世尊如是衆
生云何可救佛告一切勇譬如有人刀斷其
頭使醫治之塗以石蜜蘇油諸藥以用塗之
一切勇於汝意云何如是衆生還可活不一
切勇白佛不也世尊一切勇又如有人刀害
不斷若得良醫治之則差彼人差已知其大
苦我今知已更不復作惡不善業一切勇若
善男子念布施時亦復如是離一切惡集諸
善法諸善具足譬如死尸父母憂愁啼泣不
能救護凡夫之人亦復如是是不能自利不
能利他无依父母如是如是一切勇彼諸衆

BD00067號　僧伽吒經卷一　（11–4）

能救護凡夫之人亦復如是是不能自利不
能利他无依父母如是如是一切勇彼諸衆
生臨死之時无所依一切勇无依衆生有二
種何等為二一者作不善業二者誹謗正法
如是二人臨死之時无依止處時一切勇菩
提薩埵白佛言世尊彼謗法者生何道中佛
告一切勇謗法之人入大地獄在大叫喚地
獄一劫受苦衆合地獄一劫受苦燒然地獄
一劫受苦大燒然地獄一劫受苦黑繩地獄
一劫受苦阿鼻地獄一劫受苦毛豎地獄一
劫受苦睢睢地獄一劫受苦一切勇謗法衆
生於此八大地獄滿足八劫受大苦惱尒時
一切勇菩提薩埵摩訶薩埵白佛言世尊大
苦大苦我不能聞尒時世尊而說頌曰
何故不能聞　此語甚可怖　地獄為大苦　衆生受苦痛
若造善業者　則有樂果報　若造不善業　則受於苦報
生則有死苦　憂悲苦所縛　凡夫常受苦　无有少樂時
智慧人為樂　能憶念諸佛　信清淨大乘　不墮於惡道
如是一切勇　本業得果報　作業時雖少　得无邊果報
種子時雖少　得无量果實　殖種佛福田　能生果實衆
智者得安樂　樂於諸佛法　遠離於惡法　脩行諸善法
若以一豪物　用布施諸佛　八十千劫中　巨富具財寶
隨所受生處　常念行布施　如是一切勇　施佛得福深
尒時一切勇菩提薩埵摩訶薩埵白佛言
世尊云何脩佛智慧云何聞此法門增長善
根佛告一切勇菩提薩埵若有人供養六十

BD00067號　僧伽吒經卷一　（11–5）

世尊云何脩佛智慧云何聞此法門增長善
根佛告一切勇菩提薩埵若有人供養六十
二億恒河沙諸佛施諸藥具若復聞此法門
者所得福德與前正等一切勇菩提薩埵曰
佛言世尊云何善根滿足尒時世尊告一切
勇菩提薩埵摩訶薩言功德如佛者
當知滿足之一切勇白佛言世尊何人功德與
如來等佛告一切勇菩提薩埵善男子法師
善根與如來等一切勇菩提薩埵言世尊何
等是法師佛告一切勇菩提薩埵流通此法
門者名為法師一切勇菩提薩埵白佛言世
尊聞此法門得何等福書寫讀誦此法門者
得幾所福佛告一切勇菩提薩埵言善男子
於十方面一一方各十二恒河沙諸佛如來
一一如來住世說法滿十二劫若有善男子
說此法門功德與上諸如來等若有善男子
書寫此經四十八恒河沙諸佛如來說其功
德不能令盡況復書寫讀誦受持時一切勇
菩提薩埵聞佛言世尊若讀誦者得幾所福
尒時世尊說頌荅曰

讀誦四句偈　得此最勝福　如八十四恒　諸佛所說法
讀誦此法門　得如是福德　如是諸功德　言說不能盡
十六億諸佛　住世滿一劫　十方一切佛　常讚大乘法
善說此法門　而无有窮盡　諸佛難值遇　此法亦如是

尒時八十四億天子至於佛所合掌頂礼白
佛言善哉世尊如是法藏願住閻浮提尒時
復有十八千億尼揵子來詣佛所白佛言勝

尒時八十四億天子至於佛所合掌頂礼白
佛言善哉世尊如是法藏願住閻浮提尒時
復有十八千億尼揵子來詣佛所白佛言勝
也沙門瞿曇佛告尼揵如來常勝汝等住顛
倒云何見汝等勝汝无勝也汝等善聽今為
利益汝等為汝等說

凡夫无慧樂　何處得有勝　不知於正道　云何得有勝
我示眾生道　以甚深佛眼

尒時尼揵子於世尊所心生瞋恚尒時帝釋
捉金剛杵以手摩之用擬尼揵時十八千億
諸尼揵子惶怖苦惱悲泣啼哭如來隱形令
其不見尒時諸尼揵子見如來悲泣頌曰

父母及兄弟　无能救濟者　見曠野大澤　空无人行路
彼處不見水　亦不見樹陰　亦不見人眾　无伴獨受苦
彼受諸苦惱　由不見如來

時諸尼揵從坐而起右膝著地出大聲言如
來哀愍願見救濟我等歸依佛尒時世尊即
時微咲告一切勇菩提薩埵摩訶薩埵言善
男子汝往外道尼揵子所為其說法尒時一
切勇菩提薩埵摩訶薩埵白佛言世尊譬如
須弥山王小山无能出者如是世尊於如來
前我不能說尒時世尊告一切勇菩提薩埵
摩訶薩埵善男子莫作是說如來有多方便
一切勇汝往觀十方一切世界如來在何處
住於何處所敷如來坐一切勇於尼揵所我
亦當自說法一切勇白佛言世尊乘何神力
為以自神力去以佛神力去也佛告一切勇

亦當自說法一切勇白佛言世尊乘何神力
為以自神力去以佛神力去也佛告一切勇
汝以自神力去還時以佛神力而来尒時一
切勇菩提薩埵摩訶薩埵從坐而起偏袒右
肩為佛作礼即沒不現尒時世尊為居揵說
生苦生惱人生多怖生有病苦病有老苦老
有死苦復有王難賊難水難火難毒難自作
業難時諸外道心懷恐怖白佛言世尊我等
於今更不忍生尒時世尊說此法時十八千
億諸外道等得離塵垢阿耨多羅三藐三菩
提自身十八千億住於十地大菩提薩埵現
菩提薩埵種種神力或作烏形馬形師子䖏
形金翅鳥形或作須弥山形或作老形或作
獼猴或作華臺結跏趺坐十千億菩提薩埵
在其南面作九十億菩提薩埵在其北面皆
作如是神通變化如来常在三昧以方便力
故為衆生說法尒時如来知一切勇菩提薩
埵自用神力去已七日至華上世界時一切
勇菩提薩埵以佛神力屈申臂頃来至佛所
到已右遶三匝發清淨心合掌礼佛白佛言
世尊我以一神力至十方諸佛世界見九十
九千億諸佛世界第二神力見百千億諸佛
世界至第七日到華上世界亦至不動如来
世界世尊我至彼國見九十二千億諸佛說
法又見八十億千世界八十億千諸佛即日
成阿耨多羅三藐三菩提我悉供養復過而

BD00067 號　僧伽吒經卷一

(11–8)

法又見八十億千世界八十億千諸佛即日
成阿耨多羅三藐三菩提我悉供養復過而
去世尊我即日至三十九億百千佛國見三
十九億百千菩提薩埵出家得阿耨多羅三
藐三菩提世尊我悉恭敬礼拜右遶三帀復
過而去世尊又於六十億世界見六十億佛
我悉供養恭敬礼拜而去世尊我見百億世
界百億如来入般涅槃我亦供養恭敬礼拜
復過而去世尊我見六十五億世界諸佛正
法滅盡我心燋惱而懷悲泣見天龍夜叉憂
惱啼哭如箭入心世尊彼佛世界劫火所燒
大海須弥悉皆燒盡无有遺餘我亦供養復
過而去乃到華上世界世尊我到彼世界見
數百千億坐世尊見彼南面數百千億坐東
西北方及以上下各數百千億高坐世尊彼
一一坐七寶成就一一坐上有一如来結跏
趺坐為衆說法世尊我既見已生希有心問
彼世尊此世界者名為何等彼佛如来即告
我言此世界者名曰華上世尊我礼彼佛問
其佛言如来世尊名号何等彼佛荅我号蓮
華藏於此世界常作佛事我復問言此世界
中无量如来何者是蓮華藏如来之身彼世
尊曰我當示汝蓮華藏佛尒時諸佛悉隱不
現唯見一佛其餘坐上悉是菩薩我時礼佛
時有一坐從地踊出我於此坐結跏趺坐時
我坐已有无量坐忽然而出空无人坐我問

BD00067 號　僧伽吒經卷一

(11–9)

時有一坐從地踊出我於此坐結跏趺坐時
我坐已有无量坐忽然而出空无人坐我問
彼佛此坐何故空无人坐時佛世尊而告我
言善男子不種善根衆生不得在於此會之
中世尊我時問彼如来言世尊作何善根得
在此會時佛告言諦聽善男子得聞僧伽吒
法門者以是善根得在此會何況書寫讀誦
一切勇汝聞僧伽吒法門故得在此會无善
根人則不能得見此佛國尒時一切勇菩提
薩埵摩訶薩埵白彼佛言世尊得聞此法門
者得何福德尒時蓮華藏如来即便微笑世
尊我時作礼問彼佛言佛何故笑現希有相
時蓮華藏如来告一切勇善男子一切勇菩
提薩埵得大勢力辟如轉輪聖王主四天下
於四天下種澌胡麻善男子如彼胡麻其數
多不一切勇菩提薩埵白世尊言甚多世尊
甚多善逝佛告一切勇有人衆彼胡麻以作
一聚一切勇有人能數知其數不一切勇菩
提薩埵白彼世尊不可數也善逝世尊時蓮
華藏如来告一切勇菩提薩埵善男子若胡
麻等數諸佛如来說聞經功德不能令盡何
況書寫讀誦一切勇菩提薩埵白佛言世尊
書寫得何等福佛告一切勇善男子辟如三
千大千世界一切沙塵樹葉草木以如此等
數轉輪王如是輪王寧可數不一切勇菩提
薩埵白佛言世尊不可數也善逝世尊佛告
一切勇善男子聽此法者如是一切諸轉輪

BD00067號　僧伽吒經卷一　（11-10）

千大千世界一切沙塵樹葉草木以如此等
數轉輪王如是輪王寧可數不一切勇菩提
薩埵白佛言世尊不可數也善逝世尊佛告
一切勇善男子聽此法者如是一切諸轉輪
王所有福德不及此福於此法門書一字者
功德勝彼一切輪王所有福德如是善男子
此法門者攝於一切大乘正法不得以輪王
福德為喻如是一切勇此法門功德非辟喻
說如此法門能示法藏滅諸煩惱然大法炬
降諸惡魔照明一切菩提薩埵之舍說一切
法尒時一切勇菩提薩埵摩訶薩埵白佛言
世尊行梵行者甚為希有何以故世尊如来
行難得佛告一切勇如是善男子梵行難得
若行梵行若晝若夜常見如来若見如来則
見佛國若見佛國則見法藏臨命終時其心
不怖不受胎生无復憂惱不為愛河之所漂
沒尒時世尊復告一切勇菩
埵善男子如来出世難可值
是世尊如是善逝如来出
一切勇菩提
復如是
者八
八千
十

BD00067號　僧伽吒經卷一　（11-11）

品是古
極難得故見修煩惱難伏能伏是故
為難勝行法相續了了顯現无相思惟皆悉
現前是故六地名為現前无漏无間[illegible]相思
惟解脫三昧遠修行故是地清淨无有障㝵
是故七地名為遠行无相思惟修得自在諸
煩惱行不能令動是故八地名為不動說一切
法種種差別皆得自在无患无累增長智
慧自在无㝵是故九地名為善慧法身如虛
空智慧如大雲皆能遍滿覆一切是故第
十名為法雲
善男子執著有相我法无明怖畏生死惡趣
无明此二无明障於初地微細學處誤犯无
明發起種種業行无明此二无明障於二地
未得今得愛著无明能障殊勝總持无明此
二无明障於三地味著等至喜[illegible]无明微妙
淨法愛樂无明此二无明障於四[illegible]背生
死无明希趣涅槃无明此二无明障於五地觀
行流轉无明麁相現前无明此二无明[illegible]於
六地微細諸相現前无明作意欣[illegible]无相
无明此二无明障於七地於无相[illegible]用无
明執相自在无明此二无明障於八[illegible]於所說
義及名句文此二无量未善巧无明於詞
辯中不隨意无明此二无明障於九地於大
神通未自在變現无明微細祕密未能悟
解事業无明此二无明障於十地一切境
[illegible]微細所知障㝵无明極細煩惱麁重无明此

BD00068號　金光明最勝王經卷四　（10–1）

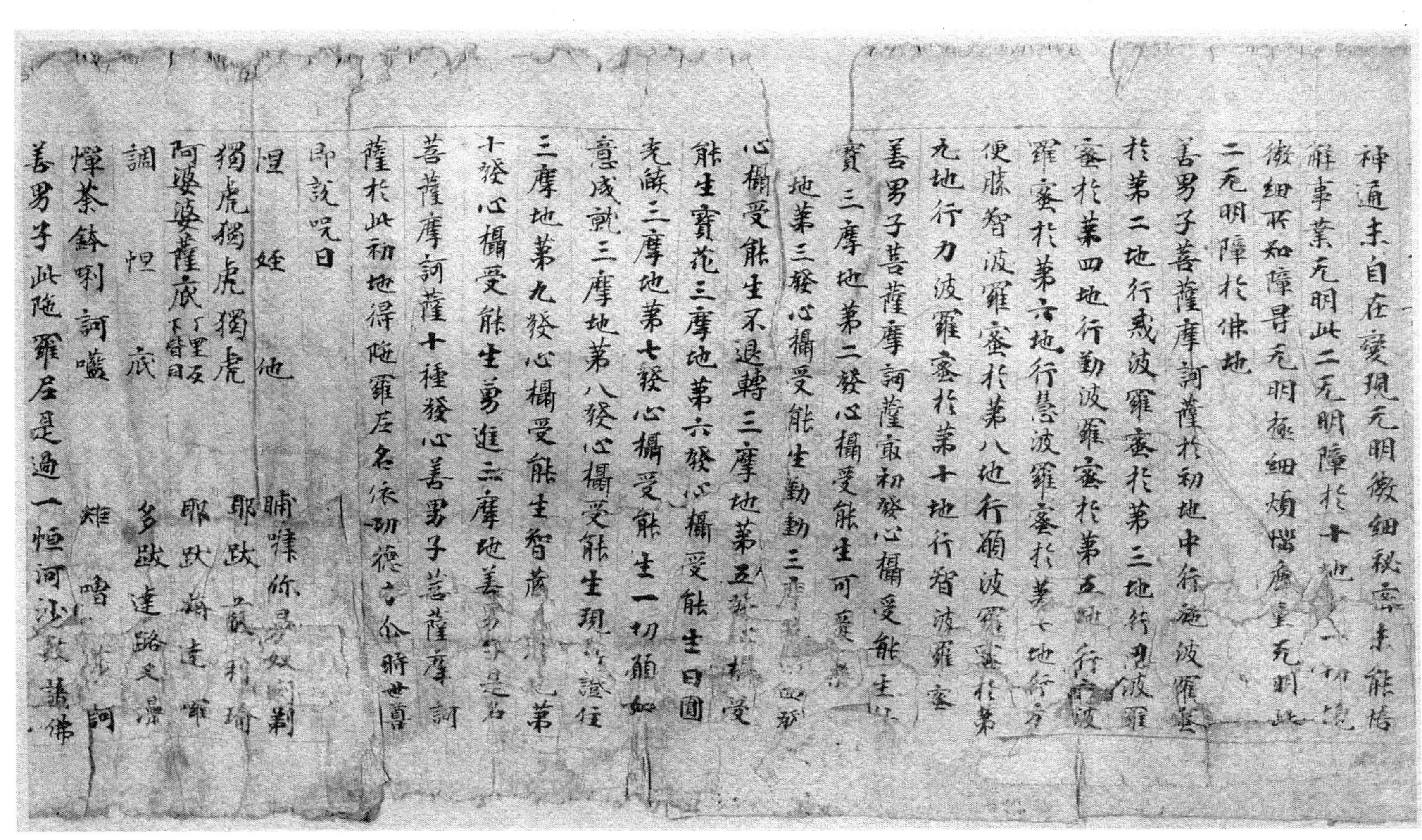
神通未自在變現无明微細祕密未能悟
解事業无明此二无明障於十地一切境
微細所知障㝵无明極細煩惱麁重无明此
二无明障於佛地
善男子菩薩摩訶薩於初地中行施波羅蜜
於第二地行戒波羅蜜於第三地行忍波羅
蜜於第四地行勤波羅蜜於第五地行定波
羅蜜於第六地行慧波羅蜜於第七地行方
便勝智波羅蜜於第八地行願波羅蜜於第
九地行力波羅蜜於第十地行智波羅蜜
善男子菩薩摩訶薩最初發心攝受能生妙
寶三摩地第二發心攝受能生可愛[illegible]
地第三發心攝受能生勤動三[illegible]四發
心攝受能生不退轉三摩地第五發心攝受
能生寶花三摩地第六發心攝受能生日圓
光熖三摩地第七發心攝受能生一切願如
意成就三摩地第八發心攝受能生現前證住
三摩地第九發心攝受能生智藏[illegible]第
十發心攝受能生勇進三摩地善[illegible]是名
菩薩摩訶薩十種發心善男子菩薩摩訶
薩於此初地得陀羅尼名依功德力爾時世尊
即說呪曰
怛　姪　他　晡嘌你　[illegible]剌
獨虎獨虎獨虎　耶䟦　[illegible]利琦
阿婆婆薩底（丁里反 下皆同）　耶䟦[illegible]達囉
誳　怛　底　多䟦達路叉[illegible]
憚荼　鉢唎　訶[illegible]　雉　嚕　[illegible]訶
善男子此陀羅尼是過一恒河沙數諸佛

BD00068號　金光明最勝王經卷四　（10–2）

憚荼鉢唎訶嚧　雉　嚕　莎　訶
善男子此陀羅尼是過一恒河沙數諸佛
所說為護初地菩薩故若有誦持此陀
羅尼呪者得脫一切怖畏所謂虎狼師子惡獸
之類一切惡鬼人非人等怨賊灾橫及諸苦惱
解脫五障不忘念初地
善男子菩薩摩訶薩於第二地得陀羅尼
名善安樂住
怛　姪　他　　嗢　篅（下同）嚌　里
質　里　質　里　　嗢篅羅篅羅（引）喃
繕　覩　繕　覩　嗢　篅　里　　虎嚕虎嚕莎訶
善男子此陀羅尼是過二恒河沙數諸佛所
說為護二地菩薩故若有誦持此陀羅尼呪
者脫諸怖畏惡獸惡鬼人非人等怨賊灾橫
及諸苦惱解脫五障不忘念二地
善男子菩薩摩訶薩於第三地得陀羅尼
名難勝力
怛　姪　他　　憚宅枳　般宅枳
羯喇徽高喇徽　　雞由哩憚撒里莎訶
善男子此陀羅尼是過三恒河沙數諸佛所
說為護三地菩薩故若有誦持此陀羅尼
呪者脫諸怖畏惡獸惡鬼人非人等怨賊灾
橫及諸苦惱解脫五障不忘念三地
善男子菩薩摩訶薩於第四地得陀羅尼
名大利益
怛　姪　他　　室　唎　室
陀須你陀須你　　陀哩陀哩
室唎　室唎你　　毗舍羅波世波始娜

BD00068 號　金光明最勝王經卷四　（10–3）

名大利益
怛　姪　他　　室　唎　室　唎
陀須你陀須你　　陀哩陀哩
室唎　室唎你　　毗舍羅波世波始娜
畔陀須帝莎訶
善男子此陀羅尼是過四恒河沙數諸佛所
說為護四地菩薩故若有誦持此陀羅尼呪
者脫諸怖畏惡獸惡鬼人非人等怨賊灾橫
及諸苦惱解脫五障不忘念四地
善男子菩薩摩訶薩於第五地得陀羅尼
名種種功德莊嚴
怛　姪　他　　訶　哩　訶　哩　你
遮哩遮哩你　　羯喇摩（引）你
僧羯喇摩（引）你　　三婆山你　瞻揆你
悉耽婆你謨漢你　　碎闍步陛　莎訶
善男子此陀羅尼是過五恒河沙數諸佛
所說為護五地菩薩摩訶薩故若有誦持此
陀羅尼呪者脫諸怖畏惡獸惡鬼人非人等
怨賊灾橫及諸苦惱解脫五障不忘念五地
善男子菩薩摩訶薩於第六地得陀羅尼名
圓滿智
怛　姪　他　　毗徒哩毗徒哩
摩哩你迦里迦里　　毗度漢底
嚕嚕嚕嚕　　主嚕主嚕
杜嚕婆杜嚕婆　　捨捨設者婆哩灑
莎入悉底薩婆薩埵喃　悉甸覩漫
曼怛羅鉢陀你　　莎訶
善男子此陀羅尼是過六恒河沙數諸佛

BD00068 號　金光明最勝王經卷四　（10–4）

暮怛囉鉢陁你 莎訶
善男子此陁羅尼是過六恒河沙數諸佛
所說爲護六地菩薩摩訶薩故若有誦持此
陁羅尼呪者脫諸怖畏惡獸惡鬼人非人等
怨賊灾横及諸苦惱解脫五障不忘念六地
善男子菩薩摩訶薩於第七地得陁羅尼
名法勝行
怛 姪 他 句訶上 句 訶 引 嚕
句訶句訶句訶嚕 鞞陛枳鞞陛枳
阿蜜栗多唬漢你 勃里山你
鞞嚕勅枳婆嚕伐底 鞞 提 呬 枳
頻 陁 鞞 哩 你 阿 蜜 哩 底 枳
蒲 虎 主 愈 薄虎主愈 莎訶
善男子此陁羅尼是過七恒河沙數諸佛
所說爲護七地菩薩故若有誦持此陁羅
尼呪者脫諸怖畏惡獸惡人非人等怨賊
灾横及諸苦惱解脫五障不忘念七地
善男子菩薩摩訶薩於第八地得陁羅尼
名无盡藏
怛 姪 他 室唎室唎室唎你
蜜 底 蜜 底 羯哩羯哩醯嚕醯嚕
主 嚕 主 嚕 畔陁弭 莎訶
善男子此陁羅尼是過八恒河沙數諸佛所說
爲護八地菩薩故若有誦持此陁羅尼呪者
脫諸怖畏惡獸惡鬼人非人等怨賊灾横及

BD00068 號　金光明最勝王經卷四　（10–5）

脫諸怖畏惡獸惡鬼人非人等怨賊灾横及
諸苦惱解脫五障不忘念八地
善男子菩薩摩訶薩於第九地得陁羅尼名
无量門
怛 姪 他 訶哩旃荼哩枳
俱藍婆喇體天里反 都 剌 死
杖吒杖吒死室唎 迦室哩迦必室唎
莎蘇活反 悉 底 薩婆薩埵喃 莎訶
善男子此陁羅尼是過九恒河數諸佛所
說爲護九地菩薩故若有誦持此陁羅尼呪
者脫諸怖畏惡獸惡鬼人非人等怨賊灾横
及諸苦惱解脫五障不忘念九地
善男子菩薩摩訶薩於第十地得陁羅尼
名破金剛山
怛 姪 他 悉提去 蘇悉提去
謨折你木察你 毗木底 菴 末 麗
毗末麗涅末麗 忙 揭 麗
呬喇若 揭 鞞 曷喇怛娜揭鞞
三曼多跋姪麗 薩婆頞他娑憚你
摩捺斯莫訶摩捺斯 頞 步 底
頞 室 步 底 阿唎誓毗唎誓
跋 嚧 誰 跋囉蚶跋麼莎入嚩
晡唎你晡唎 娜 暮奴喇剎 莎訶
善男子此陁羅尼灌頂吉祥句是過十恒
河沙數諸佛所說爲護十地菩薩故若有
誦持此陁羅尼呪者脫諸怖畏惡獸惡鬼人
非人等怨賊灾横一切毒害皆悉除滅解

BD00068 號　金光明最勝王經卷四　（10–6）

誦持此陀羅尼呪者脫諸怖畏惡獸惡鬼人
非人等怨賊災橫一切毒害皆悉除滅解
脫五障不忘念十地
尒時師子相无导光焰菩薩聞佛說此不可
思議陀羅尼已即從座起偏袒右肩右膝著
地合掌恭敬頂礼佛足以頌讚佛
敬礼无譬喻　甚深无相法　衆生失正知　唯佛能濟度
如來明慧眼　不見一法相　復以正法眼　普照不思議
不生於一法　亦不滅一法　由斯平等見　得至无上處
不壞於生死　亦不住涅槃　不著於二邊　是故證圓寂
於淨不淨品　世尊知一味　由不分別故　獲得最清淨
世尊无邊身　不說於一字　令諸弟子衆　法雨皆充滿
佛觀衆生相　一切種皆无　然於苦惱者　常興於救護
苦樂常无常　有我无我等　不一亦不異　不生亦不滅
如是衆多義　隨說有差別　譬如空谷響　唯佛能了知
法界无分別　是故无異乘　為度衆生故　分別說有三
尒時大自在梵天王亦從座起偏袒右肩右膝
著地合掌恭敬頂礼佛足而白佛言世尊此金
光明最勝王經中有難量初中後善文義究
竟皆能成就一切佛法若受持者是人則為
報諸佛恩佛言善男子如是如是如汝所說
善男子若得聽聞是經典者皆不退於阿
耨多羅三藐三菩提何以故善男子是能
成熟不退地菩薩殊勝善根是第一法印是
衆經王故應聽聞受持讀誦何以故善男子
若一切衆生未種善根未成熟善根未親近
諸佛者不能聽聞是微妙法若善男子善

BD00068號　金光明最勝王經卷四　（10–7）

衆經王故應聽聞受持讀誦何以故善男子
若一切衆生未種善根未成熟善根未親近
諸佛者不能聽聞是微妙法若善男子善
女人能聽受者一切罪障皆悉除滅得最清
淨常得見佛不離諸佛及善知識勝行之人
恒聞妙法住不退地獲得如是勝陀羅尼門所
謂无盡无減海印出妙功德陀羅尼无盡无
減通達衆生意行言語陀羅尼无盡无減日
圓无垢相光陀羅尼无盡无減滿月相光陀羅
尼无盡无減能伏諸惑演功德流陀羅尼无
盡无減破金剛山陀羅尼无盡无減說不可說
義因緣藏陀羅尼无盡无減通達實語法
則音聲陀羅尼无盡无減虛空无垢心行印
陀羅尼无盡无減无邊佛身皆能顯現
陀羅尼无盡无減
善男子如是等无盡无減諸陀羅尼門得
成就故是菩薩摩訶薩能於十方一切佛土
化作佛身演說无上種種正法於法真如不
動不住不來不去善能成熟一切衆生善根
亦不見一衆生可成熟者雖說種種諸法於
言詞中不動不住不去不來能於生滅證无
生滅以何因緣說諸行法无有去來由一切法
體无異故說是法時三万億菩薩摩訶薩得
无生法忍无量諸菩薩不退菩提心无量无邊
苾芻苾芻尼得法眼淨无量衆生發菩提心
尒時世尊而說頌曰
隊去能逆生死流　甚深微妙難得見

BD00068號　金光明最勝王經卷四　（10–8）

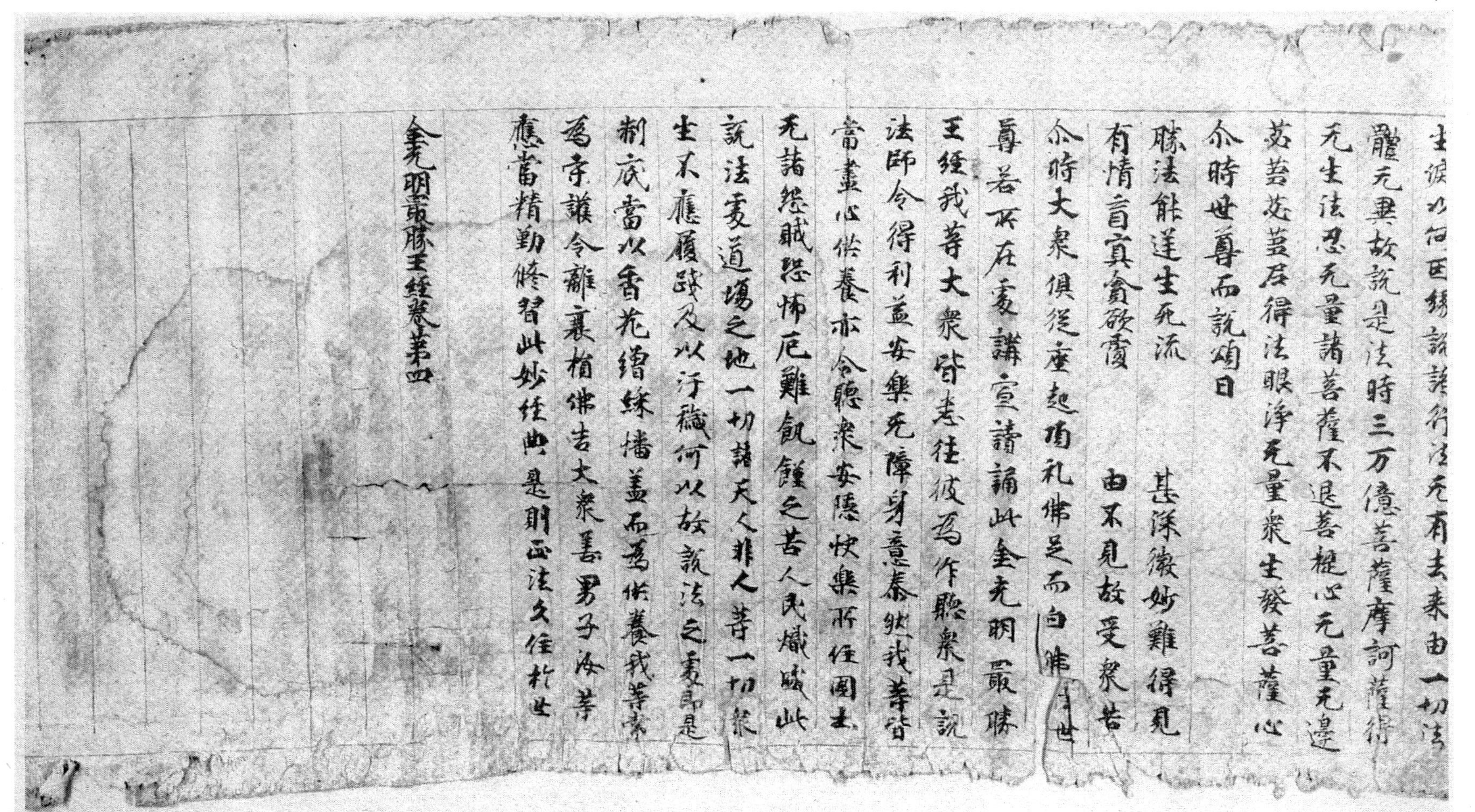

BD00068號　金光明最勝王經卷四　（10–9）

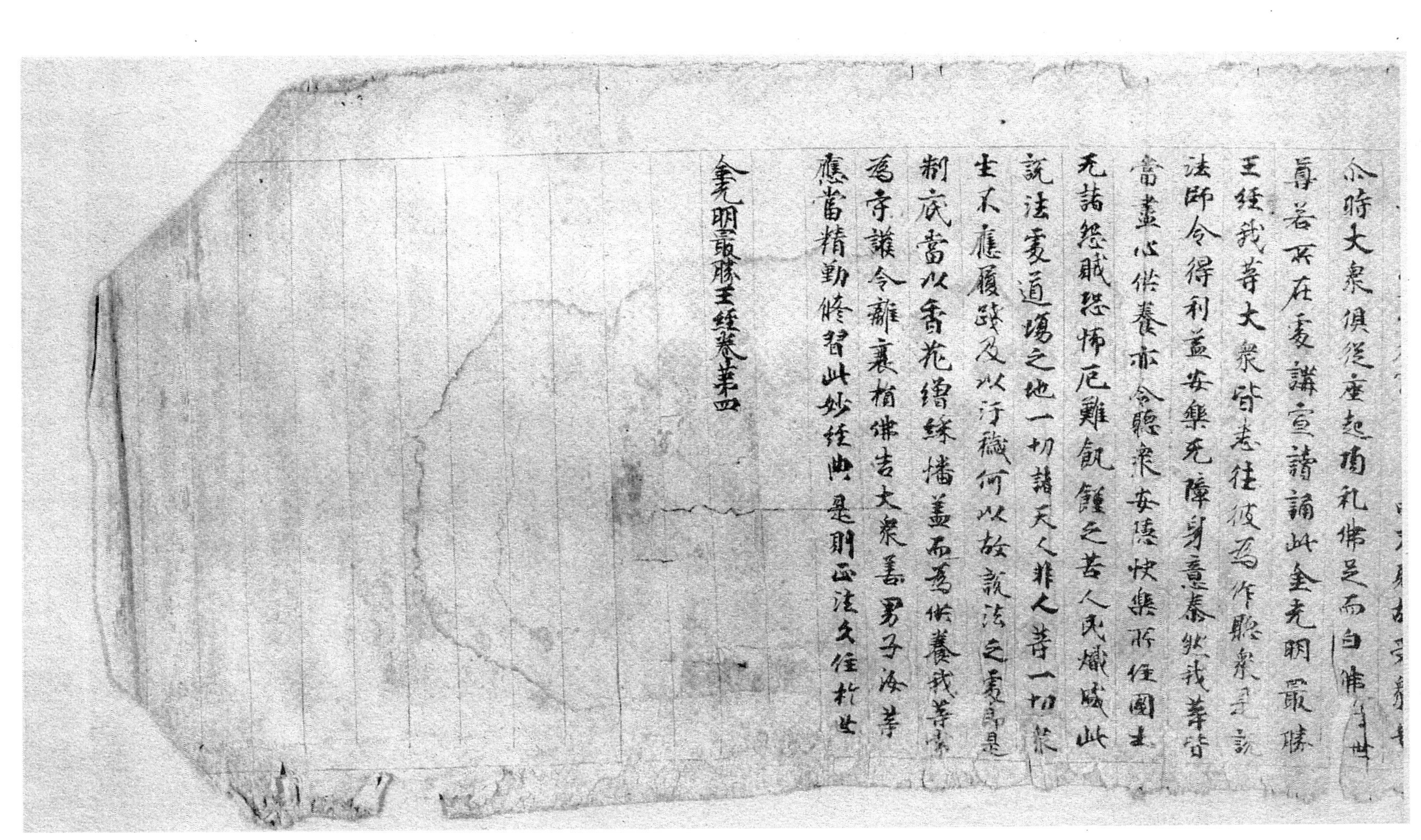

BD00068號　金光明最勝王經卷四　（10–10）

夫欲礼懺必須先敬三寶
發生良友福田若能歸向者
能令行者離生死普得解
歸依十方盡虛空界一切諸佛
尊法歸依十方盡虛空界一切菩薩
者心言无始以來在凡夫地不問
生罪或因六根而起過或以內心
著如是乃至十惡增長八万四千
无量大而為諸不出有三何
者是果報此三種法能障一
是故經中目為三障所以諸佛
滅者則六根十惡乃至八万四千以
今日運此增上勝心懺悔三障欲滅
罪滅先當興七種心以為方便然
一者慚愧二者恐怖三者厭離
六者念報佛恩七者觀罪性
如來同為凡夫而今世尊成道
等相与耽染六塵流浪生死永
著可恥第二恐怖者既是凡夫
因緣命終之後應墮地獄畜生
可驚可恐可怖可懼第三
唯有无常苦空无我不淨虛假
猶若車輪生老病死八苦交

BD00068 號背　佛名經（十六卷本）卷一

（2–1）

唯有无常苦空无我不淨虛假
猶若車輪生老病死八苦交
身從頭至足其中但有卅六
二藏大腸脾腎心肺肝膽脾胃
傾利九孔常流是故經言此

BD00068 號背　佛名經（十六卷本）卷一

（2–2）

常起貪愛流轉難
於此世間號善難　一切愚夫煩惱難
狂心散動顛倒難　及以親近惡友難
於生死中貪染難　瞋癡闇鈍造罪難
生八無暇惡處難　未曾積集功德難
我今皆於最勝前　懺悔無邊罪惡業
我今歸依諸善逝　我礼德海无上尊
如大金山照十方　唯願慈悲哀攝受
身色金光淨無垢　目如清淨紺瑠璃
吉祥威德名稱尊　大悲慧日除衆闇
佛日光明常普遍　善淨无垢離諸塵
手足月照極清淨　能除衆生煩惱熱
三十二相遍莊嚴　八十隨好皆圓滿
福德難思无與等　如日流光照世間
色如瑠璃清无垢　猶如滿月處虛空
妙頗黎網映金軀　種種光明以嚴飾
於生死苦暴流內　老病憂愁水所漂
如是苦海難堪忍　佛日舒光令永竭
我今稽首一切智　三千世界希有尊
光明晃耀紫金身　種種妙好皆嚴飾
如大海水量難知　大地微塵不可數
如妙高山叵稱量　亦如虛空无有際
諸佛功德亦如是　一切有情不能知
於无量劫諦思惟　无有能知德海岸

BD00069號　金光明最勝王經卷二　（5–1）

如妙高山叵稱量　亦如虛空无有際
諸佛功德亦如是　一切有情不能知
於无量劫諦思惟　无有能知德海岸

盡此大地諸山岳　析如微塵能算知
毛端渧海尚可量　佛之功德无能數
一切有情皆共讚　世尊名稱諸功德
清淨相好妙莊嚴　不可稱量知分齊
我之所有衆善業　願得速成无上尊
廣說正法利群生　悉令解脫於衆苦
降伏大力魔軍衆　當轉无上正法輪
久住劫數難思議　充足衆生甘露味
猶如過去諸最勝　六波羅蜜皆圓滿
滅諸貪欲及瞋癡　降伏煩惱除衆苦
願我常得宿命智　能憶過去百千生
亦常憶念牟尼尊　得聞諸佛甚深法
願我以斯諸善業　奉事无邊最勝尊
遠離一切不善因　恒得修行真妙法
一切世界諸衆生　悉皆離苦得安樂
所有諸根不具足　令彼身相皆圓滿
若有衆生遭病苦　身形羸瘦无所依
咸令病苦得消除　諸根色力皆充滿
若犯王法當刑戮　衆苦逼迫生憂惱
彼受如斯極苦時　无有歸依能救護
若受鞭杖枷鎖繫　種種苦具切其身
无量百千憂惱時　逼迫身心无暫樂
皆令得免於繫縛　及以鞭杖苦楚事
將臨刑者得命全　衆苦皆令永除盡

BD00069號　金光明最勝王經卷二　（5–2）

若受鞭杖枷鎖繫　種種苦具切其身
无量百千憂惱時　逼迫身心无暫樂
皆令得免於繫縛　及以鞭杖苦楚事
將臨刑者得命全　衆苦皆令永除盡
若有衆生飢渴逼　令得種種殊勝味
盲者得視聾者聞　跛者能行瘂能語
貧窮衆生獲寶藏　倉庫盈溢无所乏
皆令得受上妙樂　无一衆生受苦惱
一切人天皆樂見　容儀溫雅甚端嚴
悉皆現受无量樂　受用豐饒福德具
隨彼衆生念伎樂　衆妙音聲皆現前
念水即現清涼池　金色蓮花泛其上
隨彼衆生心所念　飲食衣服及牀敷
金銀珎寶妙瑠璃　瓔珞莊嚴皆具足
勿令衆生聞惡響　亦復不見有相違
所受容貌悉端嚴　各各慈心相愛樂
世間資生諸樂具　隨心念時皆滿足
所得珎財无悋惜　分布施與諸衆生
燒香末香及塗香　衆妙雜花非一色
每日三時從樹墮　隨心受用生歡喜
普願衆生咸供養　十方一切最勝尊
三乘清淨妙法門　菩薩獨覺聲聞衆
常願勿處於卑賤　不墮无暇八難中
生在有暇人中尊　恒得親承十方佛
願得常生富貴家　財寶倉庫皆盈滿
顏貌名稱无與等　壽命延長經劫數
悉願女人變為男　勇健聰明多智慧
一切常行菩薩道　勤修六度到彼岸

BD00069 號　金光明最勝王經卷二　（5–3）

顏貌名稱无與等　壽命延長經劫數
悉願女人變為男　勇健聰明多智慧
一切常行菩薩道　勤修六度到彼岸
常見十方无量佛　寶王樹下而安處
處妙瑠璃師子座　恒得親承轉法輪
若於過去及現在　輪迴三有造諸業
能招可猒不善趣　願得消滅永无餘
一切衆生於有海　生死羂網堅牢縛
願以智劍為斷除　離苦速證菩提處
衆生於此贍部內　或於他方世界中
所作種種勝福因　我今皆悉生隨喜
以此隨喜福德事　及身語意造衆善
願此勝業常增長　速證无上大菩提
所有礼讚佛功德　深心清淨无瑕穢
迴向發願福无邊　當超惡趣六十劫
若有男子及女人　婆羅門等諸勝族
合掌一心讚歎佛　生生常憶宿世事
諸根清淨身圓滿　殊勝功德皆成就
願於未來所生處　常得人天共瞻仰
非於一佛十佛所　修諸善根今得聞
百千佛所種善根　方得聞斯懺悔法
尒時世尊聞此說已讚妙幢菩薩言善哉善
哉善男子如汝所夢金鼓出聲讚如來真
實功德并懺悔法若有聞者獲福甚多廣利
有情滅除罪障汝今應知此之勝業皆是過
去讚歎發願宿習因緣及由諸佛威力加護
此之因緣當為汝說時諸大衆聞是法已咸
皆歡喜信受奉行

BD00069 號　金光明最勝王經卷二　（5–4）

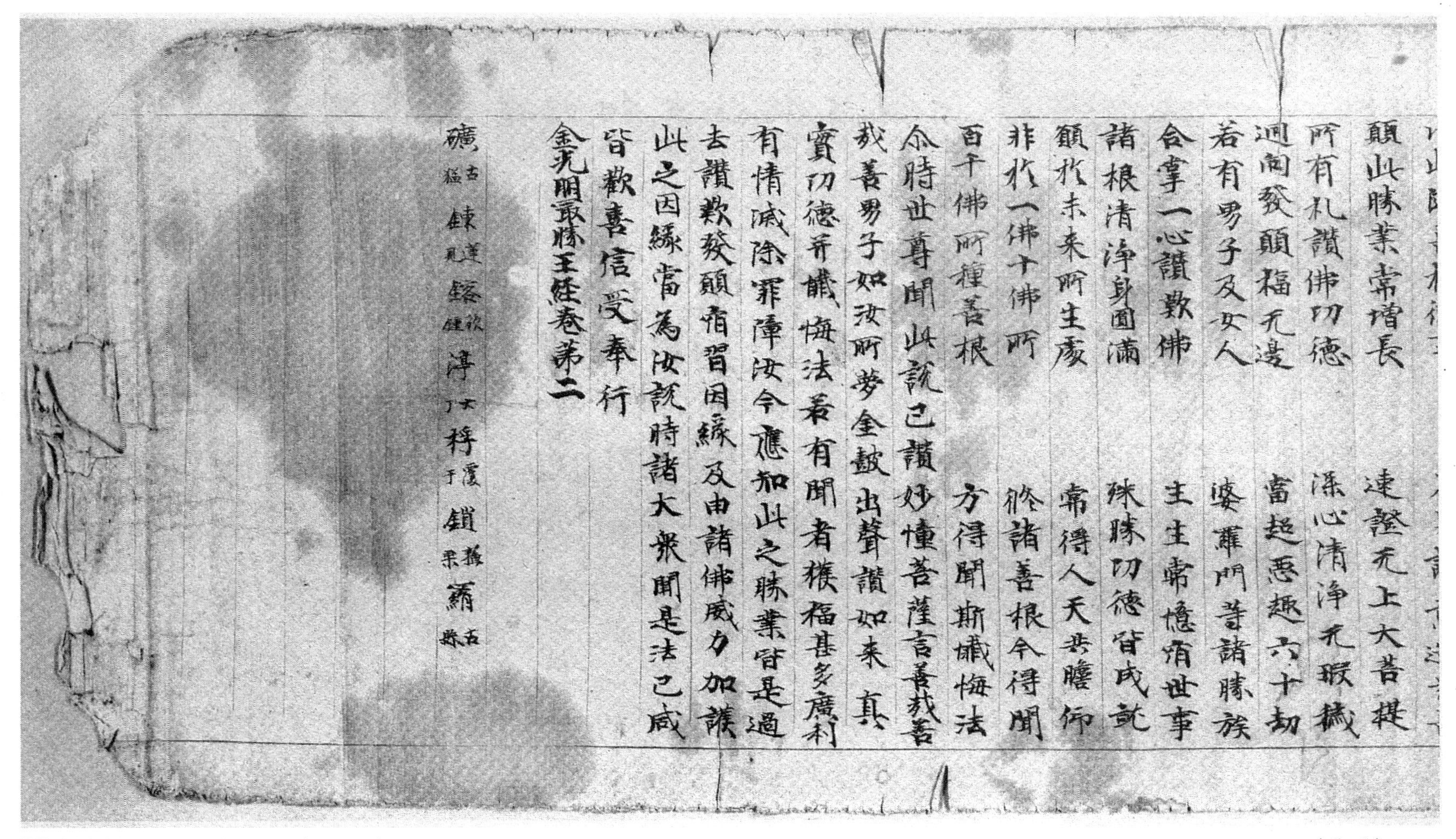

願此勝業常增長　速證无上大菩提
所有札讚佛功德　深心清淨无瑕穢
迴向發願福无邊　當超惡趣六十劫
若有男子及女人　婆羅門等諸勝族
合掌一心讚歎佛　生生常憶宿世事
諸根清淨身圓滿　殊勝功德皆成就
願於未來所生處　常得人天共瞻仰
非於一佛十佛所　修諸善根今得聞
百千佛所種善根　方得聞斯懺悔法
尒時世尊聞此說已讚妙幢菩薩言善哉善
哉善男子如汝所夢金鼓出聲讚如來真
實功德并懺悔法若有聞者獲福甚多廣利
有情滅除罪障汝今應知此之勝業皆是過
去讚歎發願宿習因緣及由諸佛威力加護
此之因緣當為汝說時諸大眾聞是法已咸
皆歡喜信受奉行
金光明最勝王經卷第二
礦古猛　鍊蓮見　鎔欲鍾　渟大丁　桴覆于　鎖蘇果　[illegible]

BD00069 號　金光明最勝王經卷二　（5–5）

……降伏其心佛言善哉善
……如來善護念諸菩薩善
付囑諸菩薩汝今諦聽當為汝說善男子善
女人發阿耨多羅三藐三菩提心應如是住
如是降伏其心唯然世尊願樂欲聞
佛告須菩提諸菩薩摩訶薩應……
心所有一切眾生之類若卵生若……
生若化生若有色若无色若有……
非有想非无想我皆令入……
度之如是滅度无量无數无……
生得滅度者何以故須菩提……
人相眾生相壽者相即非菩……
復次須菩提菩薩於法應无
所謂不住色布施不住聲香
菩提菩薩應如是布施不住
菩薩不住相布施其福德不
提於意云何東方虛空可思量不不也世尊須
菩提南西北方四維上下虛空可思量不不
也世尊須菩提菩薩无住相布施福德亦復
如是不可思量須菩提菩薩但應如所教住
須菩提於意云何可以身相見如來不不也
世尊不可以身相得見如來何以故如來所
說身相即非身相佛告須菩提凡所有相皆
是虛妄若見諸相非相則見如來
須菩提白佛言世尊頗有眾生得聞如是言

BD00070 號　金剛般若波羅蜜經　（14–1）

世[illegible]
說身相即非身相佛告須菩提凡所有相皆
是虛妄若見諸相非相則見如來
須菩提白佛言世尊頗有衆生得聞如是言
說章句生實信不佛告須菩提莫作是說如
來滅後後五百歲有持戒脩福者於此章句
能生信心以此為實當知是人不於一佛二
佛三四五佛而種善根已於无量千万佛所
種諸善根聞是章句乃至一念生淨信者須
菩提如來悉知悉見是諸衆生得如是无量
福德何以故是諸衆生无復我相人相衆生
相壽者相无法相亦无非法相何以故是諸
衆生若心取相則為著我人衆生壽者若取
法相即著我人衆生壽者何以故若取非法
相即著我人衆生壽者是故不應取法不應
取非法以是義故如來常說汝等比丘知我
說法如筏喻者法尚應捨何況非法
須菩提於意云何如來得阿耨多羅三藐三
菩提耶如來有所說法耶須菩提言如我解
佛所說義无有定法名阿耨多羅三藐三菩
提亦无有定法如來可說何以故如來所說
法皆不可取不可說非法非非法所以者何
一切賢聖皆以无為法而有差別
須菩提於意云何若人滿三千大千世界七
寶以用布施是人所得福德寧為多不須菩
提言甚多世尊何以故是福德即非福德性

須菩提於意云何若人滿三千大千世界七
寶以用布施是人所得福德寧為多不須菩
提言甚多世尊何以故是福德即非福德性
是故如來說福德多若復有人於此經中受
持乃至四句偈等為他人說其福勝彼何以
故須菩提一切諸佛及諸佛阿耨多羅三藐
三菩提法皆從此經出須菩提所謂佛法者
即非佛法
須菩提於意云何須陁洹能作是念我得須
陁洹果不須菩提言不也世尊何以故須陁
洹名為入流而无所入不入色聲香味觸法
是名須陁洹須菩提於意云何斯陁含能作
是念我得斯陁含果不須菩提言不也世尊
何以故斯陁含名一往来而實无往来是名
斯陁含須菩提於意云何阿那含能作是念
我得阿那含果不須菩提言不也世尊何以
故阿那含名為不来而實无来是故名阿那
含須菩提於意云何阿羅漢能作是念我得
阿羅漢道不須菩提言不也世尊何以故實
无有法名阿羅漢世尊若阿羅漢作是念我
得阿羅漢道即為著我人衆生壽者世尊佛
說我得无諍三昧人中最為第一是第一離
欲阿羅　我不作是念我是離欲阿羅漢世
尊我若作是念我得阿羅漢道世尊則不說
須菩提是樂阿蘭那行者以須菩提實无所
[illegible]

尊我若作是念我得阿羅漢道世尊則不說
須菩提是樂阿蘭那行者以須菩提實无所
行而名須菩提是樂阿蘭那行佛告須菩提
於意云何如來昔在然燈佛所於法有所得
不世尊如來在然燈佛所於法實无所得
須菩提於意云何菩薩莊嚴佛土不不也世
尊何以故莊嚴佛土者則非莊嚴是名莊嚴
是故須菩提諸菩薩摩訶薩應如是生清淨
心不應住色生心不應住聲香味觸法生心
應无所住而生其心須菩提譬如有人身如
須弥山王於意云何是身為大不須菩提言
甚大世尊何以故佛說非身是名大身
須菩提如恒河中所有沙數如是沙等恒河
於意云何是諸恒河沙寧為多不須菩提言
甚多世尊但諸恒河尚多无數何況其沙須
菩提我今實言告汝若有善男子善女人以
七寶滿尒所恒河沙數三千大千世界以用
布施得福多不須菩提言甚多世尊佛告須
菩提若善男子善女人於此經中乃至受持
四句偈等為他人說而此福德勝前福德
復次須菩提隨說是經乃至四句偈等當知
此處一切世間天人阿脩羅皆應供養如佛
塔廟何況有人盡能受持讀須菩提當知
是人成就最上第一希有之法若是經典所
在之處則為有佛若尊重弟子尒時須菩提

BD00070 號　金剛般若波羅蜜經　（14–4）

是人成就最上第一希有之法若是經典所
在之處則為有佛若尊重弟子尒時須菩提
白佛言世尊當何名此經我等云何奉持佛
告須菩提是經名為金剛般若波羅蜜以是
名字汝當奉持所以者何須菩提佛說般若
波羅蜜則非般若波羅蜜須菩提於意云何
如來有所說法不須菩提白佛言世尊如來
无所說須菩提於意云何三千大千世界所
有微塵是為多不須菩提言甚多世尊須菩
提諸微塵如來說非微塵是名微塵如來說
世界非世界是名世界須菩提於意云何可
以三十二相見如來不不也世尊何以故如
來說三十二相即是非相是名三十二相須
菩提若有善男子善女人以恒河沙等身命
布施若復有人於此經中乃至受持四句偈
等為他人說其福甚多尒時須菩提聞說是
經深解義趣涕淚悲泣而白佛言希有世
尊佛說如是甚深經典我從昔來所得慧眼
未曾得聞如是之經世尊若復有人得聞是
經信心清淨則生實相當知是人成就第一
希有功德世尊是實相者則是非相是故如
來說名實相世尊我今得聞如是經典信解
受持不足為難若當來世後五百歲其有衆
生得聞是經信解受持是人則為第一希有
何以故此人无我相人相衆生相壽者相所

BD00070 號　金剛般若波羅蜜經　（14–5）

生得聞是經信解受持是人則為第一希有
何以故此人无我相人相衆生相壽者相所
以者何我相即是非相人相衆生相壽者相
即是非相何以故離一切諸相則名諸佛佛
告須菩提如是如是若復有人得聞是經不
驚不怖不畏當知是人甚為希有何以故須
菩提如來說第一波羅蜜非第一波羅蜜是
名第一波羅蜜
須菩提忍辱波羅蜜如來說非忍辱波羅蜜
何以故須菩提如我昔為歌利王割截身體
我於尒時无我相无人相无衆生相无壽者
相何以故我於往昔節節支解時若有我相
人相衆生相壽者相應生瞋恨須菩提又念
過去於五百世作忍辱仙人於尒所世无我
相无人相无衆生相无壽者相是故須菩提
菩薩應離一切相發阿耨多羅三藐三菩提
心不應住色生心不應住聲香味觸法生心
應生无所住心若心有住則為非住是故佛
說菩薩心不應住色布施須菩提菩薩為利
益一切衆生應如是布施如來說一切諸相
即是非相又說一切衆生則非衆生須菩提
如來是真語者實語者如語者不誑語者不
異語者須菩提如來所得法此法无實无虛
須菩提若菩薩心住於法而行布施如人入闇
則无所見若菩薩心不住法而行布施如人

BD00070 號　金剛般若波羅蜜經　（14–6）

須菩提若菩薩心住於法而行布施如人入闇
則无所見若菩薩心不住法而行布施如人
有目日光明照見種種色
須菩提當來之世若有善男子善女人能於
此經受持讀誦則為如來以佛智慧悉知是
人悉見是人皆得成就无量无邊功德須菩
提若有善男子善女人初日分以恒河沙等
身布施中日分復以恒河沙等身布施後日
分亦以恒河沙等身布施如是无量百千万
億劫以身布施若復有人聞此經典信心不
逆其福勝彼何況書寫受持讀誦為人解說
須菩提以要言之是經有不可思議不可稱
量无邊功德如來為發大乘者說為發最上
乘者說若有人能受持讀誦廣為人說如來
悉知是人悉見是人皆得成就不可量不可稱
无有邊不可思議功德如是人等則為荷擔
如來阿耨多羅三藐三菩提何以故須菩提
若樂小法者著我見人見衆生見壽者見則
於此經不能聽受讀誦為人解說須菩提在
在處處若有此經一切世間天人阿脩羅所應
供養當知此處則為是塔皆應恭敬作禮圍
遶以諸華香而散其處復次須菩提善男子
善女人受持讀誦此經若為人輕賤是人
先世罪業應墮惡道以今世人輕賤故先世
罪業則為消滅當得阿耨多羅三藐三菩提

BD00070 號　金剛般若波羅蜜經　（14–7）

先世罪業應墮惡道以今世人輕賤故先世
罪業則為消滅當得阿耨多羅三藐三菩提
須菩提我念過去无量阿僧祇劫扵然燈佛
前得值八百四千万億那由他諸佛悉皆供
養承事无空過者若復有人扵後末世能受
持讀誦此經所得功德扵我所供養諸佛功
德百分不及一千万億分乃至筭數譬喻所
不能及須菩提若善男子善女人扵後末世有
受持讀誦此經所得功德我若具說者或有
人聞心則狂亂狐疑不信須菩提當知是經
義不可思議果報亦不可思議
尒時須菩提白佛言世尊善男子善女人發
阿耨多羅三藐三菩提心云何應住云何降
伏其心佛告須菩提善男子善女人發阿耨
多羅三藐三菩提者當生如是心我應滅度
一切衆生滅度一切衆生已而无有一衆生
實滅度者何以故若菩薩有我相人相衆生
相壽者相則非菩薩所以者何須菩提實无
有法發阿耨多羅三藐三菩提者
須菩提扵意云何如來扵然燈佛所有法得
阿耨多羅三藐三菩提不不也世尊如我解
佛所說義佛扵然燈佛所无有法得阿耨多
羅三藐三菩提佛言如是如是須菩提實无
有法如來得阿耨多羅三藐三菩提須菩提
若有法如來得阿耨多羅三藐三菩提然燈

BD00070號　金剛般若波羅蜜經　（14–8）

有法如來得阿耨多羅三藐三菩提須菩提
若有法如來得阿耨多羅三藐三菩提然燈
佛則不與我受記汝扵來世當得作佛号釋
迦牟尼以實无有法得阿耨多羅三藐三菩
提是故然燈佛與我受記作是言汝扵來世
當得作佛号釋迦牟尼何以故如來者即諸
法如義若有人言如來得阿耨多羅三藐三
菩提須菩提實无有法佛得阿耨多羅三藐
三菩提須菩提如來所得阿耨多羅三藐三
菩提扵是中无實无虛是故如來說一切法
皆是佛法須菩提所言一切法者即非一切法
是故名一切法
須菩提譬如人身長大須菩提言世尊如來
說人身長大則為非大身是名大身
須菩提菩薩亦如是若作是言我當滅度无
量衆生則不名菩薩何以故須菩提實无有
法名為菩薩是故佛說一切法无我无人无
衆生无壽者須菩提若菩薩作是言我當莊
嚴佛土是不名菩薩何以故如來說莊嚴佛
土者即非莊嚴是名莊嚴須菩提若菩薩通
達无我法者如來說名真是菩薩
須菩提扵意云何如來有肉眼不如是世尊
如來有肉眼須菩提扵意云何如來有天眼
不如是世尊如來有天眼須菩提扵意云何
如來有慧眼不如是世尊如來有慧眼須菩

BD00070號　金剛般若波羅蜜經　（14–9）

不如是世尊如来有天眼須菩提於意云何
如来有慧眼不如是世尊如来有慧眼須菩
提於意云何如来有法眼不如是世尊如来
有法眼須菩提於意云何如来有佛眼不如
是世尊如来有佛眼須菩提於意云何恒河
中所有沙佛說是沙不如是世尊如来說是
沙須菩提於意云何如一恒河中所有沙有
如是等恒河是諸恒河所有沙數佛世界如
是寧為多不甚多世尊佛告須菩提尒所國
土中所有衆生若干種心如来悉知何以故
如来說諸心皆為非心是名為心所以者何
須菩提過去心不可得現在心不可得未来
心不可得須菩提於意云何若有人滿三千
大千世界七寶以用布施是人以是因緣得
福多不如是世尊此人以是因緣得福甚多
須菩提若福德有實如来不說得福德多以
福德无故如来說得福德多
須菩提於意云何佛可以具足色身見不不
也世尊如来不應以具足色身見何以故如来說
具足色身即非具足色身是名具足色身須
菩提於意云何如来可以具足諸相見不不
也世尊如来不應以具足諸相見何以故如
来說諸相具足即非具足是名諸相具足
須菩提汝勿謂如来作是念我當有所說法
莫作是念何以故若人言如来有所說法即

BD00070 號　金剛般若波羅蜜經　（14–10）

莫作是念何以故若人言如来有所說法即
為謗佛不能解我所說故須菩提說法者无
法可說是名說法
須菩提白佛言世尊佛得阿耨多羅三藐三
菩提為无所得耶如是如是須菩提我於阿
耨多羅三藐三菩提乃至无有少法可得是
名阿耨多羅三藐三菩提復次須菩提是法
平等无有高下是名阿耨多羅三藐三菩提
以无我无人无衆生无壽者脩一切善法則
得阿耨多羅三藐三菩提須菩提所言善法
者如来說非善法是名善法
須菩提若三千大千世界中所有諸須弥山
王如是等七寶聚有人持用布施若人以此
般若波羅蜜經乃至四句偈等受持為他人
說於前福德百分不及一百千万億分乃至
筭數譬喻所不能及
須菩提於意云何汝等勿謂如来作是念我
當度衆生須菩提莫作是念何以故實无有
衆生如来度者若有衆生如来度者如来則
有我人衆生壽者須菩提如来說有我者則
非有我而凡夫之人以為有我須菩提凡夫
者如来說則非凡夫須菩提於意云何可以
三十二相觀如来不須菩提言如是如是以
三十二相觀如来佛言須菩提若以三十二

BD00070 號　金剛般若波羅蜜經　（14–11）

者如来說則非凡夫須菩提於意云何可以
三十二相觀如来不須菩提言如是如是以
三十二相觀如来佛言須菩提若以三十二
相觀如来者轉輪聖王則是如来須菩提白
佛言世尊如我解佛所說義不應以三十二
相觀如来尒時世尊而說偈言
若以色見我 以音聲求我 是人行邪道 不能見如来
須菩提汝若作是念如来不以具足相故得
阿耨多羅三藐三菩提須菩提莫作是念如
来不以具足相故得阿耨多羅三藐三菩提
須菩提汝若作是念發阿耨多羅三藐三菩
提者說諸法斷滅相莫作是念何以故發阿耨
多羅三藐三菩提者於法不說斷滅相須菩
提若菩薩以滿恒河沙等世界七寶布施若
復有人知一切法无我得成於忍此菩薩勝
前菩薩所得功德須菩提以諸菩薩不受福
德故須菩提白佛言世尊云何菩薩不受福
德須菩提菩薩所作福德不應貪著是故說
不受福德須菩提若有人言如来若来若去
若坐若卧是人不解我所說義何以故如来
者无所從来亦无所去故名如来須菩提若
善男子善女人以三千大千世界碎為微塵
於意云何是微塵衆寧為多不甚多世尊
何以故若是微塵衆實有者佛則不說是微塵
衆所以者何佛說微塵衆則非微塵衆是名

BD00070 號　金剛般若波羅蜜經　（14–12）

於意云何是微塵衆寧為多不甚多世尊
何以故若是微塵衆實有者佛則不說是微塵
衆所以者何佛說微塵衆則非微塵衆是名
微塵衆世尊如来所說三千大千世界則非
世界是名世界何以故若世界實有者則是
一合相如来說一合相則非一合相是名一合
相須菩提一合相者則是不可說但凡夫之
人貪著其事須菩提若人言佛說我見人見
衆生見壽者見須菩提於意云何是人解我
所說義不世尊是人不解如来所說義何以
故世尊說我見人見衆生見壽者見即非我
見人見衆生見壽者見是名我見人見衆生
見壽者見須菩提發阿耨多羅三藐三菩提
心者於一切法應如是知如是見如是信解
不生法相須菩提所言法相如来說即非法
相是名法相須菩提若有人以滿无量阿僧
祇世界七寶持用布施若有善男子善女人
發菩薩心者持於此經乃至四句偈等受持
讀誦為人演說其福勝彼云何為人演說不
取於相如如不動何以故
一切有為法 如夢幻泡影 如露亦如電 應作如是觀
佛說是經已長老須菩提及諸比丘比丘尼
優婆塞優婆夷一切世間天人阿脩羅聞佛
所說皆大歡喜信受奉持

BD00070 號　金剛般若波羅蜜經　（14–13）

衆生見壽者見須菩提於意云何是人解我
所說義不世尊是人不解如來所說義何以
故世尊說我見人見衆生見壽者見即非我
見人見衆生見壽者見是名我見人見衆生
見壽者見須菩提發阿耨多羅三藐三菩提
心者於一切法應如是知如是見如是信解
不生法相須菩提所言法相如來說即非法
相是名法相須菩提若有人以滿无量阿僧
祇世界七寶持用布施若有善男子善女人
發菩薩心者持於此經乃至四句偈等受持
讀誦為人演說其福勝彼云何為人演說不
取於相如如不動何以故
一切有為法　如夢幻泡影　如露亦如電　應作如是觀
佛說是經已長老須菩提及諸比丘比丘尼
優婆塞優婆夷一切世間天人阿脩羅聞佛
所說皆大歡喜信受奉持

金剛般若波羅蜜經

BD00070號　金剛般若波羅蜜經　（14–14）

煩惱恒熾然　業障所纏覆　墮於諸險道　我救彼衆生
一切諸惡趣　无量楚毒苦　生老病死等　我當悉除滅
願盡未來劫　普為諸群生　滅除生死苦　得佛究竟樂
善男子我唯知此念念生廣大喜莊嚴解脫
如諸菩薩摩訶薩深入一切法界海悉知一切
諸劫數普見一切剎成壞而我云何能知能
說彼功德行善男子此菩提場如來會中有
主夜神名守護一切城增長威力汝詣彼問 菩薩云何學菩薩行修菩薩道尒時善財童
子一心觀察寂靜音海主夜神身而說頌言
我因善友教　來詣天神所　見神處寶座　身量无有邊
非是著色相　計有於諸法　劣智淺識人　能知尊境界
世間天及人　无量劫觀察　亦不能測度　色相无邊故
遠離於五蘊　亦不住於處　永斷世間疑　顯現自在力
不取內外法　无動无所礙　清淨智慧眼　見佛神通力
身為正法藏　心是无礙智　既得智光照　復照諸群生
心集无邊業　莊嚴諸世間　了世皆是心　現身等衆生
知世悉如夢　一切佛如影　諸法皆如響　令衆无所著
為三世衆生　念念示現身　而心无所住　十方遍說法
无邊諸剎海　佛海衆生海　悉在一塵中　此尊解脫力
時善財童子說此偈已頂礼其足繞无量帀殷
勤瞻仰辭退而去
尒時善財童子隨順寂靜音海夜神教思惟
觀察所說法門一一文句皆无忘失於无量

BD00071號A　大方廣佛華嚴經（唐譯八十卷本）卷七一　（2–1）

諸劫數普見一切剎成壞而我云何能知能
說彼功德行善男子此菩提場如來會中有
主夜神名守護一切城增長威力汝詣彼問
菩薩云何學菩薩行修菩薩道尒時善財童
子一心觀察寂靜音海主夜神身而說頌言
我因善友教 來詣天神所 見神處寶座 身量无有邊
非是著色相 計有於諸法 劣智淺識人 能知尊境界
世間天及人 无量劫觀察 亦不能測度 色相无邊故
遠離於五蘊 亦不住於處 永斷世間疑 顯現自在力
不取內外法 无動无所取 清淨智慧眼 見佛神通力
身為正法藏 心是无导智 既得智光照 復照諸羣生
心集无邊業 莊嚴諸世間 了世皆是心 現身等衆生
知世悉如夢 一切佛如影 諸法皆如響 令衆无所著
為三世衆生 念念示現身 而心无所住 十方遍說法
无邊諸剎海 佛海衆生海 悉在一塵中 此尊解脫力
時善財童子說此偈已頂礼其足遶无量帀殷
勤瞻仰辭退而去
尒時善財童子隨順寂靜音海夜神教思惟
觀察所說法門一一文句皆无忘失於无量
深心无量法性一切方便神通智慧憶念思惟
相續不斷其心廣大證入安住行詣守護一
切城夜神所見彼夜神坐一切寶光明摩尼
王師子之座无數夜神所共圍遶現一切衆

BD00071 號 A　大方廣佛華嚴經（唐譯八十卷本）卷七一　（2–2）

上世尊令
故我曾聞說若善男子善女人得佛舍
芥子許恭敬供養是人當生三十三天許
帝釋是時童子語婆羅門曰若欲願生
三天受勝報者應當至心聽是金光明最勝
王經於諸經中最為殊勝難解難入聲聞獨
覺所不能知此經能生無量無邊福德果報
乃至成辦無上菩提我今為汝略說其事婆
羅門言善哉童子此金光明甚深最上難解
難入聲聞獨覺尚不能知何況我等邊鄙之
人智慧微淺而能解了是故我今求佛舍利
如芥子許持還本處置寶函中恭敬供養命
終之後得為帝釋常受安樂云何汝今不能
為我從明行足求斯一願作是語已尒時童
子即為婆羅門而說頌曰
恒河駛流水 可生白蓮花 黃鳥作白形 黑鳥變為赤
假使贍部樹 可生多羅果 朅樹羅枝中 能出菴羅菓
斯等希有物 或容可轉變 世尊之舍利 畢竟不可得
假使用龜毛 織成上妙服 寒時可披著 方求佛舍利
假使蚊蚋足 可使成樓觀 堅固不搖動 方求佛舍利
假使水蛭蟲 口中生白齒 長大利如鋒 方求佛舍利
假使持兔角 用成於梯蹬 可昇上天宮 方求佛舍利
鼠緣此梯上 除去阿蘇羅 能障空中月 方求佛舍利
若蠅飲酒醉 周行村邑中 廣造於舍宅 方求佛舍利

BD00071 號 B　金光明最勝王經卷一　（5–1）

假使持兔角　用成於梯蹬　可昇上天宮　方求佛舍利
鼠緣此梯上　除去阿蘇羅　能障空中月　方求佛舍利
若蠅飲酒醉　周行村邑中　廣造於舍宅　方求佛舍利
若使驢脣色　赤如頻婆果　善作於歌舞　方求佛舍利
烏與鵂鶹鳥　同共一處遊　彼此相順從　方求佛舍利
假使波羅葉　可成於繖蓋　能遮於大雨　方求佛舍利
假令大舩舶　盛滿諸財寶　能令陸地行　方求佛舍利
假使鷦鷯鳥　以觜銜香山　隨處任遊行　方求佛舍利
尒時法師受記婆羅門聞此頌已亦以伽他
荅一切衆生喜見童子曰
善哉大童子　此衆中吉祥　善巧方便心　得佛無上記
如來大威德　能救護世間　仁可至心聽　我今次第說
諸佛境難思　世間無與等　法身性常住　修行無差別
諸佛體皆同　所說法亦尒　諸佛無作者　亦復本無生
世尊金剛體　權現於化身　是故佛舍利　無如芥子許
佛非血肉身　云何有舍利　方便留身骨　為益諸衆生
法身是正覺　法界即如來　此是佛真身　亦說如是法
尒時會中三万二千天子聞說如來壽命長
遠皆發阿耨多羅三藐三菩提心歡喜踊躍
得未曾有異口同音而說頌曰
佛不般涅槃　正法亦不滅　為利衆生故　示現有滅盡
世尊不思議　妙體無異相　為利衆生故　現種種莊嚴
尒時妙幢菩薩親於佛前及四如來并二大
士諸天子所聞說釋迦牟尼如來壽量事已
復從座起合掌恭敬白佛言世尊若實如是

BD00071 號 B　金光明最勝王經卷一　（5–2）

士諸天子所聞說釋迦牟尼如來壽量事已
復從座起合掌恭敬白佛言世尊若實如是
諸佛如來不般涅槃無舍利者云何經中說
有涅槃及佛舍利令諸人天恭敬供養過去
諸佛現有身骨流布於世人天供養得福無
邊今復言無致生疑惑唯願世尊哀愍我等
廣為分別
尒時佛告妙幢菩薩及諸大衆汝等當
般涅槃有舍利者是密意說如是之義
心聽善男子菩薩摩訶薩如是應知有
法能解如來應正等覺真實理趣究
大般涅槃云何為十一者諸佛如來
盡諸煩惱障所知障故名為涅槃二者
如來善能解了有情無性及法無性故
涅槃三者能轉身依及法依故名為
者於諸有情任運休息化因緣故名
五者證得真實無差別相平等法身
涅槃六者了知生死及以涅槃無二
為涅槃七者於一切法了其根本證
名為涅槃八者於一切法無生無
故名為涅槃九者真如法界實際平
智故名為涅槃十者於諸法性及涅
無差別故名為涅槃是謂十法說有
復次善男子菩薩摩訶薩如是應知
法能解如來應正等覺真實理趣究

BD00071 號 B　金光明最勝王經卷一　（5–3）

智故名為涅槃十者於諸法性及
無差別故名為涅槃是謂十法說有
復次善男子菩薩摩訶薩如是應知
法能解如來應正等覺真實理趣
大般涅槃云何為十一者一切煩惱
為本從樂欲生諸佛世尊斷樂欲故
槃二者以諸如來斷諸樂欲不取一法
取故無去無來無所取故名為涅槃
無去來及無所取是則法身不生不
滅故名為涅槃四者此無生滅非言
語斷故名為涅槃五者無有我人唯
轉依故名為涅槃六者煩惱隨惑
法性是主無來無去佛了知故名
者真如是實餘皆虛妄實性體者
真如性者即是如來名為涅槃八者
性無有戲論唯獨如來證實除法戲
名為涅槃九者無生是實生是虛
人漂溺生死如來體實無有虛
十者不實之法是從緣生真實
起如來法身體是真實名為涅
謂十法說有涅槃
復次善男子菩薩摩訶薩如是應知
法能解如來應正等覺真實理趣說
大般涅槃云何為十一者如來善
果無我我所此施及果不正分別永

BD00071號B　金光明最勝王經卷一　（5–4）

法性是主無來無去佛了知故名
者真如是實餘皆虛妄實性體者
真如性者即是如來名為涅槃八者
性無有戲論唯獨如來證實除法戲
名為涅槃九者無生是實生是虛
人漂溺生死如來體實無有虛
十者不實之法是從緣生真實
起如來法身體是真實名為涅
謂十法說有涅槃
復次善男子菩薩摩訶薩如是應知
法能解如來應正等覺真實理趣說
大般涅槃云何為十一者如來善
果無我我所此施及果不正分別永
名為涅槃二者如來善知戒及戒果
所此戒及果不正分別永除滅故名
三者如來善知忍及忍果無我我
果不正分別永除滅故名為涅槃
善知勤及勤果無我我所此勤不
別永除滅故名為涅槃五者如來
定果無我我所此定及果不正分別
故名為涅槃六者如來善知慧及慧
我所此慧及果不正分別永除滅故
槃七者諸佛如來善能了知一切有
情一切諸法皆無性不正分別

BD00071號B　金光明最勝王經卷一　（5–5）

條　記　目　錄

BD00001—BD00071

1.1　BD00001 號
1.3　大般若波羅蜜多經卷二〇二
1.4　地 001
1.5　084：2510
2.1　183.8×27.2 厘米；4 紙；正面 112 行，行 17 字。背面 58 行，行約 34 字母。
2.2　01：46.3，28；　02：46.0，28；　03：46.0，28；　04：45.5，28。
2.3　卷軸裝。首尾均脫。第 1、2、3 紙接縫處有開裂。有烏絲欄。
2.4　本遺書包括 2 個文獻：（一）《大般若波羅蜜多經》卷二〇二，112 行，抄寫在正面，今編為 BD00001 號。（二）穢跡金剛類經典或儀軌，藏文，58 行，抄寫在背面，今編為 BD00001 號背。
3.1　首殘→大正 220，6/7A14。
3.2　尾殘→6/8B7。
7.3　第 4 紙下邊有藏文雜寫 1 行，拉丁文轉寫為："byang-chub-sems-pa-sems-pa-chen-po-shes-rab-kyi-phar-rol-du-bhyin-pa-la-gnas-ste-bam-pos-cig-pavo." 漢文譯為"《大般若波羅蜜多經》中之一卷"。參見《北京敦煌寫卷中所包含的藏文文獻》，第 130 頁。
8　8～9 世紀。吐蕃統治時期寫本。
9.1　楷書。
9.2　有刮改。
11　圖版：《敦煌寶藏》，73/563B～567A。

1.1　BD00001 號背
1.3　藏文穢跡金剛類經典或儀軌（擬）
1.4　地 001
1.5　084：2510
2.4　本遺書由 2 個文獻組成，本號為第 2 個，58 行，抄寫在背面。餘參見 BD00001 號之第 2 項、第 11 項。
3.4　說明：
藏文"穢跡金剛"拉丁文轉寫為 ucchsma，漢文音譯為"烏樞沙摩"。本經典或儀軌記錄了用柳枝編織供器，誦咒求增慧、求財、求病愈等。參見《至元法寶勘同總錄》之《大威力烏樞瑟摩明王經》、《大威力烏樞瑟摩儀軌》。參見《印度事務部敦煌藏文寫卷目錄》第 401.2 號。
8　8～9 世紀。吐蕃統治時期寫本。
9.1　楷書。
11　參見《北京敦煌寫卷中所包含的藏文文獻》，第 130 頁。

1.1　BD00002 號
1.3　佛名經（十六卷本）卷一三
1.4　地 002
1.5　063：0746
2.1　1160.2×29.9 厘米；24 紙；正面 620 行，行 19 字。背面 5 行，行字不等。
2.2　01：45.0，26；　02：48.0，27；　03：48.0，27；
04：48.5，27；　05：48.3，27；　06：48.5，27；
07：48.5，27；　08：48.6，27；　09：48.8，27；
10：48.5，27；　11：48.8，27；　12：49.0，27；
13：49.0，27；　14：48.5，26；　15：48.8，26；
16：48.6，26；　17：48.3，27；　18：48.6，26；
19：48.3，26；　20：48.5，26；　21：48.6，26；
22：48.5，26；　23：48.5，26；　24：47.5，09。
2.3　卷軸裝。首尾均全。第 23 紙下方有撕裂，首紙背及第 10 紙背有古代裱補。尾有蟲繭 4 個。有烏絲欄。
2.4　本遺書包括 2 個文獻：（一）《佛名經》卷一三，620 行，抄寫在正面，今編為 BD00002 號。（二）《賬歷》，殘存 3 行，抄寫在背面裱補紙上，今編為 BD00002 號背。
3.1　首全→《七寺古逸經典研究叢書》，3/第 638 頁第 1 行。
3.2　尾全→《七寺古逸經典研究叢書》，3/第 684 頁第 608 行。
4.1　佛說佛名經卷第十三（首）。
4.2　佛說佛名經卷第十三（尾）。
5　與對照本相比，本文獻尾題前多 7 行懺悔文。錄文：
願弟子等承是懺悔人天餘報所生功德，願弟/

子現身福命長遠，禍橫消滅，多饒七珍。眷/
屬成就於未來世。在在處處，遠離八難。常/
生中國，見佛聞法，信受教誨。截斷生死險道輪/
轉，種植無上法之根裁（栽）。身心自在，無諸緣障。/
智慧方便，所作不空。衆生見者，畢定作佛。至/
心歸命常住三寶。/
（錄文完）

7.3　尾紙背有雜寫 2 行：“南無地藏菩/現在，慈母阿娘阿耶。/”

8　9～10 世紀。歸義軍時期寫本。

9.1　楷書。

9.2　上邊有校加字、倒乙符。有刮改。

11　圖版：《敦煌寶藏》，62/51B～64B。漏背面雜寫及賬曆圖版。

1.1　BD00002 號背

1.3　賬歷（擬）

1.4　地 002

1.5　063：0746

2.4　本遺書由 2 個文獻組成，本號為第 2 個，3 行。抄寫在背面的褙補紙上。餘參見 BD00002 號之第 2 項、第 11 項。

3.3　錄文：

□…□愿（欲?）提破◇柴草一車況（?）善□…□/
□…□兒安酒（?）子、安員定、安像陀□…□/
□…□行至方便，於提界送納□…□/
（錄文完）

8　9～10 世紀。歸義軍時期寫本。

9.1　行楷。

1.1　BD00003 號

1.3　妙法蓮華經卷六

1.4　地 003

1.5　105：5695

2.1　（7＋92.3）×25.5 厘米；3 紙；63 行，行 17 字。

2.2　01：7＋5.4，07；　02：46.5，28；　03：40.4，28。

2.3　卷軸裝。首殘尾脫。經黃紙。第 2、3 紙接縫處下部開裂。卷面變色。有烏絲欄。

3.1　首 4 行下殘→大正 262，9/46C12～16。

3.2　尾殘→9/47C8。

8　7～8 世紀。唐寫本。

9.1　楷書。

11　圖版：《敦煌寶藏》，94/325A～326B。

1.1　BD00004 號

1.3　大般若波羅蜜多經卷二四一

1.4　地 004

1.5　084：2630

2.1　（5.5＋749.8）×25.7 厘米；16 紙；正面 423 行，行 17 字。背面 4 行，行字不等。

2.2　01：5.5＋12.0，10；　02：49.0，28；　03：49.2，28；
04：49.4，28；　05：49.5，28；　06：48.5，28；
07：49.4，28；　08：49.4，28；　09：49.3，28；
10：49.3，28；　11：49.3，28；　12：49.0，28；
13：49.2，28；　14：49.3，28；　15：49.0，28；
16：49.0，21。

2.3　卷軸裝。首殘尾全。第 1 紙有橫向撕裂、橫向破裂，上邊下邊殘破；第 2 紙下有縱向撕裂、橫向破裂、上邊殘破；第 2、3 紙接縫處下開裂，第 8 紙下有橫向破裂、縱向撕裂。卷面有等距離水漬。第 1 紙背面有古代褙補。有燕尾。有烏絲欄。

2.4　本遺書包括 2 個文獻：（一）《大般若波羅蜜多經》卷二四一，423 行，抄寫在正面，今編為 BD00004 號。（二）《老子道德經河上公章句》，4 行，抄寫在背面褙補紙上，今編為 BD00004 號背。

3.1　首 3 行上下殘→大正 220，6/214C21～23。

3.2　尾全→6/219C8。

4.2　大般若波羅蜜多經卷第二百卌一（尾）。

8　8～9 世紀。吐蕃統治時期寫本。

9.1　楷書。有武周新字“正”。

9.2　有刮改。

11　圖版：《敦煌寶藏》，74/288A～297B。

1.1　BD00004 號背

1.3　老子道德經河上公章句

1.4　地 004

1.5　084：2630

2.4　本遺書由 2 個文獻組成，本號為第 2 個，4 行，抄寫在背面一橫一豎兩張褙補紙上，豎者 3 行，橫者 1 行。兩張褙補紙可以綴接，橫者在前，豎者在後。餘參見 BD00004 號之第 2 項、第 11 項。

3.1　首殘→《老子道德經河上公章句》，第 179 頁第 4 行。

3.2　尾殘→182 頁第 2 行。

3.4　說明：

文獻內容存《洪德》第四十五“不當剛躁”，至《儉欲》第四十六“人主無道”。

7.1　上邊有墨書“卌五”，為《洪德》之章次。

8　7～8 世紀。唐寫本。

9.1　楷書

9.2　文中有硃筆點標。

1.1　BD00005 號

1.3　大般若波羅蜜多經卷二三二

1.4　地 005

1.5　084：2603

2.1　113×25.6 厘米；3 紙；69 行，行 17 字。

2.2　01：46.0，28；　02：46.0，28；　03：21.0，13。

2.3　卷軸裝。首脱尾斷。第1紙有縱向撕裂，第2、3紙上邊下邊殘破及接縫處下開裂，第3紙有縱向撕裂。卷尾有蟲繭。有烏絲欄。

3.1　首殘→大正220，6/169B2。

3.2　尾殘→6/170A13。

6.1　首→BD00358號。

8　8～9世紀。吐蕃統治時期寫本。

9.1　楷書。

11　圖版：《敦煌寶藏》，74/202A～203A。

1.1　BD00006號

1.3　大般若波羅蜜多經卷八四

1.4　地006

1.5　084：2237

2.1　（21+214.2）×25.5厘米；5紙；140行，行17字。

2.2　01：21+25.5，28；　02：47.0，28；　03：47.5，28；
04：47.0，28；　05：47.2，28。

2.3　卷軸裝。首尾均脱。第2、3紙有殘破撕裂。有烏絲欄。已修整。

3.1　首12行下殘→大正220，5/468B7～18。

3.2　尾殘→5/470A2。

8　9～10世紀。歸義軍時期寫本。

9.1　楷書。

11　圖版：《敦煌寶藏》，72/396B～399B。

1.1　BD00007號

1.3　妙法蓮華經卷三

1.4　地007

1.5　105：4994

2.1　（3.7+1011.5）×25.5厘米；20紙；544行，行17字。

2.2　01：3.7+25.6，16；　02：51.6，28；　03：51.9，28；
04：52.0，28；　05：52.2，28；　06：51.8，28；
07：52.0，28；　08：52.0，28；　09：51.9，28；
10：51.9，28；　11：51.8，28；　12：52.0，28；
13：51.9，28；　14：51.8，28；　15：52.0，28；
16：52.0，28；　17：51.8，28；　18：51.6，28；
19：51.9，28；　20：51.8，24。

2.3　卷軸裝。首殘尾全。麻紙。第4、5紙接縫處下開裂；9、10紙接縫處上開裂；首紙下邊及尾紙邊角有殘損。首紙及第18紙背面有古代裱補。有烏絲欄。

3.1　首2行下殘→大正262，9/19B1～3。

3.2　尾全→9/27B9。

4.2　妙法蓮華經卷第三（尾）。

8　7～8世紀。唐寫本。

9.1　楷書。

10　第2、5、8、11紙上邊有類似蘇州碼子的雜記符號，詳情待考。

11　圖版：《敦煌寶藏》，87/557A～570B。

1.1　BD00008號

1.3　觀世音經

1.4　地008

1.5　111：6248

2.1　（38.3+74.2）×25厘米；2紙；83行，行23字。

2.2　01：38.3+22.2，47；　02：52.0，36。

2.3　卷軸裝。首殘尾全。前30行中下殘。背有古代裱補。有烏絲欄。

3.1　首30行下殘→大正262，9/56C14～57A26。

3.2　尾全→9/58B7。

4.2　觀世音經（尾）。

8　9～10世紀。歸義軍時期寫本。

9.1　楷書。

11　圖版：《敦煌寶藏》，94/463B～464B。

1.1　BD00009號

1.3　維摩詰所説經卷中

1.4　地009

1.5　070：1097

2.1　（5.5+340.5）×25.4厘米；8紙；194行，行17字。

2.2　01：5.50，護首；　02：46.50，26；　03：49.00，28；
04：49.00，28；　05：49.00，28；　06：49.00，28；
07：49.00，28；　08：49.00，28。

2.3　卷軸裝。首殘尾脱。卷中有殘破撕裂。卷面有污痕。背有古代裱補及近代臨時性裱補。有烏絲欄。

3.1　首全→大正475，14/544A22。

3.2　尾殘→14/546C3。

4.1　維摩詰所説經文殊師利問疾品第五，卷中（首）。

8　8～9世紀。吐蕃統治時期寫本。

9.1　楷書。

11　圖版：《敦煌寶藏》，65/320B～325A。

1.1　BD00010號

1.3　維摩詰所説經卷上

1.4　地010

1.5　070：0947

2.1　545.5×27厘米；11紙；319行，行17字。

2.2　01：49.0，29；　02：50.0，29；　03：49.5，29；
04：49.5，29；　05：49.5，29；　06：50.0，29；
07：49.5，29；　08：50.0，29；　09：49.5，29；
10：49.5，29；　11：49.5，29。

2.3　卷軸裝。首斷尾脱。卷首殘破。卷中接縫多處開裂。有水漬、污痕。背有古代裱補。有烏絲欄。

3.1　首殘→大正475，14/539C10。

3.2　尾殘→14/543C3。
8　8～9 世紀。吐蕃統治時期寫本。
9.1　楷書。
11　圖版：《敦煌寶藏》，64/74A～81A。

1.1　BD00011 號
1.3　大般若波羅蜜多經卷一六四
1.4　地 011
1.5　084：2422
2.1　（10＋717.5）×25.7 厘米；16 紙；412 行，行 17 字。
2.2　01：10＋27.2，21；　02：47.8，28；　03：47.5，28；
04：47.8，28；　05：47.8，28；　06：47.8，28；
07：48.1，28；　08：47.8，28；　09：47.8，28；
10：48.0，28；　11：48.0，28；　12：47.8，28；
13：47.8，28；　14：47.8，28；　15：47.5，27；
16：21.0，拖尾。
2.3　卷軸裝。首殘尾全。第 1 紙有殘洞，下邊殘缺。有燕尾。有烏絲欄。
3.1　首 5 行上中殘→大正 220，5/881B22～26。
3.2　尾全→5/886A28。
4.2　大般若波羅蜜多經卷第一百六十四（尾）。
8　8～9 世紀。吐蕃統治時期寫本。
9.1　楷書。
9.2　有行間校加字。有校改。
10　第 2 紙上邊寫有“刂－”，第 5 紙上邊寫有“丈六”，第 9 紙上邊寫有“1 丈”，第 12 紙邊寫有“〥”。
注：“刂－”、“〥”等符號為後代流傳的蘇州碼子，應是該文獻從藏經洞出土後所書寫的。
11　圖版：《敦煌寶藏》，73/250B～259B。

1.1　BD00012 號
1.3　佛名經（十六卷本）卷一六
1.4　地 012
1.5　063：0818
2.1　1471.2×30.8 厘米；34 紙；634 行，行 19 字。
2.2　01：32.5，護首；　02：42.0，19；　03：42.5，20；
04：43.0，20；　05：43.0，20；　06：43.0，20；
07：43.0，20；　08：43.0，20；　09：43.0，20；
10：43.0，20；　11：43.0，20；　12：43.0，20；
13：43.0，20；　14：44.5，20；　15：44.0，19；
16：44.2，19；　17：44.0，19；　18：44.0，19；
19：44.2，19；　20：44.2，19；　21：44.3，19；
22：44.3，19；　23：44.3，19；　24：44.3，19；
25：44.3，19；　26：44.3，19；　27：44.3，19；
28：44.3，19；　29：44.3，19；　30：44.0，19；
31：44.3，19；　32：44.3，19；　33：44.3，20；
34：39.5，13。
2.3　卷軸裝。首尾均全。護首端有芨芨草製天竿及細麻繩縹帶，繫麻繩處用一小塊厚紙作襯。護首撕裂殘破。第 2 紙下部殘破，背有古代裱補，第 14、15 紙接縫下開裂，第 23、24 紙接縫上開裂。第 30、32、33 紙背有古代裱補。有烏絲欄。卷中有兩道刻劃欄，用作抄寫佛名之分上下欄。
3.1　首全→《七寺古逸經典研究叢書》，3/第 794 頁第 1 行。
3.2　尾全→《七寺古逸經典研究叢書》，3/第 839 頁第 595 行。
4.1　佛說佛名經卷第十六（首）。
4.2　佛名經卷第十六（尾）。
5　與七寺本對照，卷中多《佛說罪業應報教化地獄經》12 行，卷尾多懺悔文 30 行及《佛說罪業應報教化地獄經》17 行，其餘行文略有出入。錄文略。
7.2　尾紙經名後有 6.3×1.6 厘米陽文墨印“淨土寺藏經”。
8　10 世紀。歸義軍時期寫本。
9.1　楷書。
9.2　有行間校加字。
11　圖版：《敦煌寶藏》，62/498B～515B。

1.1　BD00013 號
1.3　妙法蓮華經卷七
1.4　地 013
1.5　105：5903
2.1　（2＋202.3＋1.5）×25.5 厘米；5 紙；121 行，行 17 字。
2.2　1：2＋40.0，25；　2：47.8，28；　3：48.0，28；
4：48.0，28；　5：18.5＋1.5，12。
2.3　卷軸裝。首尾均殘。麻紙。第 3、4 紙接縫處上開裂。上下邊有水漬。第 1 紙背有古代裱補。有烏絲欄。
3.1　首行中下殘→大正 262，9/55A18。
3.2　尾行殘→9/56C1。
8　7～8 世紀。唐寫本。
9.1　楷書。
11　圖版：《敦煌寶藏》，96/5A～7B。

1.1　BD00014 號
1.3　四分比丘尼戒本
1.4　地 014
1.5　157：6901
2.1　（2＋617.5）×25 厘米；14 紙；402 行，行 18 字。
2.2　01：2＋41.5，28；　02：46.5，30；　03：46.5，30；
04：46.5，30；　05：46.5，30；　06：46.0，30；
07：46.0，30；　08：46.0，30；　09：46.5，30；
10：46.5，30；　11：46.0，30；　12：46.0，30；
13：46.0，30；　14：21.0，14。
2.3　卷軸裝。首殘尾脱。第 3 紙上下斷開。尾有蟲繭。有烏絲欄。
3.1　首 1 行下殘→大正 1431，22/1032A12。
3.2　尾殘→22/1038A14。

7.3　背有雜寫“佛說八神咒”。
8　8～9世紀。吐蕃統治時期寫本。
9.1　楷書。
9.2　有行間校加字。有刮改。
11　圖版:《敦煌寶藏》,102/437A～445A。

1.1　BD00015號
1.3　大般若波羅蜜多經卷三一三
1.4　地015
1.5　084:2852
2.1　496.4×26.1厘米;11紙;287行,行17字。
2.2　01:47.7,28;　02:47.5,28;　03:47.6,28;
　04:47.5,28;　05:47.3,28;　06:47.2,28;
　07:47.3,28;　08:47.3,28;　09:47.2,28;
　10:47.3,28;　11:22.5,07。
2.3　卷軸裝。首脫尾全。有燕尾。有烏絲欄。
3.1　首殘→大正220,6/596C19。
3.2　尾全→6/600A8。
4.2　大般若波羅蜜多經卷第三百一十三(尾)。
6.1　首→BD00320號。
8　8～9世紀。吐蕃統治時期寫本。
9.1　楷書。
9.2　有行間校加字。
10　上邊有蘇州碼子“8”字。
11　圖版:《敦煌寶藏》,75/236A～242A。

1.1　BD00016號
1.3　藥師瑠璃光如來本願功德經
1.4　地016
1.5　030:0252
2.1　(5+197)×27.4厘米;5紙;109行,行17字。
2.2　01:5+12,護首;　2:45.5,25;　03:46.5,28;
　04:46.5,28;　05:46.5,28。
2.3　卷軸裝。首全尾脫。護首殘破。第2紙上方及下邊有撕裂。卷面多水漬。有烏絲欄。已修整。
3.1　首全→大正450,14/404C12。
3.2　尾殘→14/406A9。
4.1　藥師瑠璃光如來本願功德經(首)。
8　9～10世紀。歸義軍時期寫本。
9.1　楷書。
11　圖版:《敦煌寶藏》,57/458B～416A。

1.1　BD00017號
1.3　大道通玄要卷七
1.4　地017
1.5　372:8454
2.1　(15.7+165.8)×24.4厘米;4紙;正面107行,行17字。背面130行,行字不等。
2.2　01:15.7+23.2,23;　02:47.6,28;　03:47.5,28;
　04:47.5,28。
2.3　卷軸裝。首殘尾脫。卷中有撕裂殘缺。有烏絲欄。背有130行。
2.4　本遺書包括2個文獻:(一)《大道通玄要》卷七,107行,抄寫在正面,今編為BD00017號。(二)《某僧佛事手帖》,共130行,抄寫在背面,今編為BD00017號背。
3.1　首殘→斯03618號第4行。
3.2　尾脫→斯03618號第110行。
5　與對照本相比,行文幾乎完全相同。
8　7～8世紀。唐寫本。
9.1　楷書。
11　圖版:《敦煌寶藏》,110/360B～365A。參見《敦煌道教文獻研究》,第229頁。

1.1　BD00017號背
1.3　某僧佛事手帖(擬)
1.4　地017
1.5　372:8454
2.4　本遺書由2個文獻組成,本號為第2個,130行,抄寫在背面。餘參見BD00017號之第2項、第11項。
3.4　說明:

本文獻為某僧自備的用於齋會及其他佛事的諸種書儀。首殘,現存僧尼患差、亡禪師、吳法師、律師文、禪師文、嘆僧號等齋儀號頭及布薩文、社齋文、嘆願文、放子出家願文等20餘種。每種均有首題,是研究齋文及各種寺院實用文書的重要資料。文中有“開元、天寶”等語。

8　8世紀。唐寫本。
9.1　楷書。有合體字“菩薩”、“涅槃”。
9.2　有行間校加字。有硃筆點標。有倒乙。有重文號。

1.1　BD00018號
1.3　維摩詰所說經卷中
1.4　地018
1.5　070:1159
2.1　403.5×26厘米;9紙;229行,行17字。
2.2　01:48.0,28;　02:46.5,27;　03:48.0,28;
　04:47.5,28;　05:47.5,28;　06:47.5,28;
　07:47.5,28;　08:47.5,28;　09:23.5,06。
2.3　卷軸裝。首脫尾全。有燕尾。有烏絲欄。
3.1　首殘→大正475,14/548C7。
3.2　尾全→14/551C27。
4.2　維摩詰經卷中(尾)。
7.1　卷尾有題記“奉為西州僧昔道專寫記,經生王瀚”一行。
7.3　尾題下有墨寫雜寫“口”,為偏旁;其後有雜寫“生五”。
8　8～9世紀。吐蕃統治時期寫本。

9.1　楷書。
11　圖版：《敦煌寶藏》，65/495B～500B。

1.1　BD00019 號
1.3　妙法蓮華經（兑廢稿）卷七
1.4　地 019
1.5　105：6135
2.1　(70.5+2)×27.5 厘米；2 紙；正面 39 行，行 17 字。背面 2 行，行字母不等。
2.2　01：32.0，17；　02：38.5+2，22。
2.3　卷軸裝。首斷尾殘。第 1 紙前有中下豎向撕裂。有烏絲欄。
2.4　本遺書包括個文獻：（一）《妙法蓮花經》卷七，39 行，抄寫在正面，今編為 BD00019 號。（二）藏文信函稿，2 行，抄寫在背面，今編為 BD00019 號背。
3.1　首殘→大正 262，9/60A6。
3.2　尾行中殘→9/60B21。
7.3　卷面第 1 紙正面有藏文雜寫 10 處左右，較爲雜亂。其中一處拉丁文轉寫為：gar gnang，漢譯為"跳舞"，或作"惠賜給噶爾"。
8　7～8 世紀。唐寫本。
9.1　楷書。
11　圖版：《敦煌寶藏》，97/107A～108B。

1.1　BD00019 號背
1.3　藏文信函稿（擬）
1.4　地 019
1.5　105：6135
2.4　本遺書由 2 個文獻組成，本號為第 2 個，2 行，抄寫在背面。餘參見 BD00019 號之第 2 項、第 11 項。
3.4　說明：

拉丁文轉寫及漢譯如下：（1）khri bzhre dang stag snyavi zha sngar bde bav mcho. 漢譯：墀協（人名）和悉達聶（人名）尊前殊為安樂。（2）rang khri vi mchid gsol thugs bde vam myi. 漢譯：我呈現您的（?）信函滿否？（3）va zha ya bo. 漢譯：阿豺（吐谷渾）敵手。

此件應為一份未完成的信函稿。

8　8～9 世紀。吐蕃統治時期寫本。
9.1　楷書。
11　參見《北京敦煌寫卷中所包含的藏文文獻》，第 133 頁。

1.1　BD00020 號
1.3　大般涅槃經（北本）鈔（擬）
1.4　地 020
1.5　119：6605
2.1　(6.8+199.2+1.7)×28 厘米；6 紙；99 行，行 21 字。
2.2　01：6.8+22.2，14；　02：38.7，17；
03：38.5，18；　04：38.8，19；
05：38.2，19；　06：22.8+1.7，12。
2.3　卷軸裝。首尾均殘。經疏皮紙。厚 0.07～0.09 毫米。通卷多處有殘洞、殘損。已修整。
3.4　說明：

本件為《大般涅槃經》（北本）鈔，首 4 行下殘，尾殘，共抄經文十三段。依次與《大正藏》本對照如下：

（一）卷二八，1 段：
第 1～6 行→12/534A6～12；
（二）卷三一，6 段：
第 7～13 行→12/547C17～24；
第 14～15 行→12/548A7～9；
第 15～21 行→12/548C28～549A7；
第 22～28 行→12/552B15～23；
第 29～32 行→12/553C5～9；
第 33～35 行→12/553C21～25；
（三）卷三〇，3 段：
第 36～40 行→12/544C15～21；
第 40～47 行→12/545C23～546A2；
第 48～57 行→12/547A12～24；
（四）卷三一，1 段：
第 58～63 行→12/548B28～C6；
（五）卷三二，2 段：
第 64～74 行→12/555A14～26；
第 75～99 行→12/556A24～B22。

3.4　說明：

此卷所抄經文卷次略有顛倒。所抄文獻基本上均以佛性為主題，應是某僧人為研習佛性所抄撰。

8　9～10 世紀。歸義軍時期寫本。
9.1　楷書。
9.2　有硃筆勾劃。卷內有多處硃筆夾註"不取"、"五百"、"已上"、"五十"、"不用"等。意義待考。
11　圖版：《敦煌寶藏》，100/529A～531B。

1.1　BD00021 號
1.3　金剛般若波羅蜜經
1.4　地 021
1.5　094：4185
2.1　230.1×25 厘米；5 紙；140 行，行 17 字。
2.2　01：44.5，28；　02：45.0，28；　03：44.5，28；
04：44.6，28；　05：51.5，28。
2.3　卷軸裝。首脱尾全。麻紙。首紙上、下方有殘損，有烏絲欄。卷尾有 3 個蟲繭。有燕尾。
3.1　首殘→大正 235，8/750C21。
3.2　尾全→8/752C3。
4.2　金剛般若波羅蜜經（尾）。
8　7～8 世紀。唐寫本。
9.1　楷書。

11　圖版:《敦煌寶藏》, 82/343B～346B。

1.1　BD00022 號
1.3　妙法蓮華經卷四
1.4　地 022
1.5　105: 5374
2.1　(2.2＋146.8＋2.7)×25.9 厘米; 5 紙; 86 行, 行 17 字。
2.2　01: 2.20, 01;　02: 49.00, 28;　03: 49.00, 28;
04: 48.80, 28;　05: 02.70, 01。
2.3　卷軸裝。首尾均殘。有烏絲欄。
3.1　首行上殘→大正 262, 9/32B26。
3.2　尾行中下殘→9/33C1。
8　7～8 世紀。唐寫本。
9.1　楷書。
11　圖版:《敦煌寶藏》, 91/238B～240B。

1.1　BD00023 號 A
1.3　大般若波羅蜜多經卷二五八
1.4　地 023
1.5　084: 2681
2.1　46.3×25.6 厘米; 1 紙; 28 行, 行 17 字。
2.2　卷軸裝。首尾均脱。有破裂。卷背有近代臨時性裱補。有烏絲欄。
3.1　首殘→大正 220, 6/308B6。
3.2　尾殘→6/308C5。
8　9～10 世紀。歸義軍時期寫本。
9.1　楷書。
11　圖版:《敦煌寶藏》, 74/415A。

1.1　BD00023 號 B
1.3　金剛般若波羅蜜經
1.4　地 023
1.5　094: 4284
2.1　(2.5＋96.4＋3.4)×26.2 厘米; 3 紙; 61 行, 行 17 字。
2.2　01: 2.5＋21.5, 14;　02: 46.7, 28;
03: 28.2＋3.4, 19。
2.3　卷軸裝。首尾均殘。首紙左上方撕裂。第 2 紙上邊有撕裂及殘缺。卷面有火灼小洞。
3.1　首行上殘→大正 235, 8/751B8。
3.2　尾行下殘→8/752A21。
7.3　卷首背有雜寫“乾/大目蓮”, 寫作 2 行。實應為佛弟子“大目犍連”名號。
8　8～9 世紀。吐蕃統治時期寫本。
9.1　楷書。
11　圖版:《敦煌寶藏》, 82/582A～583A。

1.1　BD00024 號
1.3　金剛般若波羅蜜經
1.4　地 024
1.5　094: 4259
2.1　178.8×24.3 厘米; 4 紙; 109 行, 行 17 字。
2.2　01: 44.9, 28;　02: 45.0, 28;　03: 44.9, 28;
04: 44.0, 25。
2.3　卷軸裝。首脱尾全。第 2 紙有殘洞。紙變色。有燕尾。下部有蟲繭。有上下邊欄。
3.1　首殘→大正 235, 8/751A26。
3.2　尾全→8/752C3。
4.2　金剛般若波羅蜜經 (尾)。
7.1　尾題後有題記“景龍四年六月廿日寫了”1 行 10 字。
8　710 年。唐寫本。
9.1　楷書。
11　圖版:《敦煌寶藏》, 82/532A～534A。

1.1　BD00025 號
1.3　無量壽宗要經
1.4　地 025
1.5　275: 7956
2.1　170×31 厘米; 4 紙; 110 行, 行 30 餘字。
2.2　01: 42.5, 29;　02: 42.5, 29;　03: 42.5, 29;
04: 42.5, 23。
2.3　卷軸裝。首殘尾全。第 1 紙上邊有撕裂, 中間有殘洞。第 2 紙下邊有殘缺。第 1、2 紙接縫處開裂。卷尾有 3 個蟲繭。有烏絲欄。
3.1　首 4 行上下殘→大正 936, 19/82B28～C5。
3.2　尾全→19/84C29。
4.2　佛說無量壽宗要經 (尾)
7.1　尾題後有寫經生題名“索慎言”。
8　8～9 世紀。吐蕃統治時期寫本。
9.1　楷書。
11　圖版:《敦煌寶藏》, 108/358A～360A。

1.1　BD00026 號
1.3　妙法蓮華經卷七
1.4　地 026
1.5　105: 5933
2.1　69×26 厘米; 2 紙; 41 行, 行 17 字。
2.2　01: 48.5, 28;　02: 20.5, 13。
2.3　卷軸裝。首脱尾斷。卷首有橫向撕裂。2 紙接縫中部有開裂。有烏絲欄。
3.1　首殘→大正 262, 9/56A15。
3.2　尾殘→9/56C1。
8　8～9 世紀。吐蕃統治時期寫本。
9.1　楷書。
11　圖版:《敦煌寶藏》, 96/62A～63A。

1.1　BD00027 號
1.3　觀世音經
1.4　地 027
1.5　111：6240
2.1　（24.3＋152.4）×25.2 厘米；4 紙；99 行，行 17 字。
2.2　01：24.3＋24.2，28；　02：48.6，28；
03：48.6，28；　04：31.0，15。
2.3　卷軸裝。首殘尾全。卷首有橫向撕裂，第 1 紙前 14 行下殘。卷背有古代裱補。有烏絲欄，年久色褪。
3.1　首 15 行下殘→大正 262，9/56C27～57A13。
3.2　尾全→9/58B7。
4.2　觀音經（尾）
8　9 世紀。歸義軍時期寫本。
9.1　楷書。
11　圖版：《敦煌寶藏》，97/444B～446B。

1.1　BD00028 號
1.3　妙法蓮華經卷五
1.4　地 028
1.5　105：5581
2.1　（41.2＋3.3）×24.8 厘米；1 紙；27 行，行 17 字。
2.2　卷軸裝。首尾均脫。上邊缺一塊。有古代裱補。有烏絲欄。
3.1　首殘→大正 262，9/40A16。
3.2　尾 2 行上殘→9/40B15～17。
8　7～8 世紀。唐寫本。
9.1　楷書。
11　圖版：《敦煌寶藏》，93/188A～B。

1.1　BD00029 號
1.3　妙法蓮華經卷一
1.4　地 029
1.5　105：4573
2.1　（536.5＋11.4）×25.1 厘米；14 紙；350 行，行 17～18 字。
2.2　01：12.0，08；　02：43.8，28；　03：43.7，28；
04：43.6，28；　05：42.6，27；　06：42.9，27；
07：43.1，27；　08：43.0，28；　09：43.0，28；
10：43.1，28；　11：43.1，28；　12：43.1，28；
13：43.2，28；　14：6.3＋11.4，09。
2.3　卷軸裝。首斷尾殘。卷尾有四排等距離蟲蛀小洞。有烏絲欄。
3.1　首殘→大正 262，9/4A7～8。
3.2　尾 5 行上殘→9/10B11～20。
8　7～8 世紀。唐寫本。
9.1　楷書。
11　圖版：《敦煌寶藏》，84/553B～561A。

1.1　BD00030 號
1.3　金剛般若波羅蜜經
1.4　地 030
1.5　094：4082
2.1　（22＋264.2）×25.3 厘米；7 紙；166 行，行 17 字。
2.2　01：22＋15.5，22；　02：41.0，24；　03：41.7，24；
04：41.5，24；　05：41.5，24；　06：41.5，24；
07：41.5，24。
2.3　卷軸裝。首殘尾脫。第 1 紙有橫裂，第 1、2、3 紙接縫處開裂。尾紙左上角縫綴一小截綫繩。有鳥糞污痕。有烏絲欄。已修整。
3.1　首 13 行下殘→大正 235，8/750B2～15。
3.2　尾殘→8/752B12。
8　7～8 世紀。唐寫本。
9.1　楷書。
11　圖版：《敦煌寶藏》，82/60A～63B。

1.1　BD00031 號
1.3　妙法蓮華經卷四
1.4　地 031
1.5　105：5266
2.1　（4.2＋238）×26 厘米；5 紙；137 行，行 17 字。
2.2　01：4.2＋38.8，25；　02：49.8，28；　03：49.8，28；
04：49.8，28；　05：49.8，28。
2.3　卷軸裝。首殘尾脫。麻紙。卷首殘破較嚴重。1、2 紙接縫處上開裂。多水漬。有烏絲欄。
3.1　首 3 行中下殘→大正 262，9/27C18～21。
3.2　尾殘→9/30A7。
8　7～8 世紀。唐寫本。
9.1　楷書。
9.2　有硃筆校改。
11　圖版：《敦煌寶藏》，90/428B～432A。

1.1　BD00032 號
1.3　灌頂章句拔除過罪生死得度經
1.4　地 032
1.5　250：7474
2.1　（10.3＋604.3）×25.4 厘米；14 紙；339 行，行 17 字。
2.2　01：04.1，護首；　02：6.2＋38.4，26；
03：46.8，28；　04：47.2，28；
05：47.2，28；　06：47.1，28；
07：47.1，28；　08：47.1，28；
09：47.1，28；　10：47.1，28；
11：47.2，28；　12：47.1，28；
13：47.0，28；　14：47.9，05。
2.3　卷軸裝。首尾均全。殘存護首。第 2 紙有 1 塊殘片脫落，經文可相接；前數紙上邊下邊有撕裂殘損；卷尾有殘洞。有油

污、蟲繭。卷首背面有古代裱補。有烏絲欄。
3.1 首3行下殘→大正1331，21/532B7～12。
3.2 尾全→21/536B5。
4.1 佛說灌頂章句拔除過罪生死得度經（首）。
4.2 佛說藥師經一卷（尾）。
5 與《大正藏》本對照，此卷經文相當於《灌頂經》卷一二。
8 8～9世紀。吐蕃統治時期寫本。
9.1 楷書。
11 圖版：《敦煌寶藏》，106/373A～380A。

1.1 BD00033號
1.3 灌頂章句拔除過罪生死得度經
1.4 地033
1.5 250：7496
2.1 444.1×26.4厘米；11紙；256行，行17字。
2.2 01：42.2，25； 02：42.0，25； 03：41.9，25；
04：42.1，25； 05：42.2，25； 06：42.2，25；
07：42.1，25； 08：42.0，25； 09：42.1，25；
10：41.7，25； 11：23.6，06。
2.3 卷軸裝。首殘尾全。首紙內有橫殘；尾2紙接縫處中間開裂殘損，卷尾有殘損，有等距離蛀洞。有燕尾。有烏絲欄。已修整。
3.1 首殘→大正1331，21/533A26。
3.2 尾全→21/536B5。
4.2 佛說藥師經（尾）
8 7～8世紀。唐寫本。
9.1 楷書。
11 圖版：《敦煌寶藏》，106/481A～486B。

1.1 BD00034號
1.3 金剛般若波羅蜜經
1.4 地034
1.5 094：3588
2.1 （7.5+423.3+6.5）×26.5厘米；10紙；261行，行17字。
2.2 01：7.5+31.5，23； 02：47.0，28； 03：46.7，28；
04：46.8，28； 05：46.7，28； 06：46.7，28；
07：46.7，28； 08：46.7，28； 09：46.5，28；
10：18+6.5，14。
2.3 卷軸裝。首尾均殘。麻紙。本件多處殘破、開裂。卷面有污跡，疑為鳥糞。有烏絲欄。已修整。
3.1 首4行上下殘→大正235，8/748C23～26。
3.2 尾3行上中殘→8/752A12～14。
8 7～8世紀。唐寫本。
9.1 楷書。
11 圖版：《敦煌寶藏》，79/15A～20B。

1.1 BD00035號
1.3 藥師瑠璃光如來本願功德經
1.4 地035
1.5 030：0294
2.1 232.8×27.5厘米；6紙；140行，行17字。
2.2 01：42.0，25； 02：05.2，03； 03：46.5，28；
04：46.7，28； 05：47.0，28； 06：45.4，28。
2.3 卷軸裝。首尾均脫。第5紙首3至4行文字磨滅難辨，末紙上邊有蟲繭痕。有烏絲欄。已修整。
3.1 首殘→大正450，14/406A9。
3.2 尾殘→14/407C20。
8 7～8世紀。唐寫本。
9.1 楷書。
9.2 有刮改。
11 圖版：《敦煌寶藏》，57/650B～653B。

1.1 BD00036號
1.3 四分律戒本疏
1.4 地036
1.5 169：7037
2.1 （4.5+1086.5）×31厘米；26紙；733行，行27字。
2.2 01：4.5+5，07； 02：42.5，30； 03：42.5，30；
04：43.0，30； 05：42.5，30； 06：33.5，23；
07：44.5，27； 08：45.0，27； 09：45.0，27；
10：45.0，27； 11：45.0，27； 12：45.0，26；
13：45.0，26； 14：45.0，27； 15：45.0，27；
16：45.0，27； 17：44.0，33； 18：43.0，32；
19：42.5，31； 20：43.5，31； 21：43.5，31；
22：43.0，32； 23：43.0，30； 24：43.0，33；
25：39.5，31； 26：04.3，31。
2.3 卷軸裝。首殘尾全。卷首有等距離殘洞，第16紙上方撕裂。第1至16紙有烏絲欄，第17紙至卷尾為折疊欄或刻畫。末紙未入潢。
3.1 首3行中殘→大正2787，85/0567B08～12。
3.2 尾全→《西域文化研究》，1/155B16。
3.4 說明：
本文獻未為我國歷代大藏經所收。《大正藏》第85卷依據伯2064號錄文收入，首全尾殘。日本《西域文化研究》第一卷依據龍谷大學藏本第35號收入第199行到716行的錄文，上與《大正藏》本文字相接。本號基本完整，僅首部約殘缺500餘字。現分別依據《大正藏》本及《西域文化研究》本著錄對照項。
4.2 四分戒疏卷第一（尾）。
8 8～9世紀。吐蕃統治時期寫本。
9.1 楷書。
9.2 有重文號。有刮改。有倒乙。行間有硃墨兩色校加字。
11 圖版：《敦煌寶藏》，103/597B～610A。

1.1 BD00037 號
1.3 無量壽宗要經
1.4 地 037
1.5 275：7957
2.1 132×31.5 厘米；3 紙；79 行，行 30 餘字。
2.2 01：44.0，30； 02：44.0，30； 03：44.0，19。
2.3 卷軸裝。首脫尾全。有烏絲欄。
3.1 首殘→大正 936，19/83A23。
3.2 尾全→19/84C29。
4.2 佛說無量壽宗要經（尾）
7.1 尾題後有寫經生題名："索慎言"。
7.3 卷背有藏文雜寫 1 處。
8 8～9 世紀。吐蕃統治時期寫本。
9.1 楷書。
11 圖版：《敦煌寶藏》，108/360B～362A。

1.1 BD00038 號
1.3 受八關齋戒文
1.4 地 038
1.5 194：7143
2.1 444×29.2 厘米；11 紙；252 行，行 21 字。
2.2 01：41.0，19； 02：43.0，22； 03：43.0，22；
04：42.5，23； 05：43.0，27； 06：43.0，26；
07：43.0，27； 08：43.0，27； 09：42.0，27；
10：42.5，25； 11：18.0，07。
2.3 卷軸裝。首尾均全。各紙接縫均上開裂，第 8 紙下方撕裂。先粘接，後抄寫。卷中夾裹一塊無字殘片，與本卷紙色不同。
3.4 説明：
本文獻未為我國歷代大藏經所收。此類文獻敦煌遺書中存有多篇，行文各有參差，可參見伯 2668 號《受八關齋戒文》等。
4.1 受八關齋戒文（首）
7.3 卷背有雜寫"烹罪嫡後嗣"。
8 8～9 世紀。吐蕃統治時期寫本。
9.1 楷書。
9.2 文內有校改，行間有校加字。有倒乙。有塗抹。
11 圖版：《敦煌寶藏》，104/290A～295B。

1.1 BD00039 號
1.3 大般若波羅蜜多經卷一八六
1.4 地 039
1.5 084：2465
2.1 （6＋155）×26.2 厘米；4 紙；82 行，行 17 字。
2.2 01：6＋13.0，護首； 02：46.0，26； 03：48.0，28；
04：48.0，28。
2.3 卷軸裝。首殘尾脫。殘存護首。第 2 紙有縱向撕裂，第 2、3、4 紙接縫處下開裂。首紙背有蟲繭。有烏絲欄。已修整。
3.1 首全→大正 220，5/998C9。
3.2 尾殘→5/999C6。
4.1 大般若波羅蜜多經卷第一百八十六/初分難信解品第卌四之五，三藏法師玄奘奉詔譯/（首）。
8 8～9 世紀。吐蕃統治時期寫本。
9.1 楷書。
11 圖版：《敦煌寶藏》，73/387A～389A。

1.1 BD00040 號
1.3 金光明最勝王經卷八
1.4 地 040
1.5 083：1869
2.1 （11＋444.3）×25.4 厘米；11 紙；271 行，行 17 字。
2.2 01：11＋23.3，21； 02：42.0，25； 03：42.2，25；
04：41.8，25； 05：42.3，25； 06：42.3，25；
07：42.0，25； 08：42.2，25； 09：42.0，25；
10：42.2，25； 11：42.0，25。
2.3 卷軸裝。首殘尾脫。卷端破碎嚴重。脫落 1 塊殘片，文字可綴連，已修整綴接。卷中有撕裂。背有古代裱補。有烏絲欄。已修整。
3.1 首 5 行下殘→大正 665，16/438A19～27。
3.2 尾殘→16/441C10。
8 8～9 世紀。吐蕃統治時期寫本。
9.1 楷書。
11 圖版：《敦煌寶藏》，70/443A～448B。

1.1 BD00041 號 1
1.3 楞伽經禪門悉曇章
1.4 地 041
1.5 317：8368
2.1 （7＋148.5）×27.5 厘米；4 紙；81 行，行 20 餘字。
2.2 01：7＋29.0，20； 02：39.0，24； 03：40.5，24；
04：40.0，13。
2.3 卷軸裝。首殘尾缺。第 1、2 紙殘破。第 2 紙中間斷為 2 截。背有古代裱補。有折疊欄。已修整。
2.4 本遺書包括 2 個文獻：（一）《楞伽經禪門悉曇章》，26 行，今編為 BD00041 號 1。（二）《千手千眼觀世音菩薩廣大圓滿無礙大悲心陀羅尼經咒鈔》，55 行，今編為 BD00041 號 2。
3.1 首殘→《敦煌歌辭總編》，中/第 942 頁第 3 行。
3.2 尾全→《敦煌歌辭總編》，中/第 943 頁第 5 行。
8 9～10 世紀。歸義軍時期寫本。
9.1 楷書。
9.2 有重文號。
11 修整時從背面揭下古代裱補紙 3 塊，現分別編為 BD16293 號 A、BD16293 號 B、BD16293 號 C。
圖版：《敦煌寶藏》，110/85B～87B。

1.1 BD00041 號 2

1.3　千手千眼觀世音菩薩廣大圓滿無礙大悲心陀羅尼經咒鈔（擬）
1.4　地 041
1.5　317：8368
2.4　本遺書由 2 個文獻組成，本號為第 2 個，55 行。餘參見 BD00041 號 1 之第 2 項、第 11 項。
3.4　説明：

本文獻自第 27 行至卷末，共 55 行。共抄《千手千眼觀世音菩薩廣大圓滿無礙大悲心陀羅尼經》（《大正藏》第 1060 號）之偈頌、陀羅尼各一段，與《大悲咒》同系統陀羅尼（出處待考）一段，各有標題：

第 27 行，標題：千手千眼廣大圓滿無礙大悲心速超上地陀羅尼。

第 28 行～第 34 行→20/106C17～107A3。

第 35 行～第 36 行，標題：千手千眼觀世音菩薩廣大圓滿無礙大悲速超上地延壽應現與願陀羅尼。

第 29 行～53 行→20/107B25～C26。

第 53 行～第 55 行，標題：千手千眼廣大圓滿無礙大悲降伏九十五種邪道摧魔軍破業障總攝一切毒害惡賊消滅一切災怪延壽大法身陀羅尼。

第 55 行～第 81 行→出處待考。

本文獻前兩段均抄自《千手千眼觀世音菩薩廣大圓滿無礙大悲心陀羅尼經》，第三段雖然出處待考，但與《大悲咒》為同一系統，且與前兩段字跡一致，形態一致，應為一個整體。故將三段文字合定為一個文獻。

與《大正藏》本相比，本文獻第二段咒語的音譯用字略有不同，且音節序數有不同。

8　9～10 世紀。歸義軍時期寫本。
9.1　楷書
9.2　有重文號。

1.1　BD00042 號
1.3　金剛般若波羅蜜經
1.4　地 042
1.5　094：3585
2.1　（4＋452.5）×25.5 厘米；12 紙；272 行，行 17 字。
2.2　01：4＋0.5，02；　02：46.1，28；　03：23.5，14；
04：47.0，28；　05：46.5，28；　06：47.0，28；
07：47.0，28；　08：47.2，28；　09：46.7，28；
10：47.5，28；　11：47.0，28；　12：06.5，04。
2.3　卷軸裝。首尾均殘。第 5、6 紙有開裂撕裂。第 11、12 紙有横裂。卷面多水漬。背有古代裱補。首兩紙為後補。有烏絲欄。已修整。
3.1　首 2 行下殘→大正 235，8/749A1～2。
3.2　尾 2 行下殘→8/752B6～7。
7.3　第 3 紙背有雜寫“昊□”字。
8　7～8 世紀。唐寫本。
9.1　楷書。
11　圖版：《敦煌寶藏》，79/1A～6A。

1.1　BD00043 號 A
1.3　大般若波羅蜜多經卷三一
1.4　地 043
1.5　084：2084
2.1　20.7×25.1 厘米；1 紙；12 行，行 17 字。
2.3　卷軸裝，首殘尾脫。卷端有横向撕裂。有烏絲欄。已修整。
3.1　首殘→大正 220，5/170C9。
3.2　尾殘→5/170C21。
7.1　背面有勘記“第三十一”，為本文獻的卷次。
8　8～9 世紀。吐蕃統治時期寫本。
9.1　楷書。
11　圖版：《敦煌寶藏》，71/600A。

1.1　BD00043 號 B
1.3　大般若波羅蜜多經卷三四
1.4　地 043
1.5　084：2089
2.1　（1.2＋92.3）×25.5 厘米；3 紙；57 行，行 17 字。
2.2　01：01.2，01；　02：46.0，28；　03：46.3，28。
2.3　卷軸裝。首殘尾脫。卷端有横向撕裂。有烏絲欄。
3.1　首行上下殘→大正 220，5/187B22～23。
3.2　尾殘→5/188A22。
8　8～9 世紀。吐蕃統治時期寫本。
9.1　楷書。
11　圖版：《敦煌寶藏》，71/624B～625B。

1.1　BD00043 號 C
1.3　大般若波羅蜜多經卷三五
1.4　地 043
1.5　084：2095
2.1　51.1×25.2 厘米；2 紙；30 行，行 17 字。
2.2　01：04.9，02；　02：46.2，28。
2.3　卷軸裝。首殘尾脫。各紙下邊有撕裂。有烏絲欄。
3.1　首殘→大正 220，5/193B4。
3.2　尾殘→5/193C4。
7.1　首紙背端有勘記“卅五”，為本文獻的卷次。
8　8～9 世紀。吐蕃統治時期寫本。
9.1　楷書。
11　圖版：《敦煌寶藏》，71/646A～646B。

1.1　BD00044 號
1.3　長者女菴提遮師子吼了義經
1.4　地 044
1.5　049：0441

2.1　265×27.3 厘米；6 紙；151 行，行 17 字。
2.2　01：47.5，24；　02：48.0，28；　03：47.8，28；
　04：47.7，28；　05：48.0，28；　06：26.0，15。
2.3　卷軸裝。首全尾殘。卷面有墨筆污跡。下邊有等距離殘破。有烏絲欄。
3.1　首全→大正 580，14/962C18。
3.2　尾 4 行中下殘→14/964C19～22。
4.1　佛說長者女菴提遮師子吼了義經（首）。
8　8～9 世紀。吐蕃統治時期寫本。
9.1　楷書。
9.2　有行間校加字。
11　圖版：《敦煌寶藏》，59/166B～170A。

1.1　BD00045 號
1.3　金剛般若波羅蜜經
1.4　地 045
1.5　094：3646
2.1　483.6×26.5 厘米；12 紙；285 行，行 17 字。
2.2　01：42.0，26；　02：41.5，26；　03：42.5，26；
　04：42.5，25；　05：36.5，22；　06：42.2，26；
　07：42.5，25；　08：42.5，26；　09：42.5，25；
　10：43.0，25；　11：42.9，24；　12：23.0，09。
2.3　卷軸裝。首脫尾全。尾有木軸，兩端塗漆，咖啡色。首紙上下邊有豎裂，中部有橫裂。有烏絲欄。前後紙質不同。後 3 紙製造年代約為 7～8 世紀，前 9 紙製造年代為 9～10 世紀。卷面多水漬。
3.1　首殘→大正 235，8/749A15。
3.2　尾全→8/752C3。
4.2　金剛般若波羅蜜經（尾）
8　9～10 世紀。歸義軍時期寫本。
9.1　楷書。
11　圖版：《敦煌寶藏》，79/328A～334A。

1.1　BD00046 號
1.3　妙法蓮華經卷四
1.4　地 046
1.5　105：5416
2.1　（2.3＋96＋1.5）×29.6 厘米；3 紙；59 行，行 17 字。
2.2　01：2.3＋45.5，28；　02：47.3，28；
　03：3.2＋1.5，03。
2.3　卷軸裝。首尾均殘。有烏絲欄。
3.1　首行上殘→大正 262，9/35B28。
3.2　尾行殘→9/36B4。
8　9～10 世紀。歸義軍時期寫本。
9.1　楷書。
11　圖版：《敦煌寶藏》，91/433A～434A。

1.1　BD00047 號
1.3　佛名經（十六卷本）卷三
1.4　地 047
1.5　063：0623
2.1　235.4×25.8 厘米；5 紙；140 行，行 16 字。
2.2　01：47.1，28；　02：47.1，28；　03：47.1，28；
　04：47.1，28；　05：47.0，28。
2.3　卷軸裝。首尾均脫。經黃紙。第 2、3 紙接縫上開裂，第 4 紙有殘洞及橫向撕裂，第 4、5 紙開裂，第 5 紙尾有殘損。脫落為兩截。有烏絲欄。
3.1　首殘→《七寺古逸經典研究叢書》，3/第 126 頁第 132 行。
3.2　尾殘→《七寺古逸經典研究叢書》，3/第 136 頁第 271 行。
8　7～8 世紀。唐寫本。
9.1　楷書。
11　圖版：《敦煌寶藏》，60/452A～455A。

1.1　BD00048 號
1.3　妙法蓮華經卷一
1.4　地 048
1.5　105：4686
2.1　（153.5＋3.1）×25.1 厘米；4 紙；90 行，行 20 字（偈）。
2.2　01：50.4，28；　02：49.7，28；　03：46.8，28；
　04：6.6＋3.1，06。
2.3　卷軸裝。首脫尾殘。麻紙。卷首端有 2 處橫裂；第 2 紙至卷尾上部有等距殘損。有蟲繭。有烏絲欄。已修整。
3.1　首殘→大正 262，9/8B15。
3.2　尾 2 行上中殘→9/10B17～20。
8　7～8 世紀。唐寫本。
9.1　楷書。
11　圖版：《敦煌寶藏》，85/279B～281B。

1.1　BD00049 號
1.3　金剛般若波羅蜜經
1.4　地 049
1.5　094：3754
2.1　（9＋481.8）×26 厘米；11 紙；271 行，行 17 字。
2.2　01：9＋27.2，20；　02：49.5，28；　03：49.5，28；
　04：49.5，28；　05：49.5，28；　06：49.8，28；
　07：49.8，28；　08：48.0，27；　09：49.5，29；
　10：49.5，27；　11：10.0，拖尾。
2.3　卷軸裝。首殘尾全。第 1 紙中部殘損。第 1、2 紙間接縫開裂，第 3 紙下邊有殘損，第 10 紙上部豎裂。卷面有殘洞。有燕尾。前 9 紙有烏絲欄，後 2 紙無烏絲欄。已修整。
3.1　首 5 行上中殘→大正 235，8/749A25～B1。
3.2　尾全→8/752C3。
4.2　金剛般若波羅蜜經（尾）。
8　7～8 世紀。唐寫本。

9.1　楷書。本件前後字體不同。
11　圖版：《敦煌寶藏》，80/177A～184A。

1.1　BD00050 號
1.3　金光明最勝王經卷四
1.4　地 050
1.5　083：1662
2.1　（16.5+538.6）×26.5 厘米；14 紙；347 行，行 17 字。
2.2　01：13.5，8；　02：03+40.8，28；　03：44.0，28；
04：44.0，28；　05：44.2，28；　06：44.1，28；
07：44.0，25；　08：44.0，28；　09：44.2，28；
10：44.1，28；　11：44.0，28；　12：43.9，28；
13：44.0，28；　14：13.3，06。
2.3　卷軸裝。首殘尾全。首紙有鳥糞污跡。有烏絲欄。
3.1　首 10 行下殘→大正 665，16/418A12～22。
3.2　尾全→16/422B21。
4.2　金光明經卷第四（尾）。
5　第 7 紙有餘空，因抄錯經文而兑廢。第 8 紙經文與第 6 紙相接。反映了當時抄經的實際情況，可作爲研究抄經活動的資料。
7.3　卷背有墨筆雜寫“夫”。
8　8～9 世紀。吐蕃統治時期寫本。
9.1　楷書。
9.2　有行間校加字。第 7 紙上邊處墨書“兑”字。
11　圖版：《敦煌寶藏》，69/151B～159A。

1.1　BD00051 號
1.3　妙法蓮華經卷六
1.4　地 051
1.5　105：5799
2.1　311.6×26 厘米；6 紙；168 行，行 17 字。
2.2　01：52.0，28；　02：52.0，28；　03：52.0，28；
04：51.6，28　05：52.0，28；　06：52.0，28。
2.3　卷軸裝。首尾均脱。經黄紙。第 1 紙破損殘缺嚴重。第 2、3 紙接縫處有開裂，第 4、5 紙接縫處斷為兩截。首紙有鳥糞污痕。有烏絲欄。
3.1　首殘→大正 262，9/50B27。
3.2　尾殘→9/52C19。
8　7～8 世紀。唐寫本。
9.1　楷書。
11　圖版：《敦煌寶藏》，95/183A～187A。

1.1　BD00052 號
1.3　維摩詰所說經卷中
1.4　地 052
1.5　070：1062
2.1　（12+996.5）×25 厘米；22 紙；520 行，行 17 字。
2.2　01：02.0，01；　02：10+40.0，26；　03：50.0，26；
04：50.0，26；　05：50.0，26　06：50.5，26；
07：50.5，26；　08：50.5，26；　09：50.5，26；
10：50.5，26；　11：50.0，26；　12：50.5，26；
13：50.5，26；　14：50.0，26；　15：50.0，26；
16：50.0，26；　17：50.0，26；　18：50.0，26；
19：50.0，26；　20：50.0，26；　21：50.0，25；
22：03.0，拖尾。
2.3　卷軸裝。首殘尾全。卷首有等距離燒灼焦痕。卷中有撕裂殘損。有上下邊欄。
3.1　首 6 行下殘→大正 475，14/544B22～28。
3.2　尾全→14/551C26。
7.3　“不思議品第六”下有“一品”兩字，“觀眾生品第七”下有“二品”兩字。
8　9～10 世紀。歸義軍時期寫本。
9.1　楷書。
9.2　有行間校加字。
11　圖版：《敦煌寶藏》，64/592B～606B。

1.1　BD00053 號
1.3　妙法蓮華經卷二
1.4　地 053
1.5　105：4750
2.1　（9.4+818.4）×26 厘米；18 紙；495 行，行 17 字。
2.2　01：9.4+35.2，28；　02：44.7，28；　03：46.0，28；
04：46.4，28；　05：45.8，28；　06：45.7，28；
07：46.4，28；　08：45.8，28；　09：46.0，28；
10：46.6，28；　11：46.5，28；　12：46.4，28；
13：46.5，28；　14：46.5，28；　15：46.3，28；
16：46.4，28；　17：46.4，28；　18：44.2，19。
2.3　卷軸裝。首殘尾全。卷尾存原軸，軸頭被鋸掉。第 8～9 紙接縫處上開裂。第 12 紙經文有 1 字貼補。卷背有數處古代裱補。有烏絲欄。
3.1　首 6 行下殘→大正 262，9/12B8～14。
3.2　尾全→9/19A12。
4.2　妙法蓮華經卷第二（尾）。
8　7～8 世紀。唐寫本。
9.1　楷書。
11　圖版：《敦煌寶藏》，86/259B～270B。

1.1　BD00054 號
1.3　金剛仙論卷八
1.4　地 054
1.5　220：7312
2.1　（22+1075）×26.8 厘米；15 紙；663 行，行 17 字。
2.2　01：22+23.0，28；　02：78.0，48；　03：78.5，48；
04：78.5，48；　05：74.5，45；　06：74.5，45；

07：74.5，45；　08：74.5，45；　09：74.5，46；
10：74.0，46；　11：74.5，46；　12：74.5，46；
13：74.0，46；　14：74.5，46；　15：73.0，35。
2.3　卷軸裝。首殘尾全。第1、2紙下部殘缺，中部有殘洞；第14紙上方撕裂。卷面有等距離斑痕。有燕尾。有烏絲欄。
3.1　首14行中下殘→大正1512，25/852B3～16。
3.2　尾全→25/860A4。
4.2　金剛仙論卷第八（尾）
8　7～8世紀。唐寫本。
9.1　楷書。
9.2　有刮改。
11　圖版：《敦煌寶藏》，105/440A～453B。

1.1　BD00055號
1.3　沙彌威儀
1.4　地055
1.5　191：7140
2.1　（62＋305）×25.3厘米；8紙；222行，行17字。
2.2　01：44.0，26；　02：18＋28.0，28；　03：46.5，28；
04：46.0，28；　05：46.0，28；　06：46.0，28；
07：46.5，28；　08：46.0，28。
2.3　卷軸裝。首殘尾脫。卷端中部殘破嚴重，第4紙上方有殘洞，下方殘損。有烏絲欄。
3.1　首27行中殘→大正1472，24/932B13～C12。
3.2　尾殘→1472，24/935A3。
4.1　沙彌威儀［一卷］（首）。
8　7～8世紀。唐寫本。
9.1　楷書。
11　圖版：《敦煌寶藏》，104/282A～286B。

1.1　BD00056號
1.3　摩訶般若波羅蜜經（異卷）卷一一
1.4　地056
1.5　088：3434
2.1　（2.5＋655.7）×26.4厘米；16紙；396行，行17字。
2.2　01：02.5，02；　02：46.3，28；　03：46.0，28；
04：46.2，28；　05：46.2，28；　06：46.1，28；
07：46.1，28；　08：46.3，28；　09：46.2，28；
10：46.3，28；　11：46.3，28；　12：46.2，28；
13：46.5，28；　14：46.5，28；　15：46.5，28；
16：08.0，02。
2.3　卷軸裝。首殘尾全。打紙，研光上蠟。第2紙上下有殘損，13紙上邊有撕損。卷首背面有古代托裱。有烏絲欄。
3.1　首行上下殘→大正223，8/267B16。
3.2　尾全→8/272A27。
4.2　摩訶般若波羅蜜經卷第十一（尾）。
5　與《大正藏》本對照，卷次、品次不同，相當於《大正藏》本卷七。
8　7世紀。隋唐寫本。
9.1　楷書。
11　圖版：《敦煌寶藏》，77/615A～623B。

1.1　BD00057號
1.3　維摩詰所說經卷下
1.4　地057
1.5　070：1222
2.1　（13＋793.5）×26厘米；17紙；460行，行17字。
2.2　01：13＋32.5，26；　02：48.0，28；　03：48.0，28；
04：48.0，28；　05：48.0，28；　06：48.0，28；
07：48.0，28；　08：48.0，28；　09：48.5，28；
10：48.5，28；　11：48.5，28；　12：48.5，28；
13：48.5，28；　14：48.5，28；　15：48.5，28；
16：48.5，28；　17：37.0，14。
2.3　卷軸裝。首殘尾全。卷面多水漬。有烏絲欄。
3.1　首7行上殘→大正475，14/552A3～11。
3.2　尾全→14/557B26。
4.1　□…□，卷下（首）。
4.2　維摩詰經卷下（尾）。
5　與《大正藏》本對照，本經在經尾“皆大歡喜”之下，增加“作禮而去”4字。
8　8～9世紀。吐蕃統治時期寫本。
9.1　楷書。
11　圖版：《敦煌寶藏》，66/97B～107B。

1.1　BD00058號
1.3　妙法蓮華經卷五
1.4　地058
1.5　105：5470
2.1　909.4×25.5厘米；21紙；572行，行17字。
2.2　01：44.0，28；　02：44.1，28；　03：44.0，28；
04：44.1，28；　05：44.0，28；　06：44.0，28；
07：44.0，28；　08：44.0，28；　09：43.0，27；
10：44.0，28；　11：44.0，28；　12：44.0，28；
13：44.0，28；　14：44.2，28；　15：44.0，28；
16：44.3，28；　17：44.2，28；　18：44.0，28；
19：44.0，28；　20：44.0，28；　21：29.5，13。
2.3　卷軸裝。首脫尾全。第7、8紙接縫處下開裂，第9、10紙接縫處全開裂。背有古代裱補。有燕尾。有烏絲欄。
3.1　首脫→大正262，9/37C14。
3.2　尾全→9/46B14。
4.2　妙法蓮華經卷第五（尾）。
8　7～8世紀。唐寫本。
9.1　楷書。
9.2　有刮改。

11　圖版：《敦煌寶藏》，92/290B～304B。

1.1　BD00059 號
1.3　金剛頂經曼殊室利菩薩五字心陀羅尼品附真言雜鈔（擬）
1.4　地 059
1.5　231：7372
2.1　（5.7+547.5）×26.8 厘米；11 紙；298 行，行 17 字。
2.2　01：5.7+27.3，18；　02：52.1，28；　03：52.0，28；
04：52.1，28；　05：52.2，28；　06：52.0，28；
07：52.0，28；　08：51.9，28；　09：52.0，28；
10：52.0，28；　11：51.9，28。
2.3　卷軸裝。首殘尾脫。麻紙，未入潢。卷首背面有古代裱補，上有字跡，無法辨認。有烏絲欄。
3.1　首殘→大正 1173，20/710A15。
3.2　尾殘→20/713B11。
4.2　金剛頂經曼殊室利菩薩五字心陀羅尼品（尾）
5　與《大正藏》本相比，本文獻尾題下有一段真言，該真言有尾題"金剛頂經五字心陀羅尼經"。此後依次有四金剛定、四無量三昧等真言。又有"掘地真言"、"蓮花部母真言"、"不動尊菩薩真言"、"漱口灑淨真言"、"漱口結頂真言"。通篇為一人所書，風格一致。
7.3　卷端背面有雜寫："金光藏菩薩"5 字。
8　7～8 世紀。唐寫本。
9.1　楷書。
11　圖版：《敦煌寶藏》，105/615B～623B。

1.1　BD00060 號
1.3　妙法蓮華經卷三
1.4　地 060
1.5　105：5001
2.1　（9.8+943.5）×27.9 厘米；21 紙；539 行，行 17 字。
2.2　01：9.8+5.6，09；　02：46.5，27；　03：46.9，27；
04：46.4，27；　05：46.8，27；　06：46.7，27；
07：46.7，27；　08：46.8，27；　09：46.8，27；
10：46.8，27；　11：46.7，27；　12：46.9，27；
13：46.9，27；　14：47.0，27；　15：46.6，27；
16：47.6，27；　17：47.2，27；　18：47.2，27；
19：47.3，27；　20：47.2，27；　21：46.9，17。
2.3　卷軸裝。首殘尾全。尾存原軸，兩端塗棕色漆。第 2 紙前端有撕裂殘損，16、17 紙接縫處中間開裂，19、20 紙接縫處上開裂。15、16 紙接縫處背面有古代裱補。有等距離水漬。卷背有污漬，似鳥糞。有烏絲欄。
3.1　首 6 行上下殘→大正 262，9/19B7～12。
3.2　尾全→9/27B9。
4.2　妙法蓮華經卷第三（尾）。
8　7～8 世紀。唐寫本。
9.1　楷書。
9.2　有刮改。
11　圖版：《敦煌寶藏》，87/639A～652A。

1.1　BD00061 號 A
1.3　維摩詰所說經卷中
1.4　地 061
1.5　070：1143
2.1　（8+170）×26 厘米；4 紙；100 行，行 17 字。
2.2　01：8+20.5，16；　02：50.0，28；　03：50.0，28；
04：49.5，28。
2.3　卷軸裝。首殘尾脫。前 3 紙多處殘破，似為鼠嚙。卷端脫落 1 殘片，可與首 3 行下部相綴接。有等距離水漬。有烏絲欄。
3.1　首 4 行中上殘→大正 475，14/546C15～17。
3.2　尾殘→14/548A6。
8　8～9 世紀。吐蕃統治時期寫本。
9.1　楷書。
11　圖版：《敦煌寶藏》，65/465B～467B。

1.1　BD00061 號 B
1.3　無量壽宗要經
1.4　地 061
1.5　275：8145
2.1　（82+16）×27.5 厘米；3 紙；59 行，行 17 字。
2.2　01：36.0，22；　02：46.0，28；　03：16.0，09。
2.3　卷軸裝。首尾均殘。第 1 紙殘破嚴重。有烏絲欄。
3.1　首殘→大正 936，19/83A9。
3.2　尾 9 行中下殘→19/83C5～13。
8　8～9 世紀。吐蕃統治時期寫本。
9.1　楷書。
11　圖版：《敦煌寶藏》，109/136B～137B。

1.1　BD00062 號
1.3　四分律比丘戒本
1.4　地 062
1.5　156：6854
2.1　（27+759.5）×27 厘米；19 紙；正面 473 行，行 21 字。背面 29 行，行字不等。
2.2　01：27+04.5，19；　02：41.0，25；　03：41.0，25；
04：41.0，25；　05：41.0，25；　06：41.0，25；
07：41.0，25；　08：41.0，25；　09：41.0，25；
10：41.0，25；　11：41.0，25；　12：41.0，25；
13：41.0，25；　14：38.0，22；　15：45.0，28；
16：45.5，28；　17：45.5，28；　18：45.5，28；
19：43.5，20。
2.3　卷軸裝。首殘尾全。第 2 紙有撕裂破損，尾端橫向撕裂，斷裂處緊有麻繩。有烏絲欄。
2.4　本遺書包括 3 個文獻：（一）《四分律比丘戒本》，473 行，

抄寫在正面，今編為 BD00062 號。（二）《患文》，共 14 行，抄寫在背面，今編為 BD00062 號背 1。（三）《社文》，15 行，抄寫在背面，今編為 BD00062 號背 2。
3.1　首 16 行下殘→大正 1429，22/1016B22～08。
3.2　尾全→22/1023A11。
4.2　四分戒本（尾）。
7.3　第 4 紙行間、下端雜寫“遣、優、婦”等字。背面有雜寫“若”等字。
8　8～9 世紀。吐蕃統治時期寫本。
9.1　楷書。
9.2　有硃筆校改。有行間校加字。有刮改。
11　圖版：《敦煌寶藏》，102/242A～253A。

1.1　BD00062 號背 1
1.3　患文（擬）
1.4　地 062
1.5　156：6854
2.4　本遺書由 3 個文獻組成，本號為第 2 個，14 行，抄寫在背面。餘參見 BD00062 號之第 2 項、第 11 項。
3.3　錄文：

慈悲普化，遍滿閻浮。大覺威雄，度群生於六道。/故所（使）維摩現疾，託在毗耶。諸賢問疾之徒，往/於方丈之室。菩薩現病，應品類之根機；馬麥金/擳，表眾生之本葉（業）。然今意者，病患之也。唯公/乃四大假合，厎疾纏身；百節酸疼，六情恍忽。雖復（服）/人間藥餌，世上醫王、諸佛如來，為種種療治，未/蒙詮損。復問（聞）三保（寶）之力，是出世法王；諸佛如來，為死（四）/生之慈父。所以危中告佛，厄乃求僧。仰託三尊，/請求家（加）護。唯願恒用加他之妙藥，濟六道之/沉疴。自在神通，拔天人之重病。故知請（諸?）佛聖/力，不可思儀（議）。所有投成（誠），皆蒙利益。以此功德，先/用莊嚴患者即體。唯願觀音加（嘉）月灑芳，亦/以清金（淨）大聖垂花（化）。扇香風而湯（蕩）慮。然則六塵、/八苦長消。延惠命於千令（齡），堅法身行十力。/

（錄文完）

8　8～9 世紀。吐蕃統治時期寫本。
9.1　楷書。
11　參見《敦煌雜錄》，第 285 頁。《敦煌願文集》，第 676 頁。

1.1　BD00062 號背 2
1.3　社文
1.4　地 062
1.5　156：6854
2.4　本遺書由 3 個文獻組成，本號為第 3 個，15 行。餘參見 BD00062 號 1 之第 2 項、第 11 項。
3.3　錄文：

社文

夫開運，鑒昏衢，津萬物者，佛也。破業障，生惠/牙（芽），豁巨海，倒邪山者，法也。寔（實）福田，豎〈量〉良因，崇舟檝/者，僧也。始知三寶福田，其大矣哉。凡有歸依，皆蒙利益。/然今此會焚香所陳意者，時有官錄已下諸公等，惟三長/邑義之家（嘉）會也。惟諸公等並是宗枝豪族，異姓孔懷，/簡是良朋，釋（擇）諸賢友，綴資勝業，廣豎珍修（饈）。持珠/翠而施眾僧，奉今（金）鈿而戲賢聖。悟火宅之［□］暑，共結良/緣。知生滅以非真，建資（玆）勝福。資家［資］國，傍及三塗。有識/有心，俱臻此祐。於是掃灑衢陌，懸烈（列）繒幡，嚴飾閭/閻，敷張寶座。［請］諸佛，延名僧。陳百味之珍羞（饈），焱六殊之芬/馥。總斯福善，先用莊嚴官錄已下諸公等，惟願無/邊罪障，即日消除，無量善因，此時云（雲）集。法財自富，惠/命遐長。災害不入于門庭，障例（厲）勿侵於巷陌。家家決（快）樂，/室室歡娛。齋主助筵，咸蒙吉慶。然後干戈永息，/風雨順時。法界蒼生，同霑玆福。/

（錄文完）

8　8～9 世紀。吐蕃統治時期寫本。
9.1　楷書。
11　參見《敦煌雜錄》，第 297 頁。《敦煌願文集》，第 632 頁。

1.1　BD00063 號
1.3　妙法蓮華經卷三
1.4　地 063
1.5　105：5091
2.1　760.9×25.8 厘米；15 紙；417 行，行 17 字。
2.2　01：51.1，28；　02：50.7，28；　03：50.7，28；
04：50.6，28；　05：50.7，28；　06：50.7，28；
07：50.7，28；　08：50.6，28；　09：50.7，28；
10：50.8，28；　11：50.8，28；　12：50.8，28；
13：50.8，28；　14：50.7，28；　15：50.5，25。
2.3　卷軸裝。首脫尾全。經黃紙，打紙。卷上部有水漬與黴斑。首紙下有殘損。卷尾有蟲繭。有烏絲欄。
3.1　首殘→大正 262，9/21A12。
3.2　尾全→9/27B9。
4.2　妙法蓮華經卷第三（尾）
8　7～8 世紀。唐寫本。
9.1　楷書。
11　圖版：《敦煌寶藏》，88/603A～614B。

1.1　BD00064 號
1.3　妙法蓮華經卷六
1.4　地 064
1.5　105：5733
2.1　883.5×25 厘米；21 紙；417 行，行 17 字。
2.2　01：41.8，20；　02：42.0，20；　03：42.4，20；
04：42.2，20；　05：42.0，20；　06：42.2，20；
07：42.2，20；　08：42.3，20；　09：42.2，20；
10：42.4，20；　11：42.2，20；　12：42.2，20；

13：42.4，20；　14：42.3，20；　15：42.3，20；
16：42.3，20；　17：42.4，20；　18：42.2，20；
19：42.3，20；　20：42.2，20；　21：39.0，17。
2.3　卷軸裝。首斷尾全。經黄紙，打紙。第18、19紙接縫處有開裂。有烏絲欄，天地為方格欄。
3.1　首殘→大正262，9/49B16。
3.2　尾全→9/55A9。
4.2　妙法蓮華經卷第六（尾）。
8　7～8世紀。唐寫本。
9.1　楷書。
11　圖版：《敦煌寶藏》，94/494A～506A。

1.1　BD00065號
1.3　正法華經（七卷本）卷四
1.4　地065
1.5　107：6194
2.1　230.1×25.5厘米；5紙；140行，行17字。
2.2　01：46.3，28；　02：45.6，28；　03：46.0，28；
04：46.2，28；　05：46.0，28。
2.3　卷軸裝。首尾均脱。經黄紙，打紙。卷面多斑點。有油污。有烏絲欄。
3.1　首殘→大正263，9/97B22。
3.2　尾殘→9/99B18。
5　與《大正藏》本相比，分卷不同，存文相當於《大正藏》本卷五之末與卷六之首。據《開元釋教録》，《正法華經》有七卷本，則本號應為七卷本。暫定為卷四，詳情待考。
8　7～8世紀。唐寫本。
9.1　楷書。
11　圖版：《敦煌寶藏》，97/237A～240A。

1.1　BD00066號
1.3　佛藏經（四卷本）卷二
1.4　地066
1.5　145：6776
2.1　776.3×25厘米；17紙；419行，行17字。
2.2　01：22.5，護首；　02：47.7，27；　03：49.5，28；
04：49.5，28；　05：49.8，28；　06：49.7，28；
07：49.8，28；　08：49.8，28；　09：49.9，28；
10：49.5，27；　11：49.6，28；　12：49.7，27；
13：49.2，27；　14：50.0，27；　15：49.8，28；
16：49.3，28；　17：11.0，4。
2.3　卷軸裝。首尾均全。護首殘損，有竹製天竿，有醬色縹帶。有烏絲欄。
3.1　首全→大正653，15/788A25。
3.2　尾全→15/793A17。
4.1　佛藏經淨戒品第五，二（首）。
4.2　佛藏經卷第二（尾）。
5　與《大正藏》本相比，分卷不同。存文相當於卷一後半部分與卷二前半部分。
7.4　護首有經名“佛藏經卷第二”，上有經名號。
8　9～10世紀。歸義軍時期寫本。
9.1　楷書。
9.2　有刮改。
11　圖版：《敦煌寶藏》，101/547B～557B。

1.1　BD00067號
1.3　僧伽吒經卷一
1.4　地067
1.5　025：0240
2.1　（435.6＋13.5）×26.1厘米；10紙；264行，行17字。
2.2　01：43.5，20；　02：46.5，28；　03：46.5，28；
04：46.5，28；　05：46.5，28；　06：46.0，28；
07：46.8，28；　08：47.0，28；　09：46.8，28；
10：19.5＋13.5，20。
2.3　卷軸裝。首斷尾殘。打紙，砑光上蠟。有多處撕裂。第3、4紙背及尾紙背有古代裱補。卷端脱落1塊殘片，文字可與首2行相接。有烏絲欄。已修整。
3.1　首殘→大正423，13/959C24。
3.2　尾8行下殘→13/963A11～18。
8　7世紀。隋唐寫本。
9.1　楷書。
11　圖版：《敦煌寶藏》，57/402A～408A。

1.1　BD00068號
1.3　金光明最勝王經卷四
1.4　地068
1.5　083：1692
2.1　（3＋365.1）×25厘米；9紙；正面213行，行17字；背面33行，行字不等。
2.2　01：03＋28.40，2；　02：38.6，25；　03：39.3，25
04：48.7，30；　05：48.5，29；　06：48.3，29；
07：48.5，29；　08：47.8，26；　09：17.0，拖尾。
2.3　卷軸裝。首殘尾全。通卷碎爛嚴重，掉下一小塊殘片，可與原卷綴接。背有古代裱補。有燕尾。有烏絲欄。
2.4　本遺書包括2個文獻：（一）《金光明最勝王經》卷四，213行，抄寫在正面，今編為BD00068號。（二）《佛名經》（十六卷本）卷一，33行，分别抄寫在背面3塊裱補紙上，今編為BD00068號背。
3.1　首2行下殘→大正665，16/419C11～13。
3.2　尾全→16/422B21。
4.2　金光明最勝王經卷第四（尾）
8　9～10世紀。歸義軍時期寫本。
9.1　楷書。
11　圖版：《敦煌寶藏》，69/296A～300B。

1.1　BD00068 號背
1.3　佛名經（十六卷本）卷一
1.4　地 068
1.5　083：1692
2.4　本遺書由 2 個文獻組成，本號為第 2 個，共計 33 行，分別抄寫在背面 3 塊古代裱補紙上。餘參見 BD00068 號之第 2 項、第 11 項。
3.4　說明：
　　3 塊古代裱補紙所抄均為《佛說佛名經》（十六卷本）卷一之禮懺文，詳情如下：
　　（A）26 行，通卷下殘。存文參見《七寺古逸經典研究叢書》，3/第 27 頁第 4 行 ~ 第 29 頁第 12 行。
　　（B）2 行，存文參見《七寺古逸經典研究叢書》，3/第 34 頁第 10 行 ~ 第 34 頁第 13 行。
　　（C）5 行，右上殘缺。存文參見《七寺古逸經典研究叢書》，3/第 35 頁第 1 行 ~ 第 29 頁第 8 行。
　　上述 B、C 兩塊殘片可以綴接。次序為 B→C。
8　9 ~ 10 世紀。歸義軍時期寫本。
9.1　楷書。

1.1　BD00069 號
1.3　金光明最勝王經卷二
1.4　地 069
1.5　083：1570
2.1　（2 + 172.7）× 25.5 厘米；4 紙；99 行，行 17 字。
2.2　01：2 + 37.5，24；　02：45.2，28；　03：45.0，28；　04：45.0，19。
2.3　卷軸裝。首殘尾全。下邊殘破，上下邊撕裂。卷尾有蟲繭。有烏絲欄。
3.1　首殘→大正 665，16/412B25。
3.2　尾全→16/413C6。
4.2　金光明最勝王經卷第二（尾）。
5　尾附音義。
8　8 ~ 9 世紀。吐蕃統治時期寫本。
9.1　楷書。
11　圖版：《敦煌寶藏》，68/404A ~ 406A。

1.1　BD00070 號
1.3　金剛般若波羅蜜經
1.4　地 070
1.5　094：3651
2.1　（5 + 529.2）× 25 厘米；13 紙；297 行，行 17 字。
2.2　01：5 + 27.5，19；　02：43.8，25；　03：32.5，18；　04：42.3，24；　05：42.8，24；　06：43.0，24；　07：42.9，24；　08：42.9，24；　09：42.7，24；　10：41.0，23；　11：42.8，24；　12：43.0，24；　13：42.0，20。
2.3　卷軸裝。首殘尾全。第 1 紙 6 ~ 16 行下殘。第 3、4 紙背有古代裱補。有烏絲欄。前 2 紙與後 11 紙紙質字體不同，係後補。有燕尾。
3.1　首 3 行上殘→大正 235，8/748C28 ~ 749A1。
3.2　尾全→8/752C3。
4.2　金剛般若波羅蜜經（尾）。
8　7 ~ 8 世紀。唐寫本。
9.1　楷書。
9.2　有刮改。自第 3 紙起有硃筆斷句。
11　圖版：《敦煌寶藏》，79/352A ~ 358B。

1.1　BD00071 號 A
1.3　大方廣佛華嚴經（唐譯八十卷本）卷七一
1.4　地 071
1.5　002：0066
2.1　48.5 × 25.7 厘米；1 紙；27 行，行 17 字。
2.2　卷軸裝，首尾均脫。有烏絲欄。已修整。
3.1　首殘→大正 279，10/387C3。
3.2　尾殘→10/388A16。
8　8 世紀。唐寫本。
9.1　楷書。
9.2　卷中有行間加行 1 處。
11　圖版：《敦煌寶藏》，56/268A ~ 268B。

1.1　BD00071 號 B
1.3　金光明最勝王經卷一
1.4　地 071
1.5　083：1484
2.1　（7.9 + 82.7 + 87.8）× 24.5 厘米；5 紙；101 行，行 17 字。
2.2　01：02.6，01；　02：5.3 + 38.7，25；　03：44.0，25；　04：44.0，25；　05：43.8，25。
2.3　卷軸裝。首殘尾脫。經黃紙，打紙。全卷破碎嚴重。背有古代裱補。有烏絲欄。已修整。
3.1　首 4 行中下殘→大正 665，16/406A12 ~ 16。
3.2　尾 50 行下殘→16/407A1 ~ B25。
8　7 ~ 8 世紀。唐寫本。
9.1　楷書。
11　圖版：《敦煌寶藏》，68/79B ~ 82A。

新舊編號對照表

一、千字文號與北敦號、縮微膠卷號對照表

千字文號	北敦號	縮微膠卷號
地 001	BD00001 號	084:2510
地 001	BD00001 號背	084:2510
地 002	BD00002 號	063:0746
地 002	BD00002 號背	063:0746
地 003	BD00003 號	105:5695
地 004	BD00004 號	084:2630
地 004	BD00004 號背	084:2630
地 005	BD00005 號	084:2603
地 006	BD00006 號	084:2237
地 007	BD00007 號	105:4994
地 008	BD00008 號	111:6248
地 009	BD00009 號	070:1097
地 010	BD00010 號	070:0947
地 011	BD00011 號	084:2422
地 012	BD00012 號	063:0818
地 013	BD00013 號	105:5903
地 014	BD00014 號	157:6901
地 015	BD00015 號	084:2852
地 016	BD00016 號	030:0252
地 017	BD00017 號	372:8454
地 017	BD00017 號背	372:8454
地 018	BD00018 號	070:1159
地 019	BD00019 號	105:6135
地 019	BD00019 號背	105:6135
地 020	BD00020 號	119:6605
地 021	BD00021 號	094:4185
地 022	BD00022 號	105:5374
地 023	BD00023 號 A	084:2681
地 023	BD00023 號 B	094:4284
地 024	BD00024 號	094:4259
地 025	BD00025 號	275:7956
地 026	BD00026 號	105:5933
地 027	BD00027 號	111:6240
地 028	BD00028 號	105:5581
地 029	BD00029 號	105:4573
地 030	BD00030 號	094:4082
地 031	BD00031 號	105:5266
地 032	BD00032 號	250:7474
地 033	BD00033 號	250:7496
地 034	BD00034 號	094:3588
地 035	BD00035 號	030:0294
地 036	BD00036 號	169:7037
地 037	BD00037 號	275:7957
地 038	BD00038 號	194:7143
地 039	BD00039 號	084:2465
地 040	BD00040 號	083:1869
地 041	BD00041 號 1	317:8368
地 041	BD00041 號 2	317:8368
地 042	BD00042 號	094:3585
地 043	BD00043 號 A	084:2084
地 043	BD00043 號 B	084:2089
地 043	BD00043 號 C	084:2095
地 044	BD00044 號	049:0441
地 045	BD00045 號	094:3646
地 046	BD00046 號	105:5416
地 047	BD00047 號	063:0623
地 048	BD00048 號	105:4686
地 049	BD00049 號	094:3754
地 050	BD00050 號	083:1662
地 051	BD00051 號	105:5799
地 052	BD00052 號	070:1062
地 053	BD00053 號	105:4750
地 054	BD00054 號	220:7312
地 055	BD00055 號	191:7140
地 056	BD00056 號	088:3434
地 057	BD00057 號	070:1222
地 058	BD00058 號	105:5470
地 059	BD00059 號	231:7372

地 060	BD00060 號	105:5001
地 061	BD00061 號 A	070:1143
地 061	BD00061 號 B	275:8145
地 062	BD00062 號	156:6854
地 062	BD00062 號背 1	156:6854
地 062	BD00062 號背 2	156: 6854
地 063	BD00063 號	105:5091
地 064	BD00064 號	105:5733
地 065	BD00065 號	107:6194
地 066	BD00066 號	145:6776
地 067	BD00067 號	025:0240
地 068	BD00068 號	083:1692
地 068	BD00068 號背	083:1692
地 069	BD00069 號	083:1570
地 070	BD00070 號	094:3651
地 071	BD00071 號 A	002:0066
地 071	BD00071 號 B	083:1484

二、縮微膠卷號與北敦號、千字文號對照表

縮微膠卷號	北敦號	千字文號
002:0066	BD00071 號 A	地 071
025:0240	BD00067 號	地 067
030:0252	BD00016 號	地 016
030:0294	BD00035 號	地 035
049:0441	BD00044 號	地 044
063:0623	BD00047 號	地 047
063:0746	BD00002 號	地 002
063:0746	BD00002 號背	地 002
063:0818	BD00012 號	地 012
070:0947	BD00010 號	地 010
070:1062	BD00052 號	地 052
070:1097	BD00009 號	地 009
070:1143	BD00061 號 A	地 061
070:1159	BD00018 號	地 018
070:1222	BD00057 號	地 057
083:1484	BD00071 號 B	地 071
083:1570	BD00069 號	地 069
083:1662	BD00050 號	地 050
083:1692	BD00068 號	地 068
083:1692	BD00068 號背	地 068
083:1869	BD00040 號	地 040
084:2084	BD00043 號 A	地 043
084:2089	BD00043 號 B	地 043
084:2095	BD00043 號 C	地 043
084:2237	BD00006 號	地 006
084:2422	BD00011 號	地 011
084:2465	BD00039 號	地 039
084:2510	BD00001 號	地 001
084:2510	BD00001 號背	地 001
084:2603	BD00005 號	地 005
084:2630	BD00004 號	地 004
084:2630	BD00004 號背	地 004
084:2681	BD00023 號 A	地 023
084:2852	BD00015 號	地 015
088:3434	BD00056 號	地 056
094:3585	BD00042 號	地 042
094:3588	BD00034 號	地 034
094:3646	BD00045 號	地 045
094:3651	BD00070 號	地 070
094:3754	BD00049 號	地 049
094:4082	BD00030 號	地 030
094:4185	BD00021 號	地 021
094:4259	BD00024 號	地 024
094:4284	BD00023 號 B	地 023
105:4573	BD00029 號	地 029
105:4686	BD00048 號	地 048
105:4750	BD00053 號	地 053
105:4994	BD00007 號	地 007
105:5001	BD00060 號	地 060
105:5091	BD00063 號	地 063
105:5266	BD00031 號	地 031
105:5374	BD00022 號	地 022
105:5416	BD00046 號	地 046
105:5470	BD00058 號	地 058
105:5581	BD00028 號	地 028
105:5695	BD00003 號	地 003
105:5733	BD00064 號	地 064
105:5799	BD00051 號	地 051
105:5903	BD00013 號	地 013
105:5933	BD00026 號	地 026
105:6135	BD00019 號	地 019
105:6135	BD00019 號背	地 019
107:6194	BD00065 號	地 065
111:6240	BD00027 號	地 027

111:6248	BD00008 號	地 008
119:6605	BD00020 號	地 020
145:6776	BD00066 號	地 066
156:6854	BD00062 號	地 062
156:6854	BD00062 號背 1	地 062
156: 6854	BD00062 號背 2	地 062
157:6901	BD00014 號	地 014
169:7037	BD00036 號	地 036
191:7140	BD00055 號	地 055
194:7143	BD00038 號	地 038
220:7312	BD00054 號	地 054
231:7372	BD00059 號	地 059
250:7474	BD00032 號	地 032
250:7496	BD00033 號	地 033
275:7956	BD00025 號	地 025
275:7957	BD00037 號	地 037
275:8145	BD00061 號 B	地 061
317:8368	BD00041 號 1	地 041
317:8368	BD00041 號 2	地 041
372:8454	BD00017 號	地 017
372:8454	BD00017 號背	地 017